II. Concordancia de Palabras Ugaríticas

en morfología desplegada

BANCO DE DATOS FILOLÓGICOS SEMÍTICOS NOROCCIDENTALES

Conceptor: Jesús-Luis Cunchillos

PRIMERA PARTE: DATOS UGARÍTICOS

II. CONCORDANCIA DE PALABRAS UGARÍTICAS

EN MORFOLOGÍA DESPLEGADA

Autores: Jesús-Luis Cunchillos y Juan-Pablo Vita

II.3

Apéndices e índices

CONSEJO SUPERIOR DE INVESTIGACIONES CIENTÍFICAS

INSTITUCIÓN FERNANDO EL CATÓLICO

MADRID - ZARAGOZA, 1995

COLABORACIÓN TÉCNICA:

L.-A. Ruiz , J.-A. Zamora y J.-M. Galán

COLABORACIÓN CIENTÍFICA:

B. André, Musée du Louvre - Paris (Francia)
C. Bonnet, Université de Namur (Bélgica)
P. Bordreuil, CNRS - Paris (Francia)
J. Cuena, Universidad Politécnica de Madrid (España)
J.-M. Galán, CSIC - Madrid (España)
M-P. García-Bellido, CSIC - Madrid (España)
A. García-Serrano, Universidad Politécnica de Madrid (España)
F. Malbran, CNRS - Paris (Francia)
M. Molina, CSIC - Madrid (España)
D. Pardee, Chicago University (USA)
C.-J. Pérez, TDB, Cádiz (España)
D. Ruiz-Mata, Universidad de Cádiz (España)
S. Ribbichini, CNR - Roma (Italia)
P. Xella, CNR - Roma (Italia)

Este libro forma parte del PB 89/0040 y del PB 93/0107
subvencionado por la DGICYT

ISBN: 84-00-07489-0 (Obra completa)
ISBN: 84-00-07488-2 (Vol. III)
Depósito legal: S. 325-1995
Impreso en España. Printed in Spain.
Composición tipográfica y maquetado: ESN
Impresión: EUROPA Artes Gráficas, S. A.
Sánchez Llevot, 1 Teléf. (923) 22 22 50
37005 Salamanca
Pedidos: Servicio de Publicaciones del CSIC. Vitrubio, 8. 28006 Madrid.
Servicio de Publicaciones de la IFC. Plaza de España, 2. 50071 Zaragoza

Concordancia de palabras ugaríticas

Apéndice I:

Cadenas Grafemáticas Restituibles

—-ah

nº CGR-1 Ocurrencias: 1

Posibles restituciones: bah, ynʿrah, mẓah.

Mítica

00-1.63:8 […]k̊/r̊b • […]-ah • […]b̊/d̊d

—-at

nº CGR-2 Ocurrencias: 1

Posibles restituciones: at, bat, dat, ḫṭat, ḫmat, ḫrpat, yṣat, kat, klat, ksat, ktldat, mat, mlat, mmlat, mrat, nat, nblat, nšat, ʿnqpat, pat, ṣat, qbat, qrat, šṣat, ṯat.

Mítica

00-1.23:73 w nlḥm̊ . hm . it̊[… w]t̊n̊ . w nšt • w ʿn hm . nǵr mdrʿ […]-åt̊ • iṯ . yn . d ʿrb . b ṯk[…]

—-ik

nº CGR-3 Ocurrencias: 1

Posibles restituciones: ik, lik, mrik, tlik.

Mítica

00-1.11:14 […]qk • […]-ik̊ • […]--

—-im

nº CGR-4 Ocurrencias: 1

Posibles restituciones: im, iqnim, yrgblim, lim, lbim, llim, mrim, ṣbim, qnim, rpim, šim.

Administración

00-4.373:3 […]- . skn • […]-im . bʿd • […]šḥr . atlgn

—-ip

nº CGR-5 Ocurrencias: 1

Posibles restituciones: ip, bʿlsip, yip, sip.

Mítica

00-1.5:V:2 […]- å̊l̊iyn • [bʿl …]-i̊p . dprk • […]m̊mnk . ššrt

—-ir

nº CGR-6 Ocurrencias: 1

Posibles restituciones: ir, iškir, ištir, bir, hškir, yṯir, pškir, šir.

Administración

00-4.258:12 […]- . ksp . … […] • […]-ir … […] • […] . ʿl . ynḥ[m …]

—-iṯ—

nº CGR-7 Ocurrencias: 1

Posibles restituciones: iṯ, iṯb, iṯg, iṯk, iṯl, iṯm, iṯmh, iṯrhw, iṯrm, iṯt, iṯtbnm, iṯtl, iṯtqb, iṯtr, ḫiṯ.

Ritual

00-1.107:33 […]-[…]r̊ṣ . bdh . yd̊rm̊[.]p̊i̊t[.]adm • […]-iṯ[…] . yšql . yṯk[…]h̊n pbl . hn • […]-ṭb̊(?)t . pẓr . pẓr̊ . w . p nḥš

—-ug-—

nº CGR-8 Ocurrencias: 1

Posibles restituciones: ugʿḏr, ugʿr, ugr, ugry, ugrm, ugrt, ugrty, ugrtym, ugrtn.

Administración

00-4.315:7 … • […]-l̊/ůg-[…] • ṯrdn[…]

—-bb

nº CGR-9 Ocurrencias: 1

Posibles restituciones: inbb, bb, dbb, ḏbb, ḫbb, rbb.

Administración

00-4.214:II:16 bn . ḫrš • [bn . …]-bb̊/ẙ/ṣ̊ • […]-

—-bd

nº CGR-10 Ocurrencias: 2

Posibles restituciones: abd, ilbd, itbd, bd, dbd, hʾbd, ḫbd, yabd, yitbd, ybd, ykbd, yʿbd, kbd, mʿbd, mrbd, ndbd, sbd, ʿbd, qbd, riʿbd, rbd, tubd, tbd, tkbd, trbd.

Administración

00-4.239:3 ----- • […]-bd . ṯlṯm • […]-r . ṯt

00-4.447:1 … • […]-bd . ur̊š[…] • -----

—-bd—

nº CGR-11 Ocurrencias: 1

Posibles restituciones: **abd, abdg, abdḫr, abdy, abdʿn, arbdd, ilbd, itbd, ubdit, ubdy, ubdym, bd, bdil, bddn, bdh, bdhm, bdy, bdyn, bdk, bdl, bdlm, bdm, bdn, bdqt, dbd, hʾbd, ḫbd, yabd, yitbd, ybd, ybdn, ykbd, ykbdnh, yʿbd, yʿbdr, kbd, kbdh, kb̆dy, kbdk, kbdm, kbdn, kbdt, kbdthm, lbdm, mʿbd, mrbd, mrbdt, nbdg, ndbd, ntbdh, sbd, ʿbd, ʿbdadt, ʿbdil, ʿbdilm, ʿbdilt, ʿbdbʿl, ʿbdgṯr, ʿbdh, ʿbdḫ, ʿbdḫgb, ʿbdḫy, ʿbdḫr, ʿbdḫmn, ʿbdy, ʿbdym, ʿbdyrḫ, ʿbdyrǵ, ʿbdk, ʿbdkb, ʿbdkṯr, ʿbdlbit, ʿbdm, ʿbdmhr, ʿbdmlk, ʿbdn, ʿbdnkl, ʿbdnt, ʿbdssm, ʿbdʿn, ʿbdʿnt, ʿbdʿṯtr, ʿbdpr, ʿbdrpu, ʿbdrš, ʿbdršp, ʿbdrṯ, ʿbdšḫr, ʿbdṯrm, qbd, riʿbd, rbd, tubd, tbd, tbdn, tkbd, tkbdh, tkbdnh, trbd.**

Fragmentos Varios

00-7.176:8 … • […]-b̊d̊(?)[…] • […]štn[…]

—-by

nº CGR-12 Ocurrencias: 1

Posibles restituciones: aby, aglby, iby, iliby, irby, uby, ulby, bby, by, gby, dby, ḥby, ḥgby, ḫby, ḫlby, yʿby, kbby, kby, klby, lby, mʿqby, mʿrby, nby, ndby, ʿby, ʿlby, ǵby, qby, riby, rkby, tby, tlby, ṯby, ṯlrby, ṯqby.

Administración

00-4.214:II:16 bn . ḥrš • [bn . …]-bb̊/ẙ/ṣ̊ • […]-

—-bl

nº CGR-13 Ocurrencias: 1

Posibles restituciones: abbl, abl, alkbl, irbl, bl, gbl, dbl, zbl, ḥbl, ḫbl, ybl, yšbl, kbl, mgbl, nbl, nḥbl, npbl, šbl, ʿbl, ǵbl, pbl, pnṯbl, qrzbl, šbl.

Administración

00-4.182:23 […]- . ṯṯ . lbš[…] • […]-/k̊bl . ṯṯ . i[qnu …] • […]ǵprt . ʿš[r …]

—-bn

nº CGR-14 Ocurrencias: 3

Posibles restituciones: abn, aḫdbn, arbn, aṯbn, ibn, ilabn, ilḥbn, irbn, irpbn, ubn, bn, bsbn, grbn, gṯpbn, ḏbn, hbn, hyabn, zlbn, ḥgbn, ḥnbn, ḥṣbn, ḥšbn, ḥṯbn, ḫlbn, ṭbn, ybn, yṯbn, yṯṯbn, kblbn, kbn, kzbn, kkbn, lbn, mdṯbn, mhbn, mlkbn, nbn, ndbn, nḏbn, nlbn, nšybn, sbn, ʿqrbn, ʿrbn, ǵnbn, pbn, rḥbn, rǵbn, šbn, tbn, tlbn, tnabn, tʿdbn, tʿrbn, ṯṯbn, ṯṯṯbn, ṯqbn.

Administración

00-4.613:23 […]-r … 3 • […]-bn … 1 • …

00-4.766:8 […]l̊/ṣyd … 1 • […]-bn … 1 • […]šm … 1

Fragmentos Varios

00-7.125:2 […]--[…] • […]-bn . […] • …

—-bʿ—

nº CGR-15 Ocurrencias: 1

Posibles restituciones: abʿly, adbʿl, amrbʿl, arbʿ, arbʿm, arbʿt, ašrbʿ, ibʿlt, ibʿltn, ibʿr, iybʿl, ilbʿl, išbʿl, uṣbʿ, uṣbʿh, uṣbʿt, uṣbʿth, uṣbʿtk, bʿd, bʿdh, bʿdhm, bʿdy, bʿdn, bʿyn, bʿl, bʿldn, bʿldʿ, bʿlh, bʿlhm, bʿlhn, bʿlz, bʿly, bʿlyh, bʿlyskn, bʿlytn, bʿlk, bʿlkm, bʿlkn, bʿlm, bʿlmʿḏr, bʿlmṯpṭ, bʿln, bʿlny, bʿlsip, bʿlskn, bʿlṣdq, bʿlṣn, bʿlrm, bʿlšlm, bʿlšm, bʿlt, bʿlth, bʿltn, bʿṣ, bʿr, bʿrm, gbʿ, gbʿh, gbʿl, gbʿly, gbʿlym, gbʿm, gbʿn, ḏmrbʿl, hybʿl, ḥrṣbʿ, ḫrṣbʿ, ybʿ, ybʿl, ybʿlhm, ybʿlm, ybʿlnn, ybʿr, ybʿrn, ydbbʿl, ydbʿl, ypʿbʿl, yrbʿm, yrgbbʿl, yrǵmbʿl, yšbʿ, yšbʿl, ytbʿ, kbʿ, mddbʿl, mrbʿ, mrbʿt, mšbʿthn, mtbʿl, mtnbʿl, nbʿm, ʿbdbʿl, ʿdbʿl, ʿzbʿl, plšbʿl, plṣbʿl, ṣlbʿl, qbʿt, rbʿ, rbʿt, šbʿ, šbʿid, šbʿd, šbʿdm, šbʿl, šbʿm, šbʿr, šbʿt, šmbʿl, tbʿ, tbʿln, tbʿn, tbʿrn, tbʿt, tšbʿ, tšbʿn, ttbʿ, ṯbʿl, ṯbʿm, ṯbʿnq, ṯpṭbʿl.

Administración

00-4.742:1 • […]-bʿ[…] • […]maḫdy[…]

—-bṣ

nº CGR-16 Ocurrencias: 1

Posibles restituciones: irbṣ, bṣ, ʿbṣ, qbṣ, rbṣ.

Administración

00-4.214:II:16 bn . ḥrš • [bn . …]-bb̊/ẙ/ṣ̊ • […]-

—-bq—

nº CGR-17 Ocurrencias: 1

Posibles restituciones: abqn, abqṯ, ibqʿ, bql, bqʿ, bqʿt, bqʿty, bqr, bqš, bqtm, bqṯ, ḥbq, ḥbqh, ḫrṣbq, ṭbq, ṭbqym, ybqʿ, ybqṯ, yḥbq, nbq, tbq, tbqʿnn, tbqrn, tḥbq, ṯbq.

Administración

00-4.414:2 […]š̊bn̊[…] • […]-bq[…] • […]r̊qd̊[…]

—-gb

nº CGR-18 Ocurrencias: 2

Posibles restituciones: argb, gb, hrgb, ḥgb, ygb, yhgb, yrgb, ngb, ʿbdḥgb.

Administración

00-4.198:8 […]-s̊(?)-š̊[…]--[…] • […]-g̊b • [… kk]r̊ al̊p̊

00-4.708:10 […]- ṯq̊[l] • […]-gb • …

—-gw—

nº CGR-19 Ocurrencias: 1

Posibles restituciones: gwl, ʿgw, ʿgwn, tgwln.

Fragmentos Varios

00-7.39:3 […]-r-[…] • […]-gw[…] • […]-ṯbyy[…]

—-gṯ

nº CGR-20 Ocurrencias: 1

Posibles restituciones: mgṯ.

Administración

00-4.635:28 rbil å[d̲dd]y • kd̲yn . ʿ[bd . …]-gṯ • šmrm a[d̲d]dy . tbʿ

—-dg

nº CGR-21 Ocurrencias: 1

Posibles restituciones: abdg, dg, nbdg.

Administración

00-4.721:1 • […]-d̊g m̊i̊t̊ . åŕbʿm . lbš . pgi • […]- . ʿšr̊m . kbd . lbšm . ʿrpm

—-dy

nº CGR-22 Ocurrencias: 1

Posibles restituciones: abdy, ady, ad̲ddy, aḥdy, aḫdy, amdy, idy, ildy, ubdy, uldy, bdy, bʿdy, gdy, gldy, grdy, ddy, dy, hdy, ḫdy, ḫldy, ydy, yhdy, yḥdy, yldy, kbdy, kdy, kdkdy, maḫdy, midy, miḫdy, mḫdy, mldy, ndy, sdy, šdy, ʿbdy, ʿdy, ʿmṯdy, pdy, pkdy, prwsdy, qdqdy, qrdy, rqdy, šdy, tdy, thdy, tḥdy, ṯdy, ṯqdy, ṯrdy.

Correspondencia

00-2.20:5 […]šknt • […]-dy • …

—-dm

nº CGR-23 Ocurrencias: 1

Posibles restituciones: adm, aḥdm, amdm, idm, iydm, ipdm, udm, bdm, gdm, ddm, dm, d̲dm, hdm, ḥmdm, yadm, yuḫdm, ydm, yḥmdm, yqdm, yrdm, kbdm, kdm, kkdm, ksdm, kšdm, lbdm, ldm, lmdm, midm, mdm, mʿṣdm, mqdm, mrqdm, mṯpdm, nqdm, ʿbdm, ʿdm, ʿmdm, ʿšdm, ǵdm, pipdm, pddm, pdm, pldm, prdm, ṣḥdm, ṣmdm, qdm, qrdm, šbʿdm, šdm, tadm, tidm, tdm, tldm, tlmdm, tqdm, ṯrdm.

Correspondencia

10-2.50:18 […]d . nʿm̊̊. lbšk • […]̊-dm . ṯnid • […]̊-m . d . l . nʿm

—-dn

nº CGR-24 Ocurrencias: 3

Posibles restituciones: agdn, adn, adrdn, ad̲ddn, awldn, amdn, anndn, ardn, arwdn, idn, izldn, iḫdn, ilbldn, ilgdn, ildn, išdn, udn, bddn, bdn, bldn, blʿdn, bʿdn, bʿldn, brdn, gdn, grdn, ddn, dn, d̲rdn, hndn, ḥdn, ḫrdn, ybdn, yddn, ydn, yʿdn, yʿmdn, yrdn, kidn, kbdn, kdn, khdn, kšdn, ldn, mdn, mradn, nṣdn, sdn, šdn, ʿbdn, ʿdn, ǵddn, ǵldn, pdn, pndn, qldn, ridn, rdn, tbdn, tddn, tdn, tzdn, tldn, tʿddn, tṣdn, trdn, ṯdn, ṯndn, ṯpdn, ṯrdn.

Administración

00-4.69:IV:26 […]ln … 5 • […]-dn … 5 • […]-- … 2

Mítica

00-4.386:9 […]p-[…]nẙ • […]ḥ[…]-dn • -----

00-1.4:III:2 […] • […]-dn • […]d̊d

—-dn—

nº CGR-25 Ocurrencias: 2

Posibles restituciones: agdn, adn, adnh, adnhm, adny, adnk, adnkm, adnn, adnnʿm, adnʿm, adnṣdq, adnty, adrdn, ad̲ddn, awldn, amdn, anndn, ardn, arwdn, idn, izldn, iḫdn, ilbldn, ilgdn, ildn, išdn, udn, udnh, udnk, bddn, bdn, bldn, blʿdn, bʿdn, bʿldn, brdn, gdn, grdn, ddn, dn, dnil, dnh, dnm, dnn, dnt, dnty, dntm, d̲rdn, hndn, ḥdn, ḫrdn, ybdn, yddn, ydn, ydnh, ydnm, yḥmdnh, ykbdnh, yʿdn, yʿmdn, yṣmdnn, yrdn, yrdnn, kidn, kbdn, kdn, kdnt, khdn, kḫdnn, kkrdnm, kšdn, ldn, mdn, mdnt, mradn, nṣdn, sbrdnm, sdn, sdnt, srdnnm, šdn, ʿbdn, ʿbdnkl, ʿbdnt, ʿdn, ʿdnhm, ʿdnm, ǵddn, ǵldn, pdn, pndn, prdny, qdnt, qldn, ridn, rdn, tbdn, tddn, tdn, tzdn, tkbdnh, tldn, tʿddn, tṣdn, trdn, t̲dn, t̲dnyn, t̲ndn, t̲pdn, t̲rdn, t̲rdnt.

Administración

00-4.64:V:3 [bn . …]-nn[…] • [bn . …]-dn[…] • bn . ummt̊[…]

Fragmentos Varios

00-7.27:3 […]ʿl . y[…] • […]-dn[…] • […]-lq[…]

—-dʿn

nº CGR-26 Ocurrencias: 1

Posibles restituciones: abdʿn, ydʿn, ʿbdʿn.

Administración

00-4.327:5 […]t̲̊rw … bn̊[…] • […]-dʿn … y[…] • […]n̊y … -[…]

—-dq

nº CGR-27 Ocurrencias: 1

Posibles restituciones: adnṣdq, ilṣdq, bʿlṣdq, dq, yḥṣdq, ṣdq.

Correspondencia

00-2.36:53 [… a]r̊gmn . -- ẘ i-[…] • […]-dq . w . -[…]m-[…] • […]ʿm . -[…]

—-dr—

nº CGR-28 Ocurrencias: 1

Posibles restituciones: adr, adrdn, adrm, adrt, adrtm, idrm, idrn, idrp, udr, udrh, udrk, bhdrʿy, gdrn, gdrt, ddr, dr, drb, drd, drdr, drdrk, drh, drḫn, drḫm, dry, drk, drkm, drkt, drkth, drktk, drm, drn, drʿ, drṣy, drš, drt, hdrt, ḥdr, ḥdrh, ḥdrm, ḥmdrt, ḫdr, ḫndrt̲, ḫndrt̲m, ydr, ydrm, ydrmt, yʿbdr, kdr, kdrl, kdrn, kdrš, kdrt, mdrg, mdrʿ, mdrʿh, ndr, ndrg, ndrh, sdrn, sndrn, ʿbdrpu, ʿbdrš, ʿbdršp, ʿbdrt̲, ʿdr, ʿdrd̲, ʿdrš, ʿdršp, ǵdrg, pdr, pdry, pdrm, pdrn, pndr, pǵdrm, qdqdr, qdr, šndrb, tdr, tdry, tdrk, tdrʿ, tdrq, t̲dr, t̲ydr.

Fragmentos Varios

00-7.89:3 […] … […] • […]-dr[…] • […]t̊n̊[…]

—-dt

nº CGR-29 Ocurrencias: 2

Posibles restituciones: adt, aḏdt, aḫdt, udt, updt, ddt, dt, hdt, hyadt, hndt, yddt, ydt, yrdt, kbdt, kdt, madt, mddt, msdt, mrbdt, mrdt, mšspdt, ndt, nzdt, ʿbdadt, ʿdt, ṣwdt, qdt, rṯdt, šdt, tʿdt, ṯʿdt.

Fragmentos Varios

00-7.33:5 […]r̊bm • […]-dt • […]--t[…]

00-7.178:3 ----- • […]-dt • …

—-dt—

nº CGR-30 Ocurrencias: 1

Posibles restituciones: adt, adty, adtny, aḏdt, aḫdt, udt, updt, ddt, dt, dtm, dtn, dtšm, hdt, hyadt, hndt, yddt, ydt, ydtý, yrdt, kbdt, kbdthm, kdt, ldtk, lmdth, madt, madtn, mddt, mddth, mdth, msdt, mrbdt, mrdt, mrdtt, mšspdt, ndt, nzdt, ʿbdadt, ʿdt, ʿdty, ʿdtm, ṣwdt, qdt, rṯdt, šdt, tdtt, tʿdt, ṯʿdt.

Correspondencia

00-2.57:2 […]m--g[…] • […]t[…]-d̊t[…]-- . ʿbd • m̊[…]-[…]- . yṯ-[…]

—-ḏr

nº CGR-31 Ocurrencias: 3

Posibles restituciones: abḏr, annḏr, ibrḏr, iwrḏr, illḏr, ugʿḏr, uḏr, bʿlmʿḏr, dgʿḏr, ḫgbḏr, ḫḏmḏr, ymtḏr, lgʿḏr, mḏr, nwrḏr, šḏr, tbḏr, tʿḏr, ṯynḏr.

Administración

00-4.189:2 ----- • -[…]-ḏr ẘ […]-ltl • -----

00-4.507:1 … • […]-ḏ̊r[…] • [ṯ]ṯ . ʿš̊[r …]

Fragmentos Varios

00-7.132:8 […]qm … mr[…] • […]-ḏr … lḥ[…] • […]n̊(?)š m-[…]

—-hb—

nº CGR-32 Ocurrencias: 1

Posibles restituciones: ahbt, anhbm, ihbt, hbṭ, hbṭn, hbṭnm, hbm, hbn, hbr, hbt, yuhb, yhbṭ, yhbr, mhbn, ʿnhb, ṯghb, thbṭ, thbẓn, thbr.

Administración

00-4.570:1 … • […]-hb̊[…] • […] . l . mṣ̊/l̊[…]

—-zn

nº CGR-33 Ocurrencias: 1

Posibles restituciones: iwrpzn, brzn, ḫzn, yzn, yʿzzn, kzn, krzn, lzn, mzn, nbzn, szn, šzn, ʿzzn, ʿzn, pzn, plzn, tuzn, tzn, tʿzzn.

Fragmentos Varios

00-7.29:5 […]-ny . ṯp[…] • […]-zn . å[…] • …

—-ḥh

nº CGR-34 Ocurrencias: 1

Posibles restituciones: dbḥh, ḥmḥh, mrzḥh, mrḥh.

Mítica

00-1.6:I:30 [kgm]n̊ . al̊iyn[.]bʿ̊l̊ • […]-ḥh . tšt bm . ʿ̊[…] • […]zrh . ẙbm . l ilm

—-ḥy

nº CGR-35 Ocurrencias: 1

Posibles restituciones: ḥy, lḥy, mḥy, mrḥy, nṣḥy, ʿbdḥy, ptḥy, šmḥy.

Administración

00-4.71:II:7 […] … 3 • […]-ḥy … 3 • […]t … 3

—-ḥq—

nº CGR-36 Ocurrencias: 1

Posibles restituciones: ḥq, ḥqkpt, ḥqr, yẓḥq, yṣḥq, mrḥqm, mrḥqt, mrḥqtm, ṣḥq, rḥq, rḥqm, šḥq, šrḥq, tṣḥq, tšṣḥq.

Fragmentos Varios

00-7.95:3 […]lb . r̊[…] • […]-ḥq[…] • […]- … […]

—-ḫl

nº CGR-37 Ocurrencias: 1

Posibles restituciones: uḫl, ḫl, mdḫl, nḫl.

Mítica

00-1.168:24 […]- . gb . ad • […]-ḫl • […]- . brkh

—-ḫl—

nº CGR-38 Ocurrencias: 1

Posibles restituciones: arḫlb, uḫl, ḫl, ḫlan, ḫli, ḫlu, ḫluy, ḫlb, ḫlby, ḫlbym, ḫlbn, ḫldy, ḫlḏ, ḫlh, ḫly, ḫlyn, ḫllḫ, ḫlly, ḫlln, ḫlm, ḫlmẓ, ḫln, ḫlǵl, ḫlp, ḫlpm, ḫlpn, ḫlpnm, ḫlpnt, ḫlṣ, ḫlq, ḫlqt, ḫlrš, ḫlš, ḫlt, ḫlṯ, yḫll, yḫlm, yḫlq, mdḫl, mḫlpt, nḫl, nḫlm, sḫlk, sḫlm, tḫlq, ṯpḫln.

Fragmentos Varios

00-7.5:2 ----- • […]-ḫl[…] • […]ṯ ḫm̊[…]

—-ḫm

nº CGR-39 Ocurrencias: 1

Posibles restituciones: aḫm, drḫm, ḫḫm, yrḫm, lḫm, mḫm, mpḫm.

Administración

00-4.55:19 […]m̊ḫm • […]-ḫm • […]nb . w ykn

—-ḫt

nº CGR-40 Ocurrencias: 2

Posibles restituciones: aḫt, arḫt, uṯḫt, gḫt, ḫḫt, ḫt, mḫt, mnḫt, mrḫt, mtrḫt, nḫt, qlḫt, šlḫt, šmḫt, ššmḫt, tḫt, trḫt, ṯlḫt.

Administración

00-4.75:V:4 […]aṯrn • […]-ḫt • […]bʿly

Ritual

00-1.103:8 ----- • […]k̊/r̊h . ml̊[k …]-ḫt . b hmt n[…]t̊ dlln • -----

—-ṭy

nº CGR-41 Ocurrencias: 1

Posibles restituciones: qṭy, qrṭy, ṯpṭy.

Administración

00-4.592:6 […]-åb • […]-ṭy • […]r̊

—-ṭn

nº CGR-42 Ocurrencias: 1

Posibles restituciones: hbṭn, yplṭn, mrṭn, nqṭn, ṣrṭn, qṭn, ṭṭn, tqṭṭn, ṯpṭn.

Administración

00-4.438:5 […]tny … 1[…] • […]-ṭn … 1[…] • […]q̊n … 1[…]

—-ẓk

nº CGR-43 Ocurrencias: 1

Posibles restituciones: ḥẓk, mẓk.

Mítica

00-1.94:29 […]k̊ . w tmtn̊[…] • […]-ẓk . w aṯt̊[…] • […]-k . w šn-[…]

—-y-z-—

nº CGR-44 Ocurrencias: 1

Posibles restituciones: ygz, ymz, ymzl, yʿzz, yʿzzn, yrz.

Fragmentos Varios

00-7.169:2 […]--[…] • […]-y-z-[…] • […]ytd -[…]

—-yk

nº CGR-45 Ocurrencias: 1

Posibles restituciones: ʾyk, anyk, aqryk, aryk, aṯnyk, dyk, ḥyk, ṭyk, ymǵyk, mnḥyk, mǵyk, rdyk, šmnyk, tbkyk.

Mítica

00-1.4:III:8 […]r̊ . dr . dr • […]-yk . w rḥd • […]ẙ ilm . d mlk

—-yl

nº CGR-46 Ocurrencias: 1

Posibles restituciones: ayl, ḥyl, ṯyl, ṯryl.

Administración

00-4.643:9 […]-tn . b . anan • […]-yl . b . bqʿt . b . gt . tgyn • […]in . b . trzy

—-yl—

nº CGR-47 Ocurrencias: 1

Posibles restituciones: ayl, ayly, aylm, ayln, aylt, ḥyl, ylak, ylbš, yld, yldhn, yldy, ylh, ylḥm, ylḥn, yly, ylyh, ylk, ylkn, ylm, ylmn, yln, ylqḫ, ylšn, ylt, pyln, ṯyl, ṯryl.

Fragmentos Varios

00-7.182:2 […]- . b[…] • […]-yl̊[…] • …

—-yn

nº CGR-48 Ocurrencias: 7

Posibles restituciones: abyn, agdyn, agyn, aḫyn, akyn, aliyn, annyn, aġwyn, aġyn, aġlyn, aġṣyn, aryn, artyn, atyn, aṯtyn, ibyn, ibryn, iwryn, iḫyn, ilyn, iġyn, iġlyn, irdyn, iryn, iršyn, ubyn, ubnyn, ulbtyn, uryn, ušryn, uštyn, uṯryn, bdyn, byn, bʿyn, brgyn, btlyn, gyn, glyn, gnryn, gʿyn, grgyn, dyn, dmyn, ḏdyn, ḏyn, hayn, hyn, ḥwyn, ḥyn, ḫdyn, ḫḏmyn, ḫzmyn, ḫlyn, ḫnyn, ḫsyn, ḫtyn, ṯlmyn, ydyn, yyn, ymġyn, yn, yʿnyn, yštḫwyn, kḏyn, kwyn, kyn, klbyn, klyn, klnyn, ksyn, kpyn, kryn, mzyn, myn, mnyn, mryn, mṯyn, nyn, nʿmyn, nryn, sbbyn, sgryn, syn, slgyn, slyn, šgryn, šlgyn, ʿdyn, ʿyn, ʿmyn, ġdyn, ġyn, ġlyn, pbyn, pdyn, pyn, pndyn, pszyn, pġyn, qnyn, rpiyn, šbyn, šdyn, šḫyn, šyn, šlmyn, šmyn, špšyn, šryn, tiyn, tgyn, tdyn, twyn, tyn, tkyn, tlyn, tlmyn, tmyn, tmġyn, tʿnyn, tġẓyn, tġyn, tġṯyn, tqyn, tšqyn, tštyn, ttyn, tṯyn, ṯdyn, ṯdnyn, ṯwyn, ṯyn, ṯnyn, ṯryn, ṯtyn.

Administración

00-4.5:2 ----- • […]-yn . aḥd • -----

00-4.176:1 • […]-ẙn • […]n̊ . knḫ

00-4.260:12 […]-ly … 4 … […] • […]-yn … […] … […] • …

00-4.320:12 [… .]bn . ʿ̊zn • […]-yn • btwm

00-4.368:8 […]ksn . ṣmd . w . ḥrṣ • […]-yn̊ . ṣmd . w . ḥrṣ • […]byn

00-4.410:15 […]- . šrt . a[ḥt …] • […]-yn . ṯlṯ . š̊[rt …] • […]- . šr (šrt) . bd . […]

00-4.718:4 ----- • […]-yn • -----

—-yn-—

nº CGR-49 Ocurrencias: 1

Posibles restituciones: abyn, abynm, abynt, agdyn, agyn, agynt, aḫyn, akyn, aliyn, annyn, aġwyn, aġyn, aġlyn, aġṣyn, aryn, artyn, atyn, aṯtyn, ibyn, ibryn, iwryn, iḫyn, iynm, ilyn, iġyn, iġlyn, irdyn, iryn, iršyn, ištynh, ubyn, ubnyn, ulbtyn, uryn, ušryn, uštyn, uṯryn, bdyn, byn, bʿyn, brgyn, btlyn, gyn, glyn, gnryn, gʿyn, grgyn, dyn, dmyn, ḏḏyn, ḏyn, hayn, hyn, ḫwyn, ḫyn, ḫdyn, ḫḏmyn, ḫzmyn, ḫlyn, ḫnyn, ḫsyn, ḫtyn, ṭlmyn, ydyn, yyn, ymǵyn, yn, ynaṣn, ynġḫn, ynh, ynḫm, ynḫn, ynḫt, ynṭm, yny, ynl, yns, ynsk, ynʿrah, ynʿrnh, ynphy, ynpʿ, ynṣl, ynq, ynqm̊, ynšq, ynt, ynṯkn, ysynh, yʿdynh, yʿnyn, yšqynh, yšṯḫwyn, kḏyn, kwyn, kyn, klbyn, klyn, klnyn, ksyn, kpyn, kryn, lgynm, lkynt, mzyn, myn, mnyn, mryn, mrynm, mṯyn, nyn, nʿmyn, npynh, nryn, sbbyn, sgryn, syn, syny, synym, synn, slgyn, slyn, šgryn, šlgyn, ʿdyn, ʿyn, ʿmyn, ǵdyn, ǵyn, ǵlyn, pbyn, pdyn, pyn, pynq, pndyn, pszyn, pǵyn, ṣdynm, qnyn, rpiyn, šbyn, šdyn, šḫyn, šyn, šlmyn, šmyn, špšyn, šryn, tiyn, tbkynh, tgyn, tdyn, twyn, tyn, tkyn, tksynn, tlyn, tlmyn, tmyn, tmǵyn, tʿnyn, tʿnynn, tǵẓyn, tǵyn, tǵṯyn, tqyn, tqynh, tšʿlynh, tšqyn, tšqynh, tštyn, ttyn, ṯṯyn, ṯdyn, ṯdnyn, ṯwyn, ṯyn, ṯynḏr, ṯyny, ṯnyn, ṯryn, ṯtyn.

Fragmentos Varios

00-7.10:1 … • […]-yn̊-[…] • […]-rg-[…]

—-yṣ—

nº CGR-50 Ocurrencias: 1

Posibles restituciones: yṣa, yṣan, yṣat, yṣi, yṣihm, yṣin, yṣu, yṣunn, yṣb, yṣbt, yṣd, yṣhl, yṣḥ, yṣḥm, yṣḥn, yṣḥq, yṣly, yṣm, yṣmdnn, yṣmḫ, yṣǵd, yṣq, yṣqm, yṣr, yṣrk, yṣrm, myṣm.

Administración

00-4.566:2 […]-[…] • […]-yṣ̊[…] • […] . ul[m …]

—-yt

nº CGR-51 Ocurrencias: 1

Posibles restituciones: abyt, agyt, anyt, aṯryt, išryt, uḫryt, bkyt, glyt, dyt, hyt, ḥyt, ḥmyt, ḫtyt, ydyt, yryt, yt, knyt, lyt, miyt, mhyt, myt, mǵyt, nkyt, ʿlyt, ʿryt, ǵyt, ṣpyt, qnyt, qryt, rišyt, šyt, šʿlyt, šqyt, tḫyt, tḫtyt, tyt, tliyt, tǵẓyt, trbyt, tšyt.

Administración

00-4.270:13 ʿšr . pld . šʿrt . • […]-[…]-yt • -----

—-yt—

nº CGR-52 Ocurrencias: 1

Posibles restituciones: abyt, agyt, agytn, anyt, anyth, aṯryt, iytlm, išryt, uḫryt, bkyt, bʿlytn, glyt, dyt, hyt, ḥyt, ḥytn, ḫmyt, ḥmytkm, ḥmytny, ḥryth, ḫtyt, ydyt, yryt, yt, ytbʿ, ytd, ytḥm, ytḫ, yty, ytk, ytlk, ytm, ytmr, ytmt, ytn, ytna, ytnk, ytnm, ytnn, ytnnh, ytnnn, ytnt, ytʿdd, ytʿn, ytr, ytrhd, ytrḫ, ytrm, ytrʿm, ytrš, ytršn, ytršp, ytrt, ytši, ytšu, ytšp, ytt, ytṯb, klyth, knyt, lyt, miyt, mhyt, myt, mlkytn, mǵyt, nkyt, ʿlyt, ʿryt, ǵyt, ǵlyth, ṣpyt, qnyt, qryt, qryth, qrytm, rišyt, šyt, šʿlyt, šqyt, tḫyt, tḫtyt, tyt, tliyt, tǵẓyt, trbyt, tšyt, ṯnǵlyth.

Administración

00-4.17:5 […]-pt • […]-yt̊[…] • […]nm[…]

—-kb

nº CGR-53 Ocurrencias: 1

Posibles restituciones: yškb, kb, kkb, mškb, ʿbdkb, rkb, škb, tkb.

Fragmentos Varios

00-7.185:2 […]-št . rp̊(?)-[…] • […]-kb . ʿṯ̊[…] • […]-r . ṣl[…]

—-kbt—

nº CGR-54 Ocurrencias: 1

Posibles restituciones: arkbt, kbkbt, kkbt, mrkbt, mrkbthm, mrkbtk, mrkbtm, mškbt.

Fragmentos Varios

00-7.50:13 […]atn[…] • […]-kbt[…] • […]-ks . […]

—-kd

nº CGR-55 Ocurrencias: 1

Posibles restituciones: arkd, kd, lkd, rkd.

Mítica

00-1.151:1 … • […]-k̊d • […]l̊---mḥy

—-kk—

nº CGR-56 Ocurrencias: 1

Posibles restituciones: ahpkk, ilakk, ilkkm, ilkkṣ, bkk, ḥtkk, kkb, kkbm, kkbn, kkbt, kkdm, kky, kkln, kkn, kknt, kkpn, kkpt, kkr, kkrdnm, kkrm, mlakk, mlkk, tbrkk.

Administración

00-4.426:5 ----- • […]-k̊k̊[…] • …

—-kl

nº CGR-57 Ocurrencias: 1

Posibles restituciones: akl, iwrkl, ikl, uṯkl, hkl, yikl, yukl, ykl, kl, mkl, nkl, ʿbdnkl, prkl, tikl, tkl, tṯkl, ṯkl.

Fragmentos Varios

00-7.52:7 […]l̊ir . b ʿṣ/l̊[…] • […]-k̊/r̊l̊ . gd̊[…] • …

—-ks

nº CGR-58 Ocurrencias: 1

Posibles restituciones: yks, ks, mks, tks, trks.

Fragmentos Varios

00-7.50:14 […]-kbt[…] • […]-ks . […] • […]y ywl[…]

—-kt

nº CGR-59 Ocurrencias: 1

Posibles restituciones: akt, ikt, bkt, brkt, dkt, drkt, hlkt, hnkt, ymkt, yrkt, knkt, kt, lakt, likt, lkt, mkt, mlakt, mlkt, mskt, mṯkt, nkt, nskt, skt, smkt, ʿrkt, ʿtkt, rʿkt, škt, šntkt, tkt, ṯkt.

Correspondencia

00-2.35:11 [...]n̊ . w . ht̊ • [...]-kt . l • [...]-[...]-

—-kt-—

nº CGR-60 Ocurrencias: 1

Posibles restituciones: akt, aktmy, aktn, arkty, ikt, bkt, brkt, brkthm, brktkm, brktm, dkt, drkt, drkth, drktk, hlkt, hnkṭ, ymkt, yrkt, kmkty, knkt, kt, ktb, ktkt, ktl, ktldat, ktln, ktmn, ktn, ktnm, ktnt, ktǵ, ktp, ktpm, ktr, ktry, ktrm, ktš, ktt, ktṭ, lakt, likt, lkt, mkt, mlakt, mlakth, mlakty, mlaktk, mlkt, mlktn, mskt, mṭkt, nkt, nktt, nskt, skt, smkt, ʿrkt, ʿtkt, rʿkt, škt, šntkt, tkt, ṯkt.

Fragmentos Varios

00-7.57:4 [...]ʿ/ṯh . yšk/w[...] • [...]-k̊t-[...] • ...

—-li—

nº CGR-61 Ocurrencias: 1

Posibles restituciones: aliy, aliyn, alit, aǵli, ilib, ilibh, iliby, ḫzli, ḫli, yrgblim, kli, li, liy, lik, likt, lim, limm, lit, lli, llim, llit, mli, mlit, tliym, tliyt, tlik, tlikn.

Fragmentos Varios

00-7.191:2 [...]qr̊[...] • [...]-li[...] • [...]--[...]

—-lb

nº CGR-62 Ocurrencias: 1

Posibles restituciones: alb, arḫlb, ulb, glb, ḥlb, ḫlb, ṭlb, klb, lb, mglb, nklb, ʿlb, ǵlb, rlb, tṭlb, tlb, ṯlb, ṯʿlb.

Administración

00-4.736:3 [...]ṭbt . [...] • [...]-lb . ʿ[...] • [...]- . yšt . -[...]

—-lby

nº CGR-63 Ocurrencias: 1

Posibles restituciones: aglby, ulby, ḫlby, klby, lby, ʿlby, tlby.

Administración

00-4.443:3 [...] • [...]-lb̊ẙ • [...]-y

—-lg-—

nº CGR-64 Ocurrencias: 1

Posibles restituciones: algbṭ, atlg, atlgy, atlgn, ilg, ilgdn, ilgn, ilgt, glgl, lg, lgynm, lgk, lgn, lgʿḏr, lgrt, lgt, mlghy, slg, slgyn, šlgyn, plg, tlgn, tʿlg, tʿlgt, tplg.

Administración

00-4.315:7 ... • [...]-l̊/ůg-[...] • ṯrdn[...]

—-lh

nº CGR-65 Ocurrencias: 1

Posibles restituciones: ahlh, ilh, blh, bʿlh, dlh, hklh, hlh, ḥblh, ḫlh, ylh, klh, klklh, kllh, kslh, lh, mdlh, nḥlh, slh, ʿglh, ʿlh, ǵlh, qlh, šmalh, tnlh, ttlh.

Mítica

00-1.5:V:24 å̊l[iyn bʿ]l̊ . šlbšn • ip̊/r̊/k̊[. …]-lh . mǵẓ • y-[…]- . l irth

—-ly

nº CGR-66 Ocurrencias: 3

Posibles restituciones: abbly, abʿly, ayly, akly, aly, ally, idly, izly, izmly, ily, ully, utly, buly, bly, bʿly, bṯwly, gbly, gbʿly, dly, hkly, ḥly, ḫbly, ḫly, ḫlly, ṭly, ygly, ykly, yly, yǵly, yṣly, yrmly, ysʿly, kly, kṯly, ly, mgdly, mkly, mly, mrily, nkly, nqly, sly, ʿly, ǵzly, ǵly, pkly, ply, ṣly, qly, šly, šʿly, tgly, tṯly, tkly, tly, tǵly, tply, tšʿly, ttly, ṯnǵly, ṯʿly.

Administración

00-4.260:11 […]ʿmlbi … 4 … […] • […]-ly … 4 … […] • […]-yn … […] … […]

00-4.311:7 […]s̊n • […]-ly • [bn . m]r̊yn

00-4.313:22 ṯlṯ . ʿl . åbmn̊[…] • arbʿ . ʿl[.]b̊(?)[…]-ly • kd . [ʿl . …]ẓ

—-lk

nº CGR-67 Ocurrencias: 4

Posibles restituciones: abmlk, aḫmlk, aḫtmlk, alk, almlk, amlk, ashlk, asqlk, iḫmlk, ilk, ilmlk, itlk, blk, bʿlk, hklk, ḣlk, ḥtlk, ẓlk, yblk, ylk, ymlk, ypʿmlk, ytlk, yṯbmlk, kslk, kṯrmlk, lk, mdlk, mlk, nmlk, ntlk, sḫlk, ʿbdmlk, ʿbmlk, ʿdbmlk, ʿdmlk, ʿlk, plk, qnmlk, šmmlk, špšmlk, tblk, tlk, ttlk.

Correspondencia

00-2.55:5 [rg]m • […]-l̊k̊ • …

00-2.57:4 m̊[…]-[…]- . yṯ-[…] • […]-lk . mlk̊[…] • […]- . dq-d . b̊/d̊[…]

Ritual

00-1.107:5 […]ǵrm . y[…]ḫ̊rn • […]r̊k . ḥ-[…]-lk • […]s̊r . n[…]ḥrn

00-1.173:1 • […]-lk . ǵdmh̊[…] • […]- . lbʿl . ǵ/d̠d̊m̊[…]

—-lk—

nº CGR-68 Ocurrencias: 1

Posibles restituciones: abmlk, aḫmlk, aḫtmlk, alk, alkbl, almlk, amlk, aǵlkz, ashlk, asqlk, iḫmlk, ilk, ilkkm, ilkkṣ, ilkpm, ilkpṣ, ilkšy, ilmlk, iǵlkd̠, itlk, ulkn, blk, blkn, bʿlk, bʿlkm, bʿlkn, hklk, hlk, hlkm, hlkt, zblkm, ḥtlk, ẓlk, yblk, ylk, ylkn, ymlk, ypʿmlk, ytlk, yṯbmlk, klkl, klklh, klklhm, kslk, kṯrmlk, lk, lkd, lky, lkynt, lkm, lkn, lkt, mdlk, mdllkm, mdllkn, mlk, mlki, mlkbn, mlkh, mlky, mlkyy, mlkym, mlkytn, mlkk, mlkm, mlkn, mlknʿm, mlkrpi, mlkršp, mlkt, mlktn, nmlk, ntlk, sḫlk, ʿbdmlk, ʿbmlk, ʿdbmlk, ʿdmlk, ʿlk, ǵlkz, plk, plkh, ṣlkn, qnmlk, šmmlk, špšmlk, tblk, tlk, tlkm, tlkn, ttlk, ttlkn.

Administración

00-4.450:1 … • […]-lk̊[…] • […]s̊lgẙ[n …]

—-lmy

nº CGR-69 Ocurrencias: 1

Posibles restituciones: ilmy, ulmy, ḫlmy, ʿllmy, ǵlmy, šlmy.

Administración

00-4.634:4 […]ṯ̊lḥnym . ʿrb • […]-lmy(R:m) . ʿrb • […]-tym . ʿrb

—-lmy—

nº CGR-70 Ocurrencias: 1

Posibles restituciones: ilmy, ulmy, ḫlmy, ṯlmyn, ʿllmy, ǵlmy, šlmy, šlmym, šlmyn, tlmyn.

Administración

00-4.589:4 […]- . b l[…] • […]-lmy[…] • […]mid[ḫy …]

—-ln

nº CGR-71 Ocurrencias: 3

Posibles restituciones: admln, ayln, akln, aln, ibln, iln, ubln, uln, bln, bʿln, gbln, glln, gln, dlln, hln, zbln, ḥgln, ḥln, ḫlln, ḫln, ḫrmln, ybln, ydln, yln, ypln, kbln, kdln, kkln, kln, ksln, kpln, kpsln, ktln, ln, mzln, mln, mǵln, nbln, ngln, ngǵln, sln, ʿlln, ʿln, piln, pyln, pln, prln, qln, qqln, rgln, šqln, tikln, tbʿln, tgwln, tgǵln, tdlln, tdln, twḥln, tmdln, tntqln, tʿzdlln, tʿzzlln, tʿln, tǵln, tpln, tqln, trḥln, ṯbln, ṯlln, ṯʿln, ṯpḫln.

Administración

00-4.59:1 … • […]-ln … […] • [… n]ḥlh … […]

00-4.75:I:4 ʿbdḫmn . [bn .]ẙbdn • ǵṣmn . [bn . …]-ln • […]dm . [bn . …]z̊n

Mítica

00-1.12:I:4 […]- . d arṣ • […]-ln • […]n̊bhm

—-lp

nº CGR-72 Ocurrencias: 1

Posibles restituciones: alp, ulp, blp, ḫlp, ydlp, lp, ʿlp, ǵlp.

Administración

00-4.588:3 [… y]m̊il . 1 • […]-lp . 1 • [… n]z̊ʿn . 1

—-lq

nº CGR-73 Ocurrencias: 1

Posibles restituciones: dlq, ḫlq, yḫlq, ʿglq, tglq, tḫlq.

Fragmentos Varios

00-7.9:4 […]ṯ̊dn[…] • […]-lq […] • -----

—-lq—

nº CGR-74 Ocurrencias: 1

Posibles restituciones: ilqṣm, dlq, ḥlqm, ḫlq, ḫlqt, yḫlq, ylqḥ, lqḥ, lqḥt, lqt, nlqḥt, ʿglq, qlql, tglq, tḫlq, tlqḥ, tlqq.

Fragmentos Varios

00-7.27:4 […]-dn[…] • […]-lq[…] • -----

—-lrm

nº CGR-75 Ocurrencias: 1

Posibles restituciones: ilrm, ulrm, bʿlrm, mlrm.

Administración

00-4.721:4 [… ar]bʿm . k̊bd . lbšm . adddym • […]-lrm[.]ʿšr . kkr . ṯlṯ . ktt • […]ʿ̊/ṯ̊(?)n̊(?)l̊(?)b̊(?)m . mit . ḫ̊(?)sr . kkrm . alpm

—-lt—

nº CGR-76 Ocurrencias: 2

Posibles restituciones: azzlt, aylt, aklt, aklth, alt, alty, altǵ, altṯb, aǵltn, ibʿlt, ibʿltn, ilt, ilṯhm, iltm, iltr, blt, bʿlt, bʿlth, bʿltn, brlt, brlth, btlt, btltm, gdlt, gdltm, glt, dblt, dlt, dlthm, hmlt, wlt, ḥlt, ḫlt, ḫndlt, yblt, ybltm, ylt, ypltn, klt, klth, kltn, klttn, kltṯb, kmlt, kpltn, llt, lt, ltḥ, ltḫ, lty, ltn, lṯ, mʾlt, mlt, mltḥ, mlṯhm, mltḫ, mltm, mltn, mʿlt, mṣlt, mṣltm, mšlt, mštʿltm, nḫlth, nḫlty, nplt, sglth, ʿbdilt, ʿglt, ʿgltn, ʿlt, ʿltn, ʿmlt, ʿqltn, ǵlt, ǵltm, ǵltn, ǵrplt, palt, palth, pḫlt, psltm, ṣlt, ṣltkm, qlt, šilt, šblt, šbšlt, šḫlt, škllt, šlt, šqlt, ššmlt, tʿlt, tpšlt, ṯllt, ṯltḫ.

Fragmentos Varios

00-7.79:3 […]ub̊[…] • […]-lt[…] • […]b̊/d̊/ůṣ̊/l[…]

00-7.101:1 … • […]-lt̊[…] • […]ålt[…]

—-lt-—

nº CGR-77 Ocurrencias: 1

Posibles restituciones: azzlt, aylt, aklt, aklth, alt, alty, altǵ, altṯb, aǵltn, ibʿlt, ibʿltn, ilt, ilṯhm, iltm, iltr, blt, bʿlt, bʿlth, bʿltn, brlt, brlth, btlt, btltm, gdlt, gdltm, glt, dblt, dlt, dlthm, hmlt, wlt, ḥlt, ḫlt, ḫndlt, yblt, ybltm, ylt, ypltn, klt, klth, kltn, klttn, kltṯb, kmlt, kpltn, llt, lt, ltḥ, ltḫ, lty, ltn, lṯ, mʾlt, mlt, mltḥ, mlṯhm, mltḫ, mltm, mltn, mʿlt, mṣlt, mṣltm, mšlt, mštʿltm, nḫlth, nḫlty, nplt, sglth, ʿbdilt, ʿglt, ʿgltn, ʿlt, ʿltn, ʿmlt, ʿqltn, ǵlt, ǵltm, ǵltn, ǵrplt, palt, palth, pḫlt, psltm, ṣlt, ṣltkm, qlt, šilt, šblt, šbšlt, šḫlt, škllt, šlt, šqlt, ššmlt, tʿlt, tpšlt, ṯllt, ṯltḫ.

Administración

00-4.526:5 ----- • […]-lt-[…] • […]-r̊[…]

—-ltm

nº CGR-78 Ocurrencias: 1

Posibles restituciones: iltm, btltm, gdltm, ybltm, mltm, mṣltm, mštʿltm, ǵltm, psltm.

Administración

00-4.231:10 […]ålpm . tmtt • […]-l̊tm • …

—-ltn

nº CGR-79 Ocurrencias: 1

Posibles restituciones: aǵltn, ibʿltn, bʿltn, ypltn, kltn, kpltn, ltn, mltn, ʿgltn, ʿltn, ʿqltn, ǵltn.

Mítica

00-1.12:I:8 […]h̊/i̊rn . km . šḥr • […]-ltn . km . qdm • k̊bdn . il . abn

—-md-

nº CGR-80 Ocurrencias: 1

Posibles restituciones: almdk, amd, amdy, amdm, amdn, ilmd, ištmdh, bmdḫ, dmd, ḥmdm, yḥmdm, ymd, yʿmdn, lḥmd, lmd, lmdh, lmdm, md, mdb, mdd, mdh, mdw, mdl, mdm, mdn, mdʿ, mḥmd, nqmd, smd, ʿmdm, ṣmd, ṣmdm, tlmdm, tṣmd, ṯṯmd, ṯmdl.

Ritual

00-1.84:36 … • […]-m̊(?)d- • […]

—-mh

nº CGR-81 Ocurrencias: 1

Posibles restituciones: iṯmh, umh, dmh, ḥlmh, ybmh, kbmh, ksmh, krmh, lḥmh, mh, mmh, mqmh, nʿmh, ʿlmh, ʿmh, ġdmh, ġlmh, pʿlmh, qdmh, rgmh, šmmh, tsmh.

Mítica

00-1.92:27 […]ḥ̊ . ušpġt tišr • […]-mh . nšat ẓlk kbkbm • […]b km kbkbt ṯn

—-mḫ

nº CGR-82 Ocurrencias: 1

Posibles restituciones: iwrmḫ, umḫ, yṣmḫ, yšmḫ, mḫ, nšmḫ, smḫ, ṣmḫ, qmḫ, šmḫ, tšmḫ.

Administración

00-4.69:IV:23 […]n … 10 • […]-mḫ … 2 • […]ḫmn … 3

—-my

nº CGR-83 Ocurrencias: 3

Posibles restituciones: agmy, aktmy, amy, anrmy, army, ikmy, ilmy, ištrmy, ulmy, umy, bṣmy, ddmy, ḏmy, hrnmy, ḥlmy, ḥmy, ybrdmy, yknʿmy, ymy, kmy, ksmy, my, mlḥmy, mmy, nmy, nʿmy, šdmy, ʿllmy, ʿmy, ʿrmy, ġlmy, ptmy, ṣmy, qmy, rgmy, rḥmy, rmy, šlmy, šmy, tmy, tnmy, ṯlḥmy, ṯmy.

Administración

00-4.64:IV:3 [bn . …] … […] • [bn . …]-my … 2 • [bn . b]r̊q … 1

Inscripciones

00-6.58:1 … • […]-mẙ … […] • …

00-6.60:1 … • […]-my t[…] • …

—-ml

nº CGR-84 Ocurrencias: 1

Posibles restituciones: aḏml, azml, izml, itml, utml, gml, dml, ḫyml, yrml, kdml, ml, ʿgml, ʿml, ṣml, šml, tml, ṯrml.

Épica

00-1.15:V:16 […]t . w b lb . tqb̊[…] • […]-mṣ̊/l̊ . mtm . uṣ̊b̊ʿ̊[t] • [k]r̊t . šr̊k̊ . il

—-mṣ

nº CGR-85 Ocurrencias: 1

Posibles restituciones: amṣ, ḥmṣ, yhmṣ, yqmṣ, ṣmṣ, qmṣ.

Épica

00-1.15:V:16 […]t . w b lb . tqb̊[…] • […]-mṣ̊/l̊ . mtm . uṣ̊b̊ʿ̊[t] • [k]r̊t . šr̊k̊ . il

—-mr

nº CGR-86 Ocurrencias: 1

Posibles restituciones: azmr, aymr, amyḏtmr, amr, ilṯtmr, imr, gmr, ḏmr, hmr, ḥmr, ḫmr, yamr, yitmr, ygmr, yḏmr, ymr, ytmr, kmr, mgmr, mr, ʿmyḏtmr, ʿmr, ʿmṯtmr, ǵmr, qʿmr, tgmr, tmr, ṯmr.

Ritual

11-1.107:17 […]h̊tm̊ . amn[…]--[…]n . amr • […]- l ytk blt/p/h[…]-mr̊ . hwt • […]k̊/r̊ . ṯllt . khn[…] . k pʿn

—-mr-—

nº CGR-87 Ocurrencias: 1

Posibles restituciones: ʾmry, azmr, aymr, amyḏtmr, amr, amril, amrbʿl, amry, amrk, amrr, amrtn, ilṯtmr, imr, imrh, imrn, imrt, imrtn, gmr, gmrd, gmrhd, gmrm, gmrn, gmrš, gmrt, dmrn, ḏmr, ḏmrbʿl, ḏmrd, ḏmrh, ḏmry, ḏmrk, ḏmrn, hmr, hmry, ḥmr, ḥmrh, ḥmrm, ḫḏmrd, ḫmr, ḫmrm, ḫmrn, yamr, yitmr, ygmr, yḏmr, ymr, ymru, ymrm, ymrn, ytmr, kmr, kmrm, kmrṯn, mgmr, mr, mra, mradn, mrat, mri, mria, mrih, mrik, mril, mrily, mrim, mru, mrum, mrbi, mrbd, mrbdt, mrbʿ, mrbʿt, mrd, mrdt, mrdtt, mrh, mrzḥ, mrzḥh, mrzʿy, mrḥ, mrḥh, mrḥy, mrḥm, mrḥqm, mrḥqt, mrḥqtm, mrḫt, mrṭn, mry, mrym, mryn, mrynm, mrkbt, mrkbthm, mrkbtk, mrkbtm, mrkm, mrl, mrm, mrmt, mrn, mrnh, mrnn, mrʿm, mrǵt, mrǵtm, mrpi, mrṣ, mrqdm, mrrt, mršp, mrt, mrti, mrṯ, mrṯd, nmry, nmrrt, nmrth, nmrtk, ʿmyḏtmr, ʿmr, ʿmrbi, ʿmrpi, ʿmrpu, ʿmṯtmr, ǵmr, ǵmrm, ṣmrt, qʿmr, šmrgt, šmrm, šmrr, tgmr, tmr, tmrym, tmrm, tmrn, tmrnn, tmrtn, ṯmr, ṯmrg, ṯmry, ṯmrn.

Ritual

00-1.130:26 ----- • b tš̊[ʿ …]-mr-[…] • --[…]b . ǵ̊/š̊[…]

—-n-d

nº CGR-88 Ocurrencias: 1

Posibles restituciones: annd, nad, nnd, npd, nṣd, nqd, nrd, ntd, tnid, ṯnid.

Administración

00-4.32:4 ----- • […]-n̊-d(R:-) • […]r̊n[…]

—-nd—

nº CGR-89 Ocurrencias: 1

Posibles restituciones: ands, annd, anndn, argnd, hnd, hndn, hndt, ḫndlt, ḫndrṯ, ḫndrṯm, knd, kndwm, lwsnd, mndym, mndʿ, mndǵ, nd, ndb, ndbd, ndbḫ, ndby, ndbym, ndbn, ndd, ndwd, ndy, ndk, ndlḫp, ndr, ndrg, ndrh, ndt, nnd, sndrn, šnd, pndḏn, pndyn, pndn, pndr, šndrb, trǵnds, ṯndn.

Correspondencia

11-5.11:10 b̊nptn̊-[…]̊- • […]̊-nl/d[…] • -̊l̊b̊[…]

—-nh

nº CGR-90 Ocurrencias: 1

Posibles restituciones: adnh, aqbrnh, iḫnh, ištynh, udnh, bnh, ggnh, gngnh, gnh, dnh, dqnh, hnh, znh, ḫmnh, ḫnh, yblnh, ydnh, yḥmdnh, ykbdnh, ykllnh, yknnh, ymnh, ynh, ynʿrnh, ysynh, yʿdynh, yʿmsnh, yphnh, yšlḥmnh, yšqynh, ytnnh, lanh, lnh, lšnh, mznh, mḥpnh, mnh, mswnh, mrnh, mtnh, nh, npynh, snh, ʿlnh, ʿmnh, ʿnh, ʿnnh, pnh, pnnh, pʿnh, ṣinh, qnh, qrnh, šnh, tbkynh, tkbdnh, tmnh, tngṯnh, tʿbtnh, tʿdbnh, tphnh, tqbrnh, tqynh, tšʿlynh, tšṣqnh, tšqynh, ṯnh.

Ritual

00-1.107:36 […]q . nṯk . l ydʿ . l bn . l pq ḥmt • […]-nh . ḥmt . w t̊ʿbtnh . abdy • [npl . ḃ š]r . šrǵzz . ybky . km nʿr

—-nw—

nº CGR-91 Ocurrencias: 1

Posibles restituciones: bnwn, bnwt, bnwṯh, nwgn, nwḫn, nwrḏ, nwrḏr, nnw, snnwt, pnwh, šnwt, tnwr, trǵnw, ṯnw.

Fragmentos Varios

00-7.28:4 […]-rṣ . […] • […]-nk̊/ẘ[…] • …

—-ny

nº CGR-92 Ocurrencias: 1

Posibles restituciones: agny, adny, adtny, aḏmny, aḫny, any, anny, ansny, apsny, apšny, aqny, argmny, arny, aṯny, iḫny, iny, itnny, ulny, uškny, bny, bnny, bʿlny, btmny, gny, gpny, ḏny, hlny, hnny, ḥmytny, ḥnny, ḫmny, ḫny, ḫrny, ḫtny, ykny, ymny, yny, yʿny, yqny, yṯny, kny, knkny, knʿny, krny, lbny, lwny, lšny, mny, mnny, mǵny, mtny, ny, nny, nqbny, syny, sny, ʿẓmny, ʿmny, ʿny, ǵbny, pzny, pny, pʿny, prdny, qḥny, qlny, qny, rny, šbny, škny, šmny, šny, šṣny, šrny, tny, tʿny, tqny, ṯyny, ṯlḥny, ṯmny, ṯny, ṯǵrny.

Fragmentos Varios

00-7.29:4 […]- . ly . l-[…] • […]-ny . ṯp[…] • […]-zn . å[…]

—-nk—

nº CGR-93 Ocurrencias: 1

Posibles restituciones: ʾnk, adnk, adnkm, ank, ankm, ankn, apnk, apnnk, argmnk, atnk, atnnk, iṯʿnk, itbnnk, itnnk, udnk, ulʿnk, unk, uṣʿnk, bnk, bnkm, bnʿnk, dqnk, hnk, hnkt, ḥpnk, ytnk, knkny, knkt, ksank, lank, lnk, lšnk, mgnk, mmnk, mnk, mnkm, mʿnk, nk, nkyt, nkl, nklb, nkly, nkm, nkn, nkr, nkš, nkšy, nkt, nktt, ʿbdnkl, ʿmnk, ʿmnkm, ʿnk, ʿnkm, pblnk, pnk, pʿnk, ṣink, šink, ṯnk.

Fragmentos Varios

00-7.28:4 […]-rṣ . […] • […]-nk̊/ẘ[…] • …

—-nl—

nº CGR-94 Ocurrencias: 1

Posibles restituciones: inl, ynl, nlbn, nlḥm, nlḫp, nlqḥt, ʿnlbm, šnl, tnlh, ṯnlbm.

Correspondencia

11-5.11:10 b̊nptn̊-[…]-̊ • […]-̊nl/d[…] • -̊̊l̊b̊[…]

—-nm

nº CGR-95 Ocurrencias: 2

Posibles restituciones: abynm, abnm, alḫnm, alpnm, anm, anpnm, apnm, argmnm, iynm, ilhnm, ilnm, inm, innm, ištnm, iṯtbnm, bnm, bṯnm, gpnm, grnm, dnm, dprnm, hbṯnm, zblnm, znm, ḥlnm, ḫlpnm, ḫsnm, ḫpnm, ḫtnm, ydnm, ytnm, yṯnm, khnm, kkrdnm, klatnm, kpslnm, krlnm, krsnm, kršnm, krpnm, ktnm, lbnm, lgynm, lrmnm, mgnm, mḏrnm, mznm, mḫnm, mmnnm, mnm, mrynm, mtnm, nqbnm, sbrdnm, sknm, ssnm, srdnnm, srnm, ʿdnm, ʿẓrnm, ʿnm, ʿnnm, ʿrbnm, pnm, pʿnm, ṣdynm, qnm, qrnm, šinm, šknm, šnm, tknm, tnnm, tṯmnm, tṯtmnm, ṯlḥnm, ṯmnm, ṯnm, ṯnnm, ṯrmnm, ṯrtnm.

Jurisprudencia

00-3.6:4 […]ḥmrm • […]-nm • […]mqpm

Mítica

00-1.147:23 […]d̊/b̊m • […]-nm • […]-

—-nn

nº CGR-96 Ocurrencias: 1

Posibles restituciones: adnn, ann, arnn, inn, isrnn, uḏrnn, unn, bnn, grnn, gršnn, dnn, hnn, ḥnn, ḫnn, ṯnn, yblnn, ybnn, ybʿlnn, ydʿnn, ywsrnn, yzbrnn, yḥnn, yḥslnn, yknn, ymnn, yṣunn, yṣmdnn, yqḥnn, yrdnn, yšnn, ytnn, kḫdnn, knn, lbnn, mnn, mrnn, mtnn, mṯnn, ngšnn, nn, synn, ʿdbnn, ʿnn, phnn, qṯnn, qnn, rḥṣnn, rḫnn, šrnn, tbnn, tbqʿnn, tbrknn, tdlnn, tṯḫnn, tknn, tksynn, tlunn, tmgnn, tmnn, tmrnn, tnn, tʿnynn, tpnn, trbnn, tšknn, tšnn, tšṣqnn, tšrpnn, tštnn, ttnn, ṯnn.

Administración

00-4.701:4 […]ṯb • […]-nn • […]šyn

—-nn—

nº CGR-97 Ocurrencias: 2

Posibles restituciones: adnn, adnnʿm, aḫnnr, ann, anna, annd, anndn, annḏy, annḏr, annḫ, annḫb, anny, annyn, annmn, annmt, annpdgl, annšn, anntn, annṯb, apnnk, arnn, atnnk, ilnnn, inn, innm, isrnn, itbnnk, itnny, itnnk, uḏrnn, unn, bnn, bnny, grnn, gršnn, dnn, hnn, hnny, ḥnn, ḥnny, ḫnn, ṯnn, yblnn, ybnn, ybʿlnn, ydʿnn, ywsrnn, yzbrnn, yḥnn, yḥnnn, yḥslnn, yknn, yknnh, ymnn, yṣunn, yṣmdnn, yqḥnn, yrdnn, yšnn, ytnn, ytnnh, ytnnn, kḫdnn, knn, lbnn, mmnnm, mnn, mnny, mrnn, mtnn, mṯnn, ngšnn, nn, nni, nnu, nnd, nnḏ, nnw, nny, nnn, nnr, nnry, synn, snnwt, snnt, srdnnm, ʿdbnn, ʿnn,

ʿnnh, ʿnnm, ʿnnn, phnn, pnnh, qṯnn, qnn, rḥṣnn, rḫnn, rḫnnt, šrnn, tbnn, tbqʿnn, tbrknn, tdlnn, tṯḥnn, tknn, tksynn, tlunn, tmgnn, tmnn, tmrnn, tnn, tnnm, tʿnynn, tpnn, trbnn, tšknn, tšknnnn, tšnn, tšṣqnn, tšrpnn, tštnn, ttnn, ṯnn, ṯnnm, ṯnnth.

Administración

00-4.64:V:2 [bn . …]b̊/d̊t̊[…] • [bn . …]-nn[…] • [bn . …]-dn[…]

Inscripciones

00-6.53:2 […]nq[…] • […]-nn̊[…] • […]-y[…]

—-nʿt—

nº CGR-98 Ocurrencias: 1

Posibles restituciones: nʿtq, šnʿt.

Administración

00-4.444:5 […]yn … […] • […]-nʿt[…] • […]lgn[…]

—-np—

nº CGR-99 Ocurrencias: 1

Posibles restituciones: annpdgl, anpnm, illnpn, uḫnp, uḫnpy, unp, unpṯ, bnptn, gmnpk, ḫnp, ḫnpm, ḫnpt, yḫnp, ynphy, ynpʿ, knp, knpy, mknpt, np, npin, npu, npbl, npd, npṯry, npẓl, npy, npynh, npk, npl, nplṯ, nplt, npṣ, npṣh, npṣhm, npṣy, npṣk, npṣm, npr, nprm, npršn, npš, npšh, npšhm, npšy, npškm, npškn, npšm, npšn, npt, nptn, npṯt, snp, šnpt, tšnpn.

Ritual

00-1.126:2 […]-[…] • […]-np̊(?)[…] • […]ršp . gd̊[lt …]

—-nt

nº CGR-100 Ocurrencias: 1

Posibles restituciones: abynt, agynt, almnt, ant, apnt, ilʿnt, bnʿnt, bnt, bṯnt, gngnt, grnt, dnt, ḏnt, ḏqnt, hnt, ḫlpnt, ḫnt, ḫpnt, ḫrpnt, ynt, ytnt, yṯnt, kdnt, kknt, kmnt, knt, ktnt, lbnt, lkynt, mdnt, mḏnt, mznt, mṯnt, mknt, mnt, mʿnt, mtnt, nqpnt, nt, sdnt, sknt, snnt, snt, šknt, ʿbdnt, ʿbdʿnt, ʿnt, pnt, pʿnt, qdnt, qrnt, rḫnnt, šant, šbnt, šknt, šmnt, šmʿnt, šnt, štnt, tant, tunt, tznt, tnt, tplnt, tqnt, ṯlḥnt, ṯmnt, ṯnt, ṯpknt, ṯrdnt, ṯtmnt.

Fragmentos Varios

00-7.64:3 […]št . -[…] • […]-nt . […] • […]- . b . y-[…]

—-nt—

nº CGR-101 Ocurrencias: 1

Posibles restituciones: abynt, agynt, adnty, almnt, anntn, ant, antn, apnt, apnthn, atnth, atnty, ilʿnt, bḥnth, bnʿnt, bnt, bnth, bṯnt, gngnt, gntn, grnt, dnt, dnty, dntm, ḏnt, ḏqnt, hnt, zntn, ḥnth, ḫlpnt, ḫnt, ḫpnt, ḫrpnt, ynt, ytnt, yṯnt, kdnt, kknt, kmnt, knt, ktnt, lbnt, lkynt, mgntm, mdnt, mḏnt, mznt, mznth, mṯnt, mknt, mnt, mnth, mnthn, mnty, mntk, mʿnt, mšknthm, mtnt, mtntm, nqpnt, nt, ntil, ntu, ntb, ntbdh, ntbt, ntbtk, ntbtš, ntd, nty, ntk, ntl, ntlk, ntmn, ntn, ntp, ntr, ntt, sdnt, sknt, snnt, snt, šknt, ʿbdnt, ʿbdʿnt, ʿnt, ʿnth, ʿntm, ʿntn, pnt, pnth, pʿnt, qdnt, qrnt, rḫnnt, rḫntt, šant, šbnt, šknt, šmnt, šmʿnt, šnt, šnth, šntk, šntkt, šntm, štnt, štnth, štntn, tant, tunt, tznt, tmntk, tnt, tnty, tntkn, tntqln, tplnt, tqnt, ṯlḫnt, ṯmnt, ṯnnth, ṯnt, ṯnth, ṯpknt, ṯrdnt, ṯtmnt.

Administración

00-4.528:2 [… š]š̊wm[…] • […]-nt[…] • -----

—-sy—

nº CGR-102 Ocurrencias: 1

Posibles restituciones: asyy, usy, usyy, ḫsyn, ysy, ysynh, ksyn, mʿmsy, sy, sym, syn, syny, synym, synn, syr, plsy, tksynn.

Administración

00-4.382:31 tlš . w[.]nḫlh . […]- . ṯgd . mrum • bt . […]b[…]-sy[…]n̊h • ann[…] . b[n] . py-[. d .]yṯb . b . gt . aǵld

—-sʿ

nº CGR-103 Ocurrencias: 1

Posibles restituciones: isʿ, ysʿ, sʿ, tsʿ.

Correspondencia

10-2.33:8 […]qrt . dt • […]-̊sʿ . hn . mlk • […]q̊ḥ . hn . l . ḥwth

—-ʿn—

nº CGR-104 Ocurrencias: 1

Posibles restituciones: abdʿn, iṯʿnk, ilʿnt, ubrʿn, ulʿnk, uṣʿnk, bnʿnk, bnʿnt, gbʿn, ṯʿn, ydʿn, ydʿnn, yʿn, yʿny, yʿnyn, ypʿn, ytʿn, yṯʿn, knʿny, mlʿn, mʿn, mʿnk, mʿnt, nzʿn, nṯʿn, nʿn, slʿn, ʿbdʿn, ʿbdʿnt, ʿn, ʿnil, ʿnbr, ʿnh, ʿnha, ʿnhb, ʿnhn, ʿny, ʿnyh, ʿnk, ʿnkm, ʿnlbm, ʿnm, ʿnmk, ʿnmky, ʿnn, ʿnnh, ʿnnm, ʿnnn, ʿnq, ʿnqpat, ʿnqpaty, ʿnqpt, ʿnqt, ʿnt, ʿnth, ʿntm, ʿntn, pʿn, pʿnh, pʿny, pʿnk, pʿnm, pʿnt, ṣpʿn, šmʿn, šmʿnt, šsʿn, tbʿn, tbqʿnn, tšʿn, tʿn, tʿny, tʿnyn, tʿnynn, trʿn, tšbʿn, tšʿn, ṯbʿnq.

Mítica

00-1.12:II:3 […]-t . […] • […]-ʿn[…] • p̊nm[…]

—-ʿt

nº CGR-105 Ocurrencias: 2

Posibles restituciones: arbʿt, arʿt, ašʿt, udmʿt, uṣbʿt, bqʿt, ggʿt, gʿt, dmʿt, dʿt, ydʿt, ypʿt, lmʿt, mṯʿt, mrbʿt, mšmʿt, sʿt, ʿt, ǵʿt, prʿt, ṣlʿt, qbʿt, qʿt, qṣʿt, rbʿt, rʿt, šbʿt, šmʿt, šnʿt, šʿt, tbʿt, tqʿt, tšʿt, ṯʿt.

Fragmentos Varios

00-7.58:2 […]n̊ . r̊[…] • […]-ʿt . yd̊[…] • […]m . šb[…]

Ritual

00-1.174:10 [… al]p̊[.̊]ẘš . lbʿl . šlmm • […]-ʿt . lṣpn . • -----

—-ǵy—

nº CGR-106 Ocurrencias: 1

Posibles restituciones: amǵy, aǵyn, ibǵyh, iǵyn, ymǵy, ymǵyk, ymǵyn, mǵy, mǵyh, mǵyy, mǵyk, mǵyt, sǵy, ǵyn, ǵyrm, ǵyrn, ǵyt, pdǵy, pǵy, pǵyn, tmǵy, tmǵyy, tmǵyn, tǵyn.

Administración

00-4.446:4 […]t̊l̠t̠ . a[lp …] • […]-ǵẙ[…] • […]-å[…]

—-ǵl

nº CGR-107 Ocurrencias: 1

Posibles restituciones: abǵl, aḫǵl, iwrǵl, iḫǵl, ḫḏrǵl, ḫlǵl, ḫsǵl, mḏrǵl, ǵl, tdǵl, tǵl, ttǵl, t̠bǵl.

Administración

00-4.103:63 [šd . … bd . …]b̊n • [šd . … bd . …]-ǵl . (R:š) • [šd . … bd . …]pšm . šr . 5

—-pb—

nº CGR-108 Ocurrencias: 1

Posibles restituciones: ipb, irpbn, gt̠pbn, npbl, pb, pbyn, pbl, pblnk, pbn, pbt̠r.

Administración

00-4.324:2 […]ḫ-[…] • […]-pb̊/d̊[…] • […]mš-[…]

—-pd—

nº CGR-109 Ocurrencias: 1

Posibles restituciones: annpdgl, ipd, ipdk, ipdm, updt, ypdd, yt̠pd, msspdt, mt̠pdm, npd, slpd, ǵrpd, pipdm, pd, pdu, pddm, pdḏn, pdy, pdym, pdyn, pdk, pdm, pdn, pdgb, pdǵy, pdr, pdry, pdrm, pdrn, pdt̠n, t̠pdn.

Administración

00-4.324:2 […]ḫ-[…] • […]-pb̊/d̊[…] • […]mš-[…]

—-py

nº CGR-110 Ocurrencias: 1

Posibles restituciones: abpy, alpy, apy, aṣpy, arspy, uḫnpy, hzpy, ḫt̠py, ypy, knpy, kspy, krmpy, mšpy, npy, ʿlpy, py, ṣpy, ršpy, tǵpy, tṣpy.

Administración

00-4.766:11 […]n̊n … 1 • […]-py … [1] • …

—-pl

nº CGR-111 Ocurrencias: 1

Posibles restituciones: apl, ypl, npl, spl, ʿt̠tpl, ǵrpl, pl, špl, tpl, tšpl, ttpl.

Administración

00-4.186:1 • […]-pl ʿrq • […]y . ʿrq

—-ps

nº CGR-112 Ocurrencias: 1

Posibles restituciones: yrps, ʿps, rps.

Mítica

00-1.147:15 […]-m . bʿl • […]-ps . pʿ • […]m̊

—-pr

nº CGR-113 Ocurrencias: 1

Posibles restituciones: apr, iškpr, bpr, dpr, hškpr, ḥpr, yspr, ypr, yṯpr, kpr, mspr, mpr, npr, spr, ʿbdpr, ʿpr, ʿṯtpr, pr, pškpr, ṣpr, špr, tspr, tʿpr, tpr.

Fragmentos Varios

00-7.137:8 […]ʿlẓr • […]-pr̊ . by • […]l̊ šmal

—-pš—

nº CGR-114 Ocurrencias: 1

Posibles restituciones: aupš, ilšpš, blšpš, ḥpšt, ḫpšh, ypš, lpš, npš, npšh, npšhm, npšy, npškm, npškn, npšm, npšn, p̣pšr, ppšrt, pšy, pškir, pškpr, pšʿ, rpš, špš, špšy, špšyn, špšm, špšmlk, špšn, tpš, tpšlt, ṯpš.

Ritual

00-1.103:23 ----- • […]-pš̊[…] • …

—-pt

nº CGR-115 Ocurrencias: 1

Posibles restituciones: aspt, ipt, uṯpt, gpt, ḥkpt, ḥspt, ḥqkpt, ḫnpt, ypt, kkpt, kpt, mispt, mdpt, mḫlpt, mknpt, mṣpt, mšdpt, npt, nqpt, ʿnqpt, ʿpt, ʿrpt, pt, qdpt, qpt, rḫpt, šnpt, špt, ṯpt.

Administración

00-4.17:4 […]t . im • […]-pt • […]-yt̊[…]

—-ṣm

nº CGR-116 Ocurrencias: 1

Posibles restituciones: ilqṣm, ḥṣm, ḫrṣm, yṣm, mḫṣm, myṣm, npṣm, ʿlṣm, ʿṣm, prṣm, ṣm, qṣm, rmṣm.

Administración

00-4.424:7 šd̊[…]q̊n • šd̊[…]-ṣm . ṣ (l) . dqn • š̊[d …]b̊d . pdy

—-ṣṣ

nº CGR-117 Ocurrencias: 1

Posibles restituciones: aṣṣ, mṣṣ, mšṣṣ, ṣṣ, qṣṣ.

Administración

00-4.275:18 […]t̊ʿgd . dqr • […]-ṣṣ . ṯn . alpm • […]ṯn[.]alpm

—-ṣr

nº CGR-118 Ocurrencias: 2

Posibles restituciones: iṣr, bṣr, ybṣr, yṣr, mṣr, ʿṣr, ǵṣr, ṣr, qṣr, tbṣr, tṣr, ṯṣr.

Administración

00-4.436:8 [... w . n]ḥlh ... w[. nḥlh ...] • [...]-ṣr ... -[...] • [...]-n̊tn̊ [...]

Fragmentos Varios

00-7.163:3 [...] . -[...] • [...]-ṣr . kd̊[...] • [...]ṯbt . k qb̊d̊[...]

—-ṣt

nº CGR-119 Ocurrencias: 1

Posibles restituciones: ḫṣt, mḫṣt, mṣt, ṣṣt, ṣt, qbṣt, rmṣt, trbṣt, ṯpṣt.

Fragmentos Varios

00-7.153:2 ----- • [...]-ṣ̊(?)t . • -----

—-qp

nº CGR-120 Ocurrencias: 1

Posibles restituciones: ysqp, mqp.

Mítica

00-1.82:23 [...]ṯk . ytmt . dlt . tlk . [...] . bm[...] • [...]-qp . bn . ḥtt . bn ḥtt[...]--[...] •
[...]p . km . dlt . tlk . km . pl̊[...]

—-rab

nº CGR-121 Ocurrencias: 1

Posibles restituciones: irab, ʿṯtrab.

Administración

00-4.151:I:1 • [...]-rab • [... a]r̊šmg

—-rg

nº CGR-122 Ocurrencias: 1

Posibles restituciones: gṯprg, hrg, ḫrg, mdrg, ndrg, ǵdrg, ṯmrg.

Administración

00-4.217:5 ----- • [...]-rg • [...]-

—-rg-—

nº CGR-123 Ocurrencias: 1

Posibles restituciones: argb, argd, argḏḏ, argm, argmk, argmn, argmny, argmnk, argmnm, argn, argnd, irgy, irgmn, irgn, brgyn, grgyn, grgmš, grgmšh, grgs, grgrh, grgš, gṯprg, hrg, hrẕb, ḫrg, yrgb, yrgbbʿl, yrgblim, yrgm, lrgth, mdrg, ndrġ,

ʿrgz, ʿrgzy, ʿrgzm, ǵdrg, ǵrgn, prgl, prgn, rgbt, rgz, rgḫ, rgṯ, rgl, rgln, rgm, rgmh, rgmy, rgmm, rgmt, šmʿrgm, šmrgt, šrgk, šškrgy, tgrgr, trgm, trgn, tšrgn, ṯmrg.

Fragmentos Varios

00-7.10:2 […]-yn̊-[…] • […]-rg-[…] • […]ålp . […]

—-rd

nº CGR-124 Ocurrencias: 1

Posibles restituciones: ard, ibrd, iwrd, gmrd, drd, ḏmrd, ḫḏmrd, ḫrd, ṭrd, ybrd, yḏrd, yʿḏrd, yrd, krd, mrd, nrd, srd, ʿrd, prd, qrd, rd, rmtrd, šrd, trd, ttwrd.

Administración

00-4.706:4 […]l … . • […]-rd l l gpp npṣ̊ • -----

—-rḏ-—

nº CGR-125 Ocurrencias: 1

Posibles restituciones: akrḏn, ibrḏr, iwrḏn, iwrḏr, iyrḏ, brḏl, ḏprḏ, nwrḏ, nwrḏr, ʿdrḏ, ṯrḏn.

Fragmentos Varios

00-7.147:5 ----- • […]-r̊ḏ-[…] • […] … […]

—-rl

nº CGR-126 Ocurrencias: 1

Posibles restituciones: arl, ẓrl, kdrl, mrl, rmtrl.

Fragmentos Varios

00-7.52:7 […]l̊ir . b ʿṣ/l̊[…] • […]-k̊/r̊l̊ . gd̊[…] • …

—-rm

nº CGR-127 Ocurrencias: 5

Posibles restituciones: abrm, adrm, aḫrm, anšrm, asrm, agldrm, arm, aṯrm, ibrm, idrm, illḏrm, ilrm, irm, irrṯrm, iṯrm, uurm, ugrm, uzrm, ulrm, urm, bkrm, bʿlrm, bʿrm, brm, gmrm, gprm, grm, gṯrm, dbrm, dkrm, drm, ḏrm, hrm, zbrm, zrm, ḥbrm, ḥdrm, ḫzrm, ḥmrm, ḥrm, ḫzrm, ḫmrm, ḫrm, ḫṯrm, ṭhrm, ẓhrm, ẓrm, ydrm, yhrrm, ymrm, yʿrm, yṣrm, yrm, ytrm, yṯrm, kkrm, kmrm, kprm, krm, ktrm, kṯrm, mhrm, mkrm, mlrm, mṣrm, mrm, mšrrm, mṯrm, nhrm, nʿrm, nprm, nrm, nšrm, sgrm, srm, šǵrm, . ʿbdṯrm, ʿbrm, ʿprm, ʿpṯrm, ʿṣrm, ʿrm, ʿrʿrm, ʿšrm, ʿtgrm, ʿṯrm, ǵzrm, ǵyrm, ǵmrm, ǵrm, pgrm, pdrm, pǵdrm, prm, ṣbrm, ṣḥrrm, ṣǵrm, ṣrm, rm, rǵrm, širm, šbrm, šmrm, šʿrm, šrm, tišrm, tgʿrm, tgrm, tmrm, tǵrm, trm, trrm, ṯṯrm, ṯǵrm, ṯrm.

Administración

00-4.142:4 ----- • ṯṯm . […]-rm • […]-l . b -[…]

00-4.368:2 […]lyn . ṯlṯ . [ṣ]mdm • […]-rm . ṣmd . w . ḥrṣ • […]-y

00-4.387:16 w -[…]šmʿt • ṯlṯm̊[…]-rm • ʿšr[m]d̊d[m .]l . alpm

Mítica

10-1.108:9 ----- • […]-r̊m̱ . aklt . ʿgl ṯ l . mšt • -----

Ritual

00-1.43:19 ----- • […]-rm . dkrm . • -----

—-rn

nº CGR-128 Ocurrencias: 1

Posibles restituciones: abkrn, abrn, amkrn, amtrn, asrn, aqbrn, arn, aṯrn, ibrn, idrn, iḏrn, iwrṯġrn, ikrn, imrn, irn, uḏrn, urn, brn, brrn, gbrn, gdrn, gmrn, grn, gṯrn, dmrn, dprn, drn, ḏmrn, ḏrn, hrn, ḥrn, ḫzrn, ḫyrn, ḫmrn, ḫqrn, ḫrn, ṭbrn, ẓrn, ybʿrn, yḥrn, ymrn, ysprn, ystrn, yʿḏrn, yʿrn, yšrn, kdrn, krn, kṯrn, lrn, mḏrn, mhrn, mḫsrn, mẓrn, mkrn, mṣrn, mrn, mšrn, mtrn, nrn, sdrn, sḫrn, sndrn, snrn, sprn, srn, šnrn, šrn, ʿgrn, ʿẓrn, ʿṯtrn, ġyrn, ġrn, pdrn, pprn, prn, ṣḥrn, ṣnrn, ṣprn, qrn, qrrn, rn, šḏrn, škrn, šrn, tasrn, tbʿrn, tbṣrn, tbqrn, tḫgrn, tmṭrn, tmkrn, tmrn, tġrn, tqṣrn, trn, tṯbrn, tṯṯkrn, ṯbrn, ṯlrn, ṯmrn, ṯngrn, ṯġrn, ṯqrn, ṯrn, ṯtrn.

Ritual

12-1.103:21 ----- • […]-r̊n • -----

—-rn—

nº CGR-129 Ocurrencias: 1

Posibles restituciones: abkrn, abrn, amkrn, amtrn, asrn, aqbrn, aqbrnh, arn, arnbt, arny, arnn, aṯrn, ibrn, idrn, iḏrn, iwrnr, iwrṯġrn, ikrn, imrn, isrnn, irn, uḏrn, uḏrnn, urn, brn, brrn, gbrn, gdrn, gmrn, grn, grnm, grnn, grnt, gṯrn, dmrn, dprn, dprnm, drn, ḏmrn, ḏrn, hrn, hrnmy, ḥrn, ḥrnqm, ḥrnšt, ḫzrn, ḫyrn, ḫmrn, ḫqrn, ḫrn, ḫrny, ṭbrn, ẓrn, ybʿrn, ywsrnn, yzbrnn, yḥrn, ymrn, ynʿrnh, ysprn, ystrn, yʿḏrn, yʿrn, yšrn, kdrn, krn, krny, kṯrn, lrn, mḏrn, mḏrnm, mhrn, mḫsrn, mẓrn, mkrn, mṣrn, mrn, mrnh, mrnn, mšrn, mtrn, nrn, sdrn, sḫrn, sndrn, snrn, sprn, srn, srnm, šnrn, šrn, ʿgrn, ʿẓrn, ʿẓrnm, ʿṯtrn, ġyrn, ġrn, pdrn, pprn, prn, ṣḥrn, ṣnrn, ṣprn, qrn, qrnh, qrnm, qrnt, qrrn, rn, rny, šḏrn, škrn, šrn, šrna, šrny, šrnn, tasrn, tbʿrn, tbṣrn, tbqrn, tḫgrn, tmṭrn, tmkrn, tmrn, tmrnn, tġrn, tqbrnh, tqṣrn, trn, tṯbrn, tṯṯkrn, ṯbrn, ṯlrn, ṯmrn, ṯngrn, ṯġrn, ṯġrny, ṯqrn, ṯrn,.ṯrnq, ṯtrn.

Mítica

00-1.21:II:13 [l tdd . aṯ]r̊h . l tdd̊ . i̊[lnym] • […]-r̊n̊[…] • …

—-rʿ

nº CGR-130 Ocurrencias: 1

Posibles restituciones: arʿ, ubrʿ, grʿ, drʿ, ḏrʿ, ykrʿ, krʿ, mdrʿ, prʿ, rʿ, šrʿ, tdrʿ, tptrʿ, trʿ.

Administración

00-4.697:9 […]ʿ̊r . ḫmš • […]-rʿ ʿšrm • […]kny . ʿšr̊

—-rʿn

nº CGR-131 Ocurrencias: 1

Posibles restituciones: ubrʿn, trʿn.

Administración

00-4.557:3 […]l̊ . --th • […]-ẘ/r̊ʿn • […]t̊h

—-rṣ

nº CGR-132 Ocurrencias: 1

Posibles restituciones: arṣ, irṣ, ḥrṣ, ḫrṣ, yʿrṣ, yqrṣ, mrṣ, prṣ, qrṣ, trṣ.

Fragmentos Varios

00-7.28:3 [...]- w[...] • [...]-rṣ . [...] • [...]-nk̊/ẘ[...]

—-rt

nº CGR-133 Ocurrencias: 2

Posibles restituciones: abrt, agzrt, adrt, azrt, amšrt, art, aṯrt, aṯṯrt, imrt, irt, ugrt, uzʿrt, urt, bgrt, brrt, brt, bšrt, gdrt, gmrt, gṯrt, dkrt, drt, ḏrt, hdrt, hrt, wrt, ḥḏrt, ḥmdrt, ḥrt, ḫsrt, ḫprt, ḫrt, yʿrt, yrt, ytrt, kbrt, kdrt, knrt, krt, kṯrt, lgrt, mḥʿrt, mḫrt, mḫtrt, mnʿrt, mnrt, msprt, mʿrt, mǵrt, mpḫrt, mṣprt, mṣrrt, mṣrt, mrrt, mrt, mškrt, mtrt, ngrt, nmrrt, nʿrt, nṣrt, nrt, sgrt, sprt, srt, ʿḏrt, ʿwrt, ʿṯrṯrt, ʿprt, ʿšrt, ʿṯrt, ʿṯṯrt, ǵprt, ǵrt, pʿrt, ppšrt, prḫḏrt, prt, ṣbrt, ṣḫrrt, ṣḫrt, ṣmrt, ṣǵrt, ṣrrt, ṣrt, qẓrt, qnrt, qṣrt, qrt, rt, šurt, šʿrt, šrt, ššrt, tʿrt, ṯʿrt, ṯǵrt, ṯprt, ṯrrt.

Inscripciones

00-6.45:2 [...]-d̊ w b tk • [...]-rt mr • ...

Ritual

00-1.107:44 ----- • [šp]š̊ . b šmm . tq̊r̊u . [...]-(R:m?)rt • [...]-tm . åmn[...]-[...]n̊ . åmr
11-1.107:15 ----- • [šp]š . b šmm . tq̊r̊u . l̊[...]-rt • [...]h̊tm̊ . amn[...]--[...]n . amr

—-rt—

nº CGR-134 Ocurrencias: 1

Posibles restituciones: abrt, agzrt, agrtn, adrt, adrtm, azrt, amrtn, amšrt, art, arty, artyn, artn, artsn, artṯb, aṯrt, aṯrty, aṯṯrt, ibrtlm, iwrtḏl, iwrtn, imrt, imrtn, irt, irth, irtḥṣ, irty, irtk, irtm, ugrt, ugrty, ugrtym, ugrtn, uzʿrt, urt, urtn, birty, birtym, birtn, bgrt, brrt, brt, bšrt, bšrtk, gdrt, gmrt, gṯrt, dkrt, drt, ḏhrth, ḏrt, ḏrty, hdrt, hrt, hrtm, hrtn, wrt, ḥḏrt, ḥmdrt, ḥrḥrtm, ḥrt, ḥrth, ḥrtn, ḫbrtnr, ḫsrt, ḫprt, ḫrt, yʿrt, yʿrty, yʿrtym, yrt, yrtḥṣ, yrtqṣ, ytrt, kbrt, kdrt, knrt, krt, krty, krtn, kṯrt, lgrt, mizrth, mizrtm, mḥʿrt, mḫrt, mḫtrt, mṯrtk, mnʿrt, mnrt, msprt, mʿrt, mǵrt, mpḫrt, mṣprt, mṣrrt, mṣrt, mqrtm, mrrt, mrt, mrti, mškrt, mtrt, ngrt, nmrrt, nmrth, nmrtk, nʿrt, nṣrt, nrt, sgrt, sprt, srt, srty, ʿḏrt, ʿwrt, ʿṯrṯrt, ʿprt, ʿšrt, ʿṯrt, ʿṯṯrt, ʿṯrth, ǵprt, ǵrt, pʿrt, ppšrt, prḫḏrt, prt, prtn, prtṯr, pṯrty, ṣbrt, ṣḫrrt, ṣḫrt, ṣmrt, ṣǵrt, ṣǵrth, ṣǵrthn, ṣrrt, ṣrt, ṣrtk, qẓrt, qnrt, qṣrt, qrt, qrth, qrty, qrtym, qrtm, qrtmt, qrtn, rt, rtn, rtqt, šurt, šurtm, šʿrt, šʿrty, šrt, šrtm, ššrt, tmrtn, tʿrt, tʿrth, tʿrty, trtḥṣ, trtn, trtqṣ, ṯʿrt, ṯǵrt, ṯprt, ṯprtm, ṯrrt, ṯrtnm.

Administración

00-4.487:1 ... • [...]-rt[...] • [...]n̊ ... [...]

—-rt-—

nº CGR-135 Ocurrencias: 1

Posibles restituciones: abrt, agzrt, agrtn, adrt, adrtm, azrt, amrtn, amšrt, art, arty, artyn, artn, artsn, artṯb, aṯrt, aṯrty, aṯṯrt, ibrtlm, iwrtḏl, iwrtn, imrt, imrtn, irt, irth, irtḥṣ, irty, irtk, irtm, ugrt, ugrty, ugrtym, ugrtn, uzʿrt, urt, urtn, birty, birtym, birtn, bgrt, brrt, brt, bšrt, bšrtk, gdrt, gmrt, gṯrt, dkrt, drt, ḏhrth, ḏrt, ḏrty, hdrt, hrt, hrtm, hrtn, wrt, ḥḏrt, ḥmdrt, ḥrḥrtm, ḥrt, ḥrth, ḥrtn, ḫbrtnr, ḫsrt, ḫprt, ḫrt, yʿrt, yʿrty, yʿrtym, yrt, yrtḫṣ, yrtqṣ, ytrt, kbrt, kdrt, knrt, krt, krty, krtn, kṯrt, lġrt, mizrth, mizrtm, mḥʿrt, mḫrt, mḥtrt, mṯrtk, mnʿrt, mnrt, msprt, mʿrt, mġrt, mpḫrt, mṣprt, mṣrrt, mṣrt, mqrtm, mrrt, mrt, mrti, mškrt, mtrt, ngrt, nmrrt, nmrth, nmrtk, nʿrt, nṣrt, nrt, sgrt, sprt, srt, srty, ʿḏrt, ʿwrt, ʿṯrṯrt, ʿprt, ʿšrt, ʿṯrt, ʿṯtrt, ʿṯtrth, ġprt, ġrt, pʿrt, ppšrt, prḫḏrt, prt, prtn, prtṯr, pṯrty, ṣbrt, ṣḫrrt, ṣḫrt, ṣmrt, ṣġrt, ṣġrth, ṣġrthn, ṣrrt, ṣrt, ṣrtk, qẓrt, qnrt, qṣrt, qrt, qrth, qrty, qrtym, qrtm, qrtmt, qrtn, rt, rtn, rtqt, šurt, šurtm, šʿrt, šʿrty, šrt, šrtm, ššrt, tmrtn, tʿrt, tʿrth, tʿrty, trtḫṣ, trtn, trtqṣ, ṯʿrt, ṯġrt, ṯprt, ṯprtm, ṯrrt, ṯrtnm.

Administración

00-4.619:1 • [...]m . d . b̊[...]-rt-[...] • [...]---ṯl̊[...]k̊ . bn . w-[...]

—-rtm—

nº CGR-136 Ocurrencias: 1

Posibles restituciones: adrtm, irtm, hrtm, ḥrḥrtm, mizrtm, mqrtm, qrtm, qrtmt, šurtm, šrtm, ṯprtm.

Fragmentos Varios

00-7.19:4 [...]dr[...] • [...]-rtm[...] • [...]w tb-[...]

—-rtn

nº CGR-137 Ocurrencias: 1

Posibles restituciones: agrtn, amrtn, artn, iwrtn, imrtn, ugrtn, urtn, birtn, hrtn, ḥrtn, krtn, prtn, qrtn, rtn, tmrtn, trtn.

Administración

00-4.82:2 [...]-ġ • [...]-rtn • [...]rn

—-šb

nº CGR-138 Ocurrencias: 1

Posibles restituciones: yšb, nšb, šb.

Mítica

00-1.168:26 [...]- . brkh • [...]-šb . lrḥ • [...]dy . wmrḫt

—-šy

nº CGR-139 Ocurrencias: 1

Posibles restituciones: ilkšy, iršy, ušy, btšy, ḫbšy, nkšy, npšy, nšy, ʿšy, pšy, rišy, šy, špšy, šršy, ššy, tššy.

Mítica

00-1.168:20 [...]šnt . ʿlyqm • [...]-šy . ybġdd • [...] . ḫẓksp .̊ bydh

—-šm—

nº CGR-140 Ocurrencias: 1

Posibles restituciones: baršm, aršmg, ilšmḫ, bnšm, bʿlšm, gršm, gšm, dašm, dtšm, ḥršm, ḫmšm, ḫšm, yqšm, yšmḫ, yšmʿ, yšmʿk, lbšm, mašmn, mišmn, mšmṯr, mšmn, mšmʿt, mšmš, nḥšm, npšm, nšm, nšmḫ, ššm, ʿršm, qdšm, qšm, rašm, šm, šma, šmal, šmalh, šmbʿl, šmgy, šmḥ, šmḥy, šmḫ, šmḫt, šmy, šmym, šmyn, šmk, šml, šmlbi, šmlbu, šmm, šmmh, šmmlk, šmmn, šmn, šmngy, šmny, šmnyk, šmnt, šmʿ, šmʿh, šmʿy, šmʿk, šmʿn, šmʿnt, šmʿrgm, šmʿt, šmrgt, šmrm, šmrr, šmšr, šmt, šmthm, šmtkm, šmtr, špšm, špšmlk, ššmḫt, ššmlt, ššmn, tšmḫ, tšmʿ, tšmʿm, ṯnšm, ṯšm.

Administración

00-4.699:5 […] . ʿl . il̊/ẙ[…] • […]-šm[…] • […] bn[. …]

—-šn—

nº CGR-141 Ocurrencias: 1

Posibles restituciones: abršn, agršn, annšn, ilšn, iršn, ušn, gršnn, dšn, ḥšn, ḫršn, ylšn, yʿšn, yšn, yšnn, ytršn, lbšn, lšn, lšnh, lšny, lšnk, mšn, mšnq, niršn, ngšnn, npršn, npšn, plšn, rišn, ršn, šlbšn, šn, šna, šni, šnu, šndrb, šnh, šnwt, šny, šnl, šnm, šnst, šnʿt, šnpt, šnq, šnt, šnth, šntk, šntkt, šntm, špšn, šršn, taršn, tbšn, tḫšn, tlšn, tšnn, tšnpn.

Correspondencia

00-2.63:16 ẘ . hl̊[…] • […]-šn̊[…] • …

—-šrm

nº CGR-142 Ocurrencias: 1

Posibles restituciones: anšrm, nšrm, ʿšrm, šrm, tišrm.

Fragmentos Varios

00-7.129:1 … • […]-šrm . k[…] • […]---[…]

—-št

nº CGR-143 Ocurrencias: 2

Posibles restituciones: anšt, arkšt, aršt, ašt, inšt, iršt, išt, uqšt, gršt, ḥpšt, ḥmšt, ḫmšt, ḫšt, yšt, kšt, lbšt, lḫšt, lṯšt, mḫmšt, mḫšt, mqdšt, mšt, nbšt, nšt, ʿšt, qdšt, qšt, rišt, ršt, šbšt, šlšt, št, tšt.

Administración

00-4.24:5 […]t . bn . ʿl̊[…] • […]-št . b[n …] • […] . y[…]

Fragmentos Varios

00-7.185:1 … • […]-št . rp̊(?)-[…] • […]-kb . ʿṯ̊[…]

—-tir

nº CGR-144 Ocurrencias: 1

Posibles restituciones: ištir.

Correspondencia

00-2.32:10 […]-l . w . kl . mḫrk̊ • […]-tir . aštn . l[k] • -----

—-th—

nº CGR-145 Ocurrencias: 1

Posibles restituciones: aḫth, aḫtth, aklth, amth, anyth, apnthn, aṣʿth, atnth, aṯth, irth, udmʿth, umhthm, uṣbʿth, bhmth, bhth, bhtht, bḥnth, bmth, bnwth, bnth, bʿlth, brkthm, brlth, bth, gth, dlthm, dʿthm, drkth, ḏhrth, hwth, hmth, ḥwth, ḥmthm, ḥnth, ḥryth, ḥrth, ḫṣth, ḫthn, kbdthm, klyth, klth, lmdth, lrgth, mizrth, mddth, mdth, mznth, mṭth, mlakth, mnth, mnthn, mrkbthm, mšbʿthn, mšknthm, mṯbth, nḥlth, nmrth, sglth, ʿnth, ʿṯtrth, ǵlyth, palth, pith, pnth, pth, ṣǵrth, ṣǵrthn, ṣth, qṣʿth, qryth, qrth, qšth, qšthn, rašthm, rišthm, šbth, šdmth, šmthm, šnth, špth, špthm, štnth, thbṭ, thbẓn, thbr, thdy, thw, thwt, thm, thmt, thmtm, thpk, tḥth, tʿrth, tšth, ṯbth, ṯlṯth, ṯnnth, ṯnǵlyth, ṯnth, ṯth.

Administración

00-4.474:1 … • […]-t̊h̊[…] • -----

—-ty

nº CGR-146 Ocurrencias: 2

Posibles restituciones: adnty, adty, aḫty, alty, aǵty, arkty, arty, atnty, aṯrty, aṯty, irty, ugrty, umty, birty, bbty, bhty, bq̱ʿty, bty, glbty, dmty, dnty, ḏrty, hwty, hty, ḫbty, ḫpty, ḫty, ydty, yʿrty, yty, kmkty, krty, lty, mlakty, mnty, mṣbty, mty, nḥlty, nty, srty, ʿdty, ʿnqpaty, ʿsty, ʿšty, ʿṯty, pity, pṯrty, qrty, rpty, šgty, šʿrty, špty, šṣty, šty, tity, tnty, tʿrty, tšty, ṯty.

Correspondencia

00-2.3:2 […]-[…] • […]-ty . l[…] • […]b̊/d̊/ůtm . w š̊[…]

Mítica

00-1.63:3 […]i̊dk • […]-ty • […]h̊r

—-tym

nº CGR-147 Ocurrencias: 1

Posibles restituciones: ugrtym, birtym, ḫtym, yʿrtym, ǵrbtym, qrtym, štym, tym.

Administración

00-4.634:5 […]-lmy(R:m) . ʿrb • […]-tym . ʿrb • -----

—-tm

nº CGR-148 Ocurrencias: 4

Posibles restituciones: adrtm, amtm, aštm, atm, aṯtm, iltm, irtm, ištm, itm, urbtm, ušbtm, ušpǵtm, bbtm, bhtm, bwtm, bqtm, brktm, bštm, btltm, btm, bṯtm, gdltm, dntm, dʿtm, dqtm, dtm, ḏnbtm, hrtm, htm, ztm, ḥwtm, ḥrḥrtm, ḫnqtm, ḫtm, ṭtm, ẓtm, ybltm, ymtm, ytm, kḫtm, matm, mizrtm, mitm, mgntm, mltm, mptm, mṣltm, mqrtm, mrḥqtm, mrkbtm, mštʿltm, mtm, mtntm, mtqtm, mttm, nitm, nbtm, nḥtm, šstm, ʿdtm, ʿntm, ǵẓtm, ǵlmtm, ǵltm, psltm, pǵtm, ptm, pṯtm, ṣtm, qbitm, qptm, qritm, qrytm, qrtm, qštm, qtm, rbtm, rḥtm, rʿtm, šurtm, šntm, šrtm, štm, thmtm, tm, ṯlṯtm, ṯprtm, ṯtm, ṯṯtm.

Fragmentos Varios

00-7.133:4 ----- • […]-tm . … […] • […]-ṯpknt[…]

Mítica

00-1.55:2 […]ṯt[…] • […]-tm . […] • […]i̊tḥṣ(irtḥṣ) . nn̊[…]

00-1.147:21 […]-r • […]-tm • […]d̊/b̊m

Ritual

00-1.107:45 [šp]š̊ . b šmm . tq̊r̊u . […]-(R:m?)rt • […]-tm . åmn[…]-[…]n̊ . åmr • […]l ytk . b lt[…]åm̊r . hwt

—-tmn

nº CGR-149 Ocurrencias: 1

Posibles restituciones: ktmn, ntmn, štmn, tmn.

Administración

00-4.436:6 […]- … bn . ʿr[…] • […]-tmn … bn . ʿ[…] • [… w . n]ḥlh … w[. nḥlh …]

—-tn

nº CGR-150 Ocurrencias: 3

Posibles restituciones: agytn, agrtn, aktn, amrtn, anntn, antn, aǵltn, artn, aštn, atn, aṯtn, ibʿltn, iwrtn, imrtn, irbtn, ištn, itn, ugrtn, umtn, urtn, birtn, bhmtn, bnptn, bʿlytn, bʿltn, btn, gntn, gštn, gtn, gṯtn, dmtn, dtn, hmtn, hrtn, zntn, ḥwtn, ḥytn, ḥṣqtn, ḥrtn, ḥtn, ḫḏmtn, ḫwtn, ḫtn, yhmtn, ymtn, ypltn, yritn, yštn, ytn, yṯbtn, yṯtn, kltn, klttn, kpltn, krtn, ktn, ltn, madtn, mztn, mḫtn, mlkytn, mlktn, mlʿtn, mltn, mtn, mṯtn, nptn, ntn, sgṯtn, stn, ʿgltn, ʿltn, ʿntn, ʿqltn, ʿtn, ǵltn, prtn, ptn, ṣrptn, qrtn, rtn, šlmtn, štn, tgtn, tḥtn, tmrtn, tmtn, tn, trtn, tštn, ttn, ṯṯn, ṯtn.

Administración

00-4.643:8 […] . b . dmt qdš • […]-tn . b . anan • […]-yl . b . bqʿt . b . gt . tgyn

Mítica

00-1.92:35 […]šrk . al ttn . ln • […]-tn l rbd • […]b̊ʿlth w yn

Ritual

00-1.124:6 tʿny . nn̊ . […]r̊(?)/k̊(?) . qḥ̊ • w š̊t m̊[…]--[…]-tn̊(?) • ḥdṯ --- . qḥ k̊š/d̊

—-tn—

nº CGR-151 Ocurrencias: 3

Posibles restituciones: agytn, agrtn, adtny, aktn, amrtn, anntn, antn, aǵltn, artn, aštn, atn, atnb, atnk, atnnk, atnth, atnṭy, aṯtn, ibʿltn, iwrtn, imrtn, irbtn, ištn, ištnm, itn, itnny, itnnk, ugrtn, umtn, urtn, birtn, bhmtn, bnptn, bʿlytn, bʿltn, btn, gntn, gštn, gtn, gṯtn, dmtn, dtn, hmtn, hrtn, zntn, ḥwtn, ḥytn, ḥmytny, ḥṣqtn, ḥrtn, ḥtn, ḫbrtnr, ḫḏmtn, ḫwtn, ḫtn, ḫtny, ḫtnm, yhmtn, ymtn, ypltn, yritn, yštn, ytn, ytna, ytnk, ytnm, ytnn, ytnnh, ytnnn, ytnt, yṯbtn, yṯtn, klatnm, kltn, klttn, kpltn, krtn, ktn, ktnm, ktnt, ltn, madtn, mztn, mḫtn, mlkytn, mlktn, mlʿtn, mltn, mtn, mtnbʿl, mtnh, mtny, mtnm, mtnn, mtnt, mtntm, mṯtn, nptn, ntn, sgṯtn, stn, ʿgltn, ʿltn, ʿntn, ʿqltn, ʿtn, ǵltn, prtn, ptn, ṣrptn, qrtn, rtn, šlmtn, štn, štnt, štnth, štntn, tgtn, tḥtn, tmrtn, tmtn, tn, tnabn, tnid, tngg, tngṯh, tngṯnh, tnwr, tnḥn, tnḫ, tny, tnlh, tnmy, tnn, tnnm, tnʿr, tnǵṣn, tnqt, tnrr, tnšan, tnšq, tnt, tnty, tntkn, tntqln, tnṯr, tʿbtnh, tqtnṣn, trtn, tštn, tštnn, ttn, ttnn, ṯṯn, ṯbtnq, ṯrtnm, ṯtn.

Administración

00-4.71:II:10 ----- • […]-tn[…] • …

00-4.324:5 […] . mḥṣ[…] • […]-tn[…] • […]b̊n . mz-[…]

00-4.590:2 [… m]l̊ṣ̊[…] • […]-tn[…] • […]ǵlb̊[…]

—-tna—

nº CGR-152 Ocurrencias: 1

Posibles restituciones: ytna, tnabn.

Administración

00-4.414:6 ----- • […]-tna[…] • […]kmn̊[…]

—-tr

nº CGR-153 Ocurrencias: 2

Posibles restituciones: iltr, iṯtr, btr, ztr, ḫptr, yǵtr, ytr, kptr, ktr, mtr, ntr, str, ʿbdʿṯtr, ʿmtr, ʿṯtr, ǵtr, ptr, šmtr, štr, tptr, tr, tštr.

Correspondencia

00-2.36:49 […]mn . tbt . w . […] • […]l̊/m̊k . p[…]-tr . […] • [… a]r̊gmnm[.]d . ar̊[…]

Épica

00-1.14:V:17 […] tḥm • […]-tr̊ • […]n

—-tt

nº CGR-154 Ocurrencias: 1

Posibles restituciones: att, iptt, ḥtt, ḫtt, ytt, ktt, mrdtt, mštt, mtt, nktt, ntt, rḫntt, štt. tdtt, tmtt, tt, ṯatt.

Administración

00-4.639:1 • […]-tt • -----

—-tṯ—

nº CGR-155 Ocurrencias: 1

Posibles restituciones: agtṯp, altṯb, artṯb, atṯ, urǵtṯb, ḥtṯ, ḥtṯn, ḫtṯ, yitṯm, ytṯb, kltṯb, ktṯ, ltṯ, plḫtṯ, prtṯr, titṯm, titṯmn, tbtṯb, tmtṯb, tṯ, tṯar, tṯibṯn, tṯb, tṯbn, tṯbr, tṯbrn, tṯwy, tṯy, tṯyn, tṯkḥ, tṯkl, tṯlṯ, tṯmd, tṯmnm, tṯn, tṯnḥ, tṯnṭ, tṯʿy, tṯʿr, tṯpṭ, tṯrm, tṯṯmnm, tṯṯn, tṯṯb, tṯṯbn, tṯṯkrn.

Ritual

11-1.107:53 […]t . nš . b̊-[…]mt[…] • […]ṣ/l . tmt[…]k̊/-̊̊tṯ[…] • […]š̊/d̠̊ akl̊[…]

—-ṯk

nº CGR-156 Ocurrencias: 1

Posibles restituciones: iṯk, yṯk, nṯk, ṯk, tṯk.

Administración

00-4.673:7 […]d . ṯn . […] • […]-ṯk . t̊[…] • […]ṯǵr̊[…]

—-ṯt

nº CGR-157 Ocurrencias: 2

Posibles restituciones: alṯt, aṯt, iṯt, bṯt, gbṯt, dǵṯt, dṯt, ḥdṯt, ḫmṯt, ḫpṯt, ḫrmṯt, ḫṯt, kṯt, mḥrṯt, mṯdṯt, mṯlṯt, mṯt, naṯt, npṯt, nrṯt, nṯt, plṯt, pṯt, rmṯt, rṯt, tinṯt, ṯlṯt, ṯt, ṯṯt.

Administración

00-4.205:13 ----- • […]a/-ṯt . • […]w . sb̊sg

00-4.262:5 ----- • […]-ṯt . kbd . ks[p …] • -----

—aw—

nº CGR-158 Ocurrencias: 1

Posibles restituciones: awl, awldn, awpn, awṣ, awr.

Fragmentos Varios

00-7.27:1 … • […]åẘ[…] • […]ˁl . y[…]

—ak

nº CGR-159 Ocurrencias: 1

Posibles restituciones: ilak, yak, ylak, lak, mlak, tlak.

Fragmentos Varios

00-7.7:1 … • […]ak . […] • […]ẘ b̊[…]

—alt—

nº CGR-160 Ocurrencias: 1

Posibles restituciones: alt, alty, altǵ, altṯb, palt, palth.

Fragmentos Varios

00-7.101:2 […]-l̊t[…] • […]ålt[…] • […]-[…]

—am

nº CGR-161 Ocurrencias: 4

Posibles restituciones: am, ˁḏlam, ˁḏṣam, pgam, qrsam.

Administración

00-4.94:4 […]m … 2 • […]å/n̊m … 3 • […]å/n̊m … 2

00-4.94:5 […]å/n̊m … 3 • […]å/n̊m … 2 • […]š̊m … 2

Correspondencia

00-2.81:6 […]y . adnty . a[…] • […]t/a/nm . ytn . hm . […] • […] . rgm̊[…]

Fragmentos Varios

00-7.77:1 … • […]n̊/åm • […]d̊m

—amr—

nº CGR-162 Ocurrencias: 1

Posibles restituciones: amr, amril, amrbˤl, amry, amrk, amrr, amrtn, yamr.

Administración

00-4.94:14 […]bt … 2 • […]åmr̊[…] … […] • [… ˤ]r̊g[z] … 1

—an

nº CGR-163 Ocurrencias: 4

Posibles restituciones: an, iqran, gan, znan, ḫlan, ḫnan, ḫran, yman, yṣan, kran, kṯan, lan, qran, rpaan, rpan, šan, tan, tḫtan, tluan, tnšan, tran, tšan.

Administración

00-4.55:33 […]n . dd • […]an dd • […]ẙ

00-4.127:8 [… m]rbd . kb̊d . ṯnm--- • […]an mṯrm • -----

00-4.339:7 n̊m̊q . w . aṯth . w . bnh • […]an . w . aṯth • […]d̊/b̊y . w . aṯth

Fragmentos Varios

00-7.108:3 […]b-[…] • […]ån . -[…] • […]d . yq̊[…]

—ant

nº CGR-164 Ocurrencias: 1

Posibles restituciones: ant, šant, tant.

Ritual

00-1.164:14 … • […]a/nnt • [al]it . š

—ar-d

nº CGR-165 Ocurrencias: 1

Posibles restituciones: argd, arwd, arkd.

Fragmentos Varios

00-7.176:5 […]m . […] . ar[b]ˤt[…] • […]ar-ddrn̊ • […]t . n̊š[…]

—at

nº CGR-166 Ocurrencias: 3

Posibles restituciones: at, bat, dat, ḫtat, ḫmat, ḫrpat, yṣat, kat, klat, ksat, ktldat, mat, mlat, mmlat, mrat, nat, nblat, nšat, ˤnqpat, pat, ṣat, qbat, qrat, šṣat, ṯat.

Correspondencia

00-2.8:4 […]ṯb . ˤrym[.]w . k qlt[…] • […]at . brt . lbk . ˤnn . […] • […]ṣdq . k ttn . ly . šn[…]

00-2.81:1 … • […]åt̊ . d[…] • […]m . hln̊y .̊[…]

Mítica

00-1.82:17 […]- . ylm . bn̊[ʿ]nk . ṣmdm . špk[…] • […]- . nt[…]å(?)t . b kkpt . w k̊(?) . b g-[…] • […]ḥ[…] bnt . ṣʿṣ . bnt . ḫrp . ak̊/r̊[…]

—iy

nº CGR-167 Ocurrencias: 2

Posibles restituciones: aliy, iy, diy, ksiy, liy, lbiy, niy, rpiy, šiy, ṯiy.

Administración

00-4.75:VI:6 […]m . bn . ṣmrt • […]iy . bn . yṣi • gmrhd . bn . srt

Correspondencia

00-2.31:33 ----- • […]i̊/h̊y . lm- b ks̊[…] • […]- . tr[…] . gpn lk

—il

nº CGR-168 Ocurrencias: 7

Posibles restituciones: amril, il, uwil, unil, bdil, bnil, dnil, hwil, ḫyil, ḥnil, yaršil, ybnil, ydbil, yknil, ymil, yrgmil, yšril, yššil, yṯil, kpil, mril, nẓril, ntil, ʿbdil, ʿnil, pil, pnil, ṣdqil, rbil, rpil, šil, ṯbil.

Administración

00-4.155:4 [… a]lṯy • […]i̊l • […]tl

00-4.460:5 […]myn … […] • […]il … […] • -----

00-4.635:5 […]ṣḥ . uḫd • […]i̊l . uḫ (uḫd) • […]ẙtn . bd . mlkt

00-4.700:1 … • [bn …]i̊l • bn šndrb

00-4.701:13 […] • […]i̊l • […]ẙ/ḫy

Épica

00-1.15:V:5 [… ḫ]b̊r̊[…] • b̊ḫ̊r̊[…]t̊(?) […]h̊(?)/i̊(?) • l̊ mṯb̊ […]t̊[…]

Fragmentos Varios

00-7.134:1 ----- • […]i̊l . […] • -----

—iln—

nº CGR-169 Ocurrencias: 1

Posibles restituciones: iln, ilnḥm, ilnym, ilnm, ilnnn, ilnqsd, piln.

Fragmentos Varios

00-7.10:5 […]ht . ar̊/k̊/ẘ[…] • […]iln[…] • …

—iln-—

nº CGR-170 Ocurrencias: 1

Posibles restituciones: iln, ilnḥm, ilnym, ilnm, ilnnn, ilnqsd, piln.

Mítica

00-1.75:5 […]h aḫd[…] • […]iln-[…] • […]-ḫ[…]

—ilr—

nº CGR-171 Ocurrencias: 1

Posibles restituciones: ilrb, ilrkm, ilrkṣ, ilrm, ilrpi, ilrpm, ilrpṣ, ilrš, ilršp.

Administración

00-4.599:3 […]š-[…] • […]ilr̊[…] • […]-ḫ[…]

—isp—

nº CGR-172 Ocurrencias: 1

Posibles restituciones: isp, ispa, ispi, ḫisp, yisp, yisphm, mispt, tisp, tispk.

Fragmentos Varios

00-7.65:2 […]-[…] • […]isp̊[…] • […]ǵr[…]

—ir

nº CGR-173 Ocurrencias: 3

Posibles restituciones: ir, iškir, ištir, bir, hškir, yṯir, pškir, šir.

Administración

00-4.401:17 […]y--[…]q̊ḥ . b ym̊- • […]ir . ----[…] • -----

00-4.619:8 rgln̊[…]-[…] • […]ir . b̊[…] • -----

Ritual

00-1.103:25 ----- • […]̊ir . l k̊[…] • -----

12-1.103:25 ----- • *[…]̊ir . lk̊ […]* • -----

—irt-

nº CGR-174 Ocurrencias: 1

Posibles restituciones: irt, irth, irtḫṣ, irty, irtk, irtm, birty, birtym, birtn.

Mítica

00-1.2:III:8 […]k̊ṯr . w ḫ[ss .]̊tb̊ˁ . bn̊[.]b̊ht . ym[. rm]m . h̊kl̊ . ṯ̊pṭ . n[hr] • […]h̊/i̊rt- . ẘ[…]tbˁ . k̊ṯ̊r ẘ[ḫss . t(?)]b̊n . b̊ht zbl̊ ẙm̊ • […]m . hk[l . ṯpṭ] . nhr . b t . k[ṣrrt . ṣ]p̊n̊

—iš—

nº CGR-175 Ocurrencias: 1

Posibles restituciones: iš, išal, išalhm, išbˁl, išd, išdh, išdym, išdk, išdn, išḫn, išḫry, išyy, iškir, iškpr, išlḥ, išqb, išryt, išt, ištir, ištbm, ištynh, ištm, ištmdh, ištmˁ, ištn, ištnm, ištql, ištrmy, ištš, išttk, yišr, mišmn, riš, rišh, rišhm, rišy, rišym, rišyt, rišk, rišn, rišt, rišthm, tišr, tišrm.

Mítica

00-1.2:III:13 […]b̊ ym . ẏm . y[…]t . yš̊[…]n å p̊k . ˁṯtr . dm̊[…] • […]ḥrḥrtm . w ů/d̊[…]n[…]iš[…]h[…]išt • […]y . yblmm . u[…]-ḫ̊[…]k̊ . ẙr̊d̊[…]i̊[…]n̊ . bn̊

—it

nº CGR-176 Ocurrencias: 1

Posibles restituciones: alit, ubdit, dit, lit, llit, mit, mlit, mṯpit, nit, ʿbdlbit, ǵmit, pit, qrit, tit.

Administración

00-4.22:6 ʿšrm • […]h̊/i̊t • …

—it—

nº CGR-177 Ocurrencias: 1

Posibles restituciones: alit, itbd, itbnnk, itdb, itḫṣ, itlk, itm, itml, itn, itnny, itnnk, its, itrḫ, itrṯ, ittk, ubdit, dit, yitbd, yitmr, yitsp, yitṯm, yritn, lit, llit, mit, mitm, mlit, mṯpit, nit, nitk, nitm, ʿbdlbit, ǵmit, pit, pith, pity, qbitm, qrit, qritm, tit, tity, titṯm, titṯmn.

Épica

00-1.18:I:33 […]m̊n . ʿr̊h̊m̊[…] • […]it[…] • […]ʿp[…]

—iṯ

nº CGR-178 Ocurrencias: 1

Posibles restituciones: iṯ, ḫiṯ.

Fragmentos Varios

00-7.75:2 […] . phẙ[…] • […]i̊ṯ . t-[…] • …

—iṯ—

nº CGR-179 Ocurrencias: 1

Posibles restituciones: iṯ, iṯb, iṯg, iṯk, iṯl, iṯm, iṯmh, iṯrhw, iṯrm, iṯt, iṯtbnm, iṯtl, iṯtqb, iṯtr, ḫiṯ.

Inscripciones

00-6.51:1 • […]iṯ[…] • […]dʿ[…]

—ub—

nº CGR-180 Ocurrencias: 1

Posibles restituciones: uba, ubu, ubdit, ubdy, ubdym, uby, ubyn, ubkš, ubln, ubn, ubnyn, ubs, ubš, ubr, ubrʿ, ubrʿy, ubrʿym, ubrʿn, ubrš, bubs, tubd.

Fragmentos Varios

00-7.79:2 […]-[…] • […]ub̊[…] • […]-lt[…]

—ul—

nº CGR-181 Ocurrencias: 1

Posibles restituciones: ul, ulb, ulby, ulbtyn, uldy, ulkn, ull, ully, ullym, ulm, ulmy, ulmk, ulmn, uln, ulnhr, ulny, ulʿnk, ulp, ulpm, ulṣy, ulrm, ulṯ, bul, buly, yšul, nulḥp.

Fragmentos Varios

00-7.79:4 […]-lt[…] • […]b̊/d̊/ů/ṣ̊/l[…] • […]n̊-[…]

—um

nº CGR-182 Ocurrencias: 1

Posibles restituciones: um, mrum, nqum, ʿṯtrum, qnum, rum, rpum, tium.

Administración

00-4.237:2 ----- • […]ům . w ḫ[…] • -----

—uṣ—

nº CGR-183 Ocurrencias: 1

Posibles restituciones: uṣb, uṣbʿ, uṣbʿh, uṣbʿt, uṣbʿth, uṣbʿtk, uṣʿnk, muṣl, tuṣl.

Fragmentos Varios

00-7.79:4 […]-lt[…] • […]b̊/d̊/ů/ṣ̊/l[…] • […]n̊-[…]

—uq—

nº CGR-184 Ocurrencias: 2

Posibles restituciones: uqrb, uqšt.

Fragmentos Varios

00-7.112:1 … • […]ůq[…] • […]ůq̊[…]

00-7.112:2 […]ůq[…] • […]ůq̊[…] • …

—bb

nº CGR-185 Ocurrencias: 2

Posibles restituciones: inbb, bb, dbb, ḏbb, ḫbb, rbb.

Administración

00-4.701:10 […]r • […]b̊b • […]š

Épica

00-1.14:V:25 […]b̊/d̊d . ʿr • […]b̊b • […]l̊my

—bb—

nº CGR-186 Ocurrencias: 2

Posibles restituciones: abbl, abbly, abbt, inbb, inbbh, bb, bby, bbru, bbt, bbty, bbtm, dbb, dbbm, ḏbb, ḫbb, ydbbʿl, yrgbbʿl, kbby, sbbyn, rbb, rbbt, tbbr.

Fragmentos Varios

00-7.195:2 […]b̊/d̊h[…] • […]b̊/d̊b̊/d̊[…] • …

Ritual

00-1.53:2 […]-[…] • […]b̊/d̊b̊/d̊(?)[…] • […]q̊(?) . mr[…]

—bd—

nº CGR-187 Ocurrencias: 5

Posibles restituciones: abd, abdg, abdḫr, abdy, abdʿn, arbdd, ilbd, itbd, ubdit, ubdy, ubdym, bd, bdil, bddn, bdh, bdhm, bdy, bdyn, bdk, bdl, bdlm, bdm, bdn, bdqt, dbd, hʾbd, ḫbd, yabd, yitbd, ybd, ybdn, ykbd, ykbdnh, yʿbd, yʿbdr, kbd, kbdh, kbdy, kbdk, kbdm, kbdn, kbdt, kbdthm, lbdm, mʿbd, mrbd, mrbdt, nbdg, ndbd, ntbdh, sbd, ʿbd, ʿbdadt, ʿbdil, ʿbdilm, ʿbdilt, ʿbdbʿl, ʿbdgt̠r, ʿbdh, ʿbdḫ, ʿbdḫgb, ʿbdḫy, ʿbdḫr, ʿbdḫmn, ʿbdy, ʿbdym, ʿbdyrḫ, ʿbdyrǵ, ʿbdk, ʿbdkb, ʿbdkt̠r, ʿbdlbit, ʿbdm, ʿbdmhr, ʿbdmlk, ʿbdn, ʿbdnkl, ʿbdnt, ʿbdssm, ʿbdʿn, ʿbdʿnt, ʿbdʿt̠tr, ʿbdpr, ʿbdrpu, ʿbdrš, ʿbdršp, ʿbdrt̠, ʿbdšḫr, ʿbdt̠rm, qbd, riʿbd, rbd, tubd, tbd, tbdn, tkbd, tkbdh, tkbdnh, trbd.

Administración

00-4.306:9	[… a]l̊pm[…] • […]b̊/d̊d[…] • -----
00-4.702:2	[…]-n̊[…] • […]b̊/d̊d[…] • […]b̊/d̊ . br̊(?)[…]

Fragmentos Varios

00-7.166:2	[…]l̊p̊[…] • […]b̊/d̊l̊/d̊[…] • […]--[…]
00-7.195:2	[…]b̊/d̊h[…] • […]b̊/d̊b̊/d̊[…] • …

Ritual

00-1.53:2	[…]-[…] • […]b̊/d̊b̊/d̊(?)[…] • […]q̊(?) . mr[…]

—bh

nº CGR-188 Ocurrencias: 3

Posibles restituciones: ʾbh, abh, ibh, ilibh, inbbh, bh, gbh, hybh, yiḫibh, yiḫdbh, lbh, lṣbh, mʿdbh, qrbh, t̠bh, t̠lrbh.

Épica

00-1.18:I:5	[…]h̊/i̊ . at̠-[…] • […]b̊/d̊h . ap . -[…] • […] . w tʿn . […]

Ritual

00-1.103:22	----- • […]bh • -----
12-1.103:22	----- • *[…]bh* • -----
00-1.103:51	----- • […]bh . b ph . yṣu . ibn . yspu ḥwt • -----
12-1.103:51	----- • *[…]bh . b ph . yṣu . ibn . yspu . ḥwt* • -----

—bh—

nº CGR-189 Ocurrencias: 1

Posibles restituciones: ʾbh, abh, ibh, ilibh, inbbh, bh, bhdrʿy, bhl, bhm, bhmk, bhmt, bhmth, bhmtn, bht, bhth, bhtht, bhty, bhtk, bhtm, bht̠, gbh, hybh, yiḫibh, yiḫdbh, ygbhd, ydbhd, lbh, lṣbh, mʿdbh, mʿdbhm, nbhm, qrbh, t̠bh, t̠lrbh.

Fragmentos Varios

00-7.195:1	… • […]b̊/d̊h[…] • […]b̊/d̊b̊/d̊[…]

—bk

nº CGR-190 Ocurrencias: 2

Posibles restituciones: abk, aqrbk, ibk, bk, gbk, ybk, lbk, mbk, mʿqbk, mt̠bk, nbk, ʿbk, ʿdbk, ṣbk, tbk.

Administración

00-4.262:10 ----- • […]- . -[…]b̊k . bn[…] • -----

Mítica

00-1.167:2 […]b̊r̊[…] • […]b/dk . mr[…] • […]ǵ̊ṣb . ǵṣb[…]

—bkm

nº CGR-191 Ocurrencias: 1

Posibles restituciones: bkm, yʿdbkm, mbkm, nbkm.

Mítica

00-1.1:V:7 […] . nšb . b ʿn • […]b̊km yʿn • [… ydʿ . l]ydʿt

—bl

nº CGR-192 Ocurrencias: 1

Posibles restituciones: abbl, abl, alkbl, irbl, bl, gbl, dbl, zbl, ḥbl, ḫbl, ybl, yšbl, kbl, mgbl, nbl, nḥbl, npbl, śbl, ʿbl, ǵbl, pbl, pnṯbl, qrzbl, šbl.

Administración

00-4.362:4 arbʿ . ʿš[r .]dd̊ nʿr • d . apy […]bl • w . arb[ʿ . …]m̊ . d . apy . ʿbdh

—bl—

nº CGR-193 Ocurrencias: 5

Posibles restituciones: abbl, abbly, abl, ablḫ, ablm, alkbl, iblblhm, ibln, ilbldn, irbl, ubln, bl, blblm, bld, bldn, blh, blḫ, blẓn, bly, blym, blk, blkn, bln, blʿdn, blp, blšpš, blšš, blt, gbl, gbly, gblm, gbln, dbl, dblt, zbl, zblhm, zblkm, zbln, zblnm, ḥbl, ḥblh, ḥblm, ḫbl, ḫbly, ybl, yblhm, yblk, yblmm, ybln, yblnh, yblnn, yblʿ, yblt, ybltm, yrgblim, yšbl, kbl, kblbn, kbln, mgbl, nbl, nblat, nbluh, nbln, nḥbl, npbl, śbl, ʿbl, ǵbl, pbl, pblnk, pnṯbl, qblbl, qrzbl, šbl, šblt, tblk, ṯbln.

Administración

00-4.708:1 … • […]b̊l̊[…] • […]py . ṯq̊l̊

Fragmentos Varios

00-7.79:4 […]-lt[…] • […]b̊/d̊/ůṣ̊/l[…] • […]n̊-[…]

00-7.166:2 […]l̊p̊[…] • […]b̊/d̊l̊/d̊[…] • […]--[…]

Inscripciones

00-6.38:4 […]ǵy-[…] • […]b̊l[…] • […]-š-[…]

Ritual

00-1.29:1 … • […]bl[…] • […]-š . […]

—bln

nº CGR-194 Ocurrencias: 2

Posibles restituciones: ibln, ubln, bln, gbln, zbln, ybln, kbln, nbln, ṯbln.

Administración

00-4.155:7 […]ʿbl • […]bln • […]dy

00-4.320:14 btwm • […]bln • […]bldn

—bm

nº CGR-195 Ocurrencias: 7

Posibles restituciones: abm, anhbm, ibm, ištbm, uṯbm, bm, glbm, dbbm, hbm, ḫḫbm, ḫṯbm, ḫrbm, ṭbm, ẓbm, ybm, kbkbm, kbm, kkbm, klbm, mdbm, mṣbm, mqbm, mtdbm, nšbm, ˁḏbm, ˁnlbm, ˁrbm, ˁṯqbm, ǵnbm, qrbm, rbm, šbm, tˁrbm, ṯlbm, ṯnlbm, ṯqbm.

Administración

00-4.103:33 ... • [...]b̊m • [šd . ... . bd .]ṯpṯbˁl

00-4.368:6 [...]-- ṣmd . w . ḥrṣ • [...]b̊m̊ • [...]ksn . ṣmd . w . ḥrṣ

Épica

00-1.19:II:34 mḫlpt . w l . ytk . d̊m̊ˁt̊[.]k̊ m • rbˁt . ṯqlm . ṯṯp̊(?)[...]bm • yd . ṣpnhm . tliẙm̊[... ṣ]pnhm[...]

Fragmentos Varios

00-7.51:9 [...]yk • [...]bm • [...]š̊ . y

Mítica

00-1.92:18 k[...]ḥrš . ḫssm[...] • -[...]b̊m ˁṯr̊[t ...] • [...]ṯ̊r̊[...]

00-1.147:22 [...]-tm • [...]d̊/b̊m • [...]-nm

00-1.168:29 [...]ḥmṯ • [...]b/dm • [...] . yldhna--

—bm-—

nº CGR-196 Ocurrencias: 1

Posibles restituciones: abm, abmlk, abmn, anhbm, ibm, ištbm, uṯbm, bm, bmdḫ, bmmt, bmt, bmth, glbm, dbbm, hbm, ḫḫbm, ḫṯbm, ḫrbm, ṭbm, ẓbm, ybm, ybmh, ybmt, yṯbmlk, kbkbm, kbm, kbmh, kkbm, klbm, mdbm, mṣbm, mqbm, mtdbm, nšbm, ˁbmlk, ˁdbmlk, ˁḏbm, ˁnlbm, ˁrbm, ˁṯqbm, ǵnbm, qrbm, rbm, šbm, tˁrbm, ṯlbm, ṯnlbm, ṯqbm.

Fragmentos Varios

00-7.61:4 [...]pṯn • [...]d̊/b̊m-[...] • [...]pṯn[...]-

—bˁ

nº CGR-197 Ocurrencias: 1

Posibles restituciones: arbˁ, ašrbˁ, uṣbˁ, gbˁ, ḥrṣbˁ, ḫrṣbˁ, ybˁ, yšbˁ, ytbˁ, kbˁ, mrbˁ, rbˁ, šbˁ, tbˁ, tšbˁ, ttbˁ.

Ritual

00-1.106:12 š . l p̊dr . ẙ[...] • bt . m̊l̊k̊ . y-[...]b̊ˁ̊ • ṣin . ḫm̊nh . š̊ . qdšh

—bˁ—

nº CGR-198 Ocurrencias: 3

Posibles restituciones: abˁly, adbˁl, amrbˁl, arbˁ, arbˁm, arbˁt, ašrbˁ, ibˁlt, ibˁltn, ibˁr, iybˁl, ilbˁl, išbˁl, uṣbˁ, uṣbˁḣ, uṣbˁt, uṣbˁth, uṣbˁtk, bˁd, bˁdh, bˁdhm, bˁdy, bˁdn, bˁyn, bˁl, bˁldn, bˁldˁ, bˁlh, bˁlhm, bˁlhn, bˁlz, bˁly, bˁlyh, bˁlyskn, bˁlytn, bˁlk, bˁlkm, bˁlkn, bˁlm, bˁlmˁḏr, bˁlmṯpṭ, bˁln, bˁlny, bˁlsip, bˁlskn, bˁlṣdq, bˁlṣn, bˁlrm, bˁlšlm, bˁlšm, bˁlt, bˁlth, bˁltn, bˁṣ, bˁr, bˁrm, gbˁ, gbˁh, gbˁl, gbˁly, gbˁlym, gbˁm, gbˁn, ḏmrbˁl, hybˁl, ḥrṣbˁ, ḫrṣbˁ, ybˁ, ybˁl, ybˁlhm, ybˁlm, ybˁlnn, ybʿr, ybʿrn, ydbbʿl, ydbʿl, ypʿbʿl, yrbʿm, yrgbbʿl, yrǵmbʿl, yšbʿ, yšbʿl, ytbʿ, kbʿ, mddbʿl, mrbʿ, mrbʿt, mšbʿthn, mtbʿl, mtnbʿl, nbʿm, ʿbdbʿl, ʿdbʿl, ʿzbʿl, plšbʿl, plṣbʿl, ṣlbʿl, qbʿt, rbʿ, rbʿt, šbʿ, šbʿid, šbʿd, šbʿdm, šbʿl, šbʿm, šbʿr, šbʿt, šmbʿl, tbʿ, tbʿln, tbʿn, tbʿrn, tbʿt, tšbʿ, tšbʿn, ttbʿ, ṯbʿl, ṯbʿm, ṯbʿnq, ṯpṯbʿl.

Administración

00-4.200:2 [...]yt[...] • -[...]b̊ʿ[...] • --[...]l[...]m̊

Fragmentos Varios

00-7.200:1 ... • [...]b̊(?)ʿ[...] • [...]--[...]

Mítica

00-1.22:I:28 [...]ʿ̊(?)r̊(?) . rʿh . ab̊ẙm̊(?) • [...]b̊/ṣ̊ʿ[...] • ...

—bʿm

nº CGR-199 Ocurrencias: 1

Posibles restituciones: arbʿm, gbʿm, yrbʿm, nbʿm, šbʿm, ṯbʿm.

Administración

00-4.682:1 • [...]bʿm • [... b]n . yšmʿ̊

—bp—

nº CGR-200 Ocurrencias: 1

Posibles restituciones: abpy, bpr.

Mítica

00-1.20:II:12 tpḥ . ṯṣr . shr̊--[...] • m̊(?)r̊--[...]ṣ̊/b̊p̊/t̊[...] • [...]bʿd . ilnym

—bṣ—

nº CGR-201 Ocurrencias: 1

Posibles restituciones: abṣn, irbṣ, bṣ, bṣy, bṣmy, bṣmn, bṣʿ, bṣql, bṣr, bṣry, ybṣr, ʿbṣ, ʿbṣk, qbṣ, qbṣt, rbṣ, tbṣʿ, tbṣr, tbṣrn, trbṣt.

Fragmentos Varios

00-7.79:4 [...]-lt[...] • [...]b̊/d̊/ů̊ṣ̊/l[...] • [...]n̊-[...]

—br—

nº CGR-202 Ocurrencias: 1

Posibles restituciones: abrḫṯ, abrm, abrn, abrpu, abršn, abršp, abrt, aqbrn, aqbrnh, ibr, ibrd, ibrḏr, ibrh, ibryn, ibrkḏ, ibrkyṯ, ibrm, ibrmḏ, ibrn, ibrtlm, ubr, ubrʿ, ubrʿy, ubrʿym, ubrʿn, ubrš, udbr, bbru, br, bri, brgyn, brdd, brdn, brḏl, brh, brzn, brzt, brḥ, brḥn, bry, brk, brkh, brky, brkm, brkn, brkt, brkthm, brktkm, brktm, brlt, brlth, brm, brn, brsm, brsn, brš, bršm, brq, brqd, brqm, brqn, brqt, brr, brrn, brrt, brt, gbry, gbrn, dbr, dbrh, dbrm, hbr, zbrm, ḥbr, ḥbrh, ḥbrk, ḥbrm, ḫbr, ḫbrtnr, ḫbrṯ, ṭbrn, ẓbr, ybrd, ybrdmy, ybrk, ybrkn, ydbr, yhbr, yzbrnn, yqbr, yṯbr, kbr, kbrt, kdǵbr, klbr, mbr, mdbr, mlbr, mʿbr, sbrdnm, ʿbr, ʿbrm, ʿnbr, ǵbr, ṣbr, ṣbrm, ṣbrt, qbr, šbrh, šbrm, tbbr, tbrk, tbrkk, tbrkn, tbrknn, tgbry, tdbr, thbr, tlbr, tʿtbr, tqbrnh, ṯṯbr, ṯṯbrn, ṯbr, ṯbry, ṯbrn, ṯgbr.

Mítica

00-1.167:1 • […]b̊r̊[…] • […]b/dk . mr[…]

—br-—

nº CGR-203 Ocurrencias: 1

Posibles restituciones: abrḫṭ, abrm, abrn, abrpu, abršn, abršp, abrt, aqbrn, aqbrnh, ibr, ibrd, ibrḏr, ibrh, ibryn, ibrkḏ, ibrkyṯ, ibrm, ibrmḏ, ibrn, ibrtlm, ubr, ubrʿ, ubrʿy, ubrʿym, ubrʿn, ubrš, udbr, bbru, br, bri, brgyn, brdd, brdn, brḏl, brh, brzn, brzt, brḫ, brḫn, bry, brk, brkh, brky, brkm, brkn, brkt, brkthm, brktkm, brktm, brlt, brlth, brm, brn, brsm, brsn, brš, bršm, brq, brqd, brqm, brqn, brqt, brr, brrn, brrt, brt, gbry, gbrn, dbr, dbrh, dbrn, hbr, zbrn, ḥbr, ḥbrh, ḥbrk, ḥbrn, ḫbr, ḫbrtnr, ḫbṛṯ, ṭbrn, ẓbr, ybrd, ybrdmy, ybrk, ybrkn, ydbr, yhbr, yzbrnn, yqbr, yṯbr, kbr, kbrt, kdġbr, klbr, mbr, mdbr, mlbr, mʿbr, sbrdnm, ʿbr, ʿbrm, ʿnbr, ġbr, ṣbr, ṣbrn, ṣbrt, qbr, šbrh, šbrn, tbbr, tbrk, tbrkk, tbrkn, tbrknn, tgbry, tdbr, thbr, tlbr, tʿtbr, tqbrnh, ṯṯbr, ṯṯbrn, ṯbr, ṯbry, ṯbrn, ṯgbr.

Administración

00-4.457:2 […]m̊ryn̊[…] • […]d̊/b̊r-[…] • …

—bry—

nº CGR-204 Ocurrencias: 1

Posibles restituciones: ibryn, bry, gbry, tgbry, ṯbry.

Ritual

00-1.107:25 […]ṯ̊n̊[…]ṯ . b ym . tld • […]b̊r̊(?)ẙ[…] • [… i]l̊m . rbm̊[…]š-[…]

—brt

nº CGR-205 Ocurrencias: 2

Posibles restituciones: abrt, brt, kbrt, ṣbrt.

Administración

00-4.103:56 [šd . bn . …]n . bd . aḫny • [šd . bn . …]b̊/d̊rt . bd . ṯpṭbʿl . 2 • -----

Fragmentos Varios

00-7.50:6 [… a]ṯrt ṯṯ • […]brt . […] • […](R:k) kbkb̊

—bš

nº CGR-206 Ocurrencias: 2

Posibles restituciones: bš, ḥbš, ybš, ylbš, yʿbš, yṯbš, lbš, mlbš, tlbš.

Administración

00-4.627:8 […]-[…]lh • […]-[…]b̊/d̊š . lh • […]-[…] . lh

00-4.734:13 […]m . kt tmnn • […]bš . ir[…] • […]---[…]

—bt—

nº CGR-207 Ocurrencias: 7

Posibles restituciones: abbt, ahbt, arkbt, arnbt, ihbt, irbtn, ulbtyn, urbt, urbtm, ušbt, ušbtm, bbt, bbty, bbtm, bt, btbt, bth, btw, btwm, bty, btk, btl, btlyn, btlt, btltm, btm, btmny, btn, btq, btr, btry, btšy, glbt, glbty, ḏnbtm, hbt, ḥbt, ḫgbt, ḥṭbt, ḫlbt, ḫbt, ḫbtd, ḫbty, ḫbtkm, ḫbtkn, ḫgbt, ṭbt, ybt, yṣbt, yṯbt, yṯbtn, kbkbt, kkbt, klbt, lbt, maḫbt, mbt, mṣbt, mṣbty, mrkbt, mrkbthm, mrkbtk, mrkbtm, mškbt, mṯbt, mṯbth, mṯbtkm, nbt, nbtm, nṣbt, ntbt, ntbtk, ntbtš, ʿdbt, ʿḏbt, ʿqbt, ʿṛbt, ʿṯqbt, ǵbt, ǵrbtym, qbt, rbbt, rbt, rbtm, rgbt, rḥbt, rǵbt, šibt, šbt, šbth, šbtk, šḏibt, tbt, tbtḫ, tbtṯb, tybt, tʿbtnh, ṯbt, ṯbth, ṯbtk, ṯbtnq.

Administración

00-4.64:V:1	... • [bn . ...]b̊/d̊t̊[...] • [bn . ...]-nn[...]
00-4.572:4	[...] • [...]bt[...] • [...]

Fragmentos Varios

00-7.90:1	... • [...]b̊t[...] • [...] ... [...]
00-7.216:2	[...]-[...] • [...]bt[...] • [...]-[...]

Inscripciones

00-6.56:3	[...] ... [...] • [...]bt[...] • ...

Mítica

00-1.20:II:12	tpḥ . ṯṣr . shr̊--[...] • m̊(?)r̊--[...]ṣ̊/b̊p̊/t̊[...] • [...]bʿd . ilnym

Vocabularios

00-9.3:IVb:4	ku-šar-ru • [... b]a(?)-ti[...] • [pa-ad(?)-r]i-ya-m[a(?)]

—bṯ

nº CGR-208 Ocurrencias: 1

Posibles restituciones: algbṯ, bṯ, ḫbṯ, ḫdbṯ, ybṯ, lbṯ.

Fragmentos Varios

00-7.50:1	... • [...]bṯ • [...]b̊/d̊rḥn̊

—gbn

nº CGR-209 Ocurrencias: 2

Posibles restituciones: ḥgbn.

Administración

00-4.57:7	[...]ḥ̊k̊-[...] • [...]g/ṣ̊bn ... 1 • [...]b/d̊nyn ... 2
00-4.151:I:10	[...]lgn • [...]gbn • [...]bṣdq

—gg

nº CGR-210 Ocurrencias: 1

Posibles restituciones: gg, tngg.

Administración

00-4.195:12	----- • ṯṯ . pt[ḥ ...]gg • ṯn . ptḥ̊[...]

—gd—

nº CGR-211 Ocurrencias: 1

Posibles restituciones: agdyn, agdn, agdʿ, agdṯb, argd, ilgdn, gd, gdaḫ, gdy, gdl, gdlm, gdlt, gdltm, gdm, gdn, gdrn, gdrt, gdš, kdgdl, mgdl, mgdly, mgdlm, tʿgd, ṯgd, ṯmgdl.

Fragmentos Varios

00-7.13:2 […]l̊(?)[…] • […]gd[…] • […]ḥ̊t[…]

—gh—

nº CGR-212 Ocurrencias: 1

Posibles restituciones: ggh, gh, ghl, ghm, mlghy, ngh, nšgh, tgh, tghb.

Fragmentos Varios

00-7.209:4 ----- • […]gh̊(?)[…] • …

—gk

nº CGR-213 Ocurrencias: 1

Posibles restituciones: ggk, ḫdgk, lgk, ṣgk, šrgk.

Administración

00-4.104:3 […]d̊ … 2 • […]g̊k … 10 • […]-n … 4

—gl-—

nº CGR-214 Ocurrencias: 2

Posibles restituciones: aglby, annpdgl, gl, glb, glbm, glbt, glbty, glgl, gld, gldy, glyn, glyt, gll, glln, gln, glˁd, glrš, glt, glṯ, ḥgln, ygl, ygly, mglb, mdgl, ngln, sgld, sglth, ˁgl, ˁglh, ˁglṭ, ˁglm, ˁglq, ˁglt, ˁgltn, pglu, prgl, rgl, rgln, tgl, tglṭ, tgly, tglq, tglṯ, tdglym.

Administración

00-4.699:1 • […]g̊l-[…] • [… ks]p ˁl-[…]

Fragmentos Varios

00-7.161:2 […]---[…] • […]g̊l-[…] • […]l-z[…]

—glm

nº CGR-215 Ocurrencias: 1

Posibles restituciones: ˁglm.

Administración

00-4.148:9 [r]špab • […]glm •

—gt

nº CGR-216 Ocurrencias: 2

Posibles restituciones: ilgt, ggt, gt, lgt, mdgt, šmrgt, tˁlgt, ṯigt, ṯgt.

Mítica

00-1.5:V:4 […]m̊mnk . ššrt • […]g̊/ḫ̊t . npš . ˁgl • […]--n̊k . ašt . n . b ḫrt

00-1.79:1 • […]gt nṯṯ • […]-ṭhw l ytn ḫs[n]

—d-ǵ—

nº CGR-217 Ocurrencias: 1

Posibles restituciones: ydṯǵk.

Fragmentos Varios

00-7.16:2 [...]-[...] • [...]d-ǵ̊[...] • [...]-t--[...]

—d-t—

nº CGR-218 Ocurrencias: 1

Posibles restituciones: adnty, adrt, adrtm, idmt, ubdit, bdqt, gdlt, gdltm, gdrt, dat, dit, ddt, dht, dyt, dkt, dlt, dlthm, dmt, dmty, dmtn, dnt, dnty, dntm, dʿt, dʿthm, dʿtk, dʿtkm, dʿtm, dqt, dqtm, drt, dṯt, hdrt, ḥdṯt, ḥmdrt, ḫndlt, yddt, ydyt, ydʿt, ydʿtk, kdnt, kdrt, ktldat, mdgt, mddt, mddth, mdnt, mdpt, mqdšt, mrdtt, mšdpt, mṯdṯt, sdnt, ʿbdnt, ʿdbt, ʿdmt, qdmt, qdnt, qdpt, qdšt, šdmt, šdmth, tdtt, ṯdmt, ṯrdnt.

Fragmentos Varios

00-7.32:2 [...]- [...] • [...]d-t̊[...] • [...]---[...]

—da—

nº CGR-219 Ocurrencias: 1

Posibles restituciones: gdaḫ, dašm, dat, ktldat, ʿbdadt.

Ritual

00-1.137:9 [...]mṯbth[...] • [...]d̊m̊/å[...] • ...

—db—

nº CGR-220 Ocurrencias: 2

Posibles restituciones: adbʿl, aḫdbn, atdb, itdb, udbr, db, dbatk, dbb, dbbm, dbd, dbḥ, dbḥh, dbḥk, dbḥm, dbḥn, dbḥt, dbḫ, dbṭ, dby, dbl, dblt, dbr, dbrh, dbrm, ḫdbṯ, yiḫdbh, ydb, ydbil, ydbbʿl, ydbhd, ydbḥ, ydbʿl, ydbr, yʿdb, yʿdbkm, mdb, mdbḥ, mdbḥt, mdbm, mdbr, mddbʿl, mʿdbh, mʿdbhm, mtdbm, ndb, ndbd, ndbḥ, ndby, ndbym, ndbn, ʿbdbʿl, ʿdb, ʿdbk, ʿdbmlk, ʿdbnn, ʿdbʿl, ʿdbt, pǵsdb, tdbḥ, tdbḥn, tdbr, tʿdb, tʿdbn, tʿdbnh.

Fragmentos Varios

00-7.195:2 [...]b̊/d̊h[...] • [...]b̊/d̊b̊/d̊[...] • ...

Ritual

00-1.53:2 [...]-[...] • [...]b̊/d̊b̊/d̊(?)[...] • [...]q̊(?) . mr[...]

—dḏn

nº CGR-221 Ocurrencias: 1

Posibles restituciones: pdḏn, pndḏn.

Administración

00-4.83:8 šdyn . dd̊[...] • -[...]dḏn . d[d ...] • q̊ṯn . d[d ...]

—dh

nº CGR-222 Ocurrencias: 2

Posibles restituciones: aḫdh, išdh, ištmdh, udh, bdh, bʿdh, ddh, ḫrdh, ydh, yḥdh, yṯrdh, kbdh, lmdh, maḫdh, mdh, mṣdh, ntbdh, ʿbdh, ʿdh, qdqdh, šdh, tkbdh, ṯdh.

Administración

00-4.733:3 […]-n . bn̊[…] • […]d̊h gt̊[…] • […]rl[…]

Épica

00-1.18:I:5 […]h̊/i̊ . aṯ-[…] • […]b̊/d̊h . ap . -[…] • […] . w tʿn . […]

—dh—

nº CGR-223 Ocurrencias: 1

Posibles restituciones: aḫdh, aḫdhm, išdh, ištmdh, udh, bdh, bdhm, bʿdh, bʿdhm, ddh, dht, ḫrdh, ydh, yḥdh, yṯrdh, yldhn, kbdh, lmdh, lmdhm, maḫdh, mdh, mṣdh, ntbdh, ʿbdh, ʿdh, qdqdh, šdh, tkbdh, ṯdh.

Fragmentos Varios

00-7.195:1 … • […]b̊/d̊h[…] • […]b̊/d̊b̊/d̊[…]

—dy

nº CGR-224 Ocurrencias: 6

Posibles restituciones: abdy, ady, aḏddy, aḥdy, aḫdy, amdy, idy, ildy, ubdy, uldy, bdy, bʿdy, gdy, gldy, grdy, ddy, dy, hdy, ḫdy, ḫldy, ydy, yhdy, yḥdy, yldy, kbdy, kdy, kdkdy, maḫdy, midy, miḫdy, mḫdy, mldy, ndy, sdy, šdy, ʿbdy, ʿdy, ʿmṯdy, pdy, pkdy, prwsdy, qdqdy, qrdy, rqdy, šdy, tdy, thdy, tḥdy, ṯdy, ṯqdy, ṯrdy.

Administración

00-4.155:8 […]bln • […]dy • […]n̊ḥ̊lh

00-4.238:1 … • […]dy • -----

00-4.339:8 […]an . w . aṯth • […]d̊/b̊y . w . aṯth • […]r . w . aṯth

00-4.631:22 šd . ṯ̊d̊pṯn . b[n .]brrn . l . qrt • šd . ů/d̊t[…]dy . bn . brzn • l̊ . qrt

Correspondencia

00-2.31:37 […]r̊/k̊ yṣunn . […] • […]d̊y . w . prʿ . -[…] • -----

Mítica

00-1.168:27 […]-šb . lrḥ • […]dy . wmrḫt • […]ḥmṯ

—dy—

nº CGR-225 Ocurrencias: 1

Posibles restituciones: abdy, agdyn, ady, aḏddy, aḏddym, aḥdy, aḫdy, amdy, idy, ildy, irdyn, išdym, ubdy, ubdym, uldy, umdym, bdy, bdyn, bʿdy, gdy, gldy, grdy, ddy, ddym, dy, dyk, dym, dyn, dyt, ḏdyy, hdy, ḫdy, ḫdyn, ḫldy, ydy, ydyn, ydyt, yhdy, yḥdy, yldy, yʿdynh, kbdy, kdy, kdkdy, maḫdy, maḫdym, midy, miḫdy, miḫdym, mdym, mḫdy, mldy, mndym, ndy, sdy, šdy, ʿbdy, ʿbdym, ʿbdyrḫ, ʿbdyrǵ, ʿdy, ʿdyn, ʿmṯdy, ǵdyn, pdy, pdym, pdyn, pkdy, pndyn, prwsdy, ṣdynm, qdqdy, qrdy, rdyk, rqdy, rqdym, šdy, šdyn, tdy, tdyn, thdy, tḥdy, ṯdy, ṯdyn, ṯqdy, ṯrdy.

Administración

00-4.427:5 […]--[…] • […]b̊/d̊ẙ[…] • […]m-[…]

—dy-—

nº CGR-226 Ocurrencias: 1

Posibles restituciones: abdy, agdyn, ady, a<u>d</u>dy, a<u>d</u>dym, aḥdy, aḫdy, amdy, idy, ildy, irdyn, išdym, ubdy, ubdym, uldy, umdym, bdy, bdyn, bʿdy, gdy, gldy, grdy, ddy, ddym, dy, dyk, dym, dyn, dyt, <u>d</u>dyy, hdy, ḥdy, ḫdyn, ḫldy, ydy, ydyn, y<u>d</u>yt, yhdy, yḥdy, yldy, yʿdynh, kbdy, kdy, kdkdy, maḫdy, maḫdym, midy, miḫdy, miḫdym, mdym, mḫdy, mldy, mndym, ndy, sdy, šdy, ʿbdy, ʿbdym, ʿbdyrḫ, ʿbdyrǵ, ʿdy, ʿdyn, ʿm<u>t</u>dy, ǵdyn, pdy, pdym, pdyn, pkdy, pndyn, prwsdy, ṣdynm, qdqdy, qrdy, rdyk, rqdy, rqdym, šdy, šdyn, tdy, tdyn, thdy, tḥdy, <u>t</u>dy, <u>t</u>dyn, <u>t</u>qdy, <u>t</u>rdy.

Administración

00-4.31:7 ----- • […]dy-[…] • -----

—dk

nº CGR-227 Ocurrencias: 4

Posibles restituciones: almdk, idk, ipdk, išdk, bdk, dk, <u>d</u>dk, ḫrdk, ydk, ysdk, kbdk, mṣdk, ndk, ʿbdk, ʿdk, pdk, ṣdk, qdqdk, šdk, tdk.

Correspondencia

00-2.23:6 […]ʿmh . uky • […]dk . k . tmǵy • m[… ml]k . rb

Mítica

00-1.147:9 […]kt . št • […]dk . km • […]- . srnm

00-1.162:12 […]l . ḫrt . wriš . b<u>t</u>n • […]dk . yḥdh . wšgbʿll • […] . alp . wyšt . bgbh

00-1.167:2 […]b̊r̊[…] • […]b/dk . mr[…] • […]ǵ̊ṣb . ǵṣb[…]

—dk—

nº CGR-228 Ocurrencias: 1

Posibles restituciones: almdk, idk, ipdk, išdk, bdk, dk, dkr, dkrm, dkrt, dkt, <u>d</u>dk, ḫrdk, ydk, ysdk, kbdk, kdkdy, mṣdk, ndk, ʿbdk, ʿbdkb, ʿbdk<u>t</u>r, ʿdk, pdk, ṣdk, ṣdkn, qdqdk, šdk, šdkm, tdk, tdkn.

Fragmentos Varios

00-7.46:9 […]š̊ gdl[…] • […]d̊k[…] • …

—dl

nº CGR-229 Ocurrencias: 1

Posibles restituciones: iḫdl, bdl, gdl, ddl, dl, kdgdl, k<u>d</u>ǵdl, mgdl, mdl, <u>t</u>mgdl, <u>t</u>mdl.

Administración

00-4.102:15 ----- • […]b . bt[. …]dl • -----

—dl—

nº CGR-230 Ocurrencias: 3

Posibles restituciones: adld̲n, idly, iḫdl, bdl, bdlm, gdl, gdlm, gdlt, gdltm, ddl, dl, dlh, dlḥt, dly, dll, dlln, dlm, dlq, dlt, dlthm, ḫndlt, yddll, ydll, ydlm, ydln, ydlp, kdgdl, kdln, kd̲ǵdl, mgdl, mgdly, mgdlm, mdl, mdlh, mdlk, mdllkm, mdllkn, ndlḫp, ʿbdlbit, tdlln, tdln, tdlnn, tmdln, tʿzdlln, t̲mgdl, t̲mdl.

Fragmentos Varios

00-7.78:2 […]-[…] • […]d̊l[…] • […]-[…]

00-7.79:4 […]-lt[…] • […]b̊/d̊/ů ṣ̊/l[…] • […]n̊-[…]

00-7.166:2 […]l̊p̊[…] • […]b̊/d̊l̊/d̊[…] • […]--[…]

—dly

nº CGR-231 Ocurrencias: 1

Posibles restituciones: idly, dly, mgdly.

Administración

00-4.396:9 --[…]-m . -nt • […]dly • -----

—dm

nº CGR-232 Ocurrencias: 10

Posibles restituciones: adm, aḫdm, amdm, idm, iydm, ipdm, udm, bdm, gdm, ddm, dm, d̲dm, hdm, ḫmdm, yadm, yuḫdm, ydm, yḥmdm, yqdm, yrdm, kbdm, kdm, kkdm, ksdm, kšdm, lbdm, ldm, lmdm, midm, mdm, mʿṣdm, mqdm, mrqdm, mt̲pdm, nqdm, ʿbdm, ʿdm, ʿmdm, ʿšdm, ǵdm, pipdm, pddm, pdm, pldm, prdm, ṣḥdm, ṣmdm, qdm, qrdm, šbʿdm, šdm, tadm, tidm, tdm, tldm, tlmdm, tqdm, t̲rdm.

Administración

00-4.75:I:5 ǵṣmn . [bn . …]-ln • […]dm . [bn . …]z̊n • bʿly-[…]n

00-4.197:26 […]arbʿm̊[. k]bd • […]d̊m . ʿmy • -----

00-4.610:48 […]rm … 40[+ -] … kbsm … 8 • […]dm … 20[+ -] … [i]nšt … 25 • […]tm … 23(?) … […](LINEA EN ACADIO) 22[+ -]

Correspondencia

00-2.50:5 […]d . nʿm . lbš̊(?)k • […]dm . t̲nid • […]m . d . l . nʿmm

Épica

00-1.14:III:44 d ʿqh . ib . iqni . ʿp[ʿp]h̊ • sp . t̲rml . tḥgrn . […]d̊m • ašlw . b ṣp . ʿnh

Fragmentos Varios

00-7.77:2 […]n̊/åm • […]d̊m • …

Mítica

00-1.2:I:44 […]- . ap . anš . zbl . bʿl . šdmt . b ǵ̊-[…] • […]dm . mlak . ym . t̊ʿdt . t̲pṭ . nh̊[r …] • […] . an . rgmt . l ym . bʿlkm . ad̊[nkm . t̲pṭ]

00-1.147:22 […]-tm • […]d̊/b̊m • […]-nm

00-1.168:29 […]ḥmt̲ • […]b/dm • […] . yldhna--

Vocabularios

00-9.3:III:25 [... -]mu • [... -]da-mu • [n]a(?)-bu

—dm—

nº CGR-233 Ocurrencias: 2

Posibles restituciones: adm, aḫdm, amdm, idm, idmt, iydm, ipdm, udm, udmym, udmm, udmʿt, udmʿth, bdm, gdm, ddm, ddmy, ddmm, ddmš, dm, dmgy, dmd, dmh, dmw, dmyn, dmk, dml, dmm, dmʿ, dmʿh, dmʿt, dmq, dmqt, dmrn, dmt, dmty, dmtn, ḏdm, hdm, hdmm, ḥmdm, ḫdmn, yadm, yuḫdm, ybrdmy, ydm, ydmʿ, yḥmdm, yqdm, yrdm, kbdm, kdm, kdml, kdmm, kkdm, ksdm, kšdm, lbdm, ldm, lmdm, midm, mdm, mʿṣdm, mqdm, mrqdm, mṯpdm, nqdm, šdmy, ʿbdm, ʿbdmhr, ʿbdmlk, ʿdm, ʿdmlk, ʿdmn, ʿdmt, ʿmdm, ʿšdm, ǵdm, ǵdmh, pipdm, pddm, pdm, pldm, prdm, prdmn, ṣdmn, ṣḥdm, ṣmdm, qdm, qdmh, qdmym, qdmn, qdmt, qrdm, qrdmn, šbʿdm, šdm, šdmt, šdmth, tadm, tidm, tdm, tdmm, tdmmt, tdmn, tdmʿ, tldm, tlmdm, tqdm, ṯdmt, ṯrdm.

Fragmentos Varios

00-7.34:3 […]rbt[…] • […]d̊m̊[…] • …

Ritual

00-1.137:9 […]mṯbth[…] • […]d̊m̊/å[…] • …

—dm-—

nº CGR-234 Ocurrencias: 1

Posibles restituciones: adm, aḫdm, amdm, idm, idmt, iydm, ipdm, udm, udmym, udmm, udmʿt, udmʿth, bdm, gdm, ddm, ddmy, ddmm, ddmš, dm, dmgy, dmd, dmh, dmw, dmyn, dmk, dml, dmm, dmʿ, dmʿh, dmʿt, dmq, dmqt, dmrn, dmt, dmty, dmtn, ḏdm, hdm, hdmm, ḥmdm, ḫdmn, yadm, yuḫdm, ybrdmy, ydm, ydmʿ, yḥmdm, yqdm, yrdm, kbdm, kdm, kdml, kdmm, kkdm, ksdm, kšdm, lbdm, ldm, lmdm, midm, mdm, mʿṣdm, mqdm, mrqdm, mṯpdm, nqdm, šdmy, ʿbdm, ʿbdmhr, ʿbdmlk, ʿdm, ʿdmlk, ʿdmn, ʿdmt, ʿmdm, ʿšdm, ǵdm, ǵdmh, pipdm, pddm, pdm, pldm, prdm, prdmn, ṣdmn, ṣḥdm, ṣmdm, qdm, qdmh, qdmym, qdmn, qdmt, qrdm, qrdmn, šbʿdm, šdm, šdmt, šdmth, tadm, tidm, tdm, tdmm, tdmmt, tdmn, tdmʿ, tldm, tlmdm, tqdm, ṯdmt, ṯrdm.

Fragmentos Varios

00-7.61:4 […]pṯn • […]d̊/b̊m-[…] • […]pṯn[…]-

—dn

nº CGR-235 Ocurrencias: 7

Posibles restituciones: agdn, adn, adrdn, aḏddn, awldn, amdn, anndn, ardn, arwdn, idn, izldn, iḫdn, ilbldn, ilgdn, ildn, išdn, udn, bddn, bdn, bldn, blʿdn, bʿdn, bʿldn, brdn, gdn, grdn, ddn, dn, ḏrdn, hndn, ḥdn, ḫrdn, ybdn, yddn, ydn, yʿdn, yʿn͗dn, yrdn, kidn, kbdn, kdn, khdn, kšdn, ldn, mdn, mradn, nṣdn, sdn, šdn, ʿbdn, ʿdn, ǵddn, ǵldn, pdn, pndn, qldn, ridn, rdn, tbdn, tddn, tdn, tzdn, tldn, tʿddn, tṣdn, trdn, ṯdn, ṯndn, ṯpdn, ṯrdn.

Administración

00-4.30:11 [… ṯm]n̊ym … […] • […]dn . ṯlṯ[m …] • -----
00-4.58:3 […]prḏ … 2 • […]dn … 1 • […]aṯry … 1
00-4.64:II:8 [bn] . ḫdpṯ̊r … […] • [bn . …]dn … […] • [bn .]ḫ̊lyn … […]
00-4.94:7 […]š̊m … 2 • […]dn … 2 • […]šn … 1
00-4.217:4 […]i̊brd • […]d̊/bn • -----
00-4.350:13 k̊nn bn . ibm … 4 • […]dn bn . trn … 4 • [š]mmn bn . gmz … 4
00-4.715:9 b̊n̊ . k̊h̊/i̊d̊n . kd[…] • bn[. …]d̊/b̊n̊ . kdm[…] • w n[ḥ]lh kd̊[m …]

—dn—

nº CGR-236 Ocurrencias: 1

Posibles restituciones: agdn, adn, adnh, adnhm, adny, adnk, adnkm, adnn, adnnʿm, adnʿm, adnṣdq, adnty, adrdn, aḏddn, awldn, amdn, anndn, ardn, arwdn, idn, izldn, iḫdn, ilbldn, ilgdn, ildn, išdn, udn, udnh, udnk, bddn, bdn, bldn, blʿdn, bʿdn, bʿldn, brdn, gdn, grdn, ddn, dn, dnil, dnh, dnm, dnn, dnt, dnty, dntm, ḏrdn, hndn, ḥdn, ḫrdn, ybdn, yddn, ydn, ydnh, ydnm, yḫmdnh, ykbdnh, yʿdn, yʿmdn, yṣmdnn, yrdn, yrdnn, kidn, kbdn, kdn, kdnt, khdn, kḫdnn, kkrdnm, kšdn, ldn, mdn, mdnt, mradn, nṣdn, sbrdnm, sdn, sdnt, srdnnm, šdn, ʿbdn, ʿbdnkl, ʿbdnt, ʿdn, ʿdnhm, ʿdnm, ǵddn, ǵldn, pdn, pndn, prdny, qdnt, qldn, ridn, rdñ, tbdn, tddn, tdn, tzdn, tkbdnh, tldn, tʿddn, tṣdn, trdn, ṯdn, ṯdnyn, ṯndn, ṯpdn, ṯrdn, ṯrdnt.

Administración

00-4.725:8 [...]-l[...] • [...]b̊/d̊n̊[...] • ...

—dʿ

nº CGR-237 Ocurrencias: 1

Posibles restituciones: agdʿ, adʿ, idʿ, bʿldʿ, dʿ, ydʿ, ldʿ, mdʿ, mndʿ, ǵdʿ, šdʿ, tdʿ.

Mítica

00-1.6:VI:36 d̊rk̊th̊[...] • [...]d̊ʿ̊ . -[...] • b̊[...]t̊/n̊ . hn[...]

—dʿ—

nº CGR-238 Ocurrencias: 1

Posibles restituciones: abdʿn, agdʿ, adʿ, adʿy, adʿl, idʿ, bʿldʿ, dʿ, dʿm, dʿt, dʿthm, dʿtk, dʿtkm, dʿtm, ydʿ, ydʿm, ydʿn, ydʿnn, ydʿt, ydʿtk, ldʿ, mdʿ, mndʿ, ʿbdʿn, ʿbdʿnt, ʿbdʿṯtr, ǵdʿ, šdʿ, tdʿ, tdʿṣ.

Inscripciones

00-6.51:2 [...]iṯ[...] • [...]dʿ[...] • ...

—dǵ—

nº CGR-239 Ocurrencias: 1

Posibles restituciones: dǵm, dǵṯ, dǵṯt, kdǵbr, mndǵ, ǵdǵd, pdǵb, pdǵy, ṣdǵn, tdǵl, tdǵlm.

Fragmentos Varios

00-7.99:3 ----- • [...]dǵ[...] • [...] h[...]

—dš-

nº CGR-240 Ocurrencias: 1

Posibles restituciones: gdš, grdš, dš, dšn, ḥdš, ḫdš, mqdšt, nšqdš, ʿdš, prqdš, qdš, qdšh, qdšm, qdšt, tqdš.

Administración

00-4.249:4 [...]- aḥd ... [...] • [...]dš-(?)ym[...] • -----

—dt

nº CGR-241 Ocurrencias: 6

Posibles restituciones: adt, aḏdt, aḫdt, udt, updt, ddt, dt, hdt, hyadt, hndt, yddt, ydt, yrdt, kbdt, kdt, madt, mddt, msdt, mrbdt, mrdt, mšspdt, ndt, nzdt, ʿbdadt, ʿdt, ṣwdt, qdt, rṯdt, šdt, tʿdt, ṯʿdt.

Administración

00-4.222:8 […]- • […]d̊t . nsk . ṯlṯ . • [ʿb]d̊ršp . nsk . ṯlṯ .

Correspondencia

00-2.22:8 […]m- • […]dt ly • […]

00-2.36:4 ẘ . ʿm . mlkt . kll[. šlm] • w . šlm . d . ḥwtk . […]d̊t[.]ʿ̊m̊k . […] • -----

00-2.49:12 […] . nzdt . qr[…] • […]dt . nzdt . m[…] • […]w . ap . b ṯn[…]

Fragmentos Varios

00-7.185:5 […]-mʿ . l-[…] • […]d̊/b̊t . ṣ[…] • […]t . ṣ[…]

Mítica

00-1.82:3 […]-y . l arṣ[. i]d̊y . alt . l aḥš . idy . alt . in ly • […]b̊/d̊t . bʿl . ḥẓ . ršp . bn . km . yr . klyth . w lbh • […]- . pk . b ǵr . ṯn . pk . b ḫlb . k tgwln . šntk

—dt—

nº CGR-242 Ocurrencias: 2

Posibles restituciones: adt, adty, adtny, aḏdt, aḫdt, udt, updt, ddt, dt, dtm, dtn, dtšm, hdt, hyadt, hndt, yddt, ydt, ydty, yrdt, kbdt, kbdthm, kdt, ldtk, lmdth, madt, madtn, mddt, mddth, mdth, msdt, mrbdt, mrdt, mrdtt, mšspdt, ndt, nzdt, ʿbdadt, ʿdt, ʿdty, ʿdtm, ṣwdt, qdt, rṯdt, šdt, tdtt, tʿdt, ṯʿdt.

Administración

00-4.64:V:1 … • [bn . …]b̊/d̊̊t[…] • [bn . …]-nn[…]

Mítica

00-1.75:7 … • […]dt[…] • […]ksḥ̊ṭ̊(?)[…]

—dṯ—

nº CGR-243 Ocurrencias: 1

Posibles restituciones: agdṯb, akdṯb, idṯn, dṯ, dṯn, dṯt, ḥdṯ, ḥdṯh, ḥdṯm, ḥdṯn, ḥdṯt, ydṯ, ydṯǵk, yḥdṯ, yṯdṯ, mdṯbn, mṯdṯt, ʿbdṯrm, ʿdṯ, pdṯn, ṯḥdṯn, ṯdṯ, ṯdṯb.

Ritual

00-1.112:32 -[…]--[…]---[…] • l -[…]dṯ[…] • ṯn šm . ḫmnḥ̊ . wṯq[l]

—ḏn

nº CGR-244 Ocurrencias: 1

Posibles restituciones: adlḏn, akrḏn, iwrḏn, uḏn, pdḏn, pṯḏn, pnḏḏn, pǵḏn, tǵḏn, ṯrḏn.

Administración

00-4.180:2 […]b/d̊ . in ḥẓm . lhm • […]ḏn • …

—ḏrt

nº CGR-245 Ocurrencias: 1

Posibles restituciones: ḏrt, ḥḏrt, ʿḏrt, prḥḏrt.

Ritual

10-1.139:5 […] š̊ (VACAT) • […]d̲rt • (VACAT)

—hb

nº CGR-246 Ocurrencias: 1

Posibles restituciones: yuhb, ʿnhb, tghb.

Fragmentos Varios

00-7.143:1 … • […]h̊(?)b • …

—hbn

nº CGR-247 Ocurrencias: 2

Posibles restituciones: hbn, mhbn.

Administración

00-4.28:8 […]- . l mlk • […]h̊/i̊bn • […]-m

Fragmentos Varios

00-7.31:5 […] . l mlk • […]h̊/i̊bn • […]--

—hy

nº CGR-248 Ocurrencias: 2

Posibles restituciones: hy, ynphy, mhy, mlghy, phy, tḥmhy, trhy.

Correspondencia

00-2.31:33 ----- • […]i̊/h̊y . lm- b ks̊[…] • […]- . tr[…] . gpn lk

Mítica

00-1.7:3 [… ḫp]s̊h . ʿtkt r̊[išt] • […]hy bth . tʿr̊b̊ • [… tm]tḫṣ b ʿmq̊

—hy—

nº CGR-249 Ocurrencias: 1

Posibles restituciones: hy, hyabn, hyadt, hybh, hybʿl, hyd, hyn, hyt, ynphy, mhy, mhyt, mlghy, phy, tḥmhy, trhy.

Administración

00-4.490:3 […]t̊š[krǵ …] • […]hy[…] • […]l̊/d̊[…]

—hl

nº CGR-250 Ocurrencias: 2

Posibles restituciones: bhl, ghl, hl, yṣhl.

Administración

00-4.439:2 […]k . b̊[…] • […]i̊/h̊l . šl̊[m …] • […]t . ʿ̊š[r …]

Épica

00-1.15:V:5 [… ḫ]b̊r̊[…] • b̊ḫ̊r̊[…]t̊(?) […]h̊(?)/i̊(?) • l̊ mṯb̊ […]t̊[…]

—hm

nº CGR-251 Ocurrencias: 3

Posibles restituciones: adnhm, ahlhm, aḫdhm, aphm, iblblhm, ilhm, išalhm, umhthm, unṯhm, bdhm, bhm, bnšhm, bʿdhm, bʿlhm, brkthm, ghm, grbzhm, dlthm, dʿthm, ḏrʿhm, hm, zblhm, ḥmthm, ḫṯrhm, yisphm, yblhm, ybʿlhm, yṣihm, kbdthm, klhm, klklhm, kmhm, ksphm, lhm, llḫhm, lmdhm, mʿdbhm, mrkbthm, mšknthm, nbhm, ngṯhm, nḥlhm, npṣhm, npšhm, sprhm, ʿdnhm, ʿrhm, ǵlhm, phm, ṣpnhm, qhm, rašthm, rišhm, ristthm, šmthm, špqǵhm, špthm, thm, tphhm, trhm, tšiḫrhm.

Correspondencia

00-2.41:6 šk[…]kll • šk[…]ẙ(?)[…]hm • w . kb̊-[…]

Épica

00-1.17:VI:43 […]ṯ̊b . ly . l aqht . ǵzr . ṯb ly w lk • […]h̊(?)m . aqryk . b ntb . pš̊ʿ • […]- . b ntb . gan . ašq̊lk . tḥt

Mítica

00-1.167:9 […]yšu . ʿp[…] • […]hm . ih[…] • […]ʿẓrn . […]

—hn

nº CGR-252 Ocurrencias: 4

Posibles restituciones: ahn, aphn, apnthn, iphn, bʿlhn, hn, ḥẓhn, ḫthn, yldhn, yphn, khn, klhn, ksphn, lhn, mḫrhn, mṅthn, mšbʿthn, sprhn, ʿnhn, phn, ṣgrthn, qšthn, tphn, trhn.

Administración

00-4.14:2 […]ṯ̊ṯ̊ . dd . gdl . ṯṯ . dd . šʿrm • […]h̊n . w . alp . kd . nbt . kd . šmn . mr • […] arbʿ . mat . ḫswn . lṯḥ . aqhr

00-4.275:2 […] . ydm • […]h̊/p̊n . ṯdr • […] . mdṯbn . ipd

Correspondencia

00-2.31:7 […]ank[…] • […]hn . --[…] • […]h̊ph . w[…]

Ritual

00-1.107:33 […]-[…]r̊ṣ . bdh . ydr̊m̊[.]p̊i̊t[.]adm • […]-iṯ[…] . yšql . yṯk[…]h̊n pbl . hn • […]-ṭb̊(?)t . pẓr . pẓr̊ . w . p nḥš

—hn—

nº CGR-253 Ocurrencias: 1

Posibles restituciones: ahn, aphn, apnthn, ilhnm, iphn, bʿlhn, hn, hnd, hndn, hndt, hnh, hnk, hnkt, hnn, hnny, hnt, ḥẓhn, ḫthn, yldhn, yphn, yphnh, khn, khnm, klhn, ksphn, lhn, mḫrhn, mnthn, mšbʿthn, sprhn, ʿnhn, phn, phnn, ṣǵrthn, qšthn, tphn, tphnh, trhn.

Jurisprudencia

00-3.1:40 ----- • […]a[…]hn[…] • …

—hp

nº CGR-254 Ocurrencias: 1

Posibles restituciones: ykhp.

Mítica

00-1.10:I:2 […]b̊tlt . ʿnt • […]h̊p . hẓm • […]ḥ̊ . d l ydʿ bn il̊

—hr

nº CGR-255 Ocurrencias: 1

Posibles restituciones: aqhr, ilmhr, ulnhr, hr, ṯhr, mhr, nhr, shr, ʿbdmhr, phr, šhr.

Mítica

00-1.63:4 […]-ty • […]h̊r • […]ḫdn

—hrt-

nº CGR-256 Ocurrencias: 1

Posibles restituciones: ḏhrth, hrt, hrtm, hrtn.

Mítica

00-1.2:III:8 […]k̊ṯr . w ḫ[ss .]t̊b̊ʿ . bn̊[.]b̊ht . ym[. rm]m . h̊k̊l . ṯ̊pṭ . n[hr] • […]h̊/i̊rt- . ẘ[…] tbʿ . k̊ṯ̊r̊ ẘ[ḫss . t(?)]b̊n . b̊ht zbl̊ ẙm̊ • […]m . hk[l . ṯpṭ] . nhr . b t . k[ṣrrt . ṣ]p̊n̊

—ht

nº CGR-257 Ocurrencias: 3

Posibles restituciones: amht, aqht, iht, ilht, bht, dht, ht, lht, pht, qrht.

Administración

00-4.22:6 ʿšrm • […]h̊/i̊t • …

Fragmentos Varios

00-7.10:4 […]ålp . […] • […]ht . år̊/k̊/ẘ[…] • […]iln[…]

00-7.30:4 […]alp . p̊(?)[…] • […]ht . ap̊[…] • […]iln […]

—ht—

nº CGR-258 Ocurrencias: 1

Posibles restituciones: amht, aqht, iht, ilht, umhthm, bht, bhth, bhtht, bhty, bhtk, bhtm, dht, ht, hty, htm, lht, pht, qrht.

Ritual

00-1.159:5 […]- . ʿṯtr[…] • […]h̊t[…] • …

—htm

nº CGR-259 Ocurrencias: 3

Posibles restituciones: bhtm, htm.

Administración

00-4.210:3 ----- • […]i̊/h̊tm … 2 • -----

Mítica

00-1.2:IV:5 […] . nhr . tlʿm . ṯm . ḥrbm . its . ånšq • […]h̊/p̊tm . l arṣ . ypl . ulny . w l . ʿpr . ʿẓmn̊y • [b]ph . rgm . l yṣa . b špth . hwth . w ttn . gh . ygr

Ritual

11-1.107:16 [šp]š . b šmm . tq̊r̊u . l̊[…]-rt • […]h̊tm̊ . amn[…]--[…]n . amr • […]- l ytk blt/p/h[…]-mr̊ . hwt

—wḫ—

nº CGR-260 Ocurrencias: 1

Posibles restituciones: nwḫn.

Fragmentos Varios

00-7.39:6 […]rn … […] • […]wz/ḫ[…] • …

—wy

nº CGR-261 Ocurrencias: 2

Posibles restituciones: aḥwy, ḥwy, yḥwy, yšṯḥwy, kwy, swy, ṣwy, rwy, ṯḥwy, tšṯḥwy, ṯṯwy.

Administración

00-4.460:6 ----- • […]ẘy … […] • […]m̊y … […]

Mítica

00-1.62:15 […] • […]wy • […]

—wk—

nº CGR-262 Ocurrencias: 1

Posibles restituciones: wk, śśwk.

Fragmentos Varios

00-7.26:1 … • […]ẘ(?)k[…] • -----

—wn

nº CGR-263 Ocurrencias: 1

Posibles restituciones: arwn, arswn, arśwn, ilwn, bnwn, dwn, wn, ḫswn, ḫśwn, kwn, krwn, kṯwn, lwn, llwn, mswn, sdwn, swn, smwn, śwn, ʿgwn, pwn, plwn, qrwn, tkwn, ṯlwn.

Fragmentos Varios

00-7.56:4 […]p̊ adt[…] • […]wn . bṯ[…] • […]g̊r̊[…]

—wn—

nº CGR-264 Ocurrencias: 1

Posibles restituciones: arwn, arswn, arśwn, ilwn, bnwn, dwn, wn, ḫswn, ḫśwn, kwn, krwn, kṯwn, lwn, lwny, llwn, mswn, mswnh, sdwn, swn, smwn, śwn, ʿgwn, pwn, plwn, qrwn, tkwn, ṯlwn.

Administración

00-4.331:2 […]-[…] • […]wn[…] • […]m̊r̊yn … l[…]

—wt

nº CGR-265 Ocurrencias: 1

Posibles restituciones: atwt, bnwt, hwt, ḥwt, kwt, krwt, lpwt, snnwt, sswt, ʿrwt, pwt, šnwt, thwt.

Fragmentos Varios

00-7.85:5 [...]m̊lk . [...] • [...]wt • [...]-[...]

—wth

nº CGR-266 Ocurrencias: 1

Posibles restituciones: bnwth, hwth, ḥwth.

Ritual

00-1.107:41 [š]r̊ǵ̊z̊z̊ . w tpky . k̊[m .]n̊ʿ̊r̊[.]t̊dmʿ . km • [ṣ]ǵ̊r . bkm . yʿny . [šrǵzz . ...]wth • [...]n̊/å nn . bnt yš[...]h̊lk

—zb

nº CGR-267 Ocurrencias: 1

Posibles restituciones: hzb, zb, zzb.

Correspondencia

00-2.33:16 [...]ẙdr . w . ap . ank • [...]z̊b̊ . l . ǵr . amn • [...]ktt . hn . ib

—zb—

nº CGR-268 Ocurrencias: 1

Posibles restituciones: hzb, zb, zbl, zblhm, zblkm, zbln, zblnm, zbrm, zzb, yzbrnn, kzbn, ʿzbʿl, qrzbl.

Fragmentos Varios

00-7.64:6 [...]ḫ̊/ẙd̊r[...] • [...]z̊/s̊b̊[...] • ...

—zy

nº CGR-269 Ocurrencias: 2

Posibles restituciones: alzy, lzy, mzy, ʿrgzy, pzy, qmnzy, trzy.

Administración

00-4.371:5 bn[. ...]my • [...]zy • bn . ǵdʿ

00-4.430:3 ----- • [...]z̊y . d . ḫbṯ . sẙ[n ...] • -----

—zk

nº CGR-270 Ocurrencias: 1

Posibles restituciones: ʿzk, tʿzzk.

Administración

00-4.425:15 [... šd . bn] . k̊br . l . snrn • [... šd . ...]z̊k . l . gmrd • [... šd . ...]t̊ṯ . l . yšn

-zl-—

nº CGR-271 Ocurrencias: 1

Posibles restituciones: azzlt, izl, izldn, izly, gzl, zl, zlbn, zlyy, zlrš, ḫzli, ymzl, mzl, mzln, nzl, ʿzl, ǵzl, ǵzly, ǵzlm, tʿzzlln.

Mítica

00-1.172:8 … • […]ḫ/zl-[…] • […]ḥdṯyrḫ . bnšm

—zn

nº CGR-272 Ocurrencias: 2

Posibles restituciones: iwrpzn, brzn, ḫzn, yzn, yʿzzn, kzn, krzn, lzn, mzn, nbzn, szn, šzn, ʿzzn, ʿzn, pzn, plzn, tuzn, tzn, tʿzzn.

Administración

00-4.75:I:5 ǵṣmn . [bn . …]-ln • […]dm . [bn . …]z̊n • bʿly-[…]n

00-4.183:I:23 [a]drdn • […]zn • pǵdn

—ḥb

nº CGR-273 Ocurrencias: 1

Posibles restituciones: yḥb, kḥb, rḥb, šḥb.

Ritual

00-1.113:6 […]b̊/d̊mt w rṃ tph • […]ḥ̊b l nʿm • […]ymǵy

—ḥd

nº CGR-274 Ocurrencias: 1

Posibles restituciones: aḥd, ḥd, yḥd, ykḥd, yptḥd, kḥd, rḥd.

Correspondencia

00-2.4:17 [… š]d̊ . gṯr • […]ḥ̊d̊ . šd . hwt • […]k̊/r̊ḥd . šd . gṯr

—ḥh

nº CGR-275 Ocurrencias: 1

Posibles restituciones: dbḥh, ḥmḥh, mrzḥh, mrḥh.

Administración

00-4.359:7 s̊[…]ašrh • […]ḥ̊h • [… š]ǵ̊rm

—ḥw—

nº CGR-276 Ocurrencias: 1

Posibles restituciones: aḥw, aḥwy, ḥw, ḥwgn, ḥwy, ḥwyh, ḥwyn, ḥwt, ḥwth, ḥwtk, ḥwtm, ḥwtn, ḥwṯn, yḥwy, yštḥwy, yštḥwyn, tḥwy, tštḥwy.

Fragmentos Varios

00-7.70:1 … • […]ḥw[…] • […]-t̊ . š̊[…]

—ḥy—

nº CGR-277 Ocurrencias: 1

Posibles restituciones: ḥy, ḥyil, ḥyy, ḥyk, ḥyl, ḥym, ḥyn, ḥyp, ḥyt, ḥytn, ḫḥyi, lḥy, mḥy, mnḥyk, mrḥy, nṣḥy, ʿbdḥy, ptḥy, šmḥy, tḥyt.

Mítica

00-1.2:IV:2 […]ẙd̊- . ḫtt . mtt[…] • […]ḥ̊ẙ[…]-[…]l̊ aš̊ṣi . hm . ap . amr[…] • […] . w b ym . mnḫ l abd . b ym . irtm . m̊[…]

—ḥk-—

nº CGR-278 Ocurrencias: 1

Posibles restituciones: aṣḥkm, ašlḥk, dbḥk, ḥkm, ḥkmk, ḥkmt, ḥkpt, ḥkr, lḥk, rḥk, tlḥk.

Administración

00-4.57:6 … • […]ḥ̊k̊-[…] • […]g/ṣ̊bn … 1

—ḥl

nº CGR-279 Ocurrencias: 2

Posibles restituciones: aḥl, wḥl, ḥl, ṯḥl, nḥl, pḥl, tdḥl.

Fragmentos Varios

00-7.177:3 […]bṯnt š • […]ḥl • […]-

Ritual

00-1.164:22 […]tr . […] • […]l[…]ḥl • [--]m[---]l

—ḥl—

nº CGR-280 Ocurrencias: 1

Posibles restituciones: aḥl, wḥl, ḥl, ḥlb, ḥlbt, ḥly, ḥll, ḥlm, ḥlmh, ḥlmy, ḥlmm, ḥlmt, ḥln, ḥlnm, ḥlqm, ḥlt, ṯḥl, mḥllm, nḥl, nḥlh, nḥlhm, nḥlth, nḥlty, pḥl, pḥlt, šḥlmmt, šḥlt, tdḥl, twḥln, trḥln.

Administración

00-4.490:1 … • […]ḥ̊l[…] • […]t̊š[krǵ …]

—ḥl-—

nº CGR-281 Ocurrencias: 1

Posibles restituciones: aḥl, wḥl, ḥl, ḥlb, ḥlbt, ḥly, ḥll, ḥlm, ḥlmh, ḥlmy, ḥlmm, ḥlmt, ḥln, ḥlnm, ḥlqm, ḥlt, ṯḥl, mḥllm, nḥl, nḥlh, nḥlhm, nḥlth, nḥlty, pḥl, pḥlt, šḥlmmt, šḥlt, tdḥl, twḥln, trḥln.

Fragmentos Varios

00-7.76:1 … • […]ḥ̊l̊-[…] • […]sy … […]

—ḥm—

nº CGR-282 Ocurrencias: 2

Posibles restituciones: ilḥm, ilḥmn, ilnḥm, iltḥm, bḥm, dbḥm, ḥm, ḥmdm, ḥmdrt, ḥmḥh, ḥmḥmt, ḥmy, ḥmyt, ḥmytkm, ḥmytny, ḥmk, ḥmm, ḥmn, ḥmṣ, ḥmr, ḥmrh, ḥmrm, ḥmt, ḥmthm, ḥmṯ, yḥmdm, yḥmdnh, yḥmn, ylḥm, ynḥm, ypḥm, yṣḥm, yšlḥm, yšlḥmnh, ytḥm, lḥm, lḥmd, lḥmh, lḥmm, mḥmd, mlḥmy, mlḥmt, mltḥm, mnḥm, mqḥm, mrḥm, mšḥm, nlḥm, pḥm, pḥmm, ṗtḥm, qdḥm, qṣḥm, rḥm, rḥmy, rḥmt, šlḥm, šlḥmt, tḥm, tḥmhy, tḥmk, tlḥm, tlḥmn, tšlḥm, ṯlḥmy.

Épica

00-1.17:VI:2 […] • […]ḥ̊m[…] • […] . ay . s̊[…]

Fragmentos Varios

00-7.121:3 […]ni[…] • […]ḥ̊m[…] • -----

—ḥn

nº CGR-283 Ocurrencias: 3

Posibles restituciones: aẓḥn, brḥn, gmḥn, dbḥn, drḥn, ḥn, ṯḥn, yḥn, ylḥn, yngḥn, ynḥn, yṣḥn, yšlḥn, lḥn, ngzḥn, psḥn, ṣḥn, qwḥn, qḥn, qpḥn, šlḥn, tdbḥn, tnḥn, tṣḥn, tqḥn, ṯlḥn.

Administración

00-4.35:II:22 ttn . n̊ḥlh • bn . -[…]ḥ̊n • [bn . …]q̊n

00-4.628:2 […] … ilṣdq . bn . zry • […]ṭ/ḥn … bʿlytn . bn . ulb • […]- … ytrʿm . bn . swy

00-4.769:20 […]p̊y . ʿšr[b̊n̊ rny ʿšr̊[t/m] • […]ḫ b/d[…]ḥ/ṭn̊ . [-]s̊y[.]ʿs̊r̊t • […]n̊[-]rq̊[. ʿ]šrm

—ḥp

nº CGR-284 Ocurrencias: 1

Posibles restituciones: mʿrḥp, nulḥp, ndlḥp, nllḥp.

Administración

00-4.25:2 […]- • […]ḥp • […]i̊ln

—ḥr—

nº CGR-285 Ocurrencias: 2

Posibles restituciones: abdḥr, aḥrṯp, ilšḥr, bḥr, ḥr, ḥrb, ḥrbm, ḥrh, ḥrḥrtm, ḥrẓn, ḥry, ḥryth, ḥrk, ḥrm, ḥrn, ḥrnqm, ḥrnšt, ḥrp, ḥrṣ, ḥrṣbʿ, ḥrr, ḥrš, ḥršm, ḥrt, ḥrth, ḥrtn, ḥrṯ, ḥrṯh, ḥrṯm, yḥr, yḥrn, yḥrr, yḥrṯ, lḥr, mḥrh, mḥrt, mḥrṯh, mḥrṯt, nḥr, ʿbdḥr, ṣḥr, ṣḥrn, ṣḥrrm, ṣḥrrt, ṣḥrt, šḥr, tḥrr, tḥrṯ.

Administración

00-4.122:16 […]r-[…] … […]r . • […]ḥ̊r[…] … […] • […]šbl … […]

Inscripciones

00-6.56:1 … • […]ḥr[…] • […] … […]

—ḥš

nº CGR-286 Ocurrencias: 1

Posibles restituciones: aḥš, ḥš, nḥš.

Mítica

00-1.6:I:66 ẘ ymlk . b arṣ . il . k lh • […]ḥ̊š . abn . b rḥbt • […]-n̊ . abn . b k̊knt

—ḥš—

nº CGR-287 Ocurrencias: 1

Posibles restituciones: aḥš, ḥš, ḥšbn, ḥšk, ḥšn, ḥšr, yḥšr, nḥš, nḥšm.

Mítica

00-1.82:15 ----- • […]ḥš[…]nm[…]k̊[…] . w yḫnp-[…] • […]- . ylm . bn̊[ʿ]nk . ṣmdm . špk[…]

—ḥt—

nº CGR-288 Ocurrencias: 1

Posibles restituciones: aḥt, iḥtrš, dbḥt, dlḥt, ḥt, ḥtk, ḥtkh, ḥtkk, ḥtkn, ḥtlk, ḥtn, ḥtp, ḥtt, ḥtṯ, ḥtṯn, ynḥt, lḥt, lqḥt, mdbḥt, mḥtrt, mlḥt, mšḥt, ngḥt, nḥt, nḥtm, nlqḥt, ṣḥt, ṣḥtkm, rḥtm, šḥt, šlmḥt, ṯḥt, ṯḥth, ṯḥtyt, ṯḥtk, ṯḥtn.

Fragmentos Varios

00-7.13:3 […]gd[…] • […]ḥ̊t[…] • […]a-[…]

—ḫd

nº CGR-289 Ocurrencias: 1

Posibles restituciones: aḫd, iḫd, uḫd, yaḫd, yiḫd, yuḫd, miḫd, pḫd, tiḫd, tuḫd.

Vocabularios

00-9.4:1 … • [… -ḫ]a-du • […]ya-mu

—ḫdn

nº CGR-290 Ocurrencias: 1

Posibles restituciones: iḫdn.

Mítica

00-1.63:5 […]h̊r • […]ḫdn • […]bšry

—ḫy

nº CGR-291 Ocurrencias: 1

Posibles restituciones: aḫy, iḫy, uḫy, umḫy, lḫy, midḫy, nḫḫy, slḫy, spḫy, rḫy.

Administración

00-4.701:14 […]i̊l • […]ẙ/ḫy • […]ẙ

—ḫl-—

nº CGR-292 Ocurrencias: 1

Posibles restituciones: arḫlb, uḫl, ḫl, ḫlan, ḫli, ḫlu, ḫluy, ḫlb, ḫlby, ḫlbym, ḫlbn, ḫldy, ḫld̲, ḫlh, ḫly, ḫlyn, ḫllḫ, ḫlly, ḫlln, ḫlm, ḫlmẓ, ḫln, ḫlǵl, ḫlp, ḫlpm, ḫlpn, ḫlpnm, ḫlpnt, ḫlṣ, ḫlq, ḫlqt, ḫlrš, ḫlš, ḫlt, ḫlṯ, yḫll, yḫlm, yḫlq, mdḫl, mḫlpt, nḫl, nḫlm, sḫlk, sḫlm, tḫlq, ṯpḫln.

Mítica

00-1.172:8 … • […]ḫ/zl-[…] • […]ḥdṯyrḫ . bnšm

—ḫm

nº CGR-293 Ocurrencias: 2

Posibles restituciones: aḫm, drḫm, ḫḫm, yrḫm, lḫm, mḫm, mpḫm.

Administración

00-4.71:IV:2 ----- • […]y/ḫm … 6 • -----

00-4.125:12 bnš gt . ipṯl … […] • […]ḫ̊/ẙm … […] • […]m … […]

—ḫp

nº CGR-294 Ocurrencias: 1

Posibles restituciones: arḫp, ḫp, šḫp, trḫp.

Mítica

00-1.82:6 […]w šptk . l tššy . hm . tǵrm . l mt . b rp̊k • […]ḫp . an . arnn . ql . špš . ḥr(?) . bṯnm . uḫd . bʿlm • [… a]ṭm . prṭl . l rišh . ḥmṯ . ṭmṯ .

—ḫr

nº CGR-295 Ocurrencias: 2

Posibles restituciones: abšḫr, aḫr, anḫr, uḫr, ušḫr, bḫr, ḫr, yšiḫr, maḫr, mḫr, sḫr, ʿbdšḫr, pḫr, šḫr, ṯḫr.

Administración

00-4.35:II:9 ----- • b̊n . šm[…]ḫr • b̊n . šmrm

00-4.106:6 […]r̊ln … 1 • […]ḫ̊r … 1 • […]y … 1

—ḫt-—

nº CGR-296 Ocurrencias: 1

Posibles restituciones: aḫt, aḫth, aḫty, aḫtk, aḫtmlk, aḫtth, arḫt, uṯḫt, gḫt, ḫḫt, ḫt, ḫti, ḫtu, ḫtb, ḫthn, ḫty, ḫtym, ḫtyn, ḫtyt, ḫtm, ḫtn, ḫtny, ḫtnm, ḫtt, ḫttk, ḫtṯ, yḫtk, kḫtm, mḫt, mḫtn, mnḫt, mrḫt, mtrḫt, nḫt, nḫtu, plḫtṯ, qlḫt, šlḫt, šmḫt, ššmḫt, tḫt, tḫtan, tḫtṣb, trḫt, ṯlḫt.

Fragmentos Varios

00-7.118:2 […]r . […] • […]l̊ḫt-[…] • […]-n-[…]

—ṭn

nº CGR-297 Ocurrencias: 2

Posibles restituciones: hbṭn, yplṭn, mrṭn, nqṭn, ṣrṭn, qṭn, ṭṭn, tqṭṭn, ṭpṭn.

Administración

00-4.628:2 [...] ... ilṣdq . bn . zry • [...]ṭ/ḥn ... bʿlytn . bn . ulb • [...]- ... ytrʿm . bn . swy

00-4.769:20 [...]p̊y . ʿšr[b̊n̊ rny ʿšr̊[t/m] • [...]ḫ b/d[...]ḥ/ṭn̊ . [-]šy[.]ʿšrt • [...]n̊[-]rq̊[. ʿ]šrm

—ṭnm

nº CGR-298 Ocurrencias: 1

Posibles restituciones: hbṭnm.

Épica

00-1.15:VI:1 ... • šm̊ʿ . l̊[...]mt[...]m . l̊[...]ṭ̊nm • ʿdm . l̊ḥ̊m (tl̊ḥ̊m) . tšty

—ẓi

nº CGR-299 Ocurrencias: 1

Posibles restituciones: ẓi.

Ritual

11-1.113:12 ... • [...]q̊/ẓ̊/ṭ̊/ḥ̊i • [... il ʿm]ṯ̊tmr̊

—ẓb-—

nº CGR-300 Ocurrencias: 1

Posibles restituciones: ẓbyh, ẓbyy, ẓbm, ẓbr, qẓb.

Administración

00-4.461:4 ----- • [...]ẓ̊b̊/ṣ̊-[...] • ...

—ẓn

nº CGR-301 Ocurrencias: 1

Posibles restituciones: blẓn, ḫrẓn, ẓẓn, krẓn, thbẓn.

Mítica

00-1.82:20 ----- • [... a]l̊mnt . [...]ẓ̊n -n̊(?)t̊(?)bdh . aqšr̊[...] • [...]k . ptḥy . å[...]m̊ . mln̊(?)[...]

—yil—

nº CGR-302 Ocurrencias: 1

Posibles restituciones: ḫyil.

Fragmentos Varios

00-7.14:1 ... • [...]yiṣ/l̊[...] • [...]lbn[...]

—yu—

nº CGR-303 Ocurrencias: 1

Posibles restituciones: yu, yuhb, yuḫd, yuḫdm, yukl.

Ritual

00-1.49:12 ptr . k[…] • […]yu[…] • …

—yb—

nº CGR-304 Ocurrencias: 1

Posibles restituciones: iybʿl, hybh, hybʿl, yb, ybu, ybd, ybdn, ybk, ybky, ybl, yblhm, yblk, yblmm, ybln, yblnh, yblnn, yblʿ, yblt, ybltm, ybm, ybmh, ybmt, ybn, ybnil, ybnn, ybšr, ybʿ, ybʿl, ybʿlhm, ybʿlm, ybʿlnn, ybʿr, ybʿrn, ybġdd, ybṣr, ybqʿ, ybqṯ, ybrd, ybrdmy, ybrk, ybrkn, ybš, ybšl, ybšr, ybt, ybṯ, nšybn, tybt, ṯyb.

Fragmentos.Varios

00-7.148:1 … • […]yb̊[…] • […]- … […]

—yh

nº CGR-305 Ocurrencias: 2

Posibles restituciones: aḫyh, aryh, ibġyh, bkyh, bʿlyh, ḥwyh, ẓbyh, yh, ylyh, mġyh, nyh, ʿlyh, ʿnyh, ṣlyh.

Correspondencia

00-2.47:5 ----- • tšknn̊ […]ẙh . kt̊[…]- • -----

Mítica

00-1.63:11 […]- . umtn • […]yh . w nl • […] . bt bʿṣ (bʿl)

—yy

nº CGR-306 Ocurrencias: 3

Posibles restituciones: abyy, ayy, alyy, alṯyy, asyy, aryy, aṯtyy, ilyy, išyy, usyy, uryy, byy, ḏdyy, ḏḏyy, zlyy, zmyy, ḥyy, ẓbyy, yy, kyy, klyy, klnyy, myy, mlkyy, mnyy, mġyy, smyy, spyy, ʿyy, qryy, rmyy, šyy, tmġyy, ṯbyy, ṯdyy, ṯtayy, ṯtyy.

Administración

00-4.236:4 […]s̊d̊ • […]yy • […]pr

00-4.244:19 ary . ʿšr . arbʿ . kbd . […] • […]yy . ṯṯ . krmm . šl[…] • […]- ʿšrm . krm . […]

00-4.701:14 […]i̊l • […]ẙ/ḫy • […]ẙ

—yy—

nº CGR-307 Ocurrencias: 1

Posibles restituciones: abyy, ayy, alyy, alṯyy, asyy, aryy, aṯtyy, ilyy, išyy, usyy, uryy, byy, ḏdyy, ḏḏyy, zlyy, zmyy, ḥyy, ẓbyy, yy, yyn, kyy, klyy, klnyy, myy, mlkyy, mnyy, mġyy, smyy, spyy, ʿyy, qryy, rmyy, šyy, tmġyy, ṯbyy, ṯdyy, ṯtayy, ṯtyy.

Fragmentos Varios

00-7.74:2 […]-[…] • […]yy[…] • […]rw[…]

—yk

nº CGR-308 Ocurrencias: 1

Posibles restituciones: ʾyk, anyk, aqryk̇, aryk, aṯnyk, dyk, ḫyk, ṭyk, ymǵyk, mnḫyk, mǵyk, rdyk, šmnyk, tbkyk.

Fragmentos Varios

00-7.51:8 […]t • […]yk • […]bm

—yk-h

nº CGR-309 Ocurrencias: 1

Posibles restituciones: ykph.

Fragmentos Varios

00-7.51:25 […]yšt • […]ẙk̊-h̊/i̊ • …

—yn—

nº CGR-310 Ocurrencias: 1

Posibles restituciones: abyn, abynm, abynt, agdyn, agyn, agynt, aḫyn, akyn, aliyn, annyn, aǵwyn, aǵyn, aǵlyn, aǵṣyn, aryn, artyn, atyn, aṯtyn, ibyn, ibryn, iwryn, iḫyn, iynm, ilyn, iǵyn, iǵlyn, irdyn, iryn, iršyn, ištynh, ubyn, ubnyn, ulbtyn, uryn, ušryn, uštyn, uṯryn, bdyn, byn, bʿyn, brgyn, btlyn, gyn, glyn, gnryn, gʿyn, grgyn, dyn, dmyn, ḏḏyn, ḏyn, hayn, hyn, ḥwyn, ḥyn, ḫdyn, ḫḏmyn, ḫzmyn, ḫlyn, ḫnyn, ḫsyn, ḫtyn, ṭlmyn, ydyn, yyn, ymǵyn, yn, ynaṣn, yngḥn, ynh, ynḥm, ynḥn, ynḥt, ynṭm, yny, ynl, yns, ynsk, ynʿrah, ynʿrnh, ynphy, ynpʿ, ynṣl, ynq, ynqm, ynšq, ynt, ynṯkn, ysynh, yʿdynh, yʿnyn, yšqynh, yštḥwyn, kḏyn, kwyn, kyn, klbyn, klyṇ, klnyn, ksyn, kpyn, kryn, lgynm, lkynt, mzyn, myn, mnyn, mryn, mrynm, mṯyn, nyn, nʿmyn, npynh, nryn, sbbyn, sgryn, syn, syny, synym, synn, slgyn, slyn, ŝgryn, ŝlgyn, ʿdyn, ʿyn, ʿmyn, ǵdyn, ǵyn, ǵlyn, pbyn, pdyn, pyn, pynq, pndyn, pszyn, pǵyn, ṣdynm, qnyn, rpiyn, šbyn, šdyn, šḫyn. šyn, šlmyn, šmyn, špšyn, šryn, tiyn, tbkynh, tgyn, tdyn, twyn, tyn, tkyn, tksynn, tlyn, tlmyn, tmyn, tmǵyn, tʿnyn, tʿnynn, tǵẓyn, tǵyn, tǵṯyn, tqyn, tqynh, tšʿlynh, tšqyn, tšqynh, tštyn, ttyn, tṯyn, ṯdyn, ṯdnyn, ṯwyn, ṯyn, ṯynḏr, ṯyny, ṯnyn, ṯryn, ṯtyn.

Fragmentos Varios

00-7.56:2 […]b̊ . lḥ[…] • […]yn[…] • […]p̊ adt[…]

—yʿ—

nº CGR-311 Ocurrencias: 2

Posibles restituciones: yʿb, yʿbd, yʿbdr, yʿby, yʿbš, yʿdb, yʿdbkm, yʿdd, yʿdynh, yʿdn, yʿḏrd, yʿḏrk, yʿḏrn, yʿzz, yʿzzn, yʿl, yʿlm, yʿmdn, yʿmsn, yʿmsnh, yʿn, yʿny, yʿnyn, yʿr, yʿrb, yʿrm, yʿrn, yʿrṣ, yʿrr, yʿrt, yʿrty, yʿrtym, yʿšn, yʿšr, yʿtqn.

Fragmentos Varios

00-7.157:3 […] . mt[…] • […]ẙʿ̊[…] • …

Mítica

10-1.22:II:28 […]t . rʿh aby […] • […]yʿ[…] • …

—yṣ—

nº CGR-312 Ocurrencias: 1

Posibles restituciones: yṣa, yṣan, yṣat, yṣi, yṣihm, yṣin, yṣu, yṣunn, yṣb, yṣbt, yṣd, yṣhl, yṣḥ, yṣḫm, yṣḫn, yṣḥq, yṣly, yṣm, yṣmdnn, yṣmḫ, yṣǵd, yṣq, yṣqm, yṣr, yṣrk, yṣrm, myṣm.

Fragmentos Varios

00-7.188:2 […]ẙ-[…] • […]yṣ[…] • […]-l-[…]

—yṣi-—

nº CGR-313 Ocurrencias: 1

Posibles restituciones: yṣi, yṣihm, yṣin.

Fragmentos Varios

00-7.20:1 … • […]ẙṣ̊i-[…] • […]k̊/r̊ . kll[…]

—yr—

nº CGR-314 Ocurrencias: 2

Posibles restituciones: ayr, iyrḏ, iyrh, iyry, ḫyr, ḫyrn, yr, yraun, yraš, yritn, yru, yrbʿm, yrgb, yrgbbʿl, yrgblim, yrgm, yrd, yrdm, yrdn, yrdnn, yrdt, yrz, yrḥṣ, yrḫ, yrḫh, yrḫm, yry, yryt, yrk, yrkt, yrm, yrmhd, yrml, yrmly, yrmm, yrmn, yrmʿl, yrǵm, yrǵmil, yrǵmbʿl, yrp, yrpi, yrpu, yrps, yrq, yrš, yrt, yrtḥṣ, yrtqṣ, yrṯ, yrṯy, nyr, syr, ʿbdyrḫ, ʿbdyrǵ, ʿyr, ǵyrm, ǵyrn, pḫyrh, ṯmyr.

Fragmentos Varios

00-7.192:3 […]ẙm[…] • […]ẙr[…] • …

Mítica

00-1.157:8 ----- • […]t̊ . k̊b[…]rt[…]ẙ(?)r[…] • -----

—yš—

nº CGR-315 Ocurrencias: 1

Posibles restituciones: yš, yšal, yšizr, yšiḫr, yšu, yšul, yšb, yšbl, yšbʿ, yšbʿl, yšdd, yšw, yšḥ, yšḫn, yškb, yškn, yšl, yšlḥ, yšlḥm, yšlḥmnh, yšlḥn, yšlm, yšmḫ, yšmʿ, yšmʿk, yšn, yšnn, yšʿly, yšṣa, yšṣi, yšq, yšqy, yšqynh, yšql, yšqp, yšr, yšril, yšrh, yšrn, yššil, yššq, yšt, yštal, yštd, yšthwy, yšthwyn, yštk, yštkn, yštn, yštql.

Fragmentos Varios

00-7.124:2 […]-ḥ-[…] • […]yš[…] • […]-[…]

—yt

nº CGR-316 Ocurrencias: 4

Posibles restituciones: abyt, agyt, anyt, aṯryt, išryt, uḫryt, bkyt, glyt, dyt, hyt, ḥyt, ḥmyt, ḫtyt, ydyt, yryt, yt, knyt, lyt, miyt, mhyt, myt, mǵyt, nkyt, ʿlyt, ʿryt, ǵyt, ṣpyt, qnyt, qryt, rišyt, šyt, šʿlyt, šqyt, tḥyt, tḥtyt, tyt, tliyt, tǵẓyt, trbyt, tšyt.

Administración

00-4.206:3 ʿšr . rṭm • kkr . […]yt • mitm[. p]ṯtm

00-4.363:1 … • k̊t̊n̊t̊ . [ṯ]lṯ . ʿšr̊[h …]ẙt • d bnšm . yd . grbzhm

Correspondencia

00-2.31:59 […]my . b d[…]y . • […]-ʿm . w h-[…]yt . w . -[…] • -----

Ritual

00-1.87:60 kṯrml̊[k bn] ytrt ḫms̊̊t̊ . bn gdaḫ md̲ʿ • kl[…]ẙt ṯmnt . k̊r̊wn̊[…] • -m-[…]- ṣpirẙ [ṯ]lṯt[…]

—yt—

nº CGR-317 Ocurrencias: 2

Posibles restituciones: abyt, agyt, agytn, anyt, anyth, aṯryt, iytlm, išryt, uḫryt, bkyt, bʿlytn, glyt, dyt, hyt, ḥyt, ḥytn, ḫmyt, ḫmytkm, ḫmytny, ḥryth, ḫtyt, ydyt, yryt, yt, ytbʿ, ytd, ytḥm, ytḫ, yty, ytk, ytlk, ytm, ytmr, ytmt, ytn, ytna, ytnk, ytnm, ytnn, ytnnh, ytnnn, ytnt, ytʿdd, ytʿn, ytr, ytrhd, ytrḫ, ytrm, ytrʿm, ytrš, ytršn, ytršp. ytrt, ytši, ytšu, ytšp, ytt, ytṯb, klyth, knyt, lyt, miyt, mhyt, myt, mlkytn, mǵyt, nkyt, ʿlyt, ʿryt, ǵyt, ǵlyth, ṣpyt, qnyt, qryt, qryth, qrytm, rišyt, šyt, šʿlyt, šqyt, tḫyt, tḥtyt, tyt, tliyt, tǵẓyt, trbyt, tšyt, ṯnǵlyth.

Administración

00-4.200:1 … • […]yt[…] • -[…]b̊ʿ[…]

00-4.660:2 […]ʿn[…] • […]yt[…] • […]bn[…]

—yt-—

nº CGR-318 Ocurrencias: 1

Posibles restituciones: abyt, agyt, agytn, anyt, anyth, aṯryt, iytlm, išryt, uḫryt, bkyt, bʿlytn, glyt, dyt, hyt, ḥyt, ḥytn, ḫmyt, ḫmytkm, ḫmytny, ḥryth, ḫtyt, ydyt, yryt, yt, ytbʿ, ytd, ytḥm, ytḫ, yty, ytk, ytlk, ytm, ytmr, ytmt, ytn, ytna, ytnk, ytnm, ytnn, ytnnh, ytnnn, ytnt, ytʿdd, ytʿn, ytr, ytrhd, ytrḫ, ytrm, ytrʿm, ytrš, ytršn, ytršp, ytrt, ytši, ytšu, ytšp, ytt, ytṯb, klyth, knyt, lyt, miyt, mhyt, myt, mlkytn, mǵyt, nkyt, ʿlyt, ʿryt, ǵyt, ǵlyth, ṣpyt, qnyt, qryt, qryth, qrytm, rišyt, šyt, šʿlyt, šqyt, tḫyt, tḥtyt, tyt, tliyt, tǵẓyt, trbyt, tšyt, ṯnǵlyth.

Administración

00-4.510:2 […]ṯmn̊[…] • […]yt-[…] • -----

—yt---

nº CGR-319 Ocurrencias: 1

Posibles restituciones: abyt, agyt, agytn, anyt, anyth, aṯryt, iytlm, išryt, uḫryt, bkyt, bʿlytn, glyt, dyt, hyt, ḥyt, ḥytn, ḫmyt, ḫmytkm, ḫmytny, ḥryth, ḫtyt, ydyt, yryt, yt, ytbʿ, ytd, ytḥm, ytḫ, yty, ytk, ytlk, ytm, ytmr, ytmt, ytn, ytna, ytnk, ytnm, ytnn, ytnnh, ytnnn, ytnt, ytʿdd, ytʿn, ytr, ytrhd, ytrḫ, ytrm, ytrʿm, ytrš, ytršn, ytršp, ytrt, ytši, ytšu, ytšp, ytt, ytṯb, klyth, knyt, lyt, miyt, mhyt, myt, mlkytn, mǵyt, nkyt, ʿlyt, ʿryt, ǵyt, ǵlyth, ṣpyt, qnyt, qryt, qryth, qrytm, rišyt, šyt, šʿlyt, šqyt, tḫyt, tḥtyt, tyt, tliyt, tǵẓyt, trbyt, tšyt, ṯnǵlyth.

Ritual

10-1.84:31 […]pšmtkm • […]yt--- • […]dkm

—k---b

nº CGR-320 Ocurrencias: 1

Posibles restituciones: **klṯb.**

Administración

00-4.744:8 […]-y […] • […]k̊---b̊/d̊ • […]-ḥm .

—ki

nº CGR-321 Ocurrencias: 1

Posibles restituciones: **mlki.**

Fragmentos Varios

00-7.190:2 […]l̊(?)i̊[…] • […]k/r̊i . -[…] • …

—kb

nº CGR-322 Ocurrencias: 3

Posibles restituciones: **yškb, kb, kkb, mškb, ʿbdkb, rkb, škb, tkb.**

Correspondencia

00-2.36:55 […]ʿṁ . -[…] • […]k̊b̊/ṣ̊ . […] • […]-[…]

Mítica

00-1.4:VIII:41 […]-y • […]r̊/k̊b • […] . ṣḥt

00-1.63:7 […]bšry • […]k̊/r̊b • […]-ah

—kb—

nº CGR-323 Ocurrencias: 1

Posibles restituciones: **alkbl, arkbt, ykbd, ykbdnh, yškb, kb, kbby, kbd, kbdh, kbdy, kbdk, kbdm, kbdn, kbdt, kbdthm, kby, kbkb, kbkbm, kbkbt, kbl, kblbn, kbln, kbm, kbmh, kbn, kbs, kbsm, kbš, kbšm, kbʿ, kbr, kbrt, kkb, kkbm, kkbn, kkbt, mlkbn, mrkbt, mrkbthm, mrkbtk, mrkbtm, mškb, mškbt, ʿbdkb, rkb, rkby, škb, škbḏ, tkb, tkbd, tkbdh, tkbdnh.**

Fragmentos Varios

00-7.184:10 ʿg[l]m . d̊[t …] • b̊(?)[…]r̊/k̊b[…] • p̊[…]

—kg—

nº CGR-324 Ocurrencias: 1

Posibles restituciones: **kgm, kgmn, kgn, kgr.**

Fragmentos Varios

00-7.84:2 […]-[…] • […]k̊/r̊g[…] • […]pṯ̊[…]

—kd—

nº CGR-325 Ocurrencias: 2

Posibles restituciones: **akdṯb, arkd, kd, kdgdl, kdd, kdw, kdwṯ, kdwṯm, kdy, kdkdy, kdln, kdm, kdml, kdmm, kdn, kdnt, kdǵbr, kdr, kdrl, kdrn, kdrš, kdrt, kdt, kkdm, lkd, pkdy, rkd.**

Administración

00-4.275:11 […] . qt . b[…] • […]kd[…] • […]n[…]

Fragmentos Varios

00-7.93:1 … • […]kd[…] • […] … […]

—kh

nº CGR-326 Ocurrencias: 1

Posibles restituciones: brkh, ḥtkh, kh, mlkh, mskh, nskh, ṯkh, skh, plkh, tskh.

Ritual

00-1.103:8 ----- • […]k̊/r̊h . ml̊[k …]-ḫt . b hmt n[…]t̊ dlln • -----

11-1.103:8 ----- • *[…]k̊/r̊h . m[lk …]-(m?)ḫt . bhmtn[…]t̊ dlln* • -----

—kḥ

nº CGR-327 Ocurrencias: 1

Posibles restituciones: yṯkḥ, nškḥ, tškḥ, ṯṯkḥ.

Administración

00-4.247:12 š[…]g ḥt[…] • ʿšr̊[…]k̊/r̊ḥ-b[…]- • ʿšr̊[…]-

—kḥ—

nº CGR-328 Ocurrencias: 1

Posibles restituciones: ykḥd, yṯkḥ, kḥb, kḥd, kḥdnn, kḥṯ, kḥṯm, nškḥ, tškḥ, ṯṯkḥ.

Fragmentos Varios

00-7.100:1 ----- • […]k̊/r̊ḥ[…] • […]q̊l[…]

—ky

nº CGR-329 Ocurrencias: 4

Posibles restituciones: ʾky, abky, aky, ibky, iky, uky, bky, brky, ybky, yky, ky, kky, lky, mlky, ʿky, ʿnmky, pky, tbky, tky, tpky.

Administración

00-4.75:IV:15 […] . bn . pdn • […]ky • […]r̊

00-4.433:3 […]l̊n … 1[…] • […]r̊/k̊y … 1[…] • [… a]b̊rm … 1[…]

00-4.702:4 […]b̊/d̊ . br̊(?)[…] • […]k̊y . b[…] • […]bn … […]

Correspondencia

00-2.31:60 ----- • […]-y . al . an̊(?)[…]ẘ il . ḥ̊[…]k̊ẙ • […]ṣlm . pnẙ/ḫ[…]tlkn[…]

—ky—

nº CGR-330 Ocurrencias: 1

Posibles restituciones: ʾky, abky, aky, akyn, ibky, ibrkyṯ, iky, uky, bky, bkyh, bkym, bkyt, brky, ybky, yky, ky, kyy, kyn, kky, kṯkym, lky, lkynt, mlky, mlkyy, mlkym, mlkytn, nkyt, ʿky, ʿnmky, pky, tbky, tbkyk, tbkynh, tky, tkyn, tkyǵ, tpky.

Administración

00-4.619:12 ----- • […]ypd-[…]k̊/r̊y-[…] • …

—kym

nº CGR-331 Ocurrencias: 1

Posibles restituciones: bkym, kṯkym, mlkym.

Administración

00-4.72:2 ----- • […]k/rym̊ […] • […]- . btlyn . […]

—kyt

nº CGR-332 Ocurrencias: 1

Posibles restituciones: bkyt, nkyt.

Administración

00-4.32:3 […]ḫḥyi[…] • […]k̊yt bn qd[…] • -----

—kk—

nº CGR-333 Ocurrencias: 1

Posibles restituciones: ahpkk, ilakk, ilkkm, ilkkṣ, bkk, ḥtkk, kkb, kkbm, kkbn, kkbt, kkdm, kky, kkln, kkn, kknt, kkpn, kkpt, kkr, kkrdnm, kkrm, mlakk, mlkk, tbrkk.

Fragmentos Varios

00-7.96:3 […]ṯ̊b[…] • […]k̊k̊[…] • […]-[…]

—kl

nº CGR-334 Ocurrencias: 4

Posibles restituciones: akl, iwrkl, ikl, uṯkl, hkl, yikl, yukl, ykl, kl, mkl, nkl, ʿbdnkl, prkl, tikl, tkl, ṯṯkl, ṯkl.

Fragmentos Varios

00-7.138:4 […]tm • […]k̊l • […]š̊pk̊[…]

Mítica

00-1.1:V:14 [at zd …]rq . gb • […]kl . tǵr . mtnh • […]b . w ym ymm

Ritual

00-1.84:25 […]ṣ̊/l̊ym • […]k̊l kbkb • […]

00-1.146:4 […]k̊/r̊m kmm . w b-[…] • […]kl . kmm . (R:--) • […]- . ṯmm

—km

nº CGR-335 Ocurrencias: 11

Posibles restituciones: abšrkm, agrškm, adnkm, ankm, asrkm, apkm, aṣḫkm, ikm, ilkkm, ilrkm, iqrakm, uškm, bkm, bnkm, bʿlkm, brkm, brktkm, dʿtkm, drkm, hkm, hlkm, zblkm, ḥkm, ḥmytkm, ḫbtkm, yʿdbkm, ypkm, km, krkm, lakm, lkm, mbkm, mdllkm, mhkm, mlakm, mlkm, mnkm, mṣkm, mrkm, mṯbtkm, nbkm, nkm, nskm, npškm, skm, ʿmnkm, ʿnkm, ʿrkm, ʿtkm, ṣḥtkm, ṣltkm, raštkm, rkm, šdkm, škm, šmtkm, tirkm, tkm, tlkm, tǵrkm, tšlmkm, tšpkm, ṯkm, ṯǵrkm.

Administración

00-4.627:1 • […]km . dt[.]yṯ[b . bt . m]lk̊ • […]r̊š̊p . ḫmšm̊[.]b̊/d̊š lh

00-4.734:3 […]yṯn l k̊kbn • […]k̊(?)/r̊(?)m l̊ --an • […]- . rmib l qʿmr

Correspondencia

00-2.4:15 [… š]i̊lt • […]k̊/r̊m . lm • [… š]d̊ . gṯr

00-2.9:1 ----- • […]km . tr̊[…] • [… n]p̊š . ttn[…]

00-2.62:10 l[q]ḥt • […]km . ʿm . mlk • […]ǵlhm . w . iblblhm

Épica

00-1.19:IV:60 zr . tmḫṣ . alpm . ib̊ . št[…]š̊t • ḥ̊ršm . l ahlm . p[…]km • ẙbl . lbh . km . bṯn . y-[…]ṣ̊/l̊ah . ṯnm . tšqy msk . hwt . tšqy

Fragmentos Varios

00-7.145:4 […]n . m-[…] • […]r̊/km . […] • […]-

Mítica

00-1.21:II:6 […]l̊(?)/m̊(?)rzʿy . apnnk . yrp • […]km . rʿẙ . ht . alk • […]ṯlṯt . amǵy . l bt

00-1.94:36 […]ṯ̊tm . n[…] • […]km . tʿrb[…] •

Ritual

00-1.48:6 n̊/ḫ̊m̊[…]ṣn . l . dgn • n[…]k̊m • […] … . pi-[…]ḫ/ẙqš

00-1.146:3 […]- . ḥdṯt • […]k̊/r̊m kmm . w b-[…] • […]kl . kmm . (R:--)

—km—

nº CGR-336 Ocurrencias: 2

Posibles restituciones: abšrkm, agrškm, adnkm, ankm, asrkm, apkm, aṣḥkm, ikm, ikmy, ilkkm, ilrkm, iqrakm, uškm, bkm, bnkm, bʿlkm, brkm, brktkm, dʿtkm, drkm, hkm, hlkm, zblkm, ḥkm, ḥkmk, ḥkmt, ḥmytkm, ḫbtkm, yʿdbkm, ypkm, km, kmḏ, kmhm, kmy, kmkty, kmlt, kmm, kmn, kmnt, kmsk, kmr, kmrm, kmrṯn, kmt, kmṯ, krkm, lakm, lkm, mbkm, mdllkm, mhkm, mlakm, mlkm, mnkm, mṣkm, mrkm, mṯbtkm, nbkm, nkm, nskm, npškm, skm, ʿmnkm, ʿnkm, ʿrkm, ʿtkm, ṣḥtkm, ṣltkm, raštkm, rkm, šdkm, škm, šmtkm, tirkm, tkm, tkmn, tkms, tlkm, tǵrkm, tšlmkm, tšpkm, ṯkm, ṯkmm, ṯkmn, ṯkmt, ṯǵrkm.

Mítica

00-1.5:III:30 […]k̊ṯ . i-[…] • […]k̊m̊[…] • …

Ritual

00-1.126:15 […]å/n̊ . ů[…] • […]k̊m[…] • -----

—kn

nº CGR-337 Ocurrencias: 6

Posibles restituciones: abškn, anykn, ankn, apkn, aškn, ulkn, uškn, blkn, bʿlyskn, bʿlkn, bʿlskn, brkn, ḥtkn, ḫbtkn, ybrkn, ykn, ylkn, ynṯkn, ypkn, yškn, yštkn, kkn, kn, kṯkn, lkn, mdllkn, mlkn, mmskn, mškn, nkn, nskn, nʿkn, npškn, skn, škn, ṣdkn, ṣlkn, škn, šskn, tbkn, tbrkn, tdkn, tkn, tlakn, tlikn, tlkn, tntkn, tskn, tškn, ttkn, ttlkn, ṯkn, ṯrkn.

Administración

00-4.151:IV:3 […]n • […]k̊/r̊n •

00-4.270:1 • […]kn . • -----

00-4.350:7 -qtn bn . drṣy … 4 • […]r̊/kn bn . pry … 4 • r̊špab bn . pni … 4

00-4.382:7 […]asrm • […]kn • […]-

Épica

00-1.17:I:41 […] . b ḥbqh . ḥmḥmt • […]k̊/r̊n ylt . ḥmḥmt • [… mt . r]p̊i . w ykn . bnh

Mítica

00-1.12:I:6 […]n̊bhm • […]k̊n • […]h̊/i̊rn . km . šḥr

—kn—

nº CGR-338 Ocurrencias: 1

Posibles restituciones: abškn, anykn, ankn, apkn, aškn, ulkn, uškn, uškny, usknym, blkn, bʿlyskn, bʿlkn, bʿlskn, brkn, ḥtkn, ḫbtkn, ybrkn, ykn, yknil, ykny, yknn, yknnh, yknʿ, yknʿm, yknʿmy, ylkn, ynṯkn, ypkn, yškn, yštkn, kkn, kknt, kn, knd, kndwm, knḫ, kny, knys, knyt, knkny, knkt, knn, knʿm, knʿny, knp, knpy, knṣ, knr, knrh, knrt, knt, kṯkn, lkn, mdllkn, mknpt, mknt, mlkn, mlknʿm, ṃmskn, mškn, mšknthm, nkn, nskn, nʿkn, npškn, skn, sknm, sknt, škn, šknt, ṣdkn, ṣlkn, škn, škny, šknm, šknt, šskn, tbkn, tbrkn, tbrknn, tdkn, tkn, tknm, tknn, tlakn, tlikn, tlkn, tntkn, tskn, tškn, tšknn, tšknnnn, ttkn, ttlkn, ṯkn, ṯpknt, ṯrkn.

Correspondencia

00-2.25:1 … • […]k̊/r̊n[…] • åd̊ty . -[…]

—kn--—

nº CGR-339 Ocurrencias: 1

Posibles restituciones: abškn, anykn, ankn, apkn [illegible] uškn, uškny, uškny, bʿlyskn, bʿlkn, bʿlskn, brkn, ḥtkn, ḫbtkn, ybrkn, ykn, yknil, [illegible], yknn, yknnh, yknʿ, yknʿm, yknʿmy, ylkn, ynṯkn, ypkn, yškn, yštkn, kkn, kknt, kn, knd, kndwm, knḫ, kny, knys, knyt, knkny, knkt, knn, knʿm, knʿny, knp, knpy, knṣ, knr, knrh, knrt, knt, kṯkn, lkn, mdllkn, mknpt, mknt, mlkn, mlknʿm, mmskn, mškn, mšknthm, nkn, nskn, nʿkn, npškn, skn, sknm, sknt, škn, šknt, ṣdkn, ṣlkn, škn, škny, šknm, šknt, šskn, tbkn, tbrkn, tbrknn, tdkn, tkn, tknm, tknn, tlakn, tlikn, tlkn, tntkn, tskn, tškn, tšknn, tšk[illegible]n, ttkn, ttlkn, ṯkn, ṯpknt, ṯrkn.

Mítica

00-1.86:10 w ḥmr̊[…] . -- ḥmr . --[…] • w mṯn[…]k̊(?)n̊--[…] • w bn -[…]d . w mt[…]

—kr—

nº CGR-340 Ocurrencias: 1

Posibles restituciones: abkrn, akrḏn, amkrn, aškrr, ikrn, bkr, bkrk, bkrm, dkr, dkrm, dkrt, ḏkr, ḏkry, ḥkr, ykr, ykrkr, ykrʿ, kkr, kkrdnm, kkrm, kr, kran, krb, krd, krw, krwn, krws, krwt, krzn, krẓn, kry, kryn, krk, krkm, krlnm, krm, krmh, krmm, krmn, krmpy, krmt, krn, krny, krs, krsi, krsnm, kršu, kršnm, krʿ, krpn, krpnm, krr, krt, krty, krtn, mkr, mkrm, mkrn, mlkrpi, mlkršp, mškrt, nkr, skr, škr, škrn, šškrgy, tkrb, tmkrn, tškr, tškrǵ, ṯṯkrn.

Administración

00-4.741:1 … • […]-[…]k̊r̊[…] • [š]p̊šyn

—kt

nº CGR-341 Ocurrencias: 7

Posibles restituciones: akt, ikt, bkt, brkt, dkt, drkt, hlkt, hnkt, ymkt, yrkt, knkt, kt, lakt, likt, lkt, mkt, mlakt, mlkt, mskt, mṯkt, nkt, nskt, skt, smkt, ʿrkt, ʿtkt, rʿkt, škt, šntkt, tkt, ṯkt.

Administración

00-4.113:7 ʿ̊nmky … ṯqlm • […]kt … ʿšrt • q̊rn … šbʿt

00-4.182:34 […]l̊ . bhtm . š[…] • […]r̊/k̊t . l . dml[…] • [… yr]ḫ . nql . ḫpn[…]

00-4.382:13 […]k̊ • […]r̊/kt • […]d̊ . b . gnʿ

00-4.463:2 ----- • […]kt . […] • -----

Correspondencia

00-2.31:5 ----- • […]k̊/r̊t . bt-[…] • […]ank[…]

Mítica

00-1.147:8 […]- . bšl . ybšl • […]kt . št • […]dk . km

Ritual

00-1.153:4 [… d]bḥ • […]kt • […]ba

—kt—

nº CGR-342 Ocurrencias: 3

Posibles restituciones: akt, aktmy, aktn, arkty, ikt, bkt, brkt, brkthm, brktkm, brktm, dkt, drkt, drkth, drktk, hlkt, hnkt, ymkt, yrkt, kmkty, knkt, kt, ktb, ktkt, ktl, ktldat, ktln, ktmn, ktn, ktnm, ktnt, ktǵ, ktp, ktpm, ktr, ktry, ktrm, ktš, ktt, ktṯ, lakt, likt, lkt, mkt, mlakt, mlakth, mlakty, mlaktk, mlkt, mlktn, mskt, mṯkt, nkt, nktt, nskt, skt, smkt, ʿrkt, ʿtkt, rʿkt, škt, šntkt, tkt, ṯkt.

Administración

00-4.118:11 ----- • […]kt[…] • -----

00-4.196:4 ----- • […]k̊t[…] • -----

00-4.386:17 -[…]šẙ[…]-h • -[…]kt[…]nrn • bn̊ . nmq-[…]

—kt-—

nº CGR-343 Ocurrencias: 1

Posibles restituciones: akt, aktmy, aktn, arkty, ikt, bkt, brkt, brkthm, brktkm, brktm, dkt, drkt, drkth, drktk, hlkt, hnkt, ymkt, yrkt, kmkty, knkt, kt, ktb, ktkt, ktl, ktldat, ktln, ktmn, ktn, ktnm, ktnt, ktǵ, ktp, ktpm, ktr, ktry, ktrm, ktš, ktt, ktṯ, lakt, likt, lkt, mkt, mlakt, mlakth, mlakty, mlaktk, mlkt, mlktn, mskt, mṯkt, nkt, nktt, nskt, skt, smkt, ʿrkt, ʿtkt, rʿkt, škt, šntkt, tkt, ṯkt.

Inscripciones

00-6.32:1 … • […]k̊t-[…] •

—l-z—

nº CGR-344 Ocurrencias: 1

Posibles restituciones: aǵlkz, lrzʿy, slmz, ǵlkz.

Fragmentos Varios

00-7.161:3 […]gl̊-[…] • […]l-z[…] • …

—la

nº CGR-345 Ocurrencias: 1

Posibles restituciones: ila, la, lla, mla.

Administración

00-4.44:19 […] a-[…] • […]la • [… ns]k qṯn

—li

nº CGR-346 Ocurrencias: 1

Posibles restituciones: aǵli, ḫzli, ḫli, kli, li, lli, mli.

Mítica

00-1.157:5 ----- • […]l̊i . w ---- . il . nṣb . […] • -----

—li—

nº CGR-347 Ocurrencias: 1

Posibles restituciones: aliy, aliyn, alit, aǵli, ilib, ilibh, iliby, ḫzli, ḫli, yrgblim, kli, li, liy, lik, likt, lim, limm, lit, lli, llim, llit, mli, mlit, tliym, tliyt, tlik, tlikn.

Fragmentos Varios

00-7.190:1 … • […]l̊(?)i̊[…] • […]k/r̊i . -[…]

—liy

nº CGR-348 Ocurrencias: 1

Posibles restituciones: aliy, liy.

Administración

00-4.431:1 … • […]liy • […]nrn

—lb

nº CGR-349 Ocurrencias: 2

Posibles restituciones: alb, arḫlb, ulb, glb, ḥlb, ḫlb, ṭlb, klb, lb, mglb, nklb, ʿlb, ǵlb, rlb, tṭlb, tlb, ṯlb, ṯʿlb.

Épica

00-1.19:I:3 tk̊rb . -[…]- . l qrb̊[?]ım̊(?)ym • tql . ʿ[…]lb . t̊ṯ̊br • qšt[…]n̊r . yṯ̊b̊r̊

Fragmentos Varios

00-7.95:2 […]--[…] • […]lb . r̊[…] • […]-ḥq[…]

—lb—

nº CGR-350 Ocurrencias: 1

Posibles restituciones: aglby, alb, arḫlb, iblblhm, ilbd, ilbldn, ilbʿl, ulb, ulby, ulbtyn, blblm, glb, glbm, glbt, glbty, zlbn, ḥlb, ḥlbt, ḫlb, ḫlby, ḫlbym, ḫlbn, ṭlb, ylbš, kblbn, klb, klby, klbyn, klbm, klbr, klbt, lb, lbiy, lbim, lbu, lbdm, lbh, lby, lbk, lbn, lbny, lbnym, lbnm, lbnn, lbnt, lbš, lbšk, lbšm, lbšn, lbšt, lbt, lbṯ, mglb, mlbr, mlbš, mlbšh, nklb, nlbn, ʿbdlbit, ʿlb, ʿlby, ʿmlbi, ʿmlbu, ʿnlbm, ǵlb, ṣlbʿl, qblbl, rlb, šlbšn, šmlbi, šmlbu, ṯṯlb, tlb, tlby, tlbn, tlbr, tlbš, ṯlb, ṯlbm, ṯnlbm, ṯʿlb.

Administración

00-4.227:IV:1 … • […]-m[…]lb[…] • […]--m

—lbn—

nº CGR-351 Ocurrencias: 1

Posibles restituciones: zlbn, ḫlbn, kblbn, lbn, lbny, lbnym, lbnm, lbnn, lbnt, nlbn, tlbn.

Fragmentos Varios

00-7.14:2 […]yiṣ/l̊[…] • […]lbn[…] • […]-y[…]

—ld

nº CGR-352 Ocurrencias: 2

Posibles restituciones: aǵld, ašld, bld, bsld, gld, wld, yld, kld, ld, mld, sgld, šld, ʿld, pld, tld.

Administración

00-4.82:9 […]-kṯ • […]ld • […]th̊/i̊n

Fragmentos Varios

00-7.51:18 […]mh . mli • […]l̊d . b ymt • […]w . w mr

—lḏ—

nº CGR-353 Ocurrencias: 1

Posibles restituciones: adlḏn, alḏy, aǵlḏrm, ilḏ, illḏr, illḏrm, ḫlḏ.

Fragmentos Varios

00-7.147:3 ----- • […]l̊ḏ[…] • -----

—lh

nº CGR-354 Ocurrencias: 1

Posibles restituciones: ahlh, ilh, blh, bʿlh, dlh, hklh, hlh, ḥblh, ḫlh, ylh, klh, klklh, kllh, kslh, lh, mdlh, nḫlh, slh, ʿglh, ʿlh, ǵlh, qlh, šmalh, tnlh, ttlh.

Fragmentos Varios

00-7.141:5 […]n • […]l̊h • …

—lhm

nº CGR-355 Ocurrencias: 1

Posibles restituciones: ahlhm, iblblhm, ilhm, išalhm, bʿlhm, zblhm, yblhm, ybʿlhm, klhm, klklhm, lhm, nḫlhm, ǵlhm.

Administración

00-4.609:41 […]--[…] • […]lhm • […]

—lw

nº CGR-356 Ocurrencias: 1

Posibles restituciones: ašlw, ʿlw.

Administración

00-4.12:2 ----- • […]l̊w . nḥlh • -----

—lḫ-—

nº CGR-357 Ocurrencias: 1

Posibles restituciones: alḫb, alḫn, alḫnm, ilḫu, blḫ, bṯwlḫ, ḫllḫ, lḫy, lḫm, lḫn, lḫsn, lḫšt, llḫhm, milḫ, mlḫš, slḫ, slḫu, slḫy, plḫṯṯ, qlḫt, šlḫt, ṯlḫh, ṯlḫt.

Inscripciones

00-6.35:2 […]-[…] • […]l̊ḫ̊-[…] • …

—ly

nº CGR-358 Ocurrencias: 3

Posibles restituciones: abbly, abʿly, ayly, akly, aly, ally, idly, izly, izmly, ily, ully, utly, buly, bly, bʿly, bṯwly, gbly, gbʿly, dly, hkly, ḥly, ḫbly, ḫly, ḫlly, ṭly, ygly, ykly, yly, yǵly, yṣly, yrmly, yšʿly, kly, kṯly, ly, mgdly, mkly, mly, mrily, nkly, nqly, sly, ʿly, ǵzly, ǵly, pkly, ply, ṣly, qly, šly, šʿly, tgly, ṯṯly, tkly, tly, tǵly, tply, tšʿly, ttly, ṯnǵly, ṯʿly.

Administración

00-4.769:25 […] . ʿšrm • […]l̊ẙ . ʿšrt • [… ʿ]š̊r̊t̊

00-4.784:24 [ḫ]l̊by 2 • […]ly 1 • […] 2

Correspondencia

00-2.3:27 […]- . kllh • […]ly • […]

—ly—

nº CGR-359 Ocurrencias: 1

Posibles restituciones: abbly, abʿly, ayly, akly, aly, alyy, ally, aǵlyn, idly, izly, izmly, ily, ilyy, ilym, ilyn, ilys, ilyqn, iǵlyn, ully, ullym, utly, buly, bly, blym, bʿly, bʿlyh, bʿlyskn, bʿlytn, btlyn, bṯwly, gbly, gbʿly, gbʿlym, glyn, glyt, dly, hkly, zlyy, ḥly, ḫbly, ḫly, ḫlyn, ḫlly, ṭly, ygly, ykly, yly, ylyh, yǵly, yṣly, yrmly, yšʿly, kly, klyy, klyn, klyth, kṯly, ly, lyt, mgdly, mkly, mly, mrily, nkly, nqly, sly, slyn, ʿly, ʿlyh, ʿlyt, ǵzly, ǵly, ǵlyn, ǵlyth, pkly, ply, ṣly, ṣlyh, qly, šly, šlyṭ, šʿly, šʿlyt, tgly, tdglym, ṯṯly, tkly, tly, tlyn, tǵly, tply, tšʿly, tšʿlynh, ttly, ṯnǵly, ṯnǵlyth, ṯʿly.

Épica

00-1.19:II:32 -[…]sr . pdm . rišh[…] • ʿl . pd . asr̊ . m̊[…]l̊ẙ(?)[…] • mḫlpt . w l . ytk . d̊m̊ʿt̊[.]k̊ m

—lyn

nº CGR-360 Ocurrencias: 2

Posibles restituciones: aǵlyn, ilyn, iǵlyn, btlyn, glyn, ḫlyn, klyn, slyn, ǵlyn, tlyn.

Administración

00-4.368:1 • […]lyn . ṯlṯ . [ṣ]mdm • […]-rm . ṣmd . w . ḥrṣ

00-4.643:18 […]b̊n . b . ayly • […]l̊/d̊yn[.]b . ngḥt • […] b̊ . np̊ṯ̊t

—lyt

nº CGR-361 Ocurrencias: 1

Posibles restituciones: glyt, lyt, ʿlyt, šʿlyt.

Mítica

00-1.101:10 ----- • […]l̊yt . s̊̌[…] • -----

—lk

nº CGR-362 Ocurrencias: 8

Posibles restituciones: abmlk, aḫmlk, aḫtmlk, alk, almlk, amlk, ašhlk, ašqlk, iḫmlk, ilk, ilmlk, itlk, blk, bʿlk, hklk, hlk, ḥtlk, ẓlk, yblk, ylk, ymlk, ypʿmlk, ytlk, yṯbmlk, kslk, kṯrmlk, lk, mdlk, mlk, nmlk, ntlk, sḫlk, ʿbdmlk, ʿbmlk, ʿdbmlk, ʿdmlk, ʿlk, plk, qnmlk, šmmlk, špšmlk, tblk, tlk, ttlk.

Administración

00-4.5:3 ----- • […]lk . aḥd • …

00-4.499:2 […]- … alp̊[…] • […]lk … […] • […]--[…]

Correspondencia

00-2.31:44 […]rgm . hy . l ẙ[…]y . ilakk • […]l̊k . yritn . m̊ǵy . hy . w kn • […]- . ḥln·. d b . dmt . um . il[m]

00-2.35:15 […]n̊ . -ns̊̌[…]- • […]l̊k . w . l-[…]- • [… bʿ]l̊y . argm

00-2.36:49 […]mn . tbt . w . […] • […]l̊/m̊k . p[…]-tr . […] • [… a]r̊gmnm[.]d . ar̊[…]

10-2.50:14 […]------tm • …]l̊k -̊lm . d . kbr • […]-̊y . ʿmk

00-5.10:4 ----- • št tn mlk l[…]lk • w ḫlpn pṯ[t]m -[…]

Fragmentos Varios

00-7.41:4 […]- … […] • […]lk … […] • -----

—lk—

nº CGR-363 Ocurrencias: 4

Posibles restituciones: abmlk, aḫmlk, aḫtmlk, alk, alkbl, almlk, amlk, aǵlkz, ašhlk, ašqlk, iḫmlk, ilk, ilkkm, ilkkṣ, ilkpm, ilkpṣ, ilkšy, ilmlk, iǵlkḏ, itlk, ulkn, blk, blkn, bʿlk, bʿlkm, bʿlkn, hklk, hlk, hlkm, hlkt, zblkm, ḥtlk, ẓlk, yblk, ylk, ylkn, ymlk, ypʿmlk, ytlk, yṯbmlk, klkl, klklh, klklhm, kslk, kṯrmlk, lk, lkd, lky, lkynt, lkm, lkn, lkt, mdlk, mdllkm, mdllkn, mlk, mlki, mlkbn, mlkh, mlky, mlkyy, mlkym, mlkytn, mlkk, mlkm, mlkn, mlknʿm, mlkrpi, mlkršp, mlkt, mlktn, nmlk, ntlk, sḫlk, ʿbdmlk, ʿbmlk, ʿdbmlk, ʿdmlk, ʿlk, ǵlkz, plk, plkh, ṣlkn, qnmlk, šmmlk, špšmlk, tblk, tlk, tlkm, tlkn, ttlk, ttlkn.

Administración

00-4.508:4 […] . alp[…] • […]l̊k[…] • […]l̊k̊[…]

00-4.508:5 […]l̊k[…] • […]l̊k̊[…] • …

Correspondencia

00-2.31:9 […]h̊ph . w[…] • […]lk[…] • […]-[…]

00-2.48:1 … • […]lk[…] • [… ˤ]šr . ym[…]

—lkn

nº CGR-364 Ocurrencias: 1

Posibles restituciones: ulkn, blkn, bˤlkn, ylkn, lkn, mdllkn, mlkn, ṣlkn, tlkn, ttlkn.

Correspondencia

11-2.36:25 […]˚ [-]b . ḥwt[…] • […]lkn . ht . b˚. […] • tˤtq . by . ḥwt . ˚ […]

—ll

nº CGR-365 Ocurrencias: 3

Posibles restituciones: all, ill, ull, gll, dll, hll, ḥll, ẓll, yddll, ydll, yḫll, yṯll, kll, ll, mṯll, mẓll, mll, sll, ǵll, pll, tmll, tǵll.

Administración

00-4.355:42 ṯn . bn̊š̊m̊[.]b̊[…]n̊y • år̊b̊[ˤ . bnšm . b . …]ll • [ˤ]š̊r̊[. bnšm . b . …]r̊by

Correspondencia

00-2.68:12 […] • […]ll • […]n-ṣm-

Ritual

00-1.134:10 […]š … […] • […]l̊l • [… ar]ṣ̊y . npš[…]

—lly

nº CGR-366 Ocurrencias: 1

Posibles restituciones: ally, ully, ḫlly.

Fragmentos Varios

00-7.50:10 […]ksl̊/ṣ̊[…] • […]ṣ̊/l̊ly yk[…] • […]-rqm[…]

—llm

nº CGR-367 Ocurrencias: 1

Posibles restituciones: allm, illm, llm, mḥllm, ǵllm, ṯpllm.

Mítica

00-1.82:33 […]ḥ̊mt . l ql . rpi[m …] • […]llm . abl . mṣrpk . […] • […]y . mṯnt . w tḥ . ṭbt . n̊[…]

—llt

nº CGR-368 Ocurrencias: 1

Posibles restituciones: llt, škllt, ṯllt.

Épica

00-1.16:I:32 åḫ̊r̊ . al . t̊r̊g̊m̊ . l aḫtk • ˤ̊ẘ(?)[…]ṣ̊/l̊l̊t̊(?) . dm . aḫtk • ẙd̊ˤt . k rḥmt

—llt—

nº CGR-369 Ocurrencias: 1

Posibles restituciones: llt, škllt, ṯllt.

Administración

00-4.71:III:2 [w . nḥl]h[…] • […]l̊lt[…] … 2 • [bn .]ubn … 6

—lm

nº CGR-370 Ocurrencias: 13

Posibles restituciones: ablm, ahlm, aylm, aklm, allm, alm, ibrtlm, iytlm, illm, ilm, ilšlm, ulm, bdlm, blblm, bʿlm, bʿlšlm, gblm, gdlm, dlm, hklm, hlm, ḥblm, ḥlm, ḫḏglm, ḫlm, ḫrbglm, ṭlm, ẓlm, ybʿlm, ydlm, yḫlm, ylm, yʿlm, yǵlm, yšlm, klm, kslm, kṯglm, kṯṯglm, llm, lm, lṯlm, mgdlm, mḏrglm, mḫllm, mlm, mṣlm, mšlm, nḫlm, nʿlm, nšlm, sḫlm, slm, splm, ʿbdilm, ʿglm, ʿlm, ǵzlm, ǵllm, ǵlm, plm, pslm, pʿlm, ṣdqšlm, ṣṭqšlm, ṣlm, qlm, šalm, šlm, tdǵlm, tlm, tšlm, ṯpllm, ṯqlm.

Administración

00-4.11:5 […] • […]lm . aḥd • […]-l . l ḫr[…]

00-4.607:4 […] • […]lm • [iw]rpzn

00-4.618:9 ----- • […]lm . bd . r[…]m . d̊lm • ṯṯ . ʿšr ṣ[m]d . a[l]p̊m̊

00-4.717:5 … • […]l̊m • […] ṯql

Correspondencia

00-2.4:6 tšlm̊[k . tǵ]rk • tʿzz̊[k …]lm • w tṯ[ṯb . ly . š]l̊mk

00-2.31:23 […] . an • […]lm . ank • […]ḫ̊ asrm

00-2.82:14 […]-----l[…] • […]l̊m . t̊ʿ̊š--[…] • […]l . t/kʿ/qšr[…]

Fragmentos Varios

00-7.3:1 … • […]l̊m . […] • -----

00-7.51:3 […]ʿlh us • [p …]l̊m usp • […]i̊ḫdl

00-7.177:7 […]--[…] • […]l̊(?)m̊(?) • …

Mítica

00-1.10:I:23 […]-y • […]lm • [… r]ůmm

00-1.147:13 […]l̊ qṣ ilm • […]lm . t̊bṣʿ • […]-m . bʿl

Ritual

00-1.159:3 […]-m . a-[…] • […]l̊m . nl-[…] • […]- . ʿṯtr[…]

—lm—

nº CGR-371 Ocurrencias: 1

Posibles restituciones: ablm, ahlm, aylm, aklm, allm, alm, almg, almdk, almlk, almnt, aǵlmn, ibrtlm, iytlm, illm, ilm, ilmd, ilmhr, ilmy, ilmlk, ilmn, ilšlm, ulm, ulmy, ulmk, ulmn, bdlm, blblm, bʿlm, bʿlmʿḏr, bʿlmṯpṭ, bʿlšlm, gblm, gdlm, dlm, hklm, hlm, hlmn, ḥblm, ḥlm, ḥlmh, ḥlmy, ḥlmm, ḥlmt, ḫḏglm, ḫlm, ḫlmẓ, ḫrbglm, ṭlm, ṭlmyn, ẓlm, ẓlmt, yblmm, ybʿlm, ydlm, yḫlm, ylm, ylmn, yʿlm, yǵlm, yšlm, klḿ, kslm, kṯglm, kṯṯglm, llm, lm, lmd, lmdh, lmdhm, lmdm, lmdth, lmn, lmʿt, lmt, lṯlm, mgdlm, mḏrglm, mḫllm, mlm, mslmt, mṣlm, mšlm, nḫlm, nʿlm, nšlm, sḫlm, slm, slmu, slmz, splm, ʿbdilm, ʿglm, ʿllmy, ʿllmn, ʿlm, ʿlmh, ʿlmk, ʿlmt, ǵzlm, ǵllm, ǵlm, ǵlmh, ǵlmy, ǵlmk, ǵlmm, ǵlmn, ǵlmt, ǵlmtm, plm, pslm, pʿlm, pʿlmh, ṣdqšlm, ṣṯqšlm, ṣlm, ṣlmm, qlm, šalm, šḥlmmt, šlm, šlmḥt, šlmy, šlmym, šlmyn, šlmk, šlmm, šlmn, šlmt, šlmtn, ššlmt, tdġlm, tlm, tlmi, tlmu, tlmdm, tlmyn, tlmš, tšlm, tšlmk, tšlmkm, tšlmn, tššlmn, ṯpllm, ṯqlm.

Administración

00-4.733:1 … • […]l̊m̊[…] • […]-n . bn̊[…]

—lmy

nº CGR-372 Ocurrencias: 1

Posibles restituciones: ilmy, ulmy, ḥlmy, ʿllmy, ġlmy, šlmy.

Épica

00-1.14:V:26 […]b̊b • […]l̊my • […]p

—lmy—

nº CGR-373 Ocurrencias: 1

Posibles restituciones: ilmy, ulmy, ḥlmy, ṯlmyn, ʿllmy, ġlmy, šlmy, šlmym, šlmyn, tlmyn.

Fragmentos Varios

00-7.115:2 […]l̊ . […] • […]lmẙ[…] • […]rt

—lmn

nº CGR-374 Ocurrencias: 1

Posibles restituciones: aġlmn, ilmn, ulmn, hlmn, ylmn, lmn, ʿllmn, ġlmn, šlmn, tšlmn, tššlmn.

Administración

00-4.262:8 […]d . ḫmšm . ksp̊[…] • […]lmn w . ʿl . u[…] • -----

—ln

nº CGR-375 Ocurrencias: 6

Posibles restituciones: aḏmln, ayln, akln, aln, ibln, iln, ubln, uln, bln, bʿln, gbln, glln, gln, dlln, hln, zbln, ḥgln, ḥln, ḫlln, ḫln, ḫrmln, ybln, ydln, yln, ypln, kbln, kdln, kkln, kln, ksln, kpln, kpsln, ktln, ln, mzln, mln, mġln, nbln, ngln, nggln, sln, ʿlln, ʿln, piln, pyln, pln, prln, qln, qqln, rgln, šqln, tikln, tbʿln, tgwln, tggln, tdlln, tdln, twḥln, tmdln, tntqln, tʿzdlln, tʿzzlln, tʿln, tġln, tpln, tqln, trḥln, ṯbln, ṯlln, ṯʿln, ṯpḫln.

Administración

00-4.64:V:13 b̊n . ḏrm … […] • [bn . …]ln … […] • [bn .]-ḏprḏ … […]
00-4.69:IV:25 […]ḫmn … 3 • […]ln … 5 • […]-dn … 5
00-4.433:2 […]- … 1[…] • […]l̊n … 1[…] • […]r̊/k̊y … 1[…]
00-4.718:1 … • […]ln • -----

Fragmentos Varios

00-7.163:5 […]ṯbt . k qb̊d̊[…] • […]l̊n bšr i̊[…] • […]ʿlk . igʿ . ʿ[…]

Mítica

00-1.4:III:53 […]ʿln̊ • […]l̊n̊ • …

—ln—

nº CGR-376 Ocurrencias: 1

Posibles restituciones: aḏmln, ayln, akln, aln, alnr, alnṯr, ibln, illnpn, iln, ilnḥm, ilnym, ilnm, ilnnn, ilnqsd, ubln, uln, ulnhr, ulny, bln, bʿln, bʿlny, gbln, glln, gln, dlln, hln, hlny, hlnr, zbln, zblnm, ḫgln, ḥln, ḥlnm, ḫlln, ḫln, ḫrmln, ybln, yblnh, yblnn, ybʿlnn, ydln, yḫslnn, ykllnh, yln, ypln, kbln, kdln, kkln, kln, klnyy, klnyn, klnmw, ksln, kpln, kpsln, kpslnm, krlnm, ktln, ln, lnh, lnk, lnṯ, mzln, mln, mǵln, nbln, ngln, ngǵln, sln, ʿlln, ʿln, ʿlnh, piln, pblnk, pyln, pln, prln, qln, qlny, qqln, rgln, šqln, tikln, tbʿln, tgwln, tgǵln, tdlln, tdln, tdlnn, twḥln, tmdln, tntqln, tʿzdlln, tʿzzlln, tʿln, tǵln, tpln, tplnt, tqln, trḥln, ṯbln, ṯlln, ṯʿln, ṯpḫln.

Administración

00-4.401:13 […] • -[…]l̊n̊[…] • p̊--[…]-ʿtn- . b̊h

—lǵ

nº CGR-377 Ocurrencias: 2

Posibles restituciones: lǵ, mḏlǵ.

Fragmentos Varios

00-7.136:2 […]n̊[…] • […]lǵ . ʿ[…] • […]-ʿtq[…]

00-7.151:1 ----- • […]l̊/ṣǵ . […] • […] … […]

—lǵn

nº CGR-378 Ocurrencias: 1

Posibles restituciones: plǵn.

Administración

00-4.682:11 […] . ḏmrd . bn . ḥǵ̊mn̊[.]k̊s̊p̊ ʿšrt • […]l̊(?)ǵn . ksp . ṯṯt . • [… b]n̊ . ygry . ṯlṯm . ksp . b . n̊ṯk̊

—lp

nº CGR-379 Ocurrencias: 3

Posibles restituciones: alp, ulp, blp, ḫlp, ydlp, lp, ʿlp, ǵlp.

Administración

00-4.701:6 […]šyn • […]lp • […]b̊ʿl

Ritual

00-1.91:8 [p]dry . bt . mlk • […]lp . izr • […]rz

00-1.123:18 […]n̊(?)r̊[…] • […]l̊(?)/ṣ̊p il[…] • [ǵ]lmt mrd̊[…]

—lp—

nº CGR-380 Ocurrencias: 3

Posibles restituciones: alp, alph, alpy, alpm, alpnm, ulp, ulpm, blp, ḫlp, ḫlpm, ḫlpn, ḫlpnm, ḫlpnt, ydlp, lp, lpuy, lpwt, lpš, mḫlpt, slpd, ʿlp, ʿlpy, ǵlp, ǵlph, ǵlpṯr, ṣlpn.

Correspondencia

00-2.18:6 […]h . w yššil[…] • […]-[…]lp̊[…] • …

Fragmentos Varios

00-7.166:1 … • […]l̊p̊[…] • […]b̊/d̊l̊/d̊[…]

00-7.199:1 … • […]lp̊[…] • […]n̊[…]

—lpt—

nº CGR-381 Ocurrencias: 1

Posibles restituciones: mḫlpt.

Administración

00-4.675:4 […]lth[…] • […]l̊pt[…] • [… i]ẘrmd̲[…]

—lṣ

nº CGR-382 Ocurrencias: 1

Posibles restituciones: ḫlṣ, mlṣ, ʿlṣ, ǵlṣ.

Administración

00-4.93:III:5 [bn .]s̊nrn … 4 • [bn . …]l̊ṣ … 2 • bn . […]tym … 2

—lr

nº CGR-383 Ocurrencias: 1

Posibles restituciones: lr, ʿlr.

Mítica

00-1.92:40 […]l aliyn bʿl • […]l̊/ṣr . rkb ʿrpt •

—lr—

nº CGR-384 Ocurrencias: 1

Posibles restituciones: ilrb, ilrkm, ilrkṣ, ilrm, ilrpi, ilrpm, ilrpṣ, ilrš, ilršp, ulrm, bʿlrm, glrš, zlrš, ḥplry, ḫlrš, lr, lrgth, lrzʿy, lrmnm, lrn, mlrm, slrš, ʿlr, ṯlrbh, ṯlrby, ṯlrn.

Mítica

00-1.147:3 […]ym̊ẙ[…] • […]l̊r[…] • […]-l-[…]

—lrb

nº CGR-385 Ocurrencias: 1

Posibles restituciones: ilrb.

Ritual

00-1.48:11 bʿlh . št[…]rt • ḫqr̊ . b̊/ṣ̊p̊-[…]lrb • ṯ̊l̊[ṯ …]--

—lt

nº CGR-386 Ocurrencias: 5

Posibles restituciones: azzlt, aylt, aklt, alt, ibʿlt, ilt, blt, bʿlt, brlt, btlt, gdlt, glt, dblt, dlt, hmlt, wlt, ḥlt, ḫlt, ḫndlt, yblt, ylt, klt, kmlt, llt, lt, mʾlt, mlt, mʿlt, mṣlt, mšlt, nplt, ʿbdilt, ʿglt, ʿlt, ʿmlt, ǵlt, ǵrplt, palt, pḫlt, ṣlt, qlt, šilt, šblt, šbšlt, šḫlt, škllt, šlt, šqlt, ššmlt, tʿlt, tpšlt, ṯllt.

Administración

00-4.170:23 [bn] . hyadt • […]lt • šmrm

Épica

00-1.18:I:27 […]n̊/åby . å/n̊dt . ank̊[…] • […]l̊(?)t̊ . lk . tlk . b ṣd̊[…] • […]m̊t . išryt[…]

Fragmentos Varios

00-7.38:9 … • […]l̊t gṯr […] •

Mítica

00-1.5:II:24 […]ẘ/åp . mlḥmy • […]lt . qẓb • […] . šmḫy

00-1.172:13 […]ṯlṯ . id . ynphy . yrḫ . byrḫ . aḫrm • […]lt . mẓrnylk • -----

—lth—

nº CGR-387 Ocurrencias: 1

Posibles restituciones: aklth, bʿlth, brlth, dlthm, klth, nḫlth, sglth, palth.

Administración

00-4.675:3 […]p--[…] • […]lth[…] • […]l̊pt[…]

—ltm

nº CGR-388 Ocurrencias: 1

Posibles restituciones: iltm, btltm, gdltm, ybltm, mltm, mṣltm, mštʿltm, ǵltm, psltm.

Ritual

00-1.57:1 … • […]l̊/ṣ̊tm . r̊[…] • […]- arbʿt[…]

—ltn—

nº CGR-389 Ocurrencias: 1

Posibles restituciones: aǵltn, ibʿltn, bʿltn, ypltn, kltn, kpltn, ltn, mltn, ʿgltn, ʿltn, ʿqltn, ǵltn.

Administración

00-4.708:8 […]p̊sn ṯ[ql] • […]ltn[…] • […]- ṯq̊[l]

—lṯ

nº CGR-390 Ocurrencias: 1

Posibles restituciones: ulṯ, glṯ, hṯlṯ, ḫlṯ, yṯlṯ, mṯlṯ, ʿṯlṯ, qlṯ, tglṯ, tlṯ, tṯlṯ, ṯlṯ.

Correspondencia

00-5.11:14 dblt tn tyt • pt̊[…]lṯ l pkdy • n̊[…]- tn ly

—m--g—

nº CGR-391 Ocurrencias: 1

Posibles restituciones: mdrg, šmʿrgm.

Correspondencia

00-2.57:1 ... • [...]m--g[...] • [...]t[...]-dt̊[...]-- . ʿbd

—mb

nº CGR-392 Ocurrencias: 2

Posibles restituciones: yhmb.

Administración

00-4.185:6 [...]n . ṯn • [...]mb • [...]-t . ṯn

Fragmentos Varios

00-7.51:6 [...]r . b • [...]mb • [...]t

—mg

nº CGR-393 Ocurrencias: 1

Posibles restituciones: almg, aršmg, slṯmg, ṯrmg.

Fragmentos Varios

00-7.32:9 [...]å/n̊ ... [...] • [...]m̊g ... [...] • [...]l̊ . t̊/p̊n̊m̊[...]

—mg---—

nº CGR-394 Ocurrencias: 1

Posibles restituciones: almg, armgr, aršmg, dmgy, ymgn, mgbl, mgdl, mgdly, mgdlm, mglb, mgmr, mgn, mgnk, mgnm, mgntm, mgšḫ, mgš, mgšḫ, mgṯ, nmgn, slṯmg, šmgy, tmgnn, ṯmgdl, ṯmgn, ṯrmg.

Administración

00-4.747:10 [...]2 ... dd ʿl[...] • [...]m̊g---[...] • ...

—mdy

nº CGR-395 Ocurrencias: 1

Posibles restituciones: amdy.

Administración

00-4.325:4 ----- • [...]mdy . ẖt[...] • [... b]n . ši[...]

—mḏ

nº CGR-396 Ocurrencias: 2

Posibles restituciones: ibrmḏ, iwrmḏ, ygmḏ, kmḏ, mḏ.

Administración

00-4.697:11 [...]kny . ʿšr̊ • [...]mḏ . [...] •

Fragmentos Varios

00-7.132:5 [...]--m-[...] • [...]m̊ḏ [...] • [...]--dq ... m-[...]

—mḏ-

nº CGR-397 Ocurrencias: 1

Posibles restituciones: amḏy, ibrmḏ, iwrmḏ, ḫḏmḏr, ygmḏ, kmḏ, mḏ, mḏl, mḏʿ, mḏr, ʿmḏl.

Administración

00-4.610:29 [ḥ]bš ... 5 ... glb ṣpn ... 18 • [...]mḏ- ... [...] ... sll ... 10 • [...]ṯ̊ʿẙ ... [...] ... ar il ... 14

—mh

nº CGR-398 Ocurrencias: 1

Posibles restituciones: iṯmh, umh, dmh, ḥlmh, ybmh, kbmh, ksmh, krmh, lḥmh, mh, mmh, mqmh, nʿmh, ʿlmh, ʿmh, ǵdmh, ǵlmh, pʿlmh, qdmh, rgmh, šmmh, tsmh.

Fragmentos Varios

00-7.51:17 [...]yišr • [...]mh . mli • [...]l̊d . b ymt

—mḫ—

nº CGR-399 Ocurrencias: 1

Posibles restituciones: iwrmḫ, imḫṣ, imḫṣh, umḫ, umḫy, ymḫṣ, ymḫṣk, yṣmḫ, yšmḫ, mḫ, mḫdy, mḫz, mḫlpt, mḫm, mḫmšt, mḫnm, mḫsrn, mḫṣ, mḫṣy, mḫṣm, mḫṣt, mḫr, mḫrhn, mḫrk, mḫšt, mḫt, mḫtn, nšmḫ, smḫ, ṣmḫ, qmḫ, šmḫ, šmḫt, ššmḫt, tmḫṣ, tmḫṣh, tšmḫ.

Correspondencia

00-2.43:2 [...]-[...] • [...]m̊ḫ̊[...] • [...]r̊ . tbʿ[...]

—my

nº CGR-400 Ocurrencias: 8

Posibles restituciones: agmy, aktmy, amy, anrmy, army, ikmy, ilmy, ištrmy, ulmy, umy, bṣmy, ddmy, ḏmy, hrnmy, ḫlmy, ḥmy, ybrdmy, yknʿmy, ymy, kmy, ksmy, my, mlḥmy, mmy, nmy, nʿmy, šdmy, ʿllmy, ʿmy, ʿrmy, ǵlmy, ptmy, ṣmy, qmy, rgmy, rḥmy, rmy, šlmy, šmy, tmy, tnmy, ṯlḥmy, ṯmy.

Administración

00-4.318:11 [...] ... . a-[...] • [...]--[...]my • [...]

00-4.319:5 [ʿ]zn • [...]my • [...]pn̊

00-4.371:4 ʿ[...]ṯn • bn[. ...]my • [...]zy

00-4.430:4 ----- • [...]my . b . bt . ṯr[...] • -----

00-4.460:7 [...]ẘy ... [...] • [...]m̊y ... [...] • [...]ḏ̊ ... [...]

00-4.721:10 ----- • [...]-ʿ----- k̊bd . [...]my • -----

Correspondencia

00-2.31:58 [...]-n . btk . [...]-bʿl̊(?)[...] • [...]my . b d[...]y . • [...]-ʿm . w h-[...]yt . w . -[...]

00-2.41:13 […]š[…] • […]rš̊[…]mẙ • i̊nm . ʿbdk . hwt

—my—

nº CGR-401 Ocurrencias: 1

Posibles restituciones: agmy, aktmy, am̱y, amyd̲tmr, anrmy, army, ikmy, ilmy, ištrmy, udmym, ulmy, umy, bṣmy, ddmy, dmyn, d̲my, hrnmy, zmyy, ḥlmy, ḥmy, ḥmyt, ḥmytkm, ḥmytny, ḫd̲myn, ḫzmyn, ṭlmyn, ybrdmy, yknʿmy, ymy, kmy, ksmy, my, myy, mym, myn, myṣm, myt, mlḫmy, mmy, nmy, nʿmy, nʿmyn, smyy, śdmy, ʿllmy, ʿmy, ʿmyd, ʿmyd̲tmr, ʿmyn, ʿrmy, ǵlmy, ptmy, ṣmy, qdmym, qmy, rgmy, rḥmy, rmy, rmyy, šlmy, šlmym, šlmyn, šmy, šmym, šmyn, tlmyn, tmy, tmyn, tnmy, t̲lḫmy, t̲my, t̲myr.

Fragmentos Varios

00-7.84:5 […]l … […] • […]my[…] • […]ṣ̊/b̊[…]

—mk

nº CGR-402 Ocurrencias: 2

Posibles restituciones: argmk, ulmk, bhmk, dmk, ḫkmk, ḫmk, ymk, ksmk, mk, ʿlmk, ʿmk, ʿnmk, ǵlmk, šlmk, šmk, tḫmk, tmk, tšlmk, t̲mk.

Correspondencia

00-2.36:49 […]mn . tbt . w . […] • […]l̊/m̊k . p[…]-tr . […] • [… a]r̊gmnm[.]d . ar̊[…]

Mítica

00-1.82:37 […]-t̲bh . aḫt . ppšr . w ppšr̊t[…] • […]m̊k . drḫm . w at̲b . l ntbtk . ʿṣm l[…] •

—mk—

nº CGR-403 Ocurrencias: 1

Posibles restituciones: amkrn, argmk, ulmk, bhmk, dmk, ḫkmk, ḫmk, ymk, ymkt, kmkty, ksmk, mk, mkl, mkly, mknpt, mknt, mks, mkr, mkrm, mkrn, mkšr, mkt, mkt̲r, smkt, ʿlmk, ʿmk, ʿnmk, ʿnmky, ǵlmk, šlmk, šmk, tḫmk, tmk, tmkr̊n, tšlmk, tšlmkm, t̲mk.

Jurisprudencia

00-3.2:20 […]nʿm[…] • […]mk̊[…] • […]

—ml

nº CGR-404 Ocurrencias: 1

Posibles restituciones: ad̲ml, azml, izml, itml, utml, gml, dml, ḫyml, yrml, kdml, ml, ʿgml, ʿml, ṣml, šml, tml, t̲rml.

Administración

00-4.75:V:7 […]n̊ʿmy • […]ml • […]-mn

—ml—

nº CGR-405 Ocurrencias: 1

Posibles restituciones: abmlk, aḏml, aḏmln, azml, aḫmlk, aḫtmlk, almlk, amlk, izml, izmly, iḫmlk, ilmlk, itml, utml, gml, dml, hmlt, ḫyml, ḫrmln, ymlu, ymlk, ypʿmlk, yrml, yrmly, yṯbmlk, kdml, kmlt, kṯrmlk, ml, mla, mlak, mlakk, mlakm, mlakt, mlakth, mlakty, mlaktk, mlat, mli, mlit, mlu, mlun, mlbr, mlbš, mlbšh, mlghy, mld, mldy, mlḥ, mlḥmy, mlḥmt, mlḥt, mlḫš, mly, mlk, mlki, mlkbn, mlkh, mlky, mlkyy, mlkym, mlkytn, mlkk, mlkm, mlkn, mlknʿm, mlkrpi, mlkršp, mlkṭ, mlktn, mll, mlm, mln, mls, mlsm, mlʿn, mlʿtn, mlġt, mlṣ, mlrm, mlt, mltḥ, mltḥm, mltḫ, mltm, mltn, mmlat, nmlu, nmlk, ʿbdmlk, ʿbmlk, ʿgml, ʿdbmlk, ʿdmlk, ʿml, ʿmlbi, ʿmlbu, ʿmlt, ṣml, qnmlk, šml, šmlbi, šmlbu, šmmlk, špšmlk, ššmlt, tml, tmll, ṯrml.

Fragmentos Varios

00-7.167:4 […]-t w[…] • […]m̊l̊[…] • […]-[…]

—mm

nº CGR-406 Ocurrencias: 7

Posibles restituciones: udmm, umm, gmm, ddmm, dmm, hdmm, ztmm, ḥlmm, ḥmm, yblmm, ymm, ysmm, yrmm, kdmm, kzmm, kmm, ksmm, kšmm, krmm, limm, lumm, lḥmm, lsmm, mm, nʿmm, smm, ʿgmm, ʿmm, ʿpmm, ʿṣrmm, ġlmm, pḥmm, ṣlmm, qmm, rumm, rgmm, rmm, rṣmm, šlmm, šmm, tdmm, tmm, trmm, ṯkmm, ṯmm.

Administración

00-4.568:2 […]nʿm • […]mm • […]-m

Correspondencia

00-2.45:30 w . l . ptn . w . s[…] • […]mm . m[…] • [… m]ndʿ[…]

Mítica

00-1.13:12 ----- • […]m̊m . rm . lk . prẓ . k̊(?)t . • -----

00-1.24:11 wyn . k̊ mtrḫt[…]h • šmʿ i̊lht k̊ṯ̊r[t …]mm • n̊h̊ l ẙdh tzdn[…]n̊(?)

00-1.62:4 […]mr . ph • […]mm . hlkt • […]b qrb . ʿr

Ritual

00-1.91:16 b . ġb . ršp . ṣbi • […]mm • […]p iln

00-1.139:10 [… ġl]mt . ṯn • […]mm l sẙ(?)-- • […]n̊ . w prs

11-1.139:10 [… ġl]mt . ṯn • […]mm l sẙm̊(?)- • [… y(?)]n̊ . w prs

—mn

nº CGR-407 Ocurrencias: 12

Posibles restituciones: ʾḫmn, abmn, agmn, aḫmn, amn, annmn, aġlmn, argmn, iḫmn, ilḥmn, ilmn, irgmn, ulmn, bṣmn, gmn, ḏmn, hlmn, hmn, ḥmn, ḥġmn, ḫdmn, ḫmn, ẓmn, yḥmn, ylmn, ymn, yrmn, kgmn, kmn, kšmn, krmn, ktmn, lmn, mašmn, mišmn, mn, mšmn, nʿmn, ntmn, ʿbdḫmn, ʿdmn, ʿllmn, ʿmn, ʿrmn, ġlmn, ġṣmn, ġrmn, pmn, pnmn, prdmn, prmn, pṯmn, ṣdmn, qdmn, qrdmn, šlmn, šmmn, šmn, ššmn, štmn, titṯmn, tdmn, tkmn, tlḥmn, tlsmn, tmn, trmmn, trmn, tšlmn, tšślmn, ṯkmn, ṯmn, ṯrmn.

Administración

00-4.182:47 […] • […]mn • […]

00-4.183:II:4	bn . kd̠ǵdl • […]mn • […]n
00-4.225:4	----- • […]mn • -----
00-4.370:36	[ḥrš .]qṭn • […]mn • yʿbd
00-4.481:4	[…] … 2 • […]mn̊ … 1 • [… k]hn … 1
00-4.618:30	[…]š riš … ḫmš ʿ[šr] • […]-- k̊bd . […]mn̊ • […]-[…]
00-4.660:22	[…]]b . bn . ḥdn … 1 • […]mn . bn . brzn … 1 • [… b]n . a/n-myy
00-4.703:2	----- • […]mn̊ . […] • -----

Correspondencia

00-2.36:48	[…]ʿl[…]štt[…] • […]mn . tbt . w . […] • […]l̊/m̊k . p[…]-tr . […]

Épica

00-1.15:II:4	[… aliy]n̊ . bʿl • […]m̊n̊ . yrḫ . zbl • [… k]ṯ̊r ẘ ḫss
00-1.18:I:32	[qrt . zbl .]ẙrḫ . d mgdl . š̊[…] • […]mn̊ . ʿrh̊m̊[…] • […]it[…]

Fragmentos Varios

00-7.116:3	[…]- . gm[…] • […]mn̊ … […] • […]-l̊/d̊/ů[…]

—mn—

nº CGR-408 Ocurrencias: 1

Posibles restituciones: ʾḫmn, abmn, agmn, ad̠mny, aḫmn, almnt, amn, annmn, aǵlmn, argmn, argmny, argmnk, argmnm, iḫmn, ilḥmn, ilmn, irgmn, ulmn, bṣmn, btmny, gmn, gmnpk, d̠mn, hlmn, hmn, ḥmn, ḥǵmn, ḫdmn, ḫmn, ḫmnh, ḫmny, ẓmn, yḥmn, ylmn, ymn, ymnh, ymny, ymnn, yrmn, yšlḥmnh, kgmn, kmn, kmnt, kšmn, krmn, ktmn, lmn, lrmnm, mašmn, m̊išmn, mmnk, mmnnm, mn, mnipʿl, mnu, mndym, mndʿ, mndǵ, mnh, mnḥ, mnḥyk, mnḥm, mnḫ, mnḫt, mny, mnyy, mnyn, mnk, mnkm, mnm, mnmn, mnn, mnny, mnʿrt, mnrt, mnt, mnth, mnthn, mnty, mntk, mnṯ, mšmn, nʿmn, ntmn, ʿbdḫmn, ʿdmn, ʿẓmny, ʿllmn, ʿmn, ʿmnh, ʿmny, ʿmnk, ʿmnkm, ʿmnr, ʿrmn, ǵlmn, ǵmnz, ǵṣmn, ǵrmn, pmn, pnmn, prdmn, prmn, pṯmn, ṣdmn, qdmn, qmnz, qmnzy, qrdmn, šlmn, šmmn, šmn, šmngy, šmny, šmnyk, šmnt, ššmn, štmn, tiṯṯmn, tdmn, tkmn, tlḥmn, tlsmn, tmn, tmnh, tmnn, tmntk, trmmn, trmn, tšlmn, tššlmn, tṯmnm, tṯtmnm, ṯkmn, ṯmn, ṯmny, ṯmnym, ṯmnm, ṯmnr, ṯmnt, ṯrmn, ṯrmnm, ṯtmnt.

Mítica

00-1.3:V:16	l pʿn . ǵl̊[m]m̊[…] • nid . an̊[…]mn[…]- • ntr̊ . il̊m̊ . š̊pš . [ṣḥr]r̊t

—mny

nº CGR-409 Ocurrencias: 1

Posibles restituciones: ad̠mny, argmny, btmny, ḫmny, ymny, mny, ʿẓmny, ʿmny, šmny, ṯmny.

Administración

00-4.82:6	[…]ṯ̊rn • […]m̊ny • […]dšpš

—mnk

nº CGR-410 Ocurrencias: 1

Posibles restituciones: argmnk, mmnk, mnk, ʿmnk.

Mítica

00-1.1:II:25 […]b̊dk . spr • […]m̊nk • […]

—mʿ—

nº CGR-411 Ocurrencias: 1

Posibles restituciones: ilštmʿ, ilštmʿy, ilštmʿym, ištmʿ, udmʿt, udmʿth, bʿlmʿḏr, dmʿ, dmʿh, dmʿt, ydmʿ, yrmʿl, yšmʿ, yšmʿk, lmʿt, mmʿ, mmʿm, mʿ, mʿbd, mʿbr, mʿd, mʿdbh, mʿdbhm, mʿlt, mʿmsh, mʿmsy, mʿmsk, mʿmʿ, mʿn, mʿnk, mʿnt, mʿṣd, mʿṣdm, mʿqb, mʿqby, mʿqbym, mʿqbk, mʿr, mʿrb, mʿrby, mʿrbym, mʿrḫp, mʿry, mʿrt, mšmʿt, šmʿ, šmʿh, šmʿy, šmʿk, šmʿn, šmʿnt, šmʿrgm, šmʿt, tdmʿ, tšmʿ, tšmʿm.

Mítica

00-1.13:16 ----- • mʿ[…]m̊ʿ[…]t̊m . w mdbḥt . • -----

—mʿ-—

nº CGR-412 Ocurrencias: 1

Posibles restituciones: ilštmʿ, ilštmʿy, ilštmʿym, ištmʿ, udmʿt, udmʿth, bʿlmʿḏr, dmʿ, dmʿh, dmʿt, ydmʿ, yrmʿl, yšmʿ, yšmʿk, lmʿt, mmʿ, mmʿm, mʿ, mʿbd, mʿbr, mʿd, mʿdbh, mʿdbhm, mʿlt, mʿmsh, mʿmsy, mʿmsk, mʿmʿ, mʿn, mʿnk, mʿnt, mʿṣd, mʿṣdm, mʿqb, mʿqby, mʿqbym, mʿqbk, mʿr, mʿrb, mʿrby, mʿrbym, mʿrḫp, mʿry, mʿrt, mšmʿt, šmʿ, šmʿh, šmʿy, šmʿk, šmʿn, šmʿnt, šmʿrgm, šmʿt, tdmʿ, tšmʿ, tšmʿm.

Administración

00-4.504:4 […] . artn̊[…] • […]m̊ʿ-[…] • …

—mr

nº CGR-413 Ocurrencias: 6

Posibles restituciones: azmr, aymr, amyḏtmr, amr, ilṯmr, imr, gmr, ḏmr, hmr, ḥmr, ḫmr, yamr, yitmr, ygmr, yḏmr, ymr, ytmr, kmr, mgmr, mr, ʿmyḏtmr, ʿmr, ʿmṯmr, ġmr, qʿmr, tgmr, tmr, ṯmr.

Administración

00-4.28:4 […] • […]mr • […]r
00-4.187:6 […]n • […]mr̊ •
00-4.707:24 ----- • […]mr • […]-m

Fragmentos Varios

00-7.31:1 • […]mr • […]r

Mítica

00-1.62:3 […]n . irš[…] • […]mr . ph • […]mm . hlkt

Ritual

00-1.107:31 […]ẘ . b[…] . hl̊[…] • […]ʿ̊rt . [i]l̊m . rb̊m̊ . nʿl̊[…]m̊r • […]-[…]rṣ̊ . bdh . yd̊r̊m̊[.]p̊i̊t[.]adm

—mš

nº CGR-414 Ocurrencias: 1

Posibles restituciones: gmš, grgmš, ddmš, ḫmš, yḫmš, ymš, nmš, rmš, tlmš.

Correspondencia

00-2.81:12 […]n . pr . h[…] • […]mš . r̊[…] • […]-[…]

—mš-—

nº CGR-415 Ocurrencias: 1

Posibles restituciones: amšrt, gmš, grgmš, grgmšh, ddmš, ḫmš, ḫmšm, ḫmšt, yḫmš, ymš, ymšḥ, mḫmšt, mšu, mšbʿthn, mšdpt, mšḥm, mšḥt, mšḫt, mšk, mškb, mškbt, mškn, mšknthm, mškrt, mšlḥ, mšlm, mšlt, mšmṭr, mšmn, mšmʿt, mšmš, mšn, mšnq, mšspdt, mšpy, mšṣu, mšṣṣ, mšq, mšr, mšrn, mšrrm, mšš, mšt, mštʿltm, mštt, nmš, ǵmšd, rmš, šmšr, tlmš.

Administración

00-4.324:3 […]-pb̊/d̊[…] • […]mš-[…] • […] . mḥṣ[…]

—mšm—

nº CGR-416 Ocurrencias: 1

Posibles restituciones: ḫmšm, mšmṭr, mšmn, mšmʿt, mšmš.

Administración

00-4.734:1 … • […]m̊šm[…]qtm • […]yṯn l k̊kbn

—mt

nº CGR-417 Ocurrencias: 12

Posibles restituciones: amt, annmt, idmt, imt, ummt, umt, bhmt, bmmt, bmt, dmt, hmt, ḥkmt, ḥlmt, ḥmḥmt, ḥmt, ḫmt, ẓlmt, ybmt, ydrmt, ymmt, ymt, ysmsmt, ysmt, ytmt, kmt, krmt, lmt, lsmt, mlḫmt, mslmt, mṣmt, mrmt, mt, nhmmt, nʿmt, ʿdmt, ʿẓmt, ʿlmt, ʿmt, ʿrmt, ǵlmt, ǵmt, pamt, ṣmt, qdmt, qrtmt, rimt, rgmt, rḫmt, rmt, šdmt, šḥlmmt, šlḫmt, šlmt, šmt, ššlmt, tdmmt, thmt, tmt, tʿmt, tṣmt, trmmt, trmt, ṯdmt, ṯkmt, ṯmt, ṯrmt.

Administración

00-4.104:6 […]sm … 2 • […]mt … 2 • […]-[…]

00-4.182:52 […]- • […]mt • […] . y[…]m

Correspondencia

00-2.44:10 - . k[…]k̊(?) . w . špš • […]mt[.]b̊ʿ̊l . ṣpn̊ • […]t[…] . tšr̊

Ejercicios Escolares

00-5.23:15 ----- • […]mt • mk qṯm

Épica

00-1.17:VI:38 [l] r̊iš . ḥrṣ . l ẓr . qdqdy • […]m̊t . kl . amt . w an . mtm . amt • [ap . m]ṯn . rgmm . argm . qštm

00-1.18:I:28 […]l̊(?)t̊ . lk . tlk . b ṣd̊[…] • […]m̊t . išryt[…] • […]r̊ . almdk . ṣ̊/l̊[…]

Fragmentos Varios

00-7.47:2 […]ḥ̊[…] • […]mt . […] • […]m̊gdl . ḥ̊[…]

00-7.210:2 ----- • […]m̊t . -[…] • -----

Mítica

00-1.4:VIII:43 […] . ṣḥt • […]m̊(?)t • […] . ilm

00-1.6:VI:5 […]h̊ • […]mt • […]--m̊r . limm

00-1.83:15 … • […]mt • […]

Ritual

10-1.139:9 […]gdl . • […]mt . ʿn • […]mmls -

—mt—

nº CGR-418 Ocurrencias: 3

Posibles restituciones: amt, amth, amtk, amtm, amtrn, annmt, idmt, imt, imtḫṣ, ummt, umt, umty, umtk, umtn, bhmt, bhmth, bhmtn, bmmt, bmt, bmth, dmt, dmty, dmtn, hmt, hmth, hmtn, ḥkmt, ḥlmt, ḥmḥmt, ḥmt, ḥmthm, ḫḏmtn, ḫmt, ẓlmt, ybmt, ydrmt, yhmtn, ymmt, ymt, ymtḏr, ymtm, ymtn, ymtšr, ysmsmt, ysmt, ytmt, kmt, krmt, lmt, lsmt, mlḥmt, mslmt, mṣmt, mrmt, mt, mtbʿl, mtdbm, mtḥ, mty, mtk, mtm, mtmtm, mtn, mtnbʿl, mtnh, mtny, mtnm, mtnn, mtnt, mtntm, mtqt, mtqtm, mtr, mtrḫt, mtrn, mtrt, mtt, mttm, nhmmt, nʿmt, ʿdmt, ʿẓmt, ʿlmt, ʿmt, ʿmtḏl, ʿmtr, ʿrmt, ǵlmt, ǵlmtm, ǵmt, pamt, ṣmt, qdmt, qrtmt, rimt, rgmt, rḥmt, rmt, rmtru, rmtrd, rmtrl, šdmt, šdmth, šḫlmmt, šlḥmt, šlmt, šlmtn, šmt, šmthm, šmtkm, šmtr, ššlmt, tdmmt, thmt, thmtm, tmt, tmtḫṣ, tmtḫṣh, tmtḫṣn, tmtm, tmtn, tmtʿ, tmtt, tmtṯb, tʿmt, tṣmt, trmmt, trmt, ṯdmt, ṯkmt, ṯmt, ṯrmt.

Épica

00-1.15:VI:1 … • šm̊ʿ . l̊[…]mt[…]m . l̊[…]t̊nm • ʿdm . l̊ḥ̊m (tl̊ḥ̊m) . tšty

Fragmentos Varios

00-7.52:2 […] • […]mt[…] • […]yrk[…]

Ritual

00-1.107:27 [… i]l̊m . rbm̊[…]š-[…] • […]t . nš . b-[…]m̊t[…] • […]l̊ . tmt[…]å/n̊tṯ[…]

—mt-

nº CGR-419 Ocurrencias: 1

Posibles restituciones: amt, amth, amtk, amtm, annmt, idmt, imt, ummt, umt, umty, umtk, umtn, bhmt, bhmth, bhmtn, bmmt, bmt, bmth, dmt, dmty, dmtn, hmt, hmth, hmtn, ḥkmt, ḥlmt, ḥmḥmt, ḥmt, ḫḏmtn, ḫmt, ẓlmt, ybmt, ydrmt, yhmtn, ymmt, ymt, ymtm, ymtn, ysmsmt, ysmt, ytmt, kmt, krmt, lmt, lsmt, mlḥmt, mslmt, mṣmt, mrmt, mt, mtḥ, mty, mtk, mtm, mtmtm, mtn, mtr, mtt, nhmmt, nʿmt, ʿdmt, ʿẓmt, ʿlmt, ʿmt, ʿmtr, ʿrmt, ǵlmt, ǵlmtm, ǵmt, pamt, ṣmt, qdmt, qrtmt, rimt, rgmt, rḥmt, rmt, šdmt, šdmth, šḫlmmt, šlḥmt, šlmt, šlmtn, šmt, šmtr, ššlmt, tdmmt, thmt, thmtm, tmt, tmtm, tmtn, tmtʿ, tmtt, tʿmt, tṣmt, trmmt, trmt, ṯdmt, ṯkmt, ṯmt, ṯrmt.

Épica

00-1.16:I:36 b̊ šm̊k̊t . ṣat . npšh • […]mt- . ṣba . rbt . • š̊p̊š . w . tgh . nyr

—mtm

nº CGR-420 Ocurrencias: 1

Posibles restituciones: amtm, ymtm, mtm, ġlmtm, thmtm, tmtm.

Épica

00-1.15:V:14 […]r̊gm . ṯ̊r̊m̊ • […]m̊tm . tbkn̊ • […]t . w b lb . tqb̊[…]

—mtn—

nº CGR-421 Ocurrencias: 1

Posibles restituciones: umtn, bhmtn, dmtn, hmtn, ḫḏmtn, yhmtn, ymtn, mtn, mtnbˁl, mtnh, mtny, mtnm, mtnn, mtnt, mtntm, šlmtn, tmtn.

Administración

00-4.653:2 […]---[…] • […]m̊t̊n̊(?)[…] • […]gˁr[…]

—n-m—

nº CGR-422 Ocurrencias: 1

Posibles restituciones: adnhm, adnkm, adnnˁm, adnˁm, ankm, annmn, annmt, anrmy, ilnḥm, ilnym, innm, iqnim, unṯm, ušknym, bnym, bnkm, bnšm, gnym, dntm, ḥrnqm, ḫnpm, yknˁm, yknˁmy, ynḥm, ynṯm, ynqm, knˁm, lbnym, mgntm, mlknˁm, mmnnm, mnḥm, mnkm, mtntm, nhmmt, nym, nkm, nˁm, nˁmh, nˁmy, nˁmyn, nˁmm, nˁmn, nˁmt, nqmpˁ, nrm, nšm, nšmḫ, ntmn, synym, srdnnm, ˁdnhm, ˁmnkm, ˁnkm, ˁnnm, ˁntm, ġnbm, ṣpnhm, qnim, qnum, šntm, tnnm, ṯlḥnym, ṯmnym, ṯnnm, ṯnšm.

Administración

00-4.35:II:1 … • […]n-m̊[…] • -----

—n-ṣm-

nº CGR-423 Ocurrencias: 1

Posibles restituciones: npṣm.

Correspondencia

00-2.68:13 […]ll • […]n-ṣm- • ṯmny ˁm

—n-r-—

nº CGR-424 Ocurrencias: 1

Posibles restituciones: abnṣrp, aḫnnr, alnṯr, anḫr, annḏr, anšrm, inšr, inṯr, ulnhr, ḫndrṯ, ḫndrṯm, ḫnzr, ḫnzrk, ynˁrah, ynˁrnh, mnˁrt, nark, niršn, ngr, ngršp, ngrt, ndr, ndrg, ndrh, nhr, nhrm, nwrḏ, nwrḏr, nḫr, nḫry, nẓril, nyr, nkr, nmry, nmrrt, nmrth, nmrtk, nnr, nnry, nˁr, nˁrb, nˁrh, nˁry, nˁrm, nˁrs, nˁrt, nġr, nġry, npr, nprm, npršn, nṣrt, nqr, nšr, nšrk, nšrm, ntr, sndrn, ˁnbr, pndr, šndrb, tnwr, tnˁr, tnrr, tnṯr, ṯynḏr, ṯngrn.

Administración

00-4.650:6 […]s̊ḫrn . -[…] • […]n̊-r̊-[…] • …

—ni—

nº CGR-425 Ocurrencias: 1

Posibles restituciones: iqni, iqnim, unil, bnil, dnil, ḥnil, ybnil, yknil, mnipʿl, niḫ, niy, niṣ, niṣh, niṣy, niṣk, niršn, nit, nitk, nitm, nni, ʿnil, pni, pnil, qnim, šni, tnid, ṯnid.

Fragmentos Varios

00-7.121:2 ----- • [...]ni[...] • [...]ḫ̊m[...]

—nil

nº CGR-426 Ocurrencias: 2

Posibles restituciones: unil, bnil, dnil,·ḥnil, ybnil, yknil, ʿnil, pnil.

Administración

00-4.183:I:21 [...] • [...]nil • [a]drdn

Mítica

00-1.168:17 ... • [...]nil • [...] . lmʿt

—ng

nº CGR-427 Ocurrencias: 1

Posibles restituciones: ng.

Ritual

00-1.81:11 l . ršp . -[...] • [l] . ršp . n̊[...]ng . kbd • -----

—nd

nº CGR-428 Ocurrencias: 3

Posibles restituciones: annd, argnd, hnd, knd, lwsnd, nd, nnd, šnd.

Administración

00-4.182:3 [...]š̊bʿ . mat . šʿrt . ḫmšm . kbd • [...]nd . l . mlbš . ṯrmnm • [...]h . lbš . allm . lbnm

00-4.481:6 [... k]hn ... 1 • [̇ ...]n̊d ... 2 • [... - +]72 1/2

00-4.673:4 [...]nl . d[...] • [...]nd . ḫ-[...] • [...]rd . i[...]

—nd—

nº CGR-429 Ocurrencias: 1

Posibles restituciones: ands, annd, anndn, argnd, hnd, hndn, hndt, ḫndlt, ḫndrṯ, ḫndrṯm, knd, kndwm, lwsnd, mndym, mndʿ, mndǵ, nd, ndb, ndbd, ndbḫ, ndby, ndbym, ndbn, ndd, ndwd, ndy, ndk, ndlḫp, ndr, ndrg, ndrh, ndt, nnd, sndrn, šnd, pndd̠n, pndyn, pndn, pndr, šndrb, trǵnds, ṯndn.

Fragmentos Varios

00-7.48:4 [...]ʿl̊[...] • [...]nd-[...] • ...

—nh

nº CGR-430 Ocurrencias: 3

Posibles restituciones: adnh, aqbrnh, iḫnh, ištynh, udnh, bnh, ggnh, gngnh, gnh, dnh, dqnh, hnh, znh, ḫmnh, ḫnh, yb̲lnh, ydnh, yḥmdnh, ykbdnh, ykllnh, yknnh, ymnh, ynh, ynʿmh, ysynh, yʿdynh, yʿmsnh, yphnh, ySlḥmnh, ySqynh, ytnnh, lanh, lnh, lšnh, mznh, mḥpnh, mnh, mswnh, mrnh, mtnh, nh, npynh, snh, ʿlnh, ʿmnh, ʿnh, ʿnnh, pnh, pnnh, pʿnh, ṣinh, qnh, qrnh, šnh, tbkynh, tkbdnh, tmnh, tngṯnh, tʿbtnh, tʿdbnh, tphnh, tqbrnh, tqynh, tšʿlynh, tšṣqnh, tšqynh, ṯnh.

Administración

00-4.382:31 tlš . w[.]nḥlh . […]- . ṯgd . mrum • bt . […]b[…]-sy[…]n̊h • ann[…] . b[n] . py-[. d .]yṯb . b . gt . aǵld

Correspondencia

00-2.53:2 […]lik . -[…] • […]nh . š[…] • […]l . ḥ[…]

Mítica

00-1.168:22 […] . ḫẓksp . ̊bydh • […]nh . wlyamr • […]- . gb . ad

—nhm

nº CGR-431 Ocurrencias: 2

Posibles restituciones: adnhm, ʿdnhm, ṣpnhm.

Administración

00-4.176:5 […]-paz • […]nhm • […]m

Mítica

00-1.2:I:33 [ṯn]y . dʿthm . išt . ištm . yitmr . ḥrb . lṭšt • […]n̊hm . rgm . l ṯr . abh . il . tḥm . ym . bʿlkm • [adn]km . ṯpṭ . nhr . tn . ilm . d tqh . d tqynh

—ny

nº CGR-432 Ocurrencias: 10

Posibles restituciones: agny, adny, adtny, ad̲mny, aḫny, any, anny, ansny, apsny, apšny, aqny, argmny, arny, aṯny, iḫny, iny, itnny, ulny, uškny, bny, bnny, bʿlny, btmny, gny, gpny, d̲ny, hlny, hnny, ḥmytny, ḥnny, ḫmny, ḫny, ḫrny, ḫtny, ykny, ymny, yny, yʿny, yqny, yṯny, kny, knkny, knʿny, krny, lbny, lwny, lšny, mny, mnny, mǵny, mtny, ny, nny, nqbny, syny, sny, ʿẓmny, ʿmny, ʿny, ǵbny, pzny, pny, pʿny, prdny, qḥny, qlny, qny, rny, šbny, škny, šmny, šny, šṣny, šrny, tny, tʿny, tqny, ṯyny, ṯlḥny, ṯmny, ṯny, ṯǵrny.

Administración

00-4.69:IV:30 […]---yy … 2 • […]ny … 2 • […]- … 4

00-4.93:III:1 … • [bn . …]ny … 2 • b̊n . ḫnyn … 2

00-4.170:20 bn . ḫnn . • […]ny(R:-) • [b]n̊ . ṯrdnt

00-4.327:6 […]-dʿn … y[…] • […]n̊y … -[…] • […]- … […]

00-4.355:41 ṯn . bnšm . [b] . rqd • ṯn . bn̊š̊m̊[.]b̊[…]n̊y • ảr̊b̊[ʿ . bnšm . b . …]ll

00-4.370:41 […]ẙ • […]ny • knʿm

00-4.386:8 […]ḥ[…]- • […]p-[…]nẙ • […]ḥ[…]-dn

00-4.410:44 […]-a . šrt . aḥt • […]ny . šrt . aḥt • […]- . šrt . aḥt l

Correspondencia

00-2.31:56 [...] . w mlk . w rg[m ...]- • [...]m . ank[.]b̊ʿr -[...]ny • [...]-n . btk . [...]-
bʿl̊(?)[...]

00-2.32:4 [...]s̊̌pr . lm . likt • [...]n̊y . k išal(R: .)hm • [... ʿ]šr̊m . kkr . ṯlṯ

—ny—

nº CGR-433 Ocurrencias: 1

Posibles restituciones: agny, adny, adtny, ad̠mny, aḫny, any, anyk, anykn, anyt, anyth, anny, annyn, ansny, apsny, apšny, aqny, argmny, arny, aṯny, aṯnyk, iḫny, ilnym, iny, itnny, ubnyn, ulny, uškny, ušknym, bny, bnym, bnny, bʿlny, btmny, gny, gnym, gpny, d̠ny, hlny, hnny, ḥmytny, ḥnny, ḫmny, ḫny, ḫnyn, ḫrny, ḫtny, ykny, ymny, yny, yʿny, yʿnyn, yqny, yṯny, klnyy, klnyn, kny, knys, knyt, knkny, knʿny, krny, lbny, lbnym, lwny, lšny, mny, mnyy, mnyn, mnny, mǵny, mtny, ny, nyh, nym, nyn, nyr, nny, nqbny, syny, synym, sny, ʿẓmny, ʿmny, ʿny, ʿnyh, ǵbny, pzny, pny, pʿny, prdny, qḥny, qlny, qny, qnyn, qnyt, rny, šbny, škny, šmny, šmnyk, šny, šṣny, šrny, tny, tʿny, tʿnyn, tʿnynn, tqny, ṯdnyn, ṯyny, ṯlḥny, ṯlḥnym, ṯmny, ṯmnym, ṯny, ṯnyn, ṯǵrny.

Administración

00-4.658:40 b . t-[... ʿš]rm • b . ann[...]ny[...] • b . ḫqn . b̊[n . ...]-m . -[...]n

—ny-—

nº CGR-434 Ocurrencias: 2

Posibles restituciones: agny, adny, adtny, ad̠mny, aḫny, any, anyk, anykn, anyt, anyth, anny, annyn, ansny, apsny, apšny, aqny, argmny, arny, aṯny, aṯnyk, iḫny, ilnym, iny, itnny, ubnyn, ulny, uškny, ušknym, bny, bnym, bnny, bʿlny, btmny, gny, gnym, gpny, d̠ny, hlny, hnny, ḥmytny, ḥnny, ḫmny, ḫny, ḫnyn, ḫrny, ḫtny, ykny, ymny, yny, yʿny, yʿnyn, yqny, yṯny, klnyy, klnyn, kny, knys, knyt, knkny, knʿny, krny, lbny, lbnym, lwny, lšny, mny, mnyy, mnyn, mnny, mǵny, mtny, ny, nyh, nym, nyn, nyr, nny, nqbny, syny, synym, sny, ʿẓmny, ʿmny, ʿny, ʿnyh, ǵbny, pzny, pny, pʿny, prdny, qḥny, qlny, qny, qnyn, qnyt, rny, šbny, škny, šmny, šmnyk, šny, šṣny, šrny, tny, tʿny, tʿnyn, tʿnynn, tqny, ṯdnyn, ṯyny, ṯlḥny, ṯlḥnym, ṯmny, ṯmnym, ṯny, ṯnyn, ṯǵrny.

Administración

00-4.326:3 [...]y . š-[...] • [...]ny-[...] • [...]rk[...]

Fragmentos Varios

00-7.176:13 [...]t . a[...] • [...]ny-[...] • [...]n̊š[...]

—nys

nº CGR-435 Ocurrencias: 1

Posibles restituciones: knys.

Administración

00-4.368:18 [bn . ab]b̊ly • [...]nys • [bn .]ǵ̊mrt

—nk—

nº CGR-436 Ocurrencias: 1

Posibles restituciones: ʾnk, adnk, adnkm, ank, ankm, ankn, apnk, apnnk, argmnk, atnk, atnnk, iṯʿnk, itbnnk, itnnk, udnk, ulʿnk, unk, uṣʿnk, bnk, bnkm, bnʿnk, dqnk, hnk, hnkt, ḫpnk, ytnk, knkny, knkt, ksank, lank, lnk, lšnk, mgnk, mmnk, mnk, mnkm, mʿnk, nk, nkyt, nkl, nklb, nkly, nkm, nkn, nkr, nkš, nkšy, nkt, nktt, ʿbdnkl, ʿmnk, ʿmnkm, ʿnk, ʿnkm, pblnk, pnk, pʿnk, ṣink, šink, ṯnk.

Ritual

00-1.156:1 … • […]nk̊[…]--[…] • w šlm -[…]l[…] bʿl

—nl

nº CGR-437 Ocurrencias: 1

Posibles restituciones: inl, ynl, šnl.

Administración

00-4.673:3 […]lg . d[…] • […]nl . d[…] • […]nd . ḫ-[…]

—nl—

nº CGR-438 Ocurrencias: 1

Posibles restituciones: inl, ynl, nlbn, nlḫm, nllḫp, nlqḥt, ʿnlbm, šnl, tnlh, ṯnlbm.

Correspondencia

00-5.11:10 […]nptn-[…]- • […]n̊l̊[…] • …

—nm

nº CGR-439 Ocurrencias: 11

Posibles restituciones: abynm, abnm, alḫnm, alpnm, anm, anpnm, apnm, argmnm, iynm, ilhnm, ilnm, inm, innm, ištnm, iṯtbnm, bnm, bṯnm, gpnm, grnm, dnm, dprnm, hbṯnm, zblnm, znm, ḥlnm, ḫlpnm, ḫsnm, ḫpnm, ḫtnm, ydnm, ytnm, yṯnm, khnm, kkrdnm, klatnm, kpslnm, krlnm, krsnm, kršnm, krpnm, ktnm, lbnm, lgynm, lrmnm, mgnm, mḏrnm, mznm, mḫnm, mmnnm, mnm, mrynm, mtnm, nqbnm, sbrdnm, sknm, ssnm, srdnnm, srnm, ʿdnm, ʿẓrnm, ʿnm, ʿnnm, ʿrbnm, pnm, pʿnm̊, ṣdynm, qnm, qrnm, šinm, šknm, šnm, tknm, tnnm, ṯṯmnm, ṯṯmnm, ṯlḥnm, ṯmnm, ṯnm, ṯnnm, ṯrmnm, ṯrtnm.

Administración

00-4.67:10 apn̊[…]ǵ • tgmr a[pn …]nm • ṯṯ . ʿš̊[r …]

00-4.94:4 […]m … 2 • […]å/n̊m … 3 • […]å/n̊m … 2

00-4.94:5 […]å/n̊m … 3 • […]å/n̊m … 2 • […]š̊m … 2

00-4.107:9 [… yd . npṣ]h • […]nm • […]p̊/h̊g

00-4.162:10 ----- • […]nm • […]n̊m

00-4.162:11 […]nm • […]n̊m • […]n . kbd

00-4.610:46 […]m̊ … [- +]15 … mru skn … 13[+ -] • […]n̊m … 30[+ -] … šrm … 20 • […]rm … 40[+ -] … kbsm … 8

00-4.706:13 […]1 . l . ʿdy • […]n̊m 1 … . … l . yddׄ̊[…] • -----

Correspondencia

00-2.81:6 […]y . adnty . a[…] • […]t/a/nm . ytn . hm . […] • […] . rgm̊[…]

Fragmentos Varios

00-7.77:1 … • […]n̊/åm • […]d̊m

Mítica

00-1.151:4 […] . -ṯ̊rd ksaṭ• […]--[…]nm . yḫr̊ . -- • štm̊[…]- . dt . š̊[…]--

—nm—

nº CGR-440 Ocurrencias: 4

Posibles restituciones: abynm, abnm, alḫnm, alpnm, anm, annmn, annmt, anpnm, apnm, argmnm, iynm, ilhnm, ilnm, inm, innm, ištnm, iṯtbnm, bnm, bṯnm, gpnm, grnm, dnm, dprnm, hbṯnm, hrnmy, zblnm, znm, ḥlnm, ḫlpnm, ḫsnm, ḫpnm, ḫtnm, ydnm, ytnm, yṯnm, khnm, kkrdnm, klatnm, klnmw, kpslnm, krlnm, krsnm, kršnm, krpnm, ktnm, lbnm, lgynm, lrmnm, mgnm, md̠rnm, mznm, mḫnm, mmnnm, mnm, mnmn, mrynm, mtnm, nmgn, nmy, nmlu, nmlk, nmq, nmry, nmrrt, nmrth, nmrtk, nmš, nqbnm, sbrdnm, sknm, ssnm, srdnnm, srnm, ʿdnm, ʿẓrnm, ʿnm, ʿnmk, ʿnmky, ʿnnm, ʿrbnm, pnm, pnmn, pʿnm, ṣdynm, qnm, qnmlk, qrnm, šinm, šknm, šnm, tknm, tnmy, tnnm, tṯmnm, tṯtmnm, ṯlḥnm, ṯmnm, ṯnm, ṯnnm, ṯrmnm, ṯrtnm.

Administración

00-4.17:6 […]-yt̊[…] • […]nm[…] • …

00-4.329:7 […]l . ʿš[r …] • […]nm[…] • …

Fragmentos Varios

00-7.34:1 … • […]n̊m̊[…] • […]rbt[…]

Mítica

00-1.82:15 ----- • […]ḥš[…]nm[…]k̊[…] . w yḫnp-[…] • […]- . ylm . bn̊[ʿ]nk . ṣmdm . špk[…]

—nm-—

nº CGR-441 Ocurrencias: 1

Posibles restituciones: abynm, abnm, alḫnm, alpnm, anm, annmn, annmt, anpnm, apnm, argmnm, iynm, ilhnm, ilnm, inm, innm, ištnm, iṯtbnm, bnm, bṯnm, gpnm, grnm, dnm, dprnm, hbṯnm, hrnmy, zblnm, znm, ḥlnm, ḫlpnm, ḫsnm, ḫpnm, ḫtnm, ydnm, ytnm, yṯnm, khnm, kkrdnm, klatnm, klnmw, kpslnm, krlnm, krsnm, kršnm, krpnm, ktnm, lbnm, lgynm, lrmnm, mgnm, md̠rnm, mznm, mḫnm, mmnnm, mnm, mnmn, mrynm, mtnm, nmgn, nmy, nmlu, nmlk, nmq, nmry, nmrrt, nmrth, nmrtk, nmš, nqbnm, sbrdnm, sknm, ssnm, srdnnm, srnm, ʿdnm, ʿẓrnm, ʿnm, ʿnmk, ʿnmky, ʿnnm, ʿrbnm, pnm, pnmn, pʿnm, ṣdynm, qnm, qnmlk, qrnm, šinm, šknm, šnm, tknm, tnmy, tnnm, tṯmnm, tṯtmnm, ṯlḥnm, ṯmnm, ṯnm, ṯnnm, ṯrmnm, ṯrtnm.

Ritual

00-1.158:2 ----- • […]nm̊-[…] • -----

—nmt

nº CGR-442 Ocurrencias: 1

Posibles restituciones: annmt.

Ritual

00-1.126:6 […]- . ršp . a[lp …] • […]n̊m̊t̊ . yṣi̊[…] • […]

—nn

nº CGR-443 Ocurrencias: 7

Posibles restituciones: adnn, ann, arnn, inn, isrnn, ud̠rnn, unn, bnn, grnn, grš̌nn, dnn, hnn, ḥnn, ḫnn, ṭnn, yblnn, ybnn, ybʿlnn, ydʿnn, ywsrnn, yzbrnn, yḥnn, yḥslnn, yknn, ymnn, yṣunn, yṣmdnn, yqḥnn, yrdnn, yšnn, ytnn, kḥdnn, knn, lbnn, mnn, mrnn, mtnn, mṯnn, ngšnn, nn, synn, ʿdbnn, ʿnn, phnn, qṭnn, qnn, rḥṣnn, rḫnn, šrnn, tbnn, tbqʿnn, tbrknn, tdlnn, tṯḥnn, tknn, tksynn, tlunn, tmgnn, tmnn, tmrnn, tnn, tʿnynn, tpnn, trbnn, tšknn, tšnn, tšṣqnn, tšrpnn, tštnn, ttnn, ṯnn.

Administración

00-4.103:26 [šd . bn .]p̊(?)ll . bd . iwrḫṭ • [šd . bn . …]nn . bd . bn . šmrm • [šd . bn . …]ṯtayy . bd . tṯmd

00-4.574:5 [k]ṯkn[…] • […]nn […] • [b]n̊ . ilr̊[…]

00-4.718:2 ----- • […]nn • -----

00-4.766:10 […]šm … 1 • […]n̊n … 1 • […]-py … [1]

00-4.769:60 […]m … bn . aupš . ʿšrm • […]nn … bn . m/ʿgš . ʿšrt • […] … bn . st/mḫ . ʿšrm

Fragmentos Varios

00-7.62:2 […]y • […]nn • […]š̊(?)

Mítica

00-1.2:III:15 […]y . yblmm . u[…]-ḫ̊[…]k̊ . ẙr̊d̊[…]i̊[…]n̊ . bn̊ • […]n̊n̊[.]n̊r̊t̊[.]i̊l̊m̊[.]špš . tšu . gh . w t̊[ṣḥ . šm]ʿ . mʿ[…] • [yṯ]ir . ṯr . il . abk̊ . l pn . zbl . ym . l p̊n̊[. ṯ]p̊ṭ[.]n̊h̊r

—nnn

nº CGR-444 Ocurrencias: 1

Posibles restituciones: ilnnn, yḥnnn, ytnnn, nnn, ʿnnn.

Ritual

00-1.107:42 [ṣ]g̊r . bkm . yʿny . [šrǵzz . …]wth • […]n̊/ann . bnt yš[…]h̊lk • […]b . kmm . l k̊l[.]m̊sp̊[r …]

11-1.107:13 [ṣ]g̊r . bkm . yʿny[…]- […]- wth • […]t/a/n/wnn . bnt yš[…] . […]h̊lk • […]b̊ . kmm . l k̊l [.] m̊sp[r …]

—nnt

nº CGR-445 Ocurrencias: 1

Posibles restituciones: snnt, rḫnnt.

Ritual

00-1.164:14 … • […]a/nnt • [al]it . š

—nʿ—

nº CGR-446 Ocurrencias: 1

Posibles restituciones: adnnʿm, adnʿm, bnʿnk, bnʿnt, gnʿ, gnʿy, gnʿym, yknʿ, yknʿm, yknʿmy, ynʿrah, ynʿrnh, knʿm, knʿny, mlknʿm, mnʿrt, nʿkn, nʿl, nʿlm, nʿm, nʿmh, nʿmy, nʿmyn, nʿmm, nʿmn, nʿmt, nʿn, nʿr, nʿrb, nʿrh, nʿry, nʿrm, nʿrs, nʿrt, nʿšr, nʿtq, šnʿt, tnʿr, ṯnʿy.

Mítica

00-1.167:13 [...]r[...] • [...]nʿ[...] • [...]i/h[...]

—nʿy

nº CGR-447 Ocurrencias: 1

Posibles restituciones: gnʿy, t̲nʿy.

Administración

00-4.48:12 åmd̲y . arbʿ . ʿšr • [...]nʿy . t̲t̲ . ʿšr • (LINEA EN ACADIO)

—np

nº CGR-448 Ocurrencias: 1

Posibles restituciones: uḫnp, unp, ḫnp, yḫnp, knp, np, snp.

Mítica

00-1.162:1 ... • [...]np . mru • [...]mrrt . alp . ti[...]

—nq—

nº CGR-449 Ocurrencias: 1

Posibles restituciones: ʿilnqsd, ḥrnqm, ḫnq, ḫnqn, ḫnqtm, ynq, ynqm, mšnq, nqum, nqbny, nqbnm, nqd, nqdm, nqh, nqt̲n, nql, nqly, nqmd, nqmpʿ, nqpnt, nqpt, nqq, nqr, nqt, ʿnq, ʿnqpat, ʿnqpaty, ʿnqpt, ʿnqt, pynq, šnq, tnqt, t̲bʿnq, t̲btnq, t̲nq, t̲nqy, t̲nqym, t̲rnq.

Inscripciones

00-6.53:1 ... • [...]nq[...] • [...]-nn̊[...]

—nr

nº CGR-450 Ocurrencias: 1

Posibles restituciones: aḫnnr, alnr, iwrnr, inr, unr, urǵnr, bnr, hlnr, ḫbrtnr, ḫd̲nr, knr, nnr, nr, snr, ʿmnr, ṣnr, tpnr, t̲mnr.

Épica

00-1.19:I:4 tql . ʿ[...]lb . t̊t̲b̊r • qšt[...]n̊r . yt̲̊b̊r̊ • t̲mn . [...]b̊tlt . ʿ̊n̊t

—nr—

nº CGR-451 Ocurrencias: 2

Posibles restituciones: aḫnnr, alnr, anry, anrmy, iwrnr, inr, unr, urǵnr, bnr, gnryn, hlnr, ḫbrtnr, ḫd̲nr, knr, knrh, knrt, mnrt, nnr, nnry, nr, nrd, nryn, nrm, nrn, nrt, nrt̲t, snr, snry, snrym, snrn, šnrn, ʿmnr, ṣnr, ṣnrn, qnrt, tnrr, tpnr, t̲mnr.

Administración

00-4.367:3 ... • [...]n̊(?)r̊[...] • [kr]wn

Ritual

00-1.123:17 ... • [...]n̊(?)r̊[...] • [...]l̊(?)/ṣ̊p il[...]

—nr-—

nº CGR-452 Ocurrencias: 2

Posibles restituciones: aḫnnr, alnr, anry, anrmy, iwrnr, inr, unr, urǵnr, bnr, gnryn, hlnr, ḫbrtnr, ḫḏnr, knr, knrh, knrt, mnrt, nnr, nnry, nr, nrd, nryn, nrm, nrn, nrt, nrṯt, snr, snry, snrym, snrn, šnrn, ʿmnr, ṣnr, ṣnrn, qnrt, tnrr, tpnr, ṯmnr.

Administración

00-4.609:30 […]k̊mm . klby . kl[…]y . dqn[…] • […]-ntn . artn . bdn̊[. …]nr-[…] • ʿzn . w ymd . šr . bd ansny

Fragmentos Varios

00-7.219:2 […]b̊rḥm--[…] • […]nr-[…] • …

—nš

nº CGR-453 Ocurrencias: 1

Posibles restituciones: anš, inš, bnš, minš, nš.

Fragmentos Varios

00-7.132:9 […]-ḏr … lḥ[…] • […]n̊(?)š m-[…] • […]rm -[…]

—nš—

nº CGR-454 Ocurrencias: 1

Posibles restituciones: annšn, anš, anšq, anšrm, anšt, inš, inšk, inšr, inšt, bnš, bnšhm, bnšm, ḫrnšt, ynšq, minš, nš, nša, nšat, nši, nšu, nšb, nšbm, nšgh, nšdd, nšy, nšybn, nšk, nškḫ, nšlḥ, nšlm, nšm, nšmḫ, nšʿr, nšq, nšqdš, nšr, nšrk, nšrm, nšt, tnšan, tnšq, ṯnšm.

Fragmentos Varios

00-7.176:14 […]ny-[…] • […]n̊š[…] • …

—nt

nº CGR-455 Ocurrencias: 7

Posibles restituciones: abynt, agynt, almnt, ant, apnt, ilʿnt, bnʿnt, bnt, bṯnt, gngnt, grnt, dnt, ḏnt, ḏqnt, hnt, ḫlpnt, ḫnt, ḫpnt, ḫrpnt, ynt, ytnt, yṯnt, kdnt, kknt, kmnt, knt, ktnt, lbnt, lkynt, mdnt, mḏnt, mznt, mṯnt, mknt, mnt, mʿnt, mtnt, nqpnt, nt, sdnt, sknt, snnt, snt, šknt, ʿbdnt, ʿbdʿnt, ʿnt, pnt, pʿnt, qdnt, qrnt, rḫnnt, šant, šbnt, šknt, šmnt, šmʿnt, šnt, štnt, tant, tunt, tznt, tnt, tplnt, tqnt, ṯlḥnt, ṯmnt, ṯnt, ṯpknt, ṯrdnt, ṯtmnt.

Administración

00-4.251:3 ----- • […]nt . -[…] • -----

Correspondencia

00-2.33:13 […]t . ašk̊n̊ . w . ašt • […]nt . -[…] . amrk • […]- . b . ym . k . ybt . mlk

00-2.77:5 […]rk . wal tšiḫrhm̊[…] • […]nt . lk . bd . • […] . mzn

00-2.79:25 […]g̊m . -bʿly . nʿm . hn . ksp . d . ššʿn • […]nt . qdm . alpm . mznh • […]ẙirš . snp . ln . dym . hw

Fragmentos Varios

00-7.121:1 • […]nt […] • -----

Mítica

00-1.63:14 […]-y • […]n̊t̊ • …

Ritual

00-1.173:8 […]i̊nš • […]nt . ap . […] • […]l̊ . wẙ[…]

—nt—

nº CGR-456 Ocurrencias: 3

Posibles restituciones: abynt, agynt, adnty, almnt, anntn, ant, antn, apnt, apnthn, atnth, atnty, ilʿnt, bḫnth, bnʿnt, bnt, bnth, bṯnt, gngnt, gntn, grnt, dnt, dnty, dntm, ḏnt, ḏqnt, hnt, zntn, ḥnth, ḫlpnt, ḫnt, ḫpnt, ḫrpnt, ynt, ytnt, yṯnt, kdnt, kknt, kmnt, knt, ktnt, lbnt, lkynt, mgntm, mdnt, mḏnt, mznt, mznth, mṭnt, mknt, mnt, mnth, mnthn, mnty, mntk, mʿnt, mšknthm, mtnt, mtntm, nqpnt, nt, ntil, ntu, ntb, ntbdh, ntbt, ntbtk, ntbtš, ntd, nty, ntk, ntl, ntlk, ntmn, ntn, ntp, ntr, ntt, sdnt, sknt, snnt, snt, šknt, ʿbdnt, ʿbdʿnt, ʿnt, ʿnth, ʿntm, ʿntn, pnt, pnth, pʿnt, qdnt, qrnt, rḫnnt, rḫntt, šant, šbnt, šknt, šmnt, šmʿnt, šnt, šnth, šntk, šntkt, šntm, štnt, štnth, štntn, tant, tunt, tznt, tmntk, tnt, tnty, tntkn, tntqln, tplnt, tqnt, ṯlḥnt, ṯmnt, ṯnnth, ṯnt, ṯnth, ṯpknt, ṯrdnt, ṯtmnt.

Fragmentos Varios

00-7.11:3 […]g̊r[…] • […]n̊t[…] • -----

00-7.73:2 […]ad-[…] • […]n̊t̊[…] • …

00-7.107:2 […] • […]n̊t̊[…] • […]bt

—nt-—

nº CGR-457 Ocurrencias: 1

Posibles restituciones: abynt, agynt, adnty, almnt, anntn, ant, antn, apnt, apnthn, atnth, atnty, ilʿnt, bḫnth, bnʿnt, bnt, bnth, bṯnt, gngnt, gntn, grnt, dnt, dnty, dntm, ḏnt, ḏqnt, hnt, zntn, ḥnth, ḫlpnt, ḫnt, ḫpnt, ḫrpnt, ynt, ytnt, yṯnt, kdnt, kknt, kmnt, knt, ktnt, lbnt, lkynt, mgntm, mdnt, mḏnt, mznt, mznth, mṭnt, mknt, mnt, mnth, mnthn, mnty, mntk, mʿnt, mšknthm, mtnt, mtntm, nqpnt, nt, ntil, ntu, ntb, ntbdh, ntbt, ntbtk, ntbtš, ntd, nty, ntk, ntl, ntlk, ntmn, ntn, ntp, ntr, ntt, sdnt, sknt, snnt, snt, šknt, ʿbdnt, ʿbdʿnt, ʿnt, ʿnth, ʿntm, ʿntn, pnt, pnth, pʿnt, qdnt, qrnt, rḫnnt, rḫntt, šant, šbnt, šknt, šmnt, šmʿnt, šnt, šnth, šntk, šntkt, šntm, štnt, štnth, štntn, tant, tunt, tznt, tmntk, tnt, tnty, tntkn, tntqln, tplnt, tqnt, ṯlḥnt, ṯmnt, ṯnnth, ṯnt, ṯnth, ṯpknt, ṯrdnt, ṯtmnt.

Fragmentos Varios

00-7.170:3 ----- • […]nt-[…] • -----

—su

nº CGR-458 Ocurrencias: 1

Posibles restituciones: ksu.

Correspondencia

00-2.81:10 […]t/aṣpy . bḫr[ṣ …] • […]su . adr[…] • […]n . pr . h[…]

—sb—

nº CGR-459 Ocurrencias: 1

Posibles restituciones: bsbn, ysb, ksb, nsb, sb, sbbyn, sbd, sbn, sbsg, sbrdnm, ʿsb.

Fragmentos Varios

00-7.64:6 […]ḫ̊/ẙdr̊[…] • […]z̊/s̊b̊[…] • …

—sd

nº CGR-460 Ocurrencias: 1

Posibles restituciones: ilnqsd, ysd, ksd, sd.

Administración

00-4.236:3 [… q]ṭ̊y • […]s̊d̊ • […]yy

—sy

nº CGR-461 Ocurrencias: 1

Posibles restituciones: usy, ysy, mʿmsy, sy, plsy.

Fragmentos Varios

00-7.76:2 […]ḥ̊l̊-[…] • […]sy … […] •

—sk—

nº CGR-462 Ocurrencias: 1

Posibles restituciones: ask, ilsk, bʿlyskn, bʿlskn, ḥsk, yḫssk, ymsk, ynsk, ysk, kmsk, mmskn, msk, mskh, mskt, mʿmsk, nsk, nskh, nskm, nskn, nskt, ng̊sk, sk, skh, skm, skn, sknm, sknt, skr, skt, šsk, šskn, tskh, tskn.

Administración

00-4.525:1 … • […]s̊k̊[…] • -----

—sm—

nº CGR-463 Ocurrencias: 1

Posibles restituciones: asm, brsm, ḥsm, ḫssm, ysmm, ysmsm, ysmsmt, ysmt, kbsm, ksm, ksmh, ksmy, ksmk, ksmm, lsm, lsmm, lsmt, mlsm, sm, smd, smwn, smḫ̇, smyy, smkt, smm, ssm, ʿbdssm, ʿpsm, psm, prsm, tlsmn, tmsm, tsm, tsmh.

Fragmentos Varios

00-7.140:1 ----- • […] . g̊dl[…]sm[…] • -----

—sʿ

nº CGR-464 Ocurrencias: 1

Posibles restituciones: isʿ, ysʿ, sʿ, tsʿ.

Fragmentos Varios

00-7.26:4 […]m̊ . in[…] • […]sʿ . ḫ̊/ẙ[…] • […]n̊[…]

—sp

nº CGR-465 Ocurrencias: 3

Posibles restituciones: isp, usp, ḥsp, ḫisp, ḫẓksp, yasp, yisp, yitsp, yḫsp, ksp, sp, tasp, tisp, tusp.

Administración

00-4.545:I:5 ----- • […]sp • […]-n

Mítica

00-1.151:8 rq[…]w[…]ḥ̊g . […]m̊ • štmn̊[…]sp . […]ʿd̊(?)-m • ym . ḫr[…]z̊(?) . kš

Ritual

00-1.107:7 […]s̊r . n[…]ḥrn • […]sp . ḫph . ḫ[… isp . šp]š . l hrm • [ǵrpl .]ʿl . ar[ṣ . lan .]i̊s̊p̊[. ḥ]mt

—sr

nº CGR-466 Ocurrencias: 2

Posibles restituciones: asr, ḫsr, yḫsr, ysr, ʿsr.

Épica

00-1.19:II:31 [q]dqd . ṯlṯid . ʿl . ud[n] • -[…]sr . pdm . rišh[…] • ʿl . pd . asr̊ . m̊[…]lẙ(?)[…]

Ritual

00-1.107:6 […]r̊k . ḥ-[…]-lk • […]s̊r . n[…]ḥrn • […]sp . ḫph . ḫ[… isp . šp]š . l hrm

—sr-—

nº CGR-467 Ocurrencias: 1

Posibles restituciones: asr, asrkm, asrm, asrn, isrnn, ḫsr, ḫsrt, ḫpsry, ywsrnn, yḫsr, ysr, mḫsrn, msrr, srd, srdnnm, srwd, srm, srn, srnm, srp, srr, srt, srty, ʿsr, tasrn, tsrk.

Administración

00-4.575:1 … • […]sr-[…] • årbʿ . n̊[…]

—s̀u

nº CGR-468 Ocurrencias: 1

Posibles restituciones: ks̀u, krs̀u.

Fragmentos Varios

00-7.32:11 […]l̊ . t̊/p̊n̊m̊[…] • […]s̀̊u . b̊[…] • […]lbš̊[…]

—s̀u---—

nº CGR-469 Ocurrencias: 1

Posibles restituciones: ks̀u, krs̀u.

Fragmentos Varios

00-7.16:10 […]l . t-- • […]s̀̊u---[…] • […]dbʿ/š̊[…]

—s̀d

nº CGR-470 Ocurrencias: 1

Posibles restituciones: ys̀d.

Ritual

00-1.175:7 […]ṯdṯ . yṯb . mlk . bur[bt …] • […]s̀d . bšbʿ . ḫdš . ṯra/n[…] • […]-t[.]npš .̊[…

—ʿ-y—

nº CGR-471 Ocurrencias: 1

Posibles restituciones: abʿly, bʿdy, bʿly, bʿlyh, bʿlyskn, bʿlytn, bqʿty, gbʿly, gbʿlym, yknʿmy, yʿby, yʿdynh, yʿny, yʿnyn, ySʿly, knʿny, mʿry, nʿmy, nʿmyn, nʿry, ʿby, ʿgy, ʿdy, ʿdyn, ʿyy, ʿky, ʿly, ʿlyh, ʿlyt, ʿmy, ʿmyd, ʿmyḏtmr, ʿmyn, ʿny, ʿṅyh, ʿṣy, ʿqy, ʿrym, ʿryt, ʿšy, pʿny, šʿly, šʿlyt, tʿny, tʿnyn, tʿnynn, tšʿly, tšʿlynh, ṯʿly.

Administración

00-4.619:5 ----- • šnrn̊[…]ʿ-y[…] • b . ir[…]-y[…]

—ʿb

nº CGR-472 Ocurrencias: 1

Posibles restituciones: yʿb, ʿb.

Mítica

00-1.147:5 […]-l-[…] • […]ʿb • […]r-ẘm

—ʿb—

nº CGR-473 Ocurrencias: 1

Posibles restituciones: yʿb, yʿbd, yʿbdr, yʿby, yʿbš, ypʿbʿl, mʿbd, mʿbr, ʿb, ʿbd, ʿbdadt, ʿbdil, ʿbdilm, ʿbdilt, ʿbdbʿl, ʿbdgṯr, ʿbdh, ʿbdḥ, ʿbdḫgb, ʿbdḫy, ʿbdḥr, ʿbdḫmn, ʿbdy, ʿbdym, ʿbdyrḫ, ʿbdyrǵ, ʿbdk, ʿbdkb, ʿbdkṯr, ʿbdlbit, ʿbdm, ʿbdmhr, ʿḅdmlk, ʿbdn, ʿbdnkl, ʿbdnt, ʿbdssm, ʿbdʿn, ʿbdʿnt, ʿbdʿṯtr, ʿbdpr, ʿbdrpu, ʿbdrš, ʿbdršp, ʿbdrṯ, ʿbdšḫr, ʿbdṯrm, ʿby, ʿbk, ʿbl, ʿbmlk, ʿbs, ʿbṣ, ʿbṣk, ʿbr, ʿbrm, riʿbd, tʿbtnh.

Fragmentos Varios

00-7.82:1 … • […]ʿb[…] • […]b̊/d̊ . ḥ[…]

—ʿb-

nº CGR-474 Ocurrencias: 1

Posibles restituciones: yʿb, yʿbd, yʿby, yʿbš, mʿbd, mʿbr, ʿb, ʿbd, ʿby, ʿbk, ʿbl, ʿbs, ʿbṣ, ʿbr, riʿbd.

Épica

00-1.15:IV:10 ḫbr̊ . ṯ̊r̊[r]t̊ • […]ʿb̊/ṣ̊- . š̊[…]m • ẘ(?)/k̊(?)m̊(?)ḥ̊(?)ʿrt----qm

—ʿd

nº CGR-475 Ocurrencias: 2

Posibles restituciones: bʿd, glʿd, yṯʿd, mriʿd, mʿd, ʿd, šbʿd, šʿd.

Mítica

00-1.5:VI:4 [tša . ghm . w tṣ]ḥ̊ . sbn • […]l̊ . n̊-[…]ʿd(R:k) • k̊sm . mhyt . m̊ǵny

00-1.117:8 ----- • […]ʿd . m̊tm̊ . šknt • -----

—ʿd-m

nº CGR-476 Ocurrencias: 1

Posibles restituciones: bʿdhm, ʿdnm, ʿdtm.

Mítica

00-1.151:8 rq[…]w[…]ḥ̊g . […]m̊ • štmn̊[…]sp . […]ʿd̊(?)-m • ym . ḫr[…]z̊(?) . kš

—ʿdm

nº CGR-477 Ocurrencias: 1

Posibles restituciones: ʿdm, šbʿdm.

Fragmentos Varios

00-7.48:2 […]-n̊[…] • […]ʿ̊dm . […] • […]ʿl̊[…]

—ʿh

nº CGR-478 Ocurrencias: 2

Posibles restituciones: uṣbʿh, gbʿh, dmʿh, ḏrʿh, ḫrẓʿh, mdrʿh, rʿh, šmʿh, ṯʿh.

Administración

00-4.493:1 … • […]ʿh̊ • […]rʿh

Fragmentos Varios

00-7.57:3 […]- . rḫnn[…] • […]ʿ/ṯh . yšk/w[…] • […]-k̊t-[…]

—ʿy

nº CGR-479 Ocurrencias: 1

Posibles restituciones: adʿy, ilštmʿy, ilštʿy, ubrʿy, bhdrʿy, gnʿy, kʿy, lrzʿy, mrzʿy, nṯʿy, slʿy, rʿy, šmʿy, ṯṯʿy, ṯnʿy, ṯʿy.

Administración

00-4.693:25 [š]r̊š … 3 • […]ʿ̊y … 2 • [mr]åt … 2

—ʿl

nº CGR-480 Ocurrencias: 8

Posibles restituciones: adbʿl, adʿl, amrbʿl, iybʿl, ilbʿl, išbʿl, bʿl, gbʿl, ḏmrbʿl, hybʿl, ybʿl, ydbbʿl, ydbʿl, yʿl, ypʿbʿl, yrgbbʿl, yrmʿl, yrǵmbʿl, yšbʿl, mddbʿl, mnipʿl, mtbʿl, mtnbʿl, nʿl, ʿbdbʿl, ʿdbʿl, ʿzbʿl, ʿl, plšbʿl, plṣbʿl, pʿl, ṣlbʿl, qʿl, šbʿl, šmbʿl, tʿl, ṯšʿl, ṯbʿl, ṯʿl, ṯpṭbʿl.

Administración

00-4.581:8 […]r̊ṯ … bn[. …] • […]ʿ̊l … w . n̊[ḥlhm …] • …
00-4.592:4 ----- • […]ʿl . ʿmy • […]-åb
00-4.769:41 […]n̊ . aǵli . ʿ̊[š]rt • […]ʿl . bn . ʿṯt[rn] . ʿšr[t/m] • […] . bn . ṣ/bt . ʿšrm

Correspondencia

00-2.2:10 b̊nm . w bnt . ytn̊k̊[…] • […]ʿl . bny . šḥt . w[…] • […]-t . msgr . bnk[…]

Fragmentos Varios

00-7.9:2 […]t̊ ẘ[…] • […]ʿl . y[…] • […]ṯ̊dn[…]
00-7.27:2 […]åẘ[…] • […]ʿl . y[…] • […]-dn[…]

Mítica

00-1.9:5 š̊r[…] • […]ʿl -[…] • rʿm̊[…]

00-1.167:6 […] . qṣṣ . bb/d/u[…] • […]ʿl . ʿpr[…] • […]m . ʿnh[…]

—ʿl—

nº CGR-481 Ocurrencias: 3

Posibles restituciones: abʿly, adbʿl, adʿl, amrbʿl, ibʿlt, ibʿltn, iybʿl, ilbʿl, išbʿl, bʿl, bʿldn, bʿldʿ, bʿlh, bʿlhm, bʿlhn, bʿlz, bʿly, bʿlyh, bʿlyskn, bʿlytn, bʿlk, bʿlkm, bʿlkn, bʿlm, bʿlmʿḏr, bʿlmṯpṭ, bʿln, bʿlny, bʿlsip, bʿlskn, bʿlṣdq, bʿlṣn, bʿlrm, bʿlšlm, bʿlšm, bʿlt, bʿlth, bʿltn, gbʿl, gbʿly, gbʿlym, ḏmrbʿl, hybʿl, ybʿl, ybʿlhm, ybʿlm, ybʿlnn, ydbbʿl, ydbʿl, yʿl, yʿlm, ypʿbʿl, yrgbbʿl, yrmʿl, yrǵmbʿl, yšbʿl, yšʿly, mddbʿl, mnipʿl, mʿlt, mštʿltm, mtbʿl, mtnbʿl, nʿl, nʿlm, ʿbdbʿl, ʿdbʿl, ʿzbʿl, ʿl, ʿlb, ʿlby, ʿld, ʿlh, ʿlw, ʿlẓr, ʿly, ʿlyh, ʿlyt, ʿlk, ʿllmy, ʿllmn, ʿlln, ʿlm, ʿlmh, ʿlmk, ʿlmt, ʿln, ʿlnh, ʿlp, ʿlpy, ʿlṣ, ʿlṣm, ʿlr, ʿlt, ʿltn, plšbʿl, plṣbʿl, pʿl, pʿlm, pʿlmh, ṣlbʿl, qʿl, šbʿl, šmbʿl, šʿly, šʿlyt, tbʿln, tʿl, tʿlg, tʿlgt, tʿln, tʿlt, tšʿl, tšʿly, tšʿlynh, ṯbʿl, ṯʿl, ṯʿlb, ṯʿly, ṯʿln, ṯpṭbʿl.

Correspondencia

00-2.36:47 […]š̊[…]tb̊/d̊[…] • […]ʿl[…]štt[…] • […]mn . tbt . w . […]

Fragmentos Varios

00-7.48:3 […]ʿ̊dm . […] • […]ʿl̊[…] • […]nd-[…]

00-7.183:1 … • […]ʿl[…] • …

—ʿl--

nº CGR-482 Ocurrencias: 1

Posibles restituciones: abʿly, adbʿl, adʿl, amrbʿl, ibʿlt, ibʿltn, iybʿl, ilbʿl, išbʿl, bʿl, bʿldn, bʿldʿ, bʿlh, bʿlhm, bʿlhn, bʿlz, bʿly, bʿlyh, bʿlk, bʿlkm, bʿlkn, bʿlm, bʿln, bʿlny, bʿlṣn, bʿlrm, bʿlšm, bʿlt, bʿlth, bʿltn, gbʿl, gbʿly, gbʿlym, ḏmrbʿl, hybʿl, ybʿl, ybʿlhm, ybʿlm, ybʿlnn, ydbbʿl, ydbʿl, yʿl, yʿlm, ypʿbʿl, yrgbbʿl, yrmʿl, yrǵmbʿl, yšbʿl, yšʿly, mddbʿl, mnipʿl, mʿlt, mštʿltm, mtbʿl, mtnbʿl, nʿl, nʿlm, ʿbdbʿl, ʿdbʿl, ʿzbʿl, ʿl, ʿlb, ʿlby, ʿld, ʿlh, ʿlw, ʿlẓr, ʿly, ʿlyh, ʿlyt, ʿlk, ʿlln, ʿlm, ʿlmh, ʿlmk, ʿlmt, ʿln, ʿlnh, ʿlp, ʿlpy, ʿlṣ, ʿlṣm, ʿlr, ʿlt, ʿltn, plšbʿl, plṣbʿl, pʿl, pʿlm, pʿlmh, ṣlbʿl, qʿl, šbʿl, šmbʿl, šʿly, šʿlyt, tbʿln, tʿl, tʿlg, tʿlgt, tʿln, tʿlt, tšʿl, tšʿly, ṯbʿl, ṯʿl, ṯʿlb, ṯʿly, ṯʿln, ṯpṭbʿl.

Correspondencia

11-2.36:47 […]m̊[---] . t̊[…] • […]ʿ̊l[--]št̊t[…] • [arg]mn . ṯbt . w . […]

—ʿl---

nº CGR-483 Ocurrencias: 1

Posibles restituciones: abʿly, adbʿl, adʿl, amrbʿl, ibʿlt, ibʿltn, iybʿl, ilbʿl, išbʿl, bʿl, bʿldn, bʿldʿ, bʿlh, bʿlhm, bʿlhn, bʿlz, bʿly, bʿlyh, bʿlytn, bʿlk, bʿlkm, bʿlkn, bʿlm, bʿln, bʿlny, bʿlsip, bʿlskn, bʿlṣdq, bʿlṣn, bʿlrm, bʿlšlm, bʿlšm, bʿlt, bʿlth, bʿltn, gbʿl, gbʿly, gbʿlym, ḏmrbʿl, hybʿl, ybʿl, ybʿlhm, ybʿlm, ybʿlnn, ydbbʿl, ydbʿl, yʿl, yʿlm, ypʿbʿl, yrgbbʿl, yrmʿl, yrǵmbʿl, yšbʿl, yšʿly, mddbʿl, mnipʿl, mʿlt, mštʿltm, mtbʿl, mtnbʿl, nʿl, nʿlm, ʿbdbʿl, ʿdbʿl, ʿzbʿl, ʿl, ʿlb, ʿlby, ʿld, ʿlh, ʿlw, ʿlẓr, ʿly, ʿlyh, ʿlyt, ʿlk, ʿllmy, ʿllmn, ʿlln, ʿlm, ʿlmh, ʿlmk, ʿlmt, ʿln, ʿlnh, ʿlp, ʿlpy, ʿlṣ, ʿlṣm, ʿlr, ʿlt, ʿltn, plšbʿl, plṣbʿl, pʿl, pʿlm, pʿlmh, ṣlbʿl, qʿl, šbʿl, šmbʿl, šʿly, šʿlyt, tbʿln, tʿl, tʿlg, tʿlgt, tʿln, tʿlt, tšʿl, tšʿly, tšʿlynh, ṯbʿl, ṯʿl, ṯʿlb, ṯʿly, ṯʿln, ṯpṭbʿl.

Correspondencia

10-2.36:47 […]m[---]tb̊[…] • […]ʿl[---]štt[…] • [arg]mn . q̊bt . w . […]

—ʿlh

nº CGR-484 Ocurrencias: 1

Posibles restituciones: bʿlh, ʿlh.

Fragmentos Varios

00-7.51:2 […]-[…] • […]ʿlh us • [p …]l̊m usp

—ʿlk

nº CGR-485 Ocurrencias: 1

Posibles restituciones: bʿlk, ʿlk.

Fragmentos Varios

00-7.163:6 […]l̊n bšr i̊[…] • […]ʿlk . igʿ . ʿ[…] •

—ʿln

nº CGR-486 Ocurrencias: 2

Posibles restituciones: bʿln, ʿln, tbʿln, tʿln, ṯʿln.

Administración

00-4.154:2 […]ʿ . lmdm • […]ʿln • […]l̊mdm . bd . snrn

Mítica

00-1.4:III:52 […] • […]ʿln̊ • […]l̊n̊

—ʿlt

nº CGR-487 Ocurrencias: 1

Posibles restituciones: ibʿlt, bʿlt, mʿlt, ʿlt, tʿlt.

Administración

00-4.209:14 […]unṯ . aḥd • [̇ …]ʿlt . unṯ . aḥd • [… nḥl]h . unṯ . aḥd

—ʿm—

nº CGR-488 Ocurrencias: 2

Posibles restituciones: adnnʿm, adnʿm, arbʿm, gbʿm, dʿm, ydʿm, yknʿm, yknʿmy, yʿmdn, yʿmsn, yʿmsnh, ypʿmlk, yrbʿm, ytrʿm, knʿm, mlknʿm, mmʿm, mʿmsh, mʿmsy, mʿmsk, mʿmʿ, mrʿm, nbʿm, nʿm, nʿmh, nʿmy, nʿmyn, nʿmm, nʿmn, nʿmt, ʿm, ʿmdm, ʿmḏl, ʿmh, ʿmy, ʿmyd, ʿmyḏtmr, ʿmyn, ʿmk, ʿml, ʿmlbi, ʿmlbu, ʿmlt, ʿmm, ʿmn, ʿmnh, ʿmny, ʿmnk, ʿmnkm, ʿmnr, ʿms, ʿmsn, ʿmph, ʿmq, ʿmqt, ʿmr, ʿmrbi, ʿmrpi, ʿmrpu, ʿmt, ʿmtḏl, ʿmtr, ʿmṯdy, ʿmṯtmr, pʿm, prʿm, qlʿm, qʿmr, rʿm, šbʿm, šrʿni, šršʿm, tlʿm, tʿmt, tšmʿm, tšʿm, ṯbʿm, ṯʿm.

Correspondencia

10-2.36:54 […]ṣdq . w[---]m . […] • […]ʿm[…] • […]l̊[…]

Épica

00-1.14:V:15 [h . k] ẙ[ṣḥ .]šm̊ʿ . mʿ • […]ʿm̊[…]å̊t̊ẙ • […] tḥm

—ʿn—

nº CGR-489 Ocurrencias: 1

Posibles restituciones: abdʿn, iṭʿnk, ilʿnt, ubrʿn, ulʿnk, uṣʿnk, bnʿnk, bnʿnt, gbʿn, ṭʿn, ydʿn, ydʿnn, yʿn, yʿny, yʿnyn, ypʿn, ytʿn, yṯʿn, knʿny, mlʿn, mʿn, mʿnk, mʿnt, nzʿn, nṭʿn, nʿn, slʿn, ʿbdʿn, ʿbdʿnt, ʿn, ʿnil, ʿnbr, ʿnh, ʿnha, ʿnhb, ʿnhn, ʿny, ʿnyh, ʿnk, ʿnkm, ʿnlbm, ʿnm, ʿnmk, ʿnmky, ʿnn, ʿnnh, ʿnnm, ʿnnn, ʿnq, ʿnqpat, ʿnqpaty, ʿnqpt, ʿnqt, ʿnt, ʿnth, ʿntm, ʿntn, pʿn, pʿnh, pʿny, pʿnk, pʿnm, pʿnt, ṣpʿn, šmʿn, šmʿnt, šsʿn, tbʿn, tbqʿnn, tšʿn, tʿn, tʿny, tʿnyn, tʿnynn, trʿn, tšbʿn, tšʿn, ṯbʿnq.

Administración

00-4.660:1 • […]ʿn[…] • […]yt[…]

—ʿny

nº CGR-490 Ocurrencias: 1

Posibles restituciones: yʿny, knʿny, ʿny, pʿny, tʿny.

Épica

00-1.16:II:30 ʿrym . l̊ b̊l̊[…] • ṣ̊(?)[…]ʿ̊ny . -[…] • l bl . sk . ẘ […]-h

—ʿp—

nº CGR-491 Ocurrencias: 1

Posibles restituciones: ygʿp, ʿp, ʿpmm, ʿps, ʿpsm, ʿpsn, ʿpʿph, ʿpṣpn, ʿpr, ʿprm, ʿprt, ʿpt, ʿpṯb, ʿpṯn, ʿpṯrm, tʿpn, tʿpp, tʿpr.

Épica

00-1.18:I:34 […]it[…] • […]ʿp[…] • …

—ʿṣ-

nº CGR-492 Ocurrencias: 1

Posibles restituciones: bʿṣ, mʿṣd, ʿṣ, ʿṣh, ʿṣy, ʿṣk, ʿṣm, ʿṣp, ʿṣr, pʿṣ, ṣʿṣ, tdʿṣ.

Épica

00-1.15:IV:10 ḫbr̊ . ṯ̊r̊[r]t̊ • […]ʿb̊/ṣ̊- . š̊[…]m • ẘ(?)/k̊(?)m̊(?)ḥ̊(?)ʿrt----qm

—ʿr

nº CGR-493 Ocurrencias: 2

Posibles restituciones: ibʿr, ugʿr, bʿr, gʿr, ybʿr, ygʿr, yʿr, ypʿr, yṯʿr, mʿr, nʿr, nšʿr, ʿr, pʿr, šbʿr, šʿr, tnʿr, tʿr, tpʿr, tṯʿr, ṯʿr.

Administración

00-4.697:8 […]-m . ʿšr • […]ʿ̊r . ḫmš • […]-rʿ ʿšrm

Mítica

00-1.22:I:27 […]----k . aliyn . bʿl • […]ʿ̊(?)r̊(?) . rʿh . ab̊ẙm̊(?) • […]b̊/ṣ̊ʿ[…]

—ʿr—

nº CGR-494 Ocurrencias: 1

Posibles restituciones: ašʿrb, ibʿr, ugʿr, uzʿrt, bʿr, bʿrm, gʿr, ybʿr, ybʿrn, ygʿr, ynʿrah, ynʿrnh, yʿr, yʿrb, yʿrm, yʿrn, yʿrṣ, yʿrr, yʿrt, yʿrty, yʿrtym, ypʿr, yṯʿr, mḫʿrt, mnʿrt, mʿr, mʿrb, mʿrby, mʿrbym, mʿrḫp, mʿry, mʿrt, nʿr, nʿrb, nʿrh, nʿry, nʿrm, nʿrs, nʿrt, nšʿr, ʿr, ʿrb, ʿrbm, ʿrbn, ʿrbnm, ʿrbt, ʿrgz, ʿrgzy, ʿrgzm, ʿrd, ʿrhm, ʿrwt, ʿrḫ, ʿrẓ, ʿrym, ʿryt, ʿrk, ʿrkm, ʿrkt, ʿrm, ʿrmy, ʿrmn, ʿrmt, ʿrs, ʿrʿr, ʿrʿrm, ʿrp, ʿrpm, ʿrpt, ʿrptk, ʿrq, ʿrr, ʿrš, ʿršh, ʿršm, pʿr, pʿrt, šbʿr, šmʿrgm, šʿr, šʿrm, šʿrt, šʿrty, tbʿrn; tgʿrm, tnʿr, tʿr, tʿrb, tʿrbm, tʿrbn, tʿrk, tʿrp, tʿrrk, tʿrt, tʿrth, tʿrty, tpʿr, tšʿrb, tṯʿr, ṯʿr, ṯʿrt.

Fragmentos Varios

00-7.123:2 […]-b̊[…] • […]ʿ̊r[…] • […]r[…]

—ʿrt

nº CGR-495 Ocurrencias: 1

Posibles restituciones: uzʿrt, yʿrt, mḫʿrt, mnʿrt, mʿrt, nʿrt, pʿrt, šʿrt, tʿrt, ṯʿrt.

Ritual

00-1.107:31 […]ẘ . b[…] . hl̊[…] • […]ʿ̊rt . [i]l̊m . rb̊m̊ . nʿ̊l[…]m̊r • […]-[…]r̊ṣ . bdh . yd̊r̊m̊[.]p̊i̊t[.]adm

—ʿt

nº CGR-496 Ocurrencias: 3

Posibles restituciones: arbʿt, arʿt, ašʿt, udmʿt, uṣbʿt, bqʿt, ggʿt, gʿt, dmʿt, dʿt, ydʿt, ypʿt, lmʿt, mṭʿt, mrbʿt, mšmʿt, sʿt, ʿt, ǵʿt, prʿt, ṣlʿt, qbʿt, qʿt, qṣʿt, rbʿt, rʿt, šbʿt, šmʿt, šnʿt, šʿt, tbʿt, tqʿt, tšʿt, ṯʿt.

Administración

00-4.14:10 […] . kmn . ltḥ . sbbyn • […]ʿt . ltḥ . ššmn • […] . ḫšwn . ṯṯ . mat . nṣ

00-4.250:6 [… a]llp • […]ʿ̊t • …

Correspondencia

00-2.45:13 ----- • […]ʿt . mlk . d . y-- • […]ʿbdyrḫ . l . mlk̊

—ʿt-—

nº CGR-497 Ocurrencias: 1

Posibles restituciones: aṣʿth, arbʿt, arʿt, ašʿt, udmʿt, udmʿth, uṣbʿt, uṣbʿth, uṣbʿtk, bqʿt, bqʿty, ggʿt, gʿt, dmʿt, dʿt, dʿthm, dʿtk, dʿtkm, dʿtm, ydʿt, ydʿtk, yʿtqn, ypʿt, lmʿt, mṭʿt, mlʿtn, mrbʿt, mšbʿthn, mšmʿt, nʿtq, sʿt, ʿt, ʿtar, ʿtgrm, ʿtk, ʿtkm, ʿtkt, ʿtn, ʿtq, ʿtrb, ǵʿt, prʿt, ṣlʿt, qbʿt, qʿt, qṣʿt, qṣʿth, qṣʿtk, rbʿt, rʿt, rʿtm, šbʿt, šmʿt, šnʿt, šʿt, šʿtq, šʿtqt, tbʿt, tʿtbr, tʿtd, tʿtq, tʿtqn, tqʿt, tšʿt, ṯʿt.

Administración

00-4.466:1 … • […]ʿ̊t̊-[…·] • […]šlm . -[…]

—ǵb

nº CGR-498 Ocurrencias: 1

Posibles restituciones: ḫdǵb, kzǵb, ǵb, pdǵb, rǵb.

Administración

00-4.399:1 • […]g̊́b . -- b : šrm • […]šd . irpn . ṯ[…]

—ǵb—

nº CGR-499 Ocurrencias: 1

Posibles restituciones: ḫdǵb, kdǵbr, kzǵb, ǵb, ǵby, ǵbl, ǵbny, ǵbr, ǵbt, pdǵb, rǵb, rǵbn, rǵbt.

Mítica

00-1.93:7 ḥkr[…]s̊̌rẙ[…] • ʿṣp ʿ[…]ǵb[…] • ṯat[…] . --p[…]

—ǵy-—

nº CGR-500 Ocurrencias: 1

Posibles restituciones: amǵy, aǵyn, ibǵyh, iǵyn, ymǵy, ymǵyk, ymǵyn, mǵy, mǵyh, mǵyy, mǵyk, mǵyt, sǵy, ǵyn, ǵyrm, ǵyrn, ǵyt, pdǵy, pǵy, pǵyn, tmǵy, tmǵyy, tmǵyn, tǵyn.

Inscripciones

00-6.38:3 […]-rbš[…] • […]ǵy-[…] • […]b̊l[…]

—ǵn

nº CGR-501 Ocurrencias: 1

Posibles restituciones: anǵn, arǵn, irǵn, mǵn, ǵn, plǵn, pǵn, ṣdǵn.

Administración

00-4.607:29 […] • ml/ṣ[…]ǵt/n . n̊n̊r[…] • k̊̊tn . qk̊/ẘqp̊[…]

—ǵr—

nº CGR-502 Ocurrencias: 4

Posibles restituciones: aǵr, iwrṯǵrn, uǵr, yǵr, mǵrt, nǵr, nǵry, sǵr, sǵrh, šǵr, šǵrh, šǵrm, ǵr, ǵrbtym, ǵrǵn, ǵrh, ǵry, ǵrk, ǵrm, ǵrmn, ǵrn, ǵrpd, ǵrpl, ǵrplt, ǵrt, ṣǵr, ṣǵrm, ṣǵrt, ṣǵrth, ṣǵrthn, rǵrm, tǵr, tǵrk, tǵrkm, tǵrm, tǵrn, ttǵr, ṯnǵrn, ṯǵr, ṯǵrh, ṯǵrkm, ṯǵrm, ṯǵrn, ṯǵrny, ṯǵrt.

Fragmentos Varios

00-7.56:5 […]wn . bṯ[…] • […]ǵ̊r̊[…] • …
00-7.65:3 […]isp̊[…] • […]ǵr[…] • […]-[…]
00-7.128:2 […]k-[…] • […]ǵr[…] • …
00-7.181:1 … • […]ǵ̊r̊[…] • […]dd[…]

—ǵt

nº CGR-503 Ocurrencias: 3

Posibles restituciones: aǵt, ušpǵt, zǵt, mlǵt, mǵt, mrǵt, pǵt, tǵt, trǵt.

Administración

00-4.607:10 iw[r …]l • iw[r …]ǵt • iw[r …]-

00-4.607:29 […] • ml/ṣ[…]ǵt/n . n̊n̊r[…] • k̊t̊n . qk̊/ẘqp̊[…]

Ritual

00-1.107:3 ----- • […]l šd . ql . t̊(?)[…]ǵ̊(?)t . aṯr • […]ǵrm . y[…]ḥ̊rn

—pa—

nº CGR-504 Ocurrencias: 1

Posibles restituciones: ispa, ḫrpat, ʿnqpat, ʿnqpaty, palt, palth, pamt, pat, rpa, rpaan, rpan, ršpab, trpa.

Fragmentos Varios

00-7.106:1 … • […]p̊a[…] • […]- . dnn̊[…]

—pb—

nº CGR-505 Ocurrencias: 1

Posibles restituciones: ipb, irpbn, gṯpbn, npbl, pb, pbyn, pbl, pblnk, pbn, pbṯr.

Fragmentos Varios

00-7.147:8 ----- • […]pb̊/d̊[…] • -----

—pd—

nº CGR-506 Ocurrencias: 1

Posibles restituciones: annpdgl, ipd, ipdk, ipdm, updt, ypdd, yṯpd, mšspdt, mṯpdm, npd, slpd, ǵrpd, pipdm, pd, pdu, pddm, pdḏn, pdy, pdym, pdyn, pdk, pdm, pdn, pdǵb, pdǵy, pdr, pdry, pdrm, pdrn, pdṯn, ṯpdn.

Fragmentos Varios

00-7.147:8 ----- • […]pb̊/d̊[…] • -----

—ph

nº CGR-507 Ocurrencias: 1

Posibles restituciones: alph, aph, iph, ḫph, ykph, yph, ksph, kph, ʿmph, ʿpʿph, ǵlph, ph, šḫph, tph.

Ritual

00-1.163:11 wʿlm . bqr[š] • […]ph . mlk̊[…] • […]t . ẘ[…]

—phn—

nº CGR-508 Ocurrencias: 1

Posibles restituciones: aphn, iphn, yphn, yphnh, ksphn, phn, phnn, tphn, tphnh.

Fragmentos Varios

00-7.37:1 … • […]p̊h̊n̊[…] • […]ilm . m̊[…]

—pṭ

nº CGR-509 Ocurrencias: 1

Posibles restituciones: bʿlmṯpṭ, yṯpṭ, mṯpṭ, ṯṯpṭ, ṯpṭ.

Administración

00-4.431:3 […]nrn • […]pṭ • […]knys . […]

—py

nº CGR-510 Ocurrencias: 3

Posibles restituciones: abpy, alpy, apy, aṣpy, arspy, uḫnpy, hzpy, ḫṯpy, ypy, knpy, kspy, krmpy, mšpy, npy, ʿlpy, py, ṣpy, ršpy, tǵpy, tṣpy.

Administración

00-4.127:13 […]bn pnṯbl • […]py w . bnh • -----

00-4.708:2 […]b̊l̊[…] • […]py . ṯq̊l̊ • […] . ṯql

00-4.769:19 […]a/n . br ʿš[… ʿ]šrt dḏ̊y . bn . uḏr [--] . ʿšrt • […]p̊y . ʿšr[b̊n̊ rny ʿšr̊[t/m] •
[…]ḫ b/d[…]ḥ/ṭn̊ . [-]š̊y[.]ʿš̊r̊t

—py—

nº CGR-511 Ocurrencias: 1

Posibles restituciones: abpy, alpy, apy, apym, aṣpy, arspy, uḫnpy, hzpy, hzpym, ḫṯpy, ypy, knpy, kspy, kspym, kpyn, krmpy, mšpy, npy, npynh, spyy, ʿlpy, py, pyln, pyn, pynq, ṣpy, ṣpym, ṣpyt, ršpy, tǵpy, tṣpy.

Administración

00-4.657:1 … • […]py[…] • -----

—pk

nº CGR-512 Ocurrencias: 1

Posibles restituciones: apk, gmnpk, yhpk, mṣrpk, npk, pk, rpk, špk, tispk, thpk, tpk.

Correspondencia

00-2.31:21 […]-d • […]pk • […] . an

—pl

nº CGR-513 Ocurrencias: 1

Posibles restituciones: apl, ypl, npl, spl, ʿṯpl, ǵrpl, pl, špl, tpl, tšpl, ttpl.

Fragmentos Varios

00-7.108:5 […]d . yq̊[…] • […]pl . -[…] • -----

—pm

nº CGR-514 Ocurrencias: 1

Posibles restituciones: alpm, apm, ilkpm, ilrpm, irpm, ulpm, ḫlpm, ḫnpm, ypm, kspm, ktpm, kṯpm, mqpm, spm, ʿrpm, pm, ršpm, šṯpm, špm, šrpm.

Mítica

00-1.20:I:7 […]ẙm . t̊l̊ḥmn • […]p̊m . tštyn • […]il . d ʿrgzm

—pn

nº CGR-515 Ocurrencias: 7

Posibles restituciones: awpn, apn, illnpn, irpn, gpn, ḫlpn, ḫpn, ḫrpn, yḥpn, yḫpn, yṭpn, ypn, kkpn, krpn, lṭpn, lẓpn, ʿpṣpn, ġḥpn, pn, ppn, ṣlpn, ṣpn, ršpn, tḫspn, tẓpn, tʿṭpn, tʿpn, tpn, trḫpn, tšnpn, ṯpn.

Administración

00-4.78:2	[…] … 1 • […]pn … 2 • […]š … 1
00-4.151:I:5	[… ʿ]bdgṯr • […]pn • [… ʿ]bdʿnt
00-4.275:2	[…] . ydm • […]ḥ/pn . ṯdr • […] . mdṯbn . ipd
00-4.316:6	[… y]rḫ . dbḥ[…] • […]pn . bd . -[…] • […]t[.]bd . […]
00-4.319:6	[…]my • […]pn • …

Fragmentos Varios

00-7.46:2	[…]n[…] • […]pn . ap/r[…] • […]rpl . a[…]

Mítica

00-1.25:6	[…]ġr . lẓpn . • […]pn . ym . ym(?)g(?)n(?) • […]i/h . btlt . bd

—ps—

nº CGR-516 Ocurrencias: 1

Posibles restituciones: apsh, apsny, ḫpsry, yrps, kpsln, kpslnm, spsg, spsgm, ʿps, ʿpsm, ʿpsn, pszyn, psḥn, psl, pslm, psltm, psm, psš, rps.

Épica

00-1.18:IV:1	… • […]ps[…] • […] . yṯbr[…]

—psn

nº CGR-517 Ocurrencias: 1

Posibles restituciones: ʿpsn.

Administración

00-4.708:7	[…]-ṣry . ṯ[ql] • […]psn ṯ[ql] • […]ltn[…]

—pr

nº CGR-518 Ocurrencias: 4

Posibles restituciones: apr, iškpr, bpr, dpr, hškpr, ḥpr, yspr, ypr, yṭpr, kpr, mspr, mpr, npr, spr, ʿbdpr, ʿpr, ʿṭtpr, pr, pškpr, ṣpr, špr, tspr, tʿpr, ṯpr.

Administración

00-4.236:5	[…]yy • […]pr • […]kṯ .

Fragmentos Varios

00-7.41:2	[…]-t . w b/d[…] • […]pr . ṯ-[…] • […]- … […]

Mítica

00-1.73:14	[…] w ta . nʿ[…] • […]pr . ʿẓ[…] • […]- w prš[…]

Ritual

00-1.113:4 […]ẘ rm ṯlbm • […]pr l nʿm • -----

—pr—

nº CGR-519 Ocurrencias: 1

Posibles restituciones: apr, ašsprk, iškpr, bpr, gprh, gprm, gṯprg, dpr, dprk, dprn, dprnm, ḏprḏ, hškpr, ḥpr, ḫḏpršp, ḫprt, yspr, ysprn, ypr, yprḫ, ypry, yprsḫ, yprq, yṯpr, kpr, kprm, mspr, msprt, mpr, mprh, mṣprt, npr, nprm, npršn, spr, sprhm, sprhn, sprn, sprt, ʿbdpr, ʿpr, ʿprm, ʿprt, ʿṯṯpr, ǵprt, pprn, pr, pri, prbḫṯ, prgl, prgn, prd, prdm, prdmn, prdny, prwsdy, prz, prḥḏrt, prḫ, prḫn, prṭl, prẓ, prẓm, pry, prkl, prln, prm, prmn, prn, prs, prsg, prsm, prsn, prst, prš, prʿ, prʿm, prʿt, prǵṯ, prpr, prṣ, prṣm, prqdš, prqt, prša, prt, prtn, prtṯr, prṯ, pškpr, ṣpr, ṣprn, špr, tspr, tʿpr, tpr, tprš, ṯprt, ṯprtm.

Fragmentos Varios

00-7.105:2 […]r[…] • […]p̊r̊[…] • -----

—prḏ

nº CGR-520 Ocurrencias: 1

Posibles restituciones: ḏprḏ.

Administración

00-4.58:2 […]ů … 2 • […]prḏ … 2 • […]dn … 1

—prn

nº CGR-521 Ocurrencias: 1

Posibles restituciones: dprn, ysprn, sprn, pprn, prn, ṣprn.

Administración

00-4.484:4 [… bn .]ḏkr • […]p̊rn • -----

—prt

nº CGR-522 Ocurrencias: 1

Posibles restituciones: ḫprt, msprt, mṣprt, sprt, ʿprt, ǵprt, prt, ṯprt.

Administración

00-4.399:12 […]-i . šir . kbd • […]prt . ubyn • š[i]r . w . arbʿ̊

—pš

nº CGR-523 Ocurrencias: 5

Posibles restituciones: aupš, ilšpš, blšpš, ypš, lpš, npš, rpš, špš, tpš, ṯpš.

Administración

00-4.106:3 […]ṣb … 2 • […]pš … 2 • […]ṯb … 2

Fragmentos Varios

00-7.179:1 … • […]pš • […]-

00-7.193:1 … • […]pš • …

Mítica

00-1.129:1 … • […]pš . ṣḥ[…] • […]m̊ . ybky . -[…]

Ritual

00-1.48:8 […] … . pi-[…]ḫ/ẙqš • ṯ[…]pš . šnˁ̊[…] • ṯr . b iš[…]n̊

—pš—

nº CGR-524 Ocurrencias: 1

Posibles restituciones: aupš, ilšpš, blšpš, ḥpšt, ḫpšh, ypš, lpš, npš, npšh, npšhm, npšy, npškm, npškn, npšm, npšn, ppšr, ppšrt, pšy, pškir, pškpr, pšˁ, rpš, špš, špšy, špšyn, špšm, špšmlk, špšn, tpš, tpšlt, ṯpš.

Mítica

00-1.147:29 […]r̊[…] • […]p̊š[…] • […]-[…]

—pšm

nº CGR-525 Ocurrencias: 1

Posibles restituciones: npšm, špšm.

Administración

00-4.103:64 [šd . … bd . …]-ǵl . (R:š) • [šd . … bd . …]pšm . šr . 5 •

—ptm

nº CGR-526 Ocurrencias: 2

Posibles restituciones: mptm, ptm, qptm.

Correspondencia

00-2.31:42 […]h̊dd . ----- l aṯrty • […]ptm . lḥt . […] • […]rgm . hy . l ẙ[…]y . ilakk

Mítica

00-1.2:IV:5 […] . nhr . tlˁm . ṯm . ḥrbm . its . ån̊šq • […]h̊/p̊tm . l arṣ . ypl . ulny . w l . ˁpr . ˁẓmn̊y • [b]ph . rgm . l yṣa . b špth . hwth . w ttn . gh . yǵr

—ptr

nº CGR-527 Ocurrencias: 1

Posibles restituciones: ḫptr, kptr, ptr, tptr.

Administración

00-4.190:3 ḫ[ḏm]ḏ̊r aḥd • bn̊[…]ptr ˁlm • ḫpn . pṯtm . bd

—pṯ

nº CGR-528 Ocurrencias: 1

Posibles restituciones: aupṯ, agpṯ, apṯ, ipṯ, unpṯ, ḫpṯ, kpṯ, ppṯ, pṯ, ṯǵpṯ.

Ritual

00-1.39:11 ʿšrh . mlun . šnpt . ḫṣth . bʿl . ṣpn š • […]p̊/t̊ṯ š . ilt . mgdl . š . ilt . asrm š • w l ll . špš pgr . w ṯrmnm . bt mlk

—pṯn

nº CGR-529 Ocurrencias: 1

Posibles restituciones: aupṯn, agpṯn, ipṯn, ywpṯn, ʿpṯn, tǵpṯn, ṯdpṯn.

Fragmentos Varios

00-7.61:3 […]rmn • […]pṯn • […]d̊/b̊m-[…]

—pṯn—

nº CGR-530 Ocurrencias: 1

Posibles restituciones: aupṯn, agpṯn, ipṯn, ywpṯn, ʿpṯn, tǵpṯn, ṯdpṯn.

Fragmentos Varios

00-7.61:5 […]d̊/b̊m-[…] • […]pṯn[…]- • […]r̊g

—pṯt—

nº CGR-531 Ocurrencias: 1

Posibles restituciones: ḫpṯt, npṯt, pṯt, pṯtm.

Fragmentos Varios

00-7.84:3 […]k̊/r̊g[…] • […]pṯt̊[…] • […]l … […]

—ṣb

nº CGR-532 Ocurrencias: 3

Posibles restituciones: uṣb, ḥṣb, yṣb, lṣb, mṣb, nṣb, ǵṣb, ṣṣb, tḫtṣb, tṣb.

Administración

00-4.106:2 […]rn … […] • […]ṣb … 2 • […]pš … 2

00-4.765:9 […]ʿṭ • […]ṣ̊b b yn̊[y] • …

Épica

00-1.15:V:21 b̊ʿlny . w ymlk • […]ṣ̊b ʿln . w ẙ[ʿ]n̊y • [kr]t ṯʿ . ʿln . bḫr

—ṣbm

nº CGR-533 Ocurrencias: 1

Posibles restituciones: mṣbm.

Administración

00-4.420:8 ----- • […]ṣbm • […]nrn . mʿry

—ṣbn

nº CGR-534 Ocurrencias: 1

Posibles restituciones: ḥṣbn.

Administración

00-4.57:7 [...]ḫ̊k̊-[...] • [...]g/ṣ̊bn ... 1 • [...]b/d̊nyn ... 2

—ṣḥ

nº CGR-535 Ocurrencias: 1

Posibles restituciones: aṣḥ, yṣḥ, mṣḥ, ṣḥ, tṣḥ.

Administración

00-4.635:4 [...]b̊d . mlk • [...]ṣḥ . uḫd • [...]i̊l . uḫ (uḫd)

—ṣḥ—

nº CGR-536 Ocurrencias: 1

Posibles restituciones: aṣḥ, aṣḥkm, yṣḥ, yṣḥm, yṣḥn, yṣḥq, mṣḥ, nṣḥy, ṣḥ, ṣḥdm, ṣḥn, ṣḥq, ṣḥr, ṣḥrn, ṣḥrrm, ṣḥrrt, ṣḥrt, ṣḥt, ṣḥtkm, qṣḥm, tṣḥ, tṣḥn, tṣḥq, tšṣḥq.

Fragmentos Varios

00-7.85:2 ... • [...]ṣ̊ḥ̊[...] • [...]n . ṯn[...]

—ṣn

nº CGR-537 Ocurrencias: 3

Posibles restituciones: abṣn, bʿlṣn, ḥṣn, ḫrṣn, ynaṣn, yqlṣn, kṣn, lṣn, nṣṣn, pṣn, ṣṣn, qlṣn, qṣn, rṣn, tmtḫṣn, tnǵṣn, tqrṣn, tqtnṣn, trḫṣn.

Administración

00-4.183:II:7 [ḥr]š . qḥn (qṯn) • [...]ṣn • [...]

00-4.769:32 [...]r̊ . ʿ̊š̊r̊t • [...]ṣ̊n . ʿšrt • [... a/-]m̊dn . ʿšrt

Ritual

00-1.48:5 ẘ bʿlt btm • n̊/ḫ̊m̊[...]ṣn . l . dgn • n[...]k̊m

10-1.48:5 ẘ bʿlt btm • n̊m̊[...]ṣn . l . dgn • n[...]m

—ṣʿ—

nº CGR-538 Ocurrencias: 1

Posibles restituciones: aṣʿth, uṣʿnk, bṣʿ, ṣʿ, ṣʿṣ, ṣʿq, ṣʿṯ, qṣʿt, qṣʿth, qṣʿtk, tbṣʿ.

Mítica

00-1.22:I:28 [...]ʿ̊(?)r̊(?) . rʿh . ab̊ẙm̊(?) • [...]b̊/ṣ̊ʿ[...] • ...

—ṣp

nº CGR-539 Ocurrencias: 1

Posibles restituciones: ḫrṣp, nṣp, ʿṣp, ṣp.

Ritual

00-1.123:18 […]n̊(?)r̊[…] • […]l̊(?)/s̊p il[…] • [ǵ]lmt mrd̊[…]

—ṣp—

nº CGR-540 Ocurrencias: 1

Posibles restituciones: aṣpy, ḫrṣp, mṣprt, mṣpt, nṣp, ʿpṣpn, ʿṣp, ṣp, ṣpiry, ṣpy, ṣpym, ṣpyt, ṣpn, ṣpnhm, ṣpʿn, ṣpr, ṣprn, tṣpy.

Mítica

00-1.20:II:12 tpḫ . ṯṣr . shr̊--[…] • m̊(?)r̊--[…]s̊/b̊p̊/t̊[…] • […]bʿd . ilnym

—ṣt

nº CGR-541 Ocurrencias: 1

Posibles restituciones: ḫṣt, mḫṣt, mṣt, ṣṣt, ṣt, qbṣt, rmṣt, trbṣt, ṯpṣt.

Administración

00-4.591:3 ----- • […]ṣt • -----

—ṣt—

nº CGR-542 Ocurrencias: 1

Posibles restituciones: ḫṣt, ḫṣth, mḫṣt, mṣt, ṣṣt, ṣt, ṣth, ṣtzd, ṣtm, ṣtqn, ṣtry, qbṣt, rmṣt, šṣty, trbṣt, ṯpṣt.

Mítica

00-1.20:II:12 tpḫ . ṯṣr . shr̊--[…] • m̊(?)r̊--[…]s̊/b̊p̊/t̊[…] • […]bʿd . ilnym

—qd

nº CGR-543 Ocurrencias: 2

Posibles restituciones: brqd, ypqd, nqd, qd, rqd, tqd, ṯqd.

Mítica

00-1.168:16 […]n/r . tlm • […]q̊d • …

Ritual

00-1.109:33 ʿlm . ʿlm . gdlt l bʿl • ṣpn . i̊l bt[…]q̊(?)d . […] • l ṣpn[š . l]b̊ʿl . uǵ̊[rt š]

—qḫ

nº CGR-544 Ocurrencias: 3

Posibles restituciones: iqḫ, ylqḫ, yqḫ, lqḫ, mqḫ, qḫ, rqḫ, tlqḫ, tqḫ.

Administración

00-4.401:16 […]--[…]- • […]y--[…]q̊ḫ . b ym̊- • […]ir . ----[…]

Correspondencia

00-2.33:9 […]t̊sʿ . hn . mlk • […]q̊ḫ . hn . l . ḥwth • […]p . hn . ib . d . b . mgšḫ

Mítica

00-1.2:III:19 [ksa .]m̊lkk . l yṯbr . ḫṭ̊[.]m̊ṯpṭk̊ . w yʿn̊ . ʿ̊ṯ̊[t]r̊ . d̊[m] . k̊-[…] • […]q̊(?)ḥ . by . ṯr . il . ab[y] . ank . in . bt[. l]ẙ[. km .]i̊l̊m̊ . ẘ ḥ̊ẓ̊r̊[.k bn] • [qd]š̊ lb̊d̊m̊ . ard . bn š̊(?)nq . trḥṣn . k̊ṯrm[…]b̊/d̊ bh̊[t]

—qḥ—

nº CGR-545 Ocurrencias: 1

Posibles restituciones: iqḥ, ylqḥ, yqḥ, yqḥnn, lqḥ, lqḥt, mqḥ, mqḥm, nlqḥt, qḥ, qḥn, qḥny, rqḥ, tlqḥ, tqḥ, tqḥn.

Fragmentos Varios

00-7.140:2 ----- • […]gr . š̊(?)mn[…]qḥ[…] • -----

—qy

nº CGR-546 Ocurrencias: 1

Posibles restituciones: yšqy, ʿqy, ṣdqy, qy, šqy, ššqy, tšqy, tššqy, ṯnqy.

Administración

00-4.459:6 […]t . nhr … ṯ̊[…] • […]q̊y … -[…] • …

—ql

nº CGR-547 Ocurrencias: 1

Posibles restituciones: ištql, bṣql, bql, wql, zql, yql, yšql, yštql, mql, nql, ʿql, ṣql, ql, šql, tql, tštql, ttql, ṯql.

Administración

00-4.67:4 […] • […]ql • å̊p̊[n …]bn

—ql—

nº CGR-548 Ocurrencias: 1

Posibles restituciones: ašqlk, ištql, bṣql, bql, wql, zql, yql, yqlṣn, yšql, yštql, mql, nql, nqly, ʿql, ʿqltn, ṣql, ql, qldn, qlh, qlḫ, qlḫt, qly, qlm, qln, qlny, qlʿ, qlʿm, qlṣk, qlṣn, qlql, qlt, qlṯ, qqln, šql, šqln, šqlt, tntqln, tql, tqln, tštql, ttql, ṯql, ṯqlm.

Fragmentos Varios

00-7.100:2 […]k̊/r̊ḥ[…] • […]q̊l[…] • -----

—ql-

nº CGR-549 Ocurrencias: 1

Posibles restituciones: ašqlk, ištql, bṣql, bql, wql, zql, yql, yšql, yštql, mql, nql, nqly, ʿql, ṣql, ql, qlh, qlḥ, qly, qlm,.qln, qlʿ, qlql, qlt, qlṯ, qqln, šql, šqln, šqlt, tntqln, tql, tqln, tštql, ttql, ṯql, ṯqlm.

Administración

00-4.17:1 • […]ql-[.]mw- • […] mpḫrt

—qm

nº CGR-550 Ocurrencias: 1

Posibles restituciones: aḫqm, iḫqm, brqm, d̲rqm, ḥlqm, ḥrnqm, ynqm, yṣqm, yqm, mrḥqm, ʿqqm, ṣdqm, ṣmqm, ṣqm, qm, rḥqm, rqm, tqm, trqm.

Fragmentos Varios

00-7.132:7 […]--dq … m-[…] • […]qm … mr[…] • […]-d̲r … lḥ[…]

—qm—

nº CGR-551 Ocurrencias: 1

Posibles restituciones: aḫqm, iḫqm, brqm, d̲rqm, ḥlqm, ḥrnqm, ynqm, yṣqm, yqm, yqmṣ, mqmh, mrḥqm, nqmd, nqmpʿ, ʿqqm, ṣdqm, ṣmqm, ṣqm, qm, qmḥ, qmḫ, qmy, qmm, qmnz, qmnzy, qmṣ, rḥqm, rqm, tqm, trqm.

Administración

00-4.313:26 kd̊[. ʿl . …]tḫ . bn̊[.]agyn̊ • […]qm[…] • …

—qn

nº CGR-552 Ocurrencias: 7

Posibles restituciones: abqn, ilyqn, utqn, brqn, dqn, ḫnqn, ḫqn, yʿtqn, ṣdqn, ṣqn, ṣtqn, qn, rqn, šqn, tʿtqn, tqn.

Administración

00-4.35:II:23 bn . -[…]ḥ̊n • [bn . …]q̊n • …
00-4.217:2 […]mkr . mkrm • […]qn • […]i̊brd
00-4.382:21 špšn . [… u]brʿy • iln . bn[…]q̊å/n̊ • bn . t[…]ar
00-4.424:6 […]kr̊m[.]b̊ . š̊(?)b̊(?)n . l . bn . -kn • šd̊[…]q̊n • šd̊[…]-ṣm . ṣ (l) . dqn
00-4.424:9 š̊[d …]b̊d . pdy • […]q̊n • […]d̊qn
00-4.438:6 […]-ṭn … l[…] • […]q̊n … l[…] • […]k̊/r̊ … l[…]
00-4.609:18 ----- • ḥrš b̊[htm . …]q̊n . ʿbdyrḫ . ḥdṯn . yʿr • adbʿl . […]- . ḥdṯn . yḥmn . bnil

—qr—

nº CGR-553 Ocurrencias: 1

Posibles restituciones: aqr, aqrbk, aqry, aqryk, iqra, iqrakm, iqran, uqrb, bqr, dqr, dqry, ḥqr, ḫqr, ḫqrn, yqr, yqra, yqrb, yqry, yqrṣ, mqr, mqrtm, nqr, ʿqrb, ʿqrbn, pqr, qr, qra, qran, qrat, qrit, qritm, qru, qrb, qrbh, qrbm, qrd, qrdy, qrdm, qrdmn, qrht, qrwn, qrzbl, qrḥ, qrṭy, qrṭym, qrẓ, qryy, qrym, qryt, qryth, qrytm, qrn, qrnh, qrnm, qrnt, qrsam, qrsi, qrṣ, qrq, qrr, qrrn, qrš, qrt, qrth, qrty, qrtym, qrtm, qrtmt, qrtn, šqr, šqrb, tbqrn, tqr, tqru, tqrb, tqry, tqrṣn, ṯqrn.

Fragmentos Varios

00-7.191:1 … • […]qr̊[…] • […]-li[…]

—qt

nº CGR-554 Ocurrencias: 2

Posibles restituciones: upqt, bdqt, brqt, dmqt, dqt, ḥṣqt, ḫlqt, yṯtqt, lqt, mṣqt, mrḥqt, mtqt, nhqt, nqt, ʿmqt, ʿnqt, prqt, qt, rtqt, šʿtqt, šrqt, tnqt, ṯiqt, ṯqt, ṯtqt.

Administración

00-4.182:11 […] . pwt . ṯlṯ . mat . abn . ṣrp • […]qt . l . ṯrmnm • -----

Mítica

00-1.37:5 […]tm . aḫ̊[…] • […]q̊t . -k̊/ẘ[…] • […]--[…]

—qt—

nº CGR-555 Ocurrencias: 1

Posibles restituciones: upqt, bdqt, bqtm, brqt, dmqt, dqt, dqtm, ḥṣqt, ḥṣqtn, ḫlqt, ḫnqtm, yṯtqt, lqt, mṣqt, mrḥqt, mrḥqtm, mtqt, mtqtm, nhqt, nqt, ʿmqt, ʿnqt, prqt, qt, qtm, rtqt, šʿtqt, šrqt, tnqt, tqtnṣn, ṯiqt, ṯqt, ṯtqt.

Administración

00-4.459:1 … • […]qt[…] • […]-kld[…]

—ri

nº CGR-556 Ocurrencias: 2

Posibles restituciones: bri, ḫri, mri, pri, ri.

Fragmentos Varios

00-7.190:2 […]l̊(?)i̊[…] • […]k/r̊i . -[…] • …

Vocabularios

00-9.3:I:14 […]bi-i[(?) …] • […]?-ri […] • […]

—riš—

nº CGR-557 Ocurrencias: 1

Posibles restituciones: riš, rišh, rišhm, rišy, rišym, rišyt, rišk, rišn, rišt, rišthm.

Administración

00-4.491:3 […]ṯ̊n . ̊ʿ[…] • […]riš̊[…] • …

—ru

nº CGR-558 Ocurrencias: 1

Posibles restituciones: bbru, ḫru, yḫru, ymru, yru, mru, qru, rmtru, tqru.

Mítica

00-1.6:VI:3 [… yg]r̊šh • […]r̊u • […]h̊

—rum

nº CGR-559 Ocurrencias: 1

Posibles restituciones: mrum, ʿṯtrum, rum.

Épica

00-1.16:IV:17 […]- l̊ g̊r̊ . gm . ṣḥ • […]rům • …

—rb

nº CGR-560 Ocurrencias: 4

Posibles restituciones: arb, ašˁrb, ilrb, uqrb, grb, drb, ḥrb, yḫrb, yˁrb, yqrb, krb, mˁrb, nˁrb, ˁqrb, ˁrb, ˁtrb, ˁt̲rb, qrb, rb, šndrb, šqrb, šrb, tkrb, tˁrb, tqrb, trb, tšˁrb, ttwrb, t̲grb, t̲rb.

Correspondencia

00-2.79:22 […]r̊t . bˁlk . nˁm . w . ht • […]rb . bˁly . nˁm . yzn • […]a/n/w . d̲rˁ . ly

Mítica

00-1.4:VIII:41 […]-y • […]r̊/k̊b • […] . ṣḥt

00-1.63:7 […]bšry • […]k̊/r̊b • […]-ah

00-1.75:10 […]mnty[…] • […]rb spr ḫbb • […]t̲̊n . dbḥm

—rb—

nº CGR-561 Ocurrencias: 1

Posibles restituciones: amrbˁl, aqrbk, arb, arbdd, arbḫ, arbn, arbˁ, arbˁm, arbˁt, ašˁrb, ašrbˁ, ilrb, irby, irbym, irbl, irbn, irbṣ, irbtn, uqrb, urbt, urbtm, grb, grbzhm, grbn, drb, d̲mrbˁl, ḥrb, ḥrbm, ḫrbġlm, yḫrb, yˁrb, yqrb, yrbˁm, krb, mˁrb, mˁrby, mˁrbym, mrbi, mrbd, mrbdt, mrbˁ, mrbˁt, nˁrb, ˁmrbi, ˁqrb, ˁqrbn, ˁrb, ˁrbm, ˁrbn, ˁrbnm, ˁrbt, ˁtrb, ˁt̲rb, ġrbtym, prbḫt, qrb, qrbh, qrbm, rb, rbil, rbb, rbbt, rbd, rbm, rbˁ, rbˁt, rbṣ, rbt, rbtm, šndrb, šqrb, šrb, tkrb, tˁrb, tˁrbm, tˁrbn, tqrb, trb, trbd, trbyt, trbnn, trbṣt, tšˁrb, ttwrb, t̲grb, t̲lrbh, t̲lrby, t̲rb.

Fragmentos Varios

00-7.184:10 ˁg[l]m . d̊[t …] • b̊(?)[…]r̊/k̊b[…] • p̊[…]

—rby

nº CGR-562 Ocurrencias: 2

Posibles restituciones: irby, mˁrby, t̲lrby.

Administración

00-4.355:43 å̊r̊b̊[ˁ . bnšm . b . …]ll • [ˁ]š̊r̊[. bnšm . b . …]r̊by •

00-4.756:5 […]m̊ḫ • […]k̊/r̊by • …

—rbm

nº CGR-563 Ocurrencias: 1

Posibles restituciones: ḫrbm, ˁrbm, qrbm, rbm, tˁrbm.

Fragmentos Varios

00-7.33:4 […]pt . uṣbˁ[…] • […]r̊bm • […]-dt

—rg

nº CGR-564 Ocurrencias: 1

Posibles restituciones: gt̲prg, hrg, ḫrg, mdrg, ndrg, ġdrg, t̲mrg.

Fragmentos Varios

00-7.61:6 […]pṯn[…]- • […]r̊g • […]yʿšn

—rg—

nº CGR-565 Ocurrencias: 2

Posibles restituciones: argb, argd, argḏḏ, argm, argmk, argmn, argmny, argmnk, argmnm, argn, argnd, irgy, irgmn, irgn, brgyn, grgyn, grgmš, grgmšh, grgs, grgrh, grgš, gṯprg, hrg, hrgb, ḫrg, yrgb, yrgbbʿl, yrgblim, yrgm, lrgth, mdrg, ndrg, ʿrgz, ʿrgzy, ʿrgzm, ǵdrg, ǵrgn, prgl, prgn, rgbt, rgz, rgḥ, rgṭ, rgl, rgln, rgm, rgmh, rgmy, rgmm, rgmt, šmʿrgm, šmrgt, šrgk, šškrgy, tgrgr, trgm, trgn, tšrgn, ṯmrg.

Administración

00-4.401:6 […]rm[…] • -[…]rg[…]------- • -----

Fragmentos Varios

00-7.84:2 […]-[…] • […]k̊/r̊g[…] • […]pṯ̊t[…]

—rgm

nº CGR-566 Ocurrencias: 3

Posibles restituciones: argm, yrgm, rgm, šmʿrgm, trgm.

Correspondencia

00-2.31:43 […]ptm . lḥt . […] • […]rgm . hy . l ẙ[…]y . ilakk • […]l̊k . yritn . m̊ǵy . hy . w kn

Épica

00-1.15:V:13 [ʿl .]k̊r̊t . tb̊k̊n • […]r̊gm . ṯ̊r̊m̊ • […]m̊tm . tbkn̊

00-1.15:VI:7 ʿl̊ . kr̊t[.]t̊b̊un . k̊m • rgm . ṯ[…]rgm . hm • b ḏrt[…] krt

—rgn

nº CGR-567 Ocurrencias: 1

Posibles restituciones: argn, irgn, ǵrgn, prgn, trgn, tšrgn.

Administración

00-4.183:I:13 […] • […]k̊/r̊gn • […]

—rd

nº CGR-568 Ocurrencias: 5

Posibles restituciones: ard, ibrd, iwrd, gmrd, drd, ḏmrd, ḫḏmrd, ḫrd, ṭrd, ybrd, yḏrd, yʿḏrd, yrd, krd, mrd, nrd, srd, ʿrd, prd, qrd, rd, rmtrd, šrd, trd, ttwrd.

Administración

00-4.236:1 … • […]r̊d • [… q]ṭ̊y

00-4.409:6 […] • […]r̊d • -----

00-4.673:5 […]nd . ḫ-[…] • […]rd . i[…] • […]d . ṯn . […]

00-4.730:2 […]-ˁ[…] • […]r̊d • […]--[…]s̊

Fragmentos Varios

00-7.130:5 […]-g . irb[…] • […]rd . pn . […] • […]r . ṯṯd . […]

—rh

nº CGR-569 Ocurrencias: 4

Posibles restituciones: aškrh, aṯrh, ibrh, iyrh, imrh, udrh, uḏrh, ušrh, brh, bšrh, gprh, grgrh, dbrh, drh, ḏmrh, hrh, zrh, ḥbrh, ḥdrh, ḥẓrh, ḥmrh, ḥrh, ẓrh, yšrh, knrh, kptrh, mhrh, mḫrh, mṭrh, mprh, mrh, ndrh, nˁrh, sǵrh, šǵrh, ˁšrh, ǵrh, pḫyrh, ṣušrh, qṭrh, širh, šbrh, šrh, trh, ṯǵrh, ṯrh.

Administración

00-4.359:2 -ḫ/ẙ[… š]ǵrh̊[…] • mḫ[…]rh • ṯˁl̊[…]-

00-4.359:5 šǵr[…]n • bn[…]rh • s̊[…]ašrh

Fragmentos Varios

00-7.91:2 […]m̊ . d yt[…] • […]rh . w[…] • […]h̊ … […]

Ritual

00-1.103:8 ----- • […]k̊/r̊h . ml̊[k …]-ḫt . b hmt n[…]t̊ dlln • -----

11-1.103:8 ----- • *[…]k̊/r̊h . m[lk …]-(m?)ḫt . bhmtn[…]t̊ dlln* • -----

—rhd

nº CGR-570 Ocurrencias: 1

Posibles restituciones: gmrhd, ytrhd.

Administración

00-4.443:10 […]r̊t • […]r̊hd • -----

—rw—

nº CGR-571 Ocurrencias: 1

Posibles restituciones: arw, arwd, arwdn, arwn, arws, arwṯ, ẓrw, krw, krwn, krws, krwt, srwd, ˁrwt, prwsdy, qrwn, rw, rwy, ṯrw.

Fragmentos Varios

00-7.74:3 […]yy[…] • […]rw[…] • […]-n[…]

—rz

nº CGR-572 Ocurrencias: 1

Posibles restituciones: arz, yrz, prz.

Ritual

00-1.91:9 […]lp . izr • […]rz • k . tˁrb . ˁṯtrt . šd . bt[.]m̊[lk]

—rḥ—

nº CGR-573 Ocurrencias: 1

Posibles restituciones: brḥ, brḥn, drḥn, ḥrḥrtm, yrḥṣ, mʿrḥp, mrḥ, mrḥh, mrḥy, mrḥm, mrḥqm, mrḥqt, mrḥqtm, prḥḏrt, qrḥ, rḥ, rḥb, rḥbn, rḥbt, rḥd, rḥk, rḥm, rḥmy, rḥmt, rḥṣ, rḥṣnn, rḥq, rḥqm, rḥtm, šrḥq, trḥ, trḥln, trḥṣ, trḥṣn.

Fragmentos Varios

00-7.100:1 ----- • […]k̊/r̊ḥ[…] • […]q̊l[…]

—rḥ-

nº CGR-574 Ocurrencias: 1

Posibles restituciones: brḥ, brḥn, drḥn, yrḥṣ, mʿrḥp, mrḥ, mrḥh, mrḥy, mrḥm, qrḥ, rḥ, rḥb, rḥd, rḥk, rḥm, rḥṣ, rḥq, šrḥq, trḥ, trḥṣ.

Administración

00-4.247:12 š[…]g ḥt[…] • ʿšr̊[…]k̊/r̊ḥ-b[…]- • ʿšr̊[…]-

—rḫ

nº CGR-575 Ocurrencias: 2

Posibles restituciones: arḫ, itrḫ, urḫ, yprḫ, yrḫ, ytrḫ, ʿbdyrḫ, ʿrḫ, prḫ, rḫ, trḫ.

Administración

00-4.615:2 […]iyṯr . • […]rḫ . • [… b]n . mšrn

Correspondencia

00-2.31:26 ----- • […]rḫ . w šqr . • […]b . bb .

—ry

nº CGR-576 Ocurrencias: 3

Posibles restituciones: ʾmry, amry, anry, aqry, ary, aṯry, iyry, išḫry, ugry, uzry, uḫry, ušḫry, biry, bṣry, bry, bšry, btry, gbry, gzry, dqry, dry, ḏkry, ḏmry, hmry, hry, wry, zry, ḥẓry, ḥplry, ḥry, ḫzry, ḫpsry, ḫpšry, ḫry, ṭry, ygry, ypry, yqry, yry, kry, ktry, mhry, mʿry, mṣry, mry, nḫry, nmry, nnry, nʿry, nǵry, npṭry, snry, stry, ʿṯtry, ǵry, pdry, pzry, pṭry, pry, ṣpiry, ṣry, ṣrry, ṣtry, šry, tgbry, tdry, tqry, try, ṯbry, ṯmry, ṯry, ṯrry.

Administración

00-4.55:14 b̊n . gnym • […]r̊y . w . ary • […]ǵrbtym

00-4.433:3 […]l̊n … 1[…] • […]r̊/k̊y … 1[…] • [… a]b̊rm … 1[…]

Correspondencia

00-5.11:23 […]- p t m y d l l l̊[…] • […]ry • ʿzn bn byy[…]

—ry—

nº CGR-577 Ocurrencias: 2

Posibles restituciones: ʾmry, agzrym, amry, anry, aqry, aqryk, ary, aryh, aryy, aryk, arym, aryn, aṯry, aṯrym, aṯryt, ibryn, iwryn, iyry, iryn, išḫry, išryt, ugry, uzry, uḫry, uḫryt, uryy, uryn, ušḫry, ušryn, uṯryn, biry, bṣry, bry, bšry, btry, gbry, gzry, gnryn, dqry, dry, ḏkry, ḏmry, hmry, hry, hrym, wry, zry, ḥẓry, ḥplry, ḥry, ḥryth, ḫzry, ḫpsry, ḫpŝry, ḫry, ṭry, ygry, ypry, yqry, yry, yryt, kry, kryn, ktry, mhry, mʿry, mṣry, mṣrym, mry, mrym, mryn, mrynm, nḫry, nmry, nnry, nʿry, nǵry, npṭry, nryn, sgryn, snry, snrym, stry, ŝgryn, ʿrym, ʿryt, ʿṯtry, ǵry, pdry, pzry, pṭry, pry, ṣpiry, ṣry, ṣrym, ṣrry, ṣtry, qryy, qrym, qryt, qryth, qrytm, šry, šryn, tgbry, tdry, tmrym, tqry, try, ṯbry, ṯmry, ṯry, ṯryl, ṯryn, ṯrry.

Administración

00-4.401:4 b̊n̊ mnnẙ[…]-[…] • -[…]rẙ[…]-[…]ṯ . bh • -----

Mítica

00-1.2:III:6 [ygly .]ḏl (ḏd) i[l] . w ybu[. q]r̊š . mlk̊[. ab . šnm . l pʿn . il] • [yhbr .]w yql̊[. y]š̊tḥẘ[y .]ẘ ykb[dnh …]r̊(?)ẙ[…] • […]k̊ṯr . w ḫ[ss .]t̊b̊ʿ . bn̊[.]b̊ht . ym[. rm]m . h̊kl̊ . ṯ̊pṭ . n[hr]

—ry-—

nº CGR-578 Ocurrencias: 1

Posibles restituciones: ʾmry, agzrym, amry, anry, aqry, aqryk, ary, aryh, aryy, aryk, arym, aryn, aṯry, aṯrym, aṯryt, ibryn, iwryn, iyry, iryn, išḫry, išryt, ugry, uzry, uḫry, uḫryt, uryy, uryn, ušḫry, ušryn, uṯryn, biry, bṣry, bry, bšry, btry, gbry, gzry, gnryn, dqry, dry, ḏkry, ḏmry, hmry, hry, hrym, wry, zry, ḥẓry, ḥplry, ḥry, ḥryth, ḫzry, ḫpsry, ḫpŝry, ḫry, ṭry, ygry, ypry, yqry, yry, yryt, kry, kryn, ktry, mhry, mʿry, mṣry, mṣrym, mry, mrym, mryn, mrynm, nḫry, nmry, nnry, nʿry, nǵry, npṭry, nryn, sgryn, snry, snrym, stry, ŝgryn, ʿrym, ʿryt, ʿṯtry, ǵry, pdry, pzry, pṭry, pry, ṣpiry, ṣry, ṣrym, ṣrry, ṣtry, qryy, qrym, qryt, qryth, qrytm, šry, šryn, tgbry, tdry, tmrym, tqry, try, ṯbry, ṯmry, ṯry, ṯryl, ṯryn, ṯrry.

Administración

00-4.619:12 ----- • […]ypd-[…]k̊/r̊y-[…] • …

—rym

nº CGR-579 Ocurrencias: 1

Posibles restituciones: agzrym, arym, aṯrym, hrym, mṣrym, mrym, snrym, ʿrym, ṣrym, qrym, tmrym.

Administración

00-4.72:2 ----- • […]k/rym […] • […]- . btlyn . […]

—ryn—

nº CGR-580 Ocurrencias: 1

Posibles restituciones: aryn, ibryn, iwryn, iryn, uryn, ušryn, uṯryn, gnryn, kryn, mryn, mrynm, nryn, sgryn, ŝgryn, šryn, ṯryn.

Administración

00-4.603:2 […]l … […] • […]ryn[…] • […]--[…]

—ryt

nº CGR-581 Ocurrencias: 1

Posibles restituciones: aṯryt, išryt, uḫryt, yryt, ʿryt, qryt.

Mítica

00-1.117:10 ----- • […]ryt . aṣṣ . k nṣ • -----

10-1.117:9 ----- • *[…]ryt . ·aṣṣ . knṣ* • -----

—rk

nº CGR-582 Ocurrencias: 4

Posibles restituciones: amrk, ark, aššprk, aṯrk, irk, udrk, urk, bkrk, brk, dprk, drdrk, drk, ḏmrk, ḥbrk, ḥẓrk, ḥrk, ḫnzrk, ḫrk, yark, ybrk, yʿḏrk, yṣrk, yrk, krk, mhrk, mḫrk, nark, nšrk, ʿrk, ǵrk, pḫrk, qṭrk, rk, šrk, tbrk, tdrk, tsrk, tʿrk, tʿrrk, tǵrk, ṯirk, ṯrk.

Correspondencia

10-2.7:4 bk̊[…]t̊ . yqḥ̊[…] • wḏ/ʿ/š[…]rk d[…] • […]-̊ . d[…]

00-2.77:4 […]ʿmt . wištn . lk • […]rk . wal tšiḫrhm̊[…] • […]nt . lk . bd .

Ritual

00-1.107:5 […]ǵrm . y[…]ḥ̊rn • […]r̊k . ḥ-[…]-lk • […]s̊r . n[…]ḥrn

11-1.107:30 […]ǵrm . y[…]-̊rn • […]rk . ḥt/a/n[…]m̊lk • […]sr . n[…]-̊ . ḥrn

Vocabularios

00-9.3:III:30 [bitu?]qi-[i]d?-[š]u • [… -]ir(?)-ku • [p]a(?)-ar-ṣú

—rk—

nº CGR-583 Ocurrencias: 1

Posibles restituciones: abšrkm, amrk, ȧsrkm, ark, arkbt, arkd, arkḏ, arkšt, arkty, aššprk, aṯrk, ibrkḏ, ibrkyṯ, iwrkl, ilrkm, ilrkṣ, irk, udrk, urk, bkrk, brk, brkh, brky, brkm, brkn, brkt, brkthm, brktkm, brktm, dprk, drdrk, drk, drkm, drkt, drkth, drktk, ḏmrk, ḥbrk, ḥẓrk, ḥrk, ḫnzrk, ḫrk, yark, ybrk, ybrkn, ykrkr, yʿḏrk, yṣrk, yrk, yrkt, krk, krkm, mhrk, mḫrk, mrkbt, mrkbthm, mrkbtk, mrkbtm, mrkm, nark, nšrk, ʿrk, ʿrkm, ʿrkt, ǵrk, pḫrk, prkl, qṭrk, rk, rkb, rkby, rkd, rkm, šrk, tirkm, tbrk, tbrkk, tbrkn, tbrknn, tdrk, tsrk, tʿrk, tʿrrk, tǵrk, tǵrkm, trks, ṯirk, ṯǵrkm, ṯrk, ṯrkn.

Administración

00-4.326:4 […]ny-[…] • […]rk[…] • […]--[…]

—rkb—

nº CGR-584 Ocurrencias: 1

Posibles restituciones: arkbt, mrkbt, mrkbthm, mrkbtk, mrkbtm, rkb, rkby.

Correspondencia

00-2.7:4 bk[…]t . yqḥ̊[…] • w š̊[…]rkb̊/d̊[…] • […]- . d[…]

—rkd—

nº CGR-585 Ocurrencias: 1

Posibles restituciones: arkd, rkd.

Correspondencia

00-2.7:4 bk[…]t . yqḥ̊[…] • w š̊[…]rkb̊/d̊[…] • […]- . d[…]

—rkl

nº CGR-586 Ocurrencias: 1

Posibles restituciones: iwrkl, prkl.

Administración

00-4.769:7 […] . bn . i̊l̊yn . ʿšrt • […]rkl[.]b̊n . adty . ʿšrm • […]n . ḥgbn . ʿšrm

—rks

nº CGR-587 Ocurrencias: 1

Posibles restituciones: trks.

Mítica

00-1.1:V:23 […]tasrn . ṯr il • […]rks . bn . abnm • […]upqt . ʿrb

—rl—

nº CGR-588 Ocurrencias: 1

Posibles restituciones: arl, brlt, brlth, ẓrl, kdrl, krlnm, mrl, prln, rlb, rmtrl.

Administración

00-4.733:4 […]d̊h gt̊[…] • […]rl[…] • […]--[…]

—rln

nº CGR-589 Ocurrencias: 1

Posibles restituciones: prln.

Administración

00-4.106:5 […]ṯb … 2 • […]r̊ln … 1 • […]ḫ̊r … 1

—rm

nº CGR-590 Ocurrencias: 14

Posibles restituciones: abrm, adrm, aḫrm, anšrm, asrm, agldrm, arm, aṯrm, ibrm, idrm, illdrm, ilrm, irm, irrṯrm, iṯrm, uurm, ugrm, uzrm, ulrm, urm, bkrm, bʿlrm, bʿrm, brm, gmrm, gprm, grm, gṯrm, dbrm, dkrm, drm, ḏrm, hrm, zbrm, zrm, ḥbrm, ḥdrm, ḥzrm, ḥmrm, ḥrm, ḫzrm, ḫmrm, ḫrm, ḫṯrm, ṭhrm, ẓhrm, ẓrm, ydrm, yhrrm, ymrm, yʿrm, yṣrm, yrm, ytrm, yṯrm, kkrm, kmrm, kprm, krm, ktrm, kṯrm, mhrm, mkrm, mlrm, mṣrm, mrm, mšrrm, mṯrm, nhrm, nʿrm, nprm, nrm, nšrm, sgrm, srm, s̀ǵrm, . ʿbdṯrm, ʿbrm, ʿprm, ʿpṯrm, ʿṣrm, ʿrm, ʿrʿrm, ʿšrm, ʿtgrm, ʿṯrm, ǵzrm, ǵyrm, ǵmrm, ǵrm, pgrm, pdrm, pgdrm, prm, ṣbrm, ṣḥrrm, ṣǵrm, ṣrm, rm, rǵrm, širm, šbrm, šmrm, šʿrm, šrm, tišrm, tgʿrm, tgrm, tmrm, tǵrm, trm, trrm, tṯrm, ṯǵrm, ṯrm.

Administración

00-4.71:IV:3 ----- • […]rm • [bn .]agld … 3
00-4.87:1 … • […]r̊m̊ … 1 • [ʿ]b̊dm … 1
00-4.199:1 • […]rm • -z̊n . d lq̊[ḥ …]
00-4.210:1 • […]rm . d . tbʿ • […]ṯ̊ʿr

00-4.610:47 [...]n̊m ... 30[+ -] ... šrm ... 20 • [...]rm ... 40[+ -] ... kbsm ... 8 • [...]dm ... 20[+ -] ... [i]nšt ... 25

00-4.707:26 [...]-m • [...]rm • ...

00-4.734:3 [...]yṯn l k̊kbn • [...]k̊(?)/r̊(?)m l̊ --an • [...]- . rmib l qʿmr

Correspondencia

00-2.4:15 [... š]i̊lt • [...]k̊/r̊m . lm • [... š]d̊ . gṯr

Fragmentos Varios

00-7.132:10 [...]n̊(?)š m-[...] • [...]rm -[...] • [...]b̊ʿ̊l̊[...]

00-7.145:4 [...]n . m-[...] • [...]r̊/km . [...] • [...]-

Mítica

10-1.20:I:7 [...]- m . tlḥmn • [...]rm . tštyn • [...]il . dʿrgzm

Ritual

00-1.113:8 ----- • [...]r̊m ṯlbm • [... l n]ʿ̊m

00-1.146:3 [...]- . ḥdṯt • [...]k̊/r̊m kmm . w b-[...] • [...]kl . kmm . (R:--)

00-1.175:4 [...]wš . lršp . bbt . ʿṣr[m ...] • [...]rm . wmlk . ykbd . ḫ-/y[...] • [...] . šrp . ʿṣrm . l̊inš[ilm ...]

—rm—

nº CGR-591 Ocurrencias: 2

Posibles restituciones: abrm, adrm, aḫrm, anrmy, anšrm, asrm, agldrm, arm, armgr, armwl, army, armsg, aṯrm, ibrm, ibrmd̠, idrm, iwrmd̠, iwrmḫ, illd̠rm, ilrm, irm, irrṯrm, ištrmy, iṯrm, uurm, ugrm, uzrm, ulrm, urm, bkrm, bʿlrm, bʿrm, brm, gmrm, gprm, grm, gṯrm, dbrm, dkrm, drm, d̠rm, hrm, zbrm, zrm, ḥbrm, ḥdrm, ḥzrm, ḥmrm, ḥrm, ḫzrm, ḫmrm, ḫrm, ḫrmln, ḫrmṯt, ḫṯrm, ṭhrm, ẓhrm, ẓrm, ydrm, ydrmt, yhrrm, ymrm, yʿrm, yṣrm, yrm, yrmhd, yrml, yrmly, yrmm, yrmn, yrmʿl, ytrm, yṯrm, kkrm, kmrm, kprm, krm, krmh, krmm, krmn, krmpy, krmt, ktrm, kṯrm, kṯrmlk, lrmnm, mhrm, mkrm, mlrm, mṣrm, mrm, mrmt, mšrrm, mṯrm, nhrm, nʿrm, nprm, nrm, nšrm, sgrm, srm, šġrm, ʿbdṯrm, ʿbrm, ʿprm, ʿpṯrm, ʿṣrm, ʿṣrmm, ʿrm, ʿrmy, ʿrmn, ʿrmt, ʿrʿrm, ʿšrm, ʿtgrm, ʿṯrm, ġzrm, ġyrm, ġmrm, ġrm, ġrmn, pgrm, pdrm, pgdrm, prm, prmn, ṣbrm, ṣḫrrm, ṣġrm, ṣrm, rm, rmib, rmy, rmyy, rmm, rmp, rmṣm, rmṣt, rmš, rmt, rmtru, rmtrd, rmtrl, rmṯt, rġrm, širm, šbrm, šmrm, šʿrm, šrm, tišrm, tgʿrm, tgrm, tmrm, tġrm, trm, trmm, trmmn, trmmt, trmn, trmt, trrm, ṯṯrm, ṯġrm, ṯrm, ṯrmg, ṯrml, ṯrmn, ṯrmnm, ṯrmt.

Administración

00-4.401:5 ----- • [...]rm[...] • -[...]rg[...]-------

Fragmentos Varios

00-7.19:2 [...]-b̊/d̊[...] • [...]r̊m[...] • [...]dr[...]

—rmn

nº CGR-592 Ocurrencias: 3

Posibles restituciones: yrmn, krmn, ʿrmn, ġrmn, prmn, trmn, ṯrmn.

Administración

00-4.64:IV:7 [bn . ...]tn ... 1 • [bn . ...]rmn ... 1 • b̊n . p̊/ḥrtn ... 1

00-4.755:6 ṯṯm . ṯṯt . kbd • l̊ [...]rm̊n̊ . bn . ṯdyy • -----

Fragmentos Varios

00-7.61:2 ----- • […]rmn • […]pṯn

—rn

nº CGR-593 Ocurrencias: 21

Posibles restituciones: abkrn, abrn, amkrn, amtrn, asrn, aqbrn, arn, aṯrn, ibrn, idrn, iḏrn, iwrṯgrn, ikrn, imrn, irn, uḏrn, urn, brn, brrn, gbrn, gdrn, gmrn, grn, gṯrn, dmrn, dprn, drn, ḏmrn, ḏrn, hrn, ḥrn, ḫzrn, ḫyrn, ḫmrn, ḫqrn, ḫrn, ṭbrn, ẓrn, ybʿrn, yḥrn, ymrn, ysprn, ystrn, yʿḏrn, yʿrn, yšrn, kdrn, krn, kṯrn, lrn, mḏrn, mhrn, mḫsrn, mẓrn, mkrn, mṣrn, mrn, mšrn, mtrn, nrn, sdrn, sḫrn, sndrn, snrn, sprn, srn, śnrn, śrn, ʿgrn, ʿẓrn, ʿṯtrn, ġyrn, ġrn, pdrn, pprn, prn, ṣḥrn, ṣnrn, ṣprn, qrn, qrrn, rn, šḏrn, škrn, šrn, tasrn, tbʿrn, tbṣrn, tbqrn, tḫgrn, tmṯrn, tmkrn, tmrn, tġrn, tqṣrn, trn, ṯṯbrn, ṯṯkrn, ṯbrn, ṯlrn, ṯmrn, ṯngrn, ṯġrn, ṯqrn, ṯrn, ṯtrn.

Administración

00-4.18:4 … ḫmš[…] • […]rn . ʿrbt̊[…] • […]y . ṯmnym[…]

00-4.75:V:9 […]-mn • […]rn • […]--n

00-4.82:3 […]-rtn • […]rn • […]dlq

00-4.103:28 [šd . bn . …]ṯtayy . bd . ṯṯmd • [šd . bn . …]rn . bd . ṣdqšlm • [šd . bd .]b̊n . pʿṣ 10

00-4.106:1 • […]rn … […] • […]ṣb … 2

00-4.112:II:5 [bn .]ulnhr • […]rn • [bn . a]nny

00-4.138:3 ----- • šbʿ . lmdm . bd . s[…]rn • -----

00-4.151:IV:3 […]n • […]k̊/r̊n •

00-4.194:20 abškn • […]rn • ʿb[d]kṯr

00-4.214:II:7 [b]n̊ . ayḫ • […]rn • ill

00-4.308:2 […]k[…] • […]rn … 2[+ - …] • […]--b … -[…]

00-4.350:7 -qtn bn . drṣy … 4 • […]r̊/kn bn . pry … 4 • r̊špab bn . pni … 4

00-4.412:III:16 [ʿ]šrm • […]r̊n̊ • […]

00-4.433:6 […]s̊wn … 1[…] • […]r̊n … 1[…] • […] … 1[…]

00-4.658:30 [b . …]n . ʿšrm • [b . …]rn . mit . --[…] • [b . … ʿšr]t

Épica

00-1.17:I:41 […] . b ḥbqh . ḥmḥmt • […]k̊/r̊n ylt . ḥmḥmt • [… mt . r]p̊i . w ykn . bnh

Fragmentos Varios

00-7.39:5 […]-ṯbyy[…] • […]rn … […] • […]wz/ḫ[…]

Mítica

00-1.3:III:3 ẓuh . b ym[…] • […]rn . l̊[…] • …

00-1.5:V:22 t̊š[ʿ]ly . ṯmn . l ṯmnym • w[…]rn . w tldn mṯ • ål[iyn bʿ]l̊ . šlbšn

00-1.168:14 […]-ʿnk . št • […]rn . lp • […]n/r . tlm

Ritual

00-1.103:21 ----- • […]rn • -----

—rn—

nº CGR-594 Ocurrencias: 2

Posibles restituciones: abkrn, abrn, amkrn, amtrn, asrn, aqbrn, aqbrnh, arn, arnbt, arny, arnn, aṯrn, ibrn, idrn, iḏrn, iwrnr, iwrṯǵrn, ikrn, imrn, isrnn, irn, uḏrn, uḏrnn, urn, brn, brrn, gbrn, gdrn, gmrn, grn, grnm, grnn, grnt, gṯrn, dmrn, dprn, dprnm, drn, ḏmrn, ḏrn, hrn, hrnmy, ḥrn, ḥrnqm, ḥrnšt, ḫzrn, ḫyrn, ḫmrn, ḫqrn, ḫrn, ḫrny, ṭbrn, ẓrn, ybʿrn, ywsrnn, yzbrnn, yḥrn, ymrn, ynʿrnh, ysprn, ystrn, yʿḏrn, yʿrn, yšrn, kdrn, krn, krny, kṯrn, lrn, mḏrn, mḏrnm, mhrn, mḫsrn, mẓrn, mkrn, mṣrn, mrn, mrnh, mrnn, mšrn, mtrn, nrn, sdrn, sḫrn, sndrn, snrn, sprn, srn, srnm, s̀nrn, s̀rn, ʿgrn, ʿẓrn, ʿẓrnm, ʿṯtrn, ǵyrn, ǵrn, pdrn, pprn, prn, ṣḥrn, ṣnrn, ṣprn, qrn, qrnh, qrnm, qrnt, qrrn, rn, rny, šḏrn, škrn, šrn, šrna, šrny, šrnn, tasrn, tbʿrn, tbṣrn, tbqrn, tḥgrn, tmṭrn, tmkrn, tmrn, tmrnn, tǵrn, tqbrnh, tqṣrn, trn, tṯbrn, tṯṯkrn, ṯbrn, ṯlrn, ṯmrn, ṯngrn, ṯǵrn, ṯǵrny, ṯqrn, ṯrn, ṯrnq, ṯtrn.

Administración

00-4.32:5 […]-n̊-d(R:-) • […]r̊n[…] • …

Correspondencia

00-2.25:1 … • […]k̊/r̊n[…] • åd̊ty . -[…]

—rnh

nº CGR-595 Ocurrencias: 1

Posibles restituciones: aqbrnh, ynʿrnh, mrnh, qrnh, tqbrnh.

Mítica

00-1.3:IV:27 -[…] . b̊ʿl . md̊l̊h . ybʿr • […]k̊(?)[…]r̊nh . aqry • å(?)r̊(?)-- b̊ år̊ṣ̊ . mlḥmt

—rny

nº CGR-596 Ocurrencias: 1

Posibles restituciones: arny, ḫrny, krny, rny, šrny, ṯǵrny.

Correspondencia

00-2.31:52 […]- rgm . hw . […]-n . w aspt . q̊lh • [… r]gm . ank l […]rny • […]ṯm . hw . i[…]ty

—rsg

nº CGR-597 Ocurrencias: 1

Posibles restituciones: prsg.

Administración

00-4.676:3 […]-bty … 1 • […]rsg … 1 • [… ḫ]l̊b ṣpn … 1

—rʿ-

nº CGR-598 Ocurrencias: 1

Posibles restituciones: arʿ, arʿt, ubrʿ, ubrʿy, ubrʿn, bhdrʿy, grʿ, drʿ, ḏrʿ, ḏrʿh, ykrʿ, ytrʿm, krʿ, mdrʿ, mdrʿh, mrʿm, ʿrʿr, prʿ, prʿm, prʿt, rʿ, rʿh, rʿy, rʿm, rʿt, šrʿ, šrʿm, tdrʿ, tptrʿ, trʿ, trʿn.

Administración

00-4.732:3 […] . l bn . il̊[…] • […]-ḥ̊/ṭ̊[…]rʿ- •

—rʿh

nº CGR-599 Ocurrencias: 4

Posibles restituciones: ḏrʿh, mdrʿh, rʿh.

Administración

00-4.493:2 […]ʿh̊ • […]r̊ʿh • […]r̊ʿh

00-4.493:3 […]r̊ʿh • […]r̊ʿh • […]š̊dh

00-4.740:2 […]- • [… w …]r̊ʿ̊h • [… w …]rʿh̊

00-4.740:3 [… w …]r̊ʿ̊h • [… w …]rʿh̊ • […]w rʿh

—rp—

nº CGR-600 Ocurrencias: 1

Posibles restituciones: abnṣrp, abrpu, arpḫn, arpṯr, idrp, iwrpzn, iwrpḫn, ilrpi, ilrpm, ilrpṣ, irpbn, irpm, irpn, irpṯr, grp, ḥrp, ḫrp, ḫrpat, ḫrpn, ḫrpnt, yrp, yrpi, yrpu, yrps, krpn, krpnm, mlkrpi, mṣrpk, mrpi, srp, ʿbdrpu, ʿmrpi, ʿmrpu, ʿrp, ʿrpm, ʿrpt, ʿrptk, ġrpd, ġrpl, ġrplt, prpr, ṣrp, ṣrptn, rp, rpʾ, rpʾm, rpa, rpaan, rpan, rpi, rpiy, rpiyn, rpil, rpim, rpu, rpum, rpk, rps, rpš, rpty, šrp, šrpm, tʿrp, trpa, tšrpnn, ttrp.

Épica

00-1.15:V:3 [tptḥ . rḥ]bt . […] • […]rp̊[…] • [… ḫ]b̊r̊[…]

—rpl

nº CGR-601 Ocurrencias: 1

Posibles restituciones: ġrpl.

Fragmentos Varios

00-7.46:3 […]pn . ap/r[…] • […]rpl . a[…] • […]-h art[…]

—rṣ

nº CGR-602 Ocurrencias: 2

Posibles restituciones: arṣ, irṣ, ḥrṣ, ḫrṣ, yʿrṣ, yqrṣ, mrṣ, prṣ, qrṣ, trṣ.

Fragmentos Varios

00-7.6:3 […]-w . […] • […]rṣ . […] • …

Ritual

00-1.107:32 […]ʿ̊rt . [i]l̊m . rb̊m̊ . nʿ̊l[…]m̊r • […]-[…]r̊ṣ . bdh . ydr̊m̊[.]p̊i̊t[.]adm •
[…]-iṯ[…] . yšql . yṯk[…]h̊n pbl . hn

—rq

nº CGR-603 Ocurrencias: 2

Posibles restituciones: brq, yprq, yrq, ʿrq, qrq, rq, tdrq.

Fragmentos Varios

00-7.55:4 […]d̠̊my . ʿ[…] • […]rq ẓiẓ[…] • nšʿr . i[…]

Mítica

00-1.1:V:13 […]l ẘ ǵr mtny • [at zd …]rq . gb • […]kl . tǵr . mtnh

—rqd—

nº CGR-604 Ocurrencias: 1

Posibles restituciones: brqd, mrqdm, prqdš, rqd, rqdy, rqdym.

Administración

00-4.414:3 […]-bq[…] • […]r̊qd̊[…] • […]šrš̊[…]

—rš

nº CGR-605 Ocurrencias: 3

Posibles restituciones: aḫrš, arš, iḥtrš, ilrš, irš, ubrš, urš, glrš, gmrš, grš, drš, zlrš, ḥrš, ḫlrš, ḫrš, yarš, yirš, ygrš, yrš, ytrš, kdrš, slrš, ʿbdrš, ʿdrš, ʿrš, qrš, rš, šrš, tgrš, tprš.

Correspondencia

00-2.23:18 mlk . r[b . bʿl]y . p . l . • ḥy . np[š …]rš • l . pn . bʿ[ly …]l pn . bʿly

Fragmentos Varios

00-7.51:20 […]w . w mr • […]r̊š npš • […]-ʿ[…]r̊tl

Mítica

00-1.108:18 ----- • […]rš . l bʿl • -----

—rš—

nº CGR-606 Ocurrencias: 3

Posibles restituciones: abršn, abršp, agrškm, agršn, aḫrš, aḫršp, arš, aršḫ, aršm, aršmg, aršt, iḥtrš, iḫršp, ilrš, ilršp, irš, iršy, iršyn, iršn, iršt, irštk, ubrš, urš, glrš, gmrš, grš, gršh, gršm, gršnn, gršt, drš, zlrš, ḥrš, ḥršm, ḫd̠pršp, ḫlrš, ḫrš, ḫršḫ, ḫršn, yarš, yaršil, yirš, ygrš, ygršh, ygršk, yrš, ytrš, ytršn, ytršp, kdrš, mlkršp, mršp, niršn, ngršp, npršn, slrš, ʿbdrš, ʿbdršp, ʿdrš, ʿdršp, ʿrš, ʿršh, ʿršm, prša, qrš, rš, ršn, ršp, ršpab, ršpy, ršpm, ršpn, ršt, šrš, šršy, šršk, šršn, šršʿm, taršn, tgrš, tgršp, tprš, trš'.

Administración

00-4.194:14 […]n[…] • […]rš̊[…] • […]šn
00-4.762:2 […]r • […]r̊š̊[…] • […]

Correspondencia

00-2.41:13 […]š[…] • […]rš̊[…]mẙ • i̊nm . ʿbdk . hwt

—ršn

nº CGR-607 Ocurrencias: 1

Posibles restituciones: abršn, agršn, iršn, ḫršn, ytršn, niršn, npršn, ršn, šršn, taršn.

Administración

00-4.432:11 […]-n … 8 … bn . ˁmnr … 10 • […]r̊š̊n … […] … šmn … 3 • […]by … […] … bn . ṯbrn … 6

—rt

nº CGR-608 Ocurrencias: 11

Posibles restituciones: abrt, agzrt, adrt, azrt, amšrt, art, aṯrt, aṯtrt, imrt, irt, ugrt, uzˁrt, urt, bgrt, brrt, brt, bšrt, gdrt, gmrt, gṯrt, dkrt, drt, d̲rt, hdrt, hrt, wrt, ḥd̲rt, ḥmdrt, ḥrt, ḫsrt, ḫprt, ḫrt, yˁrt, yrt, ytrt, kbrt, kdrt, knrt, krt, kṯrt, lgrt, mḫˁrt, mḥrt, mḥtrt, mnˁrt, mnrt, msprt, mˁrt, mġrt, mpḫrt, mṣprt, mṣrrt, mṣrt, mrrt, mrt, mškrt, mtrt, ngrt, nmrrt, nˁrt, nṣrt, nrt, sgrt, sprt, srt, ˁd̲rt, ˁwrt, ˁṭrṭrt, ˁprt, ˁšrt, ˁṯrt, ˁṯtrt, ġprt, ġrt, pˁrt, ppšrt, prḥd̲rt, prt, ṣbrt, ṣḥrrt, ṣḥrt, ṣmrt, ṣġrt, ṣrrt, ṣrt, qẓrt, qnrt, qṣrt, qrt, rt, šurt, šˁrt, šrt, ššrt, tˁrt, ṯˁrt, ṯġrt, ṯprt, ṯrrt.

Administración

00-4.73:14 åmd̲y . ṯlṯ • […]rt . arbˁ • […] . ˁšr

00-4.182:34 […]l̊ . bhtm . š[…] • […]r̊/k̊t . l . dml[…] • [… yr]ḫ . nql . ḫpn[…]

00-4.182:56 […]-t . mdth[…]ˁṯtrt . šd • […]rt . mḫṣ . bnš . mlk . ybˁlhm • […]t . w . ḫpn . l . azzlt

00-4.382:13 […]k̊ • […]r̊/kt • […]d̊ . b . gnˁ

00-4.443:9 […]ab • […]r̊t • […]r̊hd

00-4.769:66 [… ˁ]gy . ˁšrm • […]rt • […]p . ˁšrm

Correspondencia

00-2.31:5 ----- • […]k̊/r̊t . bt-[…] • […]ank[…]

00-2.79:21 [mlk . nˁm .]mlk . ṣdq . mlk . mlkm • […]r̊t . bˁlk . nˁm . w . ht • […]rb . bˁly . nˁm . yzn

Fragmentos Varios

00-7.115:3 […]lmẙ[…] • […]rt • […]

Mítica

00-1.162:10 … • […]r̊t . • -----

Ritual

00-1.48:10 ṯr . b iš[…]n̊ • bˁlh . št[…]rt • ḫqr̊ . b̊/ṣ̊p̊-[…]lrb

—rt—

nº CGR-609 Ocurrencias: 3

Posibles restituciones: abrt, agzrt, agrtn, adrt, adrtm, azrt, amrtn, amšrt, art, arty, artyn, artn, artsn, artṯb, aṯrt, aṯrty, aṯtrt, ibrtlm, iwrtd̲l, iwrtn, imrt, imrtn, irt, irth, irtḫṣ, irty, irtk, irtm, ugrt, ugrty, ugrtym, ugrtn, uzˁrt, urt, urtn, birty, birtym, birtn, bgrt, brrt, brt, bšrt, bšrtk, gdrt, gmrt, gṯrt, dkrt, drt, d̲hrth, d̲rt, d̲rty, hdrt, hrt, hrtm, hrtn, wrt, ḥd̲rt, ḥmdrt, ḥrḥrtm, ḥrt, ḫrth, ḫrtn, ḫbrtnr, ḫsrt, ḫprt, ḫrt, yˁrt, yˁrty, yˁrtym, yrt, yrtḫṣ, yrtqṣ, ytrt, kbrt, kdrt, knrt, krt, krty, krtn, kṯrt, lgrt, mizrth, mizrtm, mḫˁrt, mḥrt, mḥtrt, mṭrtk, mnˁrt, mnrt, msprt, mˁrt, mġrt, mpḫrt, mṣprt, mṣrrt, mṣrt, mqrtm, mrrt, mrt, mrti, mšk̲rt, mtrt, ngrt, nmrrt, nmrth, nmrtk, nˁrt, nṣrt, nrt, sgrt, sprt, srt, srty, ˁd̲rt, ˁwrt, ˁṭrṭrt, ˁprt, ˁšrt, ˁṯrt, ˁṯtrt, ˁṯtrth, ġprt, ġrt, pˁrt, ppšrt, prḥd̲rt, prt, prtn, prtṯr, pṯrty, ṣbrt, ṣḥrrt, ṣḥrt, ṣmrt, ṣġrt, ṣġrth, ṣġrthn, ṣrrt, ṣrt, ṣrtk, qẓrt, qnrt, qṣrt, qrt, qrth, qrty, qrtym, qrtm, qrtmt, qrtn, rt, rtn, rtqt, šurt, šurtm, šʿrt, šʿrty, šrt, šrtm, ššrt, tmrtn, tʿrt, tʿrth, tʿrty, trtḥṣ, trtn, trtqṣ, ṯʿrt, ṯġrt, ṯprt, ṯprtm, ṯrrt, ṯrtnm.

Administración

00-4.762:5 […]k̊ny -rn . bn -[…] • […]rt[…]r • kry […]- bn šp̊[…]

00-4.774:7 […] … […] • […]r̊t[…] • …

Mítica

00-1.157:8 ----- • […]t̊ . k̊b[…]rt[…]ẙ(?)r[…] • -----

—rt-—

nº CGR-610 Ocurrencias: 1

Posibles restituciones: abrt, agzrt, agrtn, adrt, adrtm, azrt, amrtn, amšrt, art, arty, artyn, artn, artsn, artṯb, aṯrt, aṯrty, aṯtrt, ibrtlm, iwrtḏl, iwrtn, imrt, imrtn, irt, irth, irtḥṣ, irty, irtk, irtm, ugrt, ugrty, ugrtym, ugrtn, uzʿrt, urt, urtn, birty, birtym, birtn, bgrt, brrt, brt, bšrt, bšrtk, gdrt, gmrt, gṯrt, dkrt, drt, ḏhrth, ḏrt, ḏrty, hdrt, hrt, hrtm, hrtn, wrt, ḥḏrt, ḥmdrt, ḥrḥrtm, ḥrt, ḥrth, ḥrtn, ḫbrtnr, ḫsrt, ḫprt, ḫrt, yʿrt, yʿrty, yʿrtym, yrt, yrtḥṣ, yrtqṣ, ytrt, kbrt, kdrt, knrt, krt, krty, krtn, kṯrt, lgrt, mizrth, mizrtm, mḫʿrt, mḫrt, mḫtrt, mṯrtk, mnʿrt, mnrt, msprt, mʿrt, mġrt, mpḫrt, mṣprt, mṣrrt, mṣrt, mqrtm, mrrt, mrt, mrti, mšk̇rt, mtrt, ngrt, nmrrt, nmrth, nmrtk, nʿrt, nṣrt, nrt, sgrt, sprt, srt, srty, ʿḏrt, ʿwrt, ʿṯrṯrt, ʿprt, ʿšrt, ʿṯrt, ʿṯtrt, ʿṯtrth, ġprt, ġrt, pʿrt, ppšrt, prḥḏrt, prt, prtn, prṯr, pṯrty, ṣbrt, ṣḥrrt, ṣḥrt, ṣmrt, ṣġrt, ṣġrth, ṣġrthn, ṣrrt, ṣrt, ṣrtk, qẓrt, qnrt, qṣrt, qrt, qrth, qrty, qrtym, qrtm, qrtmt, qrtn, rt, rtn, rtqt, šurt, šurtm, šʿrt, šʿrty, šrt, šrtm, ššrt, tmrtn, tʿrt, tʿrth, tʿrty, trtḥṣ, trtn, trtqṣ, ṯʿrt, ṯġrt, ṯprt, ṯprtm, ṯrrt, ṯrtnm.

Fragmentos Varios

00-7.217:5 […]ribḫ/ẙ[…] • […]rt-[…] • …

—rtm

nº CGR-611 Ocurrencias: 2

Posibles restituciones: adrtm, irtm, hrtm, ḥrḥrtm, mizrtm, mqrtm, qrtm, šurtm, šrtm, ṯprtm.

Correspondencia

00-2.56:3 ----- • […]rtm • [… h]n̊ny

Vocabularios

00-9.3:IVb:8 [aš?-r]a-tum (ašrātum) • […]?-ra-tum • [da-ad]-mi-šu (dadmišu)

—ša

nº CGR-612 Ocurrencias: 2

Posibles restituciones: nša, prša, ša, tša.

Épica

00-1.19:I:6 ṯmn . […]b̊tlt . ̊ʿn̊t • ṯṯb . -[…]šå • tlm . k m̊---- . ẙdh . k šr̊

Fragmentos Varios

00-7.136:4 […]-ʿtq[…] • […]ša . ġ[…] • […]ů(?) . bt . i̊[l …]

—ši—

nº CGR-613 Ocurrencias: 1

Posibles restituciones: aši, yaršil, yšizr, yšiḫr, yššil, ytši, nši, ši, šib, šibt, šiy, šil, šilt, šim, šink, šinm, šir, širh, širm, šhši, tši, tšiḫrhm.

Correspondencia

00-2.36:45 […]å̊rgm̊[n …] • […]šh̊/i̊[…]--[…] • […]š̊[…]tb̊/d̊[…]

—šu

nº CGR-614 Ocurrencias: 1

Posibles restituciones: yšu, ytšu, mšu, ṅšu, šu, tšu.

Mítica

00-1.1:II:6 [… i]qnim • […]šu . b qrb • […]- . asr

—šb

nº CGR-615 Ocurrencias: 1

Posibles restituciones: yšb, nšb, šb.

Mítica

00-1.1:II:13 […]tˤtqn • […]š̊b . ilk (idk) • […]i̊n . bb . b alp ḥẓr

—šbn

nº CGR-616 Ocurrencias: 1

Posibles restituciones: ḥšbn, šbn.

Administración

00-4.119:2 […]il[štmˤ …] • […]šbn … […] • […]ṭbq … […]

—šbn—

nº CGR-617 Ocurrencias: 1

Posibles restituciones: ḥšbn, šbn, šbny, šbnt.

Administración

00-4.414:1 … • […]š̊bn̊[…] • […]-bq[…]

—šh—

nº CGR-618 Ocurrencias: 1

Posibles restituciones: ašhlk, bnšhm, grgmšh, gršh, ḥbšh, ḫpšh, ygršh, mlbšh, npšh, npšhm, ˤršh, qdšh, qšh, rišh, rišhm, šh, šhr, šhši.

Correspondencia

00-2.36:45 […]å̊rgm̊[n …] • […]šh̊/i̊[…]--[…] • […]š̊[…]tb̊/d̊[…]

—šy—

nº CGR-619 Ocurrencias: 1

Posibles restituciones: ilkšy, iršy, iršyn, išyy, ušy, btšy, ḫbšy, nkšy, npšy, nšy, nšybn, ˤšy, pšy, rišy, rišym, rišyt, šy, šyy, šyn, šyt, špšy, špšyn, šršy, ššy, tšyt, tššy.

Administración

00-4.386:16 -[…]--[…]- • -[…]šẙ[…]-h • -[…]kt[…]nrn

—šk

nº CGR-620 Ocurrencias: 1

Posibles restituciones: ašk, inšk, ḫšk, ygršk, lbšk, mšk, nšk, rišk, šk, šršk.

Mítica

00-1.11:12 […]- • […]š̊k • […]qk

—šl—

nº CGR-621 Ocurrencias: 2

Posibles restituciones: ašlu, ašld, ašlw, ašlḥk, ilšlm, išlḥ, bˤlšlm, bšl, gšl, ybšl, yšl, yšlḥ, yšlḥm, yšlḥmnh, yšlḥn, yšlm, mšlḥ, mšlm, mšlt, nšlḥ, nšlm, ṣdqšlm, ṣṭqšlm, rqšl, šbšlt, šl, šlbšn, šlḥ, šlḥm, šlḥmt, šlḥn, šlḫt, šly, šlyṭ, šlm, šlmḫt, šlmy, šlmym, šlmyn, šlmk, šlmm, šlmn, šlmt, šlmtn, šlš, šlšt, šlt, ššl, ššlmt, tpšlt, tšlḥ, tšlḥm, tšlm, tšlmk, tšlmkm, tšlmn, tššlmn.

Fragmentos Varios

00-7.109:3 […]k̊/r̊ . i[…] • […]š̊l[…] • -----

00-7.205:1 ----- • […]šl̊[…] • -----

—šm

nº CGR-622 Ocurrencias: 6

Posibles restituciones: aršm, bnšm, bˤlšm, gršm, gšm, dašm, dtšm, ḥršm, ḫmšm, ḫšm, yqšm, lbšm, nḫšm, npšm, nšm, ššm, ˤršm, qdšm, qšm, rašm, šm, špšm, ṯnšm, ṯšm.

Administración

00-4.94:6 […]å/n̊m … 2 • […]š̊m … 2 • […]dn … 2

00-4.610:50 […]tm … 23(?) … […](LINEA EN ACADIO) 22[+ -] • […]šm … 22(?) … (LINEA EN ACADIO) • […] .˙. 31[+ -] … [… (LINEA EN ACADIO)

00-4.624:11 ẘ . arbˤ̊[.]m̊r̊ḥ̊m̊ • [b]n̊ . kdl[…]šm . w . ṯ[t …] • […]-n-[…]šm . w . ṯ[t …]

00-4.624:12 [b]n̊ . kdl[…]šm . w . ṯ[t …] • […]-n-[…]šm . w . ṯ[t …] • […]-[…]- . qlˤ[…]

00-4.766:9 […]-bn … 1 • […]šm … 1 • […]n̊n … 1

Fragmentos Varios

00-7.217:3 […]ˤ̊rb[…] • […]šm . d . -[…] • […]ribḫ/ẙ[…]

—šmr—

nº CGR-623   Ocurrencias: 1

Posibles restituciones: šmrgt, šmrm, šmrr.

Fragmentos Varios

00-7.144:2   ----- • [...]šmr[...] • -----

—šn

nº CGR-624   Ocurrencias: 3

Posibles restituciones: abršn, agršn, annšn, ilšn, iršn, ušn, dšn, ḥšn, ḫršn, ylšn, yʿšn, yšn, ytršn, lbšn, lšn, mšn, niršn, npršn, npšn, plšn, rišn, ršn, šlbšn, šn, špšn, šršn, taršn, tbšn, tḫšn, tlšn.

Administración

00-4.94:8   [...]dn ... 2 • [...]šn ... 1 • [...]-m ... 1

00-4.151:I:7   [... ʿ]bdʿnt • [...]šn • [... ʿ]bdilt

00-4.194:15   [...]rš[...] • [...]šn • [...]y--

—šn-—

nº CGR-625   Ocurrencias: 1

Posibles restituciones: abršn, agršn, annšn, ilšn, iršn, ušn, gršnn, dšn, ḥšn, ḫršn, ylšn, yʿšn, yšn, yšnn, ytršn, lbšn, lšn, lšnh, lšny, lšnk, mšn, mšnq, niršn, ngšnn, npršn, npšn, plšn, rišn, ršn, šlbšn, šn, šna, šni, šnu, šndrb, šnh, šnwt, šny, šnl, šnm, šnst, šnʿt, šnpt, šnq, šnt, šnth, šntk, šntkt, šntm, špšn, šršn, taršn, tbšn, tḫšn, tlšn, tšnn, tšnpn.

Mítica

00-1.6:VI:38   b̊[...]t̊/n̊ . hn[...] • [...]šn̊-[...] • [...]--[...]--d̊/l̊(?)ït̊

—šp—

nº CGR-626   Ocurrencias: 2

Posibles restituciones: abršp, aḫršp, iḫršp, ilršp, ilšpš, ušpġt, ušpġtm, blšpš, ḫdpršp, ytršp, ytšp, mlkršp, mršp, mšpy, ngršp, ʿbdršp, ʿdršp, ršp, ršpab, ršpy, ršpm, ršpn, špḥ, špk, špl, špm, špq, špqġhm, špr, špš, špšy, špšyn, špšm, špšmlk, špšn, špt, špti, špth, špthm, špty, šptk, tgršp, tšpkm, tšpl.

Administración

00-4.251:4   ----- • [...]šp̊[...] • ...

Correspondencia

00-2.79:13   ... • [...]šp[...] • [...] . ully . [...]

—špk—

nº CGR-627   Ocurrencias: 1

Posibles restituciones: špk, tšpkm.

Fragmentos Varios

00-7.138:5   [...]k̊l • [...]šp̊k̊[...] • ...

—špm

nº CGR-628 Ocurrencias: 1

Posibles restituciones: ršpm, špm.

Mítica

00-1.1:II:11 […]m[.]ʿdb . l arṣ • […]špm . ʿdb • […]tʿtqn

—šql—

nº CGR-629 Ocurrencias: 1

Posibles restituciones: ašqlk, yšql, šql, šqln, šqlt.

Administración

00-4.661:6 [… h]zp[…] • […]š̊ql[…] • […]-r-[…]

—šr

nº CGR-630 Ocurrencias: 3

Posibles restituciones: abšr, aqšr, ašr, inšr, bšr, gšr, ḫšr, ṭšr, yišr, ybšr, yḫšr, ymtšr, yʿšr, yšr, kʿšr, kšr, mkšr, mšr, nʿšr, nšr, ʿqšr, ʿšr, ppšr, qšr, šmšr, šr, ššr, tišr, tbšr, tʿšr, tqšr, tšr.

Administración

00-4.410:48 […] . šrt . aḫ (aḫt) • […]šr (šrt) . aḫt • […]-t . šrt̊[…]

00-4.617:2 [bn]šm . dt . iš[…]b̊ … b̊t̊h̊ • [b]n . bʿln̊ … […]šr . 1 • b̊n . gld̊[…]1 …
bn . zql . 1

Fragmentos Varios

00-7.37:5 […]t̠m . lḫ[…] • […]šr . t̠[…] • […]n̊[…]

—šr—

nº CGR-631 Ocurrencias: 1

Posibles restituciones: abšr, abšrkm, amšrt, anšrm, aqšr, ašr, ašrbʿ, ašrh, inšr, išryt, ušrh, ušryn, bšr, bšrh, bšry, bšrt, bšrtk, gšr, ḫšr, ṭšr, yišr, ybšr, yḫšr, ymtšr, yʿšr, yšr, yšril, yšrh, yšrn, kʿšr, kšr, mkšr, mšr, mšrn, mšrrm, nʿšr, nšr, nšrk, nšrm, ʿqšr, ʿšr, ʿšrid, ʿšrh, ʿšrm, ʿšrt, ppšr, ppšrt, ṣušrh, qšr, šmšr, šr, šrb, šrgk, šrd, šrh, šrḥq, šry, šryn, šrk, šrm, šrn, šrna, šrny, šrnn, šrʿ, šrʿm, šrǵzz, šrp, šrpm, šrqt, šrr, šrš, šršy, šršk, šršn, šršʿm, šrt, šrtm, ššr, ššrt, tišr, tišrm, tbšr, tʿšr, tqšr, tšr, tšrgn, tšrpnn.

Fragmentos Varios

00-7.201:2 ----- • […]š̊r[…] • -----

—šry—

nº CGR-632 Ocurrencias: 1

Posibles restituciones: išryt, ušryn, bšry, šry, šryn.

Mítica

00-1.93:6 šmʿ ly . ypš . -[…] • ḥkr[…]šr̊ẙ[…] • ʿṣp ʿ[…]ǵb[…]

—šrk

nº CGR-633 Ocurrencias: 1

Posibles restituciones: nšrk, šrk.

Mítica

00-1.92:34 […]-nyh pdr . ṯṯǵr • […]šrk . al ttn . ln • […]-tn l rbd

—šrm

nº CGR-634 Ocurrencias: 1

Posibles restituciones: anšrm, nšrm, ʿšrm, šrm, tišrm.

Épica

00-1.14:II:5 […]b̊(?)nm . aqny • […]šrm . amid • ẘ[yṯ]b̊ . ṯr . abh . il

—šrm—

nº CGR-635 Ocurrencias: 1

Posibles restituciones: anšrm, nšrm, ʿšrm, šrm, tišrm.

Administración

00-4.492:2 [spr . …]-m . d i[ṯ …] • […]šrm[…] • […]-[…]

—šrš—

nº CGR-636 Ocurrencias: 1

Posibles restituciones: šrš, šršy, šršk, šršn, šršʿm.

Administración

00-4.414:4 […]r̊qd̊[…] • […]šrš̊[…] • […]uḫnp̊[…]

—št

nº CGR-637 Ocurrencias: 5

Posibles restituciones: anšt, arkšt, aršt, ašt, inšt, iršt, išt, uqšt, gršt, ḥpšt, ḥrnšt, ḫmšt, ḫšt, yšt, kšt, lbšt, lḫšt, lṭšt, mḫmšt, mḫšt, mqdšt, mšt, nbšt, nšt, ʿšt, qdšt, qšt, rišt, ršt, šbšt, šlšt, št, tšt.

Épica

00-1.19:IV:59 d yqn̊y . ḏdm . yd̊ . mḫṣt . aq̊[h]t̊ . ǵ • zr . tmḫṣ . alpm . ib̊ . št[…]št • ḥ̊ršm . l ahlm . p[…]km

Fragmentos Varios

00-7.64:2 […]-i[…] • […]št . -[…] • […]-nt . […]

Mítica

00-1.3:III:4 … • […]š̊t̊ rimt • l irth . mšr . l . dd . aliyn

Ritual

00-1.103:42 ẘ åp̊h̊ . k̊ åp̊ . ʿṣ̊r . ilm . tbʿr̊n̊ . ḥwt • […]št . w ydu • -----

12-1.103:42	*ẘ ap̊h̊ . k ap . ʿṣr . ilm . tbʿr̊n̊ . ḥwt • […]št . w ydu • -----*
00-1.174:8	[…] . ṣ̊m̊d̊m̊ • […]št . bṣʿ . • [… al]p̊[.̊]ẘš . lbʿl . šlmm

—štn

nº CGR-638 Ocurrencias: 2

Posibles restituciones: aštn, ištn, gštn, yštn, štn, tštn.

Administración

00-4.386:20	[ḫm]št . ksp . ʿl . aṯt • […]ṯd . [. …]štn • -----
00-4.701:8	[…]b̊ʿl • […]štn • […]r

—štn—

nº CGR-639 Ocurrencias: 1

Posibles restituciones: aštn, ištn, ištnm, gštn, yštn, štn, štnt, štnth, štntn, tštn, tštnn.

Fragmentos Varios

00-7.176:9	[…]-b̊d̊(?)[…] • […]štn[…] • […]b̊gz̊(?)n[…]

—štt—

nº CGR-640 Ocurrencias: 1

Posibles restituciones: ištk, mštt, štt.

Correspondencia

00-2.36:47	[…]š̊[…]tb̊/d̊[…] • […]ʿl[…]štt[…] • […]mn . tbt . w . […]

—t-pn

nº CGR-641 Ocurrencias: 1

Posibles restituciones: tẓpn, tʿpn.

Fragmentos Varios

00-7.137:1	• […]t-pn . • […]ṯb . bt̊(?)[…]

—tb

nº CGR-642 Ocurrencias: 1

Posibles restituciones: ḫtb, ktb, ntb.

Administración

00-4.720:1	• bn . prtn . m[it …]t̊b . mlḥt • bn . ḥdn . mit̊ […]

—tb—

nº CGR-643 Ocurrencias: 3

Posibles restituciones: ištbm, itbd, itbnnk, iṯtbnm, btbt, ḫtb, yitbd, ytbʿ, ktb, mtbʿl, ntb, ntbdh, ntbt, ntbtk, ntbtš, tba, tbi, tbu, tbun, tbbr, tbd, tbdn, tbḏr, tbḫ, tbṭ, tby, tbk, tbky, tbkyk, tbkynh, tbkn, tblk, tbn, tbnn, tbʿ, tbʿln, tbʿn, tbʿrn, tbʿt, tbṣʿ, tbṣr, tbṣrn, tbq, tbqʿnn, tbqrn, tbrk, tbrkk, tbrkn, tbrknn, tbšn, tbšr, tbt, tbtḫ, tbtṯb, tbṯḫ, tbṯr, tʿtbr, ttbʿ.

Administración

00-4.660:5 […] … […] • […]tb/d[…] • bn . ṯmg[…]

Correspondencia

00-2.36:46 […]šḫ̊/i̊[…]--[…] • […]š̊[…]tb̊/d̊[…] • […]ˤl[…]štt[…]

Ritual

00-1.158:1 … • […]tb[…] • -----

—tb-—

nº CGR-644 Ocurrencias: 1

Posibles restituciones: ištbm, itbd, itbnnk, iṯtbnm, btbt, ḫtb, yitbd, ytbˤ, ktb, mtbˤl, ntb, ntbdh, ntbt, ntbtk, ntbtš, tba, tbi, tbu, tbun, tbbr, tbd, tbdn, tbḏr, tbḫ, tbṭ, tby, tbk, tbky, tbkyk, tbkynh, tbkn, tblk, tbn, tbnn, tbˤ, tbˤln, tbˤn, tbˤrn, tbˤt, tbṣˤ, tbṣr, tbṣrn, tbq, tbqˤnn, tbqrn, tbrk, tbrkk, tbrkn, tbrknn, tbšn, tbšr, tbt, tbtḫ, tbṯb, tbṯḫ, tbṯr, tˤtbr, ttbˤ.

Administración

00-4.620:5 [… ṯ]lṯ . -[…] • […]t̊b-[…] • …

—td

nº CGR-645 Ocurrencias: 1

Posibles restituciones: ḫbtd, yštd, ytd, ntd, td, tˤtd.

Administración

00-4.619:9 ----- • […]t̊d . a-[…] • […]u . bn[…]nb[…]

—td—

nº CGR-646 Ocurrencias: 2

Posibles restituciones: atdb, itdb, ḫbtd, yštd, ytd, mtdbm, ntd, td, tdu, tdbḫ, tdbḥn, tdbr, tdglym, tdgr, tdd, tddn, tdḥl, tdḥš, tdy, tdyn, tdk, tdkn, tdlln, tdln, tdlnn, tdm, tdmm, tdmmt, tdmn, tdmˤ, tdn, tdˤ, tdˤṣ, tdǵl, tdǵlm, tdr, tdry, tdrk, tdrˤ, tdrq, tdtt, tˤtd.

Administración

00-4.660:5 […] … […] • […]tb/d[…] • bn . ṯmg[…]

Correspondencia

00-2.36:46 […]šḫ̊/i̊[…]--[…] • […]š̊[…]tb̊/d̊[…] • […]ˤl[…]štt[…]

—td-

nº CGR-647 Ocurrencias: 1

Posibles restituciones: atdb, itdb, ḫbtd, yštd, ytd, ntd, td, tdu, tdd, tdy, tdk, tdm, tdn, tdˤ, tdr, tˤtd.

Mítica

00-1.7:10 [… b]r̊k . tǵll . b dm • [ḏmr …]t̊d̊(?)-[. r]ǵ̊b̊(?) • […]-k

—th

nº CGR-648 Ocurrencias: 4

Posibles restituciones: aḫth, aḫtth, aklth, amth, anyth, aṣˤth, atnth, aṯth, irth, udmˤth, uṣbˤth, bhmth, bhth, bḥnth, bmth, bnwth, bnth, bˤlth, brlth, bth, gth, drkth, ḏhrth, hwth, hmth, ḥwth, ḥnth, ḥryth, ḥrth, ḫṣth, klyth, klth, lmdth, lrgth, mizrth, mddth, mdth, mznth, mṭth, mlakth, mnth, mṯbth, nḫlth, nmrth, sglth, ʿnth, ʿṯtrth, ǵlyth, palth, pith, pnth, pth, ṣǵrth, ṣth, qṣʿth, qryth, qrth, qšth, šbth, šdmth, šnth, špth, štnth, tḫth, tʿrth, tšth, ṯbth, ṯlṯth, ṯnnth, ṯnǵlyth, ṯnth, ṯth.

Administración

00-4.557:4 […]-ẘ/r̊ʿn • […]t̊h • …

Mítica

00-1.94:17 […] • […]th • […]

00-1.101:11 ----- • […]t̊(?)h . l-[…] • -----

00-1.171:5 dm . lšn-[…] • th . plg . […] • ʿlyt .̊ dk/w[…]

—th-—

nº CGR-649 Ocurrencias: 1

Posibles restituciones: aḫth, aḫtth, aklth, amth, anyth, apnthn, aṣʿth, atnth, aṯth, irth, udmʿth, umhthm, uṣbʿth, bhmth, bhth, bhtht, bḫnth, bmth, bnwth, bnth, bʿlth, brkthm, brlth, bth, gth, dlthm, dʿthm, drkth, ḏhrth, hwth, hmth, ḥwth, ḥmṭhm, ḥnth, ḥryth, ḥrth, ḫṣth, ḫthn, kbdthm, klyth, klth, lmdth, lrgth, mizrth, mddth, mdth, mznth, mṭth, mlakth, mnth, mnthn, mrkbthm, mšbʿthn, mšknthm, mṯbth, nḫlth, nmrth, sglth, ʿnth, ʿṯtrth, ǵlyth, palth, pith, pnth, pth, ṣǵrth, ṣǵrthn, ṣth, qṣʿth, qryth, qrth, qšth, qšthn, rašthm, rišthm, šbth, šdmth, šmthm, šnth, špth, špthm, štnth, thbṭ, thbẓn, thbr, thdy, thw, thẇt, thm, thmt, thmtm, thpk, tḫth, tʿrth, tšth, ṯbth, ṯlṯth, ṯnnth, ṯnǵlyth, ṯnth, ṯth.

Fragmentos Varios

00-7.170:2 […]l[…] • [.∴]th-[…] • -----

—thn

nº CGR-650 Ocurrencias: 1

Posibles restituciones: apnthn, ḫthn, mnthn, mšbʿthn, ṣǵrthn, qšthn.

Administración

00-4.82:10 […]ld • […]t̊h̊/in • …

—tw—

nº CGR-651 Ocurrencias: 1

Posibles restituciones: atwt, btw, btwm, twḫln, twyn, twtḫ, ttwrb, ttwrd.

Administración

00-4.93:III:17 […]r̊[…] … 1 • […]t̊ẘ[…] … 1 • […]ṯ̊yb … 2

—tḫ

nº CGR-652 Ocurrencias: 1

Posibles restituciones: ytḫ, ltḫ, mltḫ, mptḫ, stḫ, tbtḫ, ttḫ, ṯltḫ.

Administración

00-4.313:25 kd . ̊ʿ[l . …] • kd̊[. ʿl . …]tḫ . bn̊[.]agyn̊ • […]qm[…]

—ty

nº CGR-653 Ocurrencias: 6

Posibles restituciones: adnty, adty, aḫty, alty, aġty, arkty, arty, atnty, aṯrty, aṯty, irty, ugrty, umty, birty, bbty, bhty, bqʿty, bty, glbty, dmty, dnty, ḏrty, hwty, hty, ḥbty, ḫpty, ḫty, ydty, yʿrty, yty, kmkty, krty, lty, mlakty, mnty, mṣbty, mty, nḫlty, nty, srty, ʿdty, ʿnqpaty, ʿsty, ʿšty, ʿṯty, pity, pṯrty, qrty, rpty, šgty, šʿrty, špty, šṣty, šty, tity, tnty, tʿrty, tšty, ṯty.

Administración

00-4.51:4 [bn] . gmḥ . • [bn . ...]ty • b̊n . ypy . gbʿly

00-4.410:26 [... š]rt . aḥt . [...] • [...]šrt . aḥt . bd[. ...]t̊y • [... šr]t . aḥt . bd . rb . m̊ġ̊dlm

00-4.443:7 [...]-y • [...]t̊y • [...]ab

00-4.643:21 [...]tlmš • [...]ty • [...]-i[...]

Correspondencia

00-2.31:53 [... r]gm . ank l [...]rny • [...]ṯm . hw . i[...]ty • [...] . ibʿr . an̊[k ...]ḏmr

00-2.41:3 ----- • ʿbd̊[...]ty • ʿmẙ[...]y

—tk

nº CGR-654 Ocurrencias: 1

Posibles restituciones: aḫtk, amtk, aštk, atk, aṯtk, irštk, irtk, išttk, ittk, umtk, uṣbʿtk, batk, bhtk, bšrtk, btk, dbatk, dʿtk, drktk, ḥwtk, ḥtk, ḫštk, ḫttk, ydʿtk, yḫtk, yštk, ytk, ldtk, matk, mṯrtk, mlaktk, mntk, mrkbtk, mtk, nitk, nmrtk, ntbtk, ntk, ʿrptk, ʿtk, ṣrtk, qṣʿtk, qštk, šbtk, šntk, šptk, štk, tḥtk, tk, tmntk, tštk, ttk, ṯbtk.

Correspondencia

00-2.36:11 [...]r . i[...]- . w . at . ʿmy . l . mġt . [...] • [...]mlk[...]tk . ʿmy . l . likt • [...] . k̊m . šknt . ly . ʾht . hln . ḫrṣ . [...]

—tk—

nº CGR-655 Ocurrencias: 1

Posibles restituciones: aḫtk, amtk, aštk, atk, aṯtk, irštk, irtk, išttk, ittk, umtk, uṣbʿtk, batk, bhtk, brktkm, bšrtk, btk, dbatk, dʿtk, dʿtkm, drktk, ḥwtk, ḥmytkm, ḥtk, ḥtkh, ḥtkk, ḥtkn, ḫbtkm, ḫbtkn, ḫštk, ḫttk, ydʿtk, yḫtk, yštk, yštkn, ytk, ktkt, ldtk, matk, mṯrtk, mlaktk, mntk, mrkbtk, mtk, mṯbtkm, nitk, nmrtk, ntbtk, ntk, ʿrptk, ʿtk, ʿtkm, ʿtkt, ṣḥtkm, ṣltkm, ṣrtk, qṣʿtk, qštk, raštkm, šbtk, šmtkm, šntk, šntkt, šptk, štk, tḥtk, tk, tkb, tkbd, tkbdh, tkbdnh, tkwn, tky, tkyn, tkyġ, tkl, tkly, tkm, tkmn, tkms, tkn, tknm, tknn, tks, tksynn, tkpgʿ, tkrb, tkšd, tkt, tmntk, tntkn, tštk, ttk, ttkn, ṯbtk.

Fragmentos Varios

00-7.120:5 [...]n̊ . l[...] • [...]tk[...] • [...]--[...]

—tl

nº CGR-656 Ocurrencias: 2

Posibles restituciones: aṯtl, iṯtl, btl, ktl, ntl, tl.

Administración

00-4.155:5 [...]i̊l • [...]tl • [...]ʿbl

00-4.635:7 […]ẙtn . bd . mlkt • […]t̊l . mḫṣ • ab[… .]ad̲ddy . bd . skn

—tl—

nº CGR-657 Ocurrencias: 1

Posibles restituciones: atlg, atlgy, atlgn, at̠tl, ibrtlm, iytlm, itlk, it̠tl, utly, btl, btlyn, btlt, btltm, ḥtlk, ytlk, ktl, ktldat, ktln, ntl, ntlk, tl, tlak, tlakn, tliym, tliyt, tlik, tlikn, tlu, tluan, tlunn, tlb, tlby, tlbn, tlbr, tlbš, tlgn, tld, tldm, tldn, tlḥk, tlḥm, tlḥmn, tly, tlyn, tlk, tlkm, tlkn, tlm, tlṁi, tlmu, tlmdm, tlmyn, tlmš, tlsmn, tlʿ, tlʿm, tlqḥ, tlqq, tlš, tlšn, tlt̠, ttlh, ttly, ttlk, ttlkn.

Fragmentos Varios

00-7.119:2 […]-l[…] • […]t̊l[…] • […]t̊[…]

—tm

nº CGR-658 Ocurrencias: 10

Posibles restituciones: adrtm, amtm, aštm, atm, at̠tm, iltm, irtm, ištm, itm, urbtm, ušbtm, ušpǵtm, bbtm, bhtm, bwtm, bqtm, brktm, bštm, btltm, btm, bt̠tm, gdltm, dntm, dʿtm, dqtm, dtm, d̲nbtm, hrtm, htm, ztm, ḥwtm, ḥrḥrtm, ḫnqtm, ḫtm, ṭtm, ẓtm, ybltm, ymtm, ytm, kḫtm, matm, mizrtm, mitm, mgntm, mltm, mptm, mṣltm, mqrtm, mrḫqtm, mrkbtm, mštʿltm, mtm, mtntm, mtqtm, mttm, nitm, nbtm, nḥtm, sstm, ʿdtm, ʿntm, ǵẓtm, ǵlmtm, ǵltm, psltm, pǵtm, ptm, pt̠tm, ṣtm, qbitm, qptm, qritm, qrytm, qrtm, qštm, qtm, rbtm, rḥtm, rʿtm, šurtm, šntm, šrtm, štm, thmtm, tm, t̠lt̠tm, t̠prtm, t̠tm, t̠t̠tm.

Administración

00-4.112:II:3 [b]n . ʿṣr • […]t̊m • [bn .]ulnhr

00-4.275:5 […]m---d . mškbt • […]tm • […]d̊/b̊ . šlḥn

00-4.610:49 […]dm … 20[+ -] … [i]nšt … 25 • […]tm … 23(?) … […](LINEA EN ACADIO) 22[+ -] • […]šm … 22(?) … (LINEA EN ACADIO)

Correspondencia

00-2.23:30 -[…]- • pm̊[…]tm • bʿl̊[…]-

00-2.81:6 […]y . adnty . a[…] • […]t/a/nm . ytn . hm . […] • […] . rgm̊[…]

Épica

00-1.15:V:29 […]m̊lu • […]tm • …

Fragmentos Varios

00-7.138:3 […]ʿṣh • […]tm • […]k̊l

Mítica

00-1.13:16 ----- • mʿ[…]m̊ʿ[…]t̊m . w mdbḥt . • -----

00-1.37:4 […] . wk • […]tm . aḥ̊[…] • […]q̊t . -k̊/ẘ[…]

00-1.152:3 ----- • […]t̊m . ẓbm̊(?)[…] • -----

—tn

nº CGR-659 Ocurrencias: 11

Posibles restituciones: agytn, agrtn, aktn, amrtn, anntn, antn, aǵltn, artn, aštn, atn, at̠tn, ibʿltn, iwrtn, imrtn, irbtn, ištn, itn, ugrtn, umtn, urtn, birtn, bhmtn, bnptn, bʿlytn, bʿltn, btn, gntn, gštn, gtn, gt̠tn, dmtn, dtn, hmtn, hrtn, zntn, ḥwtn, ḥytn, ḥṣqtn, ḥrtn, ḥtn, ḫd̲mtn, ḫwtn, ḫtn, yhmtn, ymtn, ypltn, yritn, yštn, ytn, yt̠btn, yt̠tn, kltn, klttn, kpltn, krtn, ktn, ltn, madtn, mztn, mḫtn, mlkytn, mlktn, mlʿtn, mltn, mtn, mṯtn, nptn, ntn, sgṯtn, stn, ʿgltn, ʿltn, ʿntn, ʿqltn, ʿtn, ǵltn, prtn, ptn, ṣrptn, qrtn, rtn, šlmtn, štn, tgtn, ṯḥtn, tmrtn, tmtn, tn, trtn, tšn, ttn, ṯṯn, ṯtn.

Administración

00-4.64:IV:6 [bn . ...]r ... 1 • [bn . ...]tn ... 1 • [bn . ...]rmn ... 1

00-4.370:21 k̊lbyn • [...]tn • [...]-

00-4.422:7 bn . mlṣ̊ ... [... bn . ...]ẙn • bn . qn̊[... bn . ...]tn • bn[. ...]

00-4.476:3 [...] ... [...] • [...]t̊n ... [...] • [...]y ... [...]

00-4.559:3 [...] ... 2[+ - ...] • [...]t̊n ... 2[+ - ...] • [...]n ... 2[+ - ...]

00-4.609:45 [...]- • [...]tn • [...]-

00-4.627:6 [...]m̊ . ḫ̊[mš . ... l]h • [...]tn . [...]lh • [...]-[...]lh

00-4.772:3 [...]yn • [...]ṫn • [...]ilyn

Correspondencia

00-2.46:23 [...]-n . r---d • ẘ[. ...]tn . m---- • ---rt . [...]

00-2.50:3 [...]y . ʿmk • [...]tn . l . stn • [...]d . nʿm . lbš̊(?)k

Mítica

00-1.37:2 [...]--[...] • [...]t̊n • [...] . wk

—tn—

nº CGR-660 Ocurrencias: 2

Posibles restituciones: agytn, agrtn, adtny, aktn, amrtn, anntn, antn, aǵltn, artn, aštn, atn, atnb, atnk, atnnk, atnth, atnty, aṯtn, ibʿltn, iwrtn, imrtn, irbtn, ištn, ištnm, itn, itnny, itnnk, ugrtn, umtn, urtn, birtn, bhmtn, bnptn, bʿlytn, bʿltn, btn, gntn, gštn, gtn, gṯtn, dmtn, dtn, hmtn, hrtn, zntn, ḥwtn, ḥytn, ḥmytny, ḥṣqtn, ḥrtn, ḥtn, ḫbrtnr, ḫḏmtn, ḫwtn, ḫtn, ḫtny, ḫtnm, yhmtn, ymtn, ypltn, yritn, yštn, ytn, ytna, ytnk, ytnm, ytnn, ytnnh, ytnnn, ytnt, yṯbtn, yṯtn, klatnm, kltn, klttn, kpltn, krtn, ktn, ktnm, ktnt, ltn, madtn, mztn, mḫtn, mlkytn, mlktn, mlʿtn, mltn, mtn, mtnbʿl, mtnh, mtny, mtnm, mtnn, mtnt, mtntm, mṯtn, nptn, ntn, sgṯtn, stn, ʿgltn, ʿltn, ʿntn, ʿqltn, ʿtn, ǵltn, prtn, ptn, ṣrptn, qrtn, rtn, šlmtn, štn, štnt, štnth, štntn, tgtn, ṯḥtn, tmrtn, tmtn, tn, tnabn, tnid, tngg, tngṯh, tngṯnh, tnwr, tnḥn, tnḫ, tny, tnlh, tnmy, tnn, tnnm, tnʿr, tnǵṣn, tnqt, tnrr, tnšan, tnšq, tnt, tnty, tntkn, tntqln, tnṯr, tʿbtnh, tqtnṣn, trtn, tštn, tštnn, ttn, ttnn, ṯṯn, ṯbtnq, ṯrtnm, ṯtn.

Administración

00-4.468:1 ... • [...]t̊n[...] • -----

Fragmentos Varios

00-7.89:4 [...]-dr[...] • [...]t̊n̊[...] • ...

—tr

nº CGR-661 Ocurrencias: 1

Posibles restituciones: iltr, iṯtr, btr, ztr, ḫptr, yǵtr, ytr, kptr, ktr, mtr, ntr, str, ʿbdʿṯtr, ʿmtr, ʿṯtr, ǵtr, ptr, šmtr, štr, tptr, ṯr, tštr.

Ritual

00-1.164:21 ... • [...]tr . [...] • [...]l[...]ḥl

—tš

nº CGR-662 Ocurrencias: 1

Posibles restituciones: aṯtš, ištš, hštš, ktš, ntbtš.

Fragmentos Varios

00-7.47:7 [...]š . prkb̊/d̊[...] • [...]t̊š . psl̊[...] • [...]ytšp[...]

—tt

nº CGR-663 Ocurrencias: 1

Posibles restituciones: att, iptt, ḥtt, ḫtt, ytt, ktt, mrdtt, mštt, mtt, nktt, ntt, rḫntt, štt, tdtt, tmtt, tt, ṯatt.

Mítica

00-1.10:I:13 [...]-t yḥnnn • [...]t̊t . ytn • [btlt .]ʿ̊nt

—tt—

nº CGR-664 Ocurrencias: 1

Posibles restituciones: aḫtth, att, iptt, išttk, ittk, ḥtt, ḫtt, ḫttk, ytt, klttn, ktt, mrdtt, mštt, mtt, mttm, nktt, ntt, rḫntt, štt, tdtt, tmtt, tt, ttbʿ, ttwrb, ttwrd, ttḫ, ttyn, ttk, ttkn, ttlh, ttly, ttlk, ttlkn, ttn, ttnn, ttġl, ttġr, ttpl, ttpp, ttql, ttrp, ṯatt.

Fragmentos Varios

00-7.107:7 [...] ... [...] • [...]t̊t̊[...] • ...

—tṯ

nº CGR-665 Ocurrencias: 2

Posibles restituciones: atṯ, ḥtṯ, ḫtṯ, ktṯ, ltṯ, plḫtṯ, tṯ.

Administración

00-4.425:16 [... šd . ...]z̊k . l . gmrd • [... šd . ...]t̊ṯ . l . yšn • [...](R:-)

Ritual

00-1.39:11 ʿšrh . mlun . šnpt . ḥṣth . bʿl . ṣpn š • [...]p̊/t̊ṯ š . ilt . mgdl . š . ilt . asrm š • w l ll . špš pgr . w ṯrmnm . bt mlk

—ṯb—

nº CGR-666 Ocurrencias: 2

Posibles restituciones: agdṯb, akdṯb, altṯb, annṯb, artṯb, aṯb, aṯbn, iṯb, urġtṯb, ḥṯb, ḥṯbn, ytṯb, yṯb, yṯbmlk, yṯbn, yṯbr, yṯbš, yṯbt, yṯbtn, yṯṯb, yṯṯbn, kltṯb, mdṯbn, mṯb, mṯbk, mṯbt, mṯbth, mṯbtkm, nṯb, ʿpṯb, ʿṯb, pnṯbl, tbtṯb, tmtṯb, tṯb, tṯbn, tṯbr, tṯbrn, tṯṯb, tṯṯbn, ṯb, ṯbil, ṯbg, ṯbh, ṯbṭ, ṯby, ṯbyy, ṯbym, ṯbln, ṯbʿl, ṯbʿm, ṯbʿnq, ṯbġl, ṯbq, ṯbr, ṯbry, ṯbrn, ṯbt, ṯbth, ṯbtk, ṯbtnq, ṯdṯb, ṯṯb.

Administración

00-4.678:8 sgld̊[...] • [...]ṯb̊/ṣ̊[...] • [...]-[...]

Fragmentos Varios

00-7.96:2 [...]-l̊[...] • [...]ṯ̊b[...] • [...]k̊k̊[...]

—ṯh

nº CGR-667 Ocurrencias: 1

Posibles restituciones: ḥdṯh, ḥrṯh, ḫbṯh, ḫpṯh, mḥrṯh, tngṯh, ṯh, ṯlṯh.

Fragmentos Varios

00-7.57:3 […]- . rḫnn[…] • […]ʿ/ṯh . yšk/w[…] • […]-k̊t-[…]

—ṯy—

nº CGR-668 Ocurrencias: 1

Posibles restituciones: alṯy, alṯyy, aṯy, bṯy, gṯy, yrṯy, kṯy, mṯy, mṯym, mṯyn, ngṯy, tgṯyn, tṯy, tṯyn, ṯy, ṯyb, ṯydr, ṯyl, ṯym, ṯyn, ṯynḏr, ṯyny, ṯrṯy, ṯṯy.

Administración

00-4.72:1 … • […]ṯ̊y[…] • -----

—ṯk

nº CGR-669 Ocurrencias: 1

Posibles restituciones: iṯk, yṯk, nṯk, ṯk; ṯṯk.

Mítica

00-1.82:22 […]k . pṯḥy . å[…]m̊ . mln̊(?)[…] • […]ṯk . ytmt . dlt . tlk . […] . bm[…] • […]-qp . bn . ḥtt . bn ḥtt[…]--[…]

—ṯmn—

nº CGR-670 Ocurrencias: 1

Posibles restituciones: pṯmn, tiṯṯmn, tṯmnm, ṯmn, ṯmny, ṯmnym, ṯmnm, ṯmnr, ṯmnt.

Administración

00-4.510:1 • […]ṯmn̊[…] • […]yt-[…]

—ṯny—

nº CGR-671 Ocurrencias: 1

Posibles restituciones: aṯny, aṯnyk, yṯny, ṯny, ṯnyn.

Fragmentos Varios

00-7.21:2 […]p̊[…] • […]ṯ̊nẙ[…] • […] . l[…]

—ṯp—

nº CGR-672 Ocurrencias: 1

Posibles restituciones: agtṯp, aḥrṯp, uṯpt, bʿlmṯpṭ, gṯpbn, gṯprg, ḫṯpy, yṯpd, yṯpṭ, yṯpr, kṯpm, mṯpit, mṯpdm, mṯpṭ, mṯpṭk, mṯpẓ, pṯpṭ, tṯpṭ, ṯp, ṯpdn, ṯpḥ, ṯpḫln, ṯpṭ, ṯpṭbʿl, ṯpṭy, ṯpṭn, ṯpẓ, ṯpknt, ṯpllm, ṯpn, ṯpṣt, ṯprt, ṯprtm, ṯpš, ṯpt, tṯpḥ.

Administración

00-4.275:13 … • […]ṯp[…] • […]prš̊

—ṯṣ—

nº CGR-673 Ocurrencias: 1

Posibles restituciones: ṯṣq, ṯṣr.

Administración

00-4.678:8 sgld̊[…] • […]ṯb̊/ṣ̊[…] • […]-[…]

—ṯt—

nº CGR-674 Ocurrencias: 1

Posibles restituciones: alṯt, aṯt, aṯth, aṯty, aṯtyy, aṯtyn, aṯtk, aṯtl, aṯtm, aṯtn, aṯtrt, aṯtš, ilṯtmr, iṯt, iṯtbnm, iṯtl, iṯtqb, iṯtṛ, bṯt, bṯtm, gbṯt, gṯtn, dǵṯt, dṯt, ḥdṯt, ḫmṯt, ḫpṯt, ḫrmṯt, ḫṯt, yṯtn, yṯtqt, kṯt, kṯtǵlm, mḥrṯt, mṯdṯt, mṯlṯt, mṯt, mṯtn, naṯt, npṯt, nrṯt, nṯt, sgṯtn, ʿbdʿṯtr, ʿmṯtmr, ʿṯty, ʿṯtpl, ʿṯtpr, ʿṯtr, ʿṯtrab, ʿṯtrum, ʿṯtry, ʿṯtrn, ʿṯtrt, ʿṯtrth, plṯt, pṯt, pṯtm, rmṯt, rṯt, tinṯt, tṯtmnm, tṯtn, ṯlṯt, ṯlṯth, ṯlṯtm, ṯt, ṯtayy, ṯth, ṯty, ṯtyy, ṯtyn, ṯtm, ṯtmnt, ṯtn, ṯtʿ, ṯtqt, ṯtrn, ṯṯt, ṯṯtm.

Mítica

00-1.55:1 … • […]ṯt[…] • […]-tm . […]

------------------tp

nº CGR-675 Ocurrencias: 1

Posibles restituciones: abštp, ḥtp, ktp, ntp, tp.

Ritual

10-1.103:57 [------------------](b̊/d̊)h • [------------------]tp š̊[…] • -----

----l-ḫ

nº CGR-676 Ocurrencias: 1

Posibles restituciones: ḫllḫ, ltḫ, mltḫ, ṯlḫḫ, ṯltḫ.

Administración

00-4.123:1 • ----l̊-ḫ̊ ṯmnym k̊sp mšt (ḫmšt) • w arbʿ kkr ʿl bn --[…]

----lt

nº CGR-677 Ocurrencias: 1

Posibles restituciones: azzlt, aylt, aklt, alt, ibʿlt, ilt, blt, bʿlt, brlt, btlt, gdlt, glt, dblt, dlt, hmlt, wlt, ḥlt, ḫlt, ḫndlt, yblt, ylt, klt, kmlt, llt, lt, mʾlt, mlt, mʿlt, mṣlt, mšlt, nplt, ʿbdilt, ʿglt, ʿlt, ʿmlt, ǵlt, ǵrplt, palt, pḥlt, ṣlt, qlt, šilt, šblt, šbšlt, šḥlt, škllt, šlt, šqlt, ššmlt, tʿlt, tpšlt, ṯllt.

Mítica

00-1.170:18 [--]rk . lṯtm . itbnnk • [----]ṣ/lt . ubu . al . tbi • [-------] . alṯtb b . riš

----np-—

nº CGR-678 Ocurrencias: 1

Posibles restituciones: annpdgl, anpnm, illnpn, uḫnp, uḫnpy, unp, unpṯ, bnptn, gmnpk, ḫnp, ḫnpm, ḫnpt, yḫnp, ynphy, ynpʿ, knp, knpy, mknpt, np, npin, npu, npbl, npd, npṯry, npẓl, npy, npynh, npk, npl, nplṭ, nplt, npṣ, npṣh, npṣhm, npṣy, npṣk, npṣm, npr, nprm, npršn, npš, npšh, npšhm, npšy, npškm, npškn, npšm, npšn, npt, nptn, npṯt, snp, šnpt, tšnpn.

Mítica

00-1.86:28 ----- • b ḥlm . ṯty-----np̊(?)-[…] • pn . n̊(?)ʿm̊(?)-y[…]---[…]

----ṣt

nº CGR-679 Ocurrencias: 1

Posibles restituciones: ḫṣt, mḫṣt, mṣt, ṣṣt, ṣt, qbṣt, rmṣt, trbṣt, ṯpṣt.

Mítica

00-1.170:18 [--]rk . lṯtm . itbnnk • [----]ṣ/lt . ubu . al . tbi • [-------] . altṯb b . riš

---bun

nº CGR-680 Ocurrencias: 1

Posibles restituciones: tbun.

Épica

00-1.15:I:3 mẓma . yd . mṯkt • tṯṯkrn . ---b̊ů/d̊n̊ • ʿm . krt . m̊(?)s̊(?)ẘ(?)n̊h̊

---bh

nº CGR-681 Ocurrencias: 1

Posibles restituciones: ʾbh, abh, ibh, ilibh, inbbh, bh, gbh, hybh, lbh, lṣbh, mʿdbh, qrbh, ṯbh, ṯlrbh.

Ritual

10-1.103:56 [-----------------]rn • [-----------------](b̊/d̊)h • [-----------------]tp š̊[...]

---bmn—

nº CGR-682 Ocurrencias: 1

Posibles restituciones: abmn.

Administración

00-4.200:7 --n̊dy • ---d̊/b̊mn[...] • -----

---dh

nº CGR-683 Ocurrencias: 1

Posibles restituciones: aḥdh, išdh, udh, bdh, bʿdh, ddh, ḫrdh, ydh, yḥdh, yṭrdh, kbdh, lmdh, maḫdh, mdh, mṣdh, ntbdh, ʿbdh, ʿdh, qdqdh, šdh, tkbdh, ṯdh.

Ritual

10-1.103:56 [-----------------]rn • [-----------------](b̊/d̊)h • [-----------------]tp š̊[...]

---dmn—

nº CGR-684 Ocurrencias: 1

Posibles restituciones: ḫdmn, ʿdmn, prdmn, ṣdmn, qdmn, qrdmn, tdmn.

Administración

00-4.200:7 --n̊dy • ---d̊/b̊mn[...] • -----

---lkn

nº CGR-685 Ocurrencias: 1

Posibles restituciones: ulkn, blkn, bʿlkn, ylkn, lkn, mdllkn, mlkn, ṣlkn, tlkn, ttlkn.

Correspondencia

00-2.36:25 [-----] . b . ḥwt[…] • [---]lkn . ht . b[…] • tʿtq . by . ḥwt . […]

---rt

nº CGR-686 Ocurrencias: 1

Posibles restituciones: abrt, agzrt, adrt, azrt, amšrt, art, aṯrt, aṯtrt, imrt, irt, ugrt, uzʿrt, urt, bgrt, brrt, brt, bšrt, gdrt, gmrt, gṯrt, dkrt, drt, ḏrt, hdrt, hrt, wrt, ḥḏrt, ḥmdrt, ḥrt, ḫsrt, ḫprt, ḫrt, yʿrt, yrt, ytrt, kbrt, kdrt, knrt, krt, kṯrt, lgrt, mḥʿrt, mḥrt, mḥtrt, mnʿrt, mnrt, msprt, mʿrt, mġrt, mpḫrt, mṣprt, mṣrrt, mṣrt, mrrt, mrt, mškrt, mtrt, ngrt, nmrrt, nʿrt, nṣrt, nrt, sgrt, sprt, srt, ʿḏrt, ʿwrt, ʿprt, ʿšrt, ʿṯrt, ʿṯtrt, ġprt, ġrt, pʿrt, ppšrt, prt, ṣbrt, ṣḥrrt, ṣḥrt, ṣmrt, ṣġrt, ṣrrt, ṣrt, qẓrt, qnrt, qṣrt, qrt, rt, šurt, šʿrt, šrt, ššrt, tʿrt, ṯʿrt, ṯgrt, ṯprt, ṯrrt.

Correspondencia

00-2.46:24 ẘ[. …]tn . m---- • ---rt . […] • […]-[…]-----

---šn

nº CGR-687 Ocurrencias: 1

Posibles restituciones: abršn, agršn, annšn, ilšn, iršn, ušn, dšn, ḥšn, ḫršn, ylšn, yʿšn, yšn, ytršn, lbšn, lšn, mšn, niršn; npršn, npšn, plšn, rišn, ršn, šlbšn, šn, špšn, šršn, taršn, tbšn, tḫšn, tlšn.

Fragmentos Varios

00-7.197:6 n-nḏ . b̊(?) • ---šn • w . yṣ̊/b̊(?)--k-

--an

nº CGR-688 Ocurrencias: 2

Posibles restituciones: an, gan, znan, ḫlan, ḫnan, ḫran, yman, yṣan, kran, kṯan, lan, qran, rpan, šan, tan, tran, tšan.

Administración

00-4.194:17 […]y-- • [bn .]--an • bn . špš

00-4.734:3 […]yṯn l k̊kbn • […]k̊(?)/r̊(?)m l̊ --an • […]- . rmib l qʿmr

--bb-—

nº CGR-689 Ocurrencias: 1

Posibles restituciones: abbl, abbly, abbt, inbb, inbbh, bb, bby, bbru, bbt, bbty, bbtm, dbb, dbbm, ḏbb, ḫbb, ydbbʿl, kbby, sbbyn, rbb, rbbt, tbbr.

Administración

00-4.75:V:11 … • --b̊b̊-[…] • ilbʿl̊[…]

--dbt

nº CGR-690 Ocurrencias: 1

Posibles restituciones: ʿdbt.

Administración

00-4.318:3 - ʿbd . ---- • --db̊/ṣ̊t̊ . -- • --šm . d̊ --ša

--dn

nº CGR-691 Ocurrencias: 1

Posibles restituciones: agdn, adn, amdn, ardn, idn, iḫdn, ildn, išdn, udn, bddn, bdn, bldn, bʿdn, brdn, gdn, grdn, ddn, dn, ḏrdn, hndn, ḥdn, ḫrdn, ybdn, yddn, ydn, yʿdn, yrdn, kidn, kbdn, kdn, khdn, kšdn, ldn, mdn, nṣdn, sdn, šdn, ʿbdn, ʿdn, ġddn, ġldn, pdn, pndn, qldn, ridn, rdn, tbdn, tddn, tdn, tzdn, tldn, tṣdn, trdn, ṯdn, ṯndn, ṯpdn, ṯrdn.

Administración

00-4.115:7 abmn • --dn • ṯ̊bʿm

--dn-

nº CGR-692 Ocurrencias: 1

Posibles restituciones: agdn, adn, adnh, adny, adnk, adnn, amdn, ardn, idn, iḫdn, ildn, išdn, udn, udnh, udnk, bddn, bdn, bldn, bʿdn, brdn, gdn, grdn, ddn, dn, dnh, dnm, dnn, dnt, ḏrdn, hndn, ḥdn, ḫrdn, ybdn, yddn, ydn, ydnh, ydnm, yʿdn, yrdn, yrdnn, kidn, kbdn, kdn, kdnt, khdn, kḫdnn, kšdn, ldn, mdn, mdnt, nṣdn, sdn, sdnt, šdn, ʿbdn, ʿbdnt, ʿdn, ʿdnm, ġddn, ġldn, pdn, pndn, prdny, qdnt, qldn, ridn, rdn, tbdn, tddn, tdn, tzdn, tldn, tṣdn, trdn, ṯdn, ṯndn, ṯpdn, ṯrdn, ṯrdnt.

Administración

00-4.752:10 --t̊--p . ṯn̊ • --d̊n̊/t̊- . ṯ̊n̊ • [… ṯ]lṯ

--dt-

nº CGR-693 Ocurrencias: 1

Posibles restituciones: adt, adty, aḏdt, aḫdt, udt, updt, ddt, dt, dtn, dtn, hdt, hndt, yddt, ydt, ydty, yrdt, kbdt, kdt, ldtk, lmdth, madt, madtn, mddt, mddth, mdth, msdt, mrdt, mrdtt, ndt, nzdt, ʿdt, ʿdty, ʿdtm, ṣwdt, qdt, rṯdt, šdt, tdtt, tʿdt, ṯʿdt.

Administración

00-4.752:10 --t̊--p . ṯn̊ • --d̊n̊/t̊- . ṯ̊n̊ • [… ṯ]lṯ

--ḫy

nº CGR-694 Ocurrencias: 1

Posibles restituciones: aḫy, iḫy, uḫy, umḫy, lḫy, nḫḫy, slḫy, spḫy, rḫy.

Administración

00-4.612:8 […]bn . ql̊n … -[…] • […]--b̊--ḫy … -[…] • …

--yn

nº CGR-695 Ocurrencias: 1

Posibles restituciones: abyn, agyn, aḫyn, akyn, aġyn, aryn, atyn, ibyn, iḫyn, ilyn, iġyn, iryn, ubyn, uryn, bdyn, byn, bʿyn, gyn, glyn, gʿyn, dyn, dmyn, ḏdyn, ḏyn, hayn, hyn, ḥwyn, ḥyn, ḫdyn, ḫlyn, ḫnyn, ḫsyn, ḫtyn, ydyn, yyn, yn, kḏyn, kwyn, kyn, klyn, ksyn, kpyn, kryn, mzyn, myn, mnyn, mryn, mṯyn, nyn, nryn, syn, slyn, ʿdyn, ʿyn, ʿmyn, ǵdyn, ǵyn, ǵlyn, pbyn, pdyn, pyn, pǵyn, qnyn, šbyn, šdyn, šḫyn, šyn, šmyn, šryn, tiyn, tgyn, tdyn, twyn, tyn, tkyn, tlyn, tmyn, tǵyn, tqyn, ttyn, tṯyn, ṯdyn, ṯwyn, ṯyn, ṯnyn, ṯryn, ṯtyn.

Administración

00-4.290:16 arbʿm . ksp • ʿl . --yn • -----

--kn

nº CGR-696 Ocurrencias: 1

Posibles restituciones: ankn, apkn, aškn, ulkn, uškn, blkn, brkn, ḥtkn, ykn, ylkn, ypkn, yškn, kkn, kn, kṯkn, lkn, mlkn, making, mškn, nkn, nskn, nʿkn, skn, škn, ṣdkn, ṣlkn, škn, šskn, tbkn, tdkn, tkn, tlkn, tskn, tškn, ttkn, ṯkn, ṯrkn.

Correspondencia

00-2.75:11 […]k . d . […] • [--]kn . w[…] • [-]ytn . l[…]

--ly

nº CGR-697 Ocurrencias: 1

Posibles restituciones: ayly, akly, aly, ally, idly, izly, ily, ully, utly, buly, bly, bʿly, gbly, dly, hkly, ḥly, ḫbly, ḫly, ḫlly, ṭly, ygly, ykly, yly, yǵly, yṣly, kly, kṯly, ly, mkly, mly, nkly, nqly, sly, ʿly, ǵzly, ǵly, pkly, ply, ṣly, qly, šly, šʿly, tgly, tṯly, tkly, tly, tǵly, tply, ttly, ṯʿly.

Administración

00-4.68:47 ---[…] … 1 • --l̊y … 1 • ăr … 2

--lm

nº CGR-698 Ocurrencias: 1

Posibles restituciones: ablm, ahlm, aylm, aklm, allm, alm, illm, ilm, ulm, bdlm, bʿlm, gblm, gdlm, dlm, hklm, hlm, ḥblm, ḥlm, ḫlm, ṭlm, ẓlm, ydlm, yḫlm, ylm, yʿlm, yǵlm, yšlm, klm, kslm, llm, lm, lṯlm, mlm, mṣlm, mšlm, nḫlm, nʿlm, nšlm, sḫlm, slm, splm, ʿglm, ʿlm, ǵzlm, ǵllm, ǵlm, plm, pslm, pʿlm, ṣlm, qlm, šalm, šlm, tlm, tšlm, ṯqlm.

Correspondencia

00-2.68:8 qlt . ly • adty . --lm • --m . t[t]nn

--m---l

nº CGR-699 Ocurrencias: 1

Posibles restituciones: amrbʿl, ḏmrbʿl, mḏrgl, mtbʿl.

Ritual

00-1.164:23 […]l[…]ḥl • [--]m[---]l • [--]i̊d̊[--]š

--my

nº CGR-700 Ocurrencias: 1

Posibles restituciones: agmy, amy, army, ikmy, ilmy, ulmy, umy, bṣmy, ddmy, ḏmy, ḥlmy, ḥmy, ymy, kmy, ksmy, my, mmy, nmy, nʿmy, šdmy, ʿmy, ʿrmy, ǵlmy, ptmy, ṣmy, qmy, rgmy, rḫmy, rmy, šlmy, šmy, tmy, tnmy, ṯmy.

Administración

00-4.748:7 -m̊(?)ḥn y----[...] • --m̊(?)y i-----[...] • -n̊k̊t̊----[...]

--ṣ-m—

nº CGR-701 Ocurrencias: 1

Posibles restituciones: yṣḥm, yṣm, yṣqm, yṣrm, mʿṣdm, mṣbm, mṣkm, mṣlm, mṣrm, npṣhm, ʿḏṣam, ʿṣrm, ʿṣrmm, ṣdmn, ṣlm, ṣlmm, ṣqm, ṣrm, ṣtm, qṣḥm, rṣmm.

Fragmentos Varios

00-7.140:4 ----- • [...]ṣ̊ ẘ --ṣ̊(?)-m̊(?)[...] • -----

--rk

nº CGR-702 Ocurrencias: 1

Posibles restituciones: amrk, ark, aṯrk, irk, udrk, urk, bkrk, brk, dprk, drk, ḏmrk, ḥbrk, ḥẓrk, ḥrk, ḫrk, yark, ybrk, yṣrk, yrk, krk, mhrk, mḫrk, nark, nšrk, ʿrk, ǵrk, pḫrk, qṯrk, rk, šrk, tbrk, tdrk, tsrk, tʿrk, tǵrk, ṯirk, ṯrk.

Mítica

00-1.170:17 h̊n . bnpš . aṯrt . rbt . bl • [--]rk . lṯtm . itbnnk • [----]ṣ/lt . ubu . al . tbi

--ša

nº CGR-703 Ocurrencias: 1

Posibles restituciones: nša, prša, ša, tša.

Administración

00-4.318:4 --db̊/ṣ̊ṭ̊ . -- • --šm̩ . d̊ --ša • ʿ̊bdḥr . bn . bddn

--šm

nº CGR-704 Ocurrencias: 1

Posibles restituciones:aršm, bnšm, gršm, gšm, dašm, dtšm, ḥršm, ḫmšm, ḫšm, yqšm, lbšm, nḥšm, npšm, nšm, sšm, ʿršm, qdšm, qšm, rašm, šm, špšm, ṯnšm, ṯšm.

Administración

00-4.318:4 --db̊/ṣ̊ṭ̊ . -- • --šm . d̊ --ša • ʿ̊bdḥr . bn . bddn

--t--p

nº CGR-705 Ocurrencias: 1

Posibles restituciones: ytršp, tasp, tisp, tusp, tʿrp, trḫp.

Administración

00-4.752:9 b̊n ---trǵ̊ . aḥd • --t̊--p . ṯn̊ • --dn̊/t̊- . ṯ̊n̊

--th

nº CGR-706 Ocurrencias: 1

Posibles restituciones: aḫth, amth, aṯth, irth, bhth, bmth, bnth, bth, gth, hwth, hmth, ḥwth, ḥnth, ḥrth, ḫṣth, klth, mdth, mṯth, mnth, ʿnth, pith, pnth, pth, ṣth, qrth, qšth, šbth, šnth, špth, ṯḥth, tšth, ṯbth, ṯnth, ṯth.

Administración

00-4.557:2 [… d]t̊[.]ẙṯ̊b̊ . b . ḥqr • […]l̊ . --th • […]-ẘ/r̊ʿn

-iḥ—

nº CGR-707 Ocurrencias: 1

Posibles restituciones: iḫtrš.

Mítica

00-1.4:VI:11 al td̊[… pdr]ẙ . bt ar • -h̊/i̊ṭ̊/ḥ[… ṭl]ẙ . bt . rb • [… m]d̊d . il ym

-iṭ—

nº CGR-708 Ocurrencias: 1

Posibles restituciones: iṭʿnk, ṯiṭ.

Mítica

00-1.4:VI:11 al td̊[… pdr]ẙ . bt ar • -h̊/i̊ṭ̊/ḥ[… ṭl]ẙ . bt . rb • [… m]d̊d . il ym

-bd

nº CGR-709 Ocurrencias: 1

Posibles restituciones: abd, bd, dbd, ḫbd, ybd, kbd, sbd, ʿbd, qbd, rbd, tbd.

Hipiatría

00-1.85:20 ----- • w . k̊[. …]bd . ššw . -d̊/ů . ḫlb • w . š[…]- . ʿl . --[…]

-bt—

nº CGR-710 Ocurrencias: 1

Posibles restituciones: bbt, bbty, bbtm, bt, bth, btw, btwm, bty, btk, btl, btlyn, btlt, btltm, btm, btmny, btn, btq, btr, btry, btšy, hbt, ḥbt, ḫbt, ḫbtd, ḫbty, ḫbtkm, ḫbtkn, ṭbt, ybt, lbt, mbt, nbt, nbtm, ǵbt, qbt, rbt, rbtm, šbt, šbth, šbtk, tbt, tbtḫ, tbtṯb, ṯbt, ṯbth, ṯbtk, ṯbtnq.

Administración

00-4.253:2 il[…] • -bt[…] • […]-[…]

-bty

nº CGR-711 Ocurrencias: 2

Posibles restituciones: bbty, bty, ḫbty.

Administración

00-4.77:16 [bn .]krwn … […] • [bn .]-bty … […] • [bn .]iršn … […]

Mítica

00-1.22:II:1 … • -b̊(?)t̊(?)ẙ(?) . l̊[… qr] • b . hkly . […]

-gmr

nº CGR-712 Ocurrencias: 1

Posibles restituciones: gmr, ygmr, mgmr, tgmr.

Ritual

11-1.148:42 [...]-̊ . w t̊hmt[...] • [...]m̊mr///-̊gmr .̊ š . sn̊[...] • [...]-̊m š . il lb[-]-̊ š̊ .̊-[...]

-dgr

nº CGR-713 Ocurrencias: 1

Posibles restituciones: tdgr.

Administración

00-4.317:2 p̊rg̊ṯ . b[...] • -dgr̊ ... [...] • b̊ ḫmš̊t[...]

-dy

nº CGR-714 Ocurrencias: 1

Posibles restituciones: ady, idy, bdy, gdy, ddy, dy, hdy, ḫdy, ydy, kdy, ndy, sdy, šdy, ʿdy, pdy, šdy, tdy, ṯdy.

Administración

10-4.31:7 ----- • [bn(?) - -]d̊y b̊[...] • -----

-dn

nº CGR-715 Ocurrencias: 1

Posibles restituciones: adn, idn, udn, bdn, gdn, ddn, dn, ḥdn, ydn, kdn, ldn, mdn, sdn, šdn, ʿdn, pdn, rdn, tdn, ṯdn.

Ritual

12-1.103:12 ----- • ṯḥl . in . bh[--]-̊dn . ḥ/ṭ[...]m̊ṯn̊[rgm] • mlkn . l ypq š̊[p]ḥ

-h-ry

nº CGR-716 Ocurrencias: 1

Posibles restituciones: hmry.

Administración

00-4.350:4 [...]r bn . mn ... 10 • -h-ry ... 4 • -lim bn . brq ... 15

-zb

nº CGR-717 Ocurrencias: 1

Posibles restituciones: hzb, zb, zzb.

Correspondencia

10-2.33:16 [-]ẙ/ḫdr . w . ap . ank • [-]s̊/z̊b . l . ǵr . amn • [--]ktt . hn . ib[...]

-zn

nº CGR-718 Ocurrencias: 1

Posibles restituciones: ḫzn, yzn, kzn, lzn, mzn, szn, śzn, ʿzn, pzn, tzn.

Administración

00-4.199:2 […]rm • -z̊n . d lq̊[ḥ …] • ẘ š̊r . bn[. …]- n̊šk .

-ḥl

nº CGR-719 Ocurrencias: 1

Posibles restituciones: aḥl, wḥl, ḥl, ṯḥl, nḥl, pḥl.

Ritual

00-1.103:12 ----- • -ḥl (ḥl) . in . bh[r]g̊(?)b̊n . -[…] • mlkn . l ypq š̊[p]ḥ […]m̊ṯn̊[rgm]

-ydr

nº CGR-720 Ocurrencias: 1

Posibles restituciones: ydr, ṯydr.

Correspondencia

10-2.33:15 -̊ . b . ym . k . ybt . mlk • [-]ẙ/ḫdr . w . ap . ank • [-]s̊/z̊b . l . ǵr . amn

-ytn

nº CGR-721 Ocurrencias: 1

Posibles restituciones: ḥytn, ytn.

Correspondencia

00-2.75:12 [--]kn . w[…] • [-]ytn . l[…] • -----

-kn

nº CGR-722 Ocurrencias: 2

Posibles restituciones: ykn, kkn, kn, lkn, nkn, skn, śkn, škn, tkn, ṯkn.

Administración

00-4.424:5 […] . kr̊m . b . ypʿ l . yʿdd • […]kr̊m[.]b̊ . š̊(?)b̊(?)n . l . bn . -kn • šd̊[…]q̊n

00-4.769:22 […]n̊[-]rq̊[. ʿ]šrm • […]n . [-]k/rn . bn ʿšrm • […]ʿšrm

-lim

nº CGR-723 Ocurrencias: 1

Posibles restituciones: lim, llim.

Administración

00-4.350:5 -h-ry … 4 • -lim bn . brq … 15 • -qtn bn . drṣy … 4

-lb—

nº CGR-724 Ocurrencias: 3

Posibles restituciones: alb, ilbd, ilbldn; ilbʿl, ulb, ulby, ulbtyn, blblm, glb, glbm, glbt, glbty, zlbn, ḥlb, ḥlbt, ḫlb, ḫlby, ḫlbym, ḫlbn, ṭlb, ylbš, klb, klby, klbyn, klbm, klbt, lb, lbiy, lbim, lbu, lbdm, lbh, lby, lbk, lbn, lbny, lbnym, lbnm, lbnn, lbnt, lbš, lbšk, lbšm, lbšn, lbšt, lbt, lbṯ, mlbr, mlbš, mlbšh, nlbn, ʿlb, ʿlby, ǵlb, ṣlbʿl, rlb, šlbšn, tlb, tlby, tlbn, tlbr, tlbš, ṯlb, ṯlbm.

Administración

00-4.75:I:9 špš[yn …] • -lb[…] • …

00-4.693:47 ḫlb k̊[rd] … 40 • -lb[…]y … 1 • yrml … 10

Correspondencia

00-5.11:11 … • -l̊b̊[…] • -----

-ly

nº CGR-725 Ocurrencias: 1

Posibles restituciones: aly, ily, bly, dly, ḥly, ḫly, ṭly, yly, kly, ly, mly, sly, ʿly, ǵly, ply, ṣly, qly, šly, tly.

Correspondencia

00-2.63:10 ʿ̊d . ruš • -ly . l . likt • ånk . ʿ-[…]n̊[…]

-lk

nº CGR-726 Ocurrencias: 1

Posibles restituciones: alk, ilk, blk, hlk, ẓlk, ylk, lk, mlk, ʿlk, plk, tlk.

Correspondencia

11-5.10:4 ----- • štntn mlå ʿ̊lp/h/k/w/r/b/d [-]l̊k///ṣ̊ǵ̊k///l̊ǵ̊k • wḫlpn pṯ[t]m […]

-ll

nº CGR-727 Ocurrencias: 1

Posibles restituciones: all, ill, ull, gll, dll, hll, ḥll, ẓll, kll, ll, mll, sll, ǵll, pll.

Administración

00-4.63:II:28 ʿṯqbt . qšt • -ṣ̊/l̊l . qšt . w . qlʿ • -----

-lm

nº CGR-728 Ocurrencias: 1

Posibles restituciones: alm, ilm, ulm, dlm, hlm, ḥlm, ḫlm, ṭlm, ẓlm, ylm, klm, llm, lm, mlm, slm, ʿlm, ǵlm, plm, ṣlm, qlm, šlm, tlm.

Correspondencia

10-2.50:14 […]-̊-̊-̊-̊-̊-̊tm • …]l̊k -̊lm . d . kbr • […]-̊y . ʿmk

-lr--—

nº CGR-729 Ocurrencias: 1

Posibles restituciones: ilrb, ilrkm, ilrkṣ, ilrm, ilrpi, ilrpm, ilrpṣ, ilrš, ilršp, ulrm, glrš, zlrš, ḫlrš, lr, lrgth, lrzˤy, lrmnm, lrn, mlrm, slrš, ˤlr, ṯlrbh, ṯlrby, ṯlrn.

Administración

00-4.776:3 abn̊ṣrp • [-]l̊r--[...] • ----[...]

-mgn—

nº CGR-730 Ocurrencias: 1

Posibles restituciones: ymgn, mgn, mgnk, mgnm, mgntm, nmgn, tmgnn, ṯmgn.

Administración

00-4.175:4 dd l krwn • dd l -(?)m̊gn[...] • dd l ṯˤy

-mdh—

nº CGR-731 Ocurrencias: 1

Posibles restituciones: lmdh, lmdhm, mdh.

Mítica

10-1.114:27 [ˤṯ]t̊rt . w ˤn̊t[...] • ẘ bhm . tṯṯb . -̊m̊dh[...] • km . trpa . hn nˤr

-mdn

nº CGR-732 Ocurrencias: 1

Posibles restituciones: amdn, mdn.

Administración

00-4.769:33 [...]s̊ṇ . ˤšrt • [... a/-]m̊dn . ˤšrt • [... u]brš . ˤšrm

-mḥn

nº CGR-733 Ocurrencias: 1

Posibles restituciones: gmḥn.

Administración

00-4.748:6 ----- • -m̊(?)ḥn y----[...] • --m̊(?)y i-----[...]

-mn

nº CGR-734 Ocurrencias: 1

Posibles restituciones: amn, gmn, ḏmn, hmn, ḥmn, ḫmn, ẓmn, ymn, kmn, lmn, mn, ˤmn, pmn, šmn, tmn, ṯmn.

Administración

00-4.207:2 s̊pr . ḥr̊[š ...] • -mn . n[...] • -----

-mn--

nº CGR-735 Ocurrencias: 1

Posibles restituciones: amn, gmn, gmnpk, ḏmn, hmn, ḥmn, ḫmn, ḫmnh, ḫmny, ẓmn, ymn, ymnh, ymny, ymnn, kmn, kmnt, lmn, mmnk, mmnnm, mn, mnu, mndʿ, mndǵ, mnh, mnḫ, mnḥm, mnḫ, mnḫt, mny, mnyy, mnyn, mnk, mnkm, mnm, mnmn, mnn, mnny, mnrt, mnt, mnth, mnty, mntk, mnṯ, ʿmn, ʿmnh, ʿmny, ʿmnk, ʿmnkm, ʿmnr, ǵmnz, pmn, qmnz, qmnzy, šmn, šmngy, šmny, šmnyk, šmnt, tmn, tmnh, tmnn, tmntk, ṯmn, ṯmny, ṯmnym, ṯmnm, ṯmnr, ṯmnt.

Mítica

00-1.86:19 -n . a--k̊-[…] • -mn-- . rḫ--[…] • n--[…]d . --[…]

-mt

nº CGR-736 Ocurrencias: 1

Posibles restituciones: amt, imt, umt, bmt, dmt, hmt, ḥmt, ḫmt, ymt, kmt, lmt, mt, ʿmt, ǵmt, ṣmt, rmt, šmt, tmt, ṯmt.

Administración

00-4.192:5 dt . ṯgmi . […] • bd . -mt . […] • …

-n-t

nº CGR-737 Ocurrencias: 1

Posibles restituciones: anyt, anšt, inšt, bnwt, hndt, hnkt, ḫnpt, ynḫt, knyt, knkt, knrt, mnḫt, mnrt, nat, nit, nbt, ndt, nzt, nḥt, nḫt, nkt, npt, nqt, nrt, nšt, nṯt, snnt, ʿnqt, qnyt, qnrt, šnwt, šnst, šnʿt, šnpt, šnt, tnqt.

Correspondencia

00-2.45:16 r̊g̊m̊t . w . lqḥ • -n-t . b dnh • w . ml[k] . ššwm . nʿmm

-nk

nº CGR-738 Ocurrencias: 1

Posibles restituciones: ʾnk, ank, unk, bnk, hnk, lnk, mnk, nk, ʿnk, pnk, ṯnk.

Fragmentos Varios

00-7.222:13 […]? la a-bi-ḫa li[?] da m[i …] • [.]-ni-ka zu-m[u …] •

-nkt

nº CGR-739 Ocurrencias: 1

Posibles restituciones: hnkt, knkt, nkt.

Administración

00-4.748:8 --m̊(?)y i-----[…] • -n̊k̊t̊----[…] • -r̊-- bn ʿm[…]

-nn—

nº CGR-740 Ocurrencias: 1

Posibles restituciones: ann, anna, annd, anndn, annḏy, annḏr, annḫ, annḫb, anny, annyn, annmn, annmt, annpdgl, anṉtn, annṯb, inn, innm, unn, bnn, bnny, dnn, hnn, hnny, ḥnn, ḥnny, ḫnn, ṭnn, knn, mnn, mnny, nn, nni, nnu, nnd, nnḏ, nnw, nny, nnn, nnr, nnry, snnwt, snnt, ʿnn, ʿnnh, ʿnnm, ʿnnn, pnnh, qnn, tmrnn, tnn, tnnm, ṯnn, ṯnnm, ṯnnth.

Administración

00-4.86:34 š̊/d̠̊-ẙn . […] • -n̊(?)n[…] • …

-nš—

nº CGR-741 Ocurrencias: 2

Posibles restituciones: anš, anšq, anšrm, anšt, inš, inšk, inšr, inšt, bnš, bnšhm, bnšm, ynšq, nš, nša, nšat, nši, nšu, nšb, nšbm, nšgh, nšdd, nšy, nšybn, nšk, nškḫ, nšlḫ, nšlm, nšm, nšmḫ, nšʿr, nšq, nšqdš, nšr, nšrk, nšrm, nšt, tnšan, tnšq, ṯnšm.

Administración

00-4.114:9 ----- • -nš[…] • ršp[…]

Correspondencia

00-2.35:14 […]-[…] • […]n̊ . -nš̊[…]- • […]l̊k . w . l-[…]-

-nt

nº CGR-742 Ocurrencias: 1

Posibles restituciones: ant, bnt, dnt, d̠nt, hnt, ḫnt, ynt, knt, mnt, nt, snt, ʿnt, pnt, šnt, tnt, ṯnt.

Administración

00-4.396:8 ----- • --[…]-m . -nt • […]dly

-nth

nº CGR-743 Ocurrencias: 1

Posibles restituciones: bnth, ḥnth, mnth, ʿnth, pnth, šnth, ṯnth.

Mítica

00-1.157:10 ----- • […]k̊/ẘ--nth . k̊p . mlk . mr̊[…] • -----

-sb

nº CGR-744 Ocurrencias: 1

Posibles restituciones: ysb, ksb, nsb, sb, ʿsb.

Correspondencia

10-2.33:16 [-]ẙ/ḫdr . w . ap . ank • [-]s̊/z̊b . l . ǵr . amn • [--]ktt . hn . ib[…]

-ʿ-n

nº CGR-745 Ocurrencias: 1

Posibles restituciones: bʿdn, bʿyn, bʿln, gʿyn, yʿdn, yʿrn, yʿšn, nʿkn, nʿmn, ʿdn, ʿzn, ʿyn, ʿln, ʿmn, ʿsn, ʿtn, tʿln, tʿpn, ṯʿln.

Administración

00-4.86:32 ʿṯtr̊n . qbṯ[…] • -ʿ̊(?)-n . š̊t/p̊[…] • š̊/d̠̊-ẙn . […]

-ʿl

nº CGR-746 Ocurrencias: 1

Posibles restituciones: bʿl, yʿl, nʿl, ʿl, pʿl, qʿl, tʿl, ṯʿl.

Hipiatría

00-1.85:25 pr . ʿṯ[… a]ḥ̊d̊[h …] • tmṯl . g̊r[…]ʿ̊l . ṯmrg . • w . št . nni̊ . w . pr . ʿbk . ẉ̊[…]

-ʿrt—

nº CGR-747 Ocurrencias: 1

Posibles restituciones: yʿrt, yʿrty, yʿrtym, mʿrt, nʿrt, pʿrt, šʿrt, šʿrty, tʿrt, tʿrth, tʿrty, ṯʿrt.

Administración

00-4.494:1 ----- • -ʿr̊t[…] • [b]n̊ . ubn̊[…]

-ǵṯ

nº CGR-748 Ocurrencias: 1

Posibles restituciones: dǵṯ, nǵṯ.

Correspondencia

10-2.36:17 [nt]bt . mṣrm . bḥwt . ugrt • [----]. w . b . ḥwt[. -]ǵṯ . tʿtqn • [----]ḥwtm . n[----] . b . ʿmq[…]

-pn

nº CGR-749 Ocurrencias: 1

Posibles restituciones: apn, gpn, ḫpn, ypn, pn, ppn, ṣpn, tpn, ṯpn.

Ritual

00-1.81:21 ----- • l . ilt[.]-pn • -----

-pr

nº CGR-750 Ocurrencias: 1

Posibles restituciones: apr, bpr, dpr, ḫpr, ypr, kpr, mpr, npr, spr, ʿpr, pr, ṣpr, špr, tpr.

Administración

00-4.326:8 […]ṯb . […] • -pr . […] • ṯ̊lṯ . y-[…]

-pr—

nº CGR-751 Ocurrencias: 1

Posibles restituciones: apr, bpr, gprh, gprm, dpr, dprk, dprn, dprnm, ḏprḏ, ḫpr, ḫprt, ypr, yprḫ, ypry, yprsḥ, yprq, kpr, kprm, mpr, mprh, npr, nprm, npršn, spr, sprhm, sprhn, sprn, sprt, ʿpr, ʿprm, ʿprt, ǵprt, pprn, pr, pri, prbḫṯ, prgl, prgn, prd, prdm, prdmn, prdny, prwsdy, prz, prḥḏrt, prḫ, prḫn, prṭl, prẓ, prẓm, pry, prkl, prln, prm, prmn, prn, prs, prsg, prsm, prsn, prst, prš̀, prʿ, prʿm, prʿt, prǵṯ, prpr, prṣ, prṣm, prqdš, prqt, prša, prt, prtn, prtṯr, prṯ, ṣpr, ṣprn, špr, tpr, tprš, ṯprt, ṯprtm.

Administración

00-4.412:II:11 [bn .]b̊ʿ̊l̊[…]- • b̊n̊[.]-p̊r[…] • b̊n̊[.]k̊pln

-ṣl

nº CGR-752 Ocurrencias: 1

Posibles restituciones: mṣl.

Administración

00-4.63:II:28 ʿṯqbt . qšt • -ṣ̊/l̊l . qšt . w . qlʿ • -----

-qrt-

nº CGR-753 Ocurrencias: 1

Posibles restituciones: mqrtm, qrt, qrth, qrty, qrtm, qrtn.

Correspondencia

11-2.36:9 [-]̊ tq[dm] . udh̊ . mǵt . w . mlk̊[n̊/t̊ …] • [-̊]q̊rt[-] ẘnṯb . ʿmnkm . l . qrb[…] • [-]r . h̊/i̊/p̊[-]̊ . w . at . ʿmy . l . mǵt̊. […]

-qt

nº CGR-754 Ocurrencias: 1

Posibles restituciones: dqt, lqt, nqt, qt, ṯqt.

Épica

00-1.16:II:34 ǵzr . ilḫu . tk̊(?)b̊(?)-[…]l • trm . tṣr . trm̊ . -qt • tbky . ẘ tšn̊n . t̊t̊n

-r-tk

nº CGR-755 Ocurrencias: 1

Posibles restituciones: irštk, drktk, ʿrptk.

Épica

00-1.16:I:42 ʿš̊rt . qḥ . t̊pk b yd • -r̊-tk . bm . ym̊n • i̊k . š̊r̊ . ʿl ṣ̊r̊rt

-rb

nº CGR-756 Ocurrencias: 1

Posibles restituciones: arb, grb, drb, ḥrb, krb, ʿrb, qrb, rb, šrb, trb, ṯrb.

Hipiatría

00-1.71:19 […] • […]rb • […]

-rn

nº CGR-757 Ocurrencias: 2

Posibles restituciones: arn, irn, urn, brn, grn, drn, ḏrn, hrn, ḥrn, ḫrn, ẓrn, krn, lrn, mrn, nrn, srn, ŝrn, ǵrn, prn, qrn, rn, šrn, trn, ṯrn.

Administración

00-4.762:4 […] • […]k̊ny -rn . bn -[…] • […]rt[…]r

00-4.769:22 […]n̊[-]rq̊[. ʿ]šrm • […]n . [-]k/rn . bn ʿšrm • […]ʿšrm

-rs—

nº CGR-758 Ocurrencias: 1

Posibles restituciones: arsw, arswn, arspy, brsm, brsn, hrsn, ḫrs, krs, krsi, krsnm, ʿrs, prs, prsg, prsm, prsn, prst, qrsam, qrsi.

Administración

00-4.77:25 bn . a[…] • bn . -rs̊[…] • bn . mnyn … […]

-rry

nº CGR-759 Ocurrencias: 1

Posibles restituciones: ṣrry, ṯrry.

Correspondencia

00-2.21:8 h̊l̊ny . ib̊rk̊d̲ • -rry . rgm . l skn gt̊ • mlkt . ugrt

-rt

nº CGR-760 Ocurrencias: 1

Posibles restituciones: art, irt, urt, brt, drt, d̲rt, hrt, wrt, ḥrt, ḫrt, yrt, krt, mrt, nrt, srt, ǵrt, prt, ṣrt, qrt, rt, šrt.

Administración

00-4.421:5 arbʿ . ʿ̊tkm . […] • ʿt̊k̊ . -r̊t̊ . ẘ[…] • …

-šy

nº CGR-761 Ocurrencias: 1

Posibles restituciones: ušy, nšy, ʿšy, pšy, šy, ššy.

Administración

00-4.769:20 […]p̊y . ʿšr[b̊n̊ rny ʿš̊r[t/m] • […]ḫ b/d[…]ḥ/ṭn̊ . [-]š̊y[.]ʿš̊r̊t • […]n̊[-]rq̊[. ʿ]šrm

-št

nº CGR-762 Ocurrencias: 2

Posibles restituciones: ašt, išt, ḫšt, yšt, kšt, mšt, nšt, ʿšt, qšt, ršt, št, ṯšt.

Correspondencia

10-2.33:12 [-]ib̊ . hnk̊ [.] ẘ . ht . ank • [-]št . ašk̊n̊ . w . ašt • [-]nt . -̊-̊[…]-̊ . amrk

Vocabularios

00-9.5:9 ri-gi-mu • --aš-tum • ti---tum

-tb—

nº CGR-763 Ocurrencias: 1

Posibles restituciones: itbd, itbnnk, btbt, ḫtb, ytbʿ, ktb, mtbʿl, ntb, ntbdh, ntbt, ntbtk, ntbtš, tba, tbi, tbu, tbun, tbbr, tbd, tbdn, tbḏr, tbḥ, tbṭ, tby, tbk, tbky, tbkyk, tbkynh, tbkn, tblk, tbn, tbnn, tbʿ, tbʿln, tbʿn, tbʿrn, tbʿt, tbṣʿ, tbṣr, tbṣrn, tbq, tbqʿnn, tbqrn, tbrk, tbrkk, tbrkn, tbrknn, tbšn, tbšr, tbt, tbtḫ, tbṯb, tbṯḫ, tbṯr, ttbʿ.

Correspondencia

10-2.36:46 ... • [...]m[---]tb̊[...] • [...]ʿl[---]štt[...]

-tyn—

nº CGR-764 Ocurrencias: 1

Posibles restituciones: atyn, ḫtyn, tyn, ttyn, ṯtyn.

Administración

00-4.424:3 krm̊[. w] . š̊d̊m[.]ʿ-[...] • b gt ṯm-[.]l -tyn[...] • -----

-tt

nº CGR-765 Ocurrencias: 1

Posibles restituciones: att, ḥtt, ḫtt, ytt, ktt, mtt, ntt, štt, tt.

Administración

00-4.16:10 [...]- • -t̊t • -----

-ṯtr

nº CGR-766 Ocurrencias: 1

Posibles restituciones: iṯtr, ʿṯtr.

Ejercicios Escolares

00-5.2:4 tlʿinṣ/l̊---p[...] • -ṯtr . ḥrnšt • ydṯg̊k . tlqq šrp̊[...]

ʾb—

nº CGR-767 Ocurrencias: 1

Posibles restituciones: **ʾbh.**

Fragmentos Varios

10-7.60:2 dmʿt . ʾnk . k ntt dmk/w? • d ph ʾb/d[…] • dmm . ntt bbt ntt dmk/w ///dm ś

a--k-—

nº CGR-768 Ocurrencias: 1

Posibles restituciones: **abškn, adnk, adnkm, ahpkk, aẖtk, amlk, amrk, amtk, anyk, anykn, asrkm, aǵlkz, apnk, aṣḥkm, aryk, aštk, atnk, aṯrk, aṯtk.**

Mítica

00-1.86:18 … • -n . a--k̊-[…] • -mn-- . rḥ--[…]

ab—

nº CGR-769 Ocurrencias: 8

Posibles restituciones: **ab, abbl, abbly, abbt, abg, abd, abdg, abdẖr, abdy, abdʿn, abḏl, abḏr, abh, abẖ, aby, abyy, abym, abyn, abynm, abynt, abyt, abk, abky, abkrn, abl, ablḥ, ablm, abm, abmlk, abmn, abn, abnm, abnṣrp, abʿly, abǵl, abpy, abṣn, abqn, abqṯ, abrẖṯ, abrm, abrn, abrpu, abršn, abršp, abrt, abšẖr, abškn, abšr, abšrkm, absti, abštp.**

Administración

00-4.55:25 bn . ḥyn . bn . ǵlmn • bn . yyn . w . bn . ab[…] • bn . kdrn

00-4.69:V:22 bn . iš̊/ḏ[…] • bn . ab[…] • bn . al̊/ṣ[…]

00-4.332:21 ----- • ab̊[…] • ʿd̊(?)[…]

00-4.335:32 [bn .]k-[…] • bn . ab̊[…] • bn . i[…]

00-4.382:24 bn . ngr[šp d . yṯ]b . b . ar • špšyn[. b]n . ab̊[… d .]yṯb . b . ar • bn . agpṯ . ẖpṯ . d[. yṯb .]b . šʿrt

00-4.448:4 w . nḥ̊[lh …] • bn . ab̊[…] •

00-4.635:8 […]t̊l . mḫṣ • ab[… .]ad̲ddy . bd . skn • bn . […]n . uḫd

00-4.706:1 … • […]2 … . … 1 l̊ . ab̊[…] • -----

ab-—

nº CGR-770 Ocurrencias: 1

Posibles restituciones: ab, abbl, abbly, abbt, abg, abd, abdg, abdḥr, abdy, abdʿn, abd̲l, abd̲r, abh, abḫ, aby, abyy, abym, abyn, abynm, abynt, abyt, abk, abky, abkrn, abl, ablḥ, ablm, abm, abmlk, abmn, abn, abnm, abnṣrp, abʿly, abǵl, abpy; abṣn, abqn, abqt̲, abrḫt̲, abrm, abrn, abrpu, abršn, abršp, abrt, abšḫr, abškn, abšr, abšrkm, abšti, abštp.

Administración

00-4.93:I:19 bn . yl[…] • bn̩ . ab-[…] • bn . amr[…]

abd—

nº CGR-771 Ocurrencias: 1

Posibles restituciones: abd, abdg, abdḥr, abdy, abdʿn.

Administración

00-4.727:24 bt ymtd̲r • [b]t̊ abd̊[…] • …

aby—

nº CGR-772 Ocurrencias: 3

Posibles restituciones: aby, abyy, abym, abyn, abynm, abynt, abyt.

Administración

00-4.332:1 … • ab̊y[…] • arš[mg …]

00-4.554:3 t̲pt̲bʿl̊[…] • bn . abẙ[…] • ḥyi[l …]

00-4.593:8 bn . šm̊[…] • bn̊ . aby[…] • bn . ilb̊/d̊[…]

abn—

nº CGR-773 Ocurrencias: 3

Posibles restituciones: abn, abnm, abnṣrp.

Administración

00-4.427:13 t̲b-[…] • abn̊[…] • ḥyi[l …]

Mítica

00-1.4:II:2 […]b̊/d̊[…] • l̊ åbn̊[…] • aḫdt . plkḥ̊[. b ydh]

00-1.7:31 ḥ̊ẘt . d at̲̊[…] • w lḫšt . abn̊[…] • ʿm k̊b̊kbm[…]

abq—

nº CGR-774 Ocurrencias: 1

Posibles restituciones: abqn, abqt̲.

Administración

00-4.127:10 […]t̲lt̲ kbd . ṣin • […]a . t̲lt̲ d . abq[…] • …

abr—

nº CGR-775 Ocurrencias: 1

Posibles restituciones: abrḫṯ, abrm, abrn, abrpu, abršn, abršp, abrt.

Administración

00-4.647:7 bn . ydd[…] br • prkl . bʿl . any . d bd . abr[…] • -----

ag—

nº CGR-776 Ocurrencias: 2

Posibles restituciones: agbṯr, agdyn, agdn, agdʿ, agdṯb, agzw, agzrym, agzrt, agy, agyn, agynt, agyt, agytn, aglby, agm, agmz, agmy, agmn, agn, agny, agpṯ, agpṯn, agpṯr, agr, agrškm, agršn, agrtn, agṯṯp.

Administración

00-4.248:2 npṣ . ʿ̊-[…] • d . bd . ag̊[…] • w . bd . bn̊[. …]

00-4.563:2 […]b̊n[. …] • [… b]n̊ ag[…] • [… b]n̊ . ʿm̊[…]

agy-

nº CGR-777 Ocurrencias: 1

Posibles restituciones: agy, agyn, agyt.

Administración

00-4.753:1 … • åg̊y- … (ACADIO) • tbtṯb … (ACADIO)

agm—

nº CGR-778 Ocurrencias: 2

Posibles restituciones: agm, agmz, agmy, agmn.

Administración

00-4.539:2 b̊n[.]-[…] • ågm̊[…] • bn . -[…]

00-4.686:2 --[…] • agm̊[…] • ḫp̊t[…]

agr-

nº CGR-779 Ocurrencias: 1

Posibles restituciones: agr.

Administración

00-4.753:22 bn . atn … 30 • bn . åg̊r̊- … 30 • [… - +]10

ad—

nº CGR-780 Ocurrencias: 1

Posibles restituciones: ad, adbʿl, add, adḥ, ady, adlḏn, adm, adn, adnh, adnhm, adny, adnk, adnkm, adnn, adnnʿm, adnʿm, adnṣdq, adnty, adʿ, adʿy, adʿl, adr, adrdn, adrm, adrt, adrtm, adt, adty, adtny.

Mítica

00-1.24:13 n̊ḫ̊ l ẙdh tzdn[…]n̊(?) • l ad̊[…] • dgn tt[…]t̊l̊

ad-—

nº CGR-781 Ocurrencias: 2

Posibles restituciones: ad, adbʿl, add, adḥ, ady, adl<u>d</u>n, adm, adn, adnh, adnhm, adny, adnk, adnkm, adnn, adnnʿm, adnʿm, adnṣdq, adnty, adʿ, adʿy, adʿl, adr, adrdn, adrm, adrt, adrtm, adt, adty, adtny.

Fragmentos Varios

00-7.73:1 … • […]ad-[…] • […]n̊t̊[…]

00-7.114:6 […]- . in[…] • […]ad-[…] • […]ů/d̊[…]

adl—

nº CGR-782 Ocurrencias: 1

Posibles restituciones: adl<u>d</u>n.

Administración

00-4.604:2 […]-[…] • […] . adl[…] • […] . ʿb̊ẙ[…]

adr—

nº CGR-783 Ocurrencias: 1

Posibles restituciones: adr, adrdn, adrm, adrt, adrtm.

Correspondencia

00-2.81:10 […]t/aṣpy . bḫr[ṣ …] • […]su . adr[…] • […]n . pr . h[…]

adt—

nº CGR-784 Ocurrencias: 1

Posibles restituciones: adt, adty, adtny.

Fragmentos Varios

00-7.56:3 […]yn[…] • […]p̊ adt[…] • […]wn . b<u>t</u>[…]

aw—

nº CGR-785 Ocurrencias: 1

Posibles restituciones: awl, awldn, awpn, awṣ, awr.

Fragmentos Varios

00-7.10:4 […]ålp . […] • […]ht . år̊/k̊/ẘ[…] • […]iln[…]

aw---

nº CGR-786 Ocurrencias: 1

Posibles restituciones: awl, awldn, awpn, awṣ, awr.

Administración

00-4.423:2 [šd .]<u>d</u>mrn • bd . aẘ--- • -----

aḫ—

nº CGR-787 Ocurrencias: 3

Posibles restituciones: aḫ, aḫd, aḫdh, aḫdy, aḫdm, aḫw, aḫwy, aḫẓ, aḫl, aḫrṭp, aḫš, aḫt.

Correspondencia

00-2.75:2 […]p/k/r[…] • [---]h . aḫ[…] • [ʿ]m . mlk . […]

Mítica

00-1.6:V:26 åk̊l̊ẙ . hml̊[t . arṣ] • w . ẙ(?)ʿ̊(?)l . aḫ̊[…] • š̊t(?)--[…]

00-1.37:4 […] . wk • […]tm . aḫ̊[…] • […]q̊t . -k̊/ẘ[…]

aḫ—

nº CGR-788 Ocurrencias: 2

Posibles restituciones: aḫ, aḫd, aḫdbn, aḫdhm, aḫdy, aḫdt, aḫḏ, aḫh, aḫy, aḫyh, aḫym, aḫyn, aḫk, aḫm, aḫmlk, aḫmn, aḫn, aḫny, aḫnnr, aḫġl, aḫqm, aḫr, aḫrm, aḫrš, aḫršp, aḫt, aḫth, aḫty, aḫtk, aḫtmlk, aḫtth.

Administración

00-4.611:21 [bn …]y/ḫn … 1 … bn zlbn[…] • [bn …]ṯ̊ … 10 … bn . aḫ[…] • […]-[…] … bn t[…]

00-4.754:8 ----- • aḫ[… . bn] . qwḥn • [bn . ʿb]d̊il . hzpy

ay—

nº CGR-789 Ocurrencias: 1

Posibles restituciones: ay, ayab, ayaḫ, ayiḫ, ayḫ, ayy, ayl, ayly, aylm, ayln, aylt, aym, aymr, ayr.

Administración

00-4.317:15 w . tšʿ̊[…] • d . ay[…] • -----

ak—

nº CGR-790 Ocurrencias: 3

Posibles restituciones: akdṯb, aky, akyn, akl, akly, aklm, akln, aklt, aklth, akrḏn, akt, aktmy, aktn, akṯn.

Fragmentos Varios

00-7.10:4 […]ålp . […] • […]ht . ar̊/k̊/ẘ[…] • […]iln[…]

Mítica

00-1.82:18 […]- . nt[…]å(?)t . b kkpt . w k̊(?) . b g-[…] • […]ḥ[…] bnt . ṣʿṣ . bnt . ḫrp . ak̊/r̊[…] • […]- . aḥw . aṯm . prṯl[…]

00-1.166:6 k̊[…] • ak/r/p[…] • nʿ[…]

al—

nº CGR-791 Ocurrencias: 4

Posibles restituciones: al, aliy, aliyn, alit, alb, algbṯ, alḏy, alz, alzy, alḫb, alḫn, alḫnm, aly, alyy, alk, alkbl, all, ally, allm, alm, almg, almdk, almlk, almnt, aln, alnr, alnṯr, alp, alph, alpy, alpm, alpnm, alt, alty, altġ, alṯb, alṯy, alṯyy, alṯn, alṯt.

Administración

00-4.69:V:23 bn . ab[…] • bn . al̊/ṣ[…] • bn . nb̊[…]

00-4.308:16 gl[…] • al[…] • -----

Correspondencia

00-2.25:3 åd̊ty . -[…] • lb . ʿbd̊[k] . al[…] • htm . iph . adty . w . […]

Ritual

00-1.107:51 […] . n̊ʿlm . n̊/ạ̊[…] • […]š . hn . al̊[…] • […]-t . bnh̊(?)[…]

alk—

nº CGR-792 Ocurrencias: 1

Posibles restituciones: alk, alkbl.

Correspondencia

00-2.39:22 špšn . tůbd • hm . alk̊[…] • ytnt . […]

alt—

nº CGR-793 Ocurrencias: 1

Posibles restituciones: alt, alty, altǵ, altṯb.

Mítica

00-1.55:5 […]idmnn[…] • […]b/d̊ṯn . alt[…] • […]b ṯlṯ . b ṯlṯ̊[…]

am—

nº CGR-794 Ocurrencias: 1

Posibles restituciones: am, amid, amd, amdy, amdm, amdn, amḏy, amht, amy, amyḏtmr, amkrn, amlk, amn, amǵy, amṣ, amṣq, amr, amril, amrbʿl, amry, amrk, amrr, amrtn, amšrt, amt, amth, amtk, amtm, amtrn.

Administración

00-4.182:36 [… yr]ḫ . nql . ḫpn[…] • […]- . aḥd . ḫmš . am[…] • […]m . qmṣ . ṯlṯm . iq[nu …]

am-—

nº CGR-795 Ocurrencias: 1

Posibles restituciones: am, amid, amd, amdy, amdm, amdn, amḏy, amht, amy, amyḏtmr, amkrn, amlk, amn, amǵy, amṣ, amṣq, amr, amril, amrbʿl, amry, amrk, amrr, amrtn, amšrt, amt, amth, amtk, amtm, amtrn.

Mítica

00-1.3:V:23 al . aḫdhm . b y[…]ẙ h̊[…]--- • b gdlt . arkty . åm̊-[…] • qdqdk . ašhlk . šb̊t̊k̊[. dmm]

amr—

nº CGR-796 Ocurrencias: 2

Posibles restituciones: amr, amril, amrbʿl, amry, amrk, amrr, amrtn.

Administración

00-4.93:I:20 bn . ab-[…] • bn . amr[…] • bn . -[…]

Mítica

00-1.2:IV:2 […]ẙd̊- . ḫ̊tt . mtt[…] • […]ḥ̊ẙ[…]-[…]l̊ aš̊ṣi . hm . ap . amr[…] • […] . w b ym . mnḫ l abd . b ym . irtm . m̊[…]

an—

nº CGR-797 Ocurrencias: 6

Posibles restituciones: an, anan, angḥ, ands, anhbm, anḫ, anḫn, anḫr, anẓ, any, anyk, anykn, anyt, anyth, ank, ankm, ankn, anm, ann, anna, annd, anndn, annḏy, annḏr, annḫ, annḫb, anny, annyn, annmn, annmt, annpdgl, annšn, anntn, annṯb, ansny, anǵn, anpnm, anry, anrmy, anš, anšq, anšrm, anšt, ant, antn.

Administración

00-4.513:2 pl[…] • an̊[…] • w . n̊[ḥlh …]

00-4.545:II:2 b̊n . ˁ̊[…] • bn . ån̊[…] • bn . ẓr[…]

Correspondencia

00-2.3:15 l ytn . w rgm[…] • w yrdnn . ån̊[…] • -----

00-2.23:15 rb[…] • w . an[…]b̊(?) • arš[…]m̊

00-2.31:60 ----- • […]-y . al . an̊(?)[…]ẘ il . ḥ̊[…]k̊ẙ • […]ṣlm . pnẙ/ḫ[…]tlkn[…]

Mítica

00-1.3:V:16 l pˁn . ǵ̊l̊[m]m̊[…] • mid . an̊[…]mn[…]- • ntr̊ . il̊m̊ . š̊pš . [ṣḥr]r̊t

and—

nº CGR-798 Ocurrencias: 1

Posibles restituciones: ands.

Administración

00-4.83:12 lsn . d̊[d …] • and[…] • …

ann—

nº CGR-799 Ocurrencias: 2

Posibles restituciones: ann, anna, annd, anndn, annḏy, annḏr, annḫ, annḫb, anny, annyn, annmn, annmt, annpdgl, annšn, anntn, annṯb.

Administración

00-4.382:32 bt . […]b[…]-sy[…]n̊h • ann[…] . b[n] . py-[. d .]yṯb . b . gt . agld • šgn . bn[.]bbt[…]- . d . yṯb . b . ilštmˁ

00-4.658:40 b . t-[… ˁš]rm • b . ann[…]ny[…] • b . ḫqn . b̊[n . …]-m . -[…]n

aǵ-yn

nº CGR-800 Ocurrencias: 1

Posibles restituciones: agwyn, aglyn, agṣyn.

Administración

00-4.769:62 […] … bn . st/mḫ . ʿšrm • […] … bn . t/aǵ/t[-]yn . ʿšrm • […] … d̊rn . ʿšrt

aǵl—

nº CGR-801 Ocurrencias: 2

Posibles restituciones: agli, agld, agldrm, aglyn, aglkz, aglmn, agltn, agltr.

Administración

00-4.506:1 … • åǵl̊[…] • ydl[m …]

00-4.649:6 idṯn̊[…] • aǵl̊[…] • -[…]

ap—

nº CGR-802 Ocurrencias: 6

Posibles restituciones: ap, aph, aphm, aphn, apy, apym, apk, apkm, apkn, apl, apm, apn, apnk, apnm, apnnk, apnt, apnthn, apsh, apsny, apšny, apʿ, apq, apr, apṯ.

Administración

00-4.35:II:7 w . nḥlh • atn . bn . ap[…]n • -----

00-4.686:11 šl[…] • ap̊[…] • d[…]

Fragmentos Varios

00-7.29:2 […]-[…] • […] . ap[…] • […]- . ly . l-[…]

00-7.30:4 […]alp . p̊(?)[…] • […]ht . ap̊[…] • […]iln […]

00-7.46:2 […]n[…] • […]pn . ap/r[…] • […]rpl . a[…]

Mítica

00-1.166:6 k̊[…] • ak/r/p[…] • nʿ[…]

apn—

nº CGR-803 Ocurrencias: 1

Posibles restituciones: apn, apnk, apnm, apnnk, apnt, apnthn.

Administración

00-4.67:9 ap[n …]- • apn̊[…]ǵ • tgmr a[pn …]nm

aṣ—

nº CGR-804 Ocurrencias: 1

Posibles restituciones: aṣd, aṣwl, aṣḥ, aṣḥkm, aṣʿth, aṣpy, aṣṣ.

Administración

00-4.69:V:23 bn . ab[…] • bn . al̊/ṣ[…] • bn . nb̊[…]

aq—

nº CGR-805 Ocurrencias: 1

Posibles restituciones: aqbrn, aqbrnh, aqhr, aqht, aqny, aqr, aqrbk, aqry, aqryk, aqšr.

Administración

00-4.356:15	šd . gzl . l . bn . ṭbr̊[n] • šd . ḫzmyn . l aq[…] • ṯn šdm . bd̊[.]b̊ʿ[…]

ar—

nº CGR-806 Ocurrencias: 26

Posibles restituciones: ar, arb, arbdd, arbḫ, arbn, arbʿ, arbʿm, arbʿt, argb, argd, argd̲d̲, argm, argmk, argmn, argmny, argmnk, argmnm, argn, argnd, ard, ardn, arw, arwd, arwdn, arwn, arws, arwṯ, arz, arzh, arzm, arḫ, arḫh, arḫlb, arḫp, arḫt, ary, aryh, aryy, aryk, arym, aryn, ark, arkbt, arkd, arkd̲, arkšt, arkty, arl, arm, armgr, armwl, army, armsǵ, arn, arnbt, arny, arnn, arsw, arswn, arspy, arŝw, arŝwn, arʿ, arʿt, arǵn, arpḫn, arpṯr, arṣ, arṣh, arṣy, arr, arš, aršḫ, aršm, aršmg, aršt, art, arty, artyn, artn, artsn, artṯb, arṯm.

Administración

00-4.1:1	… • å̊r[…] • bd t[…]
00-4.8:6	--[…] • ar[…] • nr[…]
00-4.27:5	ubr[ʿy …] • ar[…] • -----
00-4.44:2	ṯmn ʿšr šurt [l …] • ṯmn šurt l ar[…] • ṯn šurtm l bnš[…]
00-4.64:II:5	bn . ḥyn … […] • [bn .]ar[…]m[…] • [bn] . ḥrp[…]
00-4.75:IV:3	m-[…]- • ar[…]-l • atyn̊[. bn .]š̊mʿnt
00-4.80:2	----- • ḫdd . ar[…] • -----
00-4.138:7	----- • lmd . aḥd . bd . ar[…] • -----
00-4.244:31	[…] . kr[m …] • ar[…] • yp-[…]
00-4.252:4	ʿṯt[…] • ar[…] • l̊/d̊/ům̊[…]
00-4.300:4	bsn . mi[t …] • ar[…] • k[…]
00-4.308:11	šl-ḫ̊/ẙ[…] • ar[…] 3 • qr[t …] 1
00-4.677:2	----- • ar[…] • yrt-[…]
00-4.683:14	ḫl̊[…] • ar̊[…] • mʿr[t …]
00-4.686:15	ṯm̊[r …] • ar[…] • ykn[ʿm …]
00-4.726:1	• […] . ar[…] • […] kd[…]
00-4.754:5	----- • ar[…] • bn . […]y

Correspondencia

10-2.36:49	[arg]mn . q̊bt . w . […] • […]k . p[-] . år[…] • [a]rgmnm[.]d . ar[…]
00-2.36:50	[…]l̊/m̊k . p[…]-tr . […] • [… a]r̊gmnm[.]d . ar̊[…] • […] . ibʿr . nn . […]
10-2.36:50	*[…]k . p[-] . år[…] • [a]rgmnm[.]d . ar[…] • […] . ibʿr[.]an . […]*

Fragmentos Varios

00-7.10:4	[…]ålp . […] • […]ht . ar̊/k̊/ẘ[…] • […]iln[…]
00-7.46:2	[…]n[…] • […]pn . ap/r[…] • […]rpl . a[…]
00-7.61:13	[…]-(R:-) • ar̊[…] • ʿdn
00-7.130:3	[…]d̲i . u[…] • […]- . l . å̊r[…] • […]-g . irb[…]

Mítica

00-1.13:5	----- • h̊̊rg . ar̊[…]ẙmm . bṣr . • -----

00-1.82:18 [...]- . nt[...]å(?)t . b kkpt . w k̊(?) . b g-[...] • [...]ḥ[...] bnt . ṣʿṣ . bnt . ḫrp . ak̊/r̊[...] • [...]- . aḥw . aṭm . prṯl[...]

00-1.166:6 k̊[...] • ak/r/p[...] • nʿ[...]

ar-—

nº CGR-807 Ocurrencias: 2

Posibles restituciones: ar, arb, arbdd, arbḫ, arbn, arbʿ, arbʿm, arbʿt, argb, argd, argd̲d̲, argm, argmk, argmn, argmny, argmnk, argmnm, argn, argnd, ard, ardn, arw, arwd, arwdn, arwn, arws, arwṯ, arz, arzh, arzm, arḫ, arḫh, arḫlb, arḫp, arḫt, ary, aryh, aryy, aryk, arym, aryn, ark, arkbt, arkd, arkd̲, arkšt, arkty, arl, arm, armgr, armwl, army, armsǵ, arn, arnbt, arny, arnn, arsw, arswn, arspy, ar̀šw, ar̀šwn, arʿ, arʿt, arǵn, arpḫn, arpṯr, arṣ, arṣh, arṣy, arr, arš, aršḫ, aršm, aršmg, aršt, art, arty, artyn, artn, artsn, artṯb, arṯm.

Administración

00-4.412:I:25 bn . r̊[...] • bn . ar̊-[...] • w . nḥlh

00-4.427:16 iḫy[...] • ar-[...] • ʿṯtr̊[...]

ar--

nº CGR-808 Ocurrencias: 1

Posibles restituciones: ar, arb, arbḫ, arbn, arbʿ, argb, argd, argm, argn, ard, ardn, arw, arwd, arwn, arws, arwṯ, arz, arzh, arzm, arḫ, arḫh, arḫp, arḫt, ary, aryh, aryy, aryk, arym, aryn, ark, arkd, arkd̲, arl, arm, army, arn, arny, arnn, arsw, ar̀šw, arʿ, arʿt, arǵn, arṣ, arṣh, arṣy, arr, arš, aršḫ, aršm, aršt, art, arty, artn, arṯm.

Mítica

00-1.3:IV:28 [...]k̊(?)[...]r̊nh . aqry • å(?)r̊(?)-- b̊ å̊r̊ṣ̊ . mlḥmt • aš̊t[. b]ʿ̊p[r]m̊ . ddym̊ . ask

arḫ—

nº CGR-809 Ocurrencias: 1

Posibles restituciones: arḫ, arḫh, arḫlb, arḫp, arḫt.

Mítica

00-1.10:III:23 tḥbq . å[rḫ ...] • tḥbq . å̊r̊ḫ̊[...] • w tks̊ẙn̊n . b ṯ̊n̊---

arp—

nº CGR-810 Ocurrencias: 2

Posibles restituciones: arpḫn, arpṯr.

Administración

00-4.196:8 ----- • å̊r̊p[...] • pdk̊[...]

00-4.422:44 bn . špš[...] • bn . arp̊[...] • bn . gb[...]

arš—

nº CGR-811 Ocurrencias: 1

Posibles restituciones: arš, aršḫ, aršm, aršmg, aršt.

Correspondencia

00-2.23:16 w . an[…]b̊(?) • arš[…]m̊ • mlk . r[b . bʿl]y . p . l .

at—

nº CGR-812 Ocurrencias: 2

Posibles restituciones: at, atdb, atwt, atyn, atk, atlg, atlgy, atlgn, atm, atn, atnb, atnk, atnnk, atnth, atnty, att, atṯ.

Administración

00-4.432:17 [bn . n]k̊lb … 3 … bn . bd[…] • [ʿ]ṯt̊rab … [- +]1 … bn . at[…] • bn . atnb … […] … bn . ʿbd̊[…]

Mítica

00-1.4:II:40 mh . k-[…] • w at[…] • aṯr[t …]

at-—

nº CGR-813 Ocurrencias: 1

Posibles restituciones: at, atdb, atwt, atyn, atk, atlg, atlgy, atlgn, atm, atn, atnb, atnk, atnnk, atnth, atnty, att, atṯ.

Administración

00-4.77:6 bn . sn[…]r[…] • bn . at̊--[…] • bn . qnḏ … […]

atl—

nº CGR-814 Ocurrencias: 1

Posibles restituciones: atlg, atlgy, atlgn.

Administración

00-4.754:3 ṣdq̊[…] • atl[…] • ypḥ̊[…]y

atn—

nº CGR-815 Ocurrencias: 1

Posibles restituciones: atn, atnb, atnk, atnnk, atnth, atnty.

Administración

00-4.494:3 [b]n̊ . ubn̊[…] • [bn] . atn̊[…] • [bn] . ad̊t[y …]

aṯ—

nº CGR-816 Ocurrencias: 1

Posibles restituciones: aṯb, aṯbn, aṯḫ, aṯy, aṯny, aṯnyk, aṯr, aṯrh, aṯry, aṯrym, aṯryt, aṯrk, aṯrm, aṯrn, aṯrt, aṯrty, aṯt, aṯth, aṯty, aṯtyy, aṯtyn, aṯtk, aṯtl, aṯtm, aṯtn, aṯtrt, aṯtš.

Mítica

00-1.7:30 [m]n̊ ʿm̊ẙ t[wtḥ …] • h̊ẘt . d aṯ̊[…] • w lḫšt . abn̊[…]

aṯ-—

nº CGR-817 Ocurrencias: 2

Posibles restituciones: aṯb, aṯbn, aṯḫ, aṯy, aṯny, aṯnyk, aṯr, aṯrh, aṯry, aṯrym, aṯryt, aṯrk, aṯrm, aṯrn, aṯrt, aṯrty, aṯt, aṯth, aṯty, aṯtyy, aṯtyn, aṯtk, aṯtl, aṯtm, aṯtn, aṯtrt, aṯtš.

Administración

00-4.651:6 mri̊[…] • aṯ-[…] • ---[…]

Épica

00-1.18:I:4 […] • […]h̊/i̊ . aṯ-[…] • […]b̊/d̊h . ap . -[…]

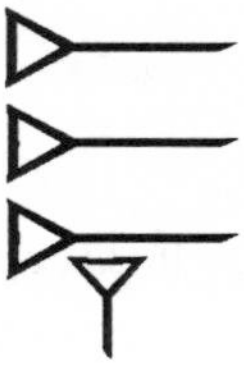

i-m

nº CGR-818 Ocurrencias: 1

Posibles restituciones: ibm, idm, ikm, ilm, inm, irm, itm, iṯm.

Administración

00-4.401:2 ----m-[…]-[…] • ṯ̊n̊/t̊ . h̊/i̊-m̊ . k[…]-[…] • -----

i-š

nº CGR-819 Ocurrencias: 1

Posibles restituciones: ilš, inš, irš.

Vocabularios

00-9.5:27 di-[q]a-ru • i-[-]-i[š?] • ša-[m]u-ma

i-t

nº CGR-820 Ocurrencias: 1

Posibles restituciones: iht, ikt, ilt, imt, ipt, irt, išt, iṯt.

Correspondencia

10-2.36:10 [--]qrt[--]nṯb . ʿmnkm . qrb[…] • [--]r . i[-]t̊ . w . at . ʿmy . l . mǵt . […] • [w .]mla[k]tk . ʿmy . l . likt

ib—

nº CGR-821 Ocurrencias: 2

Posibles restituciones: ib, ibh, iby, ibyḫ, ibyn, ibk, ibky, iblblhm, ibln, ibm, ibn, ibsn, ibʿlt, ibʿltn, ibʿr, ibǵyh, ibqʿ, ibr, ibrd, ibrḏr, ibrh, ibryn, ibrkḏ, ibrkyṯ, ibrm, ibrmḏ, ibrn, ibrtlm.

Administración

00-4.462:2 ----- • […]b̊n . ib̊/d̊[…] • -----

Ritual

12-1.103:37 ----- • w in udn šmal . b̊[h .]m̊l̊k̊n̊[y]šdd ḥwt ib[…] • w yḥslnn

ib-—

nº CGR-822 Ocurrencias: 1

Posibles restituciones: ib, ibh, iby, ibyḫ, ibyn, ibk, ibky, iblblhm, ibln, ibm, ibn, ibsn, ibʿlt, ibʿltn, ibʿr, ibǵyh, ibqʿ, ibr, ibrd, ibrḏr, ibrh, ibryn, ibrkḏ, ibrkyṯ, ibrm, ibrmḏ, ibrn, ibrtlm.

Épica

00-1.19:I:31 b grn . yḫrb[…] • yǵly . yḫsp . ib-[…] • ʿl . bt . abh . nšrm . tr̊ḫ̊p̊n̊ .

ibr—

nº CGR-823 Ocurrencias: 1

Posibles restituciones: ibr, ibrd, ibrḏr, ibrh, ibryn, ibrkḏ, ibrkyṯ, ibrm, ibrmḏ, ibrn, ibrtlm.

Mítica

00-1.9:16 r̊mm . ḫnpm mḫl[…] • mlk . nhr ibr[…] • zbl bʿl . ǵlm . […]

id—

nº CGR-824 Ocurrencias: 1

Posibles restituciones: id, idw, idy, idk, idly, idm, idmt, idn, idʿ, idrm, idrn, idrp, idṯn.

Administración

00-4.462:2 ----- • […]b̊n . ib̊/d̊[…] • -----

idr—

nº CGR-825 Ocurrencias: 3

Posibles restituciones: idrm, idrn, idrp.

Administración

00-4.452:2 [b]n̊ . ḥd[…] • [bn] . idr[…] • [bn] . ḫ̊/ṭ̊-[…]

00-4.511:2 […]-[…] • […]i̊dr̊[…] • […]n̊[…]

00-4.528:4 […] . bn . mry[n …] • […]b̊n . i̊d̊r̊[…] • …

idṯ—

nº CGR-826 Ocurrencias: 1

Posibles restituciones: idṯn.

Administración

00-4.118:7 pndyn̊[…] • ṯ̊n . idṯ[…] • b . gt . bn̊[…]

iḏ—

nº CGR-827 Ocurrencias: 1

Posibles restituciones: iḏrn.

Administración

00-4.69:V:21 bn . b[…] • bn . iš̊/d̲[…] • bn . ab[…]

ih—

nº CGR-828 Ocurrencias: 1

Posibles restituciones: ihbt, iht.

Mítica

00-1.167:9 […]yšu . ʿp[…] • […]hm . ih[…] • […]ʿẓrn . […]

iw-—

nº CGR-829 Ocurrencias: 1

Posibles restituciones: iwl, iwr, iwrd, iwrd̲n, iwrd̲r, iwrḫz, iwrḫṯ, iwryn, iwrkl, iwrmd̲, iwrmḫ, iwrnr, iwrǵl, iwrpzn, iwrpḫn, iwrtd̲l, iwrtn, iwrṯǵrn.

Administración

00-4.260:2 […]m̊lk[…] • […]åsrm … 4 … iw-[…] • […]ḥrẓn … 4 … ṣdqn ̊ʿ[…]

iwr—

nº CGR-830 Ocurrencias: 6

Posibles restituciones: iwr, iwrd, iwrd̲n, iwrd̲r, iwrḫz, iwrḫṯ, iwryn, iwrkl, iwrmd̲, iwrmḫ, iwrnr, iwrǵl, iwrpzn, iwrpḫn, iwrtd̲l, iwrtn, iwrṯǵrn.

Administración

00-4.114:12 iḫy-[…] • iwr̊[…] • ʿd[…]
00-4.289:2 ---[…] • iwr̊[…] • ipt[…]
00-4.289:4 ipt[…] • iwr[…] • md̲l … […]
00-4.289:7 ikrn̊[…] • iwr[…] • dt . l[…]
00-4.607:12 iw[r …]- • iwr[…] • ilṣẙ[…]
00-4.678:2 i̊l̊ys-[…] • iwr[…] • iwrd̲̊[…]

iwrd̲—

nº CGR-831 Ocurrencias: 1

Posibles restituciones: iwrd̲n, iwrd̲r.

Administración

00-4.678:3 iwr[…] • iwrd̲̊[…] • tlmu . […]

iwrm—

nº CGR-832 Ocurrencias: 1

Posibles restituciones: iwrmd̲, iwrmḫ.

Administración

00-4.357:20 ṯn . šdm . bd . amtrn • šd . bd . iwrm[…] • šd . bd . yṯpr-[…]

iwrn—

nº CGR-833 Ocurrencias: 1

Posibles restituciones: iwrnr.

Administración

00-4.545:II:8 bn . ibln[…] • bn . i̊ẘr̊n[…] • bn . […]

iy—

nº CGR-834 Ocurrencias: 1

Posibles restituciones: iy, iybʿl, iydm, iynm, iyrḏ, iyrh, iyry, iytlm, iyṯr.

Administración

00-4.699:4 […] . ʿrbn[…] • […] . ʿl . il̊/ẙ[…] • […]-šm[…]

ik—

nº CGR-835 Ocurrencias: 1

Posibles restituciones: ik, iky, ikl, ikm, ikmy, ikrn, ikt.

Administración

00-4.677:1 … • i̊k̊[…] • -----

il—

nº CGR-836 Ocurrencias: 25

Posibles restituciones: il, ila, ilabn, ilak, ilakk, ilib, ilibh, iliby, ilbd, ilbldn, ilbʿl, ilg, ilgdn, ilgn, ilgt, ildgn, ildy, ildn, ilḏ, ilh, ilhd, ilhm, ilhnm, ilht, ilwn, ilḫu, ilḥbn, ilḥm, ilḥmn, ilḫu, ily, ilyy, ilym, ilyn, ilys, ilyqn, ilk, ilkkm, ilkkṣ, ilkpm, ilkpṣ, ilkšy, ill, illḏr, illḏrm, illm, illnpn, ilm, ilmd, ilmhr, ilmy, ilmlk, ilmn, iln, ilnḥm, ilnym, ilnm, ilnnn, ilnqsd, ils, ilsk, ilʿnt, ilṣdq, ilṣy, ilqṣm, ilrb, ilrkm, ilrkṣ, ilrm, ilrpi, ilrpm, ilrpṣ, ilrš, ilršp, ilš, ilšḫr, ilšlm, ilšmḫ, ilšn, ilšpš, ilštmʿ, ilštmʿy, ilštmʿym, ilštʿy, ilt, ilṯḥm, iltm, iltr, ilṯr, ilṯtmr.

Administración

00-4.253:1 … • il[…] • -bt[…]
00-4.405:9 l . y[…] • l . il̊[…] • [l] . -[…]
00-4.469:3 p-[…] • il̊[…] • š[…]
00-4.583:5 [b]n̊ . mʿn[…] • [b]n̊ . il̊[…] • [bn] . å[…]
00-4.607:15 ilʿn[t …] • il[…]l[…] • ilmlk̊
00-4.609:16 ----- • ḫdǵlm . il[…]n . pbn . nḏbn . sbd • -----
00-4.633:3 bn . m̊[…] • bn . il̊[…] • -----
00-4.699:4 […] . ʿrbn[…] • […] . ʿl . il̊/ẙ[…] • […]-šm[…]
00-4.732:2 […]--[…] • […] . l bn . il̊[…] • […]-ḥ̊/ṭ̊[…]rʿ-

00-4.746:10 dd l kn̊[…] • dd l il̊[…] • dd l b̊/d̊[…]

00-4.763:4 t̊b[…] … 3 • il̊[…] … 2 • bn . r[…]y … 2

Correspondencia

00-2.17:15 w pr[…] • tšt il[…] • ʿmn . bnš̊ --[…]

Fragmentos Varios

00-7.92:1 … • […]l̊ . il̊[…] • […]k̊---[…]

00-7.104:2 -[…] • il̊[…] • -[…]

00-7.149:1 … • il̊[…] • r[…]

00-7.218:6 t/h/pgẙ-[…] • h/il̊[…] • …

Mítica

00-1.4:VII:5 y[m …]l ṯr . qdq̇dh̊ • il[…]r̊(?)ḥq . b ǵr • km . y[…] ilm . b ṣpn

00-1.13:20 btlt . ʿnt̊ . tptr̊ʿ . ṯb[…] • limm . ẘ tʿl . ʿm̊ . il[…] • abh . ḥz̊r̊ . p̊ ʿlk . yh̊/ṭ̊(?)-[…]

00-1.94:24 […]- . ybšr . qdš […] • […]t btm . qdš . il[…] • [… b]n . qdš . kb̊[…]

00-1.157:9 ----- • […]m(?̊)yt---- yml̊k̊ . k il̊[…] • -----

Ritual

00-1.31:2 b̊ ẙ[…] • il[…] • bʿl̊[…]

00-1.123:18 […]n̊(?)r̊[…] • […]l̊(?)/ṣ̊p il[…] • [ǵ]lmt mrd̊[…]

00-1.126:17 [b ẖ]mš[…] • […]-y . il̊[…] • ẘ mlk̊[…]

00-1.137:2 […]-[…] • […]r il[…] • […]-mt w[…]

Vocabularios

00-9.3:IVa:16 ga-š[a-ru] (gašāru/gašru) • il[…] • ya-m[u …]

il-—

nº CGR-837 Ocurrencias: 4

Posibles restituciones: il, ila, ilabn, ilak, ilakk, ilib, ilibh, iliby, ilbd, ilbldn, ilbʿl, ilg, ilgdn, ilgn, ilgt, ildgn, ildy, ildn, ild̲, ilh, ilhd, ilhm, ilhnm, ilht, ilwn, ilḫu, ilḫbn, ilḥm, ilḥmn, ilḫu, ily, ilyy, ilym, ilyn, ilys, ilyqn, ilk, ilkkm, ilkkṣ, ilkpm, ilkpṣ, ilkšy, ill, illd̲r, illd̲rm, illm, illnpn, ilm, ilmd, ilmhr, ilmy, ilmlk, ilmn, iln, ilnḥm, ilnym, ilnm, ilnnn, ilnqsd, ils, ilsk, ilʿnt, ilṣdq, ilṣy, ilqṣm, ilrb, ilrkm, ilrkṣ, ilrm, ilrpi, ilrpm, ilrpṣ, ilrš, ilršp, ilš, ilšḥr, ilšlm, ilšmḫ, ilšn, ilšpš, ilštmʿ, ilštmʿy, ilštmʿym, ilštʿy, ilt, ilṯḥm, iltm, iltr, ilṯr, ilṯtmr.

Administración

00-4.64:IV:16 […] • [b]n̊ . il-[…] • b̊n . ---[…]

00-4.200:11 b̊ [g]t irbl • w . il̊-[…] •

Épica

00-1.14:I:5 […]--[…] • […]m . i̊l̊-[…] • […]d̊ nhr . umt

Mítica

00-1.157:6 ----- • […]l . mṯ-[…]-t . i̊l-[…] • -----

il-km

nº CGR-838 Ocurrencias: 1

Posibles restituciones: ilkkm, ilrkm.

Inscripciones

00-6.69:2 mšmn • ilk/r/-k/p • m/ṣ

il-kṣ

nº CGR-839 Ocurrencias: 1

Posibles restituciones: ilkkṣ, ilrkṣ.

Inscripciones

00-6.69:2 mšmn • ilk/r/-k/p • m/ṣ

il-pm

nº CGR-840 Ocurrencias: 1

Posibles restituciones: ilkpm, ilrpm.

Inscripciones

00-6.69:2 mšmn • ilk/r/-k/p • m/ṣ

il-pṣ

nº CGR-841 Ocurrencias: 1

Posibles restituciones: ilkpṣ, ilrpṣ.

Inscripciones

00-6.69:2 mšmn • ilk/r/-k/p • m/ṣ

ilb—

nº CGR-842 Ocurrencias: 1

Posibles restituciones: ilbd, ilbldn, ilbʿl.

Administración

00-4.593:9 bn̊ . aby[…] • bn . ilb̊/d̊[…] • …

ild—

nº CGR-843 Ocurrencias: 2

Posibles restituciones: ildgn, ildy, ildn.

Administración

00-4.69:V:25 bn . nb̊[…] • bn . ild[…] • (LINEA EN ACADIO)

00-4.593:9 bn̊ . aby[…] • bn . ilb̊/d̊[…] • …

ily—

nº CGR-844 Ocurrencias: 5

Posibles restituciones: ily, ilyy, ilym, ilyn, ilys, ilyqn.

Administración

00-4.227:II:11 1 w . lm[dh …] • 1 ily[…] • 1[…]

00-4.334:3 bn . byy[…] • bn . ily[…] • bn . iyb̊[ʿl …]

00-4.432:21 bn . ṯ̊yn̊[…] … b̊n̊[. …] • bn . ilẙ[…] • bn . ḥd[…]

00-4.488:2 ks̊[p …] • ilẙ[…] • byẙ[…]

00-4.583:1 • [bn] . i̊lẙ[…] • [b]n̊ . ilb[ʿl …]

ilmh—

nº CGR-845 Ocurrencias: 1

Posibles restituciones: ilmhr.

Administración

00-4.194:11 [w .]lmdh • ilmh[…] • k̊/r̊pil

iln—

nº CGR-846 Ocurrencias: 1

Posibles restituciones: iln, ilnḫm, ilnym, ilnm, ilnnn, ilnqsd.

Correspondencia

00-2.29:2 […]år̊bʿ . […] • […]p̊ iln̊[…] •

ilr—

nº CGR-847 Ocurrencias: 2

Posibles restituciones: ilrb, ilrkm, ilrkṣ, ilrm, ilrpi, ilrpm, ilrpṣ, ilrš, ilršp.

Administración

00-4.432:4 […]-[…]b[n . …] • […]l̊[…]1 … b̊[n .]i̊lr̊[…] • […]b … 3 …
b[n .]mr[…] … 4[+ -]

00-4.574:6 […]nn […] • [b]n̊ . ilr̊[…] • -----

ilš—

nº CGR-848 Ocurrencias: 1

Posibles restituciones: ilš, ilšḥr, ilšlm, ilšmḥ, ilšn, ilšpš, ilštmʿ, ilštmʿy, ilštmʿym, ilštʿy.

Administración

00-4.781:2 t̠n . lʿšrm • šmn . bbt . ilš[…] • ary

ilt—

nº CGR-849 Ocurrencias: 4

Posibles restituciones: ilt, ilthm, iltm, iltr.

Administración

00-4.512:3 tlšn[…] • i̊lt[…] • n̊ḥlh[…]

Mítica

00-1.1:IV:14 w yʿn . lṭpn . il . d p̊[id …] • šm . bny . yw . ilt[…] • w pʿr . šm . ym[…]

Ritual

00-1.50:2 […]ʿṯ[trt …] • [l k]su . ilt[…] • [w .]ṯ̊ṯ . l ʿṯtr̊t[…]

00-1.81:5 l . mš[…] • l . ilt[…] • l . bʿl̊t[…]

ilt-—

nº CGR-850 Ocurrencias: 1

Posibles restituciones: ilt, ilṯḥm, iltm, iltr.

Administración

10-4.760:6 bn . ddn[…] • bn . ilt̊-[…] • bn . ǵld̊[n …]

in—

nº CGR-851 Ocurrencias: 7

Posibles restituciones: in, inbb, inbbh, iny, inl, inm, inn, innm, inṣ, inr, inš, inšk, inšr, inšt, inṯr.

Administración

00-4.393:7 aup[š …] • in[…] • pglu[…]

Correspondencia

11-2.36:31 hlny . lm . mt . bʿl[… p]ḥm[…] • w . pḥm . b . bty . in[…]̊ . ht̊ […] • ššmḫt . w . ht . m̊̊[…]t̊. […]

00-2.39:32 ib . ʿltn . […]- • w . spr . in[…]y • sprn . ṯhr[.]t̊adm

Fragmentos Varios

00-7.1:3 […]- . lm . lẙ[…] • […]m . in[…] • […]t̊s̊ʿ . […]

00-7.26:3 […]- . lm . l̊[…] • […]m̊ . in[…] • […]sʿ . ḫ̊/ẙ[…]

00-7.114:5 […]- . km . • […]- . in[…] • […]ad-[…]

Ritual

00-1.103:7 ----- • [w]in[…]m̊lkn yiḫd ḥẘ[t . ibh .]mrḥy mlk • -----

12-1.103:7 ----- • *[w]i̊n̊[…]m̊lkn yiḫd ḥw[t ibh w?]mrḥy mlk t̊dlnn* • -----

in------

nº CGR-852 Ocurrencias: 1

Posibles restituciones: in, inbb, inbbh, iny, inl, inm, inn, innm, inṣ, inr, inš, inšk, inšr, inšt, inṯr.

Ritual

10-1.103:38 ----- • ẘin[------]ḥwtn tḫlq • -----

in-------

nº CGR-853 Ocurrencias: 1

Posibles restituciones: in, inbb, inbbh, iny, inl, inm, inn, innm, inṣ, inr, inš, inšk, inšr, inšt, inṯr.

Correspondencia

00-2.36:31 hlny . lm . mt . bʿl[k . -----p]ḥm[…] • w . pḥm . b . bty . in[-------] . ht[…] • ššmḫt . w . ht[. ----------]t[…]

isr—

nº CGR-854 Ocurrencias: 1

Posibles restituciones: ismn.

Mítica

00-1.8:II:13 m ʿṣrm . ḥ[…] • gl ṯ . isr̊[…] • m . b r̊t[…]

ir—

nº CGR-855 Ocurrencias: 2

Posibles restituciones: ir, irab, irby, irbym, irbl, irbn, irbṣ, irbtn, irgy, irgmn, irgn, irdyn, iryn, irk, irm, irn, irǵn, irpbn, irpm, irpn, irpṯr, irṣ, irrṯrm, irš, iršy, iršyn, iršn, iršt, irštk, irt, irth, irtḥṣ, irty, irtk, irtm.

Administración

00-4.619:6 šnrn̊[…]ʿ-y[…] • b . ir[…]-y[…] • rgln̊[…]-[…]

00-4.734:13 […]m . kt tmnn • […]bš . ir[…] • […]---[…]

ir-—

nº CGR-856 Ocurrencias: 3

Posibles restituciones: ir, irab, irby, irbym, irbl, irbn, irbṣ, irbtn, irgy, irgmn, irgn, irdyn, iryn, irk, irm, irn, irǵn, irpbn, irpm, irpn, irpṯr, irṣ, irrṯrm, irš, iršy, iršyn, iršn, iršt, irštk, irt, irth, irtḥṣ, irty, irtk, irtm.

Administración

00-4.64:IV:11 bn . dby … 1 • bn . ir-[…]2 • bn . kr-[…]

00-4.118:5 tlbẙ[…] • ir-[…] • -----

00-4.619:4 iwr̊d . ṯlr̊[by] -ʿ-[…] • uḫn[.]b . ir-[…]-[…]-[…] • -----

irb—

nº CGR-857 Ocurrencias: 1

Posibles restituciones: irby, irbym, irbl, irbn, irbṣ, irbtn.

Fragmentos Varios

00-7.130:4 […]- . 1 . å̊r[…] • […]-g . irb[…] • […]rd . pn . […]

iš—

nº CGR-858 Ocurrencias: 5

Posibles restituciones: iš, išal, išalhm, išbʿl, išd, išdh, išdym, išdk, išdn, išḫn, išḫry, išyy, iškir, iškpr, išlḥ, išqb, išryt, išt, ištir, ištbm, ištynh, ištm, ištmdh, ištmʿ, ištn, ištnm, ištql, ištrmy, ištš, išttk.

Administración

00-4.69:V:21 bn . b[…] • bn . iš̊/ḏ[…] • bn . ab[…]

00-4.235:2 qrht . b[…] • ksp . iš[…] • -----

00-4.617:1 • [bn]šm . dt . iš[…]b̊ … b̊t̊ḥ̊ • [b]n . bʿln̊ … […]šr . 1

Fragmentos Varios

00-7.68:3 itk̊[…] • iš[…] • aṯẙ/ḫ̊[…]

Ritual

00-1.48:9 ṯ[…]pš . šn̊ᶜ[…] • ṯr . b iš[…]n̊ • bᶜlh . št[…]rt

išq-—

nº CGR-859 Ocurrencias: 1

Posibles restituciones: išqb.

Mítica

00-1.93:4 ǵ̊r . ṯyb . b pšy . k̊/r̊[…] • hwt . bᶜl . išq-[…] • šmᶜ ly . ypš . -[…]

iṯ—

nº CGR-860 Ocurrencias: 2

Posibles restituciones: iṯ, iṯb, iṯg, iṯk, iṯl, iṯm, iṯmh, iṯrhw, iṯrm, iṯt, iṯtbnm, iṯtl, iṯtqb, iṯtr.

Mítica

00-1.23:72 w ᶜrb . hm̊ . hm̊ . [iṯ … l]ḥ̊m . w tn • w nlḥm̊ . hm . i̊ṯ[… w]t̊n̊ . w nšt • w ᶜn hm . ngr mdrᶜ […]-å̊t

Ritual

11-1.107:4 […]-̊ […]r̊ṣ . bdh . ydrm[…]pi̊t . åd̊m • […]h/i iṯ[…] . yšql . yṯk[-] . npbl . hn • […]-ṭb̊t . pẓr . pẓr̊r . p nḥš

iṯt—

nº CGR-861 Ocurrencias: 1

Posibles restituciones: iṯt, iṯtbnm, iṯtl, iṯtqb, iṯtr.

Administración

00-4.651:4 t̊mr[…] • iṯt[…] • mr̊i[…]

u-m--

nº CGR-862 Ocurrencias: 1

Posibles restituciones: udm, udmym, udmm, udmʿt, uzm, uṭm, ulm, ulmy, ulmk, ulmn, umm, ummt, urm, utml.

Administración

00-4.377:32 ddm . l . ybr[k] • bd mr . prs . l . u-m-- • -----

ub—

nº CGR-863 Ocurrencias: 2

Posibles restituciones: uba, ubu, ubdit, ubdy, ubdym, uby, ubyn, ubkš, ubln, ubn, ubnyn, ubs, ubš, ubr, ubrʿ, ubrʿy, ubrʿym, ubrʿn, ubrš.

Administración

00-4.629:1 ... • ůb̊/d̊[...] • hz[p ...]

Ritual

12-1.103:33 ----- • pnh . pn . irn . ub/d[...]̊ tqṣrn[...] • ymy . bʿl hn bhm[t ...]

ubn—

nº CGR-864 Ocurrencias: 1

Posibles restituciones: ubn, ubnyn.

Administración

00-4.494:2 -ʿr̊t[...] • [b]n̊ . ubn̊[...] • [bn] . atn̊[...]

ud—

nº CGR-865 Ocurrencias: 2

Posibles restituciones: udbr, udh, udm, udmym, udmm, udmʿt, udmʿth, udn, udnh, udnk, udr, udrh, udrk, udt.

Administración

00-4.629:1 ... • ů̊b̊/d̊[...] • hz[p ...]

Ritual

12-1.103:33 ----- • pnh . pn . irn . ub/d[...]̊ tqṣrn[...] • ymy . bˁl hn bhm[t ...]

ud̲-

nº CGR-866 Ocurrencias: 1

Posibles restituciones: ud̲n, ud̲r.

Correspondencia

00-2.33:20 [...]adty . tdˁ • k̊ . ap . mlk . ud̲- • l̊ dˁ . k . iḫd . h̊n̊[d]

uḫn—

nº CGR-867 Ocurrencias: 1

Posibles restituciones: uḫn, uḫnp, uḫnpy.

Administración

00-4.39:7 šd . bn ppn ... [...] • šd . bn . uḫ̊n[...] • -----

ul—

nº CGR-868 Ocurrencias: 1

Posibles restituciones: ul, ulb, ulby, ulbtyn, uldy, ulkn, ull, ully, ullym, ulm, ulmy, ulmk, ulmn, uln, ulnhr, ulny, ulˁnk, ulp, ulpm, ulṣy, ulrm, ulṯ.

Mítica

00-1.10:III:8 bˁl . yṣǵd . ml̊i[...] • il pd (hd) . mlå . uṣ̊/l̊[...] • btlt . p btlt . ˁn̊[t]

ulbt—

nº CGR-869 Ocurrencias: 1

Posibles restituciones: ulbtyn.

Administración

00-4.383:3 bn . ḥgbn̊[...] • bn . ulbt[...] • d̲kry[...]

um—

nº CGR-870 Ocurrencias: 1

Posibles restituciones: um, umdym, umh, umhthm, umḫ, umḫy, umy, umm, ummt, umt, umty, umtk, umtn.

Administración

00-4.252:5 ar[...] • l̊/d̊/ům̊[...] • ...

um-—

nº CGR-871 Ocurrencias: 1

Posibles restituciones: um, umdym, umh, umhthm, umḫ, umḫy, umy, umm, ummt, umt, umty, umtk, umtn.

Administración

00-4.405:4 l . kl-[…] • l . ům-[…] • l . gt-- […]

un—

nº CGR-872 Ocurrencias: 1

Posibles restituciones: un, unil, unk, unn, unp, unpṯ, unr, unṯ, unṯhm, unṯm.

Administración

00-4.86:8 pdy . bn . nr[…] • abmlk . bn . un[…] • nrn . bn . mtn̊[…]

uṣ—

nº CGR-873 Ocurrencias: 1

Posibles restituciones: uṣb, uṣbʿ, uṣbʿh, uṣbʿt, uṣbʿth, uṣbʿtk, uṣʿnk.

Mítica

00-1.10:III:8 bʿl . yṣǵd . mli̊[…] • il pd (hd) . mlå . uṣ̊/l̊[…] • btlt . p btlt . ʿn̊[t]

ur—

nº CGR-874 Ocurrencias: 1

Posibles restituciones: ur, urbt, urbtm, urḫ, uryy, uryn, urk, urm, urn, urǵnr, urǵṯṯb, urš, urt, urtn.

Mítica

00-1.101:12 ----- • […]l̊ ẓr . ur̊[…] • -----

ur-—

nº CGR-875 Ocurrencias: 3

Posibles restituciones: ur, urbt, urbtm, urḫ, uryy, uryn, urk, urm, urn, urǵnr, urǵṯṯb, urš, urt, urtn.

Administración

00-4.324:7 […]b̊n . mz-[…] • […]ṯ̊n . ur-[…] • …

00-4.635:13 bn . sn̊[…]bd . skn • bn . ur-[…] • bn . knn[…]-y

Ritual

00-1.104:23 ṯmn . ṯmn[.]ǵ̊ml[…] • ṯmn ur-[…] • w l p[…]

uš—

nº CGR-876 Ocurrencias: 2

Posibles restituciones: ušbt, ušbtm, ušḫr, ušḫry, ušy, uškm, uškn, uškny, ušknym, ušn, ušpǵt, ušpǵtm, ušrh, ušryn, uštyn.

Ritual

10-1.121:5 nt[… • uš[…] • …

10-1.121:7 -[…] • uš[…] • w[…]

ušk—

nº CGR-877 Ocurrencias: 1

Posibles restituciones: uškm, uškn, ušḳny, ušknym.

Mítica

00-1.11:2 […]l̊(?) . yṯkḥ . w yiḫd . b qrb̊[…] • […]t̊ṯ̊kḥ̊ . w tiḫd . b ušk̊[…] • [… b]ˁ̊l̊ . yåbd . l alp

ut—

nº CGR-878 Ocurrencias: 1

Posibles restituciones: utly, utml, utqn.

Administración

00-4.631:22 šd . ṯ̊d̊pṯn . b[n .]brrn . l . qrt • šd . ů/d̊t[…]dy . bn . brzn • l̊ . qrt

uṯ-—

nº CGR-879 Ocurrencias: 1

Posibles restituciones: uṯḫt, uṯkl, uṯpt, uṯryn.

Administración

00-4.398:13 ˁdn . t[…]-[…] • d . uṯ̊-[…] • -----

b-ḥ----

nº CGR-880 Ocurrencias: 1

Posibles restituciones: brḫ, brḥn.

Mítica

00-1.86:31 bnšm . ˁ̊(?)ṯt̊r̊(?) ----p . ṯt[…] • š̊ˁ̊r̊m̊ . b-ḥ̊(?)----ṯar[…] • -----

b-ḫ-

nº CGR-881 Ocurrencias: 1

Posibles restituciones: blḫ.

Administración

00-4.610:19 rqd … (ACADIO) 26 … bṣ̊r … 24 • ḥ̊rš … 23 … b-ḫ- … 58 • […] … 23 … yn- … 9

b-l

nº CGR-882 Ocurrencias: 1

Posibles restituciones: bul, bdl, bhl, bṯl, bˁl, bql, bšl, btl.

Administración

00-4.69:IV:28 […]-- … 2 • […]--b̊-l … 2 • […]---yy … 2

b-m

nº CGR-883 Ocurrencias: 1

Posibles restituciones: bdm, bhm, bḥm, bym, bkm, bnm, brm, btm.

Administración

00-4.4:7 w blḫ drm ẘ[…] • b-m̊ l̊ ṯ̊m̊n̊ tly[…] • ḫmšm --qi-b̊/d̊

b-ʿ

nº CGR-884 Ocurrencias: 1

Posibles restituciones: bṣʿ, bqʿ.

Administración

00-4.398:5 šnl . bn . ṣq̊n šå[…] • yitṯm . w . b-ʿ . -[…] • yšlm

b-š

nº CGR-885 Ocurrencias: 1

Posibles restituciones: baš, buš, bnš, bqš.

Mítica

00-1.13:32 ----- • tnqt̊ . (?)b̊/ṣ̊-š(?) . i̊(?)n̊-d̊/b̊ . pʿr • -----

ba—

nº CGR-886 Ocurrencias: 1

Posibles restituciones: ba, bah, baš, bat, batk.

Administración

00-4.633:6 bn . ṯg̊r̊[b …] • bn . b̊(?)å/n̊(?)[…] • bn . ṯʿl̊[…]

bi—

nº CGR-887 Ocurrencias: 1

Posibles restituciones: bir, biry, birty, birtym, birtn.

Épica

00-1.16:V:37 --[…] • bi̊[…] • lṯ[…]

bir—

nº CGR-888 Ocurrencias: 1

Posibles restituciones: bir, biry, birty, birtym, birtn.

Administración

00-4.629:5 uḫn̊[py …] • bi̊r[…] • år̊š̊[ḫ …]

bu—

nº CGR-889 Ocurrencias: 1

Posibles restituciones: bu, bubs, bul, buly, buš.

Mítica

00-1.167:5 […]t̊twrb/d[…] • […] . qṣṣ . bb/d/u[…] • […]ʿl . ʿpr[…]

bb—

nº CGR-890 Ocurrencias: 1

Posibles restituciones: bb, bby, bbru, bbt, bbty, bbtm.

Mítica

00-1.167:5 […]t̊twrb/d[…] • […] . qṣṣ . bb/d/u[…] • […]ʿl . ʿpr[…]

bb-—

nº CGR-891 Ocurrencias: 1

Posibles restituciones: bb, bby, bbru, bbt, bbty, bbtm.

Fragmentos·Varios

00-7.35:1 • […]- ḥẓrh . bb-[…] • […]d[…]

bd—

nº CGR-892 Ocurrencias: 6

Posibles restituciones: bd, bdil, bddn, bdh, bdhm, bdy, bdyn, bdk, bdl, bdlm, bdm, bdn, bdqt.

Administración

00-4.93:I:30 bn . -[…] • bd[…] • bn[. …]

00-4.357:13 šd[.]bd . b̊/d̊[…]y • šd . bd[…]k̊im • šd . bd . b̊n̊ . åk̊tn

00-4.423:10 šd̊[…] • bd̊[…] • -----

00-4.432:16 […]ṣ̊dq̊ [… - +]2 … bn . bʿ[… - +]1 • [bn . n]k̊lb … 3 … bn . bd[…] • [ʿ]ṯt̊ṛab … [- +]1 … bn . at[…]

00-4.544:1 … • b̊d̊[…] • šd̊[…]

Mítica

00-1.167:5 […]t̊twrb/d[…] • […] . qṣṣ . bb/d/u[…] • […]ʿl . ʿpr[…]

bh—

nº CGR-893 Ocurrencias: 1

Posibles restituciones: bh, bhdrʿy, bhl, bhm, bhmk, bhmt, bhmth, bhmtn, bht, bhth, bhtht, bhty, bhtk, bhtm, bhṯ.

Ritual

12-1.103:26 ----- • w in . šq yṃn . bh̊[…] • -----

bh--

nº CGR-894 Ocurrencias: 1

Posibles restituciones: bh, bhl, bhm, bhmk, bhmt, bht, bhth, bhty, bhtk, bhtm, bhṯ.

Ritual

10-1.103:46 ----- • ṯḥl . in . bh[--](b̊/d̊)n . [---------m]ṯn̊[. rgm] • mlkn . lypq[. šp]ḥ

bw—

nº CGR-895 Ocurrencias: 1

Posibles restituciones: bwtm.

Administración

00-4.106:14 gṯpbn … […] • bn . bw[…] • [b]n . p̊[…]

bḥ—

nº CGR-896 Ocurrencias: 2

Posibles restituciones: bḥm, bḥnth, bḥr.

Administración

00-4.17:20 gg[…] • bḥ̊[…] • š[…]

00-4.746:3 d̊d l ʿb̊[d …] • dd l bḥ̊[…] • dd l ḥyn̊[…]

bṭ—

nº CGR-897 Ocurrencias: 1

Posibles restituciones: bṭl, bṭr.

Mítica

00-1.4:II:45 mlk̊[…] • bṭ[…] • b ṭ[…]

by—

nº CGR-898 Ocurrencias: 2

Posibles restituciones: by, byy, bym, byn.

Administración

00-4.427:5 […]--[…] • […]b̊/d̊ẙ[…] • […]m-[…]

00-4.681:8 [b]n . kdgdl … […] • [bn . …]b̊y[…] • […]-[…]

bk—

nº CGR-899 Ocurrencias: 1

Posibles restituciones: bk, bkw, bky, bkyh, bkym, bkyt, bkk, bkm, bkr, bkrk, bkrm, bkt.

Correspondencia

00-2.7:3 […]-mt[…] • bk[…]t . yqḥ̊[…] • w š̊[…]rkb̊/d̊[…]

bl—

nº CGR-900 Ocurrencias: 4

Posibles restituciones: bl, blblm, bld, bldn, blh, blḫ, blẓn, bly, blym, blk, blkn, bln, blʿdn, blp, blšpš, blšš, blt.

Administración

00-4.662:2 bn . -[…] • bl[…] • bn . […]

Épica

00-1.16:II:29 km . škllt . […] • ʿrym . l̊ b̊l̊[…] • ṣ̊(?)[…]ʿ̊ny . -[…]

Fragmentos Varios

00-7.168:3 […]- . d̲m-[…] • […]b̊n . bl[…] • […]dgn

Mítica

00-1.6:V:28 š̊t̊(?)--[…] • bl̊[…] • š̊[…]

bm—

nº CGR-901 Ocurrencias: 4

Posibles restituciones: bm, bmdḫ, bmmt, bmt, bmth.

Administración

00-4.65:14 iḫny . […] • bn . ṣ̊/b̊m̊(?)[…] •

00-4.413:6 [bn] . ǵrg̊[n …] • [bn] . b̊/ṣ̊m̊[…] • …

Mítica

00-1.82:22 […]k . ptḥy . å[…]m̊ . mln̊(?)[…] • […]t̲k . ytmt . dlt . tlk . […] . bm[…] • […]-qp . bn . ḥtt . bn ḥtt[…]--[…]

00-1.86:33 w b- . ---------šm̊-[…] • bm[…] • -[…]

bm-—

nº CGR-902 Ocurrencias: 1

Posibles restituciones: bm, bmdḫ, bmmt, bmt, bmth.

Ritual

00-1.160:3 […]š . dgn̊[…] • […] . bm-[…] • […]-[…]

bn—

nº CGR-903 Ocurrencias: 31

Posibles restituciones: bn, bnil, bnh, bnwn, bnwt, bnwth, bny, bnym, bnk, bnkm, bnm, bnn, bnny, bnʿnk, bnʿnt, bnptn, bnr, bnš, bnšhm, bnšm, bnt, bnth.

Administración

00-4.17:8 å/n̊[…] • bn[…] • qr[n …]

00-4.118:8 t̊n . idt̲[…] • b . gt . bn̊[…] • -----

00-4.190:3 ḫ[d̲m]d̲̊r aḥd • bn̊[…]ptr ʿlm • ḫpn . pt̲tm . bd

00-4.243:31 iwrd̲n . ḥ[…] • w . t̲lt̲m . dd . -[… b]n[…] • w . år̊bʿ[…] . bnš[.]š̊dyn̊[…]

00-4.262:10 ----- • […]- . -[…]b̊k . bn[…] • -----

00-4.359:5 šǵr[…]n • bn[…]rh • s̊[…]ašrh

00-4.372:4 n-[…] • bn̊[…] • bn̊[…]

00-4.372:5 bn̊[…] • bn̊[…] • ʿd̊/b̊ […]

00-4.381:18 ----- • ḫmš ʿl . bn̊[…] • -----

00-4.396:14 arbʿ̊[…] • l . bn[…] • -----

00-4.406:3 yṯ[…] • bn[…] • bn[…]

00-4.406:4 bn[…] • bn[…] • yṯ[…]

00-4.406:6 yṯ[…] • bn[…] • …

00-4.417:9 ----- • ymrn . apsny . w . aṯth . . bn̊[…] • -----

00-4.420:2 ----- • […] . bn[…] • -----

00-4.565:1 … • […]l … bn̊[…] • […]l … bn̊[…]

00-4.565:2 […]l … bn̊[…] • […]l … bn̊[…] • […]l … bn[…]

00-4.565:3 […]l … bn̊[…] • […]l … bn[…] • […]l … bn[…]

00-4.565:4 […]l … bn[…] • […]l … bn[…] • […]l … b̊n̊[…]

00-4.565:5 […]l … bn[…] • […]l … b̊n̊[…] • …

00-4.619:10 […]t̊d . a-[…] • […]u . bn[…]nb[…] • -----

00-4.633:6 bn . ṯg̊r̊[b …] • bn . b̊(?)å/n̊(?)[…] • bn . ṯʿl̊[…]

00-4.635:49 bn . abd . bʿl[…] • mnḥm . bn[…] • krmn[…]

00-4.729:4 ḥnn . w . […] • šǵr . bn[…] • ḫyrn . w[. …]

00-4.733:2 […]l̊m̊[…] • […]-n . bn̊[…] • […]d̊h gt̊[…]

Épica

00-1.17:V:37 rk . ʿl . aqh̊t . k yq[…] • prʿm . ṣdk . y bn̊[…] • prʿm . ṣdk . hn̊ p̊[rʿ …]

00-1.18:I:13 š̊b̊[t . dq]n̊k . mmʿm . w[…] • aqht . w yplṭk . bn[…] • w yʿḏ̊rk . b yd . btlt . [ʿnt]

Fragmentos Varios

00-7.135:1 … • […]n̊ . l bn[…] • […] . tgr l ǵ-[…]

Mítica

00-1.1:IV:29 il . dbḥ . […] • pʿr . b̊t/n̊[…] • ṭbḫ . alp[m . ap . ṣin . šql]

00-1.5:III:6 tʿtd . tkl . […] • tkn . l bn[…] • dt . l bnk[…]

00-1.24:7 ṯrt . l bn̊t . h̊l̊[snnt] • hl ǵlm̊t̊ t̊ld bn̊[…] • ʿnha (ʿnhn) l ydh tz̊d̊[…]

bnh—

nº CGR-904 Ocurrencias: 1

Posibles restituciones: bnh.

Ritual

00-1.107:52 […]š . hn . al̊[…] • […]-t . bnh̊(?)[…] • […] . ḥ̊m̊t̊[…]

bs—

nº CGR-905 Ocurrencias: 1

Posibles restituciones: bsbn, bsld, bsn.

Fragmentos Varios

00-7.142:3 kt[…] • bs[…] • w ṣ[…]

bˤ—

nº CGR-906 Ocurrencias: 8

Posibles restituciones: bˤd, bˤdh, bˤdhm, bˤdy, bˤdn, bˤyn, bˤl, bˤldn, bˤldˤ, bˤlh, bˤlhm, bˤlhn, bˤlz, bˤly, bˤlyh, bˤlyskn, bˤlytn, bˤlk, bˤlkm, bˤlkn, bˤlm, bˤlmˤḏr, bˤlmṯpṭ, bˤln, bˤlny, bˤlsip, bˤlskn, bˤlṣdq, bˤlṣn, bˤlrm, bˤlšlm, bˤlšm, bˤlt, bˤlth, bˤltn, bˤṣ, bˤr, bˤrm.

Administración

00-4.356:16 šd . ḫzmyn . l aq[…] • ṯn šdm . bd̊[.]b̊ˤ[…] •

00-4.432:15 [… - +]1 … bn . ṯq̊[…] … 2 • […]ṣ̊dq̊ [… - +]2 … bn . bˤ[… - +]1 • [bn . n]k̊lb … 3 … bn . bd[…]

Correspondencia

00-2.31:64 ----- • [… n]p̊šy . w ydn . bˤ̊[…]n • […]m . k yn . hm . l atn . bty . lh

10-2.42:11 mlkn . bˤly . ḥwt̊ […] • yšiḫ̊r . wˤm . b̊ˤ̊ […] • ˤš̊r id . likt̊ […]

00-2.76:9 ṣb[ʾ …] • bˤ[…] • …

Fragmentos Varios

00-7.16:11 […]š̊u---[…] • […]dbˤ/š̊[…] • […]ḥ[…]

00-7.149:6 […]ẙ . ṣb̊[…] • […]- . bˤ[…] •

Mítica

00-1.171:10 in . dbḥ . […] • yˤdb . bˤ[…] • yhg/mb/ṣ . -[…]

bˤ-—

nº CGR-907 Ocurrencias: 1

Posibles restituciones: bˤd, bˤdh, bˤdhm, bˤdy, bˤdn, bˤyn, bˤl, bˤldn, bˤldˤ, bˤlh, bˤlhm, bˤlhn, bˤlz, bˤly, bˤlyh, bˤlyskn, bˤlytn, bˤlk, bˤlkm, bˤlkn, bˤlm, bˤlmˤḏr, bˤlmṯpṭ, bˤln, bˤlny, bˤlsip, bˤlskn, bˤlṣdq, bˤlṣn, bˤlrm, bˤlšlm, bˤlšm, bˤlt, bˤlth, bˤltn, bˤṣ, bˤr, bˤrm.

Mítica

10-1.114:24 w ˤṯtrt . tṣdn .š̊̊-[…] • qd̊š . bˤ̊-[…] • …

bˤd-—

nº CGR-908 Ocurrencias: 1

Posibles restituciones: bˤd, bˤdh, bˤdhm, bˤdy, bˤdn.

Épica

00-1.16:V:5 w yb̊[…] • bˤd-[…] • yaṯ̊r[…]

bˤld—

nº CGR-909 Ocurrencias: 1

Posibles restituciones: bˤldn, bˤldˤ.

Administración

00-4.86:11 aḫyn . bn . nbk̊[…] • r̊špn . bn . bˤld[…] • bn . il . bn . yṣr[…]

bʿlm—

nº CGR-910   Ocurrencias: 2

Posibles restituciones: bʿlm, bʿlmʿḏr, bʿlmṯpṭ.

Administración

00-4.262:4   ----- • [… k]s̊p . ʿl . bʿlm̊[…] • -----

Ritual

10-1.81:6   l . ilt[…] • l . bʿlt̊/m̊[…] • l . il . bt[…]

bp—

nº CGR-911   Ocurrencias: 1

Posibles restituciones: bpr.

Ritual

00-1.48:11   bʿlh . št[…]rt • ḫqr̊ . b̊/ṣ̊p̊-[…]lrb • ṯl̊[ṯ …]--

bq—

nº CGR-912   Ocurrencias: 2

Posibles restituciones: bql, bqʿ, bqʿt, bqʿty, bqr, bqš, bqtm, bqṯ.

Administración

00-4.235:8   l̊[…] • bq̊[…] • -----

Fragmentos Varios

00-7.15:2   ẘṯ[…] • bq[…·] • ḫiṯ[…]

br—

nº CGR-913   Ocurrencias: 4

Posibles restituciones: br, bri, brgyn, brdd, brdn, brḏl, brh, brzn, brzt, brḫ, brḫn, bry, brk, brkh, brky, brkm, brkn, brkt, brkthm, brktkm, brktm, brlt, brlth, brm, brn, brsm, brsn, brš, bršm, brq, brqd, brqm, brqn, brqt, brr, brrn, brrt, brt.

Administración

00-4.382:34   šgn . bn[.]bbt[…]- . d . yṯb . b . ilštmʿ • abmn . bn[.]b̊r[… . d . yṯ]b̊ . b . syṇ • bn . irṣ[…]- . […]h

00-4.434:6   […] … bn . pr̊[…] • […] … bn . b̊r[…] • […] … bn . n-[…]

00-4.702:3   […]b̊/d̊d[…] • […]b̊/d̊ . b̊r(?)[…] • […]k̊y . b[…]

Mítica

00-1.55:7   […]b ṯlṯ . b ṯl̊ṯ[…] • […]m̊nn . br[…] • […]tha-[…]

brd—

nº CGR-914   Ocurrencias: 1

Posibles restituciones: brdd, brdn.

Administración

00-4.255:3 bn . -[…] • brd[…] • bn . s[…]

brq—

nº CGR-915 Ocurrencias: 1

Posibles restituciones: brq, brqd, brqm, brqn, brqt.

Administración

00-4.262:9 ----- • [… k]s̊p .· ʿl . brq[…] • -----

bš—

nº CGR-916 Ocurrencias: 2

Posibles restituciones: bš, bšl, bšr, bšrh, bšry, bšrt, bšrtk, bštm.

Fragmentos Varios

00-7.53:8 ḫ̊d̲m . […] • bš[…] • pb̊/d̊[…]

Mítica

00-1.2:III:11 [ḥš . bh]tm tbn[n . ḥ]š . trm̊[mn . hklm . alp . šd . aḫd .]bt̊ • [rbt .]k̊mn[.]h̊k̊[l ∴]š̊ . b̊š̊[…]t̊[…]g̊lm̊ . (?)l̊ šd̊t[…]ymm • […]b̊ ym . ym . y[…]t . yš̊[…]n å p̊k . ʿṯtr . dm̊[…]

bt—

nº CGR-917 Ocurrencias: 10

Posibles restituciones: bt, btbt, bth, btw, btwm, bty, btk, btl, btlyn, btlt, btltm, btm, btmny, btn, btq, btr, btry, btšy.

Administración

00-4.80:7 nrn . arny[…] • w . ṯn . bnh . w . bt[…] • btn[…]

00-4.269:2 spr . ḥpr . bt . k[…] • tšʿ . ʿšrh . dd . l . bt̊[…] • -----

Fragmentos Varios

00-7.137:2 […]t-pn . • […]ṯb . bt̊(?)[…] • […]-[…]

00-7.140:3 ----- • […] . ʿl . […]ẘ(?) b bt[…] • -----

Mítica

00-1.1:IV:29 il . dbḥ . […] • pʿr . bt̊/n̊[…] • ṭbḫ . alp[m . ap . ṣin . šql]

00-1.22:IV:4 p̊[…] • bt̊[…] • -[…]

Ritual

00-1.27:3 ʿnt̊[…] • tmm l b̊t̊[…] • bʿ̊l . ugrt̊[…]

00-1.81:7 l . bʿlt̊[…] • l . il . bt[…] • l . ilt . b̊[t …]

00-1.109:33 ʿlm . ʿlm . gdlt l bʿl • ṣpn . i̊l bt[…]q̊(?)d . […] • l ṣpn[š . l]b̊ʿl . ug̊[rt š]

10-1.112:24 pn š . bʿl ugrt š ṯ[n šm] • laṯr[t] ṯn šm . l bt bt[…] • il̊t/m̊ṣ̊/l̊d--ʿ wåg̊t[…]

bt-—

nº CGR-918 Ocurrencias: 1

Posibles restituciones: bt, btbt, bth, btw, btwm, bty, btk, btl, btlyn, btlt, btltm, btm, btmny, btn, btq, btr, btry, btšy.

Correspondencia

00-2.31:5 ----- • […]k̊/r̊t . bt-[…] • […]ank[…]

bṯ—

nº CGR-919 Ocurrencias: 1

Posibles restituciones: bṯ, bṯwlḫ, bṯwly, bṯy, bṯn, bṯnm, bṯnt, bṯt, bṯtm, bṯṯ.

Fragmentos Varios

00-7.56:4 […]p̊ adt[…] • […]wn . bṯ[…] • […]g̊r̊[…]

g--y

nº CGR-920 Ocurrencias: 1

Posibles restituciones: gbly, gbry, gzry, gldy, gnʿy, gpny, grdy.

Administración

00-4.245:I:6 bn . s̊/ḫ̊--r̊y • bn . g--y • knʿm

gb—

nº CGR-921 Ocurrencias: 5

Posibles restituciones: gb, gbh, gby, gbk, gbl, gbly, gblm, gbln, gbʿ, gbʿh, gbʿl, gbʿly, gbʿlym, gbʿm, gbʿn, gbry, gbrn, gbṯt.

Administración

00-4.381:22 ----- • ʿšr ʿl gb[…] • -----

00-4.422:45 bn . arp̊[…] • bn . gb[…] • bn . ḥnn̊[…]

00-4.764:7 ----- • zt . bn . gb[…] • -----

Jurisprudencia

00-3.7:10 bn . ppṯ . b̊[. …] • b̊n̊ . g̊b̊[…]d̊[…] • …

Ritual

00-1.123:21 qdš mlk i̊[…] • kbd il gb̊/d̊[…] • mr mnmn

10-1.123:21 *qdš mlk -[…] • kbd d il gb̊/d̊[…] • mr mnmn*

gg—

nº CGR-922 Ocurrencias: 2

Posibles restituciones: gg, ggh, ggy, ggk, ggn, ggnh, ggʿt, ggt.

Administración

00-4.17:19 mlk . [ug]rt[…] • gg[…] • bḥ̊[…]

00-4.678:5 tlmu . […] • gg[…] • nwr[…]

gd—

nº CGR-923 Ocurrencias: 4

Posibles restituciones: gd, gdaḫ, gdy, gdl, gdlm, gdlt, gdltm, gdm, gdn, gdrn, gdrt, gdš.

Administración

00-4.258:4 ----- • [ḫ]m̊šm . ksp . ʿl . gd[…] • […]ẙ . ypḥ . ʿbdršp . b[…]

00-4.658:23 b . tghb . [b]n . šnh/i . -[…] • b̊ . gl/d[…] • …

Fragmentos Varios

00-7.52:7 […]l̊ir . b ʿṣ/l̊[…] • […]-k̊/r̊l̊ . gd̊[…] • …

Ritual

00-1.123:21 qdš mlk i̊[…] • kbd il gb̊/d̊[…] • mr mnmn

10-1.123:21 qdš mlk -[…] • kbd d il gb̊/d̊[…] • mr mnmn

gdr—

nº CGR-924 Ocurrencias: 1

Posibles restituciones: gdrn, gdrt.

Administración

00-4.617:19 ṯbry … 1 … bn ∴i[…] • bn . ymn … 1 … gdr[…] • krty … 1 … ildẙ[…]

gz—

nº CGR-925 Ocurrencias: 1

Posibles restituciones: gzzm, gzl, gzr, gzry.

Administración

00-4.160:7 ----- • g̊(?)z̊/ḫ̊(?)[…]š . k̊/r̊[…] • […]-y[…]

gl—

nº CGR-926 Ocurrencias: 3

Posibles restituciones: gl, glb, glbm, glbt, glbty, glgl, gld, gldy, glyn, glyt, gll, glln, gln, glʿd, glrš, glt, glṯ.

Administración

00-4.308:15 dm[t …] • gl[…] • al[…]

00-4.658:23 b . tghb . [b]n . šnh/i . -[…] • b̊ . gl/d[…] • …

Mítica

00-1.13:35 ----- • gl̊/ṣ̊[…]ẙhpk . m̊[…]m̊/g̊ . • -----

gm—

nº CGR-927 Ocurrencias: 3

Posibles restituciones: gm, gmz, gmḫ, gmḫn, gml, gmm, gmn, gmnpk, gmr, gmrd, gmrhd, gmrm, gmrn, gmrš, gmrt, gmš.

Administración

00-4.214:III:11 ayab • bn . gm[…] • bn . -[…]

Fragmentos Varios

00-7.116:2 […]- . k[…] • […]- . gm[…] • […]m̊n … […]

Mítica

00-1.4:II:47 b ṯ[…] • gm̊[…] • y-[…]

gmr—

nº CGR-928 Ocurrencias: 1

Posibles restituciones: gmr, gmrd, gmrhd, gmrm, gmrn, gmrš, gmrt.

Administración

00-4.74:4 mbt-[…] • gmr[…] • ṯ-[…]

gn—

nº CGR-929 Ocurrencias: 2

Posibles restituciones: gn, gnb, gngnh, gngnt, gnh, gny, gnym, gnʿ, gnʿy, gnʿym, gnryn, gntn.

Administración

00-4.220:5 […]- . yrḫ . ḫlt̊[…] • […] . yrḫ . gn[…] • […]ẙr̊ḫ̊ . i̊ṯb̊[…]

00-4.567:3 šr[…] • gn[…] • ḫl[…]

gn-—

nº CGR-930 Ocurrencias: 1

Posibles restituciones: gn, gnb, gngnh, gngnt, gnh, gny, gnym, gnʿ, gnʿy, gnʿym, gnryn, gntn.

Administración

00-4.623:12 bn . i̊l̊ʿnt -[…] • […]g̊(?)n-[…]-[…] • …

gʿ—

nº CGR-931 Ocurrencias: 1

Posibles restituciones: gʿyn, gʿr, gʿt.

Ritual

00-1.130:27 b tš̊[ʿ …]-mr-[…] • --[…]b . g̊ʿ/š̊[…] • […]t̊[…]

gr—

nº CGR-932 Ocurrencias: 7

Posibles restituciones: gr, grb, grbzhm, grbn, grgyn, grgmš, grgmšh, grgs, grgrh, grgš, grdy, grdn, grdš, grm, grn, grnm, grnn, grnt, grʿ, grp, grš, gršh, gršm, koršnn, gršt.

Administración

00-4.69:V:13 bn . nṯǵ-[…] • bn . gr̊[…] • bn . a[…]

00-4.114:15 pl[…] • gr[…] • …

00-4.542:1 • [spr . ḫ]s̊nm . dt . b . gr̊[…] • -----

00-4.655:6 … • b̊n . gr̊[…] • d̠mrẙ[…]

00-4.660:8 yky . b[n …] … • bn . gr[…] • bn . ymn … 10

Correspondencia

00-2.36:21 […]t . rgm . hn̊[…]š . r-[…] • […]- . mlk . gr[…]-[…] • […]m̊ ----[…]

11-2.36:21 [---]t . rgm . hn̊[-----]š . r̊[…] • [--]̊ . mlk . gr[…]̊ […] • […]m̊̊̊̊̊ […]

Fragmentos Varios

00-7.11:2 […] … […] • […]g̊r[…] • […]n̊t[…]

gr-

nº CGR-933 Ocurrencias: 1

Posibles restituciones: gr, grb, grm, grn, grʿ, grp, grš.

Hipiatría

00-1.85:25 pr . ʿṯ[… a]ḥ̊d̊[h …] • tmṯl . gr̊[…]ʿ̊l . ṯmrg . • w . št . nn̊i . w . pr . ʿbk . ẘ[…]

gr-—

nº CGR-934 Ocurrencias: 1

Posibles restituciones: gr, grb, grbzhm, grbn, grgyn, grgmš, grgmšh, grgs, grgrh, grgš, grdy, grdn, grdš, grm, grn, grnm, grnn, grnt, grʿ, grp, grš, gršh, gršm, gršnn, gršt.

Fragmentos Varios

00-7.150:3 […] 2 […] • […]gr-[…] • […] . … 2(?)[…]

gš—

nº CGR-935 Ocurrencias: 1

Posibles restituciones: gšl, gšm, gšr, gštn.

Ritual

00-1.130:27 b tš̊[ʿ …]-mr-[…] • --[…]b . gʿ̊/š̊[…] • […]t̊[…]

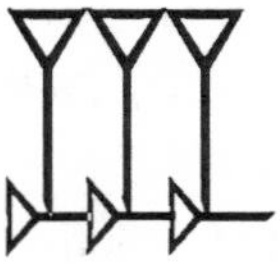

d-ṣ—

nº CGR-936 Ocurrencias: 1

Posibles restituciones: drṣy.

Administración

00-4.24:3 […]ʿ . å/n̊[…] • […]- . d-ṣ̊(?)[…] • […]t . bn . ʿl̊[…]

db—

nº CGR-937 Ocurrencias: 3

Posibles restituciones: db, dbatk, dbb, dbbm, dbd, dbḫ, dbḫh, dbḫk, dbḫm, dbḫn, dbḫt, dbḫ, dbṭ, dby, dbl, dblt, dbr, dbrh, dbrm.

Administración

00-4.334:9 bn . pṯ[…] • bn . db̊[…] •

00-4.423:6 šd . dm̊[…] • bd . db̊/d̊[…] • -----

Ritual

00-1.77:1 • […]åmry db̊/d̊[…] • […]ybrkn b[ʿl …]

dg-—

nº CGR-938 Ocurrencias: 1

Posibles restituciones: dg, dgy, dgm, dgn, dgʿḏr.

Mítica

00-1.20:II:3 td̊d̊ . ᵓtrh . td̊d̊ . iln̊[ym …] • asr . sswm . tṣmd . dg̊-[…] • tʿln̊ . l mrkbthm . ti̊[ty …]

dd—

nº CGR-939 Ocurrencias: 9

Posibles restituciones: dd, ddh, ddy, ddym, ddl, ddm, ddmy, ddmm, ddmš, ddn, ddr, ddt.

Administración

00-4.306:9 [… a]l̊pm[…] • […]b̊/d̊d[…] • -----

00-4.423:4 šd . bn[. …] • bd . dd[…] • -----

00-4.423:6 šd . dm̊[…] • bd . db̊/d̊[…] • -----

00-4.702:2 […]-n̊[…] • […]b̊/d̊d[…] • […]b̊/d̊ . br̊(?)[…]

Fragmentos Varios

00-7.166:2 […]l̊p̊[…] • […]b̊/d̊l̊/d̊[…] • […]--[…]

00-7.181:2 […]g̊r̊[…] • […]dd[…] • …

00-7.195:2 […]b̊/d̊h[…] • […]b̊/d̊b̊/d̊[…] • …

Ritual

00-1.53:2 […]-[…] • […]b̊/d̊b̊/d̊(?)[…] • […]q̊(?) . mr[…]

00-1.77:1 • […]åmry db̊/d̊[…] • […]ybrkn b[ʿl …]

dw—

nº CGR-940 Ocurrencias: 1

Posibles restituciones: dw, dwn.

Mítica

00-1.171:6 th . plg . […] • ʿlyt .̊dk/w[…] • rps . lʿn̊[…]

dw-—

nº CGR-941 Ocurrencias: 1

Posibles restituciones: dw, dwn.

Fragmentos Varios

00-7.55:13 […]-m . -[…] • dw-[…] • mrti[…]

dy-

nº CGR-942 Ocurrencias: 1

Posibles restituciones: dy, dyk, dym, dyn, dyt.

Administración

00-4.724:7 bn . ḫdyn • … ḍy-(?) • w . nḥlh

dk—

nº CGR-943 Ocurrencias: 2

Posibles restituciones: dk, dkr, dkrm, dkrt, dkt.

Fragmentos Varios

00-7.206:6 […]m̊(?)[…] • - - d̊k̊[…] • d̊kt[…]

Mítica

00-1.171:6 th . plg . […] • ʿlyt .̊dk/w[…] • rps . lʿn̊[…]

dl—

nº CGR-944 Ocurrencias: 1

Posibles restituciones: dl, dlh, dlḫt, dly, dll, dlln, dlm, dlq, dlt, dlthm.

Administración

00-4.403:13 šd . bn . […] • šd . dl[…] • šd . --[…]

dl-

nº CGR-945 Ocurrencias: 1

Posibles restituciones: dl, dlh, dly, dll, dlm, dlq, dlt.

Fragmentos Varios

00-7.184:6 ----- • dl- . -[…] • -----

dl-—

nº CGR-946 Ocurrencias: 1

Posibles restituciones: dl, dlh, dlḫt, dly, dll, dlln, dlm, dlq, dlt, dlthm.

Administración

00-4.562:4 [… d/k]d . ʿzn[…] • [… d/k]d . d̊l-[…] • …

dm—

nº CGR-947 Ocurrencias: 3

Posibles restituciones: dm, dmd, dmh, dmw, dmyn, dmk, dml, dmm, dmʿ, dmq, dmt, dmty.

Administración

00-4.252:5 ar[…] • l̊/d̊/ů m̊[…] • …

00-4.423:5 ----- • šd . dm̊[…] • bd . db̊/d̊[…]

Mítica

00-1.2:III:12 [rbt .]k̊mn[.]h̊k̊[l …]š̊ . b̊š̊[…]t̊[…]g̊lm̊ . (?)l̊ šdt̊[…]ymm • […]b̊ ym . ym . y[…]t . yš̊[…]n åp̊k . ʿṯtr . dm̊[…] • […]ḥrḥrtm . w ů/d̊[…]n[…]iš[…]h[…]išt

dm-

nº CGR-948 Ocurrencias: 1

Posibles restituciones: dm, dmd, dmh, dmw, dmk, dml, dmm, dmʿ, dmq, dmt.

Fragmentos Varios

00-7.222:12 [y]a-bi-šu l[a .] ša ti i pa ti r[u(?)] • […]? la a-bi-ḫa li[?] da m[i …] • [.]-ni-ka zu-m[u …]

dn—

nº CGR-949 Ocurrencias: 1

Posibles restituciones: dn, dnil, dnh, dnm, dnn, dnt, dnty, dntm.

Ritual

00-1.123:15 ṣdq mšr • ḥn bn il dn[…] • k̊bd w n̊r̊[…]

10-1.123:15 ṣdq mšr • ḥnbn il dn[…] • [k]bd w n̊r[…]

dr—

nº CGR-950 Ocurrencias: 6

Posibles restituciones: dr, drb, drd, drdr, drdrk, drh, drḫn, drḫm, dry, drk, drkm, drkt, drkth, drktk, drm, drn, drʿ, drṣy, drš, drt.

Administración

00-4.71:III:13 bn . mṣrn … […] • b̊n[. …]dr[…] • …

00-4.120:3 ʿšrm . l . m̊[…] • šd . dr[…]b̊/d̊d • -----

Fragmentos Varios

00-7.19:3 […]r̊m[…] • […]dr[…] • […]-rtm[…]

Mítica

00-1.6:IV:26 ẙštd̊ . […] • d̊r̊[…] • r̊[…]

00-1.22:II:18 ʿṣ (ʿl) . amr . yů[…] • nzt (nḫt) . kḥṯ . dr̊[…] • aṣḥ . rpim̊[. iqra . ilnym]

Ritual

00-1.49:4 [… aṯ]rt . š l̊[…] • [… a]l̊p dr[…] • ṣin aḥdh[…]

dr-

nº CGR-951 Ocurrencias: 1

Posibles restituciones: dr, drb, drd, drh, dry, drk, drm, drn, drʿ, drš, drt.

Hipiatría

00-1.97:12 [k ygʿ]r̊ . ššw[…] • […]n̊(?) . ṯrb . dr̊[…] • […]-ʿ̊(?) št . n̊[ni …]

dr-—

nº CGR-952 Ocurrencias: 2

Posibles restituciones: dr, drb, drd, drdr, drdrk, drh, drḫn, drḫm, dry, drk, drkm, drkt, drkth, drktk, drm, drn, drʿ, drṣy, drš, drt.

Administración

00-4.242:3 […]ṯmnym k̊[…] • […] . l . l̊/d̊r-[…] • …

00-4.457:2 […]m̊ryn̊[…] • […]d̊/b̊r-[…] • …

dš—

nº CGR-953 Ocurrencias: 1

Posibles restituciones: dš, dšn.

Administración

00-4.201:7 -[…]ḫ̊bq . l ḥršm[…] • […]- . dš[…] kb̊[d …] • […]--- l[…]

dt—

nº CGR-954 Ocurrencias: 7

Posibles restituciones: dt, dtm, dtn, dtšm.

Administración

00-4.86:21 ----- • bdlm . d̊t[·...] • ʿdn . b̊[...]

00-4.160:4 spr . m[...] • spr d̊t[...]b . w š • -----

00-4.631:22 šd . t̠̊d̊pt̠n . b[n .]brrn . l . qrt • šd . ů/d̊t[...]dy . bn . brzn • l̊ . qrt

00-4.729:1 • rʿym . dt[...] • bʿln . w . š̊[ǵrh ...]

10-4.729:1 *• rʿy . d̊t[...] • bʿln . w . š[ǵrh̊]*

Mítica

00-1.1:IV:21 šmk . mdd . i[l ...] • bt . kspy . d̊t[...] • bd . aliyn b̊[ʿl ...]

00-1.151:11 šr . l-[...]w [.]l . l bʿl • dt[...] . l i̊l̊[.]w l bʿl ql • šr . l . ʿnt . tdd . bʿl

Ritual

00-1.127:17 w š̊[lm] • d̊t[...] • -----

dt-—

nº CGR-955 Ocurrencias: 1

Posibles restituciones: dt, dtm, dtn, dtšm.

Mítica

00-1.151:6 štm̊[...]- . dt . š̊[...]-- • dt-[...]n --- ks̊(?)t̊(?) • rq[...]w[...]ḥ̊g . [...]m̊

d̲-yn

nº CGR-956 Ocurrencias: 1

Posibles restituciones: d̲d̲yn.

Administración

00-4.86:33 -ˁ̊(?)-n . š̊t̊/p̊[…] • š̊/d̲̊-ẙn . […] • -n̊(?)n[…]

d̲m-—

nº CGR-957 Ocurrencias: 1

Posibles restituciones: d̲mu, d̲my, d̲mn, d̲mr, d̲mrbˁl, d̲mrd, d̲mrh, d̲mry, d̲mrk, d̲mrn.

Fragmentos Varios

00-7.168:2 […]---[…] • […]- . d̲m-[…] • […]b̊n . bl[…]

d̲r—

nº CGR-958 Ocurrencias: 1

Posibles restituciones: d̲rdn, d̲rm, d̲rn, d̲rˁ, d̲rˁh, d̲rˁhm, d̲rqm, d̲rr, d̲rt, d̲rty.

Mítica

00-1.13:8 ----- • ẘ ˁp . l d̲r̊[…] . nšrk . • -----

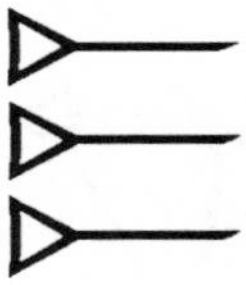

h-m

nº CGR-959 Ocurrencias: 1

Posibles restituciones: hbm, hdm, hẓm, hkm, hlm, hrm, htm.

Administración

00-4.401:2 ----m-[…]-[…] • ṯ̊n̊/t̊ . h̊/i̊-m̊ . k[…]-[…] • -----

hw—

nº CGR-960 Ocurrencias: 3

Posibles restituciones: hw, hwil, hwt, hwth, hwty.

Correspondencia

00-2.3:4 […]b̊/d̊/ůtm . w š̊[…] • -[…]w . kl . hw[…] • w […]- . brt . l bʿ[l …]

00-2.45:27 l . alpm . w . l . y[…]a • w . bl . bnš . hw[…]y[…] • w . k . at . trg[m …]

00-2.72:32 k̊y . umẙ[…] • [am]r̊ . hẘ(?)[…] • …

hyb—

nº CGR-961 Ocurrencias: 1

Posibles restituciones: hybh, hybʿl.

Administración

00-4.503:II:2 b[…] • hyb̊/d̊[…] • -----

hl—

nº CGR-962 Ocurrencias: 7

Posibles restituciones: hl, hlh, hlk, hlkm, hlkt, hll, hlm, hlmn, hln, hlny, hlnr.

Correspondencia

00-2.6:1 • tḥm . hl[…] • l pzry . a[…]

00-2.39:27 lk̊[…] • hl̊[…] • šp[š …]

00-2.63:15 åt . ʿm̊[…] • ẘ . hl̊[…] • […]-šn̊[…]

Fragmentos Varios

00-7.40:5 ṯp . […] • hṣ̊/l̊[…] • […]-[…]

00-7.218:6 t/h/pgẙ-[…] • h/il̊[…] • …

Mítica

00-1.92:4 tlk b mdbr̊[…] • tḥdṯn w hl[…] • w tglṯ thmt . ʿ-[…]

Ritual

00-1.107:30 ----- • […]ẘ . b[…] . hl̊[…] • […]ʿ̊rt . [i]l̊m . rb̊m̊ . nʿl̊[…]m̊r

11-1.107:1 ----- • […]n̊ . b[…] . hl̊[…] • […]-̊r̊-̊ i̊l̊m . rbm . nʿl[…]mr

hln—

nº CGR-963 Ocurrencias: 1

Posibles restituciones: hln, hlny, hlnr.

Correspondencia

11-2.36:5 ----- • ky . likt . bt . mlk . tḥmk[.]hln̊[…] • [ḫ]rṣ . argmny[. ʿm] . špš . štn[…]

hm—

nº CGR-964 Ocurrencias: 1

Posibles restituciones: hm, hmlt, hmn, hmr, hmry, hmt, hmth, hmtn.

Mítica

00-1.82:28 […]--- . mdbm . l ḫrn . ḫr[…] • […] . hm . ql . hm[…] • […]- . aṯtn . n[…]

hm-—

nº CGR-965 Ocurrencias: 1

Posibles restituciones: hm, hmlt, hmn, hmr, hmry, hmt, hmth, hmtn.

Fragmentos Varios

00-7.40:2 p[…] • hm-[…] • ag̊r[…]

hn—

nº CGR-966 Ocurrencias: 6

Posibles restituciones: hn, hnd, hndn, hndt, hnh, hnk, hnkt, hnn, hnny, hnt.

Administración

00-4.178:13 ʿn[…] • hn[…] • ks[…]

Correspondencia

00-2.36:20 [… . ḥ]wtm . ugr[t …]-n . hl̊ • […]t . rgm . hn̊[…]š . r-[…] • […]- . mlk . gr[…]-[…]

00-2.79:15 ----- • […]l . ḏrʿ . hn[…] • […] . špš . mlk . rb̊ . […]

Mítica

00-1.6:VI:37 […]d̊ˁ̊ . -[…] • b̊[…]t̊/n̊ . hn[…] • […]š̊n̊-[…]

00-1.22:I:3 h . hn bnk . hn -[…] • bn bn . aṯrk . hn[…]-[…]-a • ydk . ṣǵr . tnšq . šptk . ṯm

00-1.171:24 ydk . lḫr[…] • wra . hn̊[…] • lak . lt[…]

hr—

nº CGR-967 Ocurrencias: 1

Posibles restituciones: hr, hrg, hrgb, hrh, hry, hrym, hrm, hrn, hrnmy, hrsn, hrr, hrt, hrtm, hrtn.

Administración

00-4.546:1 • […]m̊ . b . hr[…] • …

ht—

nº CGR-968 Ocurrencias: 2

Posibles restituciones: ht, hty, htm.

Correspondencia

00-2.36:31 hlny . lm . mt . bˁl[k . -----p]ḥm[…] • w . pḥm . b . bty . in[-------] . ht[…] • ššmḫt . w . ht[. ----------]t[…]

Fragmentos Varios

00-7.68:1 … • h̊t̊[…] • iṯk̊[…]

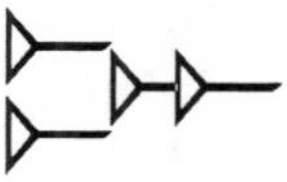

wr-—

nº CGR-969 Ocurrencias: 1

Posibles restituciones: wr, wry, wrt.

Correspondencia

00-2.63:3 rgm • tḥm . wr-[...] • -----

zb—

nº CGR-970 Ocurrencias: 1

Posibles restituciones: zb, zbl, zblhm, zblkm, zbln, zblnm, zbrm.

Épica

00-1.16:V:50 mr[ṣ ...] • zb[...] • t[...]

ḥ---y

nº CGR-971 Ocurrencias: 1

Posibles restituciones: ḥplry.

Ritual

12-1.103:2 ----- • ʿṣ . hnḫ/ṭ[---]ḫ/y aṯr yld . bhmth tʿ[tbr] • -----

ḥ--y

nº CGR-972 Ocurrencias: 1

Posibles restituciones: ḥbšy, ḥgby, ḥẓry, ḥlmy, ḥnny.

Administración

00-4.214:I:14 bn . ǵ̊rp̊(?)d • bn . ḥ--y • bʿlskn

ḥ-qt

nº CGR-973 Ocurrencias: 1

Posibles restituciones: ḥṣqt.

Correspondencia

11-2.36:17 n̊[t]b̊t . mṣrm . b . ḥẘt . ugrt • ḫ̊/ṭ̊[-]q̊/ẓ̊̊t . w . b . ḥẘt[.]n̊ǵṯ . tʿ̊tqn[…] • [----]ḥwtm . n[--]°°b . ʿmq […]

ḥb—

nº CGR-974 Ocurrencias: 1

Posibles restituciones: ḥbḫ, ḥby, ḥbl, ḥblh, ḥblm, ḥbšk, ḥbq, ḥbqh, ḥbr, ḥbrh, ḥbrk, ḥbrm, ḥbš, ḥbšh, ḥbšy, ḥbṯ.

Mítica

00-1.82:11 […]-k̊ . ʿlt . bk . lk . l pny . yrk . bʿl . […] • […]- ʿnt . ḥzrm . tštšḥ . km . ḥb[…] • […]m-[…]- . ʿpr . btk . ygr̊š̊k̊

ḥgb—

nº CGR-975   Ocurrencias: 1

Posibles restituciones: ḥgb, ḥgbḏr, ḥgby, ḥgbn, ḥgbt.

Ritual

00-1.134:2   [… al]p . w š . šr[p …] • […]r̊šp . ḥgb[…] • […]i̊nš . il̊[m …]

ḥd—

nº CGR-976   Ocurrencias: 3

Posibles restituciones: ḥd, ḥdgk, ḥdn, ḥdr, ḥdrh, ḥdrm, ḥdš, ḥdṯ, ḥdṯh, ḥdṯm, ḥdṯn, ḥdṯt.

Administración

00-4.432:22   bn . ilẙ[…] • bn . ḥd[…] • b̊n . ---[…]

00-4.452:1   … • [b]n̊ . ḥd[…] • [bn] . idr[…]

Mítica

00-1.86:15   w ṣin . ʿz . b-[…] • llu . bn . ḥ̊d̊/l̊[…] • imr . ḥm̊-[…]

ḥl—

nº CGR-977   Ocurrencias: 2

Posibles restituciones: ḥl, ḥlb, ḥlbt, ḥly, ḥll, ḥlm, ḥlmh, ḥlmy, ḥlmm, ḥlmt, ḥln, ḥlnm, ḥlqm, ḥlt.

Administración

00-4.234:4   […]d • […]kr [b]n ḥl[…] • …

Mítica

00-1.86:15   w ṣin . ʿz . b-[…] • llu . bn . ḥ̊d̊/l̊[…] • imr . ḥm̊-[…]

ḥm—

nº CGR-978   Ocurrencias: 1

Posibles restituciones: ḥm, ḥmdm, ḥmdrt, ḥmḥh, ḥmḥmt, ḥmy, ḥmyt, ḥmytkm, ḥmytny, ḥmk, ḥmm, ḥmn, ḥmṣ, ḥmr, ḥmrh, ḥmrm, ḥmt, ḥmthm, ḥmṯ.

Ritual

00-1.48:5   ẘ bʿlt btm • n̊/ḥ̊m̊[…]ṣn . l . dgn • n[…]k̊m

ḥn—

nº CGR-979   Ocurrencias: 1

Posibles restituciones: ḥn, ḥnil, ḥnbn, ḥnn, ḥnny, ḥnth.

Ritual

11-1.107:30   […]ǵrm . y[…]-̊rn • […]rk . ḥt/a/n[…]m̊lk • […]sr . n[…]-̊ . ḥrn

ḥr—

nº CGR-980 Ocurrencias: 3

Posibles restituciones: ḥr, ḥrb, ḥrbm, ḥrh, ḥrḥrtm, ḥrẓn, ḥry, ḥryth, ḥrk, ḥrm, ḥrn, ḥrnqm, ḥrnšt, ḥrp, ḥrṣ, ḥrṣbʿ, ḥrr, ḥrš, ḥršm, ḥrt, ḥrth, ḥrtn, ḥrṯ, ḥrṯh, ḥrṯm.

Administración

00-4.781:5 ʿšrm [k]sp • mškrt . ḥr[…] • ʿl[.]uškn

Mítica

00-1.82:27 […]h̊/i̊kl . b kl . l pgm . pgm . l . b̊(?)[…] • […]--- . mdbm . l ḥrn . ḥr[…] • […] . hm . ql . hm[…]

00-1.169:7 […]----[…] • aṯt . ḥr[…] • lg . lšn . yṣ/l[…]

ḥr-

nº CGR-981 Ocurrencias: 1

Posibles restituciones: ḥr, ḥrb, ḥrh, ḥry, ḥrk, ḥrm, ḥrn, ḥrp, ḥrṣ, ḥrr, ḥrš, ḥrt, ḥrṯ.

Administración

00-4.197:19 ----- • […]- . kṣp[.]ʿ̊l̊ ḥr- • […]

ḥrṣ—

nº CGR-982 Ocurrencias: 1

Posibles restituciones: ḥrṣ, ḥrṣbʿ

Administración

00-4.323:2 [… ʿ]šr̊[…] • - ḥrṣ̊[…] • p̊ḥẓ[…]

ḥt—

nº CGR-983 Ocurrencias: 3

Posibles restituciones: ḥt, ḥtk, ḥtkh, ḥtkk, ḥtkn, ḥtlk, ḥtn, ḥtp, ḥtt, ḥtṯ, ḥtṯn.

Administración

00-4.247:11 ʿš[r …]-b-[…] • š[…]g ḥt[…] • ʿšr̊[…]k̊/r̊ḥ-b[…]-

Épica

00-1.16:II:15 tšqẙ […] • tr . ḥt[…] • w msk . tr̊[…]

Ritual

11-1.107:30 […]ġrm . y[…]̊-rn • […]rk . ḥt/a/n[…]m̊lk • […]sr . n[…]̊- . ḥrn

ḫ--h

nº CGR-984 Ocurrencias: 1

Posibles restituciones: ḫbṯh, ḫmnh, ḫpšh, ḫpṯh, ḫṣth, ḫrih, ḫrdh, ḫrẓh.

Ritual

10-1.104:16 wbym ʿšr • tpnn . npṣm . ḫ--h̊ • wṯt . ḥdṯn

ḫ--ry

nº CGR-985 Ocurrencias: 1

Posibles restituciones: ḫpsry, ḫpšry.

Administración

00-4.245:I:5 bn . ml̊/d̊n̊(?) • bn . s̊/ḫ̊--r̊y • bn . g--y

ḫb—

nº CGR-986 Ocurrencias: 2

Posibles restituciones: ḫb, ḫbb, ḫbd, ḫby, ḫbl, ḫbly, ḫbsn, ḫbr, ḫbrtnr, ḫbrṯ, ḫbt, ḫbtd, ḫbty, ḫbtkm, ḫbtkn, ḫbṯ, ḫbṯh, ḫbṯm.

Administración

00-4.39:2 ----- • šd . bn . ḫb[…] • šd . srn […]

00-4.161:8 kṯt ḥ̊[…] • l ḫb[…] • ḫwt̊[…]

ḫbr—

nº CGR-987 Ocurrencias: 2

Posibles restituciones: ḫbr, ḫbrtnr, ḫbrṯ.

Épica

00-1.15:V:4 […]rp̊[…] • [… ḫ]b̊r̊[…] • b̊ḫ̊r̊[…]t̊(?) […]h̊(?)/i̊(?)

Fragmentos Varios

00-7.144:3 ----- • […]ḫbr[…] • -----

ḫd—

nº CGR-988 Ocurrencias: 2

Posibles restituciones: ḫdi, ḫdbṯ, ḫdd, ḫdy, ḫdyn, ḫdmn, ḫdš, ḫdpṯr, ḫdr, ḫdš.

Administración

00-4.10:3 r̊[…] • ḫd̊[…] • ṯlṯm . […]

00-4.196:1 • […]--[…]-------ḫd[…]--[…]s • -----

ḫḏ—

nº CGR-989 Ocurrencias: 1

Posibles restituciones: ḫḏ, ḫḏḏ, ḫḏl, ḫḏm, ḫḏmḏr, ḫḏmyn, ḫḏmrd, ḫḏmtn, ḫḏnr, ḫḏǵb, ḫḏǵlm, ḫḏpršp, ḫḏrǵl.

Administración

00-4.729:7 šǵr . ṯm̊[…] • šǵr . ḫḏ̊[…] • ʿdn . w[. …]

ḫḏpr—

nº CGR-990 Ocurrencias: 1

Posibles restituciones: ḫḏpršp.

Administración

10-4.760:3 aḫrš rb̊[…] • bn . ḫḏpr[…] • bn . anny[…]

ḫwt—

nº CGR-991 Ocurrencias: 1

Posibles restituciones: ḫwtn.

Administración

00-4.161:9 l ḫb[…] • ḫwt̊[…] • tšʿ[…]

ḫy—

nº CGR-992 Ocurrencias: 1

Posibles restituciones: ḫym, ḫyml, ḫyr, ḫyrn.

Ritual

00-1.175:4 […]wš . lršp . bbt . ʿṣr[m …] • […]rm . wmlk . ykbd . ḫ-/y[…] • […] . šrp . ʿṣrm .̊ linš[ilm …]

ḫl—

nº CGR-993 Ocurrencias: 3

Posibles restituciones: ḫl, ḫlan, ḫli, ḫlu, ḫluy, ḫlb, ḫlby, ḫlbym, ḫlbn, ḫldy, ḫlḏ, ḫlh, ḫly, ḫlyn, ḫllḫ, ḫlly, ḫlln, ḫlm, ḫlmẓ, ḫln, ḫlǵl, ḫlp, ḫlpm, ḫlpn, ḫlpnm, ḫlpnt, ḫlṣ, ḫlq, ḫlqt, ḫlrš, ḫlš, ḫlt, ḫlṯ.

Administración

00-4.235:9	----- • ḫl[…] • -----
00-4.567:4	gn[…] • ḫl[…] • …
00-4.683:13	š[… kb]d̊ • ḫ̊l̊[…] • ar̊[…]

ḫl--

nº CGR-994 Ocurrencias: 1

Posibles restituciones: ḫl, ḫlan, ḫli, ḫlu, ḫluy, ḫlb, ḫlby, ḫlbn, ḫldy, ḫlḏ, ḫlh, ḫly, ḫlyn, ḫllḫ, ḫlly, ḫlln, ḫlm, ḫlmẓ, ḫln, ḫlġl, ḫlp, ḫlpm, ḫlpn, ḫlṣ, ḫlq, ḫlqt, ḫlrš, ḫlš, ḫlt, ḫlṯ.

Épica

00-1.17:II:42	m̊dd̊t . n̊ʿ̊my . ʿr̊š̊ . h̊(?)r̊(?)t̊(?) • ẙsmsmt . ʿ̊r̊̊š̊ . ḫ̊̊l̊-- • yṯb . d̊nil̊ . [s]p̊r ẙr̊ḫ̊ḫ̊

ḫlb—

nº CGR-995 Ocurrencias: 1

Posibles restituciones: ḫlb, ḫlby, ḫlbym, ḫlbn.

Ritual

00-1.130:11	l bʿl ů[grt …] • l bʿl ḫlb̊[…] • l yrḫ š … […]

ḫm—

nº CGR-996 Ocurrencias: 3

Posibles restituciones: ḫmat, ḫmn, ḫmnh, ḫmny, ḫmr, ḫmrm, ḫmrn, ḫmš, ḫmšm, ḫmšt, ḫmt, ḫmṯ, ḫmṯt.

Fragmentos Varios

00-7.5:3	[…]-ḫl[…] • […]ṯ ḫm̊[…] • …

Ritual

00-1.48:13	ṯ̊l[ṯ …]-- • aḥt . ḫm[…] • b ym . dbḥ . ṯpḥ̊[…]
00-1.104:16	w b ym ʿšr • tpnṅ (ttnn) . npṣm . ḫm̊[…]p̊(?) • -----

ḫm-—

nº CGR-997 Ocurrencias: 1

Posibles restituciones: ḫmat, ḫmn, ḫmnh, ḫmny, ḫmr, ḫmrm, ḫmrn, ḫmš, ḫmšm, ḫmšt, ḥmt, ḫmṯ, ḫmṯt.

Mítica

00-1.86:16	llu . bn . ḥ̊d̊/l̊[…] • imr . ḫm̊-[…] • b̊n b̊ʿ̊l̊[…]

ḫn—

nº CGR-998 Ocurrencias: 2

Posibles restituciones: ḫn, ḫnan, ḫndlt, ḫndrṯ, ḫndrṯm, ḫnh, ḫnzr, ḫnzrk, ḫny, ḫnyn, ḫnn, ḫnp, ḫnpm, ḫnpt, ḫnṣ, ḫnq, ḫnqn, ḫnqtm, ḫnt.

Administración

00-4.393:20 ʿn-[…] • ḫn[…] • tg[…]

Fragmentos Varios

00-7.39:1 … • […] . ḫn̊[…] • […]-r-[…]

ḫpt—

nº CGR-999 Ocurrencias: 1

Posibles restituciones: ḫpty, ḫptr.

Administración

00-4.686:3 agm̊[…] • ḫpt̊[…] • mʿq̊[b …]

ḫr—

nº CGR-1000 Ocurrencias: 7

Posibles restituciones: ḫr, ḫra, ḫran, ḫri, ḫrih, ḫru, ḫrbǵlm, ḫrg, ḫrd, ḫrdh, ḫrdk, ḫrdn, ḫrḫb, ḫrẓh, ḫrẓʿh, ḫry, ḫrk, ḫrm, ḫrmln, ḫrmṯt, ḫrn, ḫrny, ḫrs, ḫrǵḏǵ, ḫrp, ḫrpat, ḫrpn, ḫrpnt, ḫrṣ, ḫrṣbʿ, ḫrṣbq, ḫrṣm, ḫrṣn, ḫrṣp, ḫrš, ḫršḫ, ḫršn, ḫrt.

Administración

00-4.11:6 […]lm . aḫd • […]-l . l ḫr[…] • […]m . dt . nšu

00-4.224:6 […]g̊(?)bd • b̊n̊(?)[.]ybʿ . bʿl . ḫr[…] • pqr . yḫd

00-4.235:10 ----- • ḫr̊[…] • …

00-4.244:33 yp-[…] • ḫr̊[…] • š̊[…]

00-4.441:6 bn . nz[…] • bn . ḫr̊[…] • …

00-4.629:3 hz[p …] • ḫr[…] • uḫn̊[py …]

Mítica

00-1.151:9 štmn̊[…]sp . […]ʿd̊(?)-m • ym . ḫr[…]z̊(?) . kš • šr . l-[…]w [.]l . l bʿl

ḫr-—

nº CGR-1001 Ocurrencias: 1

Posibles restituciones: ḫr, ḫra, ḫran, ḫri, ḫrih, ḫru, ḫrbǵlm, ḫrg, ḫrd, ḫrdh, ḫrdk, ḫrdn, ḫrḫb, ḫrẓh, ḫrẓʿh, ḫry, ḫrk, ḫrm, ḫrmln, ḫrmṯt, ḫrn, ḫrny, ḫrs, ḫrǵḏǵ, ḫrp, ḫrpat, ḫrpn, ḫrpnt, ḫrṣ, ḫrṣbʿ, ḫrṣbq, ḫrṣm, ḫrṣn, ḫrṣp, ḫrš, ḫršḫ, ḫršn, ḫrt.

Administración

00-4.50:12 bn . dmtn … 1[…] • b̊n . gʿyn . ḫr̊-[…] • -----

ḫrṣ—

nº CGR-1002 Ocurrencias: 3

Posibles restituciones: ḫrṣ, ḫrṣbʿ, ḫrṣbq, ḫrṣm, ḫrṣn, ḫrṣp.

Administración

00-4.23:3 mat[…] • ḫrṣ[…] • -----

00-4.738:1 … • ḫrṣ̊[…] • ksp

Correspondencia

10-2.36:12 [w .]mla[k]tk . ʿmy . l . likt • [-----]šknt . ly . ht . hln . ḫrṣ[…] • [---] . štnt . ʿmy . ʿm . špš . štn[…]

11-2.36:12 *[w .]mla[k]t̊k . ʿmy . l . likt • [h]t̊ . k̊m̊. šknt . ly . ht . hln . ḫrṣ[…] • [l/at . l] . štnt . ʿmẙ . ʿm . špš . štn[t]///štn[th]*

ḫt—

nº CGR-1003 Ocurrencias: 1

Posibles restituciones: ḫt, ḫti, ḫtu, ḫtb, ḫthn, ḫty, ḫtym, ḫtyn, ḫtyt, ḫtm, ḫtn, ḫtny, ḫtnm, ḫtt, ḫttk, ḫtṯ.

Administración

00-4.325:4 ----- • […]mdy . ḫt[…] • [… b]n . ši[…]

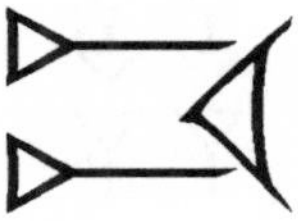

ẓr—

nº CGR-1004 Ocurrencias: 3

Posibles restituciones: ẓr, ẓrh, ẓrw, ẓrl, ẓrm, ẓrn.

Administración

00-4.15:12 [bʿ]l̊ . bt . bsn • ẓr̊(?)[…] • b[…]

00-4.69:V:4 w . nḥ̊[lh …] • bn . ẓr̊[…] • (LINEA EN ACADIO)

00-4.545:II:3 bn . ån̊[…] • bn . ẓr[…] • bn . pll̊[…]

y---y—

nº CGR-1005 Ocurrencias: 1

Posibles restituciones: ynphy, yʿrty, yʿrtym, yrmly, yšʿly.

Administración

00-4.214:II:18 […]- • y---ẙ[…] • bt (bn) . ǵlyn

y---r

nº CGR-1006 Ocurrencias: 1

Posibles restituciones: yitmr, ymtḏr, ymtšr, yʿbdr, yšizr, yšiḫr.

Mítica

00-1.172:1 ----- • h̊m . bḥdṯ . ẙ---r̊[.]r̊šn . ykn • -----

y--r

nº CGR-1007 Ocurrencias: 1

Posibles restituciones: yamr, yaṯr, yišr, ybšr, ybʿr, ybṣr, ybšr, ygmr, ygʿr, ydbr, yḏmr, yhbr, yḥšr, yḫsr, ysgr, yspr, yʿšr, yǵtr, ypʿr, yqbr, ytmr, yṯir, yṯbr, yṯʿr, yṯpr.

Fragmentos Varios

00-7.222:10 [l]a ša-na-ia ar-n[u]? l[a …] • [l]a [i]a-ši-b[u] l[a] y[i(?)]-?[-]i(?)-ru ?[…] • [y]a-bi-šu l[a .] ša ti i pa ti r[u(?)]

y-w

nº CGR-1008 Ocurrencias: 1

Posibles restituciones: yšw.

Administración

00-4.750:4 annmn . ugrty • w . ṯn . y-w . bn . ʿbdʿl • -----

y-rt

nº CGR-1009 Ocurrencias: 1

Posibles restituciones: yʿrt, ytrt.

Administración

10-4.762:12 […]b[…]-ḥ[…] • […]r̊- ẙ[-]rt̊-bn[š…] • [a]rt[…]̊- ḥm̊r[…]

y-ṯ

nº CGR-1010 Ocurrencias: 1

Posibles restituciones: ybṯ, ydṯ, yqṯ, yrṯ.

Correspondencia

00-2.40:19 w . mlg̊[…]y • y-ṯ̊(?) • -----

yu—

nº CGR-1011 Ocurrencias: 2

Posibles restituciones: yu, yuhb, yuḫd, yuḫdm, yukl.

Épica

00-1.18:IV:39 ʿnt . b ṣmt . mhrh . […] • aqht . w tbk . yl̊/d̊/ů[…] • abn . ank . w ʿl . q̊[štk … ʿl]

Mítica

00-1.22:II:17 ydr . hm . ym̊[…] • ʿṣ (ʿl) . amr . yů[…] • nzt (nḫt) . kḥṯ . dr̊[…]

yb—

nº CGR-1012 Ocurrencias: 5

Posibles restituciones: yb, ybu, ybd, ybdn, ybk, ybky, ybl, yblhm, yblk, yblmm, ybln, yblnh, yblnn, yblʿ, yblt, ybltm, ybm, ybmh, ybmt, ybn, ybnil, ybnn, ybšr, ybʿ, ybʿl, ybʿlhm, ybʿlm, ybʿlnn, ybʿr, ybʿrn, ybǵdd, ybṣr, ybqʿ, ybqṯ, ybrd, ybrdmy, ybrk, ybrkn, ybš, ybšl, ybšr, ybt, ybṯ.

Administración

00-4.213:26 mit . arbʿm . kbd . yn . ḥsp . l . m[ṣb] • mit . ʿšrm . k̊bd . yn . ḥsp . l . yb̊(?)[…] • ʿšrm . yn . ḥsp . l . ql . d . tbʿ . mṣr̊(?)m

00-4.376:1 • bʿldʿ . yb̊/d̊[…]ʿ̊šrt . ksph • lbiy . pdy[…]k̊sph

Correspondencia

00-2.31:48 […]k bʿlt bhtm̊[.]ånk • […]y . l ihbt . yb̊[…] . rgmy • -----

Épica

00-1.16:V:4 ʿr . d̊/b̊[…] • w yb̊[…] • bʿd-[…]

Mítica

00-1.62:1 • […]h̊ . yb[…] • […]n . irš[…]

yg-—

nº CGR-1013 Ocurrencias: 1

Posibles restituciones: ygb, ygbhd, ygz, ygl, ygly, ygmd̲, ygmr, ygʿr, ygry, ygrš, ygršh, ygršk.

Mítica

00-1.9:2 k[…] • yg-[…] • rb[…]

yd—

nº CGR-1014 Ocurrencias: 11

Posibles restituciones: yd, ydu, ydb, ydbil, ydbbʿl, ydbhd, ydbḥ, ydbʿl, ydbr, ydd, yddll, yddn, yddt, ydh, ydy, ydyn, ydyt, ydk, ydll, ydlm, ydln, ydlp, ydm, ydmʿ, ydn, ydnh, ydnm, ydʿ, ydʿm, ydʿn, ydʿnn, ydʿt, ydʿtk, ydr, ydrm, ydrmt, ydt, ydty, ydṯ, ydṯǵk.

Administración

00-4.66:8 bn . ḫṯr̊[…] • bn . yd[…] • bn . ʿ[…]

00-4.80:15 bʿly . ml-[…] • yd . bth . yd[…] • -----

00-4.80:18 ----- • ṯlḥny . yd[…] • yd . ṯlṯ . kl[th …]

00-4.376:1 • bʿldʿ . yb̊/d̊[…]ʿ̊šrt . ksph • lbiy . pdy[…]k̊sph

Correspondencia

00-2.23:9 bʿl[y …]- • yd[…]m̊lk • rb[.]bʿ[ly …]

Épica

00-1.18:IV:39 ʿnt . b ṣmt . mhrh . […] • aqht . w tbk . yl̊/d̊/ů[…] • abn . ank . w ʿl . q̊[štk … ʿl]

Fragmentos Varios

00-7.58:2 […]n̊ . r̊[…] • […]-ʿt . yd̊[…] • […]m . šb[…]

Inscripciones

11-6.64:1 • ʾgn z pʿl yd[…] • r/nbʿl z lḫdš bʿl[…]

Mítica

00-1.7:20 š̊p̊k . l-[…] • t̊r̊ḥ̊ṣ . ẙd̊[…] • […]ẙṣ̊q̊ š̊m[n …]

00-1.23:4 ytnm . qrt . l ʿlẙ[…] • b mdbr . špm . yd̊[…]r̊ • l rišhm . w yš[…]-m

00-1.82:14 […]-a . --š(?)[…]y . ḥr . ḥr . bnt . ḥ[…] • […]b̊/d̊ḫ̊/z̊b . b̊ʿ̊lm . ʿ[…]- . ydk . amṣ . yd̊[…] • -----

yd-

nº CGR-1015 Ocurrencias: 1

Posibles restituciones: yd, ydu, ydb, ydd, ydh, ydy, ydk, ydm, ydn, ydʿ, ydr, ydt, ydṯ.

Mítica

00-1.2:IV:1 … • […]ẙd̊- . ḫ̊tt . mtt[…] • […]ḥ̊ẙ[…]-[…]l̊ ašṣ̊i . hm . ap . amr[…] .

yd-—

nº CGR-1016 Ocurrencias: 1

Posibles restituciones: yd, ydu, ydb, ydbil, ydbbʿl, ydbhd, ydbḥ, ydbʿl, ydbr, ydd, yddll, yddn, yddt, ydh, ydy, ydyn, ydyt, ydk, ydll, ydlm, ydln, ydlp, ydm, ydmʿ, ydn, ydnh, ydnm, ydʿ, ydʿm, ydʿn, ydʿnn, ydʿt, ydʿtk, ydr, ydrm, ydrmt, ydt, ydty, ydṯ, ydṯǵk.

Inscripciones

00-6.52:1 • aḫm yd-[…] • m̊-l̊/d̊/ů-[…]

ydd—

nº CGR-1017 Ocurrencias: 2

Posibles restituciones: ydd, yddll, yddn, yddt.

Administración

00-4.647:6 ydn […]k . kry • bn . ydd[…] br • prkl . bʿl . any . d bd . abr[…]

00-4.706:13 […]l . l . ʿdy • […]n̊m l … . … l . ydd̊[…] • -----

ydm—

nº CGR-1018 Ocurrencias: 2

Posibles restituciones: ydm, ydmʿ.

Mítica

00-1.4:II:33 qḥ . rṯt . bdk t̊[…] • rbt . ʿl . ydm̊[…] • b mdd . il . ẙ[m …]

Ritual

00-1.53:4 […]q̊(?) . mr[…] • […]n̊/å . mr[…]ẙdm[…] • […]m̊ṯbt . ilm . w . b . ḫ̊/ẙ[…]

ydʿ—

nº CGR-1019 Ocurrencias: 2

Posibles restituciones: ydʿ, ydʿm, ydʿn, ydʿnn, ydʿt, ydʿtk.

Administración

00-4.161:5 unr̊[…] • ẙdʿ[…] • b̊nš[…]

Correspondencia

00-2.8:6 […]ṣdq . k ttn . ly . šn[…] • […]bn . rgm . w ydʿ[…] • -----

yḥ—

nº CGR-1020 Ocurrencias: 1

Posibles restituciones: yḥ, yḥb, yḥbq, yḥd, yḥdh, yḥdy, yḥdṯ, yḥwy, yḥmdm, yḥmdnh, yḥmn, yḥn, yḥnn, yḥnnn, yḥsl, yḥs̆lnn, yḥpn, yḥṣdq, yḥr, yḥrn, yḥrr, yḥrṯ, yḥšr.

Administración

00-4.608:16 y-[…] • yḥ̊[…] • ẙ[…]

yḥ-

nº CGR-1021 Ocurrencias: 1

Posibles restituciones: yḥ, yḥb, yḥd, yḥn, yḥr.

Ritual

00-1.107:39 [w ydmʿ .]k̊m . ṣgr . š̊p̊š . b šmm . tqru • […]nplt . yḥ̊/ṭ̊(?)- . mdʿ . npl̊t . b šr •
[š]r̊g̊z̊z̊ . w tpky . k̊[m .]n̊ʿ̊r[.]t̊dmʿ . km

yḥ-—

nº CGR-1022 Ocurrencias: 1

Posibles restituciones: yḥ, yḥb, yḥbq, yḥd, yḥdh, yḥdy, yḥdṯ, yḥwy, yḥmdm, yḥmdnh, yḥmn, yḥn, yḥnn, yḥnnn, yḥsl, yḥslnn, yḥpn, yḥṣdq, yḥr, yḥrn, yḥrr, yḥrṯ, yḥšr.

Mítica

00-1.13:21 limm . ẘ tʿl . ʿm̊ . il[…] • abh . ḥz̊r̊ . p̊ ʿlk . yḥ̊/ṭ̊(?)-[…] • -----

yḥ--

nº CGR-1023 Ocurrencias: 1

Posibles restituciones: yḥ, yḥb, yḥbq, yḥd, yḥdh, yḥdy, yḥdṯ, yḥwy, yḥmn, yḥn, yḥnn, yḥsl, yḥpn, yḥr, yḥrn, yḥrr, yḥrṯ, yḥšr.

Mítica

00-1.24:4 lk ågzt . b sr̊r̊(?) š̊pš̊ • ẙr̊ḫ yṯkḥ yḥ̊-- l̊/d̊ • tld b k̊(?)ṯ̊rt . ḫ̊-[… k]

yṭ-

nº CGR-1024 Ocurrencias: 1

Posibles restituciones: yṭp.

Ritual

00-1.107:39 [w ydmʿ .]k̊m . ṣġr . šp̊š̊ . b šmm . tqru • […]nplt . yḥ̊/ṭ̊(?)- . mdʿ . npl̊t . b šr • [š]r̊g̊z̊z̊ . w tpky . k̊[m .]n̊ʿr̊[.]t̊dmʿ . km

yṭ-—

nº CGR-1025 Ocurrencias: 1

Posibles restituciones: yṭbḫ, yṭll, yṭp, yṭpn, yṭrdh.

Mítica

00-1.13:21 limm . ẘ tʿl . ʿm̊ . il[…] • abh . ḥz̊r̊ . p̊ ʿlk . yḥ̊/ṭ̊(?)-[…] • -----

yy—

nº CGR-1026 Ocurrencias: 1

Posibles restituciones: yy, yyn.

Administración

00-4.744:6 […]n-- r̊b̊il • […]k . k̊/ẘ yẙ(?)[…] • […]-y […]

yk—

nº CGR-1027 Ocurrencias: 3

Posibles restituciones: ykbd, ykbdnh, ykhp, ykḫd, yky, ykl, ykly, ykllnh, ykn, yknil, ykny, yknn, yknnh, yknʿ, yknʿm, yknʿmy, yks, ykph, ykr, ykrkr, ykrʿ, ykš.

Administración

00-4.529:2 […]b̊t . r̊/k̊[…] • […]b̊t . yr̊/k̊[…] • [… b]t . ʿbd̊[…]

Fragmentos Varios

00-7.50:10 […]ksl̊/ṣ̊[…] • […]ṣ̊/l̊ly yk[…] • […]-rqm[…]

Ritual

10-1.119:18 ----- • [ů]tml . yk[…] • -----

ykn—

nº CGR-1028 Ocurrencias: 2

Posibles restituciones: ykn, yknil, ykny, yknn, yknnh, ykn‘, ykn‘m, ykn‘my.

Administración

00-4.381:20 ----- • ḫmš ‘l ykn[…] • -----

00-4.427:20 yly[…] • ykn[…] • rpå[n …]

yl—

nº CGR-1029 Ocurrencias: 3

Posibles restituciones: ylak, ylbš, yld, yldhn, yldy, ylh, ylḥm, ylḥn, yly, ylyh, ylk, ylkn, ylm, ylmn, yln, ylqḥ, ylšn, ylt.

Administración

00-4.93:I:18 bn . pb[…] … 2 • bn . yl[…] • bn . ab-[…]

Épica

00-1.18:IV:39 ‘nt . b ṣmt . mhrh . […] • aqht . w tbk . yl̊/d̊/ů[…] • abn . ank . w ‘l . q̊[štk … ‘l]

Mítica

00-1.169:8 at̠t . ḥr[…] • lg . lšn . yṣ/l[…] • mšmṭr . […]

ym—

nº CGR-1030 Ocurrencias: 12

Posibles restituciones: ym, yman, ymid, ymil, ymgn, ymd, ymz, ymzl, ymḥ, ymḫṣ, ymḫṣk, ymẓa, ymy, ymk, ymkt, ymlu, ymlk, ymm, ymmt, ymn, ymnh, ymny, ymnn, ymsk, ymss, ymsš, ymšš, ymǵ, ymǵy, ymǵyk, ymǵyn, ymṣḫ, ymṣḫn, ymr, ymru, ymrm, ymrn, ymš, ymšḥ, ymt, ymtd̠r, ymtm, ymtn, ymtšr.

Administración

00-4.249:4 […]- aḥd … […] • […]dš-(?)ym[…] • -----

00-4.445:5 [bn] . kzn̊[…] • [bn .]ẙm̊[…] • …

00-4.570:4 […]- . ‘bd̊[…] • […]ym̊[…] • …

00-4.610:70 kkn̊[…] • ym[…] • -[…]

Correspondencia

00-2.46:19 […]-[…] • […]- ym[…] • […]-n . b--[…]-

00-2.48:2 […]lk[…] • [… ‘]šr . ym[…] • […] . hm . ly[…]

Épica

00-1.19:IV:42 d . ttql . b̊ ym . trtḥ̊[ṣ …] • ẘ . t̠̊k̊m . tium (tidm) . b ǵlp̊ ym̊[…] • d al̊p . šd . ẓuh . b ym . t[…]

Fragmentos Varios

00-7.192:2 […]--[…] • […]ẙm[…] • […]ẙr[…]

Mítica

00-1.1:IV:15 šm . bny . yw . ilt[…] • w pʿr . šm . ym[…] • tʿnyn . l zntn . […]
00-1.3:III:2 ttpp . anhb̊[m . ḍ alp . šd] • ẓuh . b ym[…] • […]rn . l̊[…]
00-1.12:II:48 km . all . dm . aryh • k šbʿt . l šbʿm . aḫh . ym[…] • w ṯmnt . l ṯmnym
00-1.22:II:16 š̊mn . prst[…] • ydr . hm . ym̊[…] • ʿṣ (ʿl) . amr . yů[…]

ym-

nº CGR-1031 Ocurrencias: 1

Posibles restituciones: ym, ymd, ymz, ymḫ, ymy, ymk, ymm, ymn, ymġ, ymr, ymš, ymt.

Administración

00-4.401:16 […]--[…]- • […]y--[…]q̊ḥ . b ym̊- • […]ir . ----[…]

yn—

nº CGR-1032 Ocurrencias: 7

Posibles restituciones: yn, ynaṣn, ynġḫn, ynh, ynḥm, ynḥn, ynḥt, ynṯm, yny, ynl, yns, ynsk, ynʿrah, ynʿrnh, ynphy, ynpʿ, ynṣl, ynq, ynqm, ynšq, ynt, ynṯkn.

Administración

00-4.8:2 --[…] • yn[…] • kr[…]
00-4.221:6 […]k̊d . yn . -[…] • […]- . yn̊[…] • …
00-4.246:2 b yrḫ . […] • šbʿ . yn̊[…] • mlkt … […]
00-4.388:8 bn[…] • w . yn[…] • bn . ʿdr[…]
00-4.397:1 • -[…]ṣ̊/l̊ . b[.]yn[…] • m[i]tm[.]ṯlṯm̊[… k]b̊d
00-4.400:1 • ṯlṯm . dd[. …]-[…] yn[…] • b . gt . ṣb̊r̊/k̊[…]
00-4.715:2 uškn • bn . abn . ṯlṯ . yn̊[…] • w . nḥlh kdm[…]

yn-

nº CGR-1033 Ocurrencias: 1

Posibles restituciones: yn, ynh, yny, ynl, yns, ynq, ynt.

Administración

00-4.610:20 ḥ̊rš … 23 … b-ḫ- … 58 • […] … 23 … yn- … 9 • […] … (ACADIO) … […] … snr … 23

yš—

nº CGR-1034 Ocurrencias: 1

Posibles restituciones: yšd.

Administración

00-4.178:9 ki[…] • yš̊[…] • h̊/i̊[…]

yʿ—

nº CGR-1035 Ocurrencias: 1

Posibles restituciones: yʿb, yʿbd, yʿbdr, yʿby, yʿbš, yʿdb, yʿdbkm, yʿdd, yʿdynh, yʿdn, yʿḏrd, yʿḏrk, yʿḏrn, yʿzz, yʿzzn, yʿl, yʿlm, yʿmdn, yʿmsn, yʿmsnh, yʿn, yʿny, yʿnyn, yʿr, yʿrb, yʿrm, yʿrn, yʿrṣ, yʿrr, yʿrt, yʿrty, yʿrtym, yʿšn, yʿšr, yʿtqn.

Mítica

00-1.2:III:23 [l pn . ṯpṭ . nhr .]m̊lkt . […]hm . l mlkt . ẘn̊[.]in . aṯt[. l]k̊ . k̊[m …] • […]z̊bl . ym . yʿ̊(?)[…]ṯpṭ̊ . nhr • […]yšlḥn . w yʿn ʿṯ̊r̊

yʿ-—

nº CGR-1036 Ocurrencias: 1

Posibles restituciones: yʿb, yʿbd, yʿbdr, yʿby, yʿbš, yʿdb, yʿdbkm, yʿdd, yʿdynh, yʿdn, yʿḏrd, yʿḏrk, yʿḏrn, yʿzz, yʿzzn, yʿl, yʿlm, yʿmdn, yʿmsn, yʿmsnh, yʿn, yʿny, yʿnyn, yʿr, yʿrb, yʿrm, yʿrn, yʿrṣ, yʿrr, yʿrt, yʿrty, yʿrtym, yʿšn, yʿšr, yʿtqn.

Fragmentos Varios

00-7.18:1 … • […] . yʿ-[…] • […]tpḫ̊/ṭ[…]

yʿḏr-—

nº CGR-1037 Ocurrencias: 1

Posibles restituciones: yʿḏrd, yʿḏrk, yʿḏrn.

Administración

00-4.39:4 ----- • šd . yʿḏr-[…] • šd . swr . b̊[n …]

yǵ-—

nº CGR-1038 Ocurrencias: 1

Posibles restituciones: ygly, yglm, ygʿp, ygṣ, ygr, ygtr.

Mítica

00-1.6:IV:23 an . lan . y špš • an . lan . il . yǵ-[…] • tǵrk . š-[…]

yp-—

nº CGR-1039 Ocurrencias: 1

Posibles restituciones: yp, ypdd, yph, yphn, yphnh, ypḥ, ypḥm, ypḫ, ypy, ypkm, ypkn, ypl, ypḷṭ, ypḷṭk, ypḷṭn, ypln, ypltn, ypm, ypn, ypʿ, ypʿbʿl, ypʿmlk, ypʿn, ypʿr, ypʿt, ypq, ypqd, ypr, yprḫ, ypry, yprsḥ, yprq, ypš, ypt, yptḥ, yptḥd.

Administración

00-4.244:32 ar[…] • yp-[…] • ḫ̊r[…]

ypd-—

nº CGR-1040 Ocurrencias: 1

Posibles restituciones: ypdd.

Administración

00-4.619:12 ----- • […]ypd-[…]k̊/r̊y-[…] • …

ypʿ—

nº CGR-1041 Ocurrencias: 1

Posibles restituciones: ypʿ, ypʿbʿl, ypʿmlk, ypʿn, ypʿr, ypʿt.

Administración

00-4.37:5 ----- • bn ypʿ[…] • [bn]t̠̊bʿm[…]

ypr—

nº CGR-1042 Ocurrencias: 2

Posibles restituciones: ypr, yprḫ, ypry, yprsḫ, yprq.

Administración

00-4.489:1 … • […]ẘ . ypr[…] • […] … 1

Mítica

00-1.1:IV:1 … • […]m . ṣ̊/ẙt/p̊r̊[…] • gm . ṣḥ . l q[…]

yṣ—

nº CGR-1043 Ocurrencias: 4

Posibles restituciones: yṣa, yṣan, yṣat, yṣi, yṣihm, yṣin, yṣu, yṣunn, yṣb, yṣbt, yṣd, yṣhl, yṣḥ, yṣḥm, yṣḫn, yṣḥq, yṣly, yṣm, yṣmdnn, yṣmḫ, yṣǵd, yṣq, yṣqm, yṣr, yṣrk, yṣrm.

Administración

00-4.227:II:6 ----- • 1 yṣ[…] • 1 ʿbd̊[…]

Épica

00-1.19:II:28 b̊ nši ʿnh̊ . w tphn . in . š̊[…] • b̊(?) hlk̊ . ǵlm̊m̊ . b ddy . yṣ[…] • […]yṣå . w l . yṣa . hlm . t̠̊[nm]

Mítica

00-1.169:8 at̠t . ḥr[…] • lg . lšn . yṣ/l[…] • mšmṭr . […]

Ritual

00-1.126:22 yt̠t̠b . b š̊(?)[bʿ .:.] • ym . w yṣ[…] • ådn . ʿrb[…]

yq—

nº CGR-1044 Ocurrencias: 2

Posibles restituciones: yq, yqbr, yqdm, yqḫ, yqḫnn, yqẓ, yql, yqlṣn, yqm, yqmṣ, yqny, yqr, yqra, yqrb, yqry, yqrṣ, yqš, yqšm, yqt, yqt̠qt̠.

Épica

00-1.17:V:36 hrnmy . qšt . yqb-[…] • rk . ʿl . aqh̊t . k yq[…] • prʿm . ṣdk . y bn̊[…]

Fragmentos Varios

00-7.108:4 […]ån . -[…] • […]d . yq̊[…] • […]pl . -[…]

yqb-—

nº CGR-1045 Ocurrencias: 1

Posibles restituciones: yqbr.

Épica

00-1.17:V:35 rpi . aphn . ǵzr . mt̊ • hrnmy . qšt . yqb-[…] • rk . ʿl . aqht̊ . k yq[…]

yqḥ—

nº CGR-1046 Ocurrencias: 3

Posibles restituciones: yqḥ, yqḥnn.

Correspondencia

00-2.7:3 […]-mt[…] • bk[…]t . yqḥ̊[…] • w š̊[…]rkb̊/d̊[…]

00-2.45:5 nǵṯ[…] • d . yqḥ̊[…] • hm . ṯn . […]

00-2.62:15 w . ʿm-[…] • yqḥ[…] • w . n[…]

yqš—

nº CGR-1047 Ocurrencias: 1

Posibles restituciones: yqš, yqšm.

Administración

00-4.114:8 ----- • yqš[…] • -----

yr—

nº CGR-1048 Ocurrencias: 5

Posibles restituciones: yr, yraun, yraš, yritn, yru, yrbʿm, yrgb, yrgbbʿl, yrgblim, yrgm, yrd, yrdm, yrdn, yrdnn, yrdt, yrż, yrḥṣ, yrḫ, yrḫh, yrḫm, yry, yryt, yrk, yrkt, yrm, yrmhd, yrml, yrmly, yrmm, yrmn, yrmʿl, yrǵm, yrǵmil, yrǵmbʿl, yrp, yrpi, yrpu, yrps, yrq, yrš, yrt, yrṯḥṣ, yrtqṣ, yrṯ, yrṯy.

Administración

00-4.372:2 -[…] • yr[…] • n-[…]

00-4.412:II:4 bn . l̊[…] • bn . yr̊[…] • bn . kṯ̊r̊t̊

00-4.529:2 […]b̊t . r̊/k̊[…] • […]b̊t . yr̊/k̊[…] • [… b]t . ʿbd̊[…]

Inscripciones

00-6.42:2 w b b[…] • w yr[…] • ah̊q[…]

Mítica

00-1.23:18 ṯḥgrn . ǵz̊r . nʿm̊ . […] • ẘ šm . ʿrbm . yr̊[…] • -----

yr-—

nº CGR-1049 Ocurrencias: 2

Posibles restituciones: yr, yraun, yraš, yritn, yru, yrbʿm, yrgb, yrgbbʿl, yrgblim, yrgm, yrd, yrdm, yrdn, yrdnn, yrdt, yrz, yrḥṣ, yrḫ, yrḫh, yrḫm, yry, yryt, yrk, yrkt, yrm, yrmhd, yrml, yrmly, yrmm, yrmn, yrmʿl, yrǵm, yrǵmil, yrǵmbʿl, yrp, yrpi, yrpu, yrps, yrq, yrš, yrt, yrṯḥṣ, yrtqṣ, yrṯ, yrṯy.

Administración

00-4.178:16 ----- • yr-[…] • kmr̊[…]

Fragmentos Varios

00-7.67:3 rp[…] • yr-[…] • ṣ-[…]

yrb—

nº CGR-1050 Ocurrencias: 1

Posibles restituciones: yrbʿm.

Administración

00-4.563:4 [… b]n̊ . ʿm̊[…] • […]ẙrb[…] • [… b]n . g[…]

yry—

nº CGR-1051 Ocurrencias: 1

Posibles restituciones: yry, yryt.

Administración

00-4.647:4 w . r[…]bd . yḥmn • yry[…] br • ydn […]k . kry

yrk—

nº CGR-1052 Ocurrencias: 1

Posibles restituciones: yrk, yrkt.

Fragmentos Varios

00-7.52:3 […]mt[…] • […]yrk[…] • […]dir . sn̊[…]

yrt-—

nº CGR-1053 Ocurrencias: 1

Posibles restituciones: yrt, yrtḫṣ, yrtqṣ.

Administración

00-4.677:3 ar[…] • yrt-[…] • -----

yš—

nº CGR-1054 Ocurrencias: 4

Posibles restituciones: yš, yšal, yšizr, yšiḫr, yšu, yšul, yšb, yšbl, yšbʿ, yšbʿl, yšdd, yšw, yšḥ, yšḫn, yškb, yškn, yšl, yšlḥ, yšlḥm, yšlḥmnh, yšlḫn, yšlm, yšmḫ, yšmʿ, yšmʿk, yšn, yšnn, yšʿly, yšṣa, yšṣi, yšq, yšqy, yšqynh, yšql, yšqp, yšr, yšril, yšrh, yšrn, yššil, yššq, yšt, yštal, yštd, yštḫwy, yštḫwyn, yštk, yštkn, yštn, yštql.

Mítica

00-1.2:I:39 […]ẙbl . w (k) bn . qdš . mnḥyk . ap . anš . zbl . bʿl̊ • [yuḫ]d . b yd . mšḫṭ . bm . ymn . mḫṣ . ǵlmm . yš̊[…] • [… ʿ]n̊t . tuḫd . šmalh . tuḫd . ʿṯrt . ik . mḫ̊[ṣt …]

00-1.2:III:12 [rbt .]k̊mn[.]h̊k̊[l …]š̊ . b̊š̊[…]t̊[…]g̊lm̊ . (?)l̊ šd̊t̊[…]ymm • […]b̊ ym . ym . y[…]t . yš̊[…]n åp̊k . ʿṯtr . dm̊[…] • […]ḥrḥrtm . w ů/d̊[…]n[…]iš[…]h[…]išt

00-1.23:5 b mdbr . špm . yd̊[…]r̊ • l rišhm . w yš[…]-m • lḥm . b lḥm̊ . åẙ . ẘ š̊t̊ẙ . b ḫmr yn ay

Ritual

00-1.107:42 [ṣ]g̊r . bkm . yʿny . [šrǵzz . …]wth • […]n̊/ånn . bnt yš[…]h̊lk • […]b . kmm . l kl̊[.]m̊sp̊[r …]

11-1.107:13 [ṣ]g̊r . bkm . yʿny[…]̊- […]̊- wth • […]t/a/n/wnn . bnt yš[…] . […]h̊lk • […]b̊ . kmm . l kl̊ [.] m̊sp[r …]

yš--

nº CGR-1055 Ocurrencias: 1

Posibles restituciones: yš, yšal, yšu, yšul, yšb, yšbl, yšbʿ, yšdd, yšw, yšḥ, yšḫn, yškb, yškn, yšl, yšlḥ, yšlm, yšmḫ, yšmʿ, yšn, yšnn, yšṣa, yšṣi, yšq, yšq̇y, yšql, yšqp, yšr, yšrh, yšrn, yššq, yšt, yštd, yštk, yštn.

Épica

00-1.17:VI:54 [btlt . ʿnt . tšu .]g̊h . w tṣḥ . hẘt̊ • […] . aqht . ẙš̊-- • […]n . ṣ̊--[…]

yši—

nº CGR-1056 Ocurrencias: 1

Posibles restituciones: yšizr, yšiḫr.

Correspondencia

00-2.57:11 […]b----å[…]-[…] • […]k̊/r̊ . yši[…]--[…] • [rg]m . yṯṯb̊ […]-[…]

yšk—

nº CGR-1057 Ocurrencias: 1

Posibles restituciones: yškb, yškn.

Fragmentos Varios

00-7.57:3 […]- . rḫnn[…] • […]ʿ/ṯh . yšk/w[…] • […]-k̊t-[…]

yšr—

nº CGR-1058 Ocurrencias: 1

Posibles restituciones: yšr, yšril, yšrh, yšrn.

Administración

00-4.50:6 šmt[…] • yšr[…] • -----

yt—

nº CGR-1059 Ocurrencias: 4

Posibles restituciones: yt, ytbʿ, ytd, ytḥm, ytḫ, yty, ytk, ytlk, ytm, ytmr, ytmt, ytn, ytna, ytnk, ytnm, ytnn, ytnnh, ytnnn, ytnt, ytʿdd, ytʿn, ytr, ytrhd, ytrḫ, ytrm, ytrʿm, ytrš, ytršn, ytršp, ytrt, ytši, ytšu, ytšp, ytt, ytṯb.

Administración

00-4.308:4 […]--b … -[…] • yt[…] • ṯl-ʿ- … 2[+ - …]

00-4.422:11 bn[. …] • yt[…] • bn[. …]

00-4.424:15 ----- • […] . yt[…]kzn • […]ẙn . l . m[…]

Fragmentos Varios

00-7.91:1 • […]m̊ . d yt[…] • […]rh . w[…]

ytr—

nº CGR-1060 Ocurrencias: 2

Posibles restituciones: ytr, ytrhd, ytrḫ, ytrm, ytrʿm, ytrš, ytršn, ytršp, ytrt.

Inscripciones

00-6.38:1 … • [… b]n ytr[…] • […]-rbš[…]

Mítica

00-1.1:IV:1 … • […]m . ṣ̊/ẙt̊/p̊r̊[…] • gm . ṣḥ . l q[…]

yṯ—

nº CGR-1061 Ocurrencias: 4

Posibles restituciones: yṯil, yṯir, yṯb, yṯbmlk, yṯbn, yṯbr, yṯbš, yṯbt, yṯbtn, yṯdṯ, yṯk, yṯkḥ, yṯlṯ, yṯn, yṯny, yṯnm, yṯnt, yṯʿd, yṯʿk, yṯʿn, yṯʿr, yṯpd, yṯpṭ, yṯpr, yṯq, yṯrm, yṯtn, yṯtqt, yṯṯb, yṯṯbn.

Administración

00-4.406:2 -[…] • yṯ[…] • bn[…]

00-4.406:5 bn[…] • yṯ[…] • bn[…]

Correspondencia

00-2.39:30 ʿm . k[… lḥ]t̊ • akl . yṯ[…](R:k) • -----

Épica

00-1.16:V:13 gršm . z̊[bln . in . b ilm] • ʿnyh . yṯ̊[…] • rgm . my . b̊[ilm . ydy]

yṯ-—

nº CGR-1062 Ocurrencias: 1

Posibles restituciones: yṯil, yṯir, yṯb, yṯbmlk, yṯbn, yṯbr, yṯbš, yṯbt, yṯbtn, yṯdṯ, yṯk, yṯkḥ, yṯlṯ, yṯn, yṯny, yṯnm, yṯnt, yṯʿd, yṯʿk, yṯʿn, yṯʿr, yṯpd, yṯpṭ, yṯpr, yṯq, yṯrm, yṯtn, yṯtqt, yṯṯb, yṯṯbn.

Correspondencia

00-2.57:3 […]t[…]-dt̊[…]-- . ʿbd • m̊[…]-[…]- . yṯ-[…] • […]-lk . mlk̊[…]

yṯb—

nº CGR-1063 Ocurrencias: 2

Posibles restituciones: yṯb, yṯbmlk, yṯbn, yṯbr, yṯbš, yṯbt, yṯbtn.

Administración

00-4.430:2 ----- • […]m . šr . d . yṯb̊[…] • -----

Mítica

00-1.2:I:7 b̊ ri̊šk . aymr̊[…] • ṯ̊p̊ṭ . nhr . yṯb[…] • r̊i̊šk . ʿṯtrt . š̊[m . bʿl . qdqd . …]

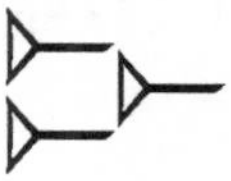

k-n

nº CGR-1064 Ocurrencias: 2

Posibles restituciones: kbn, kgn, kdn, khn, kwn, kzn, kyn, kkn, kln, kmn, ksn, kṣn, krn, ktn, kṯn.

Administración

00-4.12:15 ůb̊dit • bn k̊-n • bn nẓ̊ril

00-4.389:5 […]š̊d . ubdy • […]b̊n̊ . k-n ṯ̊lṯm ksp b[…] • […]šd bʿly

ki—

nº CGR-1065 Ocurrencias: 1

Posibles restituciones: kidn.

Administración

00-4.178:8 ḫnt[…] • ki[…] • yš̊[…]

kb—

nº CGR-1066 Ocurrencias: 5

Posibles restituciones: kb, kbby, kbd, kbdh, kbdy, kbdk, kbdm, kbdn, kbdt, kbdthm, kby, kbkb, kbkbm, kbkbt, kbl, kblbn, kbl̃n, kbm, kbmh, kbn, kbs, kbsm, kbs̀, kbs̀m, kbʿ, kbr, kbrt.

Administración

00-4.329:2 b[…] • kb[…] • b . r[…]

00-4.743:9 ʿ[…] • kb̊/d̊[…] • ʿl[…]

Mítica

00-1.12:II:10 il . hr̊r[…] • kb[…] • ym . […]

00-1.94:25 […]t btm . qdš . il[…] • [… b]n . qdš . kb̊[…] • […]ʿsb --ḥ[…]

00-1.157:8 ----- • […]t̊ . k̊b[…]rt[…]ẙ(?)r[…] • -----

kb-—

nº CGR-1067 Ocurrencias: 1

Posibles restituciones: kb, kbby, kbd, kbdh, kbdy, kbdk, kbdm, kbdn, kbdt, kbdthm, kby, kbkb, kbkbm, kbkbt, kbl, kblbn, kbln, kbm, kbmh, kbn, kbs, kbsm, kbš, kbšm, kbʿ, kbr, kbrt.

Correspondencia

00-2.41:7	šk[…]ẙ(?)[…]hm • w . kb̊-[…] • ʿm̊(?)[…]m ib

kd—

nº CGR-1068 Ocurrencias: 11

Posibles restituciones: kd, kdgdl, kdd, kdw, kdwṯ, kdwṯm, kdy, kdkdy, kdln, kdm, kdml, kdmm, kdn, kdnt, kdǵbr, kdr, kdrl, kdrn, kdrš, kdrt, kdt.

Administración

00-4.448:2	[bn] . nq̊[…] • b̊n . kd[…] • w . nḥ̊[lh …]
00-4.558:3	w . ʿš[r …] • w . kd[…] • w . dd . […]
00-4.715:6	bn . ḫlan arb̊[ʿ …] • bn . prs . kd[…] • bn . ṯʿy (R:-)[…]
00-4.715:8	bn . ṯʿy (R:-)[…] • b̊n̊ . k̊h̊/i̊dn . kd[…] • bn[. …]d̊/b̊n̊ . kdm[…]
00-4.715:24	artyn ṯlṯ[…] • ilnqsd kd[…] • pbn … kdm̊[…]
00-4.715:26	pbn … kdm̊[…] • bn . ugrtn kd[…] • š̊[…]
00-4.726:2	[…] . ar[…] • […] kd[…] • […] kd[…]
00-4.726:3	[…] kd[…] • […] kd[…] • […] k̊d̊[…]
00-4.726:4	[…] kd[…] • […] k̊d̊[…] • …
00-4.743:9	ʿ[…] • kb̊/d̊[…] • ʿl[…]

Fragmentos Varios

00-7.163:3	[…] . -[…] • […]-ṣr . kd̊[…] • […]ṯbt . k qb̊d̊[…]

kdl—

nº CGR-1069 Ocurrencias: 1

Posibles restituciones: kdln.

Administración

00-4.624:11	ẘ . arbʿ̊[.]m̊r̊ḥ̊m̊ • [b]n̊ . kdl[…]šm . w . ṯ[t …] • […]-n-[…]šm . w . ṯ[t …]

kḏ-—

nº CGR-1070 Ocurrencias: 1

Posibles restituciones: kḏ, kḏd, kḏyn, kḏǵdl.

Administración

00-4.707:22	[b] . gt . ḥ̊dṯt • [l] . ʿm̊r[pi .]ipdm . mtqt kḏ-[…] • [… k]s̊phn . ṯql w kmsk

kḏǵ—

nº CGR-1071 Ocurrencias: 1

Posibles restituciones: kḏǵdl.

Administración

00-4.725:5 rb . […] • kḏǵ[…] • ulm[…]

ky—

nº CGR-1072 Ocurrencias: 1

Posibles restituciones: ky, kyy, kyn.

Administración

00-4.355:1 • [sp]r . kẙ[…] • -----

kk—

nº CGR-1073 Ocurrencias: 1

Posibles restituciones: kkb, kkbm, kkbn, kkbt, kkdm, kky, kkln, kkn, kknt, kkpn, kkpt, kkr, kkrdnm, kkrm.

Administración

00-4.434:4 […] … b̊n . ṯ-[…] • […] … bn . kk̊/r̊[…] • […] … bn . pr̊[…]

kkn—

nº CGR-1074 Ocurrencias: 1

Posibles restituciones: kkn, kknt.

Administración

00-4.610:69 […] • kkn̊[…] • ym[…]

kl—

nº CGR-1075 Ocurrencias: 5

Posibles restituciones: kl, klat, klatnm, kli, klb, klby, klbyn, klbm, klbr, klbt, kld, klh, klhm, klhn, kly, klyy, klyn, klyth, klkl, klklh, klklhm, kll, kllh, klm, kln, klnyy, klnyn, klnmw, klt, klth, kltn, klttn, klṯṯb.

Administración

00-4.191:10 -[…]--lǵ[…] • w n̊[…]ṭ̊/ḥ̊ kl̊[…]n • w -----d̊mm̊

00-4.609:29 ----- • […]k̊mm . klby . kl[…]y . dqn[…] • […]-ntn . artn . bdn̊[. …]nr-[…]

Correspondencia

00-2.75:15 w . ḥd . a[…] • kbd . kl̊[…] • ʿmn . pr[…]

Ritual

00-1.87:60 kṯrml̊[k bn] ytrt ḫmš̊t̊ . bn gdaḫ mḏʿ • kl[…]ẙt ṯmnt . k̊rwn̊[…] • -m-[…]- ṣpirẙ [ṯ]lṯt[…]

00-1.103:30 ----- • w in . ḫr apm . kl[…] • -----

12-1.103:30 ----- • w in . ḫr apm . kl[…] • -----

kl-—

nº CGR-1076 Ocurrencias: 1

Posibles restituciones: kl, klat, klatnm, kli, klb, klby, klbyn, klbm, klbr, klbt, kld, klh, klhm, klhn, kly, klyy, klyn, klyth, klkl, klklh, klklhm, kll, kllh, klm, kln, klnyy, klnyn, klnmw, klt, klth, kltn, klttn, kltṯb.

Administración

00-4.405:3 l . k̊[…] • l . kl-[…] • l . ům-[…]

kl--

nº CGR-1077 Ocurrencias: 1

Posibles restituciones: kl, klat, kli, klb, klby, klbm, klbr, klbt, kld, klh, klhm, klhn, kly, klyy, klyn, klkl, kll, kllh, klm, kln, klt, klth, kltn.

Administración

00-4.278:12 ----- • kl̊-- ntk •

kl---

nº CGR-1078 Ocurrencias: 1

Posibles restituciones: kl, klat, kli, klb, klby, klbyn, klbm, klbr, klbt, kld, klh, klhm, klhn, kly, klyy, klyn, klyth, klkl, klklh, kll, kllh, klm, kln, klnyy, klnyn, klnmw, klt, klth, kltn, klttn, kltṯb.

Épica

00-1.19:IV:26 ƀ̊k̊ƀ̊m̊ . ʿl̊/d̊[…] • ʿ̊l̊h . yd̊ . ʿd . -t . k̊(?)l̊(?)--- m̊ṣ̊ • ltm . mrq̊dm . d š̊n̊/t̊ l̊--

kly—

nº CGR-1079 Ocurrencias: 1

Posibles restituciones: kly, klyy, klyn, klyth.

Administración

00-4.390:8 ulṯ . ṯlṯ […] • krk . klẙ[…] • ḫmš . mr[…]

klt—

nº CGR-1080 Ocurrencias: 1

Posibles restituciones: klt, klth, kltn, klttn, kltṯb.

Administración

00-4.257:3 [a]rbʿ[m …] • dt̊ . k̊lt̊[…] • -----

km—

nº CGR-1081 Ocurrencias: 3

Posibles restituciones: km, kmḏ, kmhm, kmy, kmkty, kmlt, kmm, kmn, kmnt, kmsk, kmr, kmrm, kmrṯn, kmt, kmṯ.

Administración

00-4.56:6 l bn ḫḏnr[…] • ṯṯm sp . km[…] • ʿšrm . sp̊[…]

00-4.122:11 bn . ṯʿẙ[…] • bn . km[…] • b̊n . rm[…]

Correspondencia

00-2.31:35 ----- • […]b̊/d̊ . km[…]- • […]r̊/k̊ yṣunn . […]

kmr—

nº CGR-1082 Ocurrencias: 1

Posibles restituciones: kmr, kmrm, kmrṯn.

Administración

00-4.178:17 yr-[…] • kmr̊[…] •

kn—

nº CGR-1083 Ocurrencias: 1

Posibles restituciones: kn, knd, kndwm, knḫ, kny, knys, knyt, knkny, knkt, knn, knʿm, knʿny, knp, knpy, knṣ, knr, knrh, knrt, knt.

Administración

00-4.746:9 dd l ʿbd[…] • dd l kn̊[…] • dd l il̊[…]

kn-—

nº CGR-1084 Ocurrencias: 1

Posibles restituciones: kn, knd, kndwm, knḫ, kny, knys, knyt, knkny, knkt, knn, knʿm, knʿny, knp, knpy, knṣ, knr, knrh, knrt, knt.

Mítica

00-1.23:54 i̊l . yl̊t . mh . yl̊t . yl̊dy . šḥr . w šl[m] • šů . ʿd̊b . l špš . rb̊t̊ . w l kbkbm . kn-[…] •
yh̊br̊ . špthm . yšq̊ . h̊n . š̊p̊thm . m̊tqt̊[m . mtqtm . k lrmnm]

ks—

nº CGR-1085 Ocurrencias: 6

Posibles restituciones: ks, ksa, ksank, ksat, ksi, ksih, ksiy, ksu, ksb, ksd, ksdm, ksh, ksḥṯ, ksyn, ksl, kslh, kslk, kslm, ksln, ksm, ksmh, ksmy, ksmk, ksmm, ksn, ksp, ksph, ksphm, ksphn, kspy, kspym, kspm, ksṣ, kst.

Administración

00-4.142:6 ----- • […] . ks[…] • […] . kbd̊[…]

00-4.178:14 hn[…] • ks[…] • l t/m̊[…]

Correspondencia

00-2.31:33 ----- • […]i̊/h̊y . lm- b ks̊[…] • […]- . tr[…] . gpn lk

10-2.42:21 bhm . w[…] • t̊tn . ks[…] • ilak[…]

Épica

00-1.16:V:39 lṯ[…] • ks[…] • kr[pn …]

Fragmentos Varios

00-7.68:5 aṯẙ/ḫ̊[…] • ks[…] • i-[…]

kp—

nº CGR-1086 Ocurrencias: 2

Posibles restituciones: kp, kpil, kph, kpḫ, kpyn, kpln, kpltn, kpsln, kpslnm, kpr, kprm, kpt, kptr, kptrh, kpṯ.

Administración

00-4.126:32 tknm̊ • kp[…] • ǵ-[…]

Ritual

00-1.41:9 ym . [ʿ]lm . yʿ[rb … t] • k̊ ʿgm̊l̊[.]s . w[.]k̊(?)p̊(?)[… dqtm] • w yn[t . q]rt . yʿ̊d̊(?)[b l ʿnt]

kr—

nº CGR-1087 Ocurrencias: 4

Posibles restituciones: kr, kran, krb, krd, krw, krwn, krws, krwt, krzn, krẓn, kry, kryn, krk, krkm, krlnm, krm, krmh, krmm, krmn, krmpy, krmt, krn, krny, krs, krsi, krsnm, krŝu, krŝnm, krʿ, krpn, krpnm, krr, krt, krty, krtn.

Administración

00-4.8:3 yn[…] • kr[…] • --[…]

00-4.434:4 […] … b̊n . ṯ-[…] • […] … bn . kk̊/r̊[…] • […] … bn . pr̊[…]

Inscripciones

00-6.66:1 • kr[…] •

Ritual

13-1.103:25 ----- • [w qrn š?]i̊r . l kr̊[…] • -----

kr-—

nº CGR-1088 Ocurrencias: 1

Posibles restituciones: kr, kran, krb, krd, krw, krwn, krws, krwt, krzn, krẓn, kry, kryn, krk, krkm, krlnm, krm, krmh, krmm, krmn, krmpy, krmt, krn, krny, krs, krsi, krsnm, krŝu, krŝnm, krʿ, krpn, krpnm, krr, krt, krty, krtn.

Administración

00-4.64:IV:12 bn . ir-[…]2 • bn . kr-[…] • bn . nn--[…]

krm—

nº CGR-1089 Ocurrencias: 2

Posibles restituciones: krm, krmh, krmm, krmn, krmpy, krmt.

Administración

00-4.254:5 ulm . […] • krm̊[…] • u[…]

00-4.391:15 ŝŝw[…] . w . rʿ[h] • kr̊t̊/m̊[…] ẘ . r̊ʿ̊[h] • šdẙ[n . w] . r̊ʿ̊[h]

krm-—

nº CGR-1090 Ocurrencias: 1

Posibles restituciones: krm, krmh, krmm, krmn, krmpy, krmt.

Administración

00-4.244:11 mgdly . ǵlpṯr . ṯn . krmm . w . ṯlṯ . ubd̊[ym] • qmnz . ṯṯ . krm . yknʿm . ṯmn . krm-[…] • krm . nʿmn . b . ḫly . ull . krm . aḥd̊[…]

krt—

nº CGR-1091 Ocurrencias: 1

Posibles restituciones: krt, krty, krtn.

Administración

00-4.391:15 ššw[…] . w . rʿ[h] • krt̊/m̊[…] ẘ . r̊ʿ̊[h] • šdẙ[n . w] . r̊ʿ̊[h]

kš—

nº CGR-1092 Ocurrencias: 1

Posibles restituciones: kš, kšdm, kšdn, kšr, kšt.

Administración

00-4.258:8 […]å rwd . šm bnš[…] • […]m . ksp . ʿl . kš[…] • […]k … […]

kt—

nº CGR-1093 Ocurrencias: 3

Posibles restituciones: kt, ktb, ktkt, ktl, ktldat, ktln, ktmn, ktn, ktnm, ktnt, ktǵ, ktp, ktpm, ktr, ktry, ktrm, ktš, ktt, ktṯ.

Correspondencia

00-2.47:5 ----- • tšknn̊ […]ẙh . kt̊[…]- • -----

Fragmentos Varios

00-7.142:1 … • k̊t[…] • kt[…]

00-7.142:2 k̊t[…] • kt[…] • bs[…]

kṯ—

nº CGR-1094 Ocurrencias: 2

Posibles restituciones: kṯ, kṯan, kṯwn, kṯy, kṯkym, kṯkn, kṯl, kṯly, kṯm, kṯn, kṯǵlm, kṯpm, kṯr, kṯrm, kṯrmlk, kṯrn, kṯrt, kṯt, kṯtǵlm.

Administración

00-4.116:22 bn . pḏ[…] • bn . kṯ[…] • …

00-4.754:1 … • k̊ṯ[…] • ṣdq̊[…]

kṯ-

nº CGR-1095 Ocurrencias: 1

Posibles restituciones: kṯ, kṯy, kṯl, kṯm, kṯn, kṯr, kṯt.

Ritual

10-1.130:20 lṯʿ . mttm̊ . lṯʿ • wkbdm . lk[ṯ]- • r̊[ṯ̊] š ḏ[-̊-̊]š-̊-̊

l--d-—

nº CGR-1096 Ocurrencias: 1

Posibles restituciones: lḥmd.

Ritual

10-1.112:32	p̊/k̊b̊/d̊ [--]-[…] • l̊--d̊-[…] • -----

l-m

nº CGR-1097 Ocurrencias: 4

Posibles restituciones: lim, ldm, lhm, lḥm, lḫm, lkm, llm, lsm.

Administración

00-4.34:3	----- • l̊[…]i̊/h̊ny ṯlṯ spm w ʿšr l-m • l̊[…]ẘ nṣp w ṯlṯ spm w ʿšrm l-m
00-4.34:4	l̊[…]i̊/h̊ny ṯlṯ spm w ʿšr l-m • l̊[…]ẘ nṣp w ṯlṯ spm w ʿšrm l-m • l k̊/ẘlt ḫ̊ndrṯ arʿ (arbʿ) s̊pm w ʿšr[…]
00-4.34:6	l k̊/ẘlt ḫ̊ndrṯ arʿ (arbʿ) s̊pm w ʿšr[…] • l̊ -ṯ ḫndrṯm ṯṯ spm w ṯlṯm l-m • l ṯ/ʿmy ar[b]ʿ̊ spm w ṯlṯ ʿ̊šr[…]
00-4.34:9	l -nḏ--[…]m̊ ṯlṯ spm • -[…] sp[m w … l]-m • […]

li—

nº CGR-1098 Ocurrencias: 1

Posibles restituciones: li, liy, lik, likt, lim, limm, lit.

Vocabularios

00-9.3:IVa:11	[…] • li-?[…] • lu-l[a …]

lb—

nº CGR-1099 Ocurrencias: 1

Posibles restituciones: lb, lbiy, lbim, lbu, lbdm, lbh, lby, lbk, lbn, lbny, lbnym, lbnm, lbnn, lbnt, lbš, lbšk, lbšm, lbšn, lbšt, lbt, lbṯ.

Mítica

00-1.166:9 maḫr[…] • ṯnh . lb/d[…] • dgn . bʿl[…]

lbn—

nº CGR-1100 Ocurrencias: 2

Posibles restituciones: lbn, lbny, lbnym, lbnm, lbnn, lbnt.

Administración

00-4.60:10 [… a]r̊bʿ . dbl̊t . mr̊l/d̊[…] • [… mi]tm . nṣ . lbn[…] •

Fragmentos Varios

00-7.55:7 tʿr bnš̊[…] • in lbn̊[…] • k mṯmṯ-[…]

ld—

nº CGR-1101 Ocurrencias: 1

Posibles restituciones: ld, ldm, ldn, ldʿ, ldtk.

Mítica

00-1.166:9 maḫr[…] • ṯnh . lb/d[…] • dgn . bʿl[…]

lh—

nº CGR-1102 Ocurrencias: 1

Posibles restituciones: lh, lhm, lhn, lht.

Administración

00-4.86:4 w . abǵl . nḫ̊[lh …] • w . unṯ . aḥd . lḫ̊[…] • dnn . bn . yṣr[…]

lḥ—

nº CGR-1103 Ocurrencias: 4

Posibles restituciones: lḥy, lḥk, lḥm, lḥmd, lḥmh, lḥmm, lḥn, lḥr, lḥt.

Correspondencia

00-2.17:9 ----- • w ht ṯby ǵmt l̊/d̊ • -----

Fragmentos Varios

00-7.37:4 […]l̊ pn . d[…] • […]ṯm . lḥ[…] • […]šr . ṯ[…]

00-7.56:1 … • […]b̊ . lḥ[…] • […]yn[…]

00-7.132:8 […]qm … mr[…] • […]-ḏr … lḥ[…] • […]n̊(?)š m-[…]

lḥ-—

nº CGR-1104 Ocurrencias: 1

Posibles restituciones: lḥy, lḥk, lḥm, lḥmd, lḥmh, lḥmm, lḥn, lḥr, lḥt.

Correspondencia

00-2.17:12 ----- • lḥ-[…]ǵ[…] • -----

ly—

nº CGR-1105 Ocurrencias: 4

Posibles restituciones: ly, lyt.

Administración

00-4.30:7 [… t̠]l̊t̠m[…] • […]m . bn lẙ[…] • -----

Correspondencia

00-2.48:3 [… ʿ]šr . ym[…] • […] . hm . ly[…] • […] . mṣrm[…]

00-2.75:7 w . mlk . bʿ[ly …] • d . rgm . ly[…] • -----

Fragmentos Varios

00-7.1:2 ----- • […]- . lm . lẙ[…] • […]m . in[…]

lk—

nº CGR-1106 Ocurrencias: 6

Posibles restituciones: lk, lkd, lky, lkynt, lkm, lkn, lkt.

Correspondencia

00-2.39:26 w[. …] • lk̊[…] • hl̊[…]

Épica

00-1.16:II:6 pǵ[t …] • lk[…] • k i[…]

Fragmentos Varios

00-7.198:7 … - r • lk[…]- • lš-r

Mítica

00-1.5:III:13 ahpkk . l . ʿ-[…] • t̠mm . w lk̊[…] • w lk . ilm̊[…]

00-1.5:III:28 t̠̊m̊m̊ . w lk . […] • […]t̠ . lk̊[…] • […]k̊t̠ . i-[…]

Ritual

10-1.103:2 [-----]--[…] • [-----]r . lk[…] • -----

ll—

nº CGR-1107 Ocurrencias: 1

Posibles restituciones: ll, lla, llay, lli, llim, llit, llu, llwn, llḫhm, llm, llt.

Vocabularios

00-9.3:IVa:12 li-?[…] • lu-l[a …] • ni-d[a(?) …]

lli—

nº CGR-1108 Ocurrencias: 1

Posibles restituciones: lli, llim, llit.

Mítica

00-1.7:14 [bt]l̊t̊[. ʿnt …] • k̊ ll̊i[…] • k̊p̊r̊ . […]

lm—

nº CGR-1109 Ocurrencias: 2

Posibles restituciones: lm, lmd, lmdh, lmdhm, lmdm, lmdth, lmn, lmʿt, lmt.

Administración

00-4.252:5 ar[…] • l̊/d̊/ům̊[…] • …

Correspondencia

10-2.50:9 […]n̊ʿm • […]-̊y . w . lm[…] • […]š̊il . šlm[…]

lm-

nº CGR-1110 Ocurrencias: 2

Posibles restituciones: lm, lmd, lmn, lmt.

Administración

00-4.196:2 ----- • […]-[…]-------l̊m-kt-d̊ • -----

Correspondencia

00-2.31:33 ----- • […]i̊/h̊y . lm- b ks̊[…] • […]- . tr[…] . gpn lk

ls—

nº CGR-1111 Ocurrencias: 1

Posibles restituciones: lsm, lsmm, lsmt, lsn.

Correspondencia

00-2.17:11 ḥ[…] • ls[…] • -----

lp—

nº CGR-1112 Ocurrencias: 1

Posibles restituciones: lp, lpuy, lpwt, lpš.

Mítica

00-1.1:IV:3 gm . ṣḥ . l q[…] • l rḥqm . lp[…] • ṣḥ . il . yṯb . b m̊[rzḥ …]

lqḥ—

nº CGR-1113 Ocurrencias: 1

Posibles restituciones: lqḥ, lqḥt.

Administración

00-4.721:8 […]---n̊/t̊-- k̊[b]d̊ . bt . mlk • […]- . ḫ̊mš .mat̊m̊ . […]m . ṯlṯt . w . ṯlṯt . kbd . ksp . d . lqḥ[…] • […]-------- . mi[t …]- ʿšr . kbd . kkr . šʿrt . l rb̊[…]

lt—

nº CGR-1114 Ocurrencias: 3

Posibles restituciones: lt, ltḥ, ltḫ, lty, ltn, ltṯ.

Mítica

00-1.98:5 w td . ˤ . d[…] • klm . lt[…] • b bhtẙ[…]

00-1.171:25 wra . hn̊[…] • lak . lt[…] • al . ḫtt[…]

Ritual

00-1.107:46 […]-tm . åmn[…]-[…]n̊ . åmr • […]l ytk . b lt[…]åmr̊ . hwt • […]- . ṯllt . khn̊[…] . k pˤn

lṯ—

nº CGR-1115 Ocurrencias: 2

Posibles restituciones: lṯlm.

Correspondencia

00-2.66:1 … • […]--p̊ . lṯ̊[…] • […]-q . lpš . […]

Épica

00-1.16:V:38 bi̊[…] • lṯ[…] • ks[…]

m--by—

nº CGR-1116 Ocurrencias: 1

Posibles restituciones: mʿqby, mʿqbym, mʿrby, mʿrbym.

Administración

00-4.693:8 udm … […] • ṁ--bẙ[…] • arny[…]

m--k

nº CGR-1117 Ocurrencias: 1

Posibles restituciones: matk, mgnk, mdlk, mhrk, mḫrk, mlak, mmnk, mntk, mʿnk, mǵyk, mṣdk, mrik, mṯbk.

Administración

00-4.721:11 ----- • […]--m--(?)k̊(?) . --[…] ḫmšm . ṯnt . ḫmš . ḫmš . mat • […]m -----[…] . mat . ḫmš . ṯnt . mitm . mitm

m-u-—

nº CGR-1118 Ocurrencias: 1

Posibles restituciones: mlu, mlun, mnu, mǵu, mru, mrum, mšu.

Inscripciones

00-6.52:2 aḫm yd-[…] • m̊-l̊/d̊/ů-[…] • …

m-d-—

nº CGR-1119 Ocurrencias: 1

Posibles restituciones: mad, madt, madtn, mid, midḫ, midḫy, midy, midm, mud, mgdl, mgdly, mgdlm, mdd, mddbʿl, mddt, mddth, mḫdy, mld, mldy, mndʿ, mndǵ, msdt, mʿd, mʿdbh, mʿdbhm, mǵd, mṣd, mṣdh, mṣdk, mqdm, mqdšt, mrd, mrdt, mrdtt, mšdpt, mtdbm, mṯdṯt.

Inscripciones

00-6.52:2 aḫm yd-[…] • m̊-l̊/d̊/ů-[…] • …

m-k

nº CGR-1120 Ocurrencias: 1

Posibles restituciones: mbk, mhk, mẓk, mlk, mnk, msk, mǵk, mšk, mtk, mṯpṭk.

Correspondencia

11-2.36:7 [ḫ]rṣ . argmny[. ʿm] . špš . štn[…] • [w] . at . m̊[-]k̊/r̊ . [-]ṯ . d . štt . b . mṣ̊[rm …] • [-]̊tq[dm] . udh̊ . mǵt . w . mlk̊[n̊/t̊ …]

m-l-—

nº CGR-1121 Ocurrencias: 1

Posibles restituciones: mʾlt, mglb, mdl, mdlh, mdlk, mdllkm, mdllkn, mḏl, mḏlǵ, mzl, mzln, mḫllm, mḫlpt, mṭll, mẓll, mkl, mkly, mll, mmlat, mslmt, mʿlt, mǵln, mṣl, mṣlm, mṣlt, mṣltm, mql, mrl, mšlḫ, mšlm, mšlt, mṯlṯ, mṯlṯt.

Inscripciones

00-6.52:2 aḫm yd-[…] • m̊-l̊/d̊/ů-[…] • …

m-r

nº CGR-1122 Ocurrencias: 1

Posibles restituciones: mbr, mḏr, mhr, mḫr, mṭr, mkr, mʿr, mpr, mṣr, mqr, mšr, mtr.

Correspondencia

11-2.36:7 [ḫ]rṣ . argmny[. ʿm] . špš . štn[…] • [w] . at . m̊[-]k̊/r̊ . [-]ṯ . d . štt . b . mṣ̊[rm …] • [-]̊tq[dm] . udh̊ . mǵt . w . mlk̊[n̊/t̊ …]

mašm-—

nº CGR-1123 Ocurrencias: 1

Posibles restituciones: mašmn.

Administración

00-4.318:1 • mașm̊-[…] • - ʿbd . ----

mat—

nº CGR-1124 Ocurrencias: 5

Posibles restituciones: mat, matk, matm.

Administración

00-4.23:2 alp[…] • mat[…] • ḫrṣ[…]

00-4.121:1 • ṯlṯ . mat[…] • ṯmnt . k[…]

00-4.299:4 ----- • mklẙ[…]m̊ . alp . ṯlṯ . mat[…] • ḫmš[… n]skt

00-4.397:10 ----- • ṯlṯ . mat̊[…]k̊bd • ṯṯ . ddm . k[… b .]rqd

Correspondencia

00-2.78:4 ----- • ḫmš . mat̊[…] • ṯlṯm . ḫ[…]

mil-—

nº CGR-1125 Ocurrencias: 1

Posibles restituciones: milḫ.

Administración

00-4.23:14 t̲lt̲m[…] • mil-[…] • -----

mit—

nº CGR-1126 Ocurrencias: 4

Posibles restituciones: mit, mitm.

Administración

00-4.18:6 […]y . t̲mnym[…] • […]t̊ . mit[…] • […]m̊i̊t̊[…]

00-4.139:1 • mi̊t[…]k̊b̊d • gt

00-4.344:16 ṣṣ … mlknʿm . a[rbʿm] • ṣṣ … mlk . mit[…] • ṣṣ … igy . ḫmšm̊

00-4.344:18 ṣṣ … igy . ḫmšm̊ • ṣṣ … yrpi mi̊t[…] • ṣṣ … bn . šm̊mn ʿ̊[šr …]

mg—

nº CGR-1127 Ocurrencias: 1

Posibles restituciones: mgbl, mgdl, mgdly, mgdlm, mglb, mgmr, mgn, mgnk, mgnm, mgntm, mgšḫ, mgš, mgšḫ, mgt̲.

Administración

00-4.684:8 … • mg[…] •

mg-—

nº CGR-1128 Ocurrencias: 1

Posibles restituciones: mgbl, mgdl, mgdly, mgdlm, mglb, mgmr, mgn, mgnk, mgnm, mgntm, mgšḫ, mgš, mgšḫ, mgt̲.

Ritual

00-1.57:9 […]- . nn[…] • […]- . mg-[…] • […]-[…]

mg--

nº CGR-1129 Ocurrencias: 1

Posibles restituciones: mgbl, mgdl, mglb, mgmr, mgn, mgnk, mgnm, mgšḫ, mgš, mgšḫ, mgt̲.

Administración

00-4.7:18 šd . bn . irbtn . l . bn . bʿln • šd . bn . yty . l . mg-- • šd . bn . pt̲mn . l . š--y

md—

nº CGR-1130 Ocurrencias: 2

Posibles restituciones: md, mdb, mdbḫ, mdbḥt, mdbm, mdbr, mdgl, mdgt, mdd, mddbʿl, mddt, mddth, mdh, mdw, mdḫl, mdym, mdl, mdlh, mdlk, mdllkm, mdllkn, mdm, mdn, mdnt, mdʿ, mdpt, mdrg, mdrʿ, mdrʿh, mdth, mdt̲bn.

Administración

00-4.106:17 bn . a[…] • bn md[…] • bn . glyt/n … 1

Fragmentos Varios

00-7.147:4 ----- • […]d̊ . md[…] • -----

md-—

nº CGR-1131 Ocurrencias: 1

Posibles restituciones: md, mdb, mdbḥ, mdbḥt, mdbm, mdbr, mdgl, mdgt, mdd, mddbʿl, mddt, mddth, mdh, mdw, mdḫl, mdym, mdl, mdlh, mdlk, mdllkm, mdllkn, mdm̀, mdn, mdnt, mdʿ, mdpt, mdrg, mdrʿ, mdrʿh, mdth, mdṯbn.

Mítica

00-1.95:1 … • m̊d-[…] • km . r[…]

mz-—

nº CGR-1132 Ocurrencias: 1

Posibles restituciones: mzy, mzyn, mzl, mzln, mzn, mznh, mznm, mznt, mznth, mzt, mztn.

Administración

00-4.324:6 […]-tn[…] • […]b̊n . mz-[…] • […]ṯ̊n . ur-[…]

mḥ—

nº CGR-1133 Ocurrencias: 2

Posibles restituciones: mḥy, mḥllm, mḥmd, mḥʿrt, mḥpnh, mḥṣ, mḥrh, mḥrt, mḥrṯh, mḥrṯt, mḥtrt.

Administración

00-4.152:4 ----- • ṯn pld mḥ[…] • ṯlṯ ḫpnt … […]

Fragmentos Varios

00-7.142:5 w ṣ[…] • mḥ̊(?)[…] • w tt[…]

mḫ—

nº CGR-1134 Ocurrencias: 1

Posibles restituciones: mḫ, mḫdy, mḫz, mḫlpt, mḫm, mḫmšt, mḫnm, mḫsrn, mḫṣ, mḫṣy, mḫṣm, mḫṣt, mḫr, mḫrhn, mḫrk, mḫšt, mḫt, mḫtn.

Administración

00-4.359:2 -ḫ/ẙ[… š]ǵrh̊[…] • mḫ[…]rh • ṯʿl̊[…]-

mḫl—

nº CGR-1135 Ocurrencias: 1

Posibles restituciones: mḫlpt.

Mítica

00-1.9:15 ʿm . b ym bʿl ysy y-[…] • r̊mm . ḫnpm mḫl[…] • mlk . nhr ibr[…]

my—

nº CGR-1136 Ocurrencias: 1

Posibles restituciones: my, myy, mym, myn, myṣm, myt.

Épica

00-1.16:II:9 w ẙ/ḫ[…] • my[…] • aṯ[t …]

mk—

nº CGR-1137 Ocurrencias: 1

Posibles restituciones: mk, mkl, mkly, mknpt, mknt, mks, mkr, mkrm, mkrn, mkšr, mkt, mkṯr.

Administración

00-4.617:10 bn . py … 1 … bn . ilkšy . 2 • bn . mk[…] … 2 … bn . ybšr . 1 • bn . byẙ[…] … 1 … bn . sly . 1

ml—

nº CGR-1138 Ocurrencias: 7

Posibles restituciones: ml, mla, mlak, mlakk, mlakm, mlakt, mlakth, mlakty, mlaktk, mlat, mli, mlit, mlu, mlun, mlbr, mlbš, mlbšh, mlghy, mld, mldy, mlḥ, mlḥmy, mlḥmt, mlḥt, mlḫš, mly, mlk, mlki, mlkbn, mlkh, mlky, mlkyy, mlkym, mlkytn, mlkk, mlkm, mlkn, mlknʿm, mlkrpi, mlkršp, mlkt, mlktn, mll, mlm, mln, mls, mlsm, mlʿn, mlʿtn, mlġt, mlṣ, mlrm, mlt, mltḥ, mltḥm, mltḫ, mltm, mltn.

Administración

00-4.423:14 šd . -[…] • bd . ml[…] • -----

00-4.423:18 šd . […] • bd . m̊l[…] • -----

00-4.570:2 […]-hb̊[…] • […] . l . mṣ̊/l̊[…] • […]- . ʿbd̊[…]

00-4.607:29 […] • ml/ṣ[…]ġt/n . n̊n̊r[…] • k̊t̊n . qk̊/ẘqp̊[…]

00-4.679:4 bn . n[…] • bn . ml̊[…] • bʿlšm̊(?)[…]

00-4.683:5 gbl̊[…]kbd̊ • ml̊[…]kbd • a-[…]kbd

Correspondencia

00-2.75:17 ʿmn . pr[…] • ḥd . ml[…] • prḫn[…]

ml-—

nº CGR-1139 Ocurrencias: 3

Posibles restituciones: ml, mla, mlak, mlakk, mlakm, mlakt, mlakth, mlakty, mlaktk, mlat, mli, mlit, mlu, mlun, mlbr, mlbš, mlbšh, mlghy, mld, mldy, mlḥ, mlḥmy, mlḥmt, mlḥt, mlḫš, mly, mlk, mlki, mlkbn, mlkh, mlky, mlkyy, mlkym, mlkytn, mlkk, mlkm, mlkn, mlknʿm, mlkrpi, mlkršp, mlkt, mlktn, mll, mlm, mln, mls, mlsm, mlʿn, mlʿtn, mlġt, mlṣ, mlrm, mlt, mltḥ, mltḥm, mltḫ, mltm, mltn.

Administración

00-4.80:14 w . klth . b . t[…] • bʿly . ml-[…] • yd . bth . yd[…]

00-4.276:11 ar[bʿ …] • ṯqlm[.]--- . l . ml-[…] • ṯqlm . … l . kdml

00-4.396:6 ----- • ml-[…] • d̊/ů-[…]

mli—

nº CGR-1140 Ocurrencias: 1

Posibles restituciones: mli, mlit.

Mítica

00-1.10:III:7 k drd (drdr) . d yknn̊[…] • bˁl . yṣǵd . mli̊[…] • il pd (hd) . mlå . uṣ̊/l̊[…]

mlǵ—

nº CGR-1141 Ocurrencias: 1

Posibles restituciones: mlǵt.

Correspondencia

00-2.40:18 mlǵt . ṣ̊(?)--(?)š̊(?) • w . mlǵ̊[…]y • y-ṯ̊(?)

mm—

nº CGR-1142 Ocurrencias: 1

Posibles restituciones: mm, mmh, mmṯr, mmy, mmlat, mmnk, mmˁ, mmˁm.

Mítica

00-1.22:I:1 … • m̊(?)m̊(?)[…] • h . hn bnk . hn -[…]

mm--

nº CGR-1143 Ocurrencias: 1

Posibles restituciones: mm, mmh, mmṯr, mmy, mmnk, mmskn, mmˁ, mmˁm.

Administración

10-4.195:11 ----- • ẘ . ptḥ -̊? [-] . m̊m-̊-̊ • -----

mn—

nº CGR-1144 Ocurrencias: 2

Posibles restituciones: mn, mnipˁl, mnu, mndym, mndˁ, mndǵ, mnh, mnḥ, mnḥyk, mnḥm, mnḫ, mnḫt, mny, mnyy, mnyn, mnk, mnkm, mnm, mnmn, mnn, mnny, mnˁrt, mnrt, mnt, mnth, mnthn, mnty, mntk, mnṯ.

Correspondencia

00-2.42:13 ˁš̊rid . lik̊̊t […] • w[.]b̊ˁ̊l̊ẙ . m̊n̊[…] • …

Mítica

00-1.9:7 rˁm̊[…] • mn[…] • …

mˁ—

nº CGR-1145 Ocurrencias: 4

Posibles restituciones: mˁ, mˁbď, mˁbr, mˁd, mˁdbh, mˁdbhm, mˁlt, mˁmsh, mˁmsy, mˁmsk, mˁmˁ, mˁn, mˁnk, mˁnt, mˁṣd, mˁṣdm, mˁqb, mˁqby, mˁqbym, mˁqbk, mˁr, mˁrb, mˁrby, mˁrbym, mˁrḥp, mˁry, mˁrt.

Épica

00-1.19:II:36 yd . ṣpnhm . tliẙm̊[… ṣ]pnhm[…] • nṣḥy . šrr̊ . m̊ʿ̊(?)[…]--åy • åbšrkm . dni̊l̊ . m̊d̊/b̊h--

Inscripciones

00-6.40:1 … • mpr mʿ[…] • ẘ tšt qm̊[…]

Mítica

00-1.2:III:15 […]y . yblmm . u[…]-ḫ̊[…]k̊ . ẙr̊d̊[…]i̊[…]n̊ . bn̊ • […]n̊n̊[.]n̊r̊t̊[.]i̊l̊m̊[.]špš . tšu . gh . w t̊[ṣḥ . šm]ʿ . mʿ[…] • [yṯ]ir . ṯr . il . abk̊ . l pn . zbl . ym . l p̊n̊[. ṯ]p̊ṭ[.]n̊h̊r

00-1.13:16 ----- • mʿ[…]m̊ʿ[…]t̊m . w mdbḥt . • -----

mʿ-—

nº CGR-1146 Ocurrencias: 1

Posibles restituciones: mʿ, mʿbd, mʿbr, mʿd, mʿdbh, mʿdbhm, mʿlt, mʿmsh, mʿmsy, mʿmsk, mʿmʿ, mʿn, mʿnk, mʿnt, mʿṣd, mʿṣdm, mʿqb, mʿqby, mʿqbym, mʿqbk, mʿr, mʿrb, mʿrby, mʿrbym, mʿrḫp, mʿry, mʿrt.

Administración

00-4.97:3 ----- • tgyn . mʿ-[…] • w . agpṯn . […]

mp—

nº CGR-1147 Ocurrencias: 1

Posibles restituciones: mpḫm, mpḫrt, mpr, mprh, mptḥ, mptḫ, mptm.

Ritual

10-1.136:4 -kdm ḥ[…] • -ip̊d mp[…] • lil ḫṣt

mṣ—

nº CGR-1148 Ocurrencias: 2

Posibles restituciones: mṣb, mṣbṭm, mṣbm, mṣbt, mṣbty, mṣd, mṣdh, mṣdk, mṣḥ, mṣkm, mṣl, mṣlm, mṣlt, mṣltm, mṣmt, mṣprt, mṣpt, mṣṣ, mṣqt, mṣr, mṣry, mṣrym, mṣrm, mṣrn, mṣrpk, mṣrrt, mṣrt, mṣt.

Administración

00-4.570:2 […]-hb̊[…] • […] . l . mṣ̊/l̊[…] • […]- . ʿbd̊[…]

00-4.607:29 […] • ml/ṣ[…]ǵt/n . n̊n̊r[…] • k̊tn . qk̊/ẘqp̊[…]

mṣb-—

nº CGR-1149 Ocurrencias: 1

Posibles restituciones: mṣb, mṣbṭm, mṣbm, mṣbt, mṣbty.

Administración

00-4.61:3 ṯ̊ṯ . […] • mṣb-[…] • kṯ . åqh[r …]

mq—

nº CGR-1150 Ocurrencias: 1

Posibles restituciones: mqb, mqbm, mqdm, mqdšt, mqwṭ, mqḫ, mqḫm, mql, mqmh, mqp, mqpm, mqr, mqrtm.

Administración

00-4.42:6 btm -zn--n • m̊q[…] • -----

mr—

nº CGR-1151 Ocurrencias: 17

Posibles restituciones: mr, mra, mradn, mrat, mri, mria, mrih, mrik, mril, mrily, mrim, mru, mrum, mrbi, mrbd, mrbdt, mrbˤ, mrbˤt, mrd, mrdt, mrdtt, mrh, mrzḥ, mrzḥh, mrzˤy, mrḫ, mrḫh, mrḫy, mrḫm, mrḫqm, mrḫqt, mrḫqtm, mrḫt, mrṭn, mry, mrym, mryn, mrynm, mrkbt, mrkbthm, mrkbtk, mrkbtm, mrkm, mrl, mrm, mrmt, mrn, mrnh, mrnn, mrˤm, mrġt, mrġṯm, mṛpi, mrṣ, mrqdm, mrrt, mršp, mrt, mrti, mrṯ, mrṯd.

Administración

00-4.65:7 -bsn . m̊[…] • bn . atnb . mr̊[…] • bn . sḫr . mr[…]

00-4.65:8 bn . atnb . mr̊[…] • bn . sḫr . mr[…] • bn . idrn . ˤš[…]

00-4.65:10 bn . idrn . ˤš[…] • bn . bly . mr[…] • w . nḥlh . mr[…]

00-4.65:11 bn . bly . mr[…] • w . nḥlh . mr[…] • ilšpš . -[…]

00-4.303:1 … • mr[…] • glbt . […]

00-4.322:4 b̊n̊[…] • mr[…] • hm . ṯ--[…]

00-4.390:9 krk . klẙ[…] • ḫmš . mr[…] • ṯṯ . az[ml …]

00-4.432:5 […]l̊[…]1 … b̊[n .]i̊lr̊[…] • […]b … 3 … b[n .]mr[…] … 4[+ -] • [.:.]n … 3 … bn̊ . ˤmlb̊i … 2

00-4.485:2 s̊p̊[r …] • mr[…] • -----

00-4.622:1 • mr[…] • ubr̊[ˤy …]

00-4.743:12 šˤg̊[…] • mr[…] • -----

Fragmentos Varios

00-7.132:7 […]--dq … m-[…] • […]qm … mr[…] • […]-ḏr … lḥ[…]

Mítica

00-1.4:VII:12 ṯmnym . bˤl . m̊[…]-(?) • tšˤm̊ . bˤl . mr̊[…] • b---b̊ . bˤl . b qrb̊

00-1.157:10 ----- • […]k̊/ẘ--nth . k̊p . mlk . mr̊[…] • -----

00-1.167:2 […]b̊r̊[…] • […]b/dk . mr[…] • […]ġ̊ṣb . ġṣb[…]

Ritual

00-1.53:3 […]b̊/d̊b̊/d̊(?)[…] • […]q̊(?) . mr[…] • […]n̊/å . mr[…]ẙdm[…]

10-1.53:3 […]b̊/d̊ b̊/d̊ (?)[…] • […]q̊/ḥ̊ . mr[…] • […]n̊/å . mr[…]ydm[…]

00-1.53:4 […]q̊(?) . mr[…] • […]n̊/å . mr[…]ẙdm[…] • […]m̊ṯbt . ilm . w . b . ḫ̊/ẙ[…]

mr-—

nº CGR-1152 Ocurrencias: 1

Posibles restituciones: mr, mra, mradn, mrat, mri, mria, mrih, mrik, mril, mrily, mrim, mru, mrum, mrbi, mrbd, mrbdt, mrbˤ, mrbˤt, mrd, mrdt, mrdtt, mrh, mrzḥ, mrzḥh, mrzˤy, mrḫ, mrḫh, mrḫy, mrḫm, mrḫqm, mrḫqt, mrḫqtm, mrḫt, mrṭn, mry, mrym, mryn, mrynm, mrkbt, mrkbthm, mrkbtk, mrkbtm, mrkm, mrl, mrm, mrmt, mrn, mrnh, mrnn, mrʿm, mrǵt, mrǵṯm, mrpi, mrṣ, mrqdm, mrrt, mršp, mrt, mrti, mrṯ, mrṯd.

Administración

00-4.641:2 ----- • […]-[…]- … mr-[…] • […]--l … šd[…]

mr--—

nº CGR-1153 Ocurrencias: 1

Posibles restituciones: mr, mra, mradn, mrat, mri, mria, mrih, mrik, mril, mrily, mrim, mru, mrum, mrbi, mrbd, mrbdt, mrbʿ, mrbʿt, mrd, mrdt, mrdtt, mrh, mrzḥ, mrzḥh, mrzʿy, mrḥ, mrḥh, mrḥy, mrḥm, mrḥqm, mrḥqt, mrḥqtm, mrḥt, mrṭn, mry, mryṃ, mryn, mrynm, mrkbt, mrkbthm, mrkbtk, mrkbtm, mrkm, mrl, mrm, mrmt, mrn, mrnh, mrnn, mrʿm, mrǵt, mrǵṯm, mrpi, mrṣ, mrqdm, mrrt, mršp, mrt, mrti, mrṯ, mrṯd.

Mítica

00-1.20:II:12 tpḥ . ṯṣr . shr̊--[…] • m̊(?)r̊--[…]ṣ̊/b̊p̊/t̊[…] • […]bʿd . ilnym

mri—

nº CGR-1154 Ocurrencias: 1

Posibles restituciones: mri, mria, mrih, mrik, mril, mrily, mrim.

Administración

00-4.651:5 iṯt[…] • mri̊[…] • aṯ-[…]

mril—

nº CGR-1155 Ocurrencias: 1

Posibles restituciones: mril, mrily.

Administración

00-4.621:13 midḫ̊[…] • mri̊l[…] • ḫlb … […]

mrb—

nº CGR-1156 Ocurrencias: 1

Posibles restituciones: mrbi, mrbd, mrbdt, mrbʿ, mrbʿt.

Ritual

10-1.123:19 […]l̊/ṣ̊p il[…] • [ǵ]lmt mrd̊/b̊[…] • qdš mlk -[…]

mrd—

nº CGR-1157 Ocurrencias: 2

Posibles restituciones: mrd, mrdt, mrdtt.

Administración

00-4.60:9 […]kṯm š[šm]n . k[…] • [… a]r̊bʿ . dbl̊t . mrl̊/d̊[…] • [… mi]tm . nṣ . lbn[…]

Ritual

00-1.123:19 […]l̊(?)/s̊p il[…] • [ǵ]lmt mrd̊[…] • qdš mlk i̊[…]

10-1.123:19 […]l̊/s̊p il[…] • [ǵ]lmt mrd̊/b̊[…] • qdš mlk -[…]

mš—

nº CGR-1158 Ocurrencias: 4

Posibles restituciones: mšu, mšbʿthn, mšdpt, mšḥm, mšḥt, mšḫt, mšk, mškb, mškbt, mškn, mšknthm, mškrt, mšlḫ, mšlm, mšlt, mšmṭr, mšmn, mšmʿt, mšmš, mšn, mšnq, mšspdt, mšpy, mšṣu, mšṣṣ, mšq, mšr, mšrn, mšrrm, mšš, mšt, mštʿltm, mštt.

Administración

00-4.193:4 yṣå[…] • mš[…] • [b]d̊ . m[…]

Mítica

00-1.2:IV:39 b rišh . […] • i̊bh . mš[…] • b̊n . ʿnh̊[…]

Ritual

00-1.81:4 l . ʿṯ[…] • l . mš[…] • l . ilt[…]

10-1.136:6 lil ḫṣt • ʿẙr mš[…] • [---]k̊

mš-—

nº CGR-1159 Ocurrencias: 2

Posibles restituciones: mšu, mšbʿthn, mšdpt, mšḥm, mšḥt, mšḫt, mšk, mškb, mškbt, mškn, mšknthm, mškrt, mšlḫ, mšlm, mšlt, mšmṭr, mšmn, mšmʿt, mšmš, mšn, mšnq, mšspdt, mšpy, mšṣu, mšṣṣ, mšq, mšr, mšrn, mšrrm, mšš, mšt, mštʿltm, mštt.

Administración

00-4.182:38 ----- • [… yr]ḫ . mgmr . mš-[…] • […]- . iqnu . ḫmš[…]

Mítica

00-1.13:4 ----- • m̊(?)š-[…]ẙmm . lk . • -----

mš--—

nº CGR-1160 Ocurrencias: 1

Posibles restituciones: mšu, mšbʿthn, mšdpt, mšḥm, mšḥt, mšḫt, mšk, mškb, mškbt, mškn, mšknthm, mškrt, mšlḫ, mšlm, mšlt, mšmṭr, mšmn, mšmʿt, mšmš, mšn, mšnq, mšspdt, mšpy, mšṣu, mšṣṣ, mšq, mšr, mšrn, mšrrm, mšš, mšt, mštʿltm, mštt.

Administración

00-4.755:11 ʿšrt . ṯql̊m̊ . kb̊d̊ • l . mš--[…]dr̊t̊ • -----

mšl—

nº CGR-1161 Ocurrencias: 1

Posibles restituciones: mšlḫ, mšlm, mšlt.

Mítica

00-1.2:I:5 åliyn . bʿl . […] • d̊rk . tk . m̊šl̊[…] • b̊ r̊išk . aymr̊[…]

mtn—

nº CGR-1162 Ocurrencias: 3

Posibles restituciones: mtn, mtnbʿl, mtnh, mtny, mtnm, mtnn, mtnt, mtntm.

Administración

00-4.86:9 abmlk . bn . un[…] • nrn . bn . mtn̊[…] • aḫyn . bn . nbk̊[…]

00-4.114:3 ʿbd-[…] • mtn[…] • ṯdpṯn[…]

00-4.259:3 ----- • […]-n . l . mtn̊[…] • -----

mtrḫt—

nº CGR-1163 Ocurrencias: 1

Posibles restituciones: mtrḫt.

Mítica

00-1.24:10 pt l bš̊r̊h̊ . d̊m̊ å/n̊[…]ḥ̊ • wyn . k̊ mtrḫt[…]h • šmʿ i̊lht kṯ̊r̊[t …]mm

mṯ-—

nº CGR-1164 Ocurrencias: 1

Posibles restituciones: mṯ, mṯb, mṯbk, mṯbt, mṯbth, mṯbtkm, mṯdṯt, mṯṯm, mṯy, mṯym, mṯyn, mṯkt, mṯlṯ, mṯlṯt, mṯmṯ, mṯn, mṯnn, mṯpit, mṯpdm, mṯpṭ, mṯpṭk, mṯpẓ, mṯrm, mṯt, mṯtn.

Mítica

00-1.157:6 ----- • […]l . mṯ-[…]-t . i̊l-[…] • -----

n-b-----

nº CGR-1165 Ocurrencias: 1

Posibles restituciones: ngb, ndb, ndbd, ndbḥ, ndby, ndbym, ndbn, nḏbn, nḥbl, nklb, nlbn, nsb, npbl, nṣb, nṣbt, nqbny, nqbnm, nšb, nšbm, ntb, ntbdh, ntbt, ntbtk, ntbtš, nṯb.

Mítica

00-1.86:27 ----- • šinm . n-b----[…] • -----

n-t

nº CGR-1166 Ocurrencias: 1

Posibles restituciones: nat, nit, nbt, ndt, nzt, nḥt, nḫt, nkt, npt, nqt, nrt, nšt, nṯt.

Administración

00-4.351:2 ----- • […]i̊dmt . n̊-t . • -----

nit—

nº CGR-1167 Ocurrencias: 1

Posibles restituciones: nit, nitk, nitm.

Mítica

00-1.86:21 n--[…]d . --[…] • idk . nit[…] • trgm[.]b ydk[.]ẙ(?)--[…]

nb—

nº CGR-1168 Ocurrencias: 3

Posibles restituciones: nb, nba, nbdg, nbhm, nbzn, nby, nbk, nbkm, nbl, nblat, nbluh, nbln, nbn, nbʿm, nbq, nbšt, nbt, nbtm.

Administración

00-4.69:V:24 bn . al̊/ṣ[…] • bn . nb̊[…] • bn . ild[…]

00-4.619:10 […]t̊d . a-[…] • […]u . bn[…]nb[…] • -----

Ritual

00-1.56:8 dqt̊[…] • nb̊[…] • -[…]

10-1.56:8 dqt̊[…] • nb/d[…] • -[…]

nbl—

nº CGR-1169 Ocurrencias: 1

Posibles restituciones: nbl, nblat, nbluh, nbln.

Mítica

00-1.101:13 ----- • […]š̊kt . nʿmn . nbl[…] • -----

ng—

nº CGR-1170 Ocurrencias: 1

Posibles restituciones: ng, ngb, ngh, ngzḥn, ngḥt, ngy, ngln, ngġln, ngr, ngršp, ngrt, ngš, ngšnn, ngṯhm.

Administración

00-4.139:15 ----- • ng[…] • šbʿ ʿ[šr …]

ng-n

nº CGR-1171 Ocurrencias: 1

Posibles restituciones: ngln.

Administración

00-4.75:I:1 • ḥrm . bn̊ . ng-n • atyn . š[r]šy

nd—

nº CGR-1172 Ocurrencias: 2

Posibles restituciones: nd, ndb, ndbd, ndbḥ, ndby, ndbym, ndbn, ndd, ndwd, ndy, ndk, ndlḥp, ndr, ndrg, ndrh, ndt.

Ritual

10-1.56:8 dqt̊[…] • nb/d[…] • -[…]

Vocabularios

00-9.3:IVa:13 lu-l[a …] • ni-d[a(?) …] • qi-i[d-šu?] (qidšu ?)

nd-—

nº CGR-1173 Ocurrencias: 1

Posibles restituciones: nd, ndb, ndbd, ndbḥ, ndby, ndbym, ndbn, ndd, ndwd, ndy, ndk, ndlḥp, ndr, ndrg, ndrh, ndt.

Mítica

00-1.9:19 ṣǵr hd w r[…] • w l nhr nd-[…] • […]-i̊l

ndb—

nº CGR-1174 Ocurrencias: 1

Posibles restituciones: ndb, ndbd, ndbḫ, ndby, ndbym, ndbn.

Administración

00-4.610:13 ʿnqpt … 10[+ -] … […] … 75 • šʿrt … 24 … ndb[…] • ubrʿy … (ACADIO) 51 … šmg-[…]-

ndr—

nº CGR-1175 Ocurrencias: 1

Posibles restituciones: ndr, ndrg, ndrh.

Épica

00-1.15:III:29 ph mʿ . ap . k[rt …] • u ṯn . ndr̊[…] • apr . i̊(?)--[…]

nwr—

nº CGR-1176 Ocurrencias: 1

Posibles restituciones: nwrḏ, nwrḏr.

Administración

00-4.678:6 gg[…] • nwr[…] • sgld̊[…]

nz—

nº CGR-1177 Ocurrencias: 2

Posibles restituciones: nzdt, nzl, nzʿn, nzt.

Administración

00-4.366:3 knʿm . bn . å[… ṯkt] • plšbʿl . bn . nz̊[… ṯkt] • ḥy . bn . dnn . ṯkt

00-4.441:5 bn . pš[…] • bn . nz[…] • bn . ḫr̊[…]

nḥ-

nº CGR-1178 Ocurrencias: 1

Posibles restituciones: nḥ, nḥẓ, nḥl, nḥr, nḥš, nḥt.

Administración

00-4.138:6 ----- • ṯlṯ . lmdm . bd . nḥ- • -----

nk—

nº CGR-1179 Ocurrencias: 1

Posibles restituciones: nk, nkyt, nkl, nklb, nkly, nkm, nkn, nkr, nkš, nkšy, nkt, nktt.

Administración

00-4.315:9 ṯrdn[…] • b̊n . nk̊[…] • ̊ʿmyn -[…]

nk-—

nº CGR-1180 Ocurrencias: 1

Posibles restituciones: nk, nkyt, nkl, nklb, nkly, nkm, nkn, nkr, nkš, nkšy, nkt, nktt.

Correspondencia

00-2.31:2 […]--[…] • […]- . nk-[…] • […]g̊(?)ḥ . an[k …]

nl—

nº CGR-1181 Ocurrencias: 1

Posibles restituciones: nlbn, nlḥm, nllḥp, nlqḥt.

Mítica

00-1.63:11 […]- . umtn • […]yh . w nl • […] . bt bˁṣ (bˁl)

nl-—

nº CGR-1182 Ocurrencias: 1

Posibles restituciones: nlbn, nlḥm, nllḥp, nlqḥt.

Ritual

00-1.159:3 […]-m . a-[…] • […]l̊m . nl-[…] • […]- . ˁṯtr[…]

nm—

nº CGR-1183 Ocurrencias: 3

Posibles restituciones: nmgn, nmy, nmlu, nmlk, nmq, nmry, nmrrt, nmrth, nmrtk, nmš.

Inscripciones

00-6.49:1 • qrt nm[…] • tˁrb l n[…]

Mítica

00-1.166:20 ? n[…] • ? nˁ/m[…] • … ?

Ritual

00-1.48:5 ẘ bˁlt btm • n̊/ḥ̊m̊[…]ṣn . l . dgn • n[…]k̊m
10-1.48:5 ẘ bˁlt btm • n̊m̊[…]ṣn . l . dgn • n[…]m

nn—

nº CGR-1184 Ocurrencias: 2

Posibles restituciones: nn, nni, nnu, nnd, nnḏ, nnw, nny, nnn, nnr, nnry.

Mítica

00-1.55:3 […]-tm . […] • […]i̊tḥṣ(irtḥṣ) . nn̊[…] • […]idmnn[…]

Ritual

00-1.57:8 […] . by . -[…] • […]- . nn[…] • […]- . mg-[…]

nn-

nº CGR-1185 Ocurrencias: 1

Posibles restituciones: nn, nni, nnu, nnd, nnḏ, nnw, nny, nnn, nnr.

Ritual

10-1.124:5 w yʿny . nn • tʿny . nn̊- . r̊/k̊ . qḥ • w št m[…]--[…]-tn̊

nn-—

nº CGR-1186 Ocurrencias: 1

Posibles restituciones: nn, nni, nnu, nnd, nnḏ, nnw, nny, nnn, nnr, nnry.

Administración

00-4.393:5 ṯrb̊/d̊[…] • nn-[…] • aup[š …]

nn--—

nº CGR-1187 Ocurrencias: 1

Posibles restituciones: nn, nni, nnu, nnd, nnḏ, nnw, nny, nnn, nnr, nnry.

Administración

00-4.64:IV:13 bn . kr-[…] • bn . nn--[…] • […]

ns—

nº CGR-1188 Ocurrencias: 2

Posibles restituciones: ns, nsb, nsk, nskh, nskm, nskn, nskt, nsʿk.

Administración

00-4.86:24 aḫqm . birt̊[y …] • kṯrmlk . ns[…] • bn . tbd . ilšt[mʿy …]

Fragmentos Varios

00-7.30:1 … • […]-y . ns̆[…] • […]t̊rgm̊[…]

nʿ—

nº CGR-1189 Ocurrencias: 5

Posibles restituciones: nʿkn, nʿl, nʿlm, nʿm, nʿmh, nʿmy, nʿmyn, nʿmm, nʿmn, nʿmt, nʿn, nʿr, nʿrb, nʿrh, nʿry, nʿrm, nʿrs, nʿrt, nʿšr, nʿtq.

Administración

00-4.503:II:3 ----- • nʿ[…] • ṯ̊l[…]

Mítica

00-1.73:13 […] w kbdt . t[…] • […] ẘ ta . nʿ[…] • […]pr . ʿẓ[…]

00-1.86:12 w bn -[…]d . w mt[…] • d bnš . ḥm̊[r m]dl[.]nʿ[…] • w d . l mdl . r[…]---[…]

00-1.166:7 ak/r/p[…] • nʿ[…] • maḫr[…]

00-1.166:20 ? n[…] • ? nʿ/m[…] • … ?

nʿl—

nº CGR-1190 Ocurrencias: 1

Posibles restituciones: nʿl, nʿlm.

Ritual

00-1.107:31 [...]ẘ . b[...] . hl̊[...] • [...]ʿ̊rt . [i]l̊m . rb̊m̊ . nʿ̊l[...]m̊r • [...]-[...]r̊ṣ . bdh . yd̊r̊m̊[.]p̊i̊t[.]adm

nʿm-

nº CGR-1191 Ocurrencias: 1

Posibles restituciones: nʿm, nʿmh, nʿmy, nʿmm, nʿmn, nʿmt.

Mítica

00-1.86:29 b ḥlm . ṯty-----np̊(?)-[...] • pn . n̊(?)ʿm̊(?)-y[...]---[...] • -----

np—

nº CGR-1192 Ocurrencias: 2

Posibles restituciones: np, npin, npu, npbl, npd, npṯry, npẓl, npy, npynh, npk, npl, nplṭ, nplt, npṣ, npṣh, npṣhm, npṣy, npṣk, npṣm, npr, nprm, nprš̌n, npš, npšh, npšhm, npšy, npškm, npškn, npšm, npšn, npt, nptn, npṯt.

Administración

00-4.671:3 t̊r[...] • np[...] • -----

Ritual

11-1.126:2 [...]-[...] • [...]å np̊[...] • [...]ršp . gd̊[lt ...]

npṣ—

nº CGR-1193 Ocurrencias: 1

Posibles restituciones: npṣ, npṣh, npṣhm, npṣy, npṣk, npṣm.

Ritual

10-1.104:6 ----- • wnp̊ṣ̊[...] • bym[...]

nq—

nº CGR-1194 Ocurrencias: 1

Posibles restituciones: nqum, nqbny, nqbnm, nqd, nqdm, nqh, nqṯn, nql, nqly, nqmd, nqmpʿ. nqpnt, nqpt, nqq, nqr, nqt.

Administración

00-4.448:1 ... • [bn] . nq̊[...] • b̊n . kd[...]

nr—

nº CGR-1195 Ocurrencias: 3

Posibles restituciones: nr, nrd, nryn, nrm, nrn, nrt, nrṯt.

Administración

00-4.8:7 ar[…] • nr[…] • …

00-4.86:7 s̊/g̊ln . bn . ʿṯt[…] • pdy . bn . nr[…] • abmlk . bn . un[…]

Ritual

00-1.123:16 ḥn bn il dn[…] • k̊bd w n̊r̊[…] • …

nr-—

nº CGR-1196 Ocurrencias: 1

Posibles restituciones: nr, nrd, nryn, nrm, nrn, nrt, nrṯt.

Administración

00-4.77:18 [bn .]iršn … […] • [bn .]nr-[…] • [bn .]b̊--[…]

nš—

nº CGR-1197 Ocurrencias: 2

Posibles restituciones: nš, nša, nšat, nši, nšu, nšb, nšbm, nšgh, nšdd, nšy, nšybn, nšk, nškḥ, nšlḥ, nšlm, nšm, nšmḫ, nšʿr, nšq, nšqdš, nšr, nšrk, nšrm, nšt.

Administración

10-4.761:6 bn ṯbr[…] • bn nš[…] • bn amd[…]

Fragmentos Varios

00-7.176:6 […]ar-ddrn̊ • […]t . n̊š[…] • […]h̊(?)[…]

nt—

nº CGR-1198 Ocurrencias: 3

Posibles restituciones: nt, ntil, ntu, ntb, ntbdh, ntbt, ntbtk, ntbtš, ntd, nty, ntk, ntl, ntlk, ntmn, ntn, ntp, ntr, ntt.

Administración

00-4.393:18 bn̊[. …] • nt[…] • ʿn-[…]

Mítica

00-1.82:17 […]- . ylm . bn̊[ʿ]nk . ṣmdm . špk[…] • […]- . nt[…]å(?)t . b kkpt . w k̊(?) . b g-[…] • […]ḥ[…] bnt . ṣʿṣ . bnt . ḫrp . ak̊/r̊[…]

Ritual

10-1.121:4 wn[…] • nt[… • uš[…]

s-p-—

nº CGR-1199 Ocurrencias: 1

Posibles restituciones: sip, slpd, snp, srp.

Administración

00-4.214:I:12 ḥrr • bn . s-p-[…] • bn . g̊rp̊(?)d

si—

nº CGR-1200 Ocurrencias: 1

Posibles restituciones: sid, sin, sip.

Administración

00-4.429:2 ----- • [… k]d . ztm . d . si[…] • -----

sb—

nº CGR-1201 Ocurrencias: 1

Posibles restituciones: sb, sbbyn, sbd, sbn, sbsg, sbrdnm.

Inscripciones

00-6.26:1 • sb[…] • yqḥ . mi̊[t]

skn—

nº CGR-1202 Ocurrencias: 1

Posibles restituciones: skn, sknm, sknt.

Administración

00-4.160:9 […]-y[…] • skn̊[…] • ul̊m̊[…]

sl—

nº CGR-1203 Ocurrencias: 1

Posibles restituciones: slg, slgyn, slh, slḫ, slḫu, slḫy, sly, slyn, sll, slm, slmu, slmz, sln, slʿy, slʿn, slpd, slrš, slṯmg.

Administración

00-4.21:1 ... • bn sl[...] • bn idṯ̊[n ...]

sn—

nº CGR-1204 Ocurrencias: 5

Posibles restituciones: sn, snb, sndrn, snh, sny, snnwt, snnt, snp, snr, snry, snrym, snrn, snt.

Administración

00-4.77:5 ʿbd[...] • bn . sn[...]r[...] • bn . at̊--[...]

00-4.623:9 bn . išbʿl[...] • bn . s̊n̊[...] • dnn . b̊n̊ . ḏ-[...]

00-4.635:12 bn . m[... b]d̊ . skn • bn . sn̊[...]bd . skn • bn . ur-[...]

Fragmentos Varios

00-7.52:4 [...]yrk[...] • [...]dir . sn̊[...] • [...]-rrsn[...]

Ritual

11-1.148:42 [...]-̊ . w t̊hmt[...] • [...]m̊mr///-̊gmr . ̊š . sn̊[...] • [...]-̊m š . il lb[-]-̊ š .̊-̊[...]

sʿ—

nº CGR-1205 Ocurrencias: 1

Posibles restituciones: sʿ, sʿt.

Mítica

00-1.13:36 ----- • s̊ʿ/t̊[...]p̊(?)/k̊(?)--[...]t • -----

sp—

nº CGR-1206 Ocurrencias: 4

Posibles restituciones: sp, spu, spuy, spḫy, spyy, spl, splm, spm, spsg, spsgm, spr, sprhm, sprhn, sprn, sprt.

Administración

00-4.56:3 [...] s̊p . mr[y ...] • [k]tl . ṯṯm sp̊[...] • p̊drn . ḫm[š ...]

00-4.56:7 ṯṯm sp . km[...] • ʿšrm . sp̊[...] • ʿšr sp . m[ry ...]

00-4.56:12 ʿšr sp . m[ry ...] • tšʿm sp̊[...] • tš[ʿm sp ...]

Mítica

00-1.12:II:14 yikl[...] • km . sp̊(?)[...] • tš̊[...]

st—

nº CGR-1207 Ocurrencias: 1

Posibles restituciones: stḫ, stn, str, stry.

Mítica

00-1.13:36 ----- • s̊ʿ/t̊[...]p̊(?)/k̊(?)--[...]t • -----

ʿb—

nº CGR-1208 Ocurrencias: 4

Posibles restituciones: ʿb, ʿbd, ʿbdadt, ʿbdil, ʿbdilm, ʿbdilt, ʿbdbʿl, ʿbdgṯr, ʿbdh, ʿbdḥ, ʿbdḫgb, ʿbdḫy, ʿbdḥr, ʿbdḫmn, ʿbdy, ʿbdym, ʿbdyrḫ, ʿbdyrǵ, ʿbdk, ʿbdkb, ʿbdkṯr, ʿbdlbit, ʿbdm, ʿbdmhr, ʿbdmlk, ʿbdn, ʿbdnkl, ʿbdnt, ʿbdssm, ʿbdʿn, ʿbdʿnt, ʿbdʿṯtr, ʿbdpr, ʿbdrpu, ʿbdrš, ʿbdršp, ʿbdrṯ, ʿbdšḫr, ʿbdṯrm, ʿby, ʿbk, ʿbl, ʿbmlk, ʿbs, ʿbṣ, ʿbṣk, ʿbr, ʿbrm.

Administración

00-4.178:2	-r-[…] • b ʿd̊/b[…] • pdẙ[…]
00-4.258:15	[…]ʿl . ab . b[…] • […]ʿl . ʿb[…] • […]b̊/ṣ̊ . ʿl̊[…]

Correspondencia

00-2.23:26	b[…] • ʿb̊/d̊[…] • ʿ[…]
00-2.23:35	yš[lm …] • ʿb[…]-m • -[…]

ʿbdml—

nº CGR-1209 Ocurrencias: 1

Posibles restituciones: ʿbdmlk.

Administración

00-4.81:6	ṯkt . ṯryn̊[…] • br . ʿbdml̊[…] • wry … […]

ʿbdr—

nº CGR-1210 Ocurrencias: 1

Posibles restituciones: ʿbdrpu, ʿbdrš, ʿbdršp, ʿbdrṯ.

Administración

00-4.105:3	[…] . yṣḥm[…] • […]- . ʿbdr̊[…] • […] . åḫyn̊[…]

ʿg—

nº CGR-1211 Ocurrencias: 1

Posibles restituciones: ʿgw, ʿgwn, ʿgy, ʿgl, ʿglh, ʿglṯ, ʿglm, ʿglq, ʿglt, ʿgltn, ʿgml, ʿgmm, ʿgrn, ʿgš.

Administración

00-4.520:2 ----- • bn . ʿg[…] • -----

ʿg-—

nº CGR-1212 Ocurrencias: 1

Posibles restituciones: ʿgw, ʿgwn, ʿgy, ʿgl, ʿglh, ʿglṭ, ʿglm, ʿglq, ʿglt, ʿgltn, ʿgml, ʿgmm, ʿgrn, ʿgš.

Administración

00-4.632:15 [ʿ]šr[…] • [ʿ]l ʿg-[…] • w nit[. w . mʿṣd]

ʿd—

nº CGR-1213 Ocurrencias: 5

Posibles restituciones: ʿd, ʿdb, ʿdbk, ʿdbmlk, ʿdbnn, ʿdbʿl, ʿdbt, ʿdd, ʿdh, ʿdḫin, ʿdy, ʿdyn, ʿdk, ʿdm, ʿdmlk, ʿdmn, ʿdmt, ʿdn, ʿdnhm, ʿdnm, ʿdr, ʿdrḏ, ʿdrš, ʿdršp, ʿdš, ʿdt, ʿdty, ʿdtm, ʿdṯ.

Administración

00-4.114:13 iwr̊[…] • ʿd[…] • pl[…]

00-4.178:2 -r-[…] • b ʿd̊/b[…] • pdẙ[…]

00-4.332:22 ab̊[…] • ʿd̊(?)[…] • š[…]

Correspondencia

00-2.23:26 b[…] • ʿb̊/d̊[…] • ʿ[…]

Épica

00-1.19:IV:25 b šmym . dgṯ hrnmy[.]d̊ [k] • b̊k̊b̊m̊ . ʿl̊/d̊[…] • ʿ̊l̊h . yd̊ . ʿd . -t . k̊(?)l̊(?)--- m̊ṣ̊

ʿdn—

nº CGR-1214 Ocurrencias: 1

Posibles restituciones: ʿdn, ʿdnhm, ʿdnm.

Administración

00-4.40:2 ṣb[u . anyt] • ʿdn̊[…] • ṭbq̊[ym …]

ʿdr—

nº CGR-1215 Ocurrencias: 3

Posibles restituciones: ʿdr, ʿdrḏ, ʿdrš, ʿdršp.

Administración

00-4.227:II:9 1 pr-[…] • 1 ʿdr̊[…] • 1 w . lm[dh …]

00-4.381:17 tšʿ . ʿš[r …] • bn ʿdr[…] • -----

00-4.388:9 w . yn[…] • bn . ʿdr[…] • ntb[t …]

ʿw—

nº CGR-1216 Ocurrencias: 1

Posibles restituciones: ʿwr, ʿwrt.

Épica

00-1.16:I:32 åḫ̊r̊ . al . t̊rg̊m̊ . l aḫtk • ʿ̊ẘ(?)[…]ṣ̊/l̊l̊t̊(?) . dm . aḫtk • ẙd̊ʿt . k rḥmt

ʿṭr—

nº CGR-1217 Ocurrencias: 1

Posibles restituciones: ʿṭrṭrt.

Épica

00-1.16:V:44 rt . š̊[…] • ʿṭr[…] • b p . š[…]

ʿẓ—

nº CGR-1218 Ocurrencias: 1

Posibles restituciones: ʿẓ, ʿẓm, ʿẓmny, ʿẓmt, ʿẓrn, ʿẓrnm.

Mítica

00-1.73:14 […] ẘ ta . nʿ[…] • […]pr . ʿẓ[…] • […]- w prš[…]

ʿl—

nº CGR-1219 Ocurrencias: 6

Posibles restituciones: ʿl, ʿlb, ʿlby, ʿld, ʿlh, ʿlw, ʿlẓr, ʿly, ʿlyh, ʿlyt, ʿlk, ʿllmy, ʿllmn, ʿlln, ʿlm, ʿlmh, ʿlmk, ʿlmt, ʿln, ʿlnh, ʿlp, ʿlpy, ʿlṣ, ʿlṣm, ʿlr, ʿlt, ʿltn.

Administración

00-4.24:4 […]- . d-ṣ̊(?)[…] • […]t . bn . ʿl̊[…] • […]-št . b[n …]

00-4.743:10 kb̊/d̊[…] • ʿl[…] • šʿg̊[…]

Épica

00-1.19:IV:25 b šmym . dǵṯ hrnmy[.]d̊ [k] • b̊k̊b̊m̊ . ʿl̊/d̊[…] • ʿ̊l̊h . yd̊ . ʿd . -t . k̊(?)l̊(?)--- m̊ṣ̊

Fragmentos Varios

00-7.52:6 […]-rrsn[…] • […]l̊ir . b ʿṣ/l̊[…] • […]-k̊/r̊l̊ . gd̊[…]

Mítica

00-1.10:III:5 w yʿny . (?)al̊iyn̊[. bʿl] • lm . k̊ qnyn . ʿl̊[…] • k drd (drdr) . d ykn̊n̊[…]

Ritual

00-1.140:4 k tld̊[…] • yʿzz ʿl̊[…] • k tld ḥ̊(?)[…]

ʿly—

nº CGR-1220 Ocurrencias: 1

Posibles restituciones: ʿly, ʿlyh, ʿlyt.

Mítica

00-1.23:3 w ysmm . bn . šp̊[…] • ytnm . qrt . l ʿlẙ[…] • b mdbr . špm . yd̊[…]r̊

ʿm—

nº CGR-1221 Ocurrencias: 8

Posibles restituciones: ʿm, ʿmdm, ʿmd̲l, ʿmh, ʿmy, ʿmyd, ʿmyd̲tmr, ʿmyn, ʿmk, ʿml, ʿmlbi, ʿmlbu, ʿmlt, ʿmm, ʿmn, ʿmnh, ʿmny, ʿmnk, ʿmnkm, ʿmnr, ʿms, ʿmsn, ʿmph, ʿmq, ʿmqt, ʿmr, ʿmrbi, ʿmrpi, ʿmrpu, ʿmt, ʿmtd̲l, ʿmtr, ʿmṯdy, ʿmṯtmr.

Administración

00-4.563:3	[… b]n̊ ag[…] • [… b]n̊ . ʿm̊[…] • […]ẙrb[…]
00-4.662:4	bn . […] • ʿm[…] • bn . […]
00-4.748:9	-n̊k̊t̊----[…] • -r̊-- bn ʿm[…] • -----

Correspondencia

00-2.43:4	[…]r̊ . tbʿ[…] • [… m]lk . ʿm̊[…] • […]ẙkn[…]
00-2.49:8	… • […] . ksp . ʿm[…] • […]iltḥm . w . […]
10-2.50:7	----- • […]ly . ʿm[…] • […]n̊ʿm
00-2.63:14	l̊m . li[kt] • åt . ʿm̊[…] • ẘ . hl̊[…]

Mítica

00-1.171:21	ilm . ḥrn[…] • ylḥm . ʿm[…] • ik . lilm[…]

ʿm-

nº CGR-1222 Ocurrencias: 3

Posibles restituciones: ʿm, ʿmh, ʿmy, ʿmk, ʿml, ʿmm, ʿmn, ʿms, ʿmq, ʿmr, ʿmt.

Correspondencia

10-2.42:28	mlkn̊ . ybqṯ . anyt . w . at̊- […] • åmkrn . w . mlk . l̊åk . ʿm̊- […] •
00-2.62:12	[…]ǵlhm . w . iblblhm • w . b . ṯbh . ʿ̊m̊- • spr ḥ̊--[…]-[…]
00-2.62:14	spr ḥ̊--[…]-[…] • w . ʿm-[…] • yqḥ[…]

ʿmy—

nº CGR-1223 Ocurrencias: 2

Posibles restituciones: ʿmy, ʿmyd, ʿmyd̲tmr, ʿmyn.

Correspondencia

00-2.41:4	ʿbd̊[…]ty • ʿmẙ[…]y • šk[…]kll
00-2.60:2	m̊ṯn̊[…] • ʿmy[…] • št[…]

ʿmt—

nº CGR-1224 Ocurrencias: 1

Posibles restituciones: ʿmt, ʿmtd̲l, ʿmtr.

Fragmentos Varios

00-7.81:2	[…]- • […] . ʿmt[…] • […]ẙštn

ʿn—

nº CGR-1225 Ocurrencias: 6

Posibles restituciones: ʿn, ʿnil, ʿnbr, ʿnh, ʿnha, ʿnhb, ʿnhn, ʿny, ʿnyh, ʿnk, ʿnkm, ʿnlbm, ʿnm, ʿnmk, ʿnmky, ʿnn, ʿnnh, ʿnnm, ʿnnn, ʿnq, ʿnqpat, ʿnqpaty, ʿnqpt, ʿnqt, ʿnt, ʿnth, ʿntm, ʿntn.

Administración

00-4.178:12 i[…] • ʿn[…] • hn[…]

00-4.435:3 […]bn . -[…] • […] … bn . ʿn[…] • […] … w . nḥ̊[lh …]

00-4.505:3 ----- • ʿn[…] • ẙml̊[k …]

00-4.529:4 [… b]t . ʿbd̊[…] • [… b]t̊ . ʿ̊n̊[…] • …

Correspondencia

00-2.3:13 kst . l[…]-[…] • w . hw . uẙ . ʿn[…] • l ytn . w rgm[…]

Mítica

00-1.171:7 ʿlyt . ̊dk/w[…] • rps . lʿn̊[…] • yt . lḥk[…]

ʿn-—

nº CGR-1226 Ocurrencias: 1

Posibles restituciones: ʿn, ʿnil, ʿnbr, ʿnh, ʿnha, ʿnhb, ʿnhn, ʿny, ʿnyh, ʿnk, ʿnkm, ʿnlbm, ʿnm, ʿnmk, ʿnmky, ʿnn, ʿnnh, ʿnnm, ʿnnn, ʿnq, ʿnqpat, ʿnqpaty, ʿnqpt, ʿnqt, ʿnt, ʿnth, ʿntm, ʿntn.

Administración

00-4.393:19 nt[…] • ʿn-[…] • ḫn[…]

ʿn--—

nº CGR-1227 Ocurrencias: 2

Posibles restituciones: ʿn, ʿnil, ʿnbr, ʿnh, ʿnha, ʿnhb, ʿnhn, ʿny, ʿnyh, ʿnk, ʿnkm, ʿnlbm, ʿnm, ʿnmk, ʿnmky, ʿnn, ʿnnh, ʿnnm, ʿnnn, ʿnq, ʿnqpat, ʿnqpaty, ʿnqpt, ʿnqt, ʿnt, ʿnth, ʿntm, ʿntn.

Administración

00-4.64:V:15 [bn .]-ḏprḏ … […] • [bn .]ʿn̊/t̊--[…] • …

00-4.635:60 bn . pdrn̊[…] • bn . ʿn--[…] • nḥlḥ̊[…]

ʿs—

nº CGR-1228 Ocurrencias: 1

Posibles restituciones: ʿsb, ʿsl, ʿsn, ʿsr, ʿsty.

Mítica

00-1.4:IV:34 rǵb . rǵbt . w t̊ǵ̊t[…] • hm . ǵmu . ǵmit . w ʿs̊[…] • lḥm . hm . štym . lḥ[m]

ʿp—

nº CGR-1229 Ocurrencias: 1

Posibles restituciones: ʿp, ʿpmm, ʿps, ʿpsm, ʿpsn, ʿpʿph, ʿpṣpn, ʿpr, ʿprm, ʿprt, ʿpt, ʿpṯb, ʿpṯn, ʿpṯrm.

Mítica

00-1.167:8 […]m . ʿnh[…] • […]yšu . ʿp[…] • […]hm . ih[…]

ʿṣ—

nº CGR-1230 Ocurrencias: 3

Posibles restituciones: ʿṣ, ʿṣh, ʿṣy, ʿṣk, ʿṣm, ʿṣp, ʿṣr, ʿṣrm, ʿṣrmm.

Correspondencia

00-2.5:2 l ri[š …] • ypt . ʿṣ[…] • p(R:-) šlm . -[…]

Fragmentos Varios

00-7.52:6 […]-rrsn[…] • […]l̊ir . b ʿṣ/l̊[…] • […]-k̊/r̊l̊ . gd̊[…]

00-7.126:2 […]- . […] • […]- ʿṣ[…] • […]d . […]

ʿr—

nº CGR-1231 Ocurrencias: 7

Posibles restituciones: ʿr, ʿrb, ʿrbm, ʿrbn, ʿrbnm, ʿrbt, ʿrgz, ʿrgzy, ʿrgzm, ʿrd, ʿrhm, ʿrwt, ʿrḫ, ʿrẓ, ʿrym, ʿryt, ʿrk, ʿrkm, ʿrkt, ʿrm, ʿrmy, ʿrmn, ʿrmt, ʿrs, ʿrʿr, ʿrʿrm, ʿrp, ʿrpm, ʿrpt, ʿrptk, ʿrq, ʿrr, ʿrš, ʿršh, ʿršm.

Administración

00-4.435:5 […] … w . nḫ̊[lh …] • […]1 … bn . ʿ̊r[…] • […]1 … bn . ṯ-[…]

00-4.436:5 […] … bn . nʿmy[n …] • […]- … bn . ʿr[…] • […]-tmn … bn . ʿ[…]

00-4.629:21 ṯl̊[…] • ʿ̊r[…] • …

00-4.686:20 lb̊[nm/n …] • ʿ̊r[…] • b̊/ṣ̊[…]

Épica

00-1.16:V:1 … • ʿ̊r̊[…] • ʿ̊r̊[…]

00-1.16:V:2 ʿ̊r̊[…] • ʿ̊r̊[…] • ʿr . d̊/b̊[…]

Fragmentos Varios

00-7.83:1 ----- • […]- . ʿr[…] • …

ʿr--

nº CGR-1232 Ocurrencias: 1

Posibles restituciones: ʿr, ʿrb, ʿrbm, ʿrbn, ʿrbt, ʿrgz, ʿrd, ʿrhm, ʿrwt, ʿrḫ, ʿrẓ, ʿrym, ʿryt, ʿrk, ʿrkm, ʿrkt, ʿrm, ʿrmy, ʿrmn, ʿrmt, ʿrs, ʿrʿr, ʿrp, ʿrpm, ʿrpt, ʿrq, ʿrr, ʿrš, ʿršh, ʿršm.

Administración

00-4.610:25 […] … 12 … ḫlby … 3 • […]-n̊ … 10 … ʿ̊r-- … 10 • [ḫl]b krd … 14 … ʿn̊tn [- + …]2

ʿš—

nº CGR-1233 Ocurrencias: 4

Posibles restituciones: ʿšdm, ʿšy, ʿšq, ʿšr, ʿšrid, ʿšrh, ʿšrm, ʿšrt, ʿšt, ʿšty.

Administración

00-4.65:9 bn . sḫr . mr[…] • bn . idrn . ˤš[…] • bn . bly . mr[…]

00-4.241:2 alp̊[…] • ˤš[…] • b . […]

00-4.241:4 ----- • ˤš[…] • …

00-4.769:18 […] … […]bn uby . ˤšrm • […]a/n . br ˤš[… ˤ]šrt dd̊y . bn . ud̲r [--] . ˤšrt • […]p̊y . ˤšr[b̊n̊ rny ˤšr̊[t/m]

ˤšr—

nº CGR-1234 Ocurrencias: 17

Posibles restituciones: ˤšr, ˤšrid, ˤšrh, ˤšrm, ˤšrt.

Administración

00-4.23:11 t̲mn̊[…] • ˤšr[…] • -----

00-4.34:5 l̊[…]ẘ nṣp w t̲lt̲ spm w ˤšrm l-m • l k̊/ẘlt ḫ̊ndrt̲ arˤ (arbˤ) s̊pm w ˤšr[…] • l̊ -t̲ ḫndrt̲m t̲t̲ spm w t̲lt̲m l-m

00-4.34:7 l̊ -t̲ ḫndrt̲m t̲t̲ spm w t̲lt̲m l-m • l t̲/ˤmy ar[b]ˤ̊ spm w t̲lt̲ ˤ̊šr[…] • l -nd̲--[…]m̊ t̲lt̲ spm

00-4.80:10 swn . qrtẙ[…] • uḫh . w . ˤšr̊[…] • klyn . apsnẙ[…]

00-4.152:2 ar[bˤ …] • ˤšr[…] • udt š[ˤrt …]

00-4.247:12 š[…]g ḥt[…] • ˤšr̊[…]k̊/r̊ḥ-b[…]- • ˤšr̊[…]-

00-4.247:13 ˤšr̊[…]k̊/r̊ḥ-b[…]- • ˤšr̊[…]- • alp[…]r

00-4.317:9 iḫnh[…] • b . ˤšr̊[…] • -----

00-4.323:1 • [… ˤ]šr̊[…] • - ḫrṣ̊[…]

00-4.479:3 […]-r[…] • [… ˤ]š̊r̊(?)[…] • …

00-4.558:5 ----- • ˤšr[…] • ḫmš[…]

00-4.618:25 [… g]t gwl … aḥd • [… gt i]pt̲l … ˤšr̊[…] • […]ulm … aḥ̊d̊

00-4.632:9 ----- • ˤšr[…] • ˤl[.]r̊ṣ̊[…]

00-4.632:14 ----- • [ˤ]šr[…] • [ˤ]l ˤg-[…]

00-4.769:4 […] . bn . […] • […] . ˤšr[…] • […]b/d/l . bn . [---]

Correspondencia

00-2.69:1 • […] ˤšr[…] • […] . mlk̊[…]

Ritual

10-1.104:5 t̲lt̲m[…] • ˤš̊r[…] • -----

ˤt--—

nº CGR-1235 Ocurrencias: 1

Posibles restituciones: ˤt, ˤtar, ˤtgrm, ˤtk, ˤtkm, ˤtkt, ˤtn, ˤtq, ˤtrb.

Administración

00-4.64:V:15 [bn .]-d̲prd̲ … […] • [bn .]ˤn̊/t̊--[…] • …

ʿṯ—

nº CGR-1236 Ocurrencias: 2

Posibles restituciones: ʿṯb, ʿṯlṯ, ʿṯqbm, ʿṯqbt, ʿṯr, ʿṯrb, ʿṯrm, ʿṯrt, ʿṯty, ʿṯtpl, ʿṯtpr, ʿṯtr, ʿṯtrab, ʿṯtrum, ʿṯtry, ʿṯtrn, ʿṯtrt, ʿṯtrth.

Fragmentos Varios

00-7.185:2 […]-št . rp̊(?)-[…] • […]-kb . ʿṯ̊[…] • […]-r . ṣl[…]

Ritual

00-1.81:3 l . p[…] • l . ʿṯ[…] • l . mš[…]

ʿṯ-

nº CGR-1237 Ocurrencias: 1

Posibles restituciones: ʿṯb, ʿṯr.

Hipiatría

00-1.85:24 w . k . y[…] • pr . ʿṯ[… a]ḥ̊d̊[h …] • tmṯl . gr̊[…]ʿ̊l . ṯmrg .

ʿṯr—

nº CGR-1238 Ocurrencias: 1

Posibles restituciones: ʿṯr, ʿṯrb, ʿṯrm, ʿṯrt.

Administración

00-4.31:5 ----- • b ḫmṯ ʿṯr[…] • -----

ʿṯt—

nº CGR-1239 Ocurrencias: 3

Posibles restituciones: ʿṯty, ʿṯtpl, ʿṯtpr, ʿṯtr, ʿṯtrab, ʿṯtrum, ʿṯtry, ʿṯtrn, ʿṯtrt, ʿṯtrth.

Administración

00-4.86:6 dnn . bn . yṣr[…] • s̊/g̊ln . bn . ʿṯt[. …] • pdy . bn . nr[…]

00-4.252:3 r-[…] • ʿṯt[…] • ar[…]

Correspondencia

00-2.23:3 mlk . rb . bʿly . u . • ʿ[ṯ]t[…]mlakt . ʿbdh • […]l̊ . bʿlk . k . yḫpn

ʿṯtr—

nº CGR-1240 Ocurrencias: 6

Posibles restituciones: ʿṯtr, ʿṯtrab, ʿṯtrum, ʿṯtry, ʿṯtrn, ʿṯtrt, ʿṯtrth.

Administración

00-4.188:19 ----- • ṯṯ (R:-) l . md . ʿṯtr̊[…] • l . qḥ . ḫpnt

00-4.216:10 kdm . l . ḫty . […] • kdm . l . ʿṯtr[…] • kd . l . mdrǵl[m …]

00-4.391:7 ṯrm . w[. rʿh] • [ʿ]ṯtr̊[…] . w . [rʿh] • h̊-[…] . ẘ . r̊[ʿh]

00-4.427:17 ar-[…] • ʿṯtr̊[…] • bn . p[…]

Ritual

00-1.142:2 d̊bḥt . byy . bn̊ • s̊ry . l ʿṯtr̊(?)[…] • d . b qbr

00-1.159:4 […]l̊m . nl-[…] • […]- . ʿṯtr[…] • […]h̊t[…]

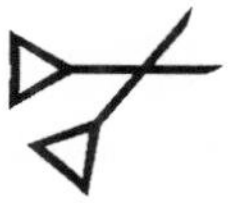

ǵ-b----—

nº CGR-1241 Ocurrencias: 1

Posibles restituciones: ǵlb, ǵnbm, ǵnbn, ǵṣb, ǵrbtym.

Administración

00-4.748:12 pdḏn b ab̊(?)r̊(?)t[…] • n- . ǵ-b----[…] • -----

ǵb—

nº CGR-1242 Ocurrencias: 2

Posibles restituciones: ǵb, ǵby, ǵbl, ǵbny, ǵbr, ǵbt.

Fragmentos Varios

00-7.88:2 […]-y • […]ẙ . ǵb̊[…] • […]ṯ̊rm̊[…]

Mítica

00-1.12:II:39 b mtnm . yšḫn . -[…] • qrnh . km . ǵb[…] • hw . km . ḥrr . /-[…]

ǵl—

nº CGR-1243 Ocurrencias: 1

Posibles restituciones: ǵl, ǵlb, ǵldn, ǵlh, ǵlhm, ǵlwš, ǵly, ǵlyn, ǵlyth, ǵlkz, ǵll, ǵllm, ǵlm, ǵlmh, ǵlmy, ǵlmk, ǵlmm, ǵlmn, ǵlmt, ǵlmtm, ǵlp, ǵlph, ǵlpṯr, ǵlṣ, ǵlt, ǵltm, ǵltn.

Fragmentos Varios

00-7.47:9 […]ytšp[…] • […]l̊ ǵl[…] • …

ǵm—

nº CGR-1244 Ocurrencias: 1

Posibles restituciones: ǵmit, ǵmu, ǵmnz, ǵmr, ǵmrm, ǵmšd, ǵmt.

Administración

00-4.126:34 ǵ-[…] • ǵm̊[…] •

ǵp—

nº CGR-1245 Ocurrencias: 1

Posibles restituciones: ǵprt.

Administración

00-4.244:7 ʿbdmlk . krm . aḫ[d …] • krm . ubdy . bd . ǵp̊/k̊[…] • krm . pyn . arty[…]

ǵr—

nº CGR-1246 Ocurrencias: 2

Posibles restituciones: ǵr, ǵrbtym, ǵrgn, ǵrh, ǵry, ǵrk, ǵrm, ǵrmn, ǵrn, ǵrpd, ǵrpl, ǵrplt, ǵrt.

Administración

00-4.123:12 [ṯ]ṯ ksp . kdẘ/r̊ […] • [ʿ]šr ksp . ʿl ǵ̊(?)r̊[…] • -dš̊(?)q krsnm[…]

Ritual

00-1.48:16 aḥt . l . mzy . bn -[…] • aḥt . l . mkt . ǵr[…] • aḥt . l . ʿṯtrt š̊[…]

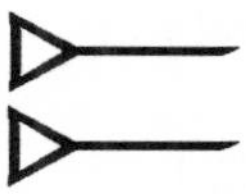

p--h

nº CGR-1247 Ocurrencias: 1

Posibles restituciones: pith, plkh, pnwh, pnnh, pnth, pʿnh.

Ritual

10-1.77:3 ẙbrkn b[ʿl] • ybrk bʿl p[--h] • b mšk ḫtm . l[--(-)]

pa-t

nº CGR-1248 Ocurrencias: 1

Posibles restituciones: palt, pamt.

Ritual

10-1.106:16 škbm̊h . wšr yšr • š̊r p̊a[-]t̊ . lpn • ml̊k̊ . ptḥ yd . mlk

pi—

nº CGR-1249 Ocurrencias: 1

Posibles restituciones: pid, pil, piln, pipdm, pit, pith, pity.

Ritual

10-1.48:7 n[…]m • […] . pi[…]ẙqš • ṯ[…]pš . šnʿ̊[…]

pi-—

nº CGR-1250 Ocurrencias: 1

Posibles restituciones: pid, pil, piln, pipdm, pit, pith, pity.

Ritual

00-1.48:7 n[…]k̊m • […] … . pi-[…]ḫ/ẙqš • ṯ[…]pš . šnʿ̊[…]

pb—

nº CGR-1251 Ocurrencias: 4

Posibles restituciones: pb, pbyn, pbl, pblnk, pbn, pbṯr.

Administración

00-4.93:I:17 b̊n̊ . ǵrgn . ... 2 • bn . pb[...] ... 2 • bn . yl[...]

00-4.334:6 bn . ṯy[...] • bn . pb[...] • gyn[...]

Fragmentos Varios

00-7.53:9 bš[...] • pb̊/d̊[...] • [...]t̊-[...]

Ritual

00-1.104:2 iršt[...] • d ilm . pb̊/d̊[...] • -----

pg-—

nº CGR-1252 Ocurrencias: 2

Posibles restituciones: pgam, pgi, pgy, pglu, pgm, pgn, pgr, pgrm, pgš.

Administración

00-4.192:3 yṣu . ḫlpn[...] • ṯlṯ . dt . pg̊-[...] • dt . ṯgmi . [...]

Fragmentos Varios

00-7.189:3 ----- • [...]- . p̊g̊-[...] • ...

pd—

nº CGR-1253 Ocurrencias: 6

Posibles restituciones: pd, pdu, pddm, pdḏn, pdy, pdym, pdyn, pdk, pdm, pdn, pdǵb, pdǵy, pdr, pdry, pdrm, pdrn, pdṯn.

Administración

00-4.101:7 [...]bn . annḏy . b̊[. ...] • [...]bn . pd̊[...] • ...

00-4.245:I:9 bn . yšm̊ʿ • bn . pd[...] • ttn

Épica

00-1.16:V:46 b p . š[...] • il . pd[...] • ʿrm . [...]

Fragmentos Varios

00-7.53:9 bš[...] • pb̊/d̊[...] • [...]t̊-[...]

Ritual

00-1.28:3 [... g]dlt[...] • [...] . p̊l̊/ů/d̊[...] • ...

00-1.104:2 iršt[...] • d ilm . pb̊/d̊[...] • -----

pd-—

nº CGR-1254 Ocurrencias: 1

Posibles restituciones: pd, pdu, pddm, pdḏn, pdy, pdym, pdyn, pdk, pdm, pdn, pdǵb, pdǵy, pdr, pdry, pdrm, pdrn, pdṯn.

Administración

00-4.2:3 bn . -[...] • p̊d-[...] • bn . ʿ-[...]

pdr—

nº CGR-1255 Ocurrencias: 2

Posibles restituciones: pdr, pdry, pdrm, pdrn.

Correspondencia

00-2.1:4 hlny . -[…] • w . pdr[…] • tmǵyn[…]

Ritual

00-1.134:8 […]l . bˁl ḫ̊[lb …] • […]l pdr̊[…] • […]š … […]

pḏ—

nº CGR-1256 Ocurrencias: 1

Posibles restituciones: pḏh.

Administración

00-4.116:21 bdlm … […] • bn . pḏ[…] • bn . kṯ[…]

pw—

nº CGR-1257 Ocurrencias: 1

Posibles restituciones: pwn, pwt.

Mítica

00-1.5:IV:26 tˁddn[…] • niṣ . p̊k̊/r̊/ẘ[…] • …

pḫ-—

nº CGR-1258 Ocurrencias: 1

Posibles restituciones: pḫd, pḫyrh, pḫn, pḫr, pḫrk.

Épica

00-1.16:V:30 nˁm . r̊ṯ[…] . ẙq̊rṣ • dt . b pḫ-[…]-mḫt • […]q̊-[…]-tnn

py-

nº CGR-1259 Ocurrencias: 1

Posibles restituciones: py, pyn.

Administración

00-4.382:32 bt . […]b[…]-sy[…]n̊h • ann[…] . b[n] . py-[. d .]yṯb . b . gt . aǵld • šgn . bn[.]bbt[…]- . d . yṯb . b . ilštmˁ

pk—

nº CGR-1260 Ocurrencias: 3

Posibles restituciones: pk, pkdy, pky, pkly.

Administración

00-4.760:9 bn . ˁbd̊[…] • bn . pk[…] • slyn . […]

Correspondencia

00-2.75:8 ----- • ḥd . hlny . pk/r/p[…] • bnš . bin[…]

Mítica

00-1.5:IV:26 tʿddn[…] • niṣ . p̊k̊/r̊/ẘ[…] • …

pl—

nº CGR-1261 Ocurrencias: 5

Posibles restituciones: pl, plg, pld, pldm, plwn, plz, plzn, plḫṯṯ, plṭ, ply, plk, plkh, pll, plm, pln, pls, plsy, plš, plšbʿl, plǵn, plṣbʿl, plšn, plṯt.

Administración

00-4.114:14 ʿd[…] • pl[…] • gr[…]

00-4.513:1 … • pl[…] • an̊[…]

Mítica

00-1.73:4 imt . nqt p[…] • l plḫṯṯ . pl̊/ṣ[…] • mr lbṯ . t-[…]

00-1.82:24 […]-qp . bn . ḥtt . bn ḥtt[…]--[…] • […]p . km . dlt . tlk . km . pl̊[…] • […]r̊(?)bt . tḥbṭ . km . ṣq . ṣb-[…]

Ritual

00-1.28:3 [… g]dlt[…] • […] . p̊l̊/ů/d̊[…] • …

pm—

nº CGR-1262 Ocurrencias: 1

Posibles restituciones: pm, pmn.

Correspondencia

00-2.23:30 -[…]- • pm̊[…]tm • bʿl̊[…]-

pn—

nº CGR-1263 Ocurrencias: 2

Posibles restituciones: pn, pni, pnil, pndd̠n, pndyn, pndn, pndr, pnh, pnwh, pnḥṯ, pnḫ, pny, pnk, pnm, pnmn, pnnh, pnt, pnth, pnṯ, pnṯbl.

Fragmentos Varios

00-7.130:1 … • […]r̊ . pn[…] • […]d̠i . u[…]

00-7.184:3 ----- • l pn[…] • -----

pn-—

nº CGR-1264 Ocurrencias: 1

Posibles restituciones: pn, pni, pnil, pndd̠n, pndyn, pndn, pndr, pnh, pnwh, pnḥṯ, pnḫ, pny, pnk, pnm, pnmn, pnnh, pnt, pnth, pnṯ, pnṯbl.

Administración

00-4.340:9 ṣṣ … bn … gyn … […] • ṣṣ … [bn] … pn--[…] • ṣṣ … b̊n̊ … --n[…]

pp—

nº CGR-1265 Ocurrencias: 1

Posibles restituciones: ppn, pprn, ppšr, ppšrt, ppṯ.

Correspondencia

00-2.75:8 ----- • ḥd . hlny . pk/r/p[…] • bnš . bin[…]

pṣ—

nº CGR-1266 Ocurrencias: 1

Posibles restituciones: pṣn.

Mítica

00-1.73:4 imt . nqt p[…] • l plḫṯṯ . pl̊/ṣ[…] • mr lbṯ . t-[…]

pr—

nº CGR-1267 Ocurrencias: 10

Posibles restituciones: pr, pri, prbḫṯ, prgl, prgn, prd, prdm, prdmn, prdny, prwsdy, prz, prḥḏrt, prḫ, prḫn, prṭl, prẓ, prẓm, pry, prkl, prln, prm, prmn, prn, prs, prsg, prsm, prsn, prst, prš, prʿ, prʿm, prʿt, prǵṯ, prpr, prṣ, prṣm, prqdš, prqt, prša, prt, prtn, prtṯr, prṯ.

Administración

00-4.218:4 ṯṯ . ʿšr[…] • kgr . pr̊[…] • ḫmš . ʿš[r …]

00-4.323:8 ṯm[…] • p̊r̊[…] • …

00-4.434:5 […] … bn . kk̊/r̊[…] • […] … bn . pr̊[…] • […] … bn . br̊[…]

Correspondencia

00-2.17:14 ky . m-[…] • w pr[…] • tšt il[…]

00-2.75:8 ----- • ḥd . hlny . pk/r/p[…] • bnš . bin[…]

00-2.75:16 kbd . kl̊[…] • ʿmn . pr[…] • ḥd . ml[…]

Mítica

00-1.5:IV:26 tʿddn[…] • niṣ . p̊k̊/r̊/ẘ[…] • …

00-1.166:18 ? ? m̊lk̊[…] • ? p̊r[…] • ? n[…]

Ritual

00-1.49:9 w b ṯlṯ . ṣ[in …] • l ll . pr[…] • mit šʿ[rt …]

Vocabularios

00-9.5:33 ma-a-[al-ku?] • pu-ru-[…] • ka-bi/pí

pr-—

nº CGR-1268 Ocurrencias: 2

Posibles restituciones: pr, pri, prbḫṯ, prgl, prgn, prd, prdm, prdmn, prdny, prwsdy, prz, prḥḏrt, prḫ, prḫn, prṭl, prẓ, prẓm, pry, prkl, prln, prm, prmn, prn, prs, prsg, prsm, prsn, prst, prš, prʿ, prʿm, prʿt, prǵṯ, prpr, prṣ, prṣm, prqdš, prqt, prša, prt, prtn, prtṯr, prṯ.

Administración

00-4.227:II:8 l ʿbd̊[…] • l pr-[…] • l ʿdr̊[…]

00-4.382:29 ilmlk . [bn] . ktt[. d .]ẙṯb . b . šbn • bn . pr-[…] . d . yṯ̊[b .]b . šlmy • tlš . w[.]nḥlh . […]- . ṯgd . mrum

prs-—

nº CGR-1269 Ocurrencias: 1

Posibles restituciones: prs, prsg, prsm, prsn, prst.

Mítica

10-1.22:I:15 ym . lm . qd-[…] • šmn . prs-[…] • ydr . hm . y-[…]

prʿ-

nº CGR-1270 Ocurrencias: 1

Posibles restituciones: prʿ, prʿm, prʿt.

Ritual

11-1.124:9 bbt . b̊ʿ̊l . bnt . qḥ̊[-] • wšt . bbt . wprʿ[-] • hy . ḫlh . w ymǵ [--]

prš—

nº CGR-1271 Ocurrencias: 1

Posibles restituciones: prša.

Mítica

00-1.73:15 […]pr . ʿẓ[…] • […]- w prš[…] • […]špḥ-[…]

pš—

nº CGR-1272 Ocurrencias: 2

Posibles restituciones: pšy, pškir, pškpr, pšʿ.

Administración

00-4.441:4 bn̊ . -[…] • bn . pš[…] • bn . nz[…]

Ritual

00-1.57:4 […]qdš[…] • [… k]šu . pš̊[…] • […]- . k̊s̊/z̊(?)a[…]

pt—

nº CGR-1273 Ocurrencias: 3

Posibles restituciones: pt, pth, ptḫ, ptḫy, ptḫm, ptm, ptmy, ptn, ptr.

Administración

10-4.195:12 ----- • ṯṯ . p̊t̊[…] • ṯn p̊t̊[…]

Correspondencia

00-5.11:14 dblt tn tyt • pt̊[…]lṯ l pkdy • n̊[…]- tn ly

Mítica

00-1.83:12 pl . tbʿn . s̥̊(?)s̥̊(?)t̊(?) • hmlt ḫt . p̊(?)t̊(?)[…] • l tp[…]

pṯ—

nº CGR-1274 Ocurrencias: 2

Posibles restituciones: pṯ, pṯm, pṯmn, pṯpṯ, pṯrty, pṯt, pṯtm.

Administración

00-4.334:8 gyn[…] • bn . pṯ[…] • bn . db̊[…]

Mítica

00-1.94:31 […]-k . w šn-[…] • […]rǵrm . l pṯ[…] • […]l šḏ̊(?)r . ṣ(?)g-[…]

ṣb—

nº CGR-1275 Ocurrencias: 2

Posibles restituciones: ṣbʾ, ṣba, ṣbi, ṣbịa, ṣbim, ṣbu, ṣbuh, ṣbuk, ṣbṭ, ṣbk, ṣbr, ṣbrm, ṣbrt.

Administración

00-4.773:4 ʿzn[…] • ṣb/d[…] •

Fragmentos Varios

00-7.149:5 […]m-[…] • […]ẙ . ṣb̊[…] • […]- . bʿ[…]

ṣb-—

nº CGR-1276 Ocurrencias: 1

Posibles restituciones: ṣbʾ, ṣba, ṣbi, ṣbia, ṣbim, ṣbu, ṣbuh, ṣbuk, ṣbṭ, ṣbk, ṣbr, ṣbrm, ṣbrt.

Mítica

00-1.82:25 […]p . km . dlt . tlk . km . pl̊[…] • […]r̊(?)bt . tḫbṭ . km . ṣq . ṣb-[…] •
[…]h̊/i̊kl . b kl . l pgm . pgm . l . b̊(?)[…]

ṣg-—

nº CGR-1277 Ocurrencias: 1

Posibles restituciones: ṣg, ṣgk.

Mítica

00-1.94:32 […]rǵrm . l pṯ[…] • […]l šd̲̊(?)r . ṣ(?)g-[…] • […]ẘ t-bk . w --[…]

ṣd—

nº CGR-1278 Ocurrencias: 3

Posibles restituciones: ṣd, ṣdynm, ṣdk, ṣdkn, ṣdmn, ṣdǵn, ṣdq, ṣdqil, ṣdqh, ṣdqy, ṣdqm, ṣdqn, ṣdqšlm.

Administración

00-4.262:2 [… ʿ]l̊ . --[…] • […]ršp . ṣd̊[…] • -----

00-4.773:4 ʿzn[…] • ṣb/d[…] •

Épica

00-1.18:I:27 […]n̊/åby . å/n̊dt . ank̊[…] • […]l̊(?)t̊ . lk . tlk . b ṣd̊[…] • […]m̊t . išryt[…]

ṣd-—

nº CGR-1279 Ocurrencias: 1

Posibles restituciones: ṣd, ṣdynm, ṣdk, ṣdkn, ṣdmn, ṣdǵn, ṣdq, ṣdqil, ṣdqh, ṣdqy, ṣdqm, ṣdqn, ṣdqšlm.

Administración

00-4.30:8 ----- • […]m . bn ṣd-[…] • […]ṯmn . mi̊[t …]

ṣdq—

nº CGR-1280 Ocurrencias: 2

Posibles restituciones: ṣdq, ṣdqil, ṣdqh, ṣdqy, ṣdqm, ṣdqn, ṣdqšlm.

Administración

00-4.340:17 ṣṣ … bn … n[…] • [ṣ]ṣ … bn … ṣdq̊[… ṯl]ṯm • ṣ[ṣ] … bn … npršn̊ … ḫmšm

00-4.754:2 k̊ṯ[…] • ṣdq̊[…] • atl[…]

ṣḥ—

nº CGR-1281 Ocurrencias: 1

Posibles restituciones: ṣḥ, ṣḥdm, ṣḥn, ṣḥq, ṣḥr, ṣḥrn, ṣḥrrm, ṣḥrrt, ṣḥrt, ṣḥt, ṣḥtkm.

Mítica

00-1.129:1 … • […]pš . ṣḥ[…] • […]m̊ . ybky . -[…]

ṣl—

nº CGR-1282 Ocurrencias: 2

Posibles restituciones: ṣlbʿl, ṣly, ṣlyh, ṣlkn, ṣlm, ṣlmm, ṣlʿt, ṣlpn, ṣlt, ṣltkm.

Administración

00-4.635:54 bn . ḏrm̊[…] • bn . ṣl[…]m̊[…] • bn . ḫdẙ [b]d . […]

Fragmentos Varios

00-7.185:3 […]-kb . ʿṯ̊[…] • […]-r . ṣl[…] • […]-mʿ . l-[…]

ṣm—

nº CGR-1283 Ocurrencias: 2

Posibles restituciones: ṣm, ṣmd, ṣmdm, ṣmḫ, ṣmy, ṣml, ṣmṣ, ṣmq, ṣmqm, ṣmrt, ṣmt.

Administración

00-4.65:14 iḫny . […] • bn . ṣ̊/b̊m̊(?)[…] •

00-4.413:6 [bn] . ǵrg̊[n …] • [bn] . b̊/ṣ̊m̊[…] • …

ṣ'—

nº CGR-1284 Ocurrencias: 1

Posibles restituciones: ṣ', ṣ'ṣ, ṣ'q, ṣ'ṯ.

Administración

00-4.685:3 š[...] • ṣ'[...] • ṣ'q[...]

ṣp—

nº CGR-1285 Ocurrencias: 1

Posibles restituciones: ṣp, ṣpiry, ṣpy, ṣpym, ṣpyt, ṣpn, ṣpnhm, ṣp'n, ṣpr, ṣprn.

Fragmentos Varios

00-7.66:2 [...]--[...] • [...]l ṣp̊[...] • [...]--[...]

ṣp-—

nº CGR-1286 Ocurrencias: 1

Posibles restituciones: ṣp, ṣpiry, ṣpy, ṣpym, ṣpyt, ṣpn, ṣpnhm, ṣp'n, ṣpr, ṣprn.

Ritual

00-1.48:11 b'lh . št[...]rt • ḫqr̊ . b̊/ṣ̊p̊-[...]lrb • ṯl̊[ṯ ...]--

ṣq-

nº CGR-1287 Ocurrencias: 1

Posibles restituciones: ṣq, ṣql, ṣqm, ṣqn.

Hipiatría

00-1.97:2 ----- • k yiḫd . akl . ṣq̊[...] • w . št . mkšr . g̊[rn ...]

ṣr—

nº CGR-1288 Ocurrencias: 2

Posibles restituciones: ṣr, ṣrṯn, ṣry, ṣrym, ṣrm, ṣrp, ṣrptn, ṣrry, ṣrrt, ṣrt, ṣrtk, ṣrṯ.

Administración

00-4.102:11 ----- • ṯt . aṯtm . w . pǵt . aḫt . b . bt . ṣ̊(?)r[...] • -----

Mítica

00-1.171:19 bǵlmk . [...] • adr . ṣr[...] • ilm . ḫrn[...]

ṣtr—

nº CGR-1289 Ocurrencias: 1

Posibles restituciones: ṣtry.

Mítica

00-1.1:IV:1 ... • [...]m . ṣ̊/ẙt̊/p̊r̊[...] • gm . ṣḥ . l q[...]

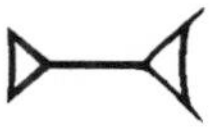

qb—

nº CGR-1290 Ocurrencias: 1

Posibles restituciones: qbat, qbitm, qbd, qbṭ, qbẓ, qby, qblbl, qbᶜt, qbṣ, qbṣt, qbr, qbt.

Ritual

00-1.81:12 ----- • [l . i]lt . qb[…] • -----

qd—

nº CGR-1291 Ocurrencias: 1

Posibles restituciones: qd, qdḥm, qdm, qdmh, qdmym, qdmn, qdmt, qdnt, qdpt, qdqd, qdqdh, qdqdy, qdqdk, qdqdr, qdr, qdš, qdšh, qdšm, qdšt, qdt.

Administración

00-4.32:3 […]ḫḥyi[…] • […]k̊yt bn qd[…] • -----

qd-—

nº CGR-1292 Ocurrencias: 1

Posibles restituciones: qd, qdḥm, qdm, qdmh, qdmym, qdmn, qdmt, qdnt, qdpt, qdqd, qdqdh, qdqdy, qdqdk, qdqdr, qdr, qdš, qdšh, qdšm, qdšt, qdt.

Mítica

10-1.22:I:14 šmᶜ . atm[…] • ym . lm . qd-[…] • šmn . prs-[…]

qdn-—

nº CGR-1293 Ocurrencias: 1

Posibles restituciones: qdnt.

Correspondencia

00-2.7:7 bᶜl[…]k […] • w tšt qdn-[…] • hm

qr—

nº CGR-1294 Ocurrencias: 2

Posibles restituciones: qr, qra, qran, qrat, qrit, qritm, qru, qrb, qrbh, qrbm, qrd, qrdy, qrdm, qrdmn, qrht, qrwn, qrzbl, qrḥ, q̇rṭy, qrṭym, qrẓ, qryy, qrym, qryt, qryth, qrytm, qrn, qrnh, qrnm, qrnt, qrsam, qrsi, qrṣ, qrq, qrr, qrrn, qrš, qrt, qrth, qrty, qrtym, qrtm, qrtmt, qrtn.

Administración

00-4.686:6 art̊[...] • qr[...] • ṯlḥ[ny ...]

Correspondencia

00-2.49:11 [...]šmʿt . ḥwt[...] • [...] . nzdt . qr[...] • [...]dt . nzdt . m[...]

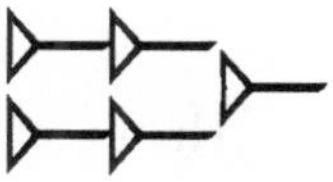

r---d

nº CGR-1295 Ocurrencias: 1

Posibles restituciones: riʿbd, rmtrd.

Correspondencia

00-2.46:22 […]-n . k̊--- • […]-n . r---d • ẘ[. …]tn . m----

ri--

nº CGR-1296 Ocurrencias: 1

Posibles restituciones: ri, rib, riby, ridn, rimt, riš, rišh, rišy, rišk, rišn, rišt.

Ritual

00-1.41:36 ů[g]r̊t̊ . š . l . i̊[l]ib . ǵ[… rt] • ẘ [ʿṣrm .]l . ri--[ṯlṯm . pamt] • ẘ [b]t̊ . bʿlt . bt[m . rmm . w ʿly]

rb—

nº CGR-1297 Ocurrencias: 5

Posibles restituciones: rb, rbil, rbb, rbbt, rbd, rbm, rbʿ, rbʿt, rbṣ, rbt, rbtm.

Administración

00-4.721:9 […]- . ḫ̊mš .mat̊m̊ . […]m . ṯlṯt . w . ṯlṯt . kbd . ksp . d . lqḥ[…] • […]-------- . mi[t …]- ʿšr . kbd . kkr . šʿrt . l rb̊[…] • -----

10-4.760:2 t̊n̊g̊ǵ • aḫrš rb̊[…] • bn . ḫḏpr[…]

Correspondencia

00-2.23:14 b . ʿ/š̊[…] • rb[…] • w . an[…]b̊(?)

00-2.25:7 šbʿt . w . nṣp . ksp • ḫ̊tm . rb[… a]ḥ̊d • […]---[…]t . b[…]

Mítica

00-1.9:3 yg-[…] • rb[…] • š̊r[…]

rbt—

nº CGR-1298 Ocurrencias: 1

Posibles restituciones: rbt, rbtm.

Fragmentos Varios

00-7.34:2 […]n̊m̊[…] • […]rbt[…] • […]d̊m̊[…]

rḥ—

nº CGR-1299 Ocurrencias: 1

Posibles restituciones: rḥ, rḥb, rḥbn, rḥbt, rḥd, rḥk, rḥm, rḥmy, rḥmt, rḥṣ, rḥṣnn, rḥq, rḥqm, rḥtm.

Administración

00-4.739:4 ẙyn̊[…] • bn . rḥ̊[…] • […]h --

rḥ-—

nº CGR-1300 Ocurrencias: 1

Posibles restituciones: rḥ, rḥb, rḥbn, rḥbt, rḥd, rḥk, rḥm, rḥmy, rḥmt, rḥṣ, rḥṣnn, rḥq, rḥqm, rḥtm.

Mítica

00-1.5:IV:3 w l ṯlb . […] • mit . rḥ-[…] • tṯlb . a-[…]

rḥ--—

nº CGR-1301 Ocurrencias: 1

Posibles restituciones: rḥ, rḥb, rḥbn, rḥbt, rḥd, rḥk, rḥm, rḥmy, rḥmt, rḥṣ, rḥṣnn, rḥq, rḥqm, rḥtm.

Mítica

00-1.86:19 -n . a--k̊-[…] • -mn-- . rḥ--[…] • n--[…]d . --[…]

rḫ-—

nº CGR-1302 Ocurrencias: 1

Posibles restituciones: rḫ, rḫh, rḫy, rḫnn, rḫnnt, rḫntt, rḫpt.

Ritual

00-1.81:14 ----- • [l .]rḫ-[…] • -----

rp—

nº CGR-1303 Ocurrencias: 1

Posibles restituciones: rp, rpʾ, rpʾm, rpa, rpaan, rpan, rpi, rpiy, rpiyn, rpil, rpim, rpu, rpum, rpk, rps, rpš, rpty.

Fragmentos Varios

00-7.67:2 ḥyp-[…] • rp[…] • yr-[…]

rp-—

nº CGR-1304 Ocurrencias: 1

Posibles restituciones: rp, rpʾ, rpʾm, rpa, rpaan, rpan, rpi, rpiy, rpiyn, rpil, rpim, rpu, rpum, rpk, rps, rpš, rpty.

Fragmentos Varios

00-7.185:1 … • […]-št . rp̊(?)-[…] • […]-kb . ʿt̊[…]

rṣ—

nº CGR-1305 Ocurrencias: 1

Posibles restituciones: rṣmm, rṣn.

Administración

00-4.632:10 ʿšr[…] • ʿl[.]r̊ṣ̊[…] • w . ni[t …]

rq—

nº CGR-1306 Ocurrencias: 1

Posibles restituciones: rq, rqd, rqdy, rqdym, rqḥ, rqḫ, rqm, rqn, rqšl.

Mítica

00-1.151:7 dt-[…]n --- ks̊(?)t̊(?) • rq[…]w[…]ḫ̊g . […]m̊ • štmn̊[…]sp . […]ʿd̊(?)-m.

rq-

nº CGR-1307 Ocurrencias: 1

Posibles restituciones: rq, rqd, rqḥ, rqḫ, rqm, rqn.

Épica

00-1.19:II:38 åbšrkm . dn̊i̊l̊ . m̊d̊/b̊h-- • riš . r̊q̊-t̊/ʿ̊ḥ̊t̊- ʿ̊n̊t̊ ẙq̊l̊(?) . l . tš̊(?)ʿ̊(?)-- . hwt . [š]ṣ̊at k rḥ . npšhm • k it̲l . brlt k̊(?)m̊(?)[. qṭr . b aph]

rt—

nº CGR-1308 Ocurrencias: 1

Posibles restituciones: rt, rtn, rtqt.

Mítica

00-1.8:II:14 gl̲t . isr̊[…] • m . b r̊t[…] • ymtn̊[…]

rt---

nº CGR-1309 Ocurrencias: 1

Posibles restituciones: rt, rtn, rtqt.

Administración

00-4.374:14 š̊g̊r̊ . bn . dll • r̊t(?)--- . w . • r(w) sǵrh

rtq—

nº CGR-1310 Ocurrencias: 1

Posibles restituciones: rtqt.

Mítica

00-1.4:VII:33 […] g̊́r̊m̊[.]t̊(?)ḫ̊[šn] • rtq[…] • qdm . (?)ym . bmt . å̊r(?)[ṣ]

rṯ—

nº CGR-1311 Ocurrencias: 1

Posibles restituciones: rṯ, rṯa, rṯdt, rṯn, rṯt.

Épica

00-1.16:V:29 zbln . r-[…] . ymlu • nʿm . r̊ṯ[…] . ẙq̊rṣ • dt . b pḫ-[…]-mḫt

š--y

nº CGR-1312 Ocurrencias: 1

Posibles restituciones: šbny, šgty, škny, šlmy, šmgy, šmḫy, šmny, šmʿy, šʿly, špšy, špty, šṣny, šṣty, šrny, šršy, ššqy, štgy.

Administración

00-4.7:19 šd . bn . yty . l . mg-- • šd . bn . pṯmn . l . š--y • šd . bn . išyy . l . tṯmd

š--r

nº CGR-1313 Ocurrencias: 1

Posibles restituciones: šbʿr, šmšr, šmtr.

Administración

00-4.412:II:9 qdšm̊ • bn̊[.]š̊--r̊(?) • [bn .]b̊ʿ̊l̊[…]-

š-yn

nº CGR-1314 Ocurrencias: 1

Posibles restituciones: šbyn, šdyn, šḫyn, šmyn, šryn.

Administración

00-4.86:33 -ʿ̊(?)-n . št̊/p̊[…] • š̊/ḏ̊-ẙn . […] • -n̊(?)n[…]

ši—

nº CGR-1315 Ocurrencias: 2

Posibles restituciones: ši, šib, šibt, šiy, šil, šilt, šim, šink, šinm, šir, širh, širm.

Administración

00-4.325:5 […]mdy . ḫt[…] • [… b]n . ši[…] • -----

Mítica

00-1.8:II:16 ymtn̊[…] • ši̊[…] • t[…]

ši-—

nº CGR-1316 Ocurrencias: 1

Posibles restituciones: ši, šib, šibt, šiy, šil, šilt, šim, šink, šinm, šir, širh, širm.

Administración

00-4.721:13 […]m -----[…] . mat . ḫmš . ṯnt . mitm . mitm • […]---ši-[…] lbšm . ʿrpm . • […]-m̊(?)[…]kkr . šʿrt . mṣrt

šb—

nº CGR-1317 Ocurrencias: 2

Posibles restituciones: šb, šbḫ, šbyn, šbl, šblt, šbm, šbn, šbny, šbnt, šbʿ, šbʿid, šbʿd, šbʿdm, šbʿl, šbʿm, šbʿr, šbʿt, šbrh, šbrm, šbšlt, šbšt, šbt, šbth, šbtk.

Administración

00-4.318:8 [b]n . smy[y] • […]-t . šb/d̊[…] • […]-[…]

Fragmentos Varios

00-7.58:3 […]-ʿt . yd̊[…] • […]m . šb[…] • …

šb-—

nº CGR-1318 Ocurrencias: 1

Posibles restituciones: šb, šbḫ, šbyn, šbl, šblt, šbm, šbn, šbny, šbnt, šbʿ, šbʿid, šbʿd, šbʿdm, šbʿl, šbʿm, šbʿr, šbʿt, šbrh, šbrm, šbšlt, šbšt, šbt, šbth, šbtk.

Administración

00-4.201:4 ṯn kkr ʿl . --ṯ . m̊[at k]b̊d . p[…] • alp̊[… w] mat . kbd š̊b-[…]-- kbd . ẓ[…] • ----

šb--d

nº CGR-1319 Ocurrencias: 1

Posibles restituciones: šbʿid.

Ritual

00-1.132:6 gd̊l̊t ḫ̊b̊td . š • šb--d̊ . gdlt • (HURRITA) . gdlt

šbʿ—

nº CGR-1320 Ocurrencias: 5

Posibles restituciones: šbʿ, šbʿid, šbʿd, šbʿdm, šbʿl, šbʿm, šbʿr, šbʿt.

Administración

00-4.219:14 [… yrḫ .]ḥlt . šbʿ . […]- . mlk[…] • [… yrḫ .]gn . šbʿ[…]--[…] • [… yrḫ .]iṯb . šb[ʿ …]

00-4.747:3 […]n̊ . k̊s̊mm . -[…] • […]- lṯḥ . šbʿ̊[…] • […]- . dd . pil̊[…]

00-4.764:10 (Raspado: ʿš[r] …) • šbʿ[…] • tgmr̊[…]

Épica

00-1.16:II:32 l bl . sk . ẘ […]-h • ybmh̊ . šbʿ[…] • ǵzr . ilḫu . tk̊(?)b̊(?)-[…]l

Mítica

00-1.114:24 w ʿṯtrt . tṣd̊n̊ . […] • q̊(?)l̊(?)[.]š̊bʿ[…] • …

šd—

nº CGR-1321 Ocurrencias: 13

Posibles restituciones: šd, šdh, šdy, šdyn, šdk, šdkm, šdm, šdmt, šdmth, šdʿ, šdt.

Administración

00-4.240:5 […]- . šd . qhm . bn . bhl . ṯ̊[…] • […]k̊bd . ksp . š̊d̊[…] • […]š . šm̊[…]

00-4.318:8 [b]n . smy[y] • [‘…]-t . šb/d̊[…] • […]-[…]

00-4.403:6 š̊[d …] • šd[…] • šd[…]

00-4.403:7 šd[…] • šd[…] • šd . -[…]

00-4.423:9 ----- • šd̊[…] • bd̊[…]

00-4.423:11 ----- • šd̊[…] • bd . […]

00-4.424:6 […]kr̊m[.]b̊ . š̊(?)b̊(?)n . l . bn . -kn • šd̊[…]q̊n • šd̊[…]-ṣm . ṣ (l) . dqn

00-4.424:7 šd̊[…]q̊n • šd̊[…]-ṣm . ṣ (l) . dqn • š̊[d …]b̊d . pdy

00-4.544:2 b̊d̊[…] • šd̊[…] • šd̊[.]b̊[n . …]

00-4.638:3 […]ypl ṭ … […] • […]- . l . gm̊npk … šd̊[…] • […] . l . bn . ydln … šd̊[…]

00-4.638:4 […]- . l . gm̊npk … šd̊[…] • […] . l . bn . ydln … šd̊[…] • […]n̊ . l . blkn … šd̊[…]

00-4.638:5 […] . l . bn . ydln … šd̊[…] • […]n̊ . l . blkn … šd̊[…] • […]r̊ . l . bn . k̊t̊r̊ẙ … š[d …]

00-4.641:3 […]-[…]- … mr-[…] • […]--l … šd[…] • […]--- … ---[…]

šḥ—

nº CGR-1322 Ocurrencias: 2

Posibles restituciones: šḥb, šḥlmmt, šḥlt, šḥq, šḥr, šḥt.

Administración

00-4.93:IV:25 bn . illm … […] • bn . šḥ̊[…] • bn . ṣ[…]

Ritual

00-1.155:3 k ymm -[…] • ym šḥ̊/ṭ̊[…] •

šṭ—

nº CGR-1323 Ocurrencias: 1

Posibles restituciones: šṭpm.

Ritual

00-1.155:3 k ymm -[…] • ym šḥ̊/ṭ̊[…] •

šk—

nº CGR-1324 Ocurrencias: 2

Posibles restituciones: šk, škb, škbḏ, škllt, škm, škn, škny, šknm, šknt, škr, škrn, škt.

Correspondencia

00-2.41:5 ʿmẙ[…]y • šk[…]kll • šk[…]ẙ(?)[…]hm

00-2.41:6 šk[…]kll • šk[…]ẙ(?)[…]hm • w . kb̊-[…]

šl—

nº CGR-1325 Ocurrencias: 4

Posibles restituciones: šl, šlbšn, šlḥ, šlḥm, šlḥmt, šlḥn, šlḫt, šly, šlyṭ, šlm, šlmḫt, šlmy, šlmym, šlmyn, šlmk, šlmm, šlmn, šlmt, šlmtn, šlš, šlšt, šlt.

Administración

00-4.26:1 … • […] . šṣ/l̊[…] • -----

00-4.244:19 ary . ʿšr . arbʿ . kbd . […] • […]yy . ṯṯ . krmm . šl[…] • […]- ʿšrm . krm . […]

00-4.686:10 qm[…] • šl[…] • ap̊[…]

Correspondencia

00-2.78:11 mǵy . […] • wšl[…] • n̊n̊ . -[…]

šl-y—

nº CGR-1326 Ocurrencias: 1

Posibles restituciones: šlmy, šlmym, šlmyn.

Administración

00-4.308:10 qmnz … […] • šl-ḫ̊/ẙ[…] • ar[…] 3

šlḥ—

nº CGR-1327 Ocurrencias: 1

Posibles restituciones: šlḥ, šlḥm, šlḥmt, šlḥn.

Correspondencia

00-2.82:7 […]r/k/t . bʿly[.]n̊ʿm[.]h̊t • […]špš . bʿly . šlḥ[…] • [… šp]š . mlk . rb . bʿly[…]

šmg-—

nº CGR-1328 Ocurrencias: 1

Posibles restituciones: šmgy.

Administración

00-4.610:14 šʿrt … 24 … ndb[…] • ubrʿy … (ACADIO) 51 … šmg-[…]- • ilštmʿ … (ACADIO) 52 … šmn … […]-

šn—

nº CGR-1329 Ocurrencias: 2

Posibles restituciones: šn, šna, šni, šnu, šndrb, šnh, šnwt, šny, šnl, šnm, šnst, šnʿt, šnpt, šnq, šnt, šnth, šntk, šntkt, šntm.

Administración

00-4.580:2 ----- • […]- . l . šn̊[…] • -----

Correspondencia

00-2.8:5 […]at . brt . lbk . ʿnn . […] • […]ṣdq . k ttn . ly . šn[…] • […]bn . rgm . w ydʿ[…]

šn-—

nº CGR-1330 Ocurrencias: 2

Posibles restituciones: šn, šna, šni, šnu, šndrb, šnh, šnwt, šny, šnl, šnm, šnst, šnʿt, šnpt, šnq, šnt, šnth, šntk, šntkt, šntm.

Mítica

00-1.5:IV:1 … • ʿ̊ . šn̊-[…] • w l ṭlb . […]

00-1.94:30 […]-ẓk . w at̊ṯ[…] • […]-k . w šn-[…] • […]rǵrm . l pṯ[…]

šnʿ—

nº CGR-1331 Ocurrencias: 1

Posibles restituciones: šnʿt.

Ritual

00-1.48:8 […] … . pi-[…]ḫ/ẙqš • ṯ[…]pš . šnʿ̊[…] • ṯr . b iš[…]n̊

šʿ—

nº CGR-1332 Ocurrencias: 1

Posibles restituciones: šʿg, šʿd, šʿly, šʿlyt, šʿr, šʿrm, šʿrt, šʿrty, šʿt, šʿtq, šʿtqt.

Mítica

00-1.152:1 … • […]- šʿ[…] • -----

šʿ-—

nº CGR-1333 Ocurrencias: 1

Posibles restituciones: šʿg, šʿd, šʿly, šʿlyt, šʿr, šʿrm, šʿrt, šʿrty, šʿt, šʿtq, šʿtqt.

Ritual

00-1.126:4 […]ršp . gd̊[lt …] • […]by . b šʿ-[…] • […]- . ršp . a[lp …]

šp—

nº CGR-1334 Ocurrencias: 3

Posibles restituciones: špḫ, špk, špl, špm, špq, špqǵhm, špr, špš, špšy, špšyn, špšm, špšmlk, špšn, špt, špti, špth, špthm, špty, šptk.

Administración

00-4.86:32 ʿṯt̊r̊n . qbṭ[…] • -ʿ̊(?)-n . š̊t/p̊[…] • š̊/ḏ̊-ẙn . […]

00-4.762:6 […]rt[…]r • kry […]- bn šp̊[…] • ṯmr[…]

Mítica

00-1.23:2 i̥qra . ilm . nʿ̊[mm …] • w ysmm . bn . šp̊[…] • ytnm . qrt . l ʿlẙ[…]

šṣ—

nº CGR-1335 Ocurrencias: 1

Posibles restituciones: šṣa, šṣat, šṣu, šṣny, šṣq, šṣty.

Administración

00-4.26:1 … • […] . šṣ/l̊[…] • -----

šr—

nº CGR-1336 Ocurrencias: 2

Posibles restituciones: šr, šrb, šrgk, šrd, šrh, šrḥq, šry, šryn, šrk, šrm, šrn, šrna, šrny, šrnn, šrʿ, šrʿm, šrǵzz, šrp, šrpm, šrqt, šrr, šrš, šršy, šršk, šršn, šršʿm, šrt, šrtm.

Administración

00-4.567:2 [ṣ]q̊n̊[…] • šr[…] • gn[…]

Mítica

00-1.9:4 rb[…] • š̊r[…] • […]ʿl -[…]

šr-—

nº CGR-1337 Ocurrencias: 1

Posibles restituciones: šr, šrb, šrgk, šrd, šrh, šrḥq, šry, šryn, šrk, šrm, šrn, šrna, šrny, šrnn, šrʿ, šrʿm, šrǵzz, šrp, šrpm, šrqt, šrr, šrš, šršy, šršk, šršn, šršʿm, šrt, šrtm.

Fragmentos Varios

00-7.53:3 w ḥwgn̊[…] • hr . šr-[…] • ḥtk . ṯry[l …]

šš—

nº CGR-1338 Ocurrencias: 1

Posibles restituciones: šš, ššw, ššy, šškrgy, ššl, ššlmt, ššmḫt, ššmlt, ššmn, ššqy, ššr, ššrt.

Administración

00-4.283:3 […]- • […] . šš̊[…]r̊ • [k]d . ykn . bn . ʿbdṯrm

šš--

nº CGR-1339 Ocurrencias: 1

Posibles restituciones: šš, ššw, ššy, ššl, ššmn, ššqy, ššr, ššrt.

Ritual

13-1.103:3 ----- • gm šš̊[-- . rǵ]b̊n ykn b ḥwt • -----

št—

nº CGR-1340 Ocurrencias: 6

Posibles restituciones: št, štgy, šty, štym, štk, štm, štmn, štn, štnt, štnth, štntn, štˁ, štr, štt.

Administración

00-4.86:32 ˁṯtr̊n . qbṭ[...] • -ˁ̊(?)-n . št̊/p̊[...] • š̊/d̊-ẙn . [...]

Correspondencia

10-2.7:7 bq̊̊- l[--]-̊-̊k̊ • wtšt qdnt . št̊[...] • hm

00-2.60:3 ˁmy[...] • št[...] • by . [...]

Épica

00-1.19:IV:59 d yqn̊y . ḏdm . yd̊ . mḫṣt . aq̊[h]t̊ . ǵ • zr . tmḫṣ . alpm . ib̊ . št[...]št̊ • ḥ̊ršm . l ahlm . p[...]km

Mítica

00-1.2:IV:37 bˁlm . hmt . [...] • l šrr . št̊[...] • b rišh . [...]

Ritual

00-1.48:10 ṯr . b iš[...]n̊ • bˁlh . št[...]rt • ḫqr̊ . b̊/ṣ̊p̊-[...]lrb

št-—

nº CGR-1341 Ocurrencias: 1

Posibles restituciones: št, štgy, šty, štym, štk, štm, štmn, štn, štnt, štnth, štntn, štˁ, štr, štt.

Mítica

00-1.6:V:27 w . ẙ(?)ˁ̊(?)l . aẖ̊[...] • št̊̊(?)--[...] • bl̊[...]

𐎚

t--g

nº CGR-1342 Ocurrencias: 1

Posibles restituciones: tˁlg, tplg.

Correspondencia

00-2.58:5 […]ẙ gt • […]-ǵ . t--g • […] . […]

t-d

nº CGR-1343 Ocurrencias: 1

Posibles restituciones: tud, tbd, tzd, tld, tǵd, tṣd, tqd, trd.

Administración

00-4.196:2 ----- • […]-[…]-------l̊m-kt-d̊ • -----

t-t

nº CGR-1344 Ocurrencias: 1

Posibles restituciones: tit, tbt, tḥt, tḫt, tyt, tkt, tmt, tnt, tǵt, tšt.

Vocabularios

00-9.5:10 --aš-tum • ti---tum • da-an-[t]um

t-t—

nº CGR-1345 Ocurrencias: 1

Posibles restituciones: tit, tity, tiṯm, tiṯmn, tbt, tbtḫ, tbṯb, tgtn, tdtt, twtḥ, tḥt, tḥth, tḥtyt, tḥtk, tḥtn, tḫt, tḫtan, tḫtṣb, tyt, tkt, tmt, tmtḫṣ, tmtḫṣh, tmtḫṣn, tmtm, tmtn, tmtˁ, tmtt, tmṯb, tnt, tnty, tntkn, tntqln, tˁtbr, tˁtd, tˁtq, tˁtqn, tǵt, tptḥ, tptq, tptr, tptrˁ, tqtnṣn, trtḥṣ, trtn, trtqṣ, tšt, tšth, tšthwy, tšty, tštyn, tštk, tštn, tštnn, tštql, tštr, tštšḥ, tṯtmnm, tṯtn.

Mítica

00-1.7:39 lim ḫ-[…] • il̊m̊(?) . t-t̊[…] • mˁ̊ . mt[…]

ta—

nº CGR-1346 Ocurrencias: 1

Posibles restituciones: ta, tadm, tan, tant, tasp, tasrn, tapq, tar, taršn.

Correspondencia

00-2.2:8 by . šnt . mlit . t̊[…] • ymǵyk . bnm . ta[…] • b̊nm . w bnt . ytnk̊[…]

ti—

nº CGR-1347 Ocurrencias: 2

Posibles restituciones: tium, tig, tiggn, tidm, tiḫd, tiyn, tikl, tikln, tinṯt, tisp, tispk, tirkm, tišr, tišrm, tit, tity, titṯm, titṯmn.

Mítica

00-1.92:12 aylt tǵpy ṯr . ṯ̊r[…] • bqr . mrḥh . ti[…] • šb̊rh bm ymn . t-[…]

00-1.162:2 […]np . mru • […]mrrt . alp . ti[…] • […]b . dkr . wtasp . naṯt

tu—

nº CGR-1348 Ocurrencias: 1

Posibles restituciones: tu, tubd, tud, tuzn, tuḫd, tunt, tusp, tuṣl.

Épica

00-1.16:II:3 b[…] • tb̊/d̊/ů[…] • w […]

tb—

nº CGR-1349 Ocurrencias: 3

Posibles restituciones: tba, tbi, tbu, tbun, tbbr, tbd, tbdn, tbd̲r, tbḥ, tbṭ, tby, tbk, tbky, tbkyk, tbkynh, tbkn, tblk, tbn, tbnn, tbʿ, tbʿln, tbʿn, tbʿrn, tbʿt, tbṣʿ, tbṣr, tbṣrn, tbq, tbqʿnn, tbqrn, tbrk, tbrkk, tbrkn, tbrknn, tbšn, tbšr, tbt, tbtḫ, tbṯb, tḅṯḫ, tbṯr.

Administración

00-4.763:3 ḥyn̊ … 2 • t̊b[…] … 3 • il̊[…] … 2

Épica

00-1.16:II:3 b[…] • tb̊/d̊/ů[…] • w […]

Inscripciones

00-6.54:2 k . w -[…] • l w tb̊/d̊[…] •

tb-

nº CGR-1350 Ocurrencias: 2

Posibles restituciones: tba, tbi, tbu, tbd, tbḥ, tbṭ, tby, tbk, tbn, tbʿ, tbq, tbt.

Administración

10-4.31:1 • ʿbdrš . b t[b- …] • -----

10-4.31:10 ypḫ knʿm[…] • ʾḫmn b tb̊[- …] • -----

tb-—

nº CGR-1351 Ocurrencias: 2

Posibles restituciones: tba, tbi, tbu, tbun, tbbr, tbd, tbdn, tbḏr, tbḥ, tbṭ, tby, tbk, tbky, tbkyk, tbkynh, tbkn, tblk, tbn, tbnn, tbʿ, tbʿln, tbʿn, tbʿrn, tbʿt, tbṣʿ, tbṣr, tbṣrn, tbq, tbqʿnn, tbqrn, tbrk, tbrkk, tbrkn, tbrknn, tbšn, tbšr, tbt, tbtḫ, tbṯb, tbṯḫ, tbṯr.

Administración

10-4.31:3 ----- • pbn . b tb-[…] • -----

Fragmentos Varios

00-7.19:5 […]-rtm[…] • […]w tb-[…] • […]r̊[…]

tg—

nº CGR-1352 Ocurrencias: 1

Posibles restituciones: tg, tgbry, tgḏn, tgh, tghb, tgwln, tgḫṭk, tgym, tgyn, tgl, tglṭ, tgly, tglq, tglṯ, tgmr, tgn, tgʿrm, tggln, tgpḫ, tgr, tgrgr, tgrm, tgrš, tgršp, tgtn.

Administración

00-4.393:21 ḫn[…] • tg[…] • b-[…]

tg-

nº CGR-1353 Ocurrencias: 1

Posibles restituciones: tg, tgh, tgl, tgn, tgr.

Administración

10-4.195:16 ----- • ṯt . tg[-] l mtm •

tg-—

nº CGR-1354 Ocurrencias: 1

Posibles restituciones: tg, tgbry, tgḏn, tgh, tghb, tgwln, tgḫṭk, tgym, tgyn, tgl, tglṭ, tgly, tglq, tglṯ, tgmr, tgn, tgʿrm, tggln, tgpḫ, tgr, tgrgr, tgrm, tgrš, tgršp, tgtn.

Correspondencia

00-2.81:3 […]m . hln̊y .̊[…] • […]t . bd . ymz . tg/m-[…] • […]- . tḥmk . hdy . r[…]

tgy-—

nº CGR-1355 Ocurrencias: 1

Posibles restituciones: tgym, tgyn.

Fragmentos Varios

00-7.218:5 ʿnm[…] • t/h/pgẙ-[…] • h/il̊[…]

td—

nº CGR-1356 Ocurrencias: 3

Posibles restituciones: td, tdu, tdbḥ, tdbḫn, tdbr, tdglym, tdgr, tdd, tddn, tdḥl, tdḥṣ, tdy, tdyn, tdk, tdkn, tdlln, tdln, tdlnn, tdm, tdmm, tdmmt, tdmn, tdmʿ, tdn, tdʿ, tdʿṣ, tdġl, tdġlm, tdr, tdry, tdrk, tdrʿ, tdrq, tdtt.

Épica

00-1.16:II:3 b[…] • tb̊/d̊/ů[…] • w […]

Inscripciones

00-6.54:2 k . w -[…] • l w tb̊/d̊[…] •

Mítica

00-1.4:VI:10 ḥln . b q[rb . h]k̊lm • al td̊[… pdr]ẙ . bt ar • -h̊/i̊ṯ̊/ḥ[… ṯl]ẙ . bt . rb

td--

nº CGR-1357 Ocurrencias: 1

Posibles restituciones: td, tdu, tdbḫ, tdbr, tdgr, tdd, tddn, tdḥl, tdḥṣ, tdy, tdyn, tdk, tdkn, tdln, tdm, tdmm, tdmn, tdmʿ, tdn, tdʿ, tdʿṣ, tdǵl, tdr, tdry, tdrk, tdrʿ, tdrq, tdtt.

Administración

10-4.195:10 ----- • [-]n . ptḥm . b . bt . td̊-̊?-̊? • -----

tḥ—

nº CGR-1358 Ocurrencias: 1

Posibles restituciones: tḥ, tḥbṭ, tḥbq, tḥgrn, tḥdy, tḥdṯn, tḥwy, tḥyt, tḥm, tḥmhy, tḥmk, tḥspn, tḥrr, tḥrṯ, tḥt, tḥth, tḥtyt, tḥtk, tḥtn.

Ritual

00-1.140:13 bh ẙ[…] • tḥ̊[…] • -[…]

11-1.140:13 bh -̊[…] • tḥ/ṭ[…] • -----

tḥt-—

nº CGR-1359 Ocurrencias: 1

Posibles restituciones: tḥt, tḥth, tḥtyt, tḥtk, tḥtn.

Correspondencia

00-2.78:3 ṯm . […] • tḥt-[…] • -----

tṭ—

nº CGR-1360 Ocurrencias: 1

Posibles restituciones: tṭ, tṭbḫ, tṭḥnn, tṭṭ, tṭṯn, tṭlb, tṭly.

Ritual

11-1.140:13 bh -̊[…] • tḥ/ṭ[…] • -----

tẓ—

nº CGR-1361 Ocurrencias: 1

Posibles restituciones: tẓpn.

Mítica

00-1.82:41 [… p]ḫrk . ygršk . qr . btk . ygršk • […] . bnt . ṣʿṣ . bnt . mʿmʿ . ʿbd . ḥrn . tq̊/ẓ̊[…]k • […]- . aǵwyn . ʿnk . ẓẓ . w kmd̲ . ilm

tk—

nº CGR-1362 Ocurrencias: 4

Posibles restituciones: tk, tkb, tkbd, tkbdh, tkbdnh, tkwn, tky, tkyn, tkyǵ, tkl, tkly, tkm, tkmn, tkms, tkn, tknm, tknn, tks, tksynn, tkpgʿ, tkrb, tkšd, tkt.

Administración

00-4.227:III:3 1 p[…] • 1 t̊r/k̊/p̊[…] • …

00-4.748:16 ḫd̲m̊d̲̊r[…] • tk[…] • -[…]

Mítica

00-1.2:II:3 k-[…] • tk[…] • s̊ip -[…]

Ritual

00-1.140:8 k tld a[…] • ʿd̲rt tk[…] • k tld -[…]

tk-—

nº CGR-1363 Ocurrencias: 1

Posibles restituciones: tk, tkb, tkbd, tkbdh, tkbdnh, tkwn, tky, tkyn, tkyǵ, tkl, tkly, tkm, tkmn, tkms, tkn, tknm, tknn, tks, tksynn, tkpgʿ, tkrb, tkšd, tkt.

Ritual

11-1.140:8 ktld a[t̲t …] • ʿd̲rt tk-̊[…] • -----

tl—

nº CGR-1364 Ocurrencias: 1

Posibles restituciones: tl, tlak, tlakn, tliym, tliyt, tlik, tlikn, tlu, tluan, tlunn, tlb, tlby, tlbn, tlbr, tlbš, tlgn, tld, tldm, tldn, tlḥk, tlḥm, tlḥmn, tly, tlyn, tlk, tlkm, tlkn, tlm, tlmi, tlmu, tlmdm, tlmyn, tlmš, tlsmn, tlʿ, tlʿm, tlqḫ, tlqq, tlš, tlšn, tlṯ.

Administración

00-4.329:4 b . r[…] • tl[…] • -[…]

tl-y

nº CGR-1365 Ocurrencias: 1

Posibles restituciones: tlby.

Administración

00-4.739:10 ----- • tl-y • yyn

tl-k

nº CGR-1366 Ocurrencias: 1

Posibles restituciones: tlak, tlik, tlḥk.

Épica

00-1.16:III:11 bm . nr̊t . ksmm • ʿl . tl-k . ʿṭrṭr̊t • nšu . r̊iš . ḥr̊ṯm̊

tld—

nº CGR-1367 Ocurrencias: 3

Posibles restituciones: tld, tldm, tldn.

Mítica

00-1.10:III:1 ... • [...]-m̊(?) arḫt . tld̊[...] • ål̊p̊ . l btlt . ʿnt

00-1.10:III:20 arḫ . arḫ . [...] • ibr . tld̊[...] • w rum . l[...]

Ritual

00-1.140:3 ḥw[t ...] • k tld̊[...] • yʿzz ʿl̊[...]

tly—

nº CGR-1368 Ocurrencias: 1

Posibles restituciones: tly, tlyn.

Administración

00-4.4:7 w blḫ drm ẘ[...] • b-m̊l̊ ṯ̊m̊n̊ tly[...] • ḫmšm --qi-b̊/d̊

tm-—

nº CGR-1369 Ocurrencias: 1

Posibles restituciones: tm, tmu, tmgnn, tmdln, tmzʿ, tmḫṣ, tmḫṣh, tmṭr, tmṭrn, tmy, tmyn, tmk, tmkrn, tml, tmll, tmm, tmn, tmnh, tmnn, tmntk, tmsm, tmǵ, tmǵy, tmǵyy, tmǵyn, tmr, tmrym, tmrm, tmrn, tmrnn, tmrtn, tmt, tmtḫṣ, tmtḫṣh, tmtḫṣn, tmtm, tmtn, tmtʿ, tmtt, tmṯṯb, tmṯl.

Correspondencia

00-2.81:3 [...]m . hln̊y .̊[...] • [...]t . bd . ymz . tg/m-[...] • [...]- . tḥmk . hdy . r[...]

tmd—

nº CGR-1370 Ocurrencias: 1

Posibles restituciones: tmdln.

Administración

00-4.84:10 annd̊r[...] • t̊ml̊/ů/d̊[...] • ...

tmr—

nº CGR-1371 Ocurrencias: 1

Posibles restituciones: tmr, tmrym, tmrm, tmrn, tmrnn, tmrtn.

Administración

00-4.651:3 --s[...] • t̊mr[...] • iṯt[...]

tmt—

nº CGR-1372   Ocurrencias: 1

Posibles restituciones: tmt, tmtḫṣ, tmtḫṣh, tmtḫṣn, tmtm, tmtn, tmtʿ, tmtt, tmtṯb.

Ritual

00-1.107:28   […]t . nš . b-[…]m̊t[…] • […]l̊ . tmt[…]å/n̊t̊ṯ[…] • […]š̊ akl̊[…]

11-1.107:53   […]t . nš . b̊-[…]mt[…] • […]ṣ/l . tmt[…]k̊/-̊t̊ṯ[…] • […]š̊/d̠̊ akl̊[…]

tn—

nº CGR-1373   Ocurrencias: 4

Posibles restituciones: tn, tnabn, tnid, tngg, tngṯh, tngṯnh, tnwr, tnḥn, tnḫ, tny, tnlh, tnmy, tnn, tnnm, tnʿr, tnǵṣn, tnqt, tnrr, tnšan, tnšq, tnt, tnty, tntkn, tntqln, tnṯr.

Administración

00-4.80:21   w . ṯṯm . ṣi[n …] • tn[…] • -----

00-4.479:1   … • […]- . t̊n[…] • -----

00-4.496:6   y-[…] • tn̊[…] • -----

Correspondencia

00-5.11:20   b spr • d ttnn w tn[…] • d l b amn[…]

tnm—

nº CGR-1374   Ocurrencias: 1

Posibles restituciones: tnmy.

Fragmentos Varios

00-7.32:10   […]m̊g … […] • […]l̊ . t̊/p̊n̊m̊[…] • […]š̊u . b̊[…]

tnq—

nº CGR-1375   Ocurrencias: 1

Posibles restituciones: tnqt.

Épica

00-1.16:II:26   w qbr . tṣr . q̊[br] • tṣr . trm . tnq̊[…] • km . nkyt . ṯǵr[…]

tʿ—

nº CGR-1376   Ocurrencias: 3

Posibles restituciones: tʿbtnh, tʿgd, tʿdb, tʿdbn, tʿdbnh, tʿddn, tʿdt, tʿḏr, tʿwr, tʿzdlln, tʿzzk, tʿzzlln, tʿzzn, tʿṭpn, tʿl, tʿlg, tʿlgt, tʿln, tʿlt, tʿmt, tʿn, tʿny, tʿnyn, tʿnynn, tʿpn, tʿpp, tʿpr, tʿr, tʿrb, tʿrbm, tʿrbn, tʿrk, tʿrp, tʿrrk, tʿrt, tʿrth, tʿrty, tʿšr, tʿtbr, tʿtd, tʿtq, tʿtqn.

Fragmentos Varios

00-7.171:2   m[…] • tʿ[…] • b̊-[…]

Mítica

00-1.171:12 yhg/mb/ṣ . -[…] • t̊ˁ[…] • g/ḫ/z[…]

Ritual

10-1.103:36 ----- • ˁṣ . hn . (t̊/ḥ̊)[--](ḫ̊/ẙ)aṯr yld bhmth tˁ[…] • -----

tˁ-—

nº CGR-1377 Ocurrencias: 1

Posibles restituciones: tˁbtnh, tˁgd, tˁdb, tˁdbn, tˁdbnh, tˁddn, tˁdt, tˁḏr, tˁwr, tˁzdlln, tˁzzk, tˁzzlln, tˁzzn, tˁṭpn, tˁl, tˁlg, tˁlgt, tˁln, tˁlt, tˁmt, tˁn, tˁny, tˁnyn, tˁnynn, tˁpn, tˁpp, tˁpr, tˁr, tˁrb, tˁrbm, tˁrbn, tˁrk, tˁrp, tˁrrk, tˁrt, tˁrth, tˁrty, tˁšr, tˁtbr, tˁtd, tˁtq, tˁtqn.

Ritual

00-1.103:2 ----- • […]ḫ̊ aṯr yld . b hmth tˁ-[…] • -----

tˁr—

nº CGR-1378 Ocurrencias: 3

Posibles restituciones: tˁr, tˁrb, tˁrbm, tˁrbn, tˁrk, tˁrp, tˁrrk, tˁrt, tˁrth, tˁrty.

Fragmentos Varios

00-7.41:7 ----- • […]tˁr[…] • […]t̊-[…]

Mítica

00-1.12:II:30 i̊dm . adr . h̊[…] • i̊d̊m . ˁrẓ . tˁr̊[…] • ˁn . bˁl . aḫ̊ḏ̊ . […]

Ritual

00-1.56:6 … • tˁr̊[…] • dqt̊[…]

tˁš-—

nº CGR-1379 Ocurrencias: 1

Posibles restituciones: tˁšr.

Correspondencia

00-2.82:14 […]-----l[…] • […]l̊m . t̊ˁš--[…] • […]l . t/kˁ/qšr[…]

tǵ-yn

nº CGR-1380 Ocurrencias: 1

Posibles restituciones: tǵẓyn, tǵṯyn.

Administración

00-4.769:62 […] … bn . st/mḫ . ˁšrm • […] … bn . t/aǵ/t[-]yn . ˁšrm • […] … ḏ̊rn . ˁšrt

tp—

nº CGR-1381 Ocurrencias: 3

Posibles restituciones: tp, tph, tphhm, tphn, tphnh, tpḫ, tpk, tpky, tpl, tplg, tply, tpln, tplnt, tpn, tpnn, tpnr, tpˁ, tpˁr, tpq, tpr, tprš, tpš, tpšlt, tptḫ, tptq, tptr, tptrˁ.

Administración

00-4.227:III:3 1 p[…] • 1 t̊r̊/k̊/p̊[…] • …

Inscripciones

00-6.33:2 k[…] • tp[…] • ẘ[…]

Mítica

00-1.83:13 hmlt ḫt . p̊(?)t̊(?)[…] • l tp[…] • tḥm--[…]

tpš—

nº CGR-1382 Ocurrencias: 1

Posibles restituciones: tpš, tpšlt.

Ritual

13-1.103:23 ----- • […] . tpš̊[…] • …

tq—

nº CGR-1383 Ocurrencias: 2

Posibles restituciones: tqb, tqbrnh, tqd, tqdd, tqdm, tqdš, tqh, tqḥ, tqḫn, tqṯṯ, tqṯṯn, tqyn, tqynh, tql, tqln, tqm, tqn, tqny, tqnt, tqʿt, tqǵ, tqṣ, tqṣrn, tqr, tqru, tqrb, tqry, tqrṣn, tqšr, tqtnṣn.

Inscripciones

00-6.47:1 • […]p̊rln w tq • […]ẘ d lḥm

Mítica

00-1.82:41 [… p]ḫrk . ygršk . qr . btk . ygršk • […] . bnt . ṣʿṣ . bnt . mʿmʿ . ʿbd . ḥrn . tq̊/ẓ̊[…]k • […]- . aǵwyn . ʿnk . ẓẓ . w kmḏ . ilm

tr—

nº CGR-1384 Ocurrencias: 6

Posibles restituciones: tr, tral, tran, trb, trbd, trbyt, trbnn, trbṣt, trgm, trgn, trd, trdn, trh, trhy, trhm, trhn, trzy, trḥ, trḥln, trḥṣ, trḥṣn, trḫ, trḫp, trḫpn, trḫṣ, trḫt, trẓẓh, try, trks, trm, trmm, trmmn, trmmt, trmn, trmt. trn, trʿ, trʿn, trǵ, trǵds, trǵzz, trǵnds, trǵnw, trǵt, trpa, trṣ, trqm, trrm, tršʿ, trtḥṣ, trtn, trtqṣ, trṯ.

Administración

00-4.227:III:3 1 p[…] • 1 t̊r̊/k̊/p̊[…] • …

00-4.593:5 bn . r[…] • bn . tr̊[…] • bn . q[…]

00-4.671:2 -[…] • tr̊[…] • np[…]

Correspondencia

00-2.9:1 ----- • […]km . tr̊[…] • [… n]p̊š . ttn[…]

00-2.31:34 […]i̊/h̊y . lm- b ks̊[…] • […]- . tr[…] . gpn lk • -----

Épica

00-1.16:II:16 tr . ḥt[…] • w msk . tr̊[…] • tqrb . aḫ̊ . […]

trḥ—

nº CGR-1385 Ocurrencias: 1

Posibles restituciones: trḥ, trḥln, trḥṣ, trḥṣn.

Épica

00-1.16:II:12 aḫk […] • trḥ[…] • w tṣḥ̊[…]

trš—

nº CGR-1386 Ocurrencias: 1

Posibles restituciones: trš‘.

Mítica

00-1.5:IV:20 w ṯṯn̊ . ẙ[…] • t‘l . trš̊(?)/ṯ̊(?)[…] • bt . il . li[mm …]

tš—

nº CGR-1387 Ocurrencias: 3

Posibles restituciones: tša, tšal, tšan, tši, tšiḫrhm, tšu, tšun, tšb‘, tšb‘n, tšḥṭa, tšyt, tškḥ, tškn, tšknn, tšknnnn, tškr, tškrǵ, tšlḥ, tšlḥm, tšlm, tšlmk, tšlmkm, tšlmn, tšmḫ, tšm‘, tšm‘m, tšnn, tšnpn, tš‘, tš‘l, tš‘ly, tš‘lynh, tš‘m, tš‘n, tš‘rb, tš‘t, tšpkm, tšpl, tšṣḥq, tšṣqnh, tšṣqnn, tšqy', tšqyn, tšqynh, tšr, tšrgn, tšrpnn, tššy, tššlmn, tššqy, tšt, tšth, tštḥwy, tšty, tštyn, tštk, tštn, tštnn, tštql, tštr, tštšḥ.

Administración

00-4.98:2 […]-ḫ/z[…] • b̊n . tš/ḏ[…] • agmy … […]

Mítica

00-1.7:17 ẘ tqr̊[…] • [‘]d̊ tš[…] • k̊lyn̊[…]

00-1.12:II:15 km . sp̊(?)[…] • tš̊[…] • t-[…]

tš--n

nº CGR-1388 Ocurrencias: 1

Posibles restituciones: tšb‘n, tšlmn, tšqyn, tšrgn, tštyn.

Correspondencia

00-2.31:50 […]-[…]škb . w m[…] mlakt • […]-l . w tš--n . npṣh • […]- rgm . hw . […]-n . w aspt . q̊lh

tš‘—

nº CGR-1389 Ocurrencias: 5

Posibles restituciones: tš‘, tš‘l, tš‘ly, tš‘lynh, tš‘m, tš‘n, tš‘rb, tš‘t.

Administración

00-4.161:10 ḫwt̊[…] • tš‘[…] • tš‘[…]

00-4.161:11 tš‘[…] • tš‘[…] • …

00-4.237:1 ... • [...]z̊ . w . tšʿ̊[...] • -----

00-4.317:14 bd . d-[...] • w . tšʿ̊[...] • d . ay[...]

Ritual

00-1.104:11 ----- • w b tšʿ[...] • ytn š qdš[...]

tšʿ--

nº CGR-1390 Ocurrencias: 1

Posibles restituciones: tšʿ, tšʿl, tšʿly, tšʿm, tšʿn, tšʿt.

Épica

00-1.19:II:38 åbšrkm . dn̊i̊l . m̊d̊/b̊h-- • riš . r̊q̊-t̊/ʿḥ̊̊t- ʿn̊t ẙq̊l̊(?) . l . tš(?)ʿ̊(?)-- . hwt . [š]ṣ̊at k rḥ . npšhm • k iṯl . brlt k̊(?)m̊(?)[. qṭr . b aph]

tt—

nº CGR-1391 Ocurrencias: 2

Posibles restituciones: tt, ttbʿ, ttwrb, ttwrd, ttḫ, ttyn, ttk, ttkn, ttlh, ttly, ttlk, ttlkn, ttn, ttnn, ttǵl, ttǵr, ttpl, ttpp, ttql, ttrp.

Fragmentos Varios

00-7.142:6 mḥ̊(?)[...] • w tt[...] • rt [...]

Mítica

00-1.24:14 l ad̊[...] • dgn tt[...]t̊l̊ • ʿ . l kṯr̊t hl̊l[snn]ẘt

tṯ-—

nº CGR-1392 Ocurrencias: 1

Posibles restituciones: tṯ, tṯar, tṯibṯn, tṯb, tṯbn, tṯbr, tṯbrn, tṯwy, tṯy, tṯyn, tṯkḥ, tṯkl, tṯlṯ, tṯmd, tṯmnm, tṯn, tṯnḫ, tṯnṭ, tṯʿy, tṯʿr, tṯpṭ, tṯrm, tṯtmnm, tṯtn, tṯṯb, tṯṯbn, tṯṯkrn.

Fragmentos Varios

00-7.46:5 [...]-h art[...] • [...]h̊/i̊mr tṯ-[...] • [...]h̊/i̊ ugrt[...]

tṯp—

nº CGR-1393 Ocurrencias: 1

Posibles restituciones: tṯpṭ.

Épica

00-1.19:II:34 mḫlpt . w l . ytk . d̊m̊ʿ̊t[.]k̊ m • rbʿt . ṯqlm . tṯp̊(?)[...]bm • yd . ṣpnhm . tliẙm̊[... ṣ]pnhm[...]

ṯb—

nº CGR-1394 Ocurrencias: 3

Posibles restituciones: ṯb, ṯbil, ṯbg, ṯbh, ṯbṭ, ṯby, ṯbyy, ṯbym, ṯbln, ṯbʿl, ṯbʿm, ṯbʿnq, ṯbǵl, ṯbq, ṯbr, ṯbry, ṯbrn, ṯbt, ṯbth, ṯbtk, ṯbtnq.

Administración

00-4.64:V:5 bn . ummt̊[…] • bn . ṯb[…] • bn . […]r̊/k̊[…]

00-4.609:28 ----- • ḥrš̆ . mrkbt . ʿzn . b̊ʿln . ṯb̊[…]-lnb . trtn • -----

Mítica

00-1.13:19 nʿm . […]ṣlm . trtḥ̊ṣ[…] • btlt . ʿnt̊ . tptr̊ʿ . ṯb[…] • limm . ẘ tʿl . ʿm̊ . il[…]

ṯb-—

nº CGR-1395 Ocurrencias: 1

Posibles restituciones: ṯb, ṯbil, ṯbg, ṯbh, ṯbṭ, ṯby, ṯbyy, ṯbym, ṯbln, ṯbʿl, ṯbʿm, ṯbʿnq, ṯbǵl, ṯbq, ṯbr, ṯbry, ṯbrn, ṯbt, ṯbth, ṯbtk, ṯbtnq.

Administración

00-4.427:12 … • ṯb-[…] • abn̊[…]

ṯbl—

nº CGR-1396 Ocurrencias: 1

Posibles restituciones: ṯbln.

Administración

00-4.450:3 […]š̊lgẙ[n …] • […]ṯ̊b̊l̊[…] • …

ṯbʿ—

nº CGR-1397 Ocurrencias: 1

Posibles restituciones: ṯbʿl, ṯbʿm, ṯbʿnq.

Administración

00-4.763:1 • [ṯ]bʿ[…] … 2 • ḥyn̊ … 2

ṯbr—

nº CGR-1398 Ocurrencias: 1

Posibles restituciones: ṯbr, ṯbry, ṯbrn.

Administración

00-4.761:5 bn mglb̊[…] • bn ṯbr[…] • ånnš[n …]

ṯd-—

nº CGR-1399 Ocurrencias: 1

Posibles restituciones: ṯd, ṯdh, ṯdy, ṯdyn, ṯdmt, ṯdn, ṯdnyn, ṯdpṯn, ṯdr, ṯdṯ, ṯdṯb.

Administración

00-4.239:1 • […] . ʿšr . ṯd-[…] • […]-r . aḫt

ṯdy—

nº CGR-1400 Ocurrencias: 1

Posibles restituciones: ṯdy, ṯdyn.

Administración

00-4.650:3 […]yṯb[…] • […]ṯ̊dy[…] • […]ṯ̊dyn . n̊/å[…]

ṯdn—

nº CGR-1401 Ocurrencias: 1

Posibles restituciones: ṯdn, ṯdnyn.

Fragmentos Varios

00-7.9:3 […]ʿl . y[…] • […]ṯ̊dn[…] • […]-lq […]

ṯy—

nº CGR-1402 Ocurrencias: 1

Posibles restituciones: ṯy, ṯyb, ṯydr, ṯyl, ṯym, ṯyn, ṯynḏr, ṯyny.

Administración

00-4.334:5 bn . iyb̊[ʿl …] • bn . ṯy[…] • bn . pb[…]

ṯk—

nº CGR-1403 Ocurrencias: 3

Posibles restituciones: ṯk, ṯkl, ṯkm, ṯkmm, ṯkmn, ṯkmt, ṯkn, ṯkṣṯ, ṯkt.

Administración

00-4.81:9 ṯkt̊[…] • ṯk̊[…] • …

00-4.333:2 ṯṯm . ṯlṯ . kb[d …] • arbʿm . ṯk̊/r̊[…] • ksph

Mítica

00-1.23:74 w ʿn hm . nǵr mdrʿ […]-ååt • iṯ . yn . d ʿrb . b ṯk[…] • mǵ . hw . lhn . lg . ynh[…]

ṯk-—

nº CGR-1404 Ocurrencias: 1

Posibles restituciones: ṯk, ṯkl, ṯkm, ṯkmm, ṯkmn, ṯkmt, ṯkn, ṯkṣṯ, ṯkt.

Mítica

00-1.3:V:13 sgrt . g- . […]-[…] . h̊[…]-[…] • ʿn . ṯk̊-[…] • ʿln . ṯ[…]

ṯl—

nº CGR-1405 Ocurrencias: 4

Posibles restituciones: ṯl, ṯlb, ṯlbm, ṯlwn, ṯlḫḫ, ṯlḥmy, ṯlḥn, ṯlḥny, ṯlḥnym, ṯlḥnm, ṯlḥnt, ṯlḫh, ṯlḫt, ṯlṭ, ṯlln, ṯllt, ṯlǵḏy, ṯlrbh, ṯlrby, ṯlrn, ṯltḫ, ṯlṯ, ṯlṯid, ṯlṯh, ṯlṯm, ṯlṯt, ṯlṯth, ṯlṯtm.

Administración

00-4.503:II:4 nʿ[…] • ṯl̊[…] • …

00-4.610:38 […] … ṯ[…] • […] … ṯl[…] • […] … ṯm[ry …]

00-4.619:2 […]m . d . b̊[…]-rt-[…] • […]---ṯl̊[…]k̊ . bn . w-[…] • iwr̊d . ṯlr̊[by] -ʿ-[…]

00-4.629:20 s̊[…] • ṯl̊[…] • ʿr̊[…]

ṯl---

nº CGR-1406 Ocurrencias: 1

Posibles restituciones: ṯl, ṯlb, ṯlbm, ṯlwn, ṯlḫḫ, ṯlḥmy, ṯlḥn, ṯlḥny, ṯlḥnm, ṯlḥnt, ṯlḫh, ṯlḫt, ṯlṭ, ṯlln, ṯllt, ṯlǵḏy, ṯlrbh, ṯlrby, ṯlrn, ṯltḫ, ṯlṯ, ṯlṯid, ṯlṯh, ṯlṯm, ṯlṯt, ṯlṯth, ṯlṯtm.

Administración

00-4.308:6 ṯl-ʿ- … 2[+ - …] • ṯl--- … 3[…] • ʿn[m]k[…]

ṯll—

nº CGR-1407 Ocurrencias: 1

Posibles restituciones: ṯlln, ṯllt.

Ritual

00-1.104:29 ḫ-[…] • ṯll̊[…] • -----

ṯm—

nº CGR-1408 Ocurrencias: 5

Posibles restituciones: ṯm, ṯmgdl, ṯmgn, ṯmdl, ṯmy, ṯmyr, ṯmk, ṯmm, ṯmn, ṯmny, ṯmnym, ṯmnm, ṯmnr, ṯmnt, ṯmq, ṯmr, ṯmrg, ṯmry, ṯmrn, ṯmt.

Administración

00-4.323:7 ----- • ṯm[…] • p̊r̊[…]

00-4.397:4 ----- • m̊i[t…]n̊(?)-[…]-[…]ṯ̊m[…] d̊d̊m • k[bd]b̊ . gt [ip]ṯ̊l

00-4.729:6 ḫyrn . w[. …] • šġr . ṯm̊[…] • šġr . ḫḏ̊[…]

Fragmentos Varios

00-7.55:10 […]--dnn[…] • […]ṯm[…] • …

Ritual

10-1.104:26 ẘ[…] • ṯ̊t/m̊[…] • l[…]

ṯm-

nº CGR-1409 Ocurrencias: 1

Posibles restituciones: ṯm, ṯmy, ṯmk, ṯmm, ṯmn, ṯmq, ṯmr, ṯmt.

Administración

00-4.424:3 krm̊[. w] . š̊d̊m[.]ʿ-[…] • b gt ṯm-[.]l -tyn[…] • -----

ṯmg—

nº CGR-1410 Ocurrencias: 1

Posibles restituciones: ṯmgdl, ṯmgn.

Administración

00-4.660:6 […]tb/d[…] • bn . ṯmg[…] • yky . b[n …] …

ṯmd—

nº CGR-1411 Ocurrencias: 1

Posibles restituciones: ṯmdl.

Administración

00-4.621:9 snr … […] • ṯmd̊[…] • ubš … […]

ṯmn—

nº CGR-1412 Ocurrencias: 4

Posibles restituciones: ṯmn, ṯmny, ṯmnym, ṯmnm, ṯmnr, ṯmnt.

Administración

00-4.23:10 ar̊[bʿ …] • ṯmn̊[…] • ʿšr[…]

00-4.31:11 ----- • b ḫmṯ ʿṯr ṯmn[…] • -----

00-4.157:4 ----- • ṯmn̊[…] • -----

00-4.397:9 ṯlṯ̊[…]m . k̊b̊d • ṯmn[…] n[…] b[.]š̊r̊š̊ • -----

ṯmr—

nº CGR-1413 Ocurrencias: 2

Posibles restituciones: ṯmr, ṯmrg, ṯmry, ṯmrn.

Administración

00-4.308:13 qr[t …] l • ṯmr̊[…] • dm[t …]

00-4.762:7 kry […]- bn šp̊[…] • ṯmr[…] • ṯlrby […] b[…]

ṯn—

nº CGR-1414 Ocurrencias: 16

Posibles restituciones: ṯn, ṯnid, ṯnun, ṯndn, ṯnh, ṯnw, ṯny, ṯnyn, ṯnk, ṯnlbm, ṯnm, ṯnn, ṯnnm, ṯnnth, ṯnʿy, ṯnġly, ṯnġlyth, ṯnġrn, ṯnq, ṯnqy, ṯnqym, ṯnšm, ṯnt, ṯnth.

Administración

00-4.3:1 … • […]ṯn[…] • […]d̊ym . ṯn[…]

00-4.3:2 […]ṯn[…] • […]d̊ym . ṯn[…] • […]y . ṯn[…]

00-4.3:3 […]d̊ym . ṯn[…] • […]y . ṯn[…] • […]-- . ṯn[…]

00-4.3:4 […]y . ṯn[…] • […]-- . ṯn[…] • …

00-4.35:I:1 … • […]ṯ̊n[…] • [ag]dṯb . bn[…]

00-4.117:2 ṯn . ḫl̊p̊n̊m̊ . pgam • ṯ̊n̊[…]b̊n . mlk • ṯ[n …]ṣ̊pn

00-4.157:1 … • ṯn̊[…] • w . -[…]

00-4.191:2 -ʿ[…] • ṯn[…] • w[…]-[…]

00-4.248:8 ----- • ṯn[…] • -----

00-4.473:1 … • […]ṯ̊n̊[…] • -----

00-4.480:1 … • […]b̊y . ṯn[…] • […]

00-4.629:18 n̊/å/t[…] • ṯn̊[…] • š̊[…]

Correspondencia

00-2.49:13 […]dt . nzdt . m[…] • […]w . ap . b ṯn[…] • […]bʿly . y[…]

Fragmentos Varios

00-7.85:3 […]ṣ̊ḫ̊[…] • […]n . ṯn[…] • […]m̊lk . […]

Ritual

00-1.89:8 […] . yqdm . […] • […]ṯ̊n̊[…] • …

00-1.107:24 […]-n . mšḥt . kṯp̊m . akṯn̊[…] • […]ṯ̊n̊[…]ṭ . b ym . tld • […]b̊r̊(?)ẙ[…]

ṯn---

nº CGR-1415 Ocurrencias: 1

Posibles restituciones: ṯn, ṯnid, ṯnun, ṯndn, ṯnh, ṯnw, ṯny, ṯnyn, ṯnk, ṯnlbm, ṯnm, ṯnn, ṯnnm, ṯnnth, ṯnʿy, ṯnġly, ṯnġrn, ṯnq, ṯnqy, ṯnqym, ṯnšm, ṯnt, ṯnth.

Mítica

00-1.10:III:24 tḫbq . år̊ḫ̊[…] • w tks̊ẙn̊n . b ṯ̊n̊--- • ẙʿ̊l̊ . šrh . w šḫph

ṯny-—

nº CGR-1416 Ocurrencias: 1

Posibles restituciones: ṯny, ṯnyn.

Administración

00-4.258:2 […]---[…] • […] . ʿl . ṯny-[…] • […]h̊/i̊ . ḫyr . bth . n̊/å[…]

ṯnn—

nº CGR-1417 Ocurrencias: 1

Posibles restituciones: ṯnn, ṯnnm, ṯnnth.

Administración

00-4.556:1 … • ṯ̊n̊n̊[…] • iṯt[l …]

ṯǵ-—

nº CGR-1418 Ocurrencias: 2

Posibles restituciones: ṯǵdy, ṯǵr, ṯǵrh, ṯǵrkm, ṯǵrm, ṯǵrn, ṯǵrny, ṯǵrt.

Administración

00-4.669:1 … • […] . ṯǵ-[…] • […]b̊n . ṯǵ-[…]

00-4.669:2 […] . ṯǵ-[…] • […]b̊n . ṯǵ-[…] • […] . kblb̊[n …]

ṯǵr—

nº CGR-1419 Ocurrencias: 1

Posibles restituciones: ṯǵr, ṯǵrh, ṯǵrkm, ṯǵrm, ṯǵrn, ṯǵrny, ṯǵrt.

Épica

00-1.16:II:27 tṣr . trm . tnq̊[…] • km . nkyt . ṯǵr[…] • km . škllt . […]

ṯp—

nº CGR-1420 Ocurrencias: 2

Posibles restituciones: ṯp, ṯpdn, ṯpḫ, ṯpḫln, ṯpṯ, ṯpṯbʿl, ṯpṯy, ṯpṯn, ṯpẓ, ṯpknt, ṯpllm, ṯpn, ṯpṣt, ṯprt, ṯprtm, ṯpš, ṯpt.

Fragmentos Varios

00-7.2:4 […]- . ly . l-[…] • [… h]l̊ny . ṯp[…] • […]t̊zn . a-[…]

00-7.29:4 […]- . ly . l-[…] • […]-ny . ṯp[…] • […]-zn . å[…]

ṯq—

nº CGR-1421 Ocurrencias: 1

Posibles restituciones: ṯq, ṯqby, ṯqbm, ṯqbn, ṯqd, ṯqdy, ṯql, ṯqlm, ṯqrn, ṯqt.

Administración

00-4.432:14 […]-m-[… - +]1 … bn . ṯ̊l̊r/ẘn … 2 • [… - +]1 … bn . ṯq̊[…] … 2 • […]ṣ̊dq̊ [… - +]2 … bn . bʿ[… - +]1

ṯr—

nº CGR-1422 Ocurrencias: 5

Posibles restituciones: ṯr, ṯra, ṯrin, ṯrb, ṯrdy, ṯrdm, ṯrdn, ṯrdnt, ṯrḏn, ṯrh, ṯrw, ṯry, ṯryl, ṯryn, ṯrk, ṯrkn, ṯrm, ṯrmg, ṯrmł, ṯrmn, ṯrmnm, ṯrmt, ṯrn, ṯṙnq, ṯrry, ṯrrt, ṯrtnm, ṯrṯ, ṯrṯy.

Administración

00-4.333:2 ṯṯm . ṯlṯ . kb[d …] • arbʿm . ṯk̊/r̊[…] • ksph

00-4.430:4 ----- • […]my . b . bt . ṯr[…] • -----

Mítica

00-1.1:IV:12 k mll . k ḥṣ . tusp̊[…] • tgr . il . bnh . ṯr[…] • w yʿn . lṭpn . il . d p̊[id …] .

00-1.92:11 arbḫ . ʿnh tšu w -[…] • aylt tǵpy ṯr . ṯr̊[…] • bqr . mrḥh . ti[…]

00-1.92:19 -[…]b̊m ʿṯṯr̊[t …] • […]ṯ̊r̊[…] • […]

ṯrd—

nº CGR-1423 Ocurrencias: 1

Posibles restituciones: ṯrdy, ṯrdm, ṯrdn, ṯrdnt.

Administración

00-4.393:4 pdn[…] • ṯrb̊/d̊[…] • nn-[…]

ṯrdn—

nº CGR-1424 Ocurrencias: 1

Posibles restituciones: ṯrdn, ṯrdnt.

Administración

00-4.315:8 […]-l̊/ůg-[…] • ṯrdn[…] • b̊n . nk̊[…]

ṯrm—

nº CGR-1425 Ocurrencias: 1

Posibles restituciones: ṯrm, ṯrmg, ṯrml, ṯrmn, ṯrmnm, ṯrmt.

Fragmentos Varios

00-7.88:3 […]ẙ . ǵb̊[…] • […]ṯ̊rm̊[…] • …

ṯrn—

nº CGR-1426 Ocurrencias: 1

Posibles restituciones: ṯrn, ṯrnq.

Ritual

00-1.175:7 […]ṯdṯ . yṯb . mlk . bur[bt …] • […]šd . bšbʿ . ḫdš . ṯra/n[…] • […]-t[.]npš ̊.
[…]

ṯt—

nº CGR-1427 Ocurrencias: 4

Posibles restituciones: ṯt, ṯtayy, ṯth, ṯty, ṯtyy, ṯtyn, ṯtm, ṯtmnt, ṯtn, ṯtʿ, ṯtqt, ṯtrn.

Administración

00-4.358:3 ----- • ḫmš . bnš i . ṯt[…] • -----

Mítica

00-1.73:2 pblnk̊[…] • l lmt . ṯt[…] • imt . nqt p[…]

00-1.86:30 ----- • bnšm . ʿ̊(?)ṯtr̊(?) ----p . ṯt[…] • š̊ʿ̊r̊m̊ . b-ḫ̊(?)----ṯar[…]

Ritual

10-1.104:26 ẘ[…] • ṯt̊/m̊[…] • l[…]

ṯṯ—

nº CGR-1428 Ocurrencias: 1

Posibles restituciones: ṯṯ, ṯṯb, ṯṯd, ṯṯy, ṯṯk, ṯṯm, ṯṯpḥ, ṯṯt, ṯṯtm.

Administración

00-4.56:14 tš[ʿm sp …] • ṯṯ[…] • …

Apéndice II:

Cadenas Grafemáticas Restituibles Unilíteras

——----l—

nº CGRU-1 Ocurrencias: 1

Correspondencia

00-2.82:13 ... • [...]-----l[...] • [...]l̊m . t̊ˁš̊--[...]

——----d

nº CGRU-2 Ocurrencias: 1

Correspondencia

00-2.32:2 [...]l̊ • [...]----d̊ . ˁmy • [...]š̊pr . lm . likt

——----y

nº CGRU-3 Ocurrencias: 1

Administración

00-4.197:4 [...]------l • [...]----y • -----

——----k

nº CGRU-4 Ocurrencias: 1

Mítica

00-1.22:I:26 b̊ ṣq[.]b i̊rt . lbnn . mk . b šbˁ • [...]----k . aliyn . bˁl • [...]ˁ̊(?)r̊(?) . rˁh . ab̊ẙm̊(?)

——---n--

nº CGRU-5 Ocurrencias: 1

Administración

00-4.721:7 [...]-- . -lb̊(?)m-t̊(?)m . w . tznt • [...]---n̊/t̊-- k̊[b]d̊ . bt . mlk • [...]- . ḫ̊mš .mat̊m̊ .
[...]m . ṯlṯt . w . ṯlṯt . kbd . ksp . d . lqḥ[...]

——---r

nº CGRU-6 Ocurrencias: 1

Ritual

00-1.107:49 [...]y . yd . nšy . -[...]š . l mdb • [...]h̊ . mḫlpt[...]---r̊ • [...] . n̊ˁlm . n̊/å[...]

——---t--

nº CGRU-7 Ocurrencias: 1

Administración

00-4.721:7 […]-- . -lb̊(?)m-t̊(?)m . w . tznt • […]---n̊/t̊-- k̊[b]d̊ . bt . mlk • […]- . ḫ̊mš .måt̊m . […]m . t̠lt̠t . w . t̠lt̠t . kbd . ksp . d . lqḥ[…]

——--a

nº CGRU-8 Ocurrencias: 1

Mítica

00-1.5:I:27 p̊ nšt . bʿl . [ṭ]ʿn . iṭʿnk • […]--å . […]k . k tmḫṣ • [ltn . bt̠n . b]r̊ḥ . tkly

——--b

nº CGRU-9 Ocurrencias: 1

Administración

00-4.308:3 […]rn … 2[+ - …] • […]--b … -[…] • yt[…]

——--k-

nº CGRU-10 Ocurrencias: 1

Administración

00-4.396:22 […]-[…]t̠lt̠ . l • […]--k- • […]-b[…]

——--l

nº CGRU-11 Ocurrencias: 1

Administración

00-4.641:3 […]-[…]- … mr-[…] • […]--l … šd[…] • […]--- … ---[…]

——--m

nº CGRU-12 Ocurrencias: 2

Administración

00-4.227:IV:2 […]-m[…]lb[…] • […]--m • […]n

00-4.366:15 ----- • […]--[…]--m • …

——--m-——

nº CGRU-13 Ocurrencias: 1

Fragmentos Varios

00-7.132:4 […]-ǵ … […] • […]--m-[…] • […]m̊d̠ […]

—--n

nº CGRU-14 Ocurrencias: 4

Administración

00-4.75:V:10 […]rn • […]--n • …

00-4.766:3 […] … 1 • […]--n̊(?) … 1 • […]g̊l … 1

Correspondencia

00-2.44:14 […]lik (R:---)-y • […]--n̊(?) . ṯtyẙ • […]-r̊/k̊ ů/d̊y . w . […]

Mítica

00-1.152:6 ----- • […]--n . l[…] • -----

—--ʿ-—

nº CGRU-15 Ocurrencias: 1

Épica

00-1.17:V:1 … • […]--ʿ̊(?)-[…] • -[…]abl . qš̊t[.]ṯ̊m̊n̊

—--p

nº CGRU-16 Ocurrencias: 1

Correspondencia

00-2.66:1 … • […]--p̊ . lṯ̊[…] • […]-q . lpš . […]

—--š

nº CGRU-17 Ocurrencias: 1

Fragmentos Varios

00-7.176:3 […]l . p[…] • […]--š . ḫ[…]r[…]b-[…] • […]m . […] . ar[b]ʿt[…]

—--t

nº CGRU-18 Ocurrencias: 1

Administración

00-4.730:5 [ʿbd]i̊l̊t • -[…]--t̊(?) • gb̊r̊n

—--t—

nº CGRU-19 Ocurrencias: 1

Fragmentos Varios

00-7.33:6 […]-dt • […]--t[…] • …

—-a

nº CGRU-20 Ocurrencias: 3

Administración

00-4.410:43 [… šrt]m̊ • […]-a . šrt . aḫt • […]ny . šrt . aḫt

Mítica

00-1.22:I:3 h . hn bnk . hn -[…] • bn bn . aṯrk . hn[…]-[…]-a • ydk . ṣġr . tnšq . šptk . ṯṃ

00-1.82:13 […]m-[…]- . ʿpr . btk . ygr̊šk̊ • […]-a . --š(?)[…]y . ḥr . ḥr . bnt . ḫ[…] • […]b̊/d̊ḫ̊/z̊b . b̊ʿlm . ʿ[…]- . ydk . amṣ . yd̊[…]

—-a—

nº CGRU-21 Ocurrencias: 1

Administración

00-4.446:5 […]-ġẙ[…] • […]-å[…] • …

—-i

nº CGRU-22 Ocurrencias: 4

Administración

00-4.182:54 ----- • […]b̊n . d-[…]-i • […]-t . mdth[…]ʿṯtrt . šd

00-4.399:11 [a]r̊bʿ . šd . b . šr • […]-i . šir . kbd • […]prt . ubyn

00-4.658:4 [b . a]ntn . šbʿt . l ṯlṯm • [b . …]-i . šbʿt . ʿšrt • [b .]åkyn . ʿšrt

Fragmentos Varios

00-7.165:1 … • […]-i . ẙ-[…] • […]m . p[…]

—-i—

nº CGRU-23 Ocurrencias: 3

Administración

00-4.643:22 […]ty • […]-i[…] • …

Fragmentos Varios

00-7.59:1 … • […]-i[…] • […]m . -[…]

00-7.64:1 … • […]-i[…] • […]št . -[…]

—-u

nº CGRU-24 Ocurrencias: 3

Administración

00-4.326:10 ṯ̊lṯ . y-[…] • […]-u . ṯ-[…] • …

00-4.619:11 ----- • […]-u . yknʿm . […] • -----

Mítica

00-1.6:VI:42 […]inšt • […]-u . l tštql • […]r̊/k̊ . ṭry . ap . l tlḥm

—-u—

nº CGRU-25 Ocurrencias: 1

Fragmentos Varios

00-7.116:4 […]m̊n … […] • […]-l̊/d̊/ů[…] • …

—-b

nº CGRU-26 Ocurrencias: 8

Administración

00-4.205:18 […]ṯ • […]-b . m . lk • kdwṯ . ḥdṯ

00-4.275:8 […]- . ṯnn • […]-b . kdr • […]mnʿrt

00-4.302:3 […]-l . aḥdm . w[…] • […]-b . aḥdm . w[…] • [… ʿ]r̊gz . ṯlṯ . ṣmd̊[m …]

Correspondencia

00-2.33:39 [a]l̊pm[.]šswm • […]n . […]-ṣ̊/b̊ . w . ṯb • […]qrt . dt

Épica

00-1.15:IV:30 […]- • […]-b • …

Fragmentos Varios

00-7.50:8 […](R:k) kbkb̊ • […]-b mṯtn- • …

Ritual

00-1.74:2 ----- • […]-b̊/s̊ • […]

00-1.146:8 […]h . hmt • […]-b špš̊ • …

—-b—

nº CGRU-27 Ocurrencias: 6

Administración

00-4.351:8 ----- • […]-b̊[…]l̊(?) • […]--

00-4.396:23 […]--k- • […]-b[…] •

Fragmentos Varios

00-7.19:1 … • […]-b̊/d̊[…] • […]r̊m[…]

00-7.72:1 … • […]-b[…] • […]n̊ … […]

00-7.123:1 … • […]-b̊[…] • […]ʿ̊r[…]

00-7.208:2 […]-l . l[…]• […]-b̊[…] • -----

—-b-—

nº CGRU-28 Ocurrencias: 2

Administración

00-4.247:10 ʿš[r …]b-[…] • ʿš[r …]-b-[…] • š[…]g ḥt[…]

Inscripciones

00-6.36:1 … • […]-b-[…] • …

—-g

nº CGRU-29 Ocurrencias: 2

Épica

00-1.15:II:1 … • […]-g̊ • […] . ṯ̊r

Fragmentos Varios

00-7.130:4 […]- . l . år̊[…] • […]-g . irb[…] • […]rd . pn . […]

—-d

nº CGRU-30 Ocurrencias: 7

Administración

00-4.424:18 […]yn . l . m[…]m • […]-d . bn . g[…] l . dqn • […]- . šdyn . l̊ ytršn

00-4.666:7 […]m̊lkym … 1/2 • […]-d … 1/2 • […] … 1/2

Correspondencia

00-2.31:20 ----- • […]-d • […]pk

Fragmentos Varios

00-7.114:3 […]-m . å/n̊[…] • […]-d . • […]- . km .

Inscripciones

00-6.45:1 • […]-d̊ w b tk • […]-rt mr

Mítica

00-1.3:V:3 [ašhl]k̊ . šbth . dmm . šbt . dqnh • […]-d . l ytn . bt . l bʿl̊ . k ilm • [w ḥẓ]r . k bn . aṯrt[. tdʿṣ . p]ʿn

10-1.108:12 ----- • […]-̊d . il . šdyṣdmlk • -----

—-d—

nº CGRU-31 Ocurrencias: 7

Administración

00-4.11:8 […]m . dt . nšu • […]-d[…] • […]m aḥ[d]

00-4.197:31 […]k̊sp̊[…]ṯ[…] • […]-d[…] • […]--[…]

00-4.306:10 ----- • […]-l̊/d̊[…] • …

00-4.533:3 [… k]bd . -[…] • […]-l̊/d̊[…] • …

Fragmentos Varios

00-7.19:1 … • […]-b̊/d̊[…] • […]r̊m[…]

00-7.116:4 […]m̊n … [….] • […]-l̊/d̊/ů[…] • …

Mítica

00-1.2:III:1 … • […]-d̊(?)[…]n̊[…] • [… kpt]r̊ . l r̊ḥ̊q̊[. i]l̊[m . ḥkpt . l rḥq]

—-d-—

nº CGRU-32 Ocurrencias: 2

Administración

00-4.590:5 […]b̊ʿl̊[…] • […]-d-[…] • […]d̊[…]

Fragmentos Varios

00-7.144:1 … • […]-d-[…] • -----

—-ḏ-—

nº CGRU-33 Ocurrencias: 1

Administración

00-4.357:4 […]-[…]-m • […]-ḏ-[…] • [šd . b]d̊ . n-[…]

—-h

nº CGRU-34 Ocurrencias: 9

Administración

00-4.386:16 -[…]--[…]- • -[…]šẙ[…]-h • -[…]kt[…]nrn

00-4.542:3 ----- • […]-h • …

Épica

00-1.14:V:22 […] . bl . išlḥ • […]-h . gm • [l … k] yṣḥ

00-1.15:II:10 […]b̊ bth . ẙšt . ʿr̊b • […]-h . ytn . w . ẙṣ̊ů . l ytn • [aḫ]r̊ . mǵẙ . ʿd̊t . i̊lm

00-1.16:II:31 ṣ̊(?)[…]ʿ̊ny . -[…] • l bl . sk . ẘ […]-h • ybmh̊ . šbʿ[…]

Fragmentos Varios

00-7.46:4 […]rpl . a[…] • […]-h art[…] • […]h̊/i̊mr tṯ-[…]

00-7.47:5 […]lmṯym[…] • […]-h . w rbt . ṣ̊/l̊[…] • […]š . prkb̊/d̊[…]

00-7.49:4 […] • […]-h • […]y

Mítica

00-1.3:III:40 il ym . l klt . nhr . il . rbm • l ištbm . tnn . ištm . […]-h • mḫšt . bṯn . ʿqltn

—-z—

nº CGRU-35 Ocurrencias: 1

Administración

00-4.98:1 … • […]-ḫ/z[…] • b̊n . tš/ḏ[…]

—-ḥ—

nº CGRU-36 Ocurrencias: 4

Administración

00-4.599:4 […]ilr̊[…] • […]-ḥ[…] • [… b]n̊ . ʿ[…]

00-4.732:3 […] . l bn . il̊[…] • […]-ḥ̊/ṭ̊[…]rʿ- •

10-4.762:11 […]bnš̊[…] • […]b[…]-ḥ[…] • […]r̊- ẙ[-]rt̊-bn[š…]

Fragmentos Varios

00-7.172:3 […]t • […]-ḥ[…] • …

—-ḥ-—

nº CGRU-37 Ocurrencias: 2

Administración

00-4.473:2 ----- • […]-ḥ-[…] • -----

Fragmentos Varios

00-7.124:1 … • […]-ḥ-[…] • […]yš[…]

—-ḫ

nº CGRU-38 Ocurrencias: 1

Mítica

00-1.11:17	[…]ål̊p̊ • […]-ḫ • […]d̊r̊

—-ḫ—

nº CGRU-39 Ocurrencias: 4

Administración

00-4.98:1	… • […]-ḫ/z[…] • b̊n . tš/d̠[…]
00-4.566:5	[…]k̊ . ul̊[m …] • […]-ḫ̊[…] • …

Mítica

00-1.2:III:14	[…]ḥrḥrtm . w ů/d̊[…]n[…]iš[…]h[…]išt • […]y . yblmm . u[…]-ḫ̊[…]k̊ . ẙr̊d̊[…]i̊[…]n̊ . bn̊ • […]n̊n̊[.]n̊r̊t̊[.]i̊l̊m̊[.]špš . tšu . gh . w t̊[ṣḥ . šm]ʿ . mʿ[…]
00-1.75:6	[…]iln-[…] • […]-ḫ[…] • …

—-ṭ—

nº CGRU-40 Ocurrencias: 1

Administración

00-4.732:3	[…] . l bn . i̊l̊[…] • […]-ḥ̊/ṭ̊[…]rʿ- •

—-ẓ—

nº CGRU-41 Ocurrencias: 1

Administración

00-4.122:13	… • […]-ẓ[…] … […] • […]ʿ[…] … […]q

—-y

nº CGRU-42 Ocurrencias: 28

Administración

00-4.12:1	• […]-y . • -----
00-4.222:4	----- • […]-y • […]
00-4.234:8	[…] • […]-y • […]
00-4.368:3	[…]-rm . ṣmd . w . ḥrṣ • […]-y • […]-
00-4.408:3	[… ḥ]gbt • […]-y bn šk̊bd̠ . ḫ[…] • k̊rmpy . b . bṣmẙ
00-4.409:3	[…] . iytlm̊ • […]-y • […]
00-4.410:17	[…]- . šr (šrt) . bd . […] • […]-y . t̠lt̠ . šr̊[t …] • […]- . šrt . aḫ̊[t …]
00-4.443:4	[…]-lb̊ẙ • […]-y • […]-n̊hr̊

00-4.443:6 […]-n̊hr̊ • […]-y • […]t̊y

00-4.484:2 […]m • […]-y • [… bn .]d̠kr

00-4.589:2 [… ʿš]r̊ . s̀[s̀wm …] • […]-y . […] • […]- . b l[…]

00-4.635:14 bn . ur-[…] • bn . knn[…]-y • bn . ymlk[. b]d . skn

00-4.693:30 […]ʿ . w . ḫlb krd … 3 • […]-y … 2 • […]6

00-4.707:4 ----- • […]-ẙ skn • […]--

00-4.744:7 […]k . k̊/ẘ yẙ(?)[…] • […]-y […] • […]k̊---b̊/d̊

Correspondencia

00-2.31:60 ----- • […]-y . al . an̊(?)[…]ẘ il . ḥ̊[…]k̊ẙ • […]ṣlm . pnẙ/ḫ[…]tlkn[…]

00-2.32:8 ----- • […]-y . kl . dbrm . hmt̊ • […]-l . w . kl . mḫrk̊

10-2.50:9 […]n̊ʿm • […]̊-y . w . lm[…] • […]šil . šlm[…]

10-2.50:15 …]l̊k ̊-lm . d . kbr • […]̊-y . ʿmk • […]̊-̊ . w . l . štnt

10-2.50:22 […]ʿbd . ank • […]̊-[…]̊-y • […]

Fragmentos Varios

00-7.30:1 … • […]-y . ns̊[…] • […]t̊rgm̊[…]

00-7.88:1 … • […]-y • […]ẙ . ġb̊[…]

Mítica

00-1.4:VIII:40 […]aḫy • […]-y • […]r̊/k̊b

00-1.10:I:22 […]ydy • […]-y • […]lm

00-1.63:13 […] . bt bʿṣ (bʿl) • […]-y • […]n̊t̊

00-1.76:7 [… t]šʿm • […]-y . arbʿm • […]l špš ṯmny[m]

00-1.82:2 […]mḫṣ . bʿl̊ […]y . tnn . w ygl . w ynsk . ʿ-[…] • […]-y . l arṣ[. i]d̊y . alṫ . l aḥš . idy . alt . in ly • […]b̊/d̊t . bʿl . ḥẓ . ršp . bn . km . yr . klyth . w lbh

Ritual

00-1.126:17 [b ḫ]mš[…] • […]-y . il̊[…] • ẘ mlk̊[…]

—-y—

nº CGRU-43 Ocurrencias: 5

Administración

00-4.160:8 g̊(?)z̊/ḫ̊(?)[…]š . k̊/r̊[…] • […]-y[…] • skn̊[…]

00-4.619:6 s̀nrn̊[…]ʿ-y[…] • b . ir[…]-y[…] • rgln̊[…]-[…]

Fragmentos Varios

00-7.14:3 […]lbn[…] • […]-y[…] •

00-7.120:3 […]m[…] • […]-y[…] • […]n̊ . l[…]

Inscripciones

00-6.53:3 […]-nn̊[…] • […]-y[…] •

—-y-—

nº CGRU-44 Ocurrencias: 1

Fragmentos Varios

00-7.221:1 … • […]-ẙ-[…] • -----

—-k

nº CGRU-45 Ocurrencias: 7

Administración

00-4.703:3 ----- • […]-k̊ […] • …

Correspondencia

00-2.44:15 […]--n̊(?) . ṯtyẙ • […]-r̊/k̊ ů/d̊y . w . […] • […]d̊bˁl

Mítica

00-1.4:VII:3 […]åliyn . b̊ˁl • -[…]-k . mdd il • y[m …]l ṯr . qdqdh̊

00-1.7:11 [d̲mr …]t̊d̊(?)-[. r]g̊b̊(?) • […]-k • […]h

00-1.82:10 […]šir . bkrm . nṯṯt . um . ˁlt . b aby • […]-k̊ . ˁlt . bk . lk . l pny . yrk . bˁl . […] • […]- ˁnt . ḥzrm . tštšḥ . km . ḥb[…]

00-1.94:30 […]-ẓk . w at̊ṯ[…] • […]-k . w šn-[…] • […]rǵrm . l pṯ[…]

00-1.129:6 […]t . y bˁl[…] • […]-k . r̊[…] • …

—-k—

nº CGRU-46 Ocurrencias: 1

Administración

00-4.219:16 ----- • […]-r̊/k̊[…] • …

—-k-—

nº CGRU-47 Ocurrencias: 1

Fragmentos Varios

00-7.206:2 […]-[…] • […]-k-[…] • […]t[…]

—-l

nº CGRU-48 Ocurrencias: 13

Administración

00-4.11:6 […]lm . aḥd • […]-l . l ḫr[…] • […]m . dt . nšu

00-4.75:IV:3 m-[…]- • ar[…]-l • atyn̊[. bn .]š̊mˁnt

00-4.142:5 ṯṯm . […]-rm • […]-l . b -[…] • -----

00-4.293:1 … • […]-l • b̊ˁ̊lšlm

00-4.302:2 [… ṣ]mdm[…] • […]-l . aḥdm . w[…] • […]-b . aḥdm . w[…]

00-4.545:I:4 […] • […]-l • -----

Correspondencia

00-2.31:50 […]-[…]škb . w m[…] mlakt • […]-l . w tš--n . npṣh • […]- rgm . hw . […]-n . w aspt . q̊lh

00-2.32:9 […]-y . kl . dbrm . hmt̊ • […]-l . w . kl . mḫrk̊ • […]-tir . aštn . l[k]

00-2.79:7 [bˁly . ql]t . ln . bˁly . yšlm • […]-l . inšk . l . ḥwtk • [l . ššw]k̊ . lmrkbtk

Fragmentos Varios

00-7.208:1 … • […]-l . l[…] • […]-b̊[…]

Mítica

00-1.1:V:27 […]tˁrb . b ši • […]-l tzd . l tptq • […] . g̊[…]l årṣ

00-1.157:3 ----- • […]-l . prṣm . bt[.]p̊tḥ̊[…] • -----

Ritual

00-1.103:59 ----- • […]-l bh . ḥwt . ib tḫlq • -----

—-l—

nº CGRU-49 Ocurrencias: 9

Administración

00-4.306:10 ----- • […]-l̊/d̊[…] • …

00-4.533:3 [… k]bd . -[…] • […]-l̊/d̊[…] • …

00-4.725:7 ulm[…] • […]-l[…] • […]b̊/d̊n̊[…]

Correspondencia

00-2.23:38 […] • […]-l̊(?)[…] • -----

Fragmentos Varios

00-7.87:1 … • […]-l̊[…] • -----

00-7.96:1 … • […]-l̊[…] • […]ṯ̊b[…]

00-7.116:4 […]m̊n … […] • […]-l̊/d̊/ů[…] • …

00-7.119:1 … • […]-l[…] • […]t̊l[…]

00-7.187:1 … • […]-l̊[…] • […]k̊/r̊-[…]

—-l-—

nº CGRU-50 Ocurrencias: 3

Administración

00-4.398:11 ẘ[. …]-rp̊ů . y-[…] • ˁl̊ . -[…]-l-[…]h • -----

Fragmentos Varios

00-7.188:3 […]yṣ[…] • […]-l-[…] • …

Mítica

00-1.147:4 […]l̊r[…] • […]-l-[…] • […]ˁb

—-l--

nº CGRU-51 Ocurrencias: 1

Administración

00-4.410:4 […]l[…]m̊-[…] . šrt • […]-l-- . ṯt . šrtm • […]- t̊btṯb . ṯt . šrtm

—-l--—

nº CGRU-52 Ocurrencias: 3

Administración

00-4.675:7 […]ltybt[…] • […]-l--[…] • …

Correspondencia

00-2.57:6 […]- . dq-d . b̊/d̊[…] • […]-l--[…] • […]-[…]

Mítica

00-1.86:4 alp . pr . bˁl . […]- . r-[…] • w prt . tkt . […]-l̊(?)--[…] • šnt

—-m

nº CGRU-53 Ocurrencias: 37

Administración

00-4.28:9 […]h̊/i̊bn • […]-m • -----

00-4.30:13 […]ḫ . mitm[…] • […]-m . mšrn̊ […] • […]-t . -[…]

00-4.77:1 • [spr . …]-m • -----

00-4.94:9 […]šn … 1 • […]-m … 1 • […]-ql̊m̊[…]

00-4.185:1 … • […]-m • [… ar]b̊ˁ

00-4.357:3 š̊[d . bd . …] • […]-[…]-m • […]-ḏ-[…]

00-4.396:8 ----- • --[…]-m . -nt • […]dly

00-4.467:1 … • […]-m . -[…] • […]n . l . -[…]

00-4.492:1 • [spr . …]-m . d i[ṯ …] • […]š̊rm[…]

00-4.518:2 […] … b̊[n . …] • […]-m … b̊[n . …] • […] … bn . […]

00-4.555:1 … • […]-m . l̊[…] • -----

00-4.568:3 […]mm • […]-m • …

00-4.618:6 w . arbˁ . ˁšr . bnš • yd . nǵr . mdrˁ . yd . š[…]-m • -----

00-4.658:41 b . ann[…]ny[…] • b . ḫqn . b̊[n . …]-m . -[…]n • [b .]bn . ayl̊[n/t .]ḫ̊m̊š̊t . l . ˁšrm

00-4.697:7 […]arbˁm . arbˁ . kb[d] • […]-m . ˁšr • […]ˁ̊r . ḫmš

00-4.707:25 […]mr • […]-m • […]rm

Correspondencia

00-2.21:20 l[…]mlk • h[…]-m • t[…] . titṯm

00-2.23:35 yš[lm …] • ˁb[…]-m • -[…]

00-2.36:59 […]-r • […]-m • […]---[…]

00-2.50:15 […]ank • […]-m ly • [tǵrk . tšl]m̊k̊

10-2.50:19 […]̊-dm . ṯnid • […]̊-m . d . l . nˁm • […]l . likt . ˁmy

Fragmentos Varios

00-7.3:3 ----- • […]-m . […] • […]m . […]

00-7.44:1 … • […]-m̊ . t̊[…] • […]ani[…]

00-7.55:12 […]- . […] • […]-m . -[…] • dw-[…]

00-7.114:2 […]k[…] • […]-m . å/n̊[…] • […]-d .

00-7.135:3 […] . tgr l ǵ-[…] • […]-m . ˁnnm . (?)/ǵ̊(?)[…] • [… ks]p . w ḫ̊r̊ṣ . -[…]

00-7.203:2 ----- • […]-m • -----

Mítica

00-1.1:II:8 […]- . asr • […]-m . ymtm • […]-[…]k iṯl

00-1.10:III:1 … • […]-m̊(?) arẖt . tld̊[…] • ål̊p̊ . l btlt . ʿnt
00-1.11:6 […]q . hry . w yl̊d • […]-m . ḥbl . kṯr̊t̊ • [… bt]l̊t . ʿnt
00-1.12:I:1 … • […]-m • […]
00-1.23:5 b mdbr . špm . yd̊[…]r̊ • l rišhm . w yš[…]-m • lḥm . b lḥm̊ . åẙ . ẘ š̊t̊ẙ . b ẖmr yn ay
00-1.147:14 […]lm . t̊bṣʿ • […]-m . bʿl • […]-ps . pʿ

Ritual

00-1.91:29 hzp . tšʿ . yn • b̊ir . ʿšr[.]m̊ṣ̊[b …]-m ḥsp • ẖ̊pty . kdm --[…]
00-1.139:17 […]b̊/d̊ ilm • […]-m ksp[…] • […]d w y-[…]
00-1.146:9 … • […]-m • […]kl . kmm .
00-1.159:2 […]-n[…] • […]-m . a-[…] • […]l̊m . nl-[…]

—-m—

nº CGRU-54 Ocurrencias: 6

Administración

00-4.30:1 … • […]-m[…] • -----
00-4.227:IV:1 … • […]-m[…]lb[…] • […]--m
00-4.410:2 […]b̊ -- • […]-m̊[…]š̊rtm • […]l[…]m̊-[…] . šrt
00-4.444:7 […]lgn[…] • […]-m[…] • […]-[…]
00-4.498:2 […]ẙ[…] • […]-m[…] • [… q]dmn[…]
00-4.721:14 […]---ši-[…] lbšm . ʿrpm . • […]-m̊(?)[…]kkr . šʿrt . mṣrt • [… k]b̊d . šnm

—-m-

nº CGRU-55 Ocurrencias: 1

Administración

00-4.368:10 […]byn • […]-m- • […]--

—-m-—

nº CGRU-56 Ocurrencias: 2

Administración

00-4.432:13 […]by … […] … bn . ṭbrn … 6 • […]-m-[… - +]1 … bn . ṯl̊r̊/ẘn … 2 • [… -+]1 … bn . ṯq̊[…] … 2
00-4.652:4 […]d̊mt q̊[dš …] • […]-m̊-[…] • …

—-n

nº CGRU-57 Ocurrencias: 47

Administración

00-4.13:31 […]n ṯlḥn • […]-n ṯlḥn • [… ṯ]lḥ[n]
00-4.69:IV:18 [w . nḥ]lh … […] • […]-n … 2 • …
00-4.70:2 [… y]m . mddbʿl • […]-n . bn . agyn • [… ṯ]n

00-4.102:14	[aṯ]t . b . bt . ṯpṭbˁl • […]-n … […]m̊d̊rǵlm • -----
00-4.104:4	[…]ǵ̊k … 10 • […]-n … 4 • […]sm … 2
00-4.224:3	b̊[n . …]ḥ • […]-n • […]-
00-4.259:1	… • […]-n • […]-n
00-4.259:2	[…]-n • […]-n • -----
00-4.259:3	----- • […]-n . l . mtn̊[…] • -----
00-4.320:9	b̊ ḥl . aǵltn • […]-n • […]-ṯ
00-4.335:29	bn[.]m̊škn[…] • b̊[n . …]-n … […] • [bn .]š[…]n … […]
00-4.359:9	[… ś]ǵ̊rm • […]-n • […]-
00-4.432:10	[…]- … 3 … bn . śzn … 5 • […]-n … 8 … bn . ˁmnr … 10 • […]r̊š̊n … […] … šmn … 3
00-4.444:3	[…]- … […] • […]-n … […] • […]yn … […]
00-4.545:I:6	[…]sp • […]-n • […]r
00-4.559:6	[…]y … 1[+ - …] • […]-n … 1[+ - …] • […] … […]
00-4.581:2	[…]- … b̊[n . …] • […]-n … […] • […]ẘ . nḥlh … […]
00-4.591:2	----- • […]-n • -----
00-4.609:24	ḥrš qṭn[… .]dqn . bˁln • ǵltn . ˁbd . å[…]-n • -----
00-4.609:39	----- • […]-n . ḫmš . ddm • […]--[…]
00-4.610:25	[…] … 12 … ḫlby … 3 • […]-n̊ … 10 … ˁr̊-- … 10 • [ḫl]b krd … 14 … ˁn̊tn [- + …]2
00-4.612:4	----- • […]-n … -[…] • -----
00-4.646:1	… • […]-n̊ . 1[…] • [… i]ršy . 1[…]
00-4.658:2	[…]-brgm • [b . …]-n . ˁšrt . ksp • [b . a]ntn . šbˁt . l ṯlṯm
00-4.668:1	• […]-n • […](R:-)
00-4.676:5	[… ḫ]l̊b ṣpn … 1 • […]-t̊/n … 2 • […]ḥ … 1
00-4.733:2	[…]l̊m̊[…] • […]-n . bn̊[…] • […]d̊h gt̊[…]

Correspondencia

00-2.31:51	[…]-l . w tš--n . npṣh • […]- rgm . hw . […]-n . w aspt . q̊lh • [… r]gm . ank l […]rny
00-2.31:57	[…]m . ank[.]b̊ˁr -[…]ny • […]-n . btk . […]-bˁl̊(?)[…] • […]my . b d[…]y .
00-2.35:1	• […]-n[.]bˁl[y] • […]tḥm
00-2.36:19	[… .]ḥwtm . n[…]h̊z̊/ḫ̊b . ˁmq • [… . ḥ]wtm . ugr[t …]-n . hl̊ • […]t . rgm . hn̊[…]š . r-[…]
00-2.39:5	----- • l . -[…]-n . špš • ad[nh .]ˁ̊bdh . uk . škn
00-2.46:20	[…]- ym[…] • […]-n . b--[…]- • […]-n . k̊---
00-2.46:21	[…]-n . b--[…]- • […]-n . k̊--- • […]-n . r---d
00-2.46:22	[…]-n . k̊--- • […]-n . r---d • ẘ[. …]tn . m----
00-2.54:9	[…] • […]-n • […]-

Fragmentos Varios

00-7.22:1 … • […]-n̊(?) • […]

00-7.22:4 […] • […]-n̊(?) • …

00-7.80:1 … • […]-n … […] • […]- … -[…]

00-7.162:5 … • […]-n • …

00-7.167:2 […]- . […] • […]-n . ˤ[…] • -----

Mítica

00-1.4:III:4 […]d̊d • […]-n . kb • […]- . ål . yns

00-1.6:I:67 […]ḥ̊š . abn . b rḥbt • […]-n̊ . abn . b k̊knt • …

00-1.92:38 [… rk]b ˤrpt • […]-n . w mnu dg • […]l aliyn bˤl

00-1.114:25 … • […]-n̊ . d̊/b̊[…] • [ˤṯ]t̊r̊t . w ˤn̊t[…]-[…]

Ritual

00-1.107:23 […] . ˤr̊q[. š]p̊š • […]-n . mšḥt . kṯp̊m . akṯn̊[…] • […]ṯ̊n̊[…]ṭ . b ym . tld

00-1.136:1 • […]-n ip[d …] • [i]pd gk[…]

—-n—

nº CGRU-58 Ocurrencias: 10

Administración

00-4.64:II:11 [bn . i]lsk … […] • [bn . …]-n[…] • …

00-4.327:1 … • […]-n[…] • […]b̊n̊ agmn[…]

00-4.491:1 … • […]-n̊[…] • […]ṯ̊n . ˤ̊[…]

00-4.497:4 […]dyk[…] • […]-n[…] • …

00-4.535:1 … • […]-n̊[…] • […]- … […]

00-4.661:1 … • […]-n[…] • [… b]i̊r -[…]

00-4.702:1 … • […]-n̊[…] • […]b̊/d̊d[…]

Fragmentos Varios

00-7.48:1 … • […]-n̊[…] • […]ˤ̊dm . […]

00-7.74:4 […]rw[…] • […]-n[…] • …

Ritual

00-1.159:1 … • […]-n[…] • […]-m . a-[…]

—-n-—

nº CGRU-59 Ocurrencias: 2

Administración

00-4.624:12 [b]n̊ . kdl[…]šm . w . ṯ[t …] • […]-n-[…]šm . w . ṯ[t …] • […]-[…]- . qlˤ[…]

Fragmentos Varios

00-7.118:3 […]ḫ̊t-[…] • […]-n-[…] • […]ṯ-[…]

—-n--—

nº CGRU-60 Ocurrencias: 1

Fragmentos Varios

00-7.71:1 ... • [...]-n--[...] • [...]bn ... [...]

—-s

nº CGRU-61 Ocurrencias: 1

Ritual

00-1.74:2 ----- • [...]-b̊/s̊ • [...]

—-ᶜ—

nº CGRU-62 Ocurrencias: 2

Administración

00-4.730:1 • [...]-ᶜ[...] • [...]r̊d

Fragmentos Varios

00-7.51:21 [...]r̊š npš • [...]-ᶜ[...]r̊tl • [...]--tlb

—-ᶜ-----

nº CGRU-63 Ocurrencias: 1

Administración

00-4.721:10 ----- • [...]-ᶜ----- k̊bd . [...]my • -----

—-ǵ

nº CGRU-64 Ocurrencias: 4

Administración

00-4.82:1 ... • [...]-ǵ • [...]-rtn

Correspondencia

00-2.33:18 [...]ktt . hn . ib • [...]-ǵ . mlk • [...]adty . tdᶜ

00-2.58:5 [...]ẙ gt • [...]-ǵ . t--g • [...] . [...]

Fragmentos Varios

00-7.132:3 [...]-pzq[...] • [...]-ǵ ... [...] • [...]--m-[...]

—-p

nº CGRU-65 Ocurrencias: 3

Administración

00-4.176:4 [...] • [...]-paz • [...]nhm

00-4.673:1 ... • [...]-p . a[...] • [...]lg . d[...]

Fragmentos Varios

00-7.134:2 ----- • […]-p š̊[…] • -----

—-p—

nº CGRU-66 Ocurrencias: 1

Fragmentos Varios

00-7.187:4 […]- . p[…] • […]-p[…] • …

—-ṣ

nº CGRU-67 Ocurrencias: 3

Administración

00-4.483:2 […]ẘ . r̊[…] • […]-ṣ . ah̊[d …] • -----

Correspondencia

00-2.33:39 [a]l̊pm[.]šswm • […]n . […]-ṣ̊/b̊ . w . ṯb • […]qrt . dt

Mítica

00-1.3:V:50 […] • […]-ṣ • […]

—-q

nº CGRU-68 Ocurrencias: 1

Correspondencia

00-2.66:2 […]--p̊ . lṯ̊[…] • […]-q . lpš . […] • […]ṣ . yštk . -[…]

—-r

nº CGRU-69 Ocurrencias: 11

Administración

00-4.239:2 […] . ʿšr . ṯd-[…] • […]-r . aḥt • -----

00-4.239:4 […]-bd . ṯlṯm • […]-r . ṯt • -----

00-4.613:22 […]ʿn … 1 • […]-r … 3 • […]-bn … 1

Correspondencia

00-2.3:29 […] • […]-r • …

00-2.36:58 […]b • […]-r • […]-m

00-2.44:15 […]--n̊(?) . ṯtyẙ • […]-r̊/k̊ ů/d̊y . w . […] • […]d̊bʿl

Fragmentos Varios

00-7.50:16 […]y ywl[…] • […]-r • …

00-7.185:3 […]-kb . ʿṯ̊[…] • […]-r . ṣl[…] • […]-mʿ . l-[…]

Mítica

10-1.22:II:3 h . hn bnk . hn -[…] • bnbn . aṯrk . hn --[…]-r • ydk . ṣǵr . tnšq . šptk . ṯm

00-1.147:20 […]- • […]-r • […]-tm

Ritual

00-1.84:17 ... • [...]-r • [...]ẘ npy

—-r—

nº CGRU-70 Ocurrencias: 7

Administración

00-4.219:16 ----- • [...]-r̊/k̊[...] • ...

00-4.479:2 ----- • [...]-r[...] • [... ʿ]š̊r̊(?)[...]

00-4.526:6 [...]-lt-[...] • [...]-r̊[...] • ...

00-4.673:9 [...]ṯǵr̊[...] • [...]-r[...] • [...]--[...]

Épica

00-1.16:VI:29 [l a]b̊k . w r̊g̊m . ṯny • l̊[...]-r̊[...]i̊štm̊[ʿ] • w tqǵ̊[. udm . k ǵz . ǵzm]

Fragmentos Varios

00-7.150:5 [...] . ... 2(?)[...] • [...]-r[...] • ...

00-7.186:2 [...]- . ʿ-[...] • [...]-r̊[...] • [...]n̊[...]

—-r-—

nº CGRU-71 Ocurrencias: 5

Administración

00-4.103:32 [šd . ...]n . bd . brdd • [šd . ...]-r-[...]- • ...

00-4.325:1 ... • [...]-r-[...] • -----

00-4.467:3 ----- • [...]-r-[...] • ...

00-4.661:7 [...]š̊ql[...] • [...]-r-[...] • [...]l[...]

Fragmentos Varios

00-7.39:2 [...] . ḫn̊[...] • [...]-r-[...] • [...]-gw[...]

—-š

nº CGRU-72 Ocurrencias: 2

Administración

00-4.504:1 ... • [...]-š ... [...] • [...]ʿ̊ṯtrum̊[...]

00-4.772:1 ... • [...]-š • [...]yn

—-š—

nº CGRU-73 Ocurrencias: 5

Administración

00-4.639:3 ... • [...]-š[...] • [...]- . ḫmš̊[...]

Correspondencia

00-2.46:16 ẘ . akl̊ [...] • [...]-š[...] • [...]-[...]

Fragmentos Varios

00-7.214:1 … • […]-š[…] • …

Mítica

00-1.61:2 […]- . […]k ʿn̊t[…] • […]-š̊[…]ḥrth • […]rḥṣnn

Ritual

00-1.119:3 š . l bʿl . rʿkt (ʿrkt) . š̊ l̊[…] • w bt . bʿl . ugrt̊[…]-š̊(?)[…]ẙ(?)[…] • ʿrb . špš . w ḥl ml̊k̊ . b̊ šb̊ʿt̊

—-š-—

nº CGRU-74 Ocurrencias: 1

Inscripciones

00-6.38:5 […]b̊l[…] • […]-š-[…] • …

—-t

nº CGRU-75 Ocurrencias: 40

Administración

00-4.30:14 […]-m . mšrn̊ […] • […]-t . -[…] • …

00-4.105:1 … • […]-t . - m̊r̊ů ib[rn …] • […] . yṣḥm[…]

00-4.127:5 […]åḥ . mqḥ mqḥm • […]-t . ʿšr . rmṯt . g̊ḫ̊t • […]- . alp . ṯ̊lṯ̊ alp

00-4.182:55 […]b̊n . d-[…]-i • […]-t . mdth[…]ʿṯtrt . šd • […]rt . mḫṣ . bnš . mlk . ybʿlhm

00-4.183:I:3 […] • […]-t • […]n

00-4.185:7 […]mb • […]-t . ṯn • […]m . b

00-4.195:3 ----- • ḫmš[…]-t . ḥdrm • w . ḥ[… a]ḥd . d . sgrm

00-4.225:7 ----- • […]-t • […]

00-4.233:1 • […]n̊[…]-t . rb • […]lpl̊

00-4.238:4 ----- • […]-t • -----

00-4.270:14 ----- • […]-t •

00-4.318:8 [b]n . smy[y] • […]-t . šb/d̊[…] • […]-[…]

00-4.410:49 […]šr (šrt) . aḥt • […]-t . šr̊t[…] • […]k̊hnm̊

00-4.459:4 ----- • […]-t . spsgm … […] • […]t . nhr … ṯ̊[…]

00-4.540:4 […]- . w . kk̊[r …] • […]-t ṯl[ṯ …] • …

00-4.609:22 ----- • tdn . ṣrṯ[…]-t . ʿzn . mtn . n[…]l̊g • -----

00-4.676:5 [… ḫ]l̊b ṣpn … 1 • […]-t̊/n … 2 • […]ḥ … 1

Correspondencia

00-2.2:11 […]ʿl . bny . šḥt . w[…] • […]-t . msgr . bnk[…] • [w h]n . tḥm . bʿl[…]

00-2.22:14 […] • […]-t • […]d

00-2.36:15 […]tnty . rgm . ky . likt . bt . mlk[…] • […]-t . ntbt . mṣrm . ušbtm • n̊t̊b̊t . mṣrm . d . ḥwt . ugrt

00-2.55:6 … • […]-t • […]-

10-2.72:43   [...]štir . p . u • [...]-̊t . kly . b . kpr • [...]hbk . w . ank

00-7.41:1   ... • [...]-t . w b̊/d̊[...] • [...]pr . ṭ-[...]

00-7.55:17   [...]-pnil[...] • [...]-t -[...] • ...

00-7.70:2   [...]ḫw[...] • [...]-t̊ . š̊[...] • ...

00-7.121:4   ----- • [...]-t . [...] • ...

00-7.141:9   [...] • [...]-t̊ • [...]

00-7.164:8   [...]k̊ . an • [...]-t . il • [...]m̊

00-7.167:3   ----- • [...]-t w[...] • [...]m̊l̊[...]

00-7.178:5   [...]š(?)d̊(?)ibt • [...]-t • [...]ḫdr

00-1.3:I:26 [bt .]rb . pdr . ydᶜ • [...]-t . im̊ . k̊lt • [kny]t̊ . w -[...]

00-1.4:VI:64 [...]n̊ • [...]-t • ...

00-1.7:48   [...] • [...]-t • [...]ḫ[...]

00-1.10:I:12 [...]ẙd mhr . ur • [...]-t yḫnnn • [...]tt . ytn

00-1.12:II:2 [...] • [...]-t . [...] • [...]-ᶜn[...]

00-1.94:22   b-[...]n • w n̊tm̊n̊-[...]-t • [...]- . ybšr . qdš [...]

00-1.157:6   ----- • [...]l . mṯ-[...]-t . i̊l-[...] • -----

00-1.107:52 [...]š . hn . al̊[...] • [...]-t . bnḥ(?)[...] • [...] . ḥm̊t[...]

11-1.107:23 [...]š/d̲ . hn . al[...] • [...]-t . bn . ḥ̊/i-[...] • [...] . ḥm̊[t ...]

00-1.148:40 [...]m̊šr . š̊[...] • [...]-t š . il . m-[...] • [...]- . w t̊hmt[...]

00-1.175:8   [...]s̊d . bšbᶜ . ḫds̊ . ṯra/n[...] • [...]-t[.]npš .̊ [...] • ...

—-t—

nº CGRU-76   Ocurrencias: 3

00-7.107:5   [...]-g̊-b̊t ... .• [...]- . b[...]-t̊[...] • [...] ... [...]

00-7.110:3   [...]b̊n . -[...] • [...]-t[...] • ...

00-7.127:2   [...] t [...] • [...]-t[...] • [...] . r[...]

—-t--—

nº CGRU-77   Ocurrencias: 1

00-7.16:3   [...]d-g̊[...] • [...]-t--[...] • [...]ᶜd̲l/ṣam[...]

—-ṯ

nº CGRU-78   Ocurrencias: 3

00-4.320:10 [...]-n • [...]-ṯ • [... .]bn . ᶜzn

Fragmentos Varios

00-7.135:6 […]ẙ . niḫ̊/ẙ[…] • […]-ṯ . b-[…] • …

Mítica

00-1.94:34 […]ẘ t-bk . w --[…] • […]-ṯ . k-[…] • […]ṯ̊tm . n[…]

—-ṯ-—

nº CGRU-79 Ocurrencias: 1

Mítica

00-1.76:1 … • […]-ṯ-[…] • […]arbˁm̊

—a

nº CGRU-80 Ocurrencias: 13

Administración

00-4.127:10 […]ṯlṯ kbd . ṣin • […]a . ṯlṯ d . abq[…] • …

00-4.188:13 lmd . nrn . • […]å/n̊ . ḫpn . • [ṣ]d̊qn . šˁrt

00-4.328:1 • […]n̊/å . prš qmḥ . d . nšlm̊ • […]prš . d . nšlm

00-4.769:18 […] … […]bn uby . ˁšrm • […]a/n . br ˁš[… ˁ]šrt dd̊y . bn . uḏr [--] . ˁšrt • […]p̊y . ˁšr[b̊n̊ rny ˁšr̊[t/m]

00-4.769:70 […]n . bn . ḥgbn . ˁšrm • […]n/a . ˁšrt • […]bn . ˁšrm

Correspondencia

00-2.35:19 […] . bnš . • […]å/n̊ . w . bˁly • […]-

00-2.45:26 mn . bnš . d . l . ikt . ˁm̊[k] • l . alpm . w . l . y[…]a • w . bl . bnš . hw[…]y[…]

00-2.79:23 […]rb . bˁly . nˁm . yzn • […]a/n/w . ḏrˁ . ly • -----

Fragmentos Varios

00-7.3:2 ----- • […]å/n̊ . i[…] • -----

00-7.32:8 […] • […]å/n̊ … […] • […]m̊g … […]

Ritual

00-1.53:4 […]q̊(?) . mr[…] • […]n̊/å . mr[…]ẙdm[…] • […]m̊ṯbt . ilm . w . b . ḫ̊/ẙ[…]

11-1.126:2 […]-[…] • […]å np̊[…] • […]ršp . gd̊[lt …]

00-1.126:14 […]l--[…] • […]å/n̊ . ů[…] • […]k̊m[…]

—a—

nº CGRU-81 Ocurrencias: 3

Fragmentos Varios

00-7.21:4 […] . l[…] • […]å[…] • …

Jurisprudencia

00-3.1:40 ----- • […]a[…]hn[…] • …

Ritual

00-1.107:1 … • […]a[…] • […]ṯbt . npš̊[…]n̊(?)

—a-—

nº CGRU-82 Ocurrencias: 1

Fragmentos Varios

00-7.13:4 […]ḥ̊t[…] • […]a-[…] • […]-[…]

—i

nº CGRU-83 Ocurrencias: 11

Administración

00-4.109:1 … • […]i … 1 • […]k̊ … 5

00-4.258:3 […] . ʿl . ṯny-[…] • […]h̊/i̊ . ḫyr . bth . n̊/å[…] • -----

00-4.382:4 […]- . bd . mršp • […]i . [bd .]rbṣ • […]- . rb . ṯnnm

00-4.744:3 […]ṣ/l̊ . w ṯlṯ • […]i . ṯmn • […]--mn . dbḥ̊(?)

Épica

00-1.18:I:4 […] • […]h̊/i̊ . aṯ-[…] • […]b̊/d̊h . ap . -[…]

Fragmentos Varios

00-7.46:6 […]h̊/i̊mr tṯ-[…] • […]h̊/i̊ ugrt[…] • […]šntkt[…]

Mítica

00-1.10:II:32 [ql] . l bʿl . ʿn̊t . ttnn • […]h̊/i̊ . bʿlm . d i̊p̊ḥ̊[…] • [il .]h̊d . d ʿnn . n[…]

00-1.25:1 • […]i̊(?) ẘ(?) -- • […]ilm . w ilht̊ . dt̊

00-1.25:7 […]pn . ẙm . ẙm̊(?)g̊(?)n̊(?) • […]i̊/h̊ . btl̊t̊ . bd • […]h̊kl . ---

00-1.92:30 […]- bʿl yḥmdnh . yrṯy • […]i̊/h̊ dmrn . l pnh yrd • […]- bʿl . šm[…] rgbt . yu

Ritual

11-1.107:4 […]-̊ […]r̊ṣ . bdh . ydrm[…]pi̊t . ådm • […]h/i iṯ[…] . yšql . yṯk[-] . npbl . hn • […]-ṭb̊t . pẓr . pẓr̊r . p nḥš

—i—

nº CGRU-84 Ocurrencias: 5

Fragmentos Varios

00-7.215:1 … • […]i̊[…] • …

Mítica

00-1.2:III:14 […]ḥrḥrtm . w ů/d̊[…]n[…]iš[…]h[…]išt • […]y . yblmm . u[…]-ḫ̊[…]k̊ . ẙr̊d̊[…]i̊[…]n̊ . bn̊ • […]n̊n̊[.]n̊r̊t̊[.]i̊l̊m̊[.]špš . tšu . gh . w t̊[ṣḥ . šm]ʿ . mʿ[…]

00-1.7:50 […]ḫ[…] • […]i[…]h • […]

00-1.73:18 […]-znl̊/ṣ̊[…] • […]h̊/i̊[…] • …

00-1.167:14 […]nʿ[…] • […]i/h[…] • …

—u

nº CGRU-85 Ocurrencias: 5

Administración

00-4.58:1	… • […]ů … 2 • […]prḏ … 2
00-4.619:10	[…]t̊d . a-[…] • […]u . bn[…]nb[…] • -----

Fragmentos Varios

00-7.136:5	[…]ša . ǵ[…] • […]ů(?) . bt . i̊[l …] • […]ḫ̊mr(?)[…]

Mítica

00-1.6:VI:8	[…]- b̊n . ilm . mt • […]ů . šbʿt . ǵlmh • […]- . bn . ilm . mt
00-1.117:13	----- • […]l̊/d̊/ů • …

—u—

nº CGRU-86 Ocurrencias: 1

Fragmentos Varios

00-7.114:7	[…]ad-[…] • […]ů/d̊[…] • …

—b

nº CGRU-87 Ocurrencias: 52

Administración

00-4.60:2	[…]t . ddm . šʿr̊[m …] • […]d/b . mit . ḫsw (ḫswn) . -[…] • -----
00-4.69:VI:34	bn . mglb … 10 • bn . […]b̊/d̊ … 8 • bn . š̊/ḏ̊[…]r … 3
00-4.124:9	[…]b̊ . ubrʿy • […]b̊ . gwl • -----
00-4.160:4	spr . m[…] • spr dt̊[…]b . w š • -----
00-4.180:1	• […]b/d̊ . in ḥẓm . lhm • […]ḏn
00-4.214:III:4	bn . ubrš • bn . d[…]b • abrpu
00-4.258:16	[…]ʿl . ʿb[…] • […]b̊/ṣ̊ . ʿl̊[…] • …
00-4.275:6	[…]tm • […]d̊/b̊ . šlḫn • […]- . ṯnn
00-4.357:11	š[d . b]d . s[…] • š[d . b]d . u[…]b • šd[.]bd . b̊/d̊[…]y
00-4.386:6	[ʿ]š[r …]t . ksp • [ʿ]l[. …]b bn[…] • […]ḥ[…]-
00-4.398:9	[il]tḥm . bd . […]-[…] • […]d̊/b̊ . ṯl̊ṯm . […] • ẘ[. …]-rp̊ů . y-[…]
00-4.401:9	----- • --[…]b . r̊[…]b • r--[…]n̊ . […] (2 ocurrencias)
00-4.410:1	• […]b̊ -- • […]-m̊[…]š̊rtm
00-4.432:5	[…]l̊[…]l … b̊[n .]il̊r̊[…] • […]b … 3 … b[n .]mr[…] … 4[+ -] • […]n … 3 … bn̊ . ʿmlb̊i … 2
00-4.461:1	… • […]b . w[…] • -----
00-4.573:5	[…] • […]ṣ̊/b̊ . ytn . arbʿ • …
00-4.617:1	• [bn]šm . dt . iš[…]b̊ … b̊t̊h̊ • [b]n . bʿln̊ … […]šr . 1
00-4.658:52	[b .]ʿbd . ṯlṯm • [b . …]b . ṯlṯm • [b . bn .]p̊ndyn . ṯlṯm
00-4.660:21	nrn . bn . bly … 2 • […]]b . bn . ḥdn … 1 • […]mn . bn . brzn … 1

00-4.702:3 […]b̊/d̊d[…] • […]b̊/d̊ . br̊(?)[…] • […]k̊y . b[…]
00-4.717:4 […]årbʿ . šmn̊[…] • […]b̊/ṣ̊ kdm • …
00-4.769:5 […] . ʿšr[…] • […]b/d/l . bn . [---] • […] . bn . i̊l̊yn . ʿšrt

Correspondencia

00-2.21:22 t[…] . tit̠m • h[…]b . ḫt • b[…]tlk
00-2.23:15 rb[…] • w . an[…]b̊(?) • arš[…]m̊
00-2.31:27 […]rḫ . w šqr . • […]b . bb . • […]
00-2.31:35 ----- • […]b̊/d̊ . km[…]- • […]r̊/k̊ yṣunn . […]
00-2.33:11 […]p . hn . ib . d . b . mgšḫ • […]b . hnk̊(?)[.]ẘ . ht . ank • […]t . ašk̊n̊ . w . ašt
00-2.36:57 […]-[…] • […]b • […]-r
11-2.36:57 […]° […] • […]b • […]̊ r

Épica

00-1.19:IV:44 d al̊p . šd . ẓuh . b ym . t[…] • tlbš . n̊pṣ . ǵzr . tšt . ḫ[…]b̊ • nšgh . ḥrb . tšt . b tʿr̊[th]

Fragmentos Varios

00-7.56:1 … • […]b̊ . lḥ[…] • […]yn[…]
00-7.82:2 […]ʿb[…] • […]b̊/d̊ . ḥ[…] • -----
00-7.141:1 … • […]b̊ ph • […]tʿrt
00-7.219:1 • […]b̊rḥm--[…] • […]nr-[…]
00-7.220:1 … • […]b/d . […] • […]b̊n . […]

Inscripciones

00-6.46:1 … • […]b̊/d̊ d̠mr̊ẙ[…] • […]---[…]

Mítica

00-1.1:V:1 … • […]b • [… w ym . ym]m
00-1.1:V:15 […]kl . tǵr . mtnh • […]b . w ym ymm • [yʿtqn …]- . ymǵy . npš
00-1.2:III:12 [rbt .]k̊mn[.]h̊k̊[l …]š̊ . b̊š̊[…]t̊[…]g̊lm̊ . (?)l̊ šd̊t[…]ymm • […]b̊ ym ⁚ ym . y[…]t . yš̊[…]n åp̊k . ʿt̠tr . dm̊[…] • […]ḥrḥrtm . w ů/d̊[…]n[…]iš[…]h[…]išt
00-1.3:VI:1 … • […]b̊ • [… r]i̊šk
00-1.10:II:40 […] • […]d̊/b̊ l n̊r̊t • …
00-1.20:I:4 […]l̊ ẘ/k̊m tmt̠m . • […]b . k q̊rb . s̊d • […]n̊ b ẙm . qẓ
00-1.92:28 […]-mh . nšat ẓlk kbkbm • […]b km kbkbt t̠n • […]- bʿl yḥmdnh . yrt̠y
00-1.94:27 […]ʿsb --ḥ[…] • […]b . ẙt̠ʿk . […] • […]k̊ . w tmtn̊[…]
00-1.147:11 […]- . srnm • […]b . šr . • […]l̊ qṣ ilm
00-1.162:3 […]mrrt . alp . ti[…] • […]b . dkr . wtasp . nat̠t • -----

Ritual

00-1.58:4 ----- • […]b . š . b̊/d̊[…] • [… y]r̊ḫ . š . š̊[…]
00-1.77:5 […]b̊mt̠ kḫtm . l[…] • […]b̊/d̊ ymkt mẓk[…] • ʾmry db̊[ḫ]
00-1.130:27 b tš̊[ʿ …]-mr-[…] • --[…]b . gʿ̊/š̊[…] • […]t̊[…]
00-1.137:7 […]ydh y-[…] • […]b mzn -[…] • […]mt̠bth[…]

00-1.139:16 [… a]l[p] ẘ š • […]b̊/d̊ ilm • […]-m ksp[…]

00-1.153:11 […]r • […]b • …

—b—

nº CGRU-88 Ocurrencias: 14

Administración

00-4.185:10 […]lbš • […]b̊[…] • …

00-4.382:31 tlš . w[.]nḥlh . […]- . ṯgd . mrum • bt . […]b[…]-sy[…]n̊h • ann[…] . b[n] . py-[. d .]yṯb . b . gt . aǵld

00-4.427:8 […]s[…] • […]b̊/d̊[…] • […]-[…]

00-4.435:14 […]1 … bn . […] • […] … bn . […]b[…] • […] … bn . […]b[…]

00-4.435:15 […] … bn . […]b[…] • […] … bn . […]b[…] • […] … (ACADIO) -[…]

00-4.658:25 [b . …]ḫ̊ly . ḫmšm … b . ʿbdyr[ḫ . …] • b̊ . […]b[…]- . ʿšrm • …

10-4.762:11 […]bn̊š[…] • […]b[…]-ḥ[…] • […]r̊- ẙ[-]rt̊-bn[š…]

10-4.762:16 ṯmry[…] • ṯlrbẙ[…]b[…] • dmt[-]l[…]bnš[…]

Épica

00-1.16:II:58 å̊p̊n . […] • […]b[…] • …

Fragmentos Varios

00-7.84:6 […]my[…] • […]ṣ̊/b̊[…] • …

00-7.180:1 … • […]b[…] • […]l[…]

00-7.213:1 … • […]b̊[…] • …

Mítica

00-1.4:II:1 … • […]b̊/d̊[…] • i̊ åbn̊[…]

00-1.4:V:50 [w]ẙʿn . ål̊[iyn . bʿl] • […]b̊[…] • [ḥ]š̊ . bhtm . [kṯr]

—b-—

nº CGRU-89 Ocurrencias: 4

Administración

00-4.247:9 ṯ[…] • ʿš[r …]b-[…] • ʿš[r …]-b-[…]

Fragmentos Varios

00-7.108:2 […]-[…] • […]b-[…] • […]ån . -[…]

00-7.176:3 […]l . p[…] • […]--š . ḫ[…]r[…]b-[…] • […]m . […] . ar[b]ʿt[…]

Mítica

10-1.20:II:12 tpḫ . ṯṣr . shr[…] • br -[…]b-[…] • …

—b--

nº CGRU-90 Ocurrencias: 1

Administración

00-4.196:5 ----- • t[…]b-- • -----

—g

nº CGRU-91 Ocurrencias: 8

Administración

00-4.234:2 […]ym • […]g/m̊ • -----

00-4.247:11 ʿš[r …]-b-[…] • š[…]g ḥt[…] • ʿšr̊[…]k̊/r̊ḥ-b[…]-

00-4.521:2 ----- • […]g . l . […] • -----

Ejercicios Escolares

00-5.15:1 • illnpn̊[…]g/ . ig/ . sgsg • imrtn[…]t̊ (ACADIO)

Fragmentos Varios

00-7.4:1 … • […]g . […] • …

00-7.41:5 ----- • […]g̊/m̊ . muṣl̊[…] • […]m̊ ṯlṯ . […]

00-7.212:1 … • […]g . -[…] • -----

Mítica

00-1.13:35 ----- • gl̊/ṣ̊[…]ẙhpk . m̊[…]m̊/g̊ . • -----

—g—

nº CGRU-92 Ocurrencias: 2

Fragmentos Varios

00-7.28:1 … • […]g̊(?)[…] • […]- w[…]

00-7.32:13 […]lbš̊[…] • […]g̊[…] • …

—d

nº CGRU-93 Ocurrencias: 46

Administración

00-4.60:2 […]t . ddm . šʿr̊[m …] • […]d/b . mit . ḫsw (ḫswn) . -[…] • -----

00-4.60:3 ----- • […]d . nʿr . ṯ̊l̊ṯ d̊[…] • […]ṯlṯ . kṯ--d . h[…]

00-4.69:VI:34 bn . mglb … 10 • bn . […]b̊/d̊ … 8 • bn . š̊/ḏ̊[…]r … 3

00-4.104:2 […]-[…] • […]d̊ … 2 • […]g̊k … 10

00-4.104:9 […]-[…] • […]d̊/l̊ … 10 • […] … 2

00-4.117:5 ṯ̊[n …] • […]d̊ • b-[… b]n̊ . ʿmy

00-4.180:1 • […]b/d̊ . in ḥẓm . lhm • […]ḏn

00-4.227:IV:6 […] • […]d̊ nkly • […]m kbd[…]

00-4.234:3 ----- • […]d • […]kr [b]n ḥl[…]

00-4.243:36 -[…]- . yd . sǵr[h …] • -[… ʿ]šrm . d[d …]d̊ • aḥ[d …]

00-4.243:39 ʿš[r … s]ǵ̊rh • myy[…]d • ʿšrm[… sǵ]rh

00-4.262:7 ----- • […]d . ḫmšm . ksp̊[…] • […]lmn w . ʿl . u[…]

00-4.275:6 […]tm • […]d̊/b̊ . šlḥn • […]- . ṯnn

00-4.285:4 [… t]šʿ . yn • […]d̊ . ṯmn . yn • [i]yṯr . kdm . yn

00-4.328:10 š̊[… pr]š . d . nšlm • k̊[…]d̊ . nšlm •

00-4.382:14 […]r̊/kt • […]d̊ . b . gnʿ • […] . ḫbt

00-4.398:9 [il]tḥm . bd . […]-[…] • […]d̊/b̊ . ṯl̊ṯm . […] • ẘ[. …]-rp̊ů . y-[…]

00-4.411:2 […]-[…] • […]d . -[…] • -----

00-4.417:1 • y[…]d . […] • ad̊ml̊n . ẘ[…]

00-4.636:20 ----- • tg[m]r[. akl] . b[. …]d̊ • ṯ̊m̊n . må[t . … . kb]d̊

00-4.669:4 ----- • […]d . ntn̊[…] • …

00-4.673:6 […]rd . i[…] • […]d . ṯn . […] • […]-ṯk . t̊[…]

00-4.702:3 […]b̊/d̊d[…] • […]b̊/d̊ . br̊(?)[…] • […]k̊y . b[…]

00-4.769:5 […] . ʿšr[…] • […]b/d/l . bn . [---] • […] . bn . i̊l̊yn . ʿšrt

Correspondencia

00-2.22:15 […]-t • […]d • …

00-2.31:35 ----- • […]b̊/d̊ . km[…]- • […]r̊/k̊ yṣunn . […]

00-2.50:4 […]tn . l . stn • […]d . nʿm . lbš̊(?)k • […]dm . ṯnid

10-2.50:17 […]-̊ .̊ w . l . štnt • […]d . nʿm̊ .̊ lbšk • […]-̊dm . ṯnid

00-2.59:3 […]- . ugr̊[t …] • […]d . w[…] • […]-[…]

Épica

00-1.14:I:6 […]m . i̊l̊-[…] • […]d̊ nhr . umt • [krt .]ʿ̊(?)rwt . bt

Fragmentos Varios

00-7.82:2 […]ʿb[…] • […]b̊/d̊ . ḥ[…] • -----

00-7.97:1 … • […]d . […] • […] … […]

00-7.108:4 […]ån . -[…] • […]d . yq̊[…] • […]pl . -[…]

00-7.126:3 […]- ʿṣ[…] • […]d . […] • …

00-7.177:1 … • […]d̊ • […]bṯnt š

00-7.220:1 … • […]b/d . […] • […]b̊n . […]

Inscripciones

00-6.46:1 … • […]b̊/d̊ ḏmr̊ẙ[…] • […]---[…]

Mítica

00-1.2:III:20 […]q̊(?)ḥ . by . ṯr . il . ab[y] . ank . in . bt[. l]ẙ[. km .]i̊l̊m̊ . ẘ ḥ̊ẓ̊r̊[.k bn] • [qd]š̊ lb̊d̊m̊ . ard . bn š̊(?)nq . trḥṣn . k̊ṯrm[…]b̊/d̊ bh̊[t] • [zbl .]ẙm . b hlk . ṯpṭ . nh[r] . yṯir . ṯr . il[.]abh . l p̊[n . z]b̊l y[m]

00-1.10:II:40 […] • […]d̊/b̊ l n̊r̊t • …

00-1.86:11 w mṯn[…]k̊(?)n̊--[…] • w bn -[…]d . w mt[…] • d bnš . ḥm̊[r m]dl[.]nʿ[…]

00-1.86:20 -mn-- . rḥ--[…] • n--[…]d . --[…] • idk . nit[…]

00-1.108:12 ----- • […]d . il . šd . yṣd mlk • -----

00-1.117:13 ----- • […]l̊/d̊/ů • …

Ritual

00-1.77:5 […]b̊mṯ kḫtm . l[…] • […]b̊/d̊ ymkt mẓk[…] • ʾmry db̊[ḫ]

00-1.113:23 [il ʿmṯ]tmr̊ … il i̊---- • […]d̊ … il nqmp̊ʿ̊ • […] … il ibrn

00-1.139:16 [… a]l[p] ẘ š • […]b̊/d̊ ilm • […]-m ksp[…]

00-1.139:18 […]-m ksp[…] • […]d w y-[…] • …

—d—

nº CGRU-94 Ocurrencias: 13

Administración

00-4.1:4 s̊d -[…] • […]d̊[…] • …

00-4.427:8 […]s[…] • […]b̊/d̊[…] • […]-[…]

00-4.490:4 […]hy[…] • […]l̊/d̊[…] • …

00-4.590:6 […]-d-[…] • […]d̊[…] • …

00-4.747:1 … • […]d̊[…] • […]n̊ . k̊s̊mm . -[…]

00-4.747:6 … • […]d̊[…] • [… - +]1 dd ˁ̊[l …]

Correspondencia

00-2.47:8 ----- • […]ḥ[…]d[…]t • ḥ̊[…]b̊ . ḥw[t .]--[…]

Fragmentos Varios

00-7.35:2 […]- ḥẓrh . bb-[…] • […]d[…] • […]w[…]

00-7.114:7 […]ad-[…] • […]ů/d̊[…] • …

Jurisprudencia

00-3.7:10 bn . ppṯ . b̊[. …] • b̊n̊ . g̊b̊[…]d̊[…] • …

Mítica

00-1.2:III:25 […]yšḫn . w yˁn ˁ̊ṯ̊r̊ • […]l̊/d̊[…] • …

00-1.4:II:1 … • […]b̊/d̊[…] • l̊ åbn̊[…]

Ritual

11-1.113:20 […]p̊[…] il ibrn • […]d[… il]l̊ ˁmrpi • [il nq]mpˁ [il] nqmpˁ

—d-

nº CGRU-95 Ocurrencias: 1

Administración

00-4.410:12 […]- . t̊(?)gyn . arbˁ . s̊[rt …] • […]l̊(?)/d̊(?)-[.]ṯ̊t . šr̊tm̊ • […]s̊rt . aḥ̊t̊

—d-—

nº CGRU-96 Ocurrencias: 1

Fragmentos Varios

00-7.87:2 ----- • […]d-[…] • […]-[…]

—ḏ

nº CGRU-97 Ocurrencias: 6

Administración

00-4.111:5 […]l … 2 • […]ḏ … 2 • […]ḏ … 2

00-4.111:6 […]ḏ … 2 • […]ḏ … 2 • […] … 2

00-4.460:8 […]m̊y … […] • […]ḏ̊ … […] • […]-[…]

Fragmentos Varios

00-7.147:4 ----- • […]d̲̊ . md[…] • -----

Ritual

11-1.107:54 […]ṣ/l . tmt[…]k̊/-t̊ṯ̊[…] • […]š̊/d̲̊ akl̊[…] •

00-1.127:26 […]- aṯt yqḥ ʿz • […]d̲̊(?) • -----

—ḏ—

nº CGRU-98 Ocurrencias: 1

Fragmentos Varios

00-7.61:9 […] • […]ḏ̊[…]k • […]

—h

nº CGRU-99 Ocurrencias: 32

Administración

00-4.182:4 […]nd . l . mlbš . ṯrmnm • […]h . lbš . allm . lbnm • […] . all . šmt

00-4.258:3 […] . ʿl . ṯny-[…] • […]h̊/i̊ . ḫyr . bth . n̊/å[…] • -----

00-4.382:35 abmn . bn[.]b̊r[… . d . yṯ]b̊ . b . syn • bn . irṣ[…]- . […]h • šdyn . b[n . …]b̊n

00-4.398:11 ẘ[. …]-rp̊ů . y-[…] • ʿl̊ . -[…]-l-[…]h • -----

00-4.412:I:5 […]- • […]h̊ • […]-

00-4.739:5 bn . rḥ̊[…] • […]h -- • bn . šr̊(?)b̊-

Correspondencia

00-2.18:5 […]l̊ adn . ḥwt[…] • […]h . w yššil[…] • […]-[…]lp̊[…]

Épica

00-1.14:V:19 […]n • […]h̊ . l ʿdb • […]b̊n . ydh

00-1.16:I:54 ẙṣ̊u . hlm . aḫh . tph • […]h̊ . l̊ arṣ . ṯṯbr • […]aḫh . tbky

00-1.18:I:4 […] • […]h̊/i̊ . aṯ-[…] • […]b̊/d̊h . ap . -[…]

00-1.19:I:25 [dn . almnt . y]ṯpṭ • [ṯpṭ . ytm …]h • […]n̊

Fragmentos Varios

00-7.46:6 […]h̊/i̊mr tṯ-[…] • […]h̊/i̊ ugrt[…] • […]šntkt[…]

00-7.91:3 […]rh . w[…] • […]h̊ … […] • […] … […]

00-7.138:1 … • […]h • […]ʿṣh

Mítica

00-1.4:VII:60 […]m̊ • […]h̊ • …

00-1.6:VI:4 […]r̊u • […]h̊ • […]mt

00-1.7:12 […]-k • […]h • …

00-1.7:50 […]ḫ[…] • […]i[…]h • […]

00-1.10:II:32 [ql] . l bʿl . ʿn̊t . ttnn • […]h̊/i̊ . bʿlm . d i̊p̊h̊[…] • [il .]h̊d . d ʿnn . n[…]

00-1.10:II:37 […]n̊[…]n • […]ẙ/h̊ • […]

00-1.24:10 pt l bš̊r̊h̊ . d̊m̊ å/n̊[…]ḥ̊ • wyn . k̊ mtrḫt[…]h • šmʿ i̊lht kṯ̊r̊[t …]mm

00-1.25:7 […]pn . ẙm . ẙm̊(?)g̊(?)n̊(?) • […]i̊/h̊ . btl̊t̊ . bd • […]h̊kl . ---

00-1.62:1 • […]h̊ . yb[…] • […]n . irš[…]

00-1.62:12 […] • […]h • […]

00-1.62:22 […] • […]h • […]h̊ṯh

00-1.62:24 […]h̊ṯh • […]h̊ •

00-1.75:4 […](Raspado: trǵt) • […]h aḫd[…] • […]iln-[…]

00-1.92:25 […] . abh . krm ar • […]h . mḥtrt . pṯtm • […]ḥ̊ . ušpǵt tišr

00-1.92:30 […]- bʿl yḥmdnh . yrṯy • […]i̊/h̊ dmrn . l pnh yrd • […]- bʿl . šm[…] rgbt . yu

Ritual

11-1.107:4 […]-̊ […]r̊ṣ . bdh . ydrm[…]pi̊t . åd m • […]h/i iṯ[…] . yšql . yṯk[-] . npbl . hn • […]-ṭb̊t . pẓr . pẓr̊r . p nḥš

00-1.107:49 […]y . yd . nšy . -[…]š . l mdb • […]h̊ . mḫlpt[…]---r̊ • […] . n̊ʿlm . n̊/å[…]

11-1.107:20 […]y . yd . nšy . -̊[…]š . l mdb • […]h . mḫlpt[…]r̊/n̊ . am̊r • […] . nʿlm . -̊[…]

00-1.146:7 […]t̊bʿ . mdr̊ʿh • […]h . hmt • […]-b špš̊

—h—

nº CGRU-100 Ocurrencias: 4

Fragmentos Varios

00-7.176:7 […]t . n̊š[…] • […]h̊(?)[…] • …

Mítica

00-1.2:III:13 […]b̊ ym . ym . y[…]t . yš̊[…]n åp̊k . ʿṯtr . dm̊[…] • […]ḥrḥrtm . w ů/d̊[…]n[…]iš[…]h[…]išt • […]y . yblmm . u[…]-ḫ̊[…]k̊ . ẙr̊d̊[…]i̊[…]n̊ . bn̊

00-1.73:18 […]-znl̊/ṣ̊[…] • […]h̊/i̊[…] • …

00-1.167:14 […]nʿ[…] • […]i/h[…] • …

—w—

nº CGRU-101 Ocurrencias: 7

Administración

00-4.521:1 … • […]w[…] • -----

Fragmentos Varios

00-7.35:3 […]d[…] • […]w[…] • …

00-7.36:2 […]klt . rgm[…] • […]w[…] • …

00-7.184:8 … • š[…]r̊/ẘ[…] • ʿg[l]m . d̊[t …]

Mítica

00-1.151:7 dt-[…]n --- ks̊(?)t̊(?) • rq[…]w[…]ḥg . […]m̊ • štmn̊[…]sp . […]ʿd̊(?)-m

Ritual

00-1.38:1 … • […]ẘ[…] • […]l špš[…]

00-1.136:7 … • […]ẘ[…] • l kṯr w [ḫss …]

—z

nº CGRU-102 Ocurrencias: 3

Administración

00-4.237:1 ... • [...]z̊ . w . tš̊ʿ[...] • -----

Mítica

00-1.151:9 štmn̊[...]sp . [...]ʿd̊(?)-m • ym . ḫr[...]z̊(?) . kš • šr . l-[...]w [.]l . l bʿl

Ritual

00-1.153:9 [...]y • [...]z̊ • [...]r

—ḥ

nº CGRU-103 Ocurrencias: 20

Administración

00-4.75:IV:13 [ab]ǵl . bn . gdn • [...]ḥ̊ . bn . bqš • [...] . bn . pdn

00-4.186:7 ... • [...]ḥ̊ •

00-4.191:10 -[...]--lǵ[...] • w n̊[...]ṭ̊/ḥ̊ k̊l̊[...]n • w -----d̊mm̊

00-4.224:2 [...]k̊/r̊ • b̊[n . ...]ḥ • [...]-n

00-4.428:9 ----- • [...]ḥ̊/ṭ̊ b̊n̊[. ...] •

00-4.522:2 [... gt]i̊p̊ṯl[...] • [...]ḥ ... [...] • [...]b̊n̊ . -[...]

00-4.676:6 [...]-t̊/n ... 2 • [...]ḥ ... 1 • [...]- ... -

00-4.682:9 š̊mbʿ̊l̊ . b[n .]rm[...] . ʿšrt • [...]ḥ . bn . kbs . ksp̊[. ʿ]šrt • [...] . ḏmrd . bn . ḥǵ̊mn̊[.]k̊s̊p̊ ʿšrt

Correspondencia

00-2.31:24 [...]lm . ank • [...]ḥ̊ asrm • [...]dbḥn

00-2.31:31 [...]m̊ • [...]ḥ mrkbt • -----

Épica

00-1.17:I:38 [mt . rp]i̊ . brlt . ǵzr . mt hrnmy • [...]ḥ̊/ṭ̊ . hw . mḫ . l ʿršh . yʿl • [...]- . bm . nšq . aṯth

Fragmentos Varios

00-7.139:3 [...]- • [...]ḥ̊/ṭ̊ • ...

Mítica

00-1.3:V:47 [...]- • [...]ḥ • [...]-

00-1.7:45 ... • [...]ḥ̊ • [...]pt

00-1.10:I:3 [...]h̊p . hẓm • [...]ḥ̊ . d l ydʿ bn il̊ • [...]p̊ḫr kkbm (kbkbm)

00-1.92:26 [...]h . mḫṭrt . pṯtm • [...]ḥ̊ . ušpǵt tišr • [...]-mh . nšat ẓlk kbkbm

Ritual

10-1.53:3 [...]b̊/d̊ b̊/d̊ (?)[...] • [...]q̊/ḥ̊ . mr[...] • [...]n̊/å . mr[...]ydm[...]

13-1.103:17 ----- • [...]ḥ̊ . ṯnn ʿz yuḫd ib mlk • -----

12-1.103:44 [...] .̊ lrišh . ḏrʿ̊[.]m̊lk hwt • [...]ḥ̊ • -----

00-1.113:10 ----- • [...]ḥ nʿm̊ • -----

—ḥ—

nº CGRU-104 Ocurrencias: 11

Administración

00-4.11:1 … • […]ḥ[…] • […]r

00-4.386:7 [ʿ]l[. …]b bn[…] • […]ḥ[…]- • […]p-[…]nẙ

00-4.386:9 […]p-[…]nẙ • […]ḥ[…]-dn • -----

00-4.608:19 […]-[…] • […]ḥ[…] • […]n[…]prr

Correspondencia

00-2.47:8 ----- • […]ḥ[…]d[…]t • ḥ̊[…]b̊ . ḥw[t .]--[…]

Fragmentos Varios

00-7.16:12 […]dbʿ/š̊[…] • […]ḥ[…] • …

00-7.47:1 … • […]ḥ̊[…] • […]mt . […]

00-7.146:2 ----- • […]ḥ/ṭ[…] • -----

00-7.153:1 … • […]ḥ̊[…] • -----

00-7.160:1 … • […]ḥ/ṭ[…] • …

Mítica

00-1.82:18 […]- . nt[…]å(?)t . b kkpt . w k̊(?) . b g-[…] • […]ḥ[…] bnt . ṣʿṣ . bnt . ḫrp . ak̊/r̊[…] • […]- . aḥw . aṭm . prṭl[…]

—ḥ-

nº CGRU-105 Ocurrencias: 1

Mítica

00-1.168:31 […] . yldhna-- • […]ḥ/ṭ- • …

—ḫ

nº CGRU-106 Ocurrencias: 12

Administración

00-4.30:12 ----- • […]ḫ . mitm[…] • […]-m . mšrn̊ […]

00-4.197:8 […]n . bn . kl-pt • […]ḫ/ẙ • -----

00-4.306:6 […]arbʿ . […] • […]ẙ/ḫ . ṣmd̊[…] • […]aḫd[…]

00-4.531:2 […]š[…] • […]ḫ̊/ẙ . ṯt . […] • [… m]at . år̊[bʿ …]

00-4.609:52 ṯṯ . l . ʿšrm . bn[š . mlk …] . ḫzr . lqḥ . ḥp[r] • ʿšt . ʿšrh . bn[š . mlk . …]ḫ . zr . • -----

00-4.769:20 […]p̊y . ʿšr[b̊n̊ rny ʿšr̊[t/m] • […]ḫ b/d[…]ḥ/ṭn̊ . [-]š̊y[.]ʿš̊r̊t • […]n̊[-]rq̊[. ʿ]šrm

00-4.769:45 […] . ʿšrt • […]y/ḫ . bn . mltn . ʿšrt • [… n]ģ̊sk . ʿšrm

Correspondencia

00-2.79:17 […] . špš . mlk . rb̊ . […] • […]ḫ/y . tḥmhy . klm . ḏrʿ • […]b . ḥwt . ugrt . wap

00-2.79:29 […]p̊ . hw . dẙm . hw . d . ugrtym • […]ḫ/y . nʿm . hw . ap . hw • […]m . w . špš . mlk . rb . mlk

Épica

00-1.19:IV:20 yṯb . ǵzr . m̊[t . hrnmy . y]šů • gh . w yṣḥ . t[bʿ …]-[…]ẙ(?)/ḫ̊(?) • b̊kyt . b hk[l]ẙ . m̊šspd̊t

Fragmentos Varios

00-7.114:8 … • […]ḫ̊ • …

Ritual

00-1.103:2 ----- • […]ḫ̊ aṯr·yld . b hmth tʿ-[…] • -----

—ḫ—

nº CGRU-107 Ocurrencias: 4

Administración

00-4.37:7 [bn]ṯ̊bʿm[…] • […]ḫ/y[…] • …

00-4.427:11 […]-[…] • […]ḫ[…] • …

Fragmentos Varios

00-7.209:1 … • […]ḫ̊/ẙ[…] • -----

Mítica

00-1.7:49 […]-t • […]ḫ[…] • […]i[…]h

—ḫ-—

nº CGRU-108 Ocurrencias: 1

Administración

00-4.324:1 … • […]ḫ-[…] • […]-pb̊/d̊[…]

—ṭ

nº CGRU-109 Ocurrencias: 5

Administración

00-4.191:10 -[…]--lǵ[…] • w n̊[…]ṭ̊/ḥ̊ kl̊[…]n • w -----d̊mm̊

00-4.428:9 ----- • […]ḥ̊/ṭ̊ b̊n̊[. …] •

Épica

00-1.17:I:38 [mt . rp]i̊ . brlt . ǵzr . mt hrnmy • […]ḥ̊/ṭ̊ . hw . mḫ . l ʿršh . yʿl • […]- . bm . nšq . aṯth

Fragmentos Varios

00-7.139:3 […]- • […]ḥ̊/ṭ̊ • …

Ritual

00-1.107:24 […]-n . mšḥt . ktp̊m . aktn̊[…] • […]ṯ̊n̊[…]ṭ . b ym . tld • […]b̊r̊(?)ẙ[…]

—ṭ—

nº CGRU-110 Ocurrencias: 4

Administración

00-4.697:1 • […]ṭ̊[…] • […]ṯlṯ̊[…]

Correspondencia

00-2.7:1 … • […]ṭ[…] • […]-mt[…]

Fragmentos Varios

00-7.146:2 ----- • […]ḥ/ṭ[…] • -----

00-7.160:1 … • […]ḥ/ṭ[…] • …

—ṭ-

nº CGRU-111 Ocurrencias: 2

Mítica

00-1.168:9 […]wangḥ • […]ṭ̊- . nḫlm • […]bʿl

00-1.168:31 […] . yldhna-- • […]ḥ/ṭ- • …

—ẓ

nº CGRU-112 Ocurrencias: 1

Administración

00-4.313:23 arbʿ . ʿl[.]b̊(?)[…]-ly • kd . [ʿl . …]ẓ • kd . ʿ̊[l . …]

—ẓ—

nº CGRU-113 Ocurrencias: 1

Mítica

00-1.1:II:4 [tk . ḫršn …]r . […]ḥmk . w št • […]ẓ[…] . rdyk • [… i]qnim

—y

nº CGRU-114 Ocurrencias: 91

Administración

00-4.3:3 […]d̊ym . ṯn[…] • […]y . ṯn[…] • […]-- . ṯn[…]

00-4.18:5 […]rn . ʿrbt̊[…] • […]y . ṯmnym[…] • […]t̊ . mit[…]

00-4.28:1 • […]y • […]

00-4.33:17 bn . ktkt . mʿqby • bn . -[…]ẙ . ṯlḥny • b[n . … . u]b̊rʿy

00-4.55:34 […]an dd • […]ẙ •

00-4.69:IV:1 … • […]y … 2 • […]d̲rm … 2

00-4.69:IV:3 […]d̲rm … 2 • […]y … 5 • […]y … 3

00-4.69:IV:4 […]y … 5 • […]y … 3 • […] … 10

00-4.106:7	[…]ḫ̊r … 1 • […]y … 1 • bn . aḏdt(?) … 1
00-4.122:21	[…]ḏbn … bn . btry • […]y • […]
00-4.172:5	w . bn . ḫlp • ẘ . […]y . d . b̊ˁl • miḫ̊d . b
00-4.186:2	[…]-pl ˁrq • […]y . ˁrq • […] . ˁrq
00-4.197:8	[…]n . bn . kl-pt • […]ḫ/ẙ • -----
00-4.205:12	g[…] • b[…]y • -----
00-4.214:III:18	b̊[n . …] • bn̊[. …]y • yrm
00-4.258:5	[ḫ]m̊šm . ksp . ˁl . gd[…] • […]ẙ . ypḥ . ˁbdršp . b[…] • [ar]bˁt . ˁšrt . kbd[…]
00-4.259:5	[…]- . l . tlmy[n …] • […]y . l . mlk̊[…] • […] . l . mlkt̊[…]
00-4.295:7	----- • aǵltn . […]y . w[. aṯth] • ẘ . bnh . w . alp . w . -[…]
00-4.306:6	[…]arbˁ . […] • […]ẙ/ḫ . ṣmd̊[…] • […]aḫd[…]
00-4.326:2	[ṯ]ṯ . ˁš̊[r …] • […]y . š-[…] • […]ny-[…]
00-4.357:12	š[d . b]d . u[…]b • šd[.]bd . b̊/d̊[…]y • šd . bd[…]k̊im
00-4.368:16	[…]ṣmd . w . ḥrṣ • […]y • [bn . ab]b̊ly
00-4.370:40	aǵ̊l̊tn • […]ẙ • […]ny
00-4.382:1	• […]y . bṭr . bd . mlkt • […]bṭr . bd . mlkt
00-4.447:3	[…]- . mrkb̊[t] • […]ẙ mrkb̊t • […]m̊rkbt
00-4.476:4	[…]t̊n … […] • […]y … […] • …
00-4.531:2	[…]š[…] • […]ḫ̊/ẙ . ṯt . […] • [… m]at . år̊[bˁ …]
00-4.559:1	… • […]y … […] • […] … 2[+ - …]
00-4.559:5	[…]n … 2[+ - …] • […]y … 1[+ - …] • […]-n … 1[+ - …]
00-4.559:8	[…] … […] • […]y … […] • …
00-4.584:2	[…]ṣ̊[…] • […]y … 2 … […] • […]l … 2 … […]
00-4.597:4	[…] … 5 • […]y … 5 • […]- … 5
00-4.609:29	----- • […]k̊mm . klby . kl[…]y . dqn[…] • […]-ntn . artn . bdn̊[. …]nr-[…]
00-4.643:23	… • […]y • […]ůlm
00-4.645:6	šd . bn . li[y] • šd . bn . š[…]y • šd . bn . ṯ[…]ǵ
00-4.645:10	šd . bn . ṯmr[n . m]idḫy • šd . ṯbˁm . -[…]y •
00-4.648:4	[…]- • […]ẙ • […]y
00-4.648:5	[…]ẙ • […]y • [… yr]ml
00-4.682:7	[…]å/n̊bå/n̊ . ksp . ṯlṯm̊ • […]ẙ . b[n . b]ty . k̊sp . ˁšr[t] • š̊mbˁ̊l̊ . b[n .]rm[….] . ˁšrt
00-4.693:47	ḫlb k̊[rd] … 40 • -lb[…]y … 1 • yrml … 10
00-4.701:15	[…]ẙ/ḫy • […]ẙ • […]n̊
00-4.754:4	atl[…] • ypḥ̊[…]y • -----
00-4.754:6	ar[…] • bn . […]y • -----
00-4.756:1	… • […]ẙ • […]
00-4.756:3	[…] • […]ẙ • […]m̊ḫ
00-4.763:5	il̊[…] … 2 • bn . r[…]y … 2 • bn . ḫ̊z̊(?)r̊ẙ … 2
00-4.769:45	[…] . ˁšrt • […]y/ḫ . bn . mltn . ˁšrt • [… n]ǵ̊sk . ˁšrm

00-4.784:22 [ḫlb ʿ]prm 1 • […]y 3 • [ḫ]l̊by 2

Correspondencia

00-2.21:27 […] • […]y • […]t̊(?)

00-2.31:40 [… a]nk . i[…] šl̊m . w . yṯb • […]- . hw . […]y . h[…]r . w . rgm . ank • […]h̊dd . ----- l aṯrtẏ

00-2.31:43 […]ptm . lḥt . […] • […]rgm . hy . l ẙ[…]y . ilakk • […]l̊k . yritn . m̊ǵy . hy . w kn

00-2.31:48 […]k bʿlt bhtm̊[.]ånk • […]y . l ihbt . yb̊[…] . rgmy • -----

00-2.31:58 […]-n . btk . […]-bʿl̊'?}ʳ ˬ.] • […]my . b d[…]y . • […]-ʿm . w h-[.∴]yt . w . -[…]

00-2.33:4 [l . pʿn . a]dty . mrḥqm • [qlt . …]ẙ . æty . šlm • -----

00-2.40:18 mlgt . ṣ̊(?)--(?)š̊(?) • w . mlǵ̊[…]y • y-ṯ̊(?)

00-2.41:4 ʿbd̊[…]ty • ʿmẙ[…]y • šk[…]kll

10-2.42:14 … • […]y • …

00-2.44:21 […]d̊(?)ʿ̊r̊ • […]ẙ •

00-2.50:2 […]lmd . kbr • […]y . ʿmk • […]tn . l . stn

00-2.50:12 […]ʿm • […]y . w . lm • [… š]il . šlm

00-2.58:4 […]- . amr • […]ẙ gt • […]-ǵ . t--g

00-2.65:1 ----- • […]y . hnn • [y .] ʿ̊m̊n . šlm

00-2.79:17 […] . špš . mlk . rb̊ . […] • […]ḫ/y . tḥmhy . klm . ḏrʿ • […]b . ḥwt . ugrt . wap

00-2.79:27 […]ẙirš . snp . ln . dym . hw • […]y . ugrtym . hw . • […]p̊ . hw . dẙm . hw . d . ugrtym

00-2.79:29 […]p̊ . hw . dẙm . hw . d . ugrtym • […]ḫ/y . nʿm . hw . ap . hw • […]m . w . špš . mlk . rb . mlk

00-2.81:5 […]- . tḥmk . hdy . r[…] • […]y . adnty . a[…] • […]t/a/nm . ytn . hm . […]

Épica

00-1.19:IV:20 yṯb . ǵzr . m̊[t . hrnmy . y]šů • gh . w yṣḥ . t[bʿ …]-[…]ẙ(?)/ḫ̊(?) • b̊kyt . bʾhk[l]ẙ . m̊š̊spd̊t

Fragmentos Varios

00-7.16:7 […]m̊ptm • […]ẙ • […]m--

00-7.31:7 … • […]y • …

00-7.49:5 […]-h • […]y • […]

00-7.50:15 […]-ks . […] • […]y ywl[…] • […]-r

00-7.62:1 … • […]y • […]nn

00-7.69:1 … • […]ẙ(?) . npš[…] • [… k]sih .

00-7.69:3 ----- • […]y . rb . šm̊[…] • …

00-7.88:2 […]-y • […]ẙ . ǵb̊[…] • […]ṯrm̊[…]

00-7.135:5 [… ks]p . w ḫrṣ̊ . -[…] • […]ẙ . niḫ/ẙ[…] • […]-ṯ . b-[…]

00-7.149:5 […]m-[…] • […]ẙ . ṣb̊[…] • […]- . bʿ[…]

Mítica

00-1.2:III:14 […]ḥrḥrtm . w ů/d̊[…]n[…]iš[…]h[…]išt • […]y . yblmm . u[…]-ḫ̊[…]k̊ . ẙr̊d̊[…]i̊[…]n̊ . bn̊ • […]n̊n̊[.]n̊r̊t̊[.]i̊l̊m̊[.]špš . tšu . gh . w t̊[ṣḥ . šm]ʿ . mʿ[…]

00-1.3:V:22 al . tšmḫ . b r̊m̊[. h]k̊l[k] • al . aḫdhm . b y[…]ẙ h̊[…]--- • b gdlt . arkty . åm̊-[…]

00-1.4:I:2 […] • […]ẙ(?) • […]

00-1.4:III:9 […]-yk . w rḥd • […]ẙ ilm . d mlk • y[ṯ]b̊ . aliyn . bʿl

00-1.10:II:37 […]n̊[…]n • […]ẙ/h̊ • […]

00-1.21:II:9 [y … b qr]b̊ . hkly . w yʿn . il • […]ẙ . lk . bty . rpim • [… aṣ]ḫ̊km . iqrakm

00-1.62:10 […]s̊rh • […]y . špš • …

00-1.82:1 • […]mḫṣ . bʿl̊ […]y . tnn . w ygl . w ynsk . ʿ-[…] • […]-y . l arṣ[. i]d̊y . alt . l aḥš . idy . alt . in ly

00-1.82:13 […]m-[…]- . ʿpr . btk . ygr̊šk̊ • […]-a . --š(?)[…]y . ḥr . ḥr . bnt . ḥ[…] • […]b̊/d̊ḫ̊/z̊b . b̊ʿ̊lm . ʿ[…]- . ydk . amṣ . yd̊[…]

00-1.82:34 […]llm . abl . mṣrpk . […] • […]y . mṭnt . w tḥ . ṭbt . n̊[…] • -----

Ritual

00-1.40:3 [… w] npy . u[grt …] • […]y . ulp . […] • […]ǵbr . u[lp …]

00-1.84:39 [… mšr m]šr • […]y • [… n]py nqmd

00-1.107:48 […]- . ṯllt . khn̊[…] . k pʿn • […]y . yd . nšy . -[…]š . l mdb • […]h̊ . mḫlpt[…]---r̊

00-1.153:8 [… a]llp • […]y • […]z̊

—y—

nº CGRU-115 Ocurrencias: 12

Administración

00-4.37:7 [bn]ṯ̊bʿm[…] • […]ḫ/y[…] • …

00-4.197:29 […] • […]ẙ[…] • […]k̊sp̊[…]ṯ[…]

00-4.488:5 b̊r[n …] • […]y[…] • …

00-4.498:1 … • […]ẙ[…] • […]-m[…]

00-4.621:17 ʿrgz … […] • […]y[…] •

00-4.651:9 […]-ṯny[…] • […]y[…] • […]----[…]

Correspondencia

00-2.41:6 šk[…]kll • šk[…]ẙ(?)[…]hm • w . kb̊-[…]

00-2.45:27 l . alpm . w . l . y[…]a • w . bl . bnš . hw[…]y[…] • w . k . at . trg[m …]

Fragmentos Varios

00-7.120:1 … • […]y[…] • […]m[…]

00-7.196:1 … • […]ẙ[…] • …

00-7.209:1 … • […]ḫ̊/ẙ[…] • -----

Ritual

00-1.119:3 š . l bʿl . rʿkt (ʿrkt) . š̊ l̊[…] • w bt . bʿl . ugr̊t[…]-š̊(?)[…]ẙ(?)[…] • ʿrb . špš . w ḥl m̊l̊k̊ . b̊ š̊b̊ʿt̊

—y-—

nº CGRU-116 Ocurrencias: 3

Administración

00-4.434:1 … • […]y-[…] • [… b]n . s-[…]

00-4.617:13 bn . aup[š] … 1 … bn . ḫlbt . 1 • bn . i[…]y-[…] … 1 … bn . brzt . 1 • bn . ḫ[…] . … 1 … bn . ayl . 1

Fragmentos Varios

00-7.188:1 … • […]ẙ-[…] • […]yṣ[…]

—y--

nº CGRU-117 Ocurrencias: 1

Administración

00-4.194:16 […]šn • […]y-- • [bn .]--an

—y--—

nº CGRU-118 Ocurrencias: 3

Administración

00-4.401:16 […]--[…]- • […]y--[…]q̊ḫ . b ym̊- • […]ir . ----[…]

Correspondencia

00-2.57:8 […]-[…] • […]y--[…] • […]-mš̊-dt̊[…]

Mítica

00-1.20:I:11 […]t̊d̊bḫ . amr • […]ẙ--[…] • …

—k

nº CGRU-119 Ocurrencias: 60

Administración

00-4.64:IV:1 … • [bn . …]k̊/t̊ … […] • [bn . …] … […]

00-4.104:11 […] … 2 • […]k̊/r̊ … 6 • […] … 2

00-4.109:2 […]i … 1 • […]k̊ … 5 • […] … 1

00-4.176:10 […]k̊sp • […]k̊ • …

00-4.182:58 ----- • […]k̊ . 1 . ʿṯtrt . šd • […]- . ybʿlnn

00-4.199:6 […]- b . bt • -[…]k •

00-4.224:1 … • […]k̊/r̊ • b̊[n . …]ḫ

00-4.243:42 […]yn . yd̊[. sǵrh … .]dd • […]ẙn . yd . sǵ[rh …]k . […]- • [… .]dd . bn . ʿ[…]ẙd . sǵrh

00-4.258:9 […]m . ksp . ʿl . kš[…] • […]k … […] • […]ksp . ʿl . bnn̊[…]

00-4.275:20 […]ṯn[.]alpm • […]k̊/r̊[.]ʿšr . ṣin • […]klkl

00-4.382:12 […] • […]k̊ • […]r̊/kt

00-4.438:7 […]q̊n … 1[…] • […]k̊/r̊ … 1[…] • […] … 1[…]

00-4.439:1 … • […]k . b̊[…] • […]i̊/h̊l . šl̊[m …]

00-4.566:4 […] . ul[m …] • […]k̊ . ul̊[m …] • […]-ḫ[…]

00-4.619:2 […]m . d . b̊[…]-rt-[…] • […]---ṯl̊[…]k̊ . bn . w-[…] • iwr̊d . ṯlr̊[by] -ˤ-[…]

00-4.628:8 […] … n[…] . bn . šnd • […]r/k . bn . t[…] • …

00-4.647:5 yry[…] br • ydn […]k . kry • bn . ydd[…] br

00-4.744:6 […]n-- r̊b̊il • […]k . k̊/ẘ yẙ(?)[…] • […]-y […]

00-4.770:21 q̊m̊y […] • […]k/r . k […] •

Correspondencia

00-2.7:6 […]- . d[…] • bˤl[…]k […] • w tšt qdn-[…]

00-2.21:14 […]š̊l̊m . w . lm • […]k . ˤmk • [l(?) . y]šl̊m . kspym

00-2.31:32 ----- • […]k̊/r̊ . nrm • -----

00-2.31:36 […]b̊/d̊ . km[…]- • […]r̊/k̊ yṣunn . […] • […]d̊y . w . prˤ . -[…]

00-2.31:47 […]ḏ̊ḏyn . bˤd . ḏ̊ḏyn . w l . • […]k bˤlt bhtm̊[.]ånk • […]y . l ihbt . yb̊[…] . rgmy

10-2.36:49 [arg]mn . q̊bt . w . […] • […]k . p[-] . år[…] • [a]rgmnm[.]d . ar[…]

00-2.44:9 ẘ . bt . gb̊[l] • - . k[…]k̊(?) . w . špš • […]mt[.]bˤ̊l̊ . ṣpn̊

00-2.44:12 […]t[…] . tšr̊ • […]-[…]k • […]lik (R:---)-y

00-2.57:11 […]b----å[…]-[…] • […]k̊/r̊ . yši[…]--[…] • [rg]m . yṯṯb̊ […]-[…]

00-2.58:9 […]t̊ • […]k • […]-

00-2.75:10 bnš . bin[…] • […]k . d . […] • [--]kn . w[…]

00-2.79:5 [mṣr]m . rgm . tḥm • […]k/r . ˤbdk . l . pˤn • [bˤly . ql]t . ln . bˤly . yšlm

00-2.79:19 […]b . ḥwt . ugrt . wap • […]k/r . ˤm . špš . mlk . rb . mlk . mṣrm • [mlk . nˤm .]mlk . ṣdq . mlk . mlkm

00-2.82:6 […] . ht . ank . ˤbdk . mid̊[.]š[--] • […]r/k/t . bˤly[.]n̊ˤm[.]h̊t • […]špš . bˤly . šlḥ[…]

Épica

00-1.14:II:7 ẘ[yṯ]b̊ . ṯr . abh . il • d[…]k̊ . b bk . krt • b dm̊ˤ . nˤmn . ǵlm

00-1.18:I:7 […] . w tˤn . […] • […]k . y ilm̊[. …] • […] al . tš[mḫ …]

Fragmentos Varios

00-7.20:2 […]ẙṣ̊i-[…] • […]k̊/r̊ . kll[…] • […]-lšr-[…]

00-7.51:12 […]t • […]r̊/k̊/ẘ • […]n̊/ẘ

00-7.61:9 […] • […]ḏ̊[…]k • […]

00-7.109:2 ----- • […]k̊/r̊ . i[…] • […]šl̊[…]

00-7.164:5 […]- tǵr . i[lm …] • […]k • […]btmny[…]

00-7.164:7 […]btmny[…] • […]k̊ . an • […]-ˤ . il

00-7.175:4 […]- . p[…] • […]k . i̊[…] • […]r̊[…]

Mítica

00-1.1:II:9 […]-m . ymtm • […]-[…]k iṯl • […]m[.]ˤdb . l arṣ

00-1.2:III:14 […]ḥrḥrtm . w ů/d̊[…]n[…]iš[…]h[…]išt • […]y . yblmm . u[…]-ḫ̊[…]k̊ . ẙr̊d̊[…]i̊[…]n̊ . bn̊ • […]n̊n̊[.]n̊r̊t̊[.]i̊l̊m̊[.]špš . tšu . gh . w t̊[ṣḥ . šm]ʿ . mʿ[…]

00-1.4:VIII:46 […]h̊(?)/i̊(?)u . yd • […]k • [… gpn .]ẘ ugr̊

00-1.5:I:27 p̊ nšt . bʿl . [ṯ]ʿn . iṯʿnk • […]--å . […]k . k tmḫṣ • [ltn . bṯn . b]r̊ḥ . tkly

00-1.6:VI:43 […]-u . l tštql • […]r̊/k̊ . ṯry . ap . l tlḥm • l̊ḥ̊m . trmmt . l tšt

00-1.61:1 … • […]- . […]k ʿn̊t[…] • […]-š̊[…]ḥrth

00-1.75:1 • […]k̊/r̊ ydm ym • -----

00-1.82:21 [… a]l̊mnt . […]ẓ̊n -n̊(?)t̊(?)bdh . aqš̊r[…] • […]k . ptḥy . å[…]m̊ . mln̊(?)[…] • […]ṯk . ytmt . dlt . tlk . […] . bm[…]

00-1.82:41 [… p]ḫrk . ygršk . qr . btk . ygršk • […] . bnt . ṣʿṣ . bnt . mʿmʿ . ʿbd . ḥrn . tq̊/ẓ̊[…]k • […]- . aǵwyn . ʿnk . ẓẓ . w kmd̲ . ilm

00-1.82:43 […]- . aǵwyn . ʿnk . ẓẓ . w kmd̲ . ilm • […]k ʿṣm . k ʿṣm . l ttn . k abnm . tiggn • -----

00-1.94:28 […]b . ẙṯʿk . […] • […]k̊ . w tmtn̊[…] • […]-ẓk . w aṯt̊[…]

00-1.108:20 ----- • [ʿlm …]k̊ . l tštk . l iršt • -----

00-1.152:2 ----- • […]k̊ . šbʿ . -[…] • -----

Ritual

11-1.107:18 […]- l ytk blt/p/h[…]-mr̊ . hwt • […]k̊/r̊ . ṯllt . khn[…] . k pʿn • […]y . yd . nšy . -̊[…]š . l mdb

00-1.124:5 w yʿny . nn • tʿny . nn̊ . […]r̊(?)/k̊(?) . qḥ̊ • w š̊t m̊[…]--[…]-tn̊(?)

00-1.139:12 […]n̊ . w prs • […]k yšt • -----

10-1.163:18 riš . n̊(?)[…]m . ḫmš • ʿšrh . m̊[…]k̊/r̊ . • w al . tṣu[…]yṣu .

00-1.164:18 […]m • […]k • […]?[…]

—k—

nº CGRU-120 Ocurrencias: 12

Administración

00-4.64:V:6 bn . ṯb[…] • bn . […]r̊/k̊[…] • bn . tgn …]

00-4.308:1 … • […]k[…] • […]rn … 2[+ - …]

00-4.523:2 [… ḫ]m̊š̊m . d[d …] • […]k̊[…] • …

00-4.627:4 [… .]arb̊ʿ̊ . b̊/d̊š . lh̊ • […]k̊/r̊(?)[…] . ṯlṯ̊[… .]b̊/d̊š . lh • […]m̊ . ḫ̊[mš . … l]h

Correspondencia

00-2.36:7 [ḫ]rṣ . argmny[. …] . špš . štn . […] • […] . at . -[…]k[…] . […]ṯ . d . štt . b . ml̊[k …] • […]-tqb̊/d̊[…]- . udh̊ . mǵt . w . mlkn̊[…]

00-2.36:43 [-----]l . š[…] • […]k/r̊[…] • […]årgm̊[n …]

10-2.36:43 *… • […]k[…] • […]arg[mn]*

00-2.75:1 • […]p/k/r[…] • [---]h . aḫ[…]

Fragmentos Varios

00-7.110:1 … • […]k̊[…] • […]b̊n . -[…]

00-7.114:1 … • […]k[…] • […]-m . å/n̊[…]

Mítica

00-1.3:IV:27 -[…] . b̊ʿl . md̊l̊h . ybʿr • […]k̊(?)[…]r̊nh . aqry • å(?)r̊(?)-- b̊ år̊ṣ̊ . mlḥmt

00-1.7:52 […] • […]r̊/k̊[…] • […]t[…]

00-1.82:15 ----- • […]ḥš[…]nm[…]k̊[…] . w yḫnp-[…] • […]- . ylm . bn̊[ʿ]nk . ṣmdm . špk[…]

—k-

nº CGRU-121 Ocurrencias: 2

Jurisprudencia

00-3.6:2 […]- • […]k̊- ypḥ • […]ḥmrm

Mítica

00-1.157:10 ----- • […]k̊/ẘ--nth . k̊p . mlk . mr̊[…] • -----

—k-—

nº CGRU-122 Ocurrencias: 5

Correspondencia

00-2.36:1 • [tḥ]m . pdǵb . mlk[t …]k-[…] • [l .]n̊qmd . rgm . hl̊[ny . ʿm] . špš̊

Fragmentos Varios

00-7.90:3 […] … […] • […]k̊-[…] • …

00-7.128:1 … • […]k-[…] • […]ǵr[…]

00-7.132:1 … • […]k̊(?)-[…] • […]-pzq[…]

00-7.187:2 […]-l̊[…] • […]k̊/r̊-[…] • […]- . p[…]

—k--—

nº CGRU-123 Ocurrencias: 1

Mítica

00-1.13:36 ----- • s̊ʿ̊/t̊[…]p̊(?)/k̊(?)--[…]t • -----

—k---—

nº CGRU-124 Ocurrencias: 1

Fragmentos Varios

00-7.92:2 […]l̊ . il̊[…] • […]k̊---[…] • …

—l

nº CGRU-125 Ocurrencias: 51

Administración

00-4.111:4	[…] … 2 • […]l … 2 • […]ḏ … 2
00-4.176:7	[…]m • […]l mhr • […]
00-4.351:8	----- • […]-b̊[…]l̊(?) • […]--
00-4.397:1	• -[…]ṣ̊/l̊ . b[.]yn[…] • m[i]tm[.]ṯlṯm̊[… k]b̊d
00-4.405:11	[l] . -[…] • [l . …]l … i … - … […] • [l . …]-[…]
00-4.482:1	… • […]l . t[…] • […]- . alpm[…]
00-4.557:2	[… d]t̊[.]ẙṯ̊b̊ . b . ḥqr • […]l̊ . --th • […]-ẘ/r̊ʿn
00-4.580:3	----- • […]l̊ . t[…] • …
00-4.584:3	[…]y … 2 … […] • […]l … 2 … […] • [… ʿbd]ẙrḫ … 2 … […]
00-4.603:1	… • […]l … […] • […]ryn[…]
00-4.607:9	iwrt̊ḏl • iw[r …]l • iw[r …]ǵt
00-4.638:8	[…]- . l . klṯb … […] • […]l … […] • …
00-4.742:10	----- • […]l (R:-?)[…] • […] . w ṯn . […]
00-4.744:2	[…]m ṯmn • […]ṣ/l̊ . w ṯlṯ • […]i . ṯmn
00-4.758:3	[…]k̊sp • […]l̊ • -----
00-4.764:2	----- • bt . -[…]l̊(?) . ẘ[…] • šbʿ -[…]--[…]

Correspondencia

00-2.8:2	[…]nsk̊[…] • […]l tṣi . b b[…] . um . k[…] • […]ṯb . ʿrym[.]w . k qlt[…]
00-2.32:1	… • […]l̊ • […]----d̊ . ʿmy
00-2.53:3	[…]nh . š[…] • […]l . ḥ[…] • […]-[…]

Épica

00-1.16:II:33	ybmh̊ . šbʿ[…] • ǵzr . ilḫu . tk̊(?)b̊(?)-[…]l • trm . tṣr . trm̊ . -qt

Fragmentos Varios

00-7.16:9	[…]m-- • […]l . t-- • […]š̊u---[…]
00-7.47:9	[…]ytšp[…] • […]l̊ ǵl[…] • …
00-7.66:2	[…]--[…] • […]l ṣp̊[…] • […]--[…]
00-7.84:4	[…]pṯ̊t[…] • […]l … […] • […]my[…]
00-7.86:2	[…]ʿ̊[…] • […]l . […] • -----
00-7.115:1	… • […]l̊ . […] • […]lmẙ[…]
00-7.137:9	[…]-pr̊ . by • […]l̊ šmal • -----
00-7.138:7	[…] • […]l • […]-
00-7.176:2	[…]ʿ-[…] • […]l . p[…] • […]--š . ḫ[…]r[…]b-[…]
00-7.194:2	[…] . […] • […]l̊ . […] • […]l̊(?) . […]
00-7.194:3	[…]l̊ . […] • […]l̊(?) . […] • […]-[…]

Mítica

00-1.1:V:12	[…]- abnm . upqt • […]l ẘ ǵr mtny • [at zd …]rq . gb

00-1.2:IV:2 […]ẙd̊- . ḫ̊tt . mtt[…] • […]ḥ̊ẙ[…]-[…]l̊ aš̊ṣi . hm . ap . amr[…] • […] . w b ym . mnḫ l abd . b ym . irtm . m̊[…]

00-1.4:VII:4 -[…]-k . mdd il • y[m …]l ṯr . qdqdh̊ • il[…]r̊(?)ḥq . b ǵr

00-1.5:VI:4 [tša . ghm . w tṣ]ḥ̊ . sbn • […]l̊ . n̊-[…]ˁd(R:k) • k̊sm . mhyt . m̊ǵny

00-1.6:V:23 aḥ̊d̊ . b aḫ̊k̊ . š̊q̊(?)n̊ • h̊n̊ . -n̊/aḥ̊ẓ . ẙ[…]l̊ • ˁ̊n̊t . aklẙ[nšm]

00-1.7:5 [… tm]tḫṣ b ˁmq̊ • […]l̊ ṣbim h̊ • [dmm . l ǵzrm . mid . tmtḫṣn . w]t̊ˁn . tḫtṣb

00-1.10:I:16 [… ybmt .]l̊imm • […]l . limm • [… yṯ]b̊ . l arṣ

00-1.10:I:18 [… yṯ]b̊ . l arṣ • […]l̊ šir • […]-

00-1.11:1 • […]l̊(?) . yṯkḥ . w yiḫd . b qrb̊[…] • […]t̊ṯ̊kḥ̊ . w tiḫd . b ušk̊[…]

00-1.94:32 […]rǵrm . l pṯ[…] • […]l šḏ̊(?)r . ṣ(?)g-[…] • […]ẘ t-bk . w --[…]

00-1.117:13 ----- • […]l̊/d̊/ů • …

00-1.168:5 […]ṣ̊ḥr • […]l • […]wšb

Ritual

00-1.28:1 … • […]l . […] • [… g]dlt[…]

10-1.84:24 […]- • […]ṣ̊/l̊/m̊ ym • […]k̊l kbkb

11-1.107:53 […]t . nš . b̊-[…]mt[…] • […]ṣ/l . tmt[…]k̊/-̊t̊ṯ[…] • […]š̊/ḏ̊ akl̊[…]

00-1.134:8 […]l . bˁl ḫ̊[lb …] • […]l pdr̊[…] • […]š … […]

10-1.144:1 • d-[…]l • lḫṣa (ly!ṣa)

00-1.173:9 […]nt . ap . […] • […]l̊ . wẙ[…] • …

Vocabularios

00-9.3:III:22 [... -t]um • [... -l]u(?) • [... -l]u(?)

00-9.3:III:23 [... -l]u(?) • [... -l]u(?) • [... -]mu

—l—

nº CGRU-126 Ocurrencias: 21

Administración

00-4.71:IV:1 … • […]l̊[…] • -----

00-4.200:3 -[…]b̊ˁ[…] • --[…]l[…]m̊ • […]--[…]

00-4.214:IV:15 [ˁ]b̊dad̊t̊ • […]l[…] • [bn] . p[…]

00-4.410:3 […]-m̊[…]š̊rtm • […]l[…]m̊-[…] . šrt • […]-l-- . ṯt . šrtm

00-4.424:13 […]bn̊[…] • […]l[…] • […]bn̊[…]

00-4.432:4 […]-[…]b[n . …] • […]l̊[…]1 … b̊[n .]l̊lr̊[…] • […]b … 3 … b[n .]mr[…] … 4[+ -]

00-4.460:1 … • […]l̊[…] • [… ml]k̊nˁ[m …]

00-4.490:4 […]hy[…] • […]l̊/d̊[…] • …

00-4.607:15 ilˁn[t …] • il[…]l[…] • ilmlk̊

00-4.661:8 […]-r-[…] • […]l[…] • …

Correspondencia

10-2.36:55 […]ˁm[…] • […]l̊[…] • …

00-2.49:15	[...]bˤly . y[...] • [...]l[...] • ...

Fragmentos Varios

00-7.13:1	... • [...]l̊(?)[...] • [...]gd[...]
00-7.117:2	[...] . -[...] • [...]l[...] • [...]ṣ . l[...]
00-7.140:13	[...]-[...] • [...]l[...] • -----
00-7.170:1	... • [...]l[...] • [...]th-[...]
00-7.180:2	[...]b[...] • [...]l[...] • ...

Mítica

00-1.2:III:25	[...]yšlḥn . w yˤn ˤt̊t̊r̊ • [...]l̊/d̊[...] • ...

Ritual

10-1.137:1	... • [...]l̊[...] • [...]r̊ il[...]
00-1.156:2	[...]nk̊[...]--[...] • w šlm -[...]l[...] bˤl • -----
10-1.156:2	*[...]nk̊[...]--[...] • w šlm t̊?/q̊?[...]l[...]bˤl • -----*
00-1.164:22	[...]tr . [...] • [...]l[...]ḥl • [--]m[---]l

—l-

nº CGRU-127 Ocurrencias: 1

Administración

00-4.410:12	[...]- . t̊(?)gyn . arbˤ . š̊[rt ...] • [...]l̊(?)/d̊(?)-[.]t̊ . šr̊t̊m̊ • [...]š̊rt . aḥ̊t̊

—l—

nº CGRU-128 Ocurrencias: 3

Administración

00-4.222:1	... • [...]l-[...] • [...] . plṭ ... [...]
00-4.335:21	... • [bn . ...]l-[...] • [bn .]åmdy[...]-

Fragmentos Varios

00-7.140:6	[...]-ẘ[...] • [...]l̊-[...] • [...]

—l-—

nº CGRU-129 Ocurrencias: 1

Ritual

00-1.126:13	... • [...]l--[...] • [...]å/n̊ . ů[...]

—l---

nº CGRU-130 Ocurrencias: 1

Mítica

00-1.151:2	[...]-k̊d • [...]l̊---mḥy • [...] . -ṭrd ksat

—m

nº CGRU-131 Ocurrencias: 126

Administración

00-4.11:7 […]-l . l ḫr[…] • […]m . dt . nšu • […]-d[…]

00-4.11:9 […]-d[…] • […]m aḥ[d] • […]

00-4.30:7 [… ṯ]l̊ṯm[…] • […]m . bn lẙ[…] • -----

00-4.30:8 ----- • […]m . bn ṣd-[…] • […]ṯmn . mi̊[t …]

00-4.34:8 l ṯ/ˤmy ar[b]ˤ̊ spm w ṯlṯ ˤ̊šr[…] • l -nḏ--[…]m̊ ṯlṯ spm • -[…] sp[m w … l]-m

00-4.62:3 ----- • […]m ---[…] • …

00-4.75:VI:5 [a]b̊r̊[p]u . bn . kbd • […]m . bn . ṣmrt • […]iy . bn . yṣi

00-4.94:2 […]-[…] • […]m … 3 • […]m … 2

00-4.94:3 […]m … 3 • […]m … 2 • […]å/n̊m … 3

00-4.94:11 […]-ql̊m̊[…] • […]m … 1[+-] • …

00-4.125:13 […]ḫ̊/ẙm … […] • […]m … […] • […]m̊[…]

00-4.126:16 ksdm • […]m̊ • […]

00-4.176:6 […]nhm • […]m • […]l mhr

00-4.177:1 • […]m̊(?) . bd . špšmlk • [… b]d . gbˤly

00-4.182:37 […]- . aḥd . ḫmš . am[…] • […]m . qmṣ . ṯlṯm . iq[nu …] • -----

00-4.182:53 […]mt • […] . y[…]m • -----

00-4.184:1 • […]m̊ • -[…]-

00-4.185:8 […]-t . ṯn • […]m . b • […]lbš

00-4.196:10 pdk̊[…] • ḫlṯ̊/ḏ̊[…]-[…]m •

00-4.200:3 -[…]b̊ˤ[…] • --[…]l[…]m̊ • […]--[…]

00-4.225:5 ----- • […]m . mṣl • […]

00-4.227:IV:7 […]d̊ nkly • […]m kbd[…] •

00-4.234:2 […]ym • […]g/m̊ • -----

00-4.243:9 ẘ[…]ˤm . l . mit . dd . ṯn . kbd . ḥpr . bnšm . ṯmnym . dd • l u[…]m . • -----

00-4.247:3 ḫmš . k̊[…] • ḫmš[…]m • ˤš[r …]

00-4.258:8 […]årwd . šm bnš[…] • […]m . ksp . ˤl . kš[…] • […]k … […]

00-4.296:2 […] . dt . iṯ • […]m̊ . ṯlṯ . kbd • -----

00-4.297:5 šmmn . gnˤy . b . g̊t̊ . špšyn • aḫgl . ṯlrby . [b . …]m̊ • špšyn . uš[kny]

00-4.299:4 ----- • mklẙ[…]m̊ . alp . ṯlṯ . mat[…] • ḫmš[… n]skt

00-4.352:11 ----- • […]m . kb̊[d …] • […]--[…]

00-4.362:5 d . apy […]bl • w . arb[ˤ . …]m̊ . d . apy . ˤbdh • w . mrbˤ[t . l . ˤ]bdm

00-4.396:11 […]- k̊krm […]bnym • […]m . ṯlṯ . m̊[…]- • kbd . l[…]

00-4.396:17 ----- • [k]k̊r . ṯ[…]m̊ . ḥt . l . mlk̊[…] • -----

00-4.397:6 ----- • -[…]m̊[.]kbd • […]b . gt̊[.]gwl

00-4.397:8 ----- • ṯlṯ̊[…]m . k̊b̊d • ṯmn[…] n[…] b[.]š̊r̊š̊

00-4.400:11 ----- • mit . […]m̊ . ṯlṯ . kb[d] • d̊d̊ . [k]šmm . šbˤ . ˤš̊[r]

00-4.420:6 […]w . bnš . aḥd • […]m • […] . ˤtgrm

00-4.424:17	[…]ẙn . l . m[…] • […]yn . l . m[…]m • […]-d . bn . g[…] l . dqn
00-4.430:2	----- • […]m . šr . d . yṯb̊[…] • -----
00-4.446:2	[…]-[…] • […]m̊ . b̊/d̊[…] • […]ṯ̊lṯ . a[lp …]
00-4.470:1	… • […]m̊ . d . -[…] • […]š̊šw . […]
00-4.484:1	----- • […]m • […]-y
00-4.546:1	• […]m̊ . b . hr[…] • …
00-4.608:24	[…]ʿdḫin • […]t bd ḫ[…]m •
00-4.610:45	[- (ACADIO) … [… (ACADIO) 56 … mr̊[u i]br̊[n] … [-] • […]m̊ … [- +]15 … mru skn … 13[+ -] • […]n̊m … 30[+ -] … šrm … 20
00-4.610:52	[…] … 31[+ -] … [… (LINEA EN ACADIO) • […]m̊ … 18(?) … (LINEA EN ACADIO) • […]- … 46 … 3(?) (LINEA EN ACADIO)
00-4.610:72	-[…] • -[…]m̊ … 36 • […]m̊ … 10
00-4.610:73	-[…]m̊ … 36 • […]m̊ … 10 • [… - +]2
00-4.613:15	----- • […]m̊ … 10 • […]t̊
00-4.618:9	----- • […]lm . bd . r[…]m . d̊lm • ṯṯ . ʿšr ṣ[m]d . a[l]p̊m̊
00-4.618:11	ṯṯ . ʿšr ṣ[m]d . a[l]p̊m̊ • w . tšʿ . ʿš̊r̊[…]m . ḥr[š] • ẘ[.]ṯ̊l̊ṯ̊ . ḥrš̊m̊ ----
00-4.619:1	• […]m . d . b̊[…]-rt-[…] • […]---ṯl̊[…]k̊ . bn . w-[…]
00-4.627:5	[…]k̊/r̊(?)[…] . ṯlṯ̊[… .]b̊/d̊š . lh • […]m̊ . ḫ̊[mš . … l]h • […]tn . […]lh
00-4.634:1	… • […]m̊ . ʿr̊b̊ • […]--n̊ym . ʿrb
00-4.660:24	[… b]n . a/n-myy • […]mbn . ṯnw[…] • …
00-4.663:9	kd . šmn . nr • […]m . ḫswn • […] . ma tyn
00-4.707:1	… • […]m • […]kbd
00-4.707:6	[…]-- • […]m ššmn • [… km]sk
00-4.721:8	[…]---n̊/t̊-- k̊[b]d̊ . bt . mlk • […]- . ḫ̊mš .mat̊m̊ . […]m . ṯlṯt . w . ṯlṯt . kbd . ksp . d . lqḥ[…] • […]------- . mi[t …]- ʿšr . kbd . kkr . šʿrt . l rb̊[…]
00-4.721:12	[…]--m--(?)k̊(?) . --[…] ḫmšm . ṯnt . ḫmš . ḫmš . mat • […]m -----[…] . mat . ḫmš . ṯnt . mitm . mitm • […]---ši-[…] lbšm . ʿrpm .
00-4.734:12	[…]dr . aḫrm • […]m . kt tmnn • […]bš . ir[…]
00-4.735:3	----- • […]m . […] • …
00-4.744:1	• […]m ṯmn • […]ṣ/l̊ . w ṯlṯ
00-4.752:15	[…] • -[…]m . ṯn • -----
00-4.769:36	[…]ṣ̊nr . ʿšrt • […]m • […]n . bddn . ʿšr[t/m]
00-4.769:59	[… ʿ]šrt … m̊š̊u . bn . i[š̊]dn . ʿšr[t/m] • […]m … bn . aupš . ʿšrm • […]nn … bn . m/ʿgš . ʿšrt

Correspondencia

00-2.20:3	----- • […]m . rgm • […]š̊knt
00-2.21:25	[…]titṯm • […]m • […]
00-2.22:1	… • […]m̊/t . • […]ẘ . ʿrš
00-2.23:16	w . an[…]b̊(?) • arš[…]m̊ • mlk . r[b . bʿl]y . p . l .
00-2.31:30	----- • […]m̊ • […]ḥ mrkbt

00-2.31:56 […] . w mlk . w rg[m …]- • […]m . ank[.]b̊ʿr -[…]ny • […]-n . btk . […]-bʿl̊(?)[…]

00-2.31:65 [… n]p̊šy . w ydn . bʿ̊[…]n • […]m . k yn . hm . l atn . bty . lh •

00-2.36:22 […]- . mlk . gr[…]-[…] • […]m̊ ----[…] • …

11-2.36:22 *[--]̊ . mlk . gr[…]̊ […] • […]m̊̊̊̊̊ […] • …*

00-2.41:8 w . kb̊-[…] • ʿm̊(?)[…]m ib • -----

00-2.41:9 ----- • -[…]-[…]m • […]-[…]

00-2.44:17 […]d̊bʿl • […]m̊(?) . plz • […]ttk

00-2.48:9 […]mlk[…] • […]m . ʿ[…] • …

00-2.50:6 […]dm . ṯnid • […]m . d . l . nʿmm • […]l . likt . ʿmy

00-2.79:30 […]ḫ/y . nʿm . hw . ap . hw • […]m . w . špš . mlk . rb . mlk • [… ḥwt . mṣ]rm . mlk . nʿm . mlk . ṣdq

00-2.81:2 […]åt̊ . d[…] • […]m . hln̊y .̊ […] • […]t . bd . ymz . tg/m-[…]

00-2.81:8 … • […]m . kbd .̊ -[…] • […]t/a̦ṣpy . bḫr[ṣ …]

Ejercicios Escolares

00-5.2:2 […]mmʿ -[…] • […]m . m[…] • tlʿinṣ/l̊---p[…]

Épica

00-1.14:I:3 […]- . mlk̊[…] • […]m̊ . k̊[…] • […]--[…]

00-1.14:I:5 […]--[…] • […]m . i̊l̊-[…] • […]d̊ nhr . umt

00-1.15:IV:10 ḫbr̊ . ṯ̊r[r]t̊ • […]ʿb̊/ṣ- . š̊[…]m • ẘ(?)/k̊(?)m̊(?)ḫ̊(?)ʿrt----qm

00-1.15:VI:1 … • šm̊ʿ . l̊[…]mt[…]m . l̊[…]ṯ̊nm • ʿdm . l̊ḥ̊m (tl̊ḥ̊m) . tšty

00-1.17:VI:41 […]m̊hrm . ht . tṣdn . tinṯt • […]m̊ . tṣḥq . ʿnt . w b lb . tqny • […]ṯ̊b . ly . l aqht . ǵzr . ṯb ly w lk

Fragmentos Varios

00-7.1:3 […]- . lm . lẙ[…] • […]m . in[…] • […]t̊s̊ʿ . […]

00-7.3:4 […]-m . […] • […]m . […] • …

00-7.26:3 […]- . lm . l̊[…] • […]m̊ . in[…] • […]sʿ . ḫ̊/ẙ[…]

00-7.41:5 ----- • […]g̊/m̊ . muṣl̊[…] • […]m̊ ṯlṯ . […]

00-7.41:6 […]g̊/m̊ . muṣl̊[…] • […]m̊ ṯlṯ . […] • -----

00-7.58:3 […]-ʿt . yd̊[…] • […]m . šb[…] • …

00-7.59:2 […]-i[…] • […]m . -[…] • …

00-7.91:1 • […]m̊ . d yt[…] • […]rh . w[…]

00-7.164:2 […]- • […]m̊ • …

00-7.164:9 […]-t . il • […]m̊ • …

00-7.165:2 […]-i . ẙ-[…] • […]m . p[…] • …

00-7.176:4 […]--š . ḫ[…]r[…]b-[…] • […]m . […] . ar[b]ʿt[…] • […]ar-ddrn̊

00-7.203:3 ----- • […]m̊ • -----

Mítica

00-1.1:II:10 […]-[…]k iṯl • […]m[.]ʿdb . l arṣ • […]špm . ʿdb

00-1.1:IV:1 … • […]m . ṣ̊/ẙt̊/p̊r̊[…] • gm . ṣḥ . l q[…]

00-1.2:III:9 […]h̊/i̊rt- . ẘ[…]tb˓ . k̊t̊r ẘ[ḫss . t(?)]b̊n . b̊ht zbl̊ ẙm̊ • […]m . hk[l . ṯpṯ] . nhr . b t . k[ṣrrt . ṣ]p̊n̊ • [ḥš . bh]tm tbn[n . ḥ]š̊ . trm̊[mn . hklm . alp . šd . aḫd .]b̊t

00-1.4:VII:59 […]t̊(?)ḥt • […]m̊ • […]h̊

00-1.5:II:1 … • […]m̊ • [špt . l a]rṣ . špt . l šmm

00-1.13:15 […]r̊ṯ̊m . k yrk̊t̊ . ˓ṯqbm . • […]m̊ . t̊ẓp̊n . l pit . • -----

00-1.13:34 ----- • a[…]m . rḥ . ḫḏ ˓r̊pt • -----

00-1.13:35 ----- • gl̊/ṣ̊[…]ẙhpk . m̊[…]m̊/g̊ . • -----

00-1.82:21 [… a]l̊mnt . […]ẓ̊n -n̊(?)t̊(?)bdh . aqš̊r[…] • […]k . ptḥy . å[…]m̊ . mln̊(?)[…] • […]ṯk . ytmt . dlt . tlk . […] . bm[…]

00-1.101:9 ----- • […]m̊ k yn . ddm . lbh̊[…] • -----

00-1.129:2 […]pš . ṣḥ[…] • […]m̊ . ybky . -[…] • […]- . nn . zbl[…]

00-1.133:14 […]qbẓ . ṯmn • […]m . ẓbm . ṯr • […]bn . ilm

00-1.147:16 […]-ps . p˓ • […]m̊ • …

00-1.151:7 dt-[…]n --- ks̊(?)t̊(?) • rq[…]w[…]ḥ̊g . […]m̊ • štmn̊[…]sp . […]˓d̊(?)-m

00-1.167:7 […]˓l . ˓pr[…] • […]m . ˓nh[…] • […]yšu . ˓p[…]

Ritual

00-1.43:17 ----- • […]m . l gṯrm . • -----

10-1.43:20 ----- • […]m . l . ˓ntm . • -----

10-1.48:6 n̊m̊[…]ṣn . l . dgn • n[…]m • […] . pi[…]ẙqš

00-1.48:36 […]- • […]m • […]-

10-1.84:24 […]- • […]ṣ̊/l̊/m̊ ym • […]k̊l kbkb

00-1.122:7 […]p̊(?) . • […]m̊ • […]p̊(?)

10-1.153:2 […]t • […]m̊ • [… d]bḥ

00-1.163:17 ----- • riš . […]m . ḫmš • ˓šrh . [-]k/r .

10-1.163:17 ----- • riš . n̊(?)[…]m . ḫmš • ˓šrh . m̊[…]k̊/r̊ .

00-1.164:17 [r]šp . • […]m • […]k

Vocabularios

00-9.3:III:24 [... -l]u(?) • [... -]mu • [... -]da-mu

—m—

nº CGRU-132 Ocurrencias: 13

Administración

00-4.64:II:5 bn . ḥyn … […] • [bn .]ar[…]m[…] • [bn] . ḥrp[…]

00-4.125:14 […]m … […] • […]m̊[…] • [bnš . g]t . ir[bṣ …]

00-4.389:2 […]--m̊y • […]m̊[…]b̊n̊ . g̊z̊l̊ • [… š]d . ubd̊y

00-4.420:1 … • […]m[…] • -----

00-4.635:54 bn . ḏrm̊[…] • bn . ṣl[…]m̊[…] • bn . ḫdẙ [b]d . […]

00-4.765:11 […] • […]m̊[…] • …

Fragmentos Varios

00-7.8:1 … • […]m̊[…] • -----

00-7.120:2 […]y[…] • […]m[…] • […]-y[…]

00-7.140:14 ----- • […]m[…] • …

00-7.206:5 […] • […]m̊(?)[…] • - - d̊k̊[…]

Mítica

00-1.5:III:1 … • […]m̊[…] • [r]ḫ̊bt . ṯbt . -[…]

Ritual

00-1.158:4 ----- • […]m̊[…] • …

10-1.163:15 [ʿš(?)]rh . n̊pš . w str[…] • […]t̊/m̊[…]šbʿ . kbkbm • w ṯlṯ[m .]ḫrṣ

—m-

nº CGRU-133 Ocurrencias: 1

Correspondencia

00-2.22:7 […]-[…] pṣn dt b̊[…] • […]m- • […]dt ly

—m-—

nº CGRU-134 Ocurrencias: 6

Administración

00-4.410:3 […]-m̊[…]š̊rtm • […]l[…]m̊-[…] . šrt • […]-l-- . ṯt . šrtm

00-4.427:6 […]b̊/d̊ẙ[…] • […]m-[…] • […]s[…]

Correspondencia

00-2.36:53 [… a]r̊gmn . -- ẘ i-[…] • […]-dq . w . -[…]m-[…] • […]ʿm . -[…]

00-2.58:1 … • […]m̊-[…] • [… rg]m . ṯṯb[…]

Fragmentos Varios

00-7.149:4 … • […]m-[…] • […]ẙ . ṣb̊[…]

Mítica

00-1.82:12 […]- ʿnt . ḥzrm . tštšḥ . km . ḥb[…] • […]m-[…]- . ʿpr . btk . ygr̊š̊k̊ • […]-a . --š(?)[…]y . ḥr . ḥr . bnt . ḥ[…]

—m--

nº CGRU-135 Ocurrencias: 2

Correspondencia

10-2.36:46 … • […]m[---]tb̊[…] • […]ʿl[---]štt[…]

Fragmentos Varios

00-7.16:8 […]ẙ • […]m-- • […]l . t--

—m---

nº CGRU-136 Ocurrencias: 1

Correspondencia

11-2.36:46 […]š̊̊̊ […] • […]m̊[---] . t̊ […] • […]ʿ̊l[--]št̊t[…]

—n

nº CGRU-137 Ocurrencias: 157

Administración

00-4.13:29 [… ṯl]ḥ̊n • […]n̊ [ṯ]lḥn • […]n ṯlḥn
00-4.13:30 […]n̊ [ṯ]lḥn • […]n ṯlḥn • […]-n ṯlḥn
00-4.35:II:7 w . nḥlh • atn . bn . ap[…]n • -----
00-4.52:16 bn[. …]- . ms̊g • b̊[n . …]n . qmy . msg • […]n . msg
00-4.52:17 b̊[n . …]n . qmy . msg • […]n . msg • […]msg
00-4.55:2 […] dd • […]n . dd • -----
00-4.55:32 [b]n . gʿyn dd • […]n . dd • […]an dd
00-4.69:IV:22 […]g̊n … 4 • […]n … 10 • […]-mḫ … 2
00-4.69:VI:36 bn . š̊/d̲̊[…]r … 3 • bn . š[…]n̊ … 2 • (LINEA EN ACADIO)
00-4.75:I:6 […]dm . [bn . …]z̊n • bʿly-[…]n • krr[…]
00-4.103:31 [ubdy .]ʿ̊šrm • [šd . …]n . bd . brdd • [šd . …]-r-[…]-
00-4.103:55 [ubdy . md̲]rǵlm • [šd . bn . …]n . bd . aḫny • [šd . bn . …]b̊/d̊rt . bd . ṯpṭbʿl . 2
00-4.103:61 [šd . … bd . …] • [šd . … bd . …]n • [šd . … bd . …]b̊n
00-4.111:10 […]- b . gt . p- • […]n … 2 • […]n . ǵmrm
00-4.111:11 […]n … 2 • […]n . ǵmrm • […]- … 2
00-4.112:II:7 [bn . a]nny • […]n • […]n
00-4.112:II:8 […]n • […]n • …
00-4.141:II:11 ḥ̊tṯn • […]n • […]-
00-4.151:IV:1 … • […]n • […]n
00-4.151:IV:2 […]n • […]n • […]k̊/r̊n
00-4.155:10 […]n̊ḥ̊lh • […]n . bn . mryn • tṯn . bn . ṯyl
00-4.156:2 […]---- • […]n . b . ṯql[m .]k̊sp • [ḫ]pn . aḥd . b . ṯqlm
00-4.162:1 • […]n . ṯṯ . ḫsnm • -----
00-4.162:12 […]n̊m • […]n . kbd • -----
00-4.176:2 […]-ẙn • […]n̊ . knḫ • […]
00-4.182:60 ----- • […]n . b . ṯlṯ . šnt . l . nṣd • […]ršp . mlk . k . ypdd . mlbš
00-4.183:I:4 […]-t • […]n • […]
00-4.183:I:18 […] • […]n • […]
00-4.183:II:5 […]mn • […]n • -----
00-4.185:5 […] • […]n . ṯn • […]mb
00-4.187:5 […]yn • […]n • […]mr̊
00-4.188:13 lmd . nrn . • […]å/n̊ . ḫpn . • [ṣ]d̊qn . šʿrt
00-4.191:10 -[…]--lǵ[…] • w n̊[…]ṭ̊/ḥ̊ k̊l[…]n • w -----d̊mm̊
00-4.197:7 […]k̊sp ʿl • […]n . bn . kl-pt • […]ḫ/ẙ
00-4.217:7 […]- • […]n • šnå[…]
00-4.227:IV:3 […]--m • […]n • […]
00-4.243:33 w . år̊bʿ[…] . bnš[.]š̊dyn̊[…] • agr . […]n . ṯn . ʿšrh . d[d …] • -----

00-4.244:1 • […]n . ʿš̊[r …] • årt[.]årbʿ[…]

00-4.259:7 […] . l . mlkt̊[…] • […]n . l . bn -[…] • …

00-4.290:9 ----- • b . šd . bn . t[…]n • ṯl̊ṯ̊ . ʿšr̊[t]

00-4.325:7 […]ḥ̊/ṭ̊šr[…] • […]n̊ . t-[…] • …

00-4.328:1 • […]n̊/å . prš qmḥ . d . nšlm̊ • […]prš . d . nšlm

00-4.335:6 bn . agmz … […] • bn . š̊[…]n … […] • bn . a[…]- … […]

00-4.335:30 b̊[n . …]-n … […] • [bn .]š[…]n … […] • [bn .]k-[…]

00-4.351:1 • […]n̊ . dt̊ . b̊n̊š[…] • -----

00-4.357:8 […] • [šd . b]d . g-[…]n • [… šd]m . bd . iyt[lm]

00-4.359:4 ṯʿl̊[…]- • šǵr[…]n • bn[…]rh

00-4.370:34 […] • […]n • [ḥrš .]qṭn

00-4.374:10 t̊[…]n[…] . w . šǵrh • h̊/i̊[…]n̊ . w . šǵrh • [š]ǵ̊r̊krwn

00-4.384:7 … • […]n • -----

00-4.384:12 […]ẘ . ṣ[m]dm . w . ḥrṣ • […]n . aḥdm • [iwr]pzn . aḥdm

00-4.399:14 š[i]r . w . arbʿ̊ • [ḫ]m[š …]n • š̊d . […]

00-4.401:10 --[…]b . r̊[…]b • r--[…]n̊ . […] • […]

00-4.406:7 … • […]n . a[…] • […] . s-[…]

00-4.412:I:1 … • […]n • […]-

00-4.432:6 […]b … 3 … b[n .]mr[…] … 4[+ -] • […]n … 3 … bn̊ . ʿmlb̊i … 2 • […] … [- +]3 … bn . snr … 7

00-4.454:1 … • […]n . --[…] • […]- . k̊d̊ . aḥ̊[d …]

00-4.467:2 […]-m . -[…] • […]n . l . -[…] • -----

00-4.487:2 […]-rt[…] • […]n̊ … […] • […]n . ṣm[d …]

00-4.487:3 […]n̊ … […] • […]n . ṣm[d …] • […]- . l-[…]

00-4.553:1 … • […]n … […] • [ir]åb … […]

00-4.559:4 […]t̊n … 2[+ - …] • […]n … 2[+ - …] • […]y … 1[+ - …]

00-4.573:2 […]yn . mʿdbhm • […]n . mʿdbh • […]- . mʿdbh

00-4.597:8 […]t̊ … 5 • […]n … 5 • […]5

00-4.606:3 […] … 2[…] • […]n … 1[…] • […] … […]

00-4.609:16 ----- • ḫḏǵlm . il[…]n . pbn . nḏbn . sbd • -----

00-4.610:9 i̊bm … 20[+ -] … art … 88 • [ṯ]lrby[…] … […]n̊ … 43 • mʿr … […] … […]- … 40

00-4.610:61 […] … 2 • […]n̊ … 12 • […]- … 28

00-4.611:9 w nḥlh … 1 … k̊prm … ḫlq … 10 • bn nʿmyn … 2 … […]n … ḫlq • bn aṯtyy … 2 … bn mʿnt … 1

00-4.613:10 […]- … ḫlq • […]n • […]ḫ/ẙ.ı … 1

00-4.613:17 ----- • […]n • […]

00-4.616:8 ubrʿym . ḫmš • ů[…]n̊ . … 1 • b̊n̊ itn … 1

00-4.635:9 ab[… .]aḏddy . bd . skn • bn . […]n . uḫd bn . n[…]hbṭn

00-4.638:5 […] . l . bn . ydln … šd̊[…] • […]n̊ . l . blkn … šd̊[…] • […]r̊ . l . bn : kt̊r̊ẙ … š[d …]

00-4.640:4 […]ḫmšt . ʿ[l …] • […]n ----[…] • […]ḫ̊mš̊[…]

00-4.648:14 […]- . b . ndb • […]n . b . ndb • […] . b . kmkty

00-4.648:22 […] . b . yrml • […]n . b . yrml • […]q̊ny . yrml

00-4.657:5 […]w . … […] • […]n . … […] • […]---[…]

00-4.658:29 [b . … ʿ]šrm • [b . …]n . ʿšrm • [b . …]rn . mit . --[…]

00-4.658:32 [b . … ʿšr]t • [b . …]n . ḫmšt . ʿšrt • [b . …]ʿšrm

00-4.658:41 b . ann[…]ny[…] • b . ḫqn . b̊[n . …]-m . -[…]n • [b .]bn . ayl̊[n/t .]ḫ̊m̊št . l . ʿšrm

00-4.701:16 […]ẙ • […]n̊ • […]

00-4.718:5 ----- • […]n • […]d̊p

00-4.747:2 […]d̊[…] • […]n̊ . k̊s̊mm . -[…] • […]- ltḥ . šbʿ̊[…]

00-4.769:8 […]rkl[.]b̊n . adty . ʿšrm • […]n . ḥgbn . ʿšrm • […] ilrm̊ [.]ʿšrm

00-4.769:18 […] … […]bṇ uby . ʿšrm • […]a/n . br ʿš[… ʿ]šrt dd̊y . bn . ud̠r [--] . ʿšrt • […]p̊y . ʿšr[b̊n̊ rny ʿšr̊[t/m]

00-4.769:22 […]n̊[-]rq̊[. ʿ]šrm • […]n . [-]k/rn . bn ʿšrm • […]ʿšrm

00-4.769:30 […]d/bq/tn[.]usy . […] • […]n . ʿšrt • […]r̊ . ʿ̊š̊r̊t

00-4.769:37 […]m • […]n . bddn . ʿšr[t/m] • [… t/a/n]n . ʿšr[t/m]

00-4.769:40 [… ʿ]š̊rm • […]n̊ . ag̊li . ʿ̊[š]rt • […]ʿl . bn . ʿṯt[rn] . ʿšr[t/m]

00-4.769:56 [… t/a/n] . bn . anny . • […]n . ʿšrm • […]--[… ʿ]š̊rm

00-4.769:64 […] … d̠̊rn . ʿšrt • […]n̊ . ʿbdy . ʿšrm • [… ʿ]gy . ʿšrm

00-4.769:68 […]p . ʿšrm • […]n . ṯnqy ʿšrm • […]n . bn . ḥgbn . ʿšrm

00-4.769:69 […]n . ṯnqy ʿšrm • […]n . bn . ḥgbn . ʿšrm • […]n/a . ʿšrt

00-4.769:70 […]n . bn . ḥgbn . ʿšrm • […]n/a . ʿšrt • […]bn . ʿšrm

Correspondencia

00-2.21:12 i̊ky . l . ilak • […]n̊(?) . ʿmy • […]š̊l̊m . w . lm

00-2.31:64 ----- • [… n]p̊šy . w ydn . bʿ̊[…]n • […]m . k yn . hm . l atn . bty . lh

00-2.33:39 [a]l̊pm[.]ššwm • […]n . […]-ṣ̊/b̊ . w . ṯb • […]qrt . dt

00-2.35:10 […]mlk • […]n̊ . w . ht̊ • […]-kt . l

00-2.35:14 […]-[…] • […]n̊ . -nš̊[…]- • […]l̊k . w . l-[…]-

00-2.35:19 […] . bnš . • […]å/n̊ . w . bʿly • […]-

00-2.48:5 […] . mṣrm[…] • […]n mkr[…] • […] . ank . […]

00-2.79:23 […]rb . bʿly . nʿm . yzn • […]a/n/w . d̠rʿ . ly • -----

00-2.81:11 […]su . adr[…] • […]n . pr . h[…] • […]mš . r̊[…]

10-5.11:9 ṯt ʿmlt l åd̊n • […]n p t r̊[…] • …

Épica

00-1.14:V:18 […]-tr̊ • […]n • […]h̊ . l ʿdb

00-1.17:VI:6 mri . tšty . krpnm] . yn . b ks . ḫ̊r̊[ṣ] • [dm . ʿṣm …]n . krpn . ʿl . k̊rpn • […]q̊ym . w tʿl . t̊rṯ

00-1.17:VI:55 […] . aqht . ẙš̊-- • […]n . ṣ̊--[…] • …

00-1.19:I:26 [ṯpṭ . ytm …]h • […]n̊ • […]

Fragmentos Varios

00-7.3:2 ----- • […]å/n̊ . i[…] • -----

00-7.17:2 […]ṯr • […]n̊ • -----

00-7.32:8 […] • […]å/n̊ … […] • […]m̊g … […]

00-7.49:7 […] • […]n • […]

00-7.51:13 […]r̊/k̊/ẘ • […]n̊/ẘ • […]-

00-7.58:1 … • […]n̊ . r̊[…] • […]-ˁt . yd̊[…]

00-7.72:2 […]-b[…] • […]n̊ … […] • […]n … […]

00-7.72:3 […]n̊ … […] • […]n … […] • […]-[…]

00-7.85:3 […]ṣ̊ḥ̊[…] • […]n . ṯn[…] • […]m̊lk . […]

00-7.99:2 ----- • […]n … […] • -----

00-7.120:4 […]-y[…] • […]n̊ . l[…] • […]tk[…]

00-7.135:1 … • […]n̊ . l bn[…] • […] . tgr l ǵ-[…]

00-7.141:4 […]p • […]n • […]l̊h

00-7.145:1 • […]n . […] • […]

00-7.145:3 […] • […]n . m-[…] • […]r̊/km . […]

00-7.162:2 […]-[…] • […]n . y[…] • […]ůgrt

00-7.178:2 […]- • […]n • -----

00-7.189:2 ----- • […]n . krb̊/d̊[…] • -----

00-7.203:1 … • […]n̊ • -----

Mítica

00-1.2:III:12 [rbt .]k̊mn[.]h̊k̊[l …]š̊ . b̊š[…]t̊[…]g̊lm̊ . (?)l̊ šdt̊[…]ymm • […]b̊ ym . yṃ . y[…]t . yš̊[…]n åp̊k . ˁṯtr . dm̊[…] • […]ḫrḫrtm . w ů/d̊[…]n[…]iš[…]h[…]išt

00-1.2:III:14 […]ḫrḫrtm . w ů/d̊[…]n[…]iš[…]h[…]išt • […]y . yblmm . u[…]-ḫ̊[…]k̊ . ẙr̊d̊[…]i̊[…]n̊ . bn̊ • […]n̊n̊[.]n̊r̊t̊[.]i̊l̊m̊[.]špš . tšu . gh . w t̊[ṣḥ . šm]ˁ . mˁ[…]

00-1.4:VI:60 [b k]s̊ . ḫ̊r̊ṣ̊ . d̊[m . ˁṣm] • […]n̊(?) • […]t

00-1.4:VI:63 […]ṯ • […]n̊ • […]-t

00-1.6:VI:10 […]- . bn . ilm . mt • p̊[…]n . aḫym . ytn . bˁl • lpuy (spuy) . bnm . umy . klyỵ

00-1.6:VI:37 […]d̊ˁ̊ . -[…] • b̊[…]t̊/n̊ . hn[…] • […]š̊n̊-[…]

00-1.10:II:36 [… bt]l̊t . ˁn̊t[.]ph • […]n̊[…]n • […]ẙ/h̊

00-1.20:I:5 […]b . k q̊rb . ṣ̊d • […]n̊ b ẙm . qẓ • […]ẙm . t̊l̊ḥmn

00-1.24:12 šmˁ i̊lht kṯ̊r̊[t …]mm • n̊h̊ l ẙdh tzdn[…]n̊(?) • l ad̊[…]

00-1.62:2 […]h̊ . yb[…] • […]n . irš[…] • […]mr . ph

00-1.62:8 […]l . bn . il • […]n̊ . ˁdh • […]s̊rh

00-1.94:21 -[…]r • b-[…]n • w n̊t̊m̊n̊-[…]-t

00-1.108:1 • […]n̊ . yšt . rpu . mlk . ˁlm . w yšt • -----

00-1.108:11 ----- • […]n . il ǵnṯ . ʿgl il • -----

00-1.108:14 ----- • […]n̊(?) iṯmh • -----

00-1.151:6 štm̊[…]- . dt . š̊[…]-- • dt-[…]n --- ks̊(?)t̊(?) • rq[…]w[…]ḥ̊g . […]m̊

00-1.168:15 […]rn . lp • […]n/r . tlm • […]q̊d

Ritual

00-1.46:2 [… b ym ḥd]ṯ . slḫ̊ . npš . ṯʿ ẘ[ṯn]k̊bdm • [… šl]̊mm . ṯn šm . w alp . l̊[…]n̊ • […]š . il š . bʿl š . ḏgn š̊

00-1.48:9 ṯ[…]pš . šn̊ʿ[…] • ṯr . b iš[…]n̊ • bʿlh . št[…]rt

00-1.53:4 […]q̊(?) . mr[…] • […]n̊/å . mr[…]ẙdm[…] • […]m̊ṯbt . ilm . w . b . ḫ̊/ẙ[…]

00-1.103:3 ----- • […]n ykn b ḥwt • -----

12-1.103:3 ----- • gmš š[ʿr …]n ykn b ḥwt • -----

11-1.107:1 ----- • […]n̊ . b[…] . hl̊[…] • […]-̊r̊-̊ i̊l̊m . rbm . nʿl[…]mr

00-1.107:45 [šp]š̊ . b šmm . tq̊r̊u . […]-(R:m?)rt • […]-tm . åmn[…]-[…]n̊ . åmr • […]l ytk . b lt[…]åmr̊ . hwt

11-1.107:16 [šp]š . b šmm . tq̊r̊u . l̊[…]-rt • […]ḥ̊tm̊ . amn[…]--[…]n . amr • […]- l ytk blt/p/h[…]-mr̊ . hwt

11-1.107:20 […]y . yd . nšy . -̊[…]š . l mdb • […]h . mḫlpt[…]r̊/n̊ . am̊r • […] . nʿlm . -̊[…]

00-1.107:2 […]a[…] • […]ṯbt . npš̊[…]n̊(?) • -----

00-1.122:5 … • […]n̊ • […]p̊(?) .

00-1.126:14 […]l--[…] • […]å/n̊ . ů[…] • […]k̊m[…]

00-1.139:11 […]mm l sẙ(?)-- • […]n̊ . w prs • […]k yšt

00-1.153:6 […]ba • […]n il • …

—n—

nº CGRU-138 Ocurrencias: 29

Administración

00-4.194:13 k̊/r̊pil • […]n[…] • […]rš̊[…]

00-4.227:I:1 … • […]n[…] • ẘ . lmdh

00-4.233:1 • […]n̊[…]-t . rb • […]lpl̊

00-4.275:12 […]kd[…] • […]n[…] • …

00-4.295:9 ----- • p̊ln . -[…]n[…][…] • w . ṯn . bnh̊ . […]

00-4.374:9 sdrn̊ . ẘ . ṯn . šǵrh • t̊[…]n[…] . w . šǵrh • h̊/i̊[…]n̊ . w . šǵrh

00-4.432:2 […]-[…]b̊[n . …] • […]n[…]b̊[n . …] • […]-[…]b[n . …]

00-4.442:1 … • […]n[…] • […]- … […]

00-4.511:3 […]i̊dr̊[…] • […]n̊[…] • …

00-4.606:5 […] … […] • […]n̊[…] • …

00-4.608:20 […]ḥ[…] • […]n[…]prr • […]tmtṯb

00-4.727:1 … • b[t …]n[…] • bt qnḏ̊ […]

Correspondencia

00-2.51:5 ʿmk̊[.]šl̊[m …] • […]n[…]-[…] • …

00-2.54:5 […]š̊ . skn̊ • […]n[…] • …

00-2.63:11 -ly . l . likt • ånk . ʿ-[…]n̊[…] • šil . ḥ̊[…]

Fragmentos Varios

00-7.1:5 […]t̊s̊ʿ . […] • […]n̊[…] • …

00-7.26:5 […]sʿ . ḫ̊/ẙ[…] • […]n̊[…] • …

00-7.37:6 […]šr . ṯ[…] • […]n̊[…] • …

00-7.46:1 … • […]n[…] • […]pn . ap/r[…]

00-7.133:1 … • […]n̊[…] • […]-- . d[…]

00-7.136:1 … • […]n̊[…] • […]lǵ . ʿ[…]

00-7.164:3 … • […]n̊[…] • […]- tǵr . i[lm …]

00-7.186:3 […]-r̊[…] • […]n̊[…] • …

00-7.199:2 […]lp̊[…] • […]n̊[…] • …

00-7.201:1 … • […]n̊[…] • -----

Mítica

00-1.2:III:1 … • […]-d̊(?)[…]n̊[…] • [… kpt]r̊ . l r̊ḥ̊q̊[. i]l̊[m . ḥkpt . l rḥq]

00-1.2:III:13 […]b̊ ym . ym . y[…]t . yš̊[…]n åp̊k . ʿṯtr . dm̊[…] • […]ḥrḥrtm . w ů/d̊[…]n[
…]iš[…]h[…]išt • […]y . yblmm . u[…]-ḫ̊[…]k̊ . ẙr̊d̊[…]i̊[…]n̊ . bn̊

00-1.10:II:36 [… bt]l̊t . ʿn̊t[.]ph • […]n̊[…]n • […]ẙ/h̊

Ritual

00-1.40:5 […]ǵbr . u[lp …] • […]n[…] • …

—n-—

nº CGRU-139 Ocurrencias: 2

Administración

00-4.397:4 ----- • mi̊[t…]n̊(?)-[…]-[…]ṯ̊m[…] d̊d̊m • k[bd]b̊ . gt [ip]ṯ̊l

Fragmentos Varios

00-7.79:5 […]b̊/d̊/ůṣ̊/l[…] • […]n̊-[…] • …

—n--

nº CGRU-140 Ocurrencias: 1

Administración

00-4.744:5 […]--mn . dbḥ̊(?) • […]n-- r̊b̊il • […]k . k̊/ẘ yẙ(?)[…]

—s

nº CGRU-141 Ocurrencias: 2

Administración

00-4.196:1 • […]--[…]-------ḫd[…]--[…]s • -----

00-4.730:3 […]r̊d • […]--[…]s̊ • [ʿbd]i̊l̊t

—s—

nº CGRU-142 Ocurrencias: 1

Administración

00-4.427:7 […]m-[…] • […]s[…] • […]b̊/d̊[…]

—s̀—

nº CGRU-143 Ocurrencias: 1

Jurisprudencia

00-3.10:17 […]-[…] • […]s̀[…] •

—ʿ

nº CGRU-144 Ocurrencias: 8

Administración

00-4.24:2 […]-[…] • […]ʿ . å/n̊[…] • […]- . d-ṣ̊(?)[…]

00-4.154:1 • […]ʿ . lmdm • […]ʿln

00-4.186:6 […] • […]ʿ . b ḥl • …

00-4.228:2 […]n̊pš • […]ʿ . npš • [… a]r̊bʿ . npš

00-4.228:4 [… a]r̊bʿ . npš • […]ʿ . nps̊̌ • [… ḫm]š . nps̊̌

00-4.693:29 [ḫl]b̊ ʿprm … 1 • […]ʿ . w . ḫlb krd … 3 • […]-y … 2

Mítica

00-1.63:1 … • […]ʿ • […]i̊dk

Ritual

00-1.103:9 ----- • ẘ in šq ẙ[mn b]h . mlkn ẙ[…]ʿ̊(?)/š̊(?) • -----

—ʿ—

nº CGRU-145 Ocurrencias: 2

Administración

00-4.122:14 […]-ẓ[…] … […] • […]ʿ[…] … […]q • […]r-[…] … […]r .

Fragmentos Varios

00-7.86:1 … • […]ʿ̊[…] • […]l . […]

—ʿ-—

nº CGRU-146 Ocurrencias: 1

Fragmentos Varios

00-7.176:1 … • […]ʿ-[…] • […]l . p[…]

—ǵ

nº CGRU-147 Ocurrencias: 2

Administración

00-4.67:9 ap[n …]- • apn̊[…]ǵ • tgmr a[pn …]nm

00-4.645:7 šd . bn . s̀[…]y • šd . bn . ṯ[…]ǵ • šd . ʿdmn[. bn .]ynḥm

—ǵ—

nº CGRU-148 Ocurrencias: 1

Correspondencia

00-2.17:12 ----- • lḥ-[…]ǵ[…] • -----

—ǵ-—

nº CGRU-149 Ocurrencias: 1

Administración

00-4.244:28 ṯn . krm . [g]r̊gyn . t̊š̊[ʿ …] • ṯn . krm̊[. …]ǵ-[…] • krm . […]

—p

nº CGRU-150 Ocurrencias: 20

Administración

00-4.141:III:21 [… ḫ]rš . mrk̊bt • […]ʿšrh[…]p̊(?) • -----

00-4.769:67 […]rt • […]p . ʿšrm • […]n . ṯnqy ʿšrm

Correspondencia

00-2.29:2 […]å̊r̊bʿ . […] • […]p̊ iln̊[…] •

00-2.33:10 […]q̊ḥ . hn . l . ḥwth • […]p . hn . ib . d . b . mgšḫ • […]b . hnk̊(?)[.]ẘ . ht . ank

00-2.47:20 ----- • ymm . w å/n̊[…]p • -----

00-2.58:7 … • […]p . -[…] • […]t̊

00-2.79:28 […]y . ugrtym . hw . • […]p̊ . hw . dẙm . hw . d . ugrtym • […]ḫ/y . nʿm . hw . ap . hw

10-5.11:22 dlb amn • […]p t m y d l l ṣ/l • […]ry

Épica

00-1.14:V:27 […]l̊my • […]p • [… d]b̊ḥ

Fragmentos Varios

00-7.56:3 […]yn[…] • […]p̊ adt[…] • […]wn . bṯ[…]

00-7.141:3 […]tʿrt • […]p • […]n

00-7.147:1 … • […]p . […] • -----

Mítica

00-1.82:24 […]-qp . bn . ḥtt . bn ḥtt[…]--[…] • […]p . km . dlt . tlk . km . pl̊[…] • […]r̊(?)bt . tḫbṭ . km . ṣq . ṣb-[…]

Ritual

00-1.84:31 […]pšmtkm • […]p̊(?) ytk̊(?)-- • […]dkm

00-1.91:17 […]mm • […]p iln • […] . ṣmdm̊[.]r̊[…]pdǵ̊ẙ[…]

00-1.104:16 w b ym ʿšr • tpnn (ttnn) . npṣm . ḫm̊[…]p̊(?) • -----

00-1.122:6 […]n̊ • […]p̊(?) . • […]m̊

00-1.122:8 […]m̊ • […]p̊(?) • …

00-1.173:4 […]b/dld . alp . w[š . lb]ʿl • […]p̊š . dgn . alp .̊ ẘšl[…] • […]p̊ . wš . bʿl . ṣpn

00-1.173:5 […]p̊š . dgn . alp .̊ ẘšl[…] • […]p̊ . wš . bʿl . ṣpn • [--]ṣ̊pn . pdry

—p—

nº CGRU-151 Ocurrencias: 4

Administración

00-4.517:3 [… šb]ʿ . ṣ̊[md …] • […]p̊[…] • …

Correspondencia

00-2.75:1 • […]p/k/r[…] • [---]h . aḥ[…]

Fragmentos Varios

00-7.21:1 … • […]p̊[…] • […]ṯ̊nẙ[…]

Ritual

11-1.113:19 […]-̊[…] il nqmpʿ • […]p̊[…] il ibrn • […]d[… il]l̊ ʿmrpi

—p-—

nº CGRU-152 Ocurrencias: 1

Administración

00-4.386:8 […]ḥ[…]- • […]p-[…]nẙ • […]ḥ[…]-dn

—p--—

nº CGRU-153 Ocurrencias: 2

Administración

00-4.675:2 […]---[…] • […]p--[…] • […]lth[…]

Mítica

00-1.13:36 ----- • sʿ̊/t̊[…]p̊(?)/k̊(?)--[…]t • -----

—ṣ

nº CGRU-154 Ocurrencias: 14

Administración

00-4.11:3 […]r • […]ṣ • -----

00-4.258:16 […]ʿl . ʿb[…] • […]b̊/ṣ̊ . ʿl̊[…] • …

00-4.397:1 • -[…]ṣ̊/l̊ . b[.]yn[…] • m[i]tm[.]ṯlṯm̊[… k]b̊d

00-4.573:5 […] • […]ṣ̊/b̊ . ytn . arbʿ • …

00-4.717:4 […]å̊rbʿ . šmn̊[…] • […]b̊/ṣ̊ kdm • …

00-4.744:2 […]m ṯmn • […]ṣ/l̊ . w ṯlṯ • […]i . ṯmn

Correspondencia

00-2.66:3 […]-q . lpš . […] • […]ṣ . yštk . -[…] • […]--[…]lm[…]

Fragmentos Varios

00-7.117:3 […]l[…] • […]ṣ . l[…] • […] . w[…]

00-7.140:4 ----- • […]ṣ̊ ẘ --ṣ̊(?)-m̊(?)[…] • -----

Mítica

00-1.162:15 […] . wʿlm . ylk . ǵzr • […]ṣ • -----

Ritual

10-1.84:24 […]- • […]ṣ̊/l̊/m̊ ym • […]k̊l kbkb

00-1.103:47 ----- • […]l̊/ṣ̊(?) . ušrh . mrḥy . mlktn šant • […]b ydh

12-1.103:49 ----- • […]ṣ/l aṯrt . ʿnh . w ʿnh b lṣbh • [ibn y]rps ḥwt

11-1.107:53 […]t . nš . b̊-[…]mt[…] • […]ṣ/l . tmt[…]k̊/-̊ṯ̊[…] • […]š̊/d̲̊ akl̊[…]

—ṣ—

nº CGRU-155 Ocurrencias: 3

Administración

00-4.32:1 … • […]ṣ[…] • […]ẖḥyi[…]

00-4.584:1 … • […]ṣ̊[…] • […]y … 2 … […]

Fragmentos Varios

00-7.84:6 […]my[…] • […]ṣ̊/b̊[…] • …

—ṣ--—

nº CGRU-156 Ocurrencias: 1

Fragmentos Varios

00-7.150:1 … • […]ṣ̊(?)--[…] • […] 2 […]

—q

nº CGRU-157 Ocurrencias: 6

Administración

00-4.122:14 […]-ẓ[…] … […] • […]ʿ[…] … […]q • […]r-[…] … […]r .

00-4.170:1 • […]q • […]

Mítica

00-1.11:5 [… b]t̊lt . ʿnt • […]q . hry . w yl̊d • […]-m . ḥbl . kṯ̊r̊t̊

Ritual

00-1.53:3 […]b̊/d̊b̊/d̊(?)[…] • […]q̊(?) . mr[…] • […]n̊/å . mr[…]ẙdm[…]

10-1.53:3 […]b̊/å b̊/å (?)[…] • […]q̊/ḥ̊ . mr[…] • […]n̊/å . mr[…]ydm[…]

00-1.107:35 […]-ṭb̊(?)t . pẓr . pẓ̊r . w . p nḥš • […]q . nṯ̊k . l ydʿ . l bn . l pq ḥmt • […]-nh . ḥmt . w t̊ʿbtnh . abdy

11-1.113:26 […] il nqmd • […]q̊ … il yqr •

—q-—

nº CGRU-158 Ocurrencias: 1

Épica

00-1.16:V:31 dt . b pẖ-[…]-mẖt • […]q̊-[…]-tnn • […]ẙtn̊h̊

—r

nº CGRU-159 Ocurrencias: 81

Administración

00-4.11:2 […]ḥ[…] • […]r • […]ṣ
00-4.28:5 […]mr • […]r • […]š̊ʿ̊rt
00-4.64:IV:5 [bn . b]r̊q … 1 • [bn . …]r … 1 • [bn . …]tn … 1
00-4.69:VI:35 bn . […]b̊/d̊ … 8 • bn . š̊/ḏ̊[…]r … 3 • bn . š[…]n̊ … 2
00-4.75:IV:16 […]ky • […]r̊ • …
00-4.104:11 […] … 2 • […]k̊/r̊ … 6 • […] … 2
00-4.122:15 […]ʿ[…] … […]q • […]r-[…] … […]r . • […]ḥr̊[…] … […]
00-4.141:I:21 ʿbdmlk • y[…]r̊ • […]
00-4.159:10 [b]n̊(?) qrd • […]r •
00-4.183:I:15 ----- • […]r • […]
00-4.201:10 ----- • […]r alp . […] • […]kbd[…]
00-4.205:9 ṯ̊l̊ṯ[. …]- . kbm • p[…]r . aḥd • t[…]
00-4.224:1 … • […]k̊/r̊ • b̊[n . …]ḥ
00-4.247:14 ʿš̊r[…]- • alp[…]r • mit . lḥm̊ […]dyt
00-4.275:20 […]ṯn[.]alpm • […]k̊/r̊[.]ʿšr . ṣin • […]klkl
00-4.283:3 […]- • […] . šš̊[…]r̊ • [k]d . ykn . bn . ʿbdṯrm
00-4.304:2 […]--ḫ̊ṣm • […]r • …
00-4.339:9 […]d̊/b̊y . w . aṯth • […]r . w . aṯth • ʿbdyrḫ . ṯnǵlyth
00-4.350:3 […]mlk bn . ḫlan … 4 • […]r bn . mn … 10 • -h-ry … 4
00-4.351:3 ----- • […]r . d̊lt . tḥ̊tn • -----
00-4.420:10 […]nrn . mʿry • […]r . • -----
00-4.438:7 […]q̊n … 1[…] • […]k̊/r̊ … 1[…] • […] … 1[…]
00-4.534:1 … • […]r . l[…] • […]r̊ . l . […]
00-4.534:2 […]r . l[…] • […]r̊ . l . […] • …
00-4.545:I:7 […]-n • […]r • […]-
00-4.582:4 […]- . ššwm̊[…] • […]r … […] • […]ʿ̊šr . ṣmd[…]
00-4.592:7 […]-ṭy • […]r̊ • …
00-4.628:8 […] … n[…] . bn . šnd • […]r/k . bn . t[…] • …
00-4.638:6 […]n̊ . l . blkn … šd̊[…] • […]r̊ . l . bn . k̊t̊r̊y … š[d …] • […]- . l . kltṯb … […]
00-4.660:26 […]dtn • […]r • […]tʿm … 1
00-4.701:9 […]štn • […]r • […]b̊b
00-4.762:1 … • […]r • […]r̊š̊[…]
00-4.762:5 […]k̊ny -rn . bn -[…] • […]rt[…]r • kry […]- bn šp̊[…]
00-4.769:31 […]n . ʿšrt • […]r̊ . ʿ̊š̊r̊t • […]ṣ̊n . ʿšrt
00-4.770:21 q̊m̊y […] • […]k/r . k ⌊ …] •
00-4.784:16 […] - +2 • […]r […]- +5 • š̊ql […]

Correspondencia

00-2.31:32 ----- • […]k̊/r̊ . nrm • -----

00-2.31:36 […]b̊/d̊ . km[…]- • […]r̊/k̊ yṣunn . […] • […]d̊y . w . prʿ . -[…]

00-2.31:40 [… a]nk . i[…] s̊lm . w . yṯb • […]- . hw . […]y . h[…]r . w . rgm . ank • […]h̊dd . ----- l aṯrty

00-2.36:10 […]qrt[.]-nṯb . ʿmnkm . qrb[…] • […]r . i[…]- . w . at . ʿmy . l . mǵt . […] • […]mlk[…]tk . ʿmy . l . likt

00-2.43:3 […]m̊ḫ̊[…] • […]r̊ . tbʿ[…] • [… m]lk . ʿm̊[…]

00-2.47:19 ----- • ḫrdk . ʿps . […]r • -----

00-2.54:12 […]- • […]r̊ • …

00-2.57:11 […]b----å[…]-[…] • […]k̊/r̊ . yši[…]--[…] • [rg]m . yṯṯb̊ […]-[…]

00-2.72:34 [… i]štir . p . u • [my …]r̊ . kly . b . kpr • […]l̊bk . w . ank

00-2.79:5 [mṣr]m . rgm . tḥm • […]k/r . ʿbdk . l . pʿn • [bʿly . ql]t . ln . bʿly . yšlm

00-2.79:19 […]b . ḥwt . ugrt . wap • […]k/r . ʿm . špš . mlk . rb . mlk . mṣrm • [mlk . nʿm .]mlk . ṣdq . mlk . mlkm

00-2.82:6 […] . ht . ank . ʿbdk . mid̊[.]š[--] • […]r/k/t . bʿly[.]n̈ʿm[.]h̊t • […]špš . bʿly . šlḥ[…]

Épica

00-1.15:III:8 tld . pǵt . t[…]t • tld . pǵ̊t̊ . t[…]r̊(?) • tld . p̊ǵ̊[t …]

00-1.18:I:29 […]m̊t . išryt[…] • […]r̊ . almdk . ṣ̊/l̊[…] • […]qrt . ablm . a[blm]

Fragmentos Varios

00-7.20:2 […]ẙṣ̊i-[…] • […]k̊/r̊ . kll[…] • […]-lšr-[…]

00-7.31:2 […]mr • […]r • […]q̊rt

00-7.50:4 […]m̊ṯt kl • […]r ybl • [… a]ṯrt ṯṯ

00-7.51:5 […]i̊ḫdl • […]r . b • […]mb

00-7.51:12 […]t • […]r̊/k̊/ẘ • […]n̊/ẘ

00-7.109:2 ----- • […]k̊/r̊ . i[…] • […]šl[…]

00-7.118:1 … • […]r . […] • […]ḫt-[…]

00-7.130:1 … • […]r̊ . pn[…] • […]ḏi . u[…]

00-7.130:6 […]rd . pn . […] • […]r . ṯṯd . […] • […]r̊ . […]

00-7.130:7 […]r . ṯṯd . […] • […]r̊ . […] • …

00-7.133:3 […]-- . d[…] • […]r̊(?) . w s̊[…] • -----

Mítica

00-1.1:II:3 [tlsmn . ʿmy . twt]ḥ̊ . išdk • [tk . ḫršn …]r . […]ḥmk . w št • […]ẓ[…] . rdyk

00-1.4:III:7 […]ysdk . • […]r̊ . dr . dr • […]-yk . w rḥd

00-1.4:VII:31 yṯny . bʿl̊ . ṣ[…]p̊th • qlh . q̊[…]r̊ . å̊r̊ṣ̊ • […] ǵ̊r̊m̊[.]t̊(?)ḫ̊[šn]

00-1.6:VI:43 […]-u . l tštql • […]r̊/k̊ . ṭry . ap . l tlḥm • l̊ḥm . trmmt . l tšt

10-1.22:I:1 … • […]r . ṯl[ṯt . amǵy . l btbqr] • b . hkly . [wyʿn . il mrzʿy]

00-1.23:4 ytnm . qrt . l ʿlẙ[…] • b mdbr . špm . yd̊[…]r̊ • l rišhm . w yš[…]-m

00-1.75:1 • […]k̊/r̊ ydm ym • -----

00-1.83:1	… • […]r̊ . -[…] • […]il . […]
00-1.94:1	• […]r̊ . š . yb̊šr . q[dš] • […]
00-1.94:20	[…] • -[…]r • b-[…]n
00-1.168:15	[…]rn . lp • […]n/r . tlm • […]q̊d

Ritual

00-1.103:58	----- • […]r . bh . mlkn ybʿr ibh • -----
11-1.107:18	[…]- l ytk blt/p/h[…]-mr̊ . hwt • […]k̊/r̊ . ṯllt . khn[…] . k pʿn • […]y . yd . nšy . -̊[…]š . l mdb
11-1.107:20	[…]y . yd . nšy . -̊[…]š . l mdb • […]h . mḫlpt[…]r̊/n̊ . am̊r • […] . nʿlm . -̊[…]
00-1.124:5	w yʿny . nn • tʿny . nn̊ . […]r̊(?)/k̊(?) . qḥ̊ • w št̊ m̊[…]--[…]-tn̊(?)
00-1.127:13	----- • […]r̊ bt • […] bnš
00-1.137:2	[…]-[…] • […]r il[…] • […]-mt w[…]
00-1.153:10	[…]z̊ • […]r • […]b
10-1.163:18	riš . n̊(?)[…]m . ḫmš • ʿšrh . m̊[…]k̊/r̊ . • w al . tṣu[…]yṣu .

Vocabularios

00-9.4:8	[z]u?-ut-ta-ru (zuttaru ?) • […]ri • […]

—r—

nº CGRU-160 Ocurrencias: 26

Administración

00-4.64:V:6	bn . ṯb[…] • bn . […]r̊/k̊[…] • bn . tgn …]
00-4.77:5	ʿbd[…] • bn . sn[…]r[…] • bn . at̊--[…]
00-4.93:III:16	[…] … 2 • […]r̊[…] … 1 • […]t̊ẘ[…] … 1
00-4.304:6	[…]- mltḥ . kkr • […]r̊[…]- • -----
00-4.517:1	… • […]r̊[…] • [… šb]ʿ . ṣ̊[md …]
00-4.627:4	[… .]arb̊ʿ̊ . b̊/d̊š . lh̊ • […]k̊/r̊(?)[…] . ṯl̊ṯ[… .]b̊/d̊š . lh • […]m̊ . ḫ̊[mš . … l]h
00-4.636:30	d̊r[t …] • […]r̊[…] • […]ṯ̊m . l . […]

Correspondencia

00-2.36:43	[-----]l . š[…] • […]k/r̊[…] • […]årgm̊[n …]
00-2.75:1	• […]p/k/r[…] • [---]h . aḥ[…]

Fragmentos Varios

00-7.12:1	… • […]r̊[…] • […]t[…]
00-7.19:6	[…]w tb-[…] • […]r̊[…] • …
00-7.85:7	[…]-[…] • […]r[…] •
00-7.103:1	… • […]r[…] • […]- . r̊[…]
00-7.105:1	… • […]r[…] • […]p̊r̊[…]
00-7.123:3	[…]ʿ̊r[…] • […]r[…] • …
00-7.175:5	[…]k . i̊[…] • […]r̊[…] • …

00-7.176:3 […]l . p[…]• […]--š . ḫ[…]r[…]b-[…] • […]m . […] . ar[b]ʿt[…]
00-7.184:8 … • š[…]r̊/ẘ[…] • ʿg[l]m . d̊[t …]
00-7.197:3 ----- • […]r[…] • -----
00-7.211:1 … • […]r[…] • […]-[…]
00-7.217:1 … • […]r̊[…] • […]ʿ̊rb[…]

Mítica

00-1.7:52 […] • […]r̊/k̊[…] • […]t[…]
00-1.13:23 š̊m̊ʿk . l̊ arḫ . w bn . […] • limm . q̊l . b udnk . ẘ[…]r̊[…]- • -----
00-1.147:28 […] • […]r̊[…] • […]p̊š[…]
00-1.167:12 [… q]ṭr . l̊b̊[n …] • […]r[…] • […]nʿ[…]
00-1.170:22 [--------]m̊ . kn . t̊[--] • […]r[…] • …

—r-

nº CGRU-161 Ocurrencias: 2

Administración

10-4.762:12 […]b[…]-ḥ[…] • […]r-̊ ẙ[-]rt-̊bn[š…] • [a]rt[…]-̊ ḥm̊r[…]
00-4.769:28 [… b]n . ʿšrt • […]r[-] . ʿ̊šrt • […]d/bq/tn[.]usy . […]

—r-—

nº CGRU-162 Ocurrencias: 3

Administración

00-4.122:15 […]ʿ[…] … […]q • […]r-[…] … […]r . • […]ḥr̊[…] … […]

Fragmentos Varios

00-7.102:1 … • […]r̊-[…] • …
00-7.187:2 […]-l̊[…] • […]k̊/r̊-[…] • […]- . p[…]

—š

nº CGRU-163 Ocurrencias: 37

Administración

00-4.22:1 … • […]š • [… a]rbʿm
00-4.62:2 […]yn . š . aḥ • […]š . nṣ (R:-) al • -----
00-4.78:3 […]pn … 2 • […]š̊ … 1 • […]- … 1
00-4.78:6 […]-š … 1 • […]š . aḥd •
00-4.151:I:12 […]bṣdq • […]š • […]ṣ̊d̊q
00-4.160:7 ----- • g̊(?)z̊/ḫ̊(?)[…]š . k̊/r̊[…] • […]-y[…]
00-4.160:11 ul̊m̊[…] • […]š̊ . w š . • rb . šd . […]
00-4.182:50 […] • […]š̊ . ḥdṯ • […]-
00-4.238:8 […]- • […]š • …

00-4.240:6	[…]k̊bd . ksp . š̊d̊[…] • […]š . šm̊[…] • […]--[…]
00-4.316:4	[… y]r̊ḫ . mgm[r …] • […]š . bd . i[…] • -----
00-4.618:29	[…]gbl … aḥ[d] • […]š riš … ḫmš ʿ[šr] • […]-- k̊bd . […]m̊n
00-4.701:11	[…]b̊b • […]š • […]
00-4.734:7	[…]rṯdt w ʿdd • […]š ʿ l k i • […]l̊/ṣ̊wd
00-4.744:10	[…]-ḥm . • […]š . • …

Correspondencia

00-2.23:32	bʿl̊[…]- • ap . -[…]š • mlk[… n]pšn
00-2.36:20	[… . ḥ]wtm . ugr[t …]-n . hl̊ • […]t . rgm . hn̊[…]š . r-[…] • […]- . mlk . gr[…]-[…]
11-2.36:45	[…]år̊g[mn …] • […]š̊̊̊ […] • […]m̊[---] . t̊ […]
00-2.54:4	[…] . hm • […]š̊ . skn̊ • […]n[…]
00-2.77:10	[k]sp . nʿmm . mlb[š] . • […]š . ktn . nʿmm . • [d]ṣpy . bḫrṣ . nʿmm . nʿm[…]

Fragmentos Varios

00-7.46:8	[…]šntkt[…] • […]š̊ gdl[…] • […]d̊k[…]
00-7.47:6	[…]-h . w rbt . ṣ̊/l̊[…] • […]š . prkb̊/d̊[…] • […]t̊š . psl̊[…]
00-7.51:10	[…]bm • […]š̊ . y • […]t
00-7.62:3	[…]nn • […]š̊(?) • …
00-7.133:7	[…]ymm […] • […]š -[…] • …
00-7.189:1	… • […]š . i[…] • -----
00-7.204:2	----- • […]š̊ . l̊[…] • -----

Mítica

00-1.2:III:11	[ḥš . bh]tm tbn[n . ḥ]š̊ . trm̊[mn . hklm . alp . šd . aḫd .]bt̊ • [rbt .]k̊mn[.]h̊k̊[l …]š̊ . b̊š̊[…]t̊[…]g̊lm̊ . (?)l̊ šd̊t̊[…]ymm • […]b̊ ym . ym . y[…]t . yš̊[…]n åp̊k . ʿṯtr . dm̊[…]
00-1.62:18	[…] • […]š̊ • […]
00-1.83:17	[…] • […]š̊ • :..

Ritual

00-1.103:9	----- • ẘ in šq ẙ[mn b]h . mlkn ẙ[…]ʿ̊(?)/š̊(?) • -----
00-1.107:48	[…]- . ṯllt . khn̊[…] . k pʿn • […]y . yd . nšy . -[…]š . l mdb • […]h̊ . mḫlpt[…]---r̊
00-1.107:51	[…] . n̊ʿlm . n̊/å[…] • […]š . hn . al̊[…] • […]-t . bnh̊(?)[…]
00-1.107:29	[…]l̊ . tmt[…]å/n̊tṯ[…] • […]š̊ akl̊[…] • -----
11-1.107:54	*[…]ṣ/l . tmt[…]k̊/-̊tṯ[…] • […]š̊/d̠̊ akl̊[…] •*
00-1.134:9	[…]l pdr̊[…] • […]š … […] • […]l̊l
00-1.160:2	[…]t̊ . iṣ[r …] • […]š . dgn̊[…] • […] . bm-[…]
00-1.175:2	[…]bn . bt . ml̊k̊[…] • […]š . šrp . alp . wš . šr̊[p …] • […]wš . lršp . bbt . ʿṣr[m …]

—š—

nº CGRU-164 Ocurrencias: 11

Administración

00-4.312:10 ----- • […]š[…]-[…] • […]-[…]

00-4.399:3 […]šd . irpn . ṯ[…] • […]š[…]ṯtn . šd . • --š . --ga . ḫmš .

00-4.531:1 … • […]š[…] • […]ḫ̊/ẙ . ṯt . […]

Correspondencia

00-2.36:46 […]šh̊/i̊[…]--[…] • […]š̊[…]tb̊/d̊[…] • […]ˤl[…]štt[…]

00-2.41:12 […]t̊(?)[…] • […]š[…] • […]rš̊[…]mẙ

Fragmentos Varios

00-7.55:1 … • […]š[…] • […]t̊ . t-[…]

00-7.113:3 […]bn . […] • […]š[…] • …

00-7.197:1 … • […]š[…] • -----

Mítica

00-1.3:II:1 … • n̊[…]š̊[…] • kpr . šbˤ . bnt . rḥ . gdm

Ritual

00-1.58:6 ----- • […]š(?)[…] • …

00-1.130:2 […]-[…] • […]š[…] • l̊ bˤ[l …]

—š-—

nº CGRU-165 Ocurrencias: 3

Administración

00-4.105:6 […]l̊g̊t̊ . mlk̊[…] • […]š̊-[…] • …

00-4.599:2 […]-[…] • […]š-[…] • […]ilr̊[…]

Ritual

00-1.107:26 […]b̊r̊(?)ẙ[…] • [… i]l̊m . rbm̊[…]š-[…] • […]t . nš . b-[…]m̊t[…]

—š--—

nº CGRU-166 Ocurrencias: 1

Administración

00-4.548:5 bd . snrn • ylq[ḥ …]š̊--[…] • w . b̊d̊[. …]

—t

nº CGRU-167 Ocurrencias: 89

Administración

00-4.13:4 [… ṯ]lḥn • […]t ṯlḥn • […]ṯlḥn

00-4.17:3 […] mpḫrt • […]t . im • […]-pt

00-4.18:1 • […]t … ṯm[n …] • […]l … ḫmš̊[…]

00-4.18:6	[…]y . ṯmnym[…] • […]t̊ . mit[…] • […]m̊i̊t̊[…]
00-4.24:4	[…]- . d-ṣ̊(?)[…] • […]t . bn . ʿl̊[…] • […]-št . b[n …]
00-4.60:1	… • […]t . ddm . šʿr̊[m …] • […]d/b . mit . ḫsw (ḫswn) . -[…]
00-4.64:IV:1	… • [bn . …]k̊/t̊ … […] • [bn . …] … […]
00-4.71:II:8	[…]-ḥy … 3 • […]t … 3 • (LINEA EN ACADIO)
00-4.182:1	• […]t . ilhnm . b . šnt • […]š̊bʿ . mat . šʿrt . ḫmšm . kbd
00-4.182:57	[…]rt . mḫṣ . bnš . mlk . ybʿlhm • […]t . w . ḫpn . l . azzlt • -----
00-4.196:6	----- • ʿ-[…]t • -----
00-4.243:50	[…]-ʿm . kbd . l . rʿ[ym …] • […]t . kbd . ṯmn . kb[d …] •
00-4.275:15	[…]prš • […]-̊/t̊ šdm • […]p̊nm . prš . gl̊bm
00-4.316:7	[…]pn . bd . -[…] • […]t[.]bd . […] • -----
00-4.373:7	[…]b̊n̊(?) . bnh • - . kd̊ b̊ . hn . ksp -[…]t • -----
00-4.386:5	----- • [ʿ]š[r …]t . ksp • [ʿ]l[. …]b bn[…]
00-4.408:1	• […]t̊(?) . b̊n̊ . nnd̊[…] • [… ḥ]gbt
00-4.410:24	[… šrt]m̊ . l̊[. bn . ʿ]g̊l̊tn • [… a]ḥt . […]t̊ • [… š]rt . aḥt . […]
00-4.439:3	[…]i̊/h̊l . šl̊[m …] • […]t . ʿ̊š[r …] • […]-[…]
00-4.443:12	[…]ym • […]t • […]
00-4.459:5	[…]-t . spsgm … […] • […]t . nhr … ṯ̊[…] • […]q̊y … -[…]
00-4.538:3	[…]- … . … ʿš[r …] • […]t̊ . qdm . […] • […]-[…]
00-4.555:2	----- • […]t̊ • -----
00-4.555:3	----- • […]t̊ • -----
00-4.597:7	[…]-- … 5 • […]t̊ … 5 • […]n … 5
00-4.608:24	[…]ʿdḫin • […]t bd ḫ[…]m •
00-4.613:16	[…]m̊ … 10 • […]t̊ • -----
00-4.693:51	m[l]k̊ẙ … 1 • m[…]t̊ … 1 • s̊n̊r … 3
00-4.755:12	----- • š[…]t̊ • -----

Correspondencia

00-2.3:24	[m]åd . r[…]pǵt • […]-[…]t . ydʿt • [… r]gm
00-2.7:3	[…]-mt[…] • bk[…]t . yqḥ̊[…] • w š̊[…]rkb̊/d̊[…]
00-2.21:28	[…]y • […]t̊(?) • w . p--[…]
00-2.22:1	… • […]m̊/t . • […]ẘ . ʿrš
00-2.25:8	ḫ̊tm . rb[… a]ḥ̊d • […]---[…]t . b[…] • […]ǵ̊yt̊
00-2.33:12	[…]b . hnk̊(?)[.]ẘ . ht . ank • […]t . ašk̊n̊ . w . ašt • […]nt . -[…] . amrk
00-2.35:7	[…]----- • […]t . ṯṯb . l̊ẙ • […]- . --r̊-
00-2.36:20	[… . ḥ]wtm . ugr[t …]-n . hl̊ • […]t . rgm . hn̊[…]š . r-[…] • […]- . mlk . gr[…]-[…]
11-2.36:32	w . pḥm . b . bty . in[…]̊ . ht̊ […] • ššmḫt . w . ht . m̊̊ […]t ̊. […] • mly . inn̊m .̊ […]
00-2.47:8	----- • […]ḥ[…]d[…]t • ḥ̊[…]b̊ . ḥw[t .]--[…]
00-2.52:2	[…]yšl[m …] • […]t̊ … […] • -----

00-2.58:8 […]p . -[…] • […]t̊ • […]k

00-2.81:3 […]m . hln̊y .̊[…] • […]t . bd . ymz . tg/m-[…] • […]- . tḥmk . hdy . r[…]

00-2.82:6 […] . ht . ank . ʿbdk . mid̊[.]š[--] • […]r/k/t . bʿly[.]n̊ʿm[.]h̊t • […]špš . bʿly . šlḥ[…]

11-5.11:4 hn unk bnk … […] • ḥytn lp špš … […]t • yṯbtn bbt trtn

Ejercicios Escolares

00-5.15:2 illnpn̊[…]g/ . ig/ . sgsg • imrtn[…]t̊ (ACADIO) • uad̲lrḫm[…]----

Épica

00-1.15:III:7 [b]n̊t lk • tld . pǵt . t[…]t • tld . p̊ǵ̊t . t[…]r̊(?)

00-1.15:V:5 [… ḫ]b̊r̊[…] • b̊ḫ̊r̊[…]t̊(?) […]h̊(?)/i̊(?) • ỉ mṯb̊ […]t̊[…]

00-1.15:V:15 […]m̊tm . tbkn̊ • […]t . w b lb . tqb̊[…] • […]-mṣ̊/ỉ̊ . mtm . uṣ̊b̊ʿ̊[t]

Fragmentos Varios

00-7.9:1 … • […]t̊ ẘ[…] • […]ʿl . y[…]

00-7.51:7 […]mb • […]t • […]yk

00-7.51:11 […]š̊ . y • […]t • […]r̊/k̊/ẘ

00-7.55:2 […]š[…] • […]t̊ . t-[…] • […]d̲̊my . ʿ[…]

00-7.85:1 … • […]t • …

00-7.111:2 […]- • […]t̊ • […]-

00-7.111:7 … • […]t • …

00-7.172:2 […]- • […]t • […]-ḥ[…]

00-7.176:6 […]ar-ddrn̊ • […]t . n̊š[…] • […]h̊(?)[…]

00-7.176:12 […]-[…] • […]t . a[…] • […]ny-[…]

00-7.185:6 […]d̊/b̊t . ṣ[…] • […]t . ṣ[…] • …

00-7.208:3 … • […]t • […]--[…]

Mítica

00-1.1:V:17 [yʿtqn …]- . ymǵy . npš • […]t . hd . tngṯnh • […]ḥmk b ṣpn

00-1.2:III:12 [rbt .]k̊mn[.]h̊k̊[l …]š̊ . b̊š̊[…]t̊[…]ǵ̊lm̊ . (?)ỉ šd̊t[…]ymm • […]b̊ ym . ym . y[…]t . yš̊[…]n åp̊k . ʿṯtr . dm̊[…] • […]ḥrḥrtm . w ů/d̊[…]n[…]iš[…]h[…]išt

00-1.4:VI:61 […]n̊(?) • […]t • […]ṯ

00-1.4:VIII:48 ----- • […]t • …

00-1.6:VI:37 […]d̊ʿ̊ . -[…] • b̊[…]t̊/n̊ . hn[…] • […]š̊n̊-[…]

00-1.11:19 […]d̊r̊ • […]t • …

00-1.13:36 ----- • sʿ̊/t̊[…]p̊(?)/k̊(?)--[…]t • -----

10-1.22:II:27 [ymm . ap]nk . aliyn . bʿl • […]t . rʿh aby […] • […]yʿ[…]

00-1.76:12 […]ỉ̊ npṭry ṯ̊[mnym] • […]t urm -[…] • […]-[…]

00-1.94:24 […]- . ybšr . qdš […] • […]t btm . qdš . il[…] • [… b]n . qdš . kb̊[…]

00-1.129:5 […]ḥ̊kmt . y-[…] • […]t . y bʿl[…] • […]-k . r̊[…]

10-1.129:5 […]ḥkmt . y[…] • […]t̊ . ybʿl[…] • […]-k̊ . r̊[…]

00-1.157:8 ----- • […]t̊ . k̊b[…]rt[…]ẙ(?)r[…] • -----

00-1.157:13 ----- • […]t . […] • …

00-1.162:8 ----- • […]t . wbyn . ṯṯibṯn . kyšt • -----

00-1.168:2 […]- • […]t • […]b/dat

00-1.168:12 […]- . ḫlt • […]t . šmal • […]-ʿnk . št

Ritual

00-1.48:27 […] • […]t • […]

00-1.48:34 […] • […]t • […]-

00-1.49:2 […] . t-[…] • […]t . š l i[l …] • [… aṯ]rt . š l̊[…]

00-1.84:1 • […]t ugrt • [… w n]py . yman .

00-1.103:8 ----- • […]k̊/r̊h . ml̊[k …]-ḫt . b hmt n[…]t̊ dlln • -----

11-1.103:8 ----- • *[…]k̊/r̊h . m[lk …]-(m?)ḫt . bhmtn[…]t̊ dlln* • -----

00-1.107:27 [… i]l̊m . rbm̊[…]š-[…] • […]t . nš . b-[…]m̊t[…] • […]l̊ . tmt[…]å/n̊tṯ[…]

10-1.126:5 […]b̊y . bšṯ̊[…] • […]t̊ . ršp . a[lp wš …] • […]t . yṣ[i …]

10-1.139:12 […]n̊ . wprs • […]t̊ yšt (VACAT) • -----

10-1.146:5 […]kl . kmm . • […]t̊ . ṯmm • […]t̊bʿ . mdr̊ʿh̊

00-1.153:1 … • […]t • […]-

00-1.160:1 … • […]t̊ . iṣ[r· …] • […]š . dgn̊[…]

00-1.163:12 […]ph . mlk̊[…] • […]t . ẘ[…] • …

Vocabularios

00-9.3:III:21 [ši?-]i?-r[u?] (šîru ?) • [... -t]um • [... -l]u(?)

—t—

nº CGRU-168 Ocurrencias: 13

Administración

00-4.247:5 ʿš[r …] • ṯl̊[ṯ …]t[…] • ṯ[…]

Correspondencia

00-2.41:11 […]-[…] • […]t̊(?)[…] • […]š[…]

00-2.44:11 […]mt[.]b̊ʿ̊l̊ . ṣpn̊ • […]t[…] . tšr̊ • […]-[…]k

00-2.57:2 […]m--g[…] • […]t[…]-d̊t[…]-- . ʿbd • m̊[…]-[…]- . yṯ-[…]

Épica

00-1.15:V:6 b̊ḫ̊r̊[…]t̊(?) […]h̊(?)/i̊(?) • l̊ mṯb̊ […]t̊[…] • [tqdm .]ẙd . b ṣ̊ʿ̊ . t̊[šl]ḥ̊

Fragmentos Varios

00-7.12:2 […]r̊[…] • […]t[…] • …

00-7.119:3 […]t̊l[…] • […]t̊[…] • …

00-7.206:3 […]-k-[…] • […]t[…] • […]

00-7.209:2 ----- • […]t[…] • -----

Mítica

00-1.2:III:11 [ḥš . bh]tm tbn[n . ḥ]š̊ . trm̊[mn . hklm . alp . šd . aḫd .]bt̊ • [rbt .]k̊mn[.]h̊k̊[l …]š̊ . b̊š̊[…]t̊[…]g̊lm̊ . (?)l̊ šd̊t[…]ymm • […]b̊ ym . ym . y[…]t . yš̊[…]n åp̊k . ʿṯtr . dm̊[…]

00-1.7:53 […]r̊/k̊[…] • […]t[…] • […]-[…]

Ritual

00-1.130:28 --[…]b . g̊ˤ/š̊[…] • […]t̊[…] • …

10-1.163:15 [ˤš(?)]rh . n̊pš . w str[…] • […]t̊/m̊[…]šbˤ . kbkbm • w ṯlṯ[m .]ḫrṣ

—t-—

nº CGRU-169 Ocurrencias: 2

Fragmentos Varios

00-7.41:8 […]tˤr[…] • […]t̊-[…] • …

00-7.53:10 pb̊/d̊[…] • […]t̊-[…] • …

—t---

nº CGRU-170 Ocurrencias: 1

Ritual

00-1.163:15 [ˤš]rh . npš . wstr • […]t̊[---]šbˤ . kbkbm • wṯlṯ[m] ḫrṣ

—ṯ

nº CGRU-171 Ocurrencias: 16

Administración

00-4.205:17 […] • […]ṯ • […]-b . m . lk

00-4.228:6 [… ḫm]š . np̊š • […]ṯ̊ . npš • […]ṯ̊ . npš

00-4.228:7 […]ṯ̊ . npš • […]ṯ̊ . npš • [… a]ḥd

00-4.401:4 b̊n̊ mnnẙ[…]-[…] • -[…]rẙ[…]-[…]ṯ . bh • -----

00-4.424:20 […]- . šdyn . l̊ ytršn • […]ṯ . ˤbd . l . kyn • kr̊[m …]- l . iẘrtḏl

00-4.442:3 ----- • […]ṯ̊ … […] • […]ṯ̊n … […]

00-4.475:1 … • […]ṯ . … […] • -----

00-4.611:21 [bn …]y/ḫn … 1 … bn zlbn[…] • [bn …]ṯ̊ … 10 … bn . aḫ[…] • […]-[…] … bn t[…]

00-4.624:16 … • […]ṯ • […]qlˤm̊[…]

00-4.640:2 […]ˤšrt[…] • […]ṯ . ˤl m[…] • […]ḫmšt . ˤ[l …]

Correspondencia

00-2.36:7 [ḫ]rṣ . argmny[. …] . špš . štn . […] • […] . at . -[…]k[…] . […]ṯ . d . štt . b . ml̊[k …] • […]-tqb̊/d̊[…]- . udh̊ . mg̊t . w . mlkn̊[…]

00-2.44:6 ----- • kl̊l̊ ẙ[…]ṯ̊(?) . šp̊š • kl[l] ẙ--------

Fragmentos Varios

00-7.5:3 […]-ḫl[…] • […]ṯ ḫm̊[…] • …

00-7.197:4 ----- • […]ṯ̊(?) bnš-[…] • n-nḏ . b̊(?)

Mítica

00-1.4:VI:62 […]t • […]ṯ • […]n̊

00-1.5:III:28 ṯ̊m̊m̊ . w lk . […] • […]ṯ . lk̊[…] • […]k̊ṯ . i-[…]

—ṯ—

nº CGRU-172 Ocurrencias: 2

Administración

00-4.197:30 […]ẙ[…] • […]k̊sp̊[…]ṯ[…] • […]-d[…]

Mítica

00-1.152:7 ----- • […]ṯ̊(?)[…] • …

—ṯ-—

nº CGRU-173 Ocurrencias: 2

Administración

00-4.620:1 … • […]ṯ-[…] • […]ṯlṯm[…]

Fragmentos Varios

00-7.118:4 […]-n-[…] • […]ṯ-[…] • …

—ṯ--

nº CGRU-174 Ocurrencias: 1

Administración

00-4.399:17 g-[…]š̊d • […]ṯ-- • k-[…]

--------------m

nº CGRU-175 Ocurrencias: 1

Mítica

10-1.172:9 [hm . -]------ṯ̊ -ẙ[--]- . --- . ṯlṯ • [--]-----[---]-[---]m̊ • -----

----------t—

nº CGRU-176 Ocurrencias: 1

Correspondencia

00-2.36:32 w . pḥm . b . bty . in[-------] . ht[…] • ššmḫt . w . ht[. ----------]t[…] • mly . innm . […]

--------m

nº CGRU-177 Ocurrencias: 1

Mítica

00-1.170:21 [--------]rʿtm . kn̊ • [--------]m̊ . kn . t̊[--] • […]r[…]

--------n

nº CGRU-178 Ocurrencias: 1

Mítica

10-1.172:3 [hm . yrḫ(?)---] .̊ b̊ ḥdṯ yrḫ . bnšm • [--------]n̊ . thbẓn • -----

-------ṯ

nº CGRU-179 Ocurrencias: 1

Mítica

10-1.172:8 ----- • [hm . -]---̣--ṯ̊ -ẙ[--]- . --- . ṯlṯ • [--]-----[---]-[---]m̊

------ḥ

nº CGRU-180 Ocurrencias: 1

Ritual

12-1.103:14 ----- • [w] in uškm bh̊ .̊ d̲r̊[ʿ------]ḥ̊ • -----

------ṯ--

nº CGRU-181 Ocurrencias: 1

Administración

00-4.198:4 --l̊[…]-å(?)/n̊(?)q̊r̊ b ṭ̊b̊[q] • ------ṯ(?)--l̊ḫ̊(?)ẙ(?) • k̊-[…]ålp̊ l š̊m̊n̊

-----l

nº CGRU-182 Ocurrencias: 1

Correspondencia

00-2.36:42 at . mk . tšk[ḥ …] • [-----]l . š[…] • […]k/r̊[…]

-----n

nº CGRU-183 Ocurrencias: 2

Correspondencia

11-2.36:19 [----]ḥwtm . n[--]̊̊ b . ʿmq […] • [--ḥ]wtm . ugr[t ----]̊-n . i̊̊-[…] • [---]t . rgm . hn̊[-----]š . r̊[…]

Ritual

12-1.103:11 ----- • w qrn šir̊ [. b p]ith . šm̊å[l-----]n • -----

-----r

nº CGRU-184 Ocurrencias: 1

Ritual

10-1.103:2 [-----]--[…] • [-----]r . lk[…] • -----

----k-

nº CGRU-185 Ocurrencias: 1

Correspondencia

10-2.36:1 • [tḥ]m . pdǵb . mlk[t .----]k[-] • [l .]nqmd . rgm . hl[ny . ʿm .]šp[š]

----l

nº CGRU-186 Ocurrencias: 1

Ritual

10-1.103:22 ----- • [----](ṣ̊/l̊)ušrh . mrḥy . mlk tnšan • [-----]bydh

----m-—

nº CGRU-187 Ocurrencias: 1

Administración

00-4.401:1 • ----m-[…]-[…] • ṯ̊n̊/t̊ . h̊/i̊-m̊ . k[…]-[…]

----n

nº CGRU-188 Ocurrencias: 2

Administración

00-4.273:4 ----- • ----n̊ ---- k̊bd ḫmšm • -----

Correspondencia

10-2.36:19 [----]ḫwtm . n[----] . b . ʿmq[…] • [ḫ]wtm . ugr[t . ----]n . […] • [---]t . rgm . hn[-- -----]š . r[…]

----ʿ

nº CGRU-189 Ocurrencias: 1

Ritual

12-1.103:8 ----- • [-]-̊h . m-̊[----]̊ m̊ḫt . bhmtn[----]q̊/ʿ • -----

----p

nº CGRU-190 Ocurrencias: 1

Mítica

00-1.86:30 ----- • bnšm . ʿ̊(?)ṯr̊(?) ----p . ṯt[…] • š̊ʿ̊r̊m̊ . b-ḥ̊(?)----ṯar[…]

----q

nº CGRU-191 Ocurrencias: 2

Épica

00-1.15:IV:11 […]ʿb̊/ṣ̊- . š̊[…]m • ẘ(?)/k̊(?)m̊(?)ḫ̊(?)ʿrt----qm • i̊d̊ . ů̊t(?)-(?)l̊(?)-b̊(?)t

·Ritual

12-1.103:8 ----- • [-]-̊h . m-̊[----]̊ m̊ḫt . bhmtn[----]q̊/ʿ • -----

----r

nº CGRU-192 Ocurrencias: 1

Administración

00-4.42:4 kd . n̊d̊/ů/l̊l̊ḥp • dd . ----r • -----

---d

nº CGRU-193 Ocurrencias: 1

Administración

00-4.200:5 […]--[…] • ---d . -- • --n̊dy

---h

nº CGRU-194 Ocurrencias: 1

Correspondencia

00-2.75:2 [….]p/k/r[…] • [---]h . aḥ[…] • [ʿ]m . mlk . […]

---ḫ

nº CGRU-195 Ocurrencias: 1

Ritual

00-1.90:18 ẘ(?)[…] • ---ḫ̊(?) šlm • […]- š l alit

---k

nº CGRU-196 Ocurrencias: 1

Mítica

00-1.45:2 yn . iš[ryt] hlnr • spr . ---k . šbʿt • g̊hl . ph . ṯmnt

---l

nº CGRU-197 Ocurrencias: 2

Administración

00-4.763:7 bn . ḫ̊z̊(?)r̊ẙ … 2 • [bn .]---l … 2 • [g]rgyn … 2

Ritual

00-1.164:7 wšl[m ---] • kst[---]l . y/ḫ/z[…] • -----

---l—

nº CGRU-198 Ocurrencias: 1

Administración

10-4.763:7 bn . ḫ̊z̊r̊y[…]-̊ • [---]l[…] • b̊rgyn[…]2

---m

nº CGRU-199 Ocurrencias: 1

Correspondencia

10-2.36:53 [a]rgmn[.]wi[…] • […]ṣdq . w[---]m . […] • […]ʿm[…]

---p—

nº CGRU-200 Ocurrencias: 1

Ejercicios Escolares

00-5.2:3 […]m . m[…] • tlʿinṣ/l̊---p[…] • -ṯtr . ḥrnšt

---q

nº CGRU-201 Ocurrencias: 1

Correspondencia

10-2.33:18 [--]ktt . hn . ib[…] • [--]̊-q . mlk • [-]adty . tdʿ

---r-

nº CGRU-202 Ocurrencias: 1

Administración

00-4.191:15 bdyn • ---r- •

---t

nº CGRU-203 Ocurrencias: 1

Correspondencia

10-2.36:20 [ḥ]wtm . ugr[t . ----]n . […] • [---]t . rgm . hn[-------]š . r[…] • [----] . mlk . gr[-------]k[…]

11-2.36:20 *[--ḥ]wtm . ugr[t ----]̊-n . i̊̊-[…] • [---]t . rgm . hn̊[-----]š . r̊[…] • [--]̊ . mlk . gr[…]̊ […]*

--b

nº CGRU-204 Ocurrencias: 1

Jurisprudencia

00-3.1:21 ʿšrm . ṯql . kbd[. k]s̊ . mn . ḫrṣ • w arbʿ . ktnt . w --b • -----

--h

nº CGRU-205 Ocurrencias: 1

Ritual

10-1.103:42 ----- • [--]h . m[-----] . ḫt . bhmtn[…] • -----

12-1.103:8 ----- • *[-]̊-h . m̊-[----]̊ m̊ḫt . bhmtn[----]q̊/ʿ* • -----

--z

nº CGRU-206 Ocurrencias: 1

Ritual

13-1.103:54 ----- • b -[-]z̊ ḥrh . b pith . mlkn . yšlm l ibh • -----

--ḥ

nº CGRU-207 Ocurrencias: 1

Administración

10-4.195:9 ----- • [--]ḥ . aḥd . d . b̊t̊ . ʿbdm • -----

--ḥ—

nº CGRU-208 Ocurrencias: 1

Mítica

00-1.94:26 [… b]n . qdš . kb̊[…] • […]ʿsb --ḥ[…] • […]b . ẙṯʿk . […]

--ḥ--

nº CGRU-209 Ocurrencias: 1

Administración

00-4.213:30 l . mḏrǵlm • ʿšrm . yn . mṣb --ḥ-- . l . gzzm •

--k—

nº CGRU-210 Ocurrencias: 1

Ritual

00-1.104:5 ṯlṯm[…] • --k[…] • -----

--l

nº CGRU-211 Ocurrencias: 1

Ritual

10-1.103:35 ----- • ẘtt ṣin [--](ṣ̊/l̊) dat . abn . madtn tqln bḥwt • -----

--l—

nº CGRU-212 Ocurrencias: 1

Administración

00-4.198:3 -----r̊(?)q̊š̊l̊--ṯ̊l̊[…] • --l̊[…]-å(?)/n̊(?)q̊r̊ b ṭ̊b̊[q] • ------ṯ(?)--l̊ḫ̊(?)ẙ(?)

--m

nº CGRU-213 Ocurrencias: 3

Administración

00-4.340:13 ṣ̊ṣ̊ … [bn] … -š[· … ṯ]lṯm • ṣṣ … b̊n̊ … --m [… ʿš]r̊m • ṣṣ … bn̊ … ḥ[… a]r̊b̊ʿm

Correspondencia

00-2.68:9 adty . --lm • --m . t[t]nn • […]--

Ritual

00-6.48:5 ʿ̊lm̊ mḫṣm ḫsr • b̊ʿl mlḫt --m • n̊pškm

--n

nº CGRU-214 Ocurrencias: 2

Administración

00-4.7:13 šd . bn . aby . l . iwrmḏ • šd . nḫl . bn . ʿṯtry . l . --n • šd . bn . t-- . l . armwl

00-4.690:10 ṯqlm • ẙd[y]n . bn . --n • ṯqlm

--n—

nº CGRU-215 Ocurrencias: 2

Administración

00-4.340:10 ṣṣ … [bn] … pn--[…] • ṣṣ … b̊n̊ … --n[…] • ṣṣ … b̊n̊ … […]

00-4.393:15 spḫy . -[…] • --n̊[…] • …

--s—

nº CGRU-216 Ocurrencias: 1

Administración

00-4.651:2 ---[…] • --s[…] • t̊mr[…]

--š-

nº CGRU-217 Ocurrencias: 1

Ritual

00-1.163:2 id . ydbḥ . mlk bḫmn • [--]š̊[-] . wšinm . lyšt • -----

--ʿ

nº CGRU-218 Ocurrencias: 1

Ritual

10-1.112:25 laṯr[t] ṯn šm . l bt bt[…] • il̊t/m̊ṣ̊/l̊d--ʿ wåǵt[…] • [ẘš̊]bʿ . gdlt . war[bʿ]

--p

nº CGRU-219 Ocurrencias: 1

Correspondencia

10-2.33:10 […]q̊ḥ . hn . l . ḥwth • [--]p . hn . ib . d . b . mgšḫ • [-]ib̊ . hnk̊ [.] ẘ . ht . ạnk

--ṗ—

nº CGRU-220 Ocurrencias: 1

Mítica

00-1.93:8 ʿṣp ʿ[…]ǵb[…] • ṯat[…] . --p[…] • yn--m-[…]

--ṣ

nº CGRU-221 Ocurrencias: 1

Ritual

10-1.103:35 ----- • ẘtt ṣin [--](ṣ̊/l̊) dat . abn . madtn tqln bḥwt • -----

--r

nº CGRU-222 Ocurrencias: 1

Correspondencia

10-2.36:10 [--]qrt[--]nṯb . ʿmnkm . qrb[…] • [--]r . i[-]t̊ . w . at . ʿmy . l . mǵt . […] •˙[w .]mla[k]tk . ʿmy . l . likt

--r-

nº CGRU-223 Ocurrencias: 1

Correspondencia

00-2.35:8 […]t . tṯb . l̊ẙ • […]- . --r̊- • […]mlk

--š

nº CGRU-224 Ocurrencias: 2

Administración

00-4.399:4 […]š[…]ṯtn . šd . • --š . --ga . ḫmš . • š̊d . ʿmn . irm .

Ritual

11-1.148:32 [-]-̊rt . š . šgr . ẇ iṯm š • [--]š[-]š . ršp . idrp . š • […]m̊ḏr . š

--š—

nº CGRU-225 Ocurrencias: 1

Mítica

00-1.82:13 […]m-[…]- . ʿpr . btk . ygr̊š̊k̊ • […]-a . --š(?)[…]y . ḥr . ḥr . bnt . ḥ[…] • […]b̊/d̊ḫ̊/z̊b . b̊ʿ̊lm . ʿ[…]- . ydk . amṣ . yd̊[…]

--t

nº CGRU-226 Ocurrencias: 1

Correspondencia

11-2.36:15 [-]̊ntẙ . rgm . kẙ . likt . bt . mlk[…] • [--]t̊ . ntbt . mṣrm . ušbtm • n̊[t]b̊t . mṣrm . b . ḥẘt . ugrt

--ṯ

nº CGRU-227 Ocurrencias: 1

Administración

00-4.201:3 --ṯ[…] • ṯn kkr ʿl . --ṯ . m̊[at k]b̊d . p[…] • alp̊[… w] mat . kbd š̊b-[…]-- kbd . ẓ[…]

--ṯ—

nº CGRU-228 Ocurrencias: 1

Administración

00-4.201:2 --[…] • --ṯ[…] • ṯn kkr ʿl . --ṯ . m̊[at k]b̊d . p[…]

--ṯ-------

nº CGRU-229 Ocurrencias: 1

Administración

00-4.198:1 … • --ṯ------- • -----r̊(?)q̊š̊̊l̊̊--ṯ̊̊l[…]

-a

nº CGRU-230 Ocurrencias: 1

Mítica

00-1.172:4 ----- • […]ẙrḫ . bʿlyh . [-]n/r/a • […]ẙhmtn . ʿ/tglq/ṭ

-a—

nº CGRU-231 Ocurrencias: 1

Administración

00-4.97:8 pwn-[…] • -a/ṅ[…] • ---[…]

-a-

nº CGRU-232 Ocurrencias: 1

Hipiatría

00-1.97:1 … • […]a[…] • -----

-u

nº CGRU-233 Ocurrencias: 1

Hipiatría

00-1.85:20 ----- • w . k̊[. …]bd . ššw . -d̊/ů . ḫlb • w . š[…]- . ʿl . --[…]

-b

nº CGRU-234 Ocurrencias: 1

Correspondencia

11-2.36:24 […]˚ […] • […]˚ [-]b . ḥwt[…] • […]lkn . ht . b̊. […]

-b—

nº CGRU-235 Ocurrencias: 2

Administración

00-4.34:1 … • -d̊/b̊[…]- • r t̲t̲m sp̊m

Fragmentos Varios

00-7.54:1 … • -b̊[…] • ykš[…]

-d

nº CGRU-236 Ocurrencias: 2

Correspondencia

00-2.57:5 […]-lk . mlk̊[…] • […]- . dq-d . b̊/d̊[…] • […]-l--[…]

Hipiatría

00-1.85:20 ----- • w . k̊[. …]bd . ššw . -d̊/ů . ḫlb • w . š[…]- . ˁl . --[…]

-d—

nº CGRU-237 Ocurrencias: 1

Administración

00-4.34:1 … • -d̊/b̊[…]- • r t̲t̲m sp̊m

-d̲-—

nº CGRU-238 Ocurrencias: 2

Administración

00-4.161:1 … • -d̲̊-[…] • -----

00-4.680:5 ilšp[š …] • -d̲̊-[…] • …

-h—

nº CGRU-239 Ocurrencias: 1

Administración

00-4.610:34 […] … šlmym̊ … 44 • […] … -h̊[… - + …]3 • […] … […]

-w

nº CGRU-240 Ocurrencias: 1

Hipiatría

00-1.71:3 [k …] šš[w …] • […]ẘ yṣq b a[ph] • -----

-w—

nº CGRU-241 Ocurrencias: 1

Mítica

00-1.37:5 [...]tm . aḫ̊[...] • [...]q̊t . -k̊/ẘ[...] • [...]--[...]

-ḫ

nº CGRU-242 Ocurrencias: 1

Administración

00-4.772:6 [...]mryn . uškn • -ḫ . md̲ . •

-ḫ—

nº CGRU-243 Ocurrencias: 1

Administración

00-4.359:1 • -ḫ/ẙ[... š]ǵrḫ̊[...] • mḫ[...]rh

-y

nº CGRU-244 Ocurrencias: 1

Correspondencia

00-2.44:13 [...]-[...]k • [...]lik (R:---)-y • [...]--n̊(?) . t̲tyẙ

-y—

nº CGRU-245 Ocurrencias: 1

Administración

00-4.359:1 • -ḫ/ẙ[... š]ǵrḫ̊[...] • mḫ[...]rh

-y---

nº CGRU-246 Ocurrencias: 1

Mítica

10-1.172:8 ----- • [hm . -]------t̲̊ -ẙ[--]- . --- . t̲lt̲ • [--]-----[---]-[---]m̊

-k

nº CGRU-247 Ocurrencias: 3

Fragmentos Varios

00-7.61:1 ----- • d̊tnẘr̊-k̊tnid • -----

Mítica

00-1.6:V:9 l š̊n̊t . [mk] . b̊ šbʿ • šnt . ẘ . -k̊(?) . b̊n . i̊l̊m . mt • ʿm . aliyn . bʿl . yšu

Ritual

00-1.163:18 riš . […]m . ḫmš • ʿšrh . [-]k/r . • wal . tṣů[-]ẙṣu .

-k—

nº CGRU-248 Ocurrencias: 1

Mítica

00-1.37:5 […]tm . aḫ̊[…] • […]q̊t . -k̊/ẘ[…] • […]--[…]

-k-—

nº CGRU-249 Ocurrencias: 1

Administración

00-4.496:1 … • -k-[…] • i̊byn̊[…]

-l

nº CGRU-250 Ocurrencias: 2

Mítica

00-1.4:III:12 yt̊ʿdd . rkb . ʿrpt • -/q̊(?)l̊(?) . ydd . w yqlṣn • ẙqm . w ywpṯn . b tk

00-1.88:1 … • -l̊ . w rbb • šḫ̊b npš išt

-l----

nº CGRU-251 Ocurrencias: 1

Administración

00-4.196:3 ----- • […]-[…] … -l---- • -----

-m

nº CGRU-252 Ocurrencias: 2

Mítica

00-1.4:III:34 b̊tlt . ʿnt . nmgn • -m . rbt . aṯrt . ym • [n]ġ̊ẓ̊ . qnyt . ilm

Vocabularios

00-9.3:II:9 […] • [... n]a(?)-[-]?-ma • [ḫ]u?-wa-tum (ḫuwātum)

-m—

nº CGRU-253 Ocurrencias: 1

Mítica

10-1.22:II:1 … • -m[…]-[…] • h . hn bnk . hn -[…]

-m-

nº CGRU-254 Ocurrencias: 1

Jurisprudencia

00-3.5:7 ůš-l̊(?) d . b š[…] • -m- . [y]d̊ gth • -(?)- g̊n̊h yd . […]

-m-—

nº CGRU-255 Ocurrencias: 2

Administración

00-4.6:1 … • -m-[…] • ḫlb k[rd …]

Ritual

00-1.87:61 kl[…]ẙt ṯmnt . k̊r̊wn̊[…] • -m-[…]- ṣpirẙ [ṯ]lṯt[…] •

-n

nº CGRU-256 Ocurrencias: 4

Administración

10-4.195:10 ----- • [-]n . ptḥm . b . bt . td̊-?̊-? • -----

Hipiatría

00-1.97:12 [k ygʿ]r̊ . ššw[…] • […]n̊(?) . ṯrb . dr̊[…] • […]-ʿ̊(?) št . n̊[ni …]

Mítica

00-1.86:18 … • -n . a--k̊-[…] • -mn-- . rḥ--[…]

00-1.172:4 ----- • […]ẙrḫ . bʿlyh . [-]n/r/a • […]ẙhmtn . ʿ/tglq/ṭ

-n—

nº CGRU-257 Ocurrencias: 3

Administración

00-4.97:8 pwn-[…] • -a/n[…] • ---[…]

00-4.412:II:30 […] • b̊[n .]-n̊[…] • bn . ady

10-4.727:1 … • b̊t̊[-]n[…] • bt qnḏ̊

-s—

nº CGRU-258 Ocurrencias: 1

Administración

00-4.505:2 -[…] • -s[…] • -----

-ʿ

nº CGRU-259 Ocurrencias: 1

Hipiatría

00-1.97:13 […]n̊(?) . ṯrb . dr̊[…] • […]-ʿ̊(?) št . n̊[ni …] • […]ǵ p -[…]

-ʿ—

nº CGRU-260 Ocurrencias: 1

Administración

00-4.191:1 … • -ʿ[…] • t̠n[…]

-ʿ-—

nº CGRU-261 Ocurrencias: 1

Administración

00-4.619:3 […]---t̠l̊[…]k̊ . bn . w-[…] • iwr̊d . t̠lr̊[by] -ʿ-[…] • uḫn[.]b . ir-[…]-[…]-[…]

-ǵ

nº CGRU-262 Ocurrencias: 1

Hipiatría

00-1.97:14 […]-ʿ̊(?) št . n̊[ni …] • […]ǵ p -[…] • […]--[…]

-r

nº CGRU-263 Ocurrencias: 5

Correspondencia

11-2.36:10 [-̊]q̊rt[-] ẘnt̠b . ʿmnkm . l . qrb[…] • [-]r . h̊/i̊/p̊[-]̊ . w . at . ʿmy . l . mǵt̊. […] •
[w .]mla[k]t̊k . ʿmy . l . likt

Fragmentos Varios

00-7.198:9 lš-r • … -r • …

Mítica

00-1.172:4 ----- • […]ẙrḫ . bʿlyh . [-]n/r/a • […]ẙhmtn . ʿ/tglq/ṭ

Ritual

10-1.103:33 ----- • wḥr . w[-]r bh . mlkn ybʿr ibh • -----
00-1.163:18 riš . […]m . ḫmš • ʿšrh . [-]k/r . • wal . tṣ̊u[-]ẙṣu .

-r—

nº CGRU-264 Ocurrencias: 3

Administración

00-4.86:2 t̠̊-[…] • w . -r̊[…] • w . abǵl . nḥ̊[lh …]
00-4.393:1 … • -r̊[…] • ǵnbn̊[…]

Épica

00-1.19:IV:47 w ʿl . tlbš̊ . npṣ . at̠t . […] • ṣ̊b̊i . nrt . ilm . šp̊š . -r̊[…] • p̊ǵ̊t . minš . šdm . l mʿr[b]

-r-—

nº CGRU-265 Ocurrencias: 1

Administración

00-4.178:1 • -r-[…] • b ʿd̊/b[…]

-r- -

nº CGRU-266 Ocurrencias: 1

Administración

00-4.748:9 -n̊k̊t̊----[…] • -r̊-- bn ʿm[…] • -----

-š—

nº CGRU-267 Ocurrencias: 1

Administración

00-4.340:12 ṣṣ … b̊n̊ … […] • ṣ̊ṣ̊ … [bn] … -š[… t̲]lt̲m • ṣṣ … b̊n̊ … --m [… ʿš]r̊m

-t

nº CGRU-268 Ocurrencias: 2

Épica

00-1.19:IV:26 b̊k̊b̊m̊ . ʿl̊/d̊[…] • ʿ̊l̊h . yd̊ . ʿd . -t . k̊(?)l̊(?)--- m̊ṣ̊ • ltm . mrq̊dm . d š̊n̊/t̊ l̊--

Fragmentos Varios

00-7.184:2 ----- • w -t . […] • -----

-t- -

nº CGRU-269 Ocurrencias: 1

Mítica

00-1.166:34 mm . bbt̲n . […] • -]t[--] . l/d[…] • …

-t̲

nº CGRU-270 Ocurrencias: 2

Administración

00-4.34:6 l k̊/ẘlt ḫ̊ndrt̲ arʿ (arbʿ) s̊pm w ʿšr[…] • l̊ -t̲ ḫndrt̲m t̲t̲ spm w t̲lt̲m l-m • l t̲/ʿmy ar[b]ʿ̊ spm w t̲lt̲ ʿ̊šr[…]

Correspondencia

11-2.36:7 [ḫ]rṣ . argmny[. ʿm] . špš . štn[…] • [w] . at . m̊[-]k̊/r̊ . ̊ ̊[-]t̲ . d . štt . b . mṣ̊[rm …] • [-]̊ tq[dm] . udh̊ . mǵt . w . mlk̊[n̊/t̊ …]

a—

nº CGRU-271 Ocurrencias: 52

Administración

00-4.2:5	bn . ʿ-[…] • bn . å/n̊[…] • …
00-4.17:7	… • å/n̊[…] • bn[…]
00-4.24:2	[…]-[…] • […]ʿ . å/n̊[…] • […]- . d-ṣ̊(?)[…]
00-4.41:3	yḥmn . ṯlṯ . šmn • a[…] kdm • r̊[… . bn . …]ʿm . kd
00-4.69:V:2	bn . s̊[…] • bn . n̊/å[…] • w . nḥ̊[lh …]
00-4.69:V:14	bn . gr̊[…] • bn . a[…] • bn . […]
00-4.75:IV:1	[…]zbl . bt . mrnn • a[…]ʿn • m-[…]-
00-4.77:24	bn . š[…] • bn . a[…] • bn . -rs̊[…]
00-4.88:1	• ṣmdm . a[…] • bd . prḫ … […]
00-4.106:16	[b]n . p̊[…] • bn . a[…] • bn md[…]
00-4.138:9	----- • ṯlṯ . lmdm . bd . a[…] • -----
00-4.201:5	----- • kk̊(?)r̊(?) . alp ḫmšm a[…] • -[…]ḥ̊bq . l ḥršm[…]
00-4.243:34	----- • a[…]ḥdṯn . ʿšr . dd-[…]- • -[…]- . yd . sǵr[h …]
00-4.258:3	[…] . ʿl . ṯny-[…] • […]h̊/i̊ . ḫyr . bth . n̊/å[…] • -----
00-4.333:10	tgmr . k[…] • ḫmšm . a[…] • kbd
00-4.335:7	bn . š̊[…]n … […] • bn . a[…]- … […] • b̊n[. …]
00-4.335:34	bn . i[…] • bn . a[…] • bn . ḫ[…]
00-4.366:2	šm[…]-[… ṯkt] • knʿm . bn . å[… ṯkt] • plšbʿl . bn . nz̊[… ṯkt]
00-4.406:7	… • […]n . a[…] • […] . s-[…]
00-4.422:35	bn . ǵ̊[…] • bn . å[…] • bn . ǵrǵ̊[n …]
00-4.455:4	b̊n . m̊[…] • b̊n . a[…] • b̊n . y[…]
00-4.469:5	š[…] • a[…] • …
00-4.583:6	[b]n̊ . il̊[…] • [bn] . å[…] • …
00-4.596:3	[…]b̊n . b[…] • [… b]n . a[…] • …
00-4.609:24	ḥrš qṭn[… .]dqn . bʿln • ǵltn . ʿbd . å[…]-n • -----
00-4.629:17	ṯlḫn[y …] • n̊/å/t[…] • ṯn̊[…]
00-4.650:4	[…]ṯ̊dy[…] • […]ṯ̊dyn . n̊/å[…] • […]s̊ḫrn . -[…]
00-4.673:1	… • […]-p . a[…] • […]lg . d[…]
00-4.683:7	a-[…]kbd • a[…]k̊b[d] • […]
00-4.743:14	w[…] • å/n̊[…] • kdy ṯlṯm

Correspondencia

00-2.3:7	u[…]šhr[.]nuš[…] • b ůgrt . w ht . a[…] • w hm . at . trgm̊[…]
00-2.6:2	tḥm . hl[…] • l pzry . a[…] • w l gpn r[gm]
00-2.34:21	-[…] • a[…] • ṯmny . ʿ̊m̊[…]
00-2.47:20	----- • ymm . w å/n̊[…]p • -----
00-2.49:7	t[…] • å(?)[…] • …
00-2.64:8	q[lt …] • a[…] • …

00-2.75:14 w . l . tʿw[r …] • w . ḥd . a[…] • kbd . kl̊[…]
00-2.81:5 […]- . tḥmk . hdy . r[…] • […]y . adnty . a[…] • […]t/a/nm . ytn . hm . […]
11-5.11:0 • a[…] • ʿzn bn byy ẘ[…]
10-5.11:15 p̊ […] t̊ ṯ l[…] d y l̊ t • a/n[…] tn ly • -----

Fragmentos Varios

00-7.29:5 […]-ny . ṯp[…] • […]-zn . å[…] • …
00-7.46:3 […]pn . ap/r[…] • […]rpl . a[…] • […]-h art[…]
00-7.114:2 […]k[…] • […]-m . å/n̊[…] • […]-d .
00-7.176:12 […]-[…] • […]t . a[…] • […]ny-[…]

Mítica

00-1.12:II:42 šn mtm . dbṭ-[…] • trʿ . trʿn . a[…] • bnt . šdm . ṣḥr̊[…]
00-1.13:34 ----- • a[…]m . rḥ . ḫḏ ʿr̊pt • -----
00-1.24:9 ʿnha (ʿnhn) l ydh tz̊d̊[…] • pt l bš̊r̊h̊ . d̊m̊ å/n̊[…]ḥ̊ • wyn . k̊ mtrḫt[…]h
00-1.25:3 […]ilm̊ . w ilh̊t . d̊t̊ • […]š̊bʿ . l šbʿm . å[…]- • […]ẘ/t̊ld̊m̊ . d̊t ym̊tm
00-1.82:21 [… a]l̊mnt . […]z̊n -n̊(?)t̊(?)bdh . aqš̊r[…] • […]k . ptḥy . å[…]m̊ . mln̊(?)[…]
• […]ṯk . ytmt . dlt . tlk . […] . bm[…]
00-1.166:3 q[…] • å[…] • r̊[…]

Ritual

00-1.107:50 […]h̊ . mḫlpt[…]---r̊ • […] . n̊ʿlm . n̊/å[…] • […]š . hn . al̊[…]
00-1.140:7 ḥwt ib t̊[…] • k tld a[…] • ʿḏrt tk[…]

a-—

nº CGRU-272 Ocurrencias: 17

Administración

00-4.10:8 […] • a-[…] • -[…]
00-4.44:18 … • […] a-[…] • […]la
00-4.248:7 ----- • a-[…] • -----
00-4.317:10 ----- • ṯlṯ . a-[…] • š̊--[…]
00-4.318:10 […]-[…] • […] … . a-[…] • […]--[…]my
00-4.334:1 … • bn[.]a-[…] • bn . byy[…]
00-4.434:8 […] … bn . n-[…] • […] … bn . a-[…] • […] … bn . ṣ̊/b̊[…]
00-4.582:6 […]ʿ̊šr . ṣmd[…] • [… ṣm]d̊ . bn . å-[…] • …
00-4.619:9 ----- • […]̊td . a-[…] • […]u . bn[…]nb[…]
00-4.649:10 biy-[…] • a-[…] • …
00-4.683:6 ml̊[…]kbd • a-[…]kbd • a[…]k̊b[d]

Correspondencia

11-2.36:50 […]̊k . p[-]̊ tr . […] • [… a]rgmn[.]d . å-[…] • […] . ibʿr[.]nn . […]

Fragmentos Varios

00-7.2:5 [… h]l̊ny . ṯp[…] • […]̊tzn . a-[…] • …

Mítica

00-1.1:III:30 bn . […] • a-[…] • …

00-1.5:IV:4 mit . rḥ-[…] • tṭlb . a-[…] • yšu . gh̊[. w yṣḥ …]

00-1.73:6 mr lbṯ . t-[…] • t ṯm qby . a-[…] • ṯpt lṯlm r[…]

Ritual

00-1.159:2 […]-n[…] • […]-m . a-[…] • […]l̊m . nl-[…]

a--

nº CGRU-273 Ocurrencias: 1

Mítica

00-1.168:30 […]b/dm • […] . yldhna-- • […]ḥ/ṭ-

i—

nº CGRU-274 Ocurrencias: 38

Administración

00-4.66:14 bn . y-[…] • b̊n̊ . i[…] • …

00-4.69:V:18 mr[u . ibrn] • bn . i[…] • bn . n[…]

00-4.88:7 apnm . l . bn -[…] • apnm . l . bn i[…] • apnm . l . bn -[…]

00-4.178:10 yš̊[…] • h̊/i̊[…] • …

00-4.178:11 … • i[…] • ʿn[…]

00-4.316:4 [… y]r̊ẖ . mgm[r …] • […]š . bd . i[…] • -----

00-4.335:10 […] • [bn .]i[…] • [bn .]q[…]

00-4.335:33 bn . ab̊[…] • bn . i[…] • bn . a[…]

00-4.374:10 t̊[…]n[…] . w . šġrh • h̊/i̊[…]n̊ . w . šġrh • [š]ġ̊r̊krwn

00-4.393:11 bn . uẖn … […] • b̊bru … . i[…] • p̊dyn … . q̊[…]

00-4.403:11 šd . -[…] • šd . i[…] • šd . bn . […]

00-4.427:2 sp̊r[…] • bn . i[…] • b̊n̊[.]i-[…]

00-4.449:2 [b]n̊ . m[…] • [b]n . i[…] • b[n] . ṯ[…]

00-4.617:13 bn . aup[š] … 1 … bn . ḫlbt . 1 • bn . i[…]y-[…] … 1 … bn . brzt . 1 • bn . ḥ[…] . … 1 … bn . ayl . 1

00-4.617:18 bn . ʿpṯb̊ … 2 … ʿbdẖ̊m̊n . 1 • ṯbry … 1 … bn . i[…] • bn . ymn … 1 … gdr[…]

00-4.647:2 ḏmr̊ . r̊[…]w . br • bn . i[…]- • w . r[…]bd . yḥmn

00-4.673:5 […]nd . ẖ̊-[…] • […]rd . i[…] • […]d . ṯn . […]

Correspondencia

00-2.9:3 [… n]p̊š . ttn[…] • […]- ydʿt . k i̊/h̊[…] • […]- . w hm -[…]

00-2.31:39 […]ẙtn . mlk̊ . ank . iphn . • [… a]nk . i[…] s̊lm . w . yṯb • […]- . hw . […]y . h[…]r . w . rgm . ank

00-2.31:53 [… r]gm . ank l […]rny • […]ṯm . hw . i[…]ty • […] . ibʿr . an̊[k …]ḏmr

00-2.36:10 […]qrt[.]-nṯb . ʿmnkm . qrb[…] • […]r . i[…]- . w . at . ʿmy . l . mǵt . […] • […]mlk[…]tk̇ . ʿmy . l . likt

10-2.36:52 […] . ibʿr[.]an . […] • [a]rgmn[.]wi[…] • […]ṣdq . w[---]m . […]

11-2.36:52 […] . ibʿr[.]nn . […] • [… a]r̊gmn[--]ẘi[…] • […]̊q . w . [----]m̊[…]

00-2.62:2 -[…] • i̊[…] • d . -[…]-[…]

Épica

00-1.16:II:7 lk[…] • k i[…] • w ẙ/ḫ[…]

Fragmentos Varios

00-7.3:2 ----- • […]å/n̊ . i[…] • -----

00-7.55:5 […]rq ẓiẓ[…] • nšʿr . i[…] • tʿr bnš̊[…]

00-7.109:2 ----- • […]k̊/r̊ . i[…] • […]š̊l[…]

00-7.158:1 … • i[…] • --[…]

00-7.163:5 […]ṯbt . k qb̊d̊[…] • […]l̊n bšr i̊[…] • […]ʿlk . igʿ . ʿ[…]

00-7.175:4 […]- . p[…] • […]k . i̊[…] • […]r̊[…]

00-7.189:1 … • […]š . i[…] • -----

00-7.202:1 … • i̊[…] • -----

00-7.207:5 ----- • l i[…] • -----

Mítica

00-1.93:10 yn--m-[…] • i[…] • …

00-1.157:7 ----- • […]- . mǵ̊ẙ[…]--thm . i[…] • -----

00-1.166:26 b̊d̊rš[…] • yṣi . wi[…] • rḥ . arr[…]

Ritual

00-1.123:20 [ǵ]lmt mrd̊[…] • qdš mlk i̊[…] • kbd il gb̊/d̊[…]

Vocabularios

00-9.3:II:53 da[-bi-lu? …] (dabilu) • i-?[…] • […]

i-

nº CGRU-275 Ocurrencias: 1

Correspondencia

11-2.36:10 [̊-]q̊rt[-] ẘnṯb . ʿmnkm . l . qrb[…] • [-]r . h̊/i̊/p̊[-]̊ . w . at . ʿmy . l . mǵt̊. […] • [w .]mla[k]t̊k . ʿmy . l . likt

i-—

nº CGRU-276 Ocurrencias: 8

Administración

00-4.427:3 bn . i[…] • b̊n̊[.]i̊-[…] • […]--[…]

Correspondencia

11-2.36:19 [----]ḥwtm . n[--]̊̊b . ʿmq […] • [--ḥ]wtm . ugr[t ----]̊-n . i̊̊-[…] • [---]t . rgm . hn̊[-----]š . r̊[…]

00-2.36:52 […] . ibʿr . nn . […] • [… a]r̊gmn . -- ẘ i-[…] • […]-dq . w . -[…]m-[…]

Fragmentos Varios

00-7.53:6 s . w lkd[…] • t̊r . i-[…] • ḫ̊d̲m . […]

00-7.68:6 ks[…] • i-[…] • m̊[…]

00-7.155:1 … • […] . i-[…] • […] . mt[…]

Mítica

00-1.5:III:29 […]t̲ . lk̊[…] • […]k̊t̲ . i-[…] • […]k̊m̊[…]

Ritual

11-1.107:23 […]š/d̲ . hn . al[…] • […]-t . bn . h̊/i̊-[…] • […] . ḥm̊[t …]

i--—

nº CGRU-277 Ocurrencias: 2

Administración

00-4.399:9 ʿmẙ . bn . mrzḥ • t̲n . ʿšr . šd . b . i--[…] • [a]r̊bʿ . šd . b . šr

Épica

00-1.15:III:30 u t̲n . ndr̊[…] • apr . i̊(?)--[…] • …

i----

nº CGRU-278 Ocurrencias: 1

Ritual

00-1.113:22 [il nq]mpʿ[… il] n̊q̊m̊pʿ • [il ʿmt̲]tmr̊ … il i̊---- • […]d̊ … il nqm̊p̊ʿ

i-----—

nº CGRU-279 Ocurrencias: 1

Administración

00-4.748:7 -m̊(?)ḥn y----[…] • --m̊(?)y i-----[…] • -n̊k̊t̊----[…]

u—

nº CGRU-280 Ocurrencias: 15

Administración

00-4.44:16 [t]šʿ šurt̊[…] • t̲lt̲ šurt l l̊/ů/d̊[…] • t̲n šurtm l[…]

00-4.243:9 ẘ[…]ʿm . l . mit . dd . t̲n . kbd . ḥpr . bnšm . t̲mnym . dd • l u[…]m . • -----

00-4.254:6 krm̊[…] • u[…] • …

00-4.262:8 […]d . ḫmšm . ksp̊[…] • […]lmn w . ʿl . u[…] • -----

00-4.357:11 š[d . b]d . s[…] • š[d . b]d . u[…]b • šd[.]bd . b̊/d̊[…]y

00-4.389:13 ----- • […] . d̊/ů/l̊[…] • …

00-4.395:1 • bnšm . d . b . ů[…]- • tšʿ . dt . tqḫ̊[n]

00-4.616:8 ubrʿym . ḫmš • ů[…]n̊ . … l • b̊n̊ itn … l

00-4.654:2 ----- • […]ḫ/ẙn . b̊/d̊/ů[…] • […]ḫ/ẙn . -[…]

Correspondencia

00-2.3:6 w […]- . brt . l bʿ[l …] • u[…]šhr[.]nuš[…] • b ůgrt . w ht . a[…]

Fragmentos Varios

00-7.130:2 […]r̊ . pn[…] • […]d̲i . u[…] • […]- . l . år̊[…]

Mítica

00-1.2:III:13 […]b̊ ym . ym . y[…]t . yš̊[…]n åp̊k . ʿṯtr . dm̊[…] • […]ḥrḥrtm . w ů/d̊[…]n[…]iš[…]h[…]išt • […]y . yblmm . u[…]-ḫ̊[…]k̊ . ẙr̊d̊[…]i̊[…]n̊ . bn̊

00-1.2:III:14 […]ḥrḥrtm . w ů/d̊[…]n[…]iš[…]h[…]išt • […]y . yblmm . u[…]-ḫ̊[…]k̊ . ẙr̊d̊[…]i̊[…]n̊ . bn̊ • […]n̊n̊[.]n̊r̊t̊[.]i̊l̊m̊[.]špš . tšu . gh . w t̊[ṣḥ . šm]ʿ . mʿ[…]

00-1.22:IV:1 … • ů/b̊/d̊[…] • s̊[…]

Ritual

00-1.126:14 […]l--[…] • […]å/n̊ . ů[…] • […]k̊m[…]

u-

nº CGRU-281 Ocurrencias: 1

Mítica

00-1.13:11 ----- • k̊(?)t . atn . at . mṯbk . ů(?)/b̊(?)-g̊/ . • -----

u-—

nº CGRU-282 Ocurrencias: 2

Administración

00-4.10:6 ksn . […] • u-[…] • […]

00-4.396:7 ml-[…] • d̊/ů-[…] • -----

u-------

nº CGRU-283 Ocurrencias: 1

Ritual

10-1.103:10 ----- • pnh . pn . irn . u[-------]tqṣrn̊ • ymy . bʿl hn bh̊t[------] .

13-1.103:33 ----- • *pnh . pn . irn . u-[-̊-----i]b̊ tqṣrn • ymy . bʿlhn bhm̊[t ib? tḫlq?]*

b—

nº CGRU-284 Ocurrencias: 107

Administración

00-4.15:13 ẓr̊(?)[…] • b[…] •

10-4.31:7 ----- • [bn(?) - -]d̊y b̊[…] • -----

10-4.31:8	----- • w bn ʿz?l . b̊[…] • -----
00-4.33:2	spr . mḏr[ǵlm] • lt (dt) . hlk . b̊[…] • -----
00-4.69:V:20	bn . n[…] • bn . b[…] • bn . iš̊/ḏ[…]
00-4.86:22	bdlm . dt̊[…] • ʿdn . b̊[…] • aḫqm . birt̊[y …]
00-4.86:29	----- • bdlm . dt . yṯb . b[…] • b̊yn . ʿnqp[aty …]
00-4.205:12	g[…] • b[…]y • -----
00-4.235:1	• qrht . b[…] • ksp . iš[…]
00-4.247:12	š[…]g ḥt[…] • ʿš̊r[…]k̊/r̊ḥ-b[…]- • ʿš̊r[…]-
00-4.254:1	… • b̊t̊ . b̊/d̊[…] • ab̊ʿ̊l[y …]
00-4.256:2	l[…] • l . b̊/d̊[…] • …
00-4.258:5	[ḫ]m̊šm . ksp . ʿl . gd[…] • […]ẙ . ypḥ . ʿbdršp . b[…] • [ar]bʿt . ʿšrt . kbd[…]
00-4.258:14	[…] . ʿl . ynḥ[ṁ …] • […]ʿl . ab . b[…] • […]ʿl . ʿb[…]
00-4.267:5	glbty . arbʿt • b̊/ṣ̊[…]ṯb . ʿšrt . • …
00-4.273:10	----- • b̊[…]-[…]-rtḫ . i̊--ʿm̊[…] • m-
00-4.275:10	[…]mnʿrt • […] . qt . b[…] • […]kd[…]
00-4.287:4	š[…] • b̊[…] • b̊[…]
00-4.287:5	b̊[…] • b̊[…] • t̊[…]
00-4.287:7	t̊[…] • b̊[…] • t̊[…]
00-4.312:3	----- • […]ǵ̊by . ṯlṯm . b̊/d̊[…] • […]- . bhtm . bdlm̊[…]
00-4.312:6	----- • […]- . ṯṯ . ʿšr . b[…] • […] . bhtm . bd̊lm[…]
00-4.313:22	ṯlṯ . ʿl . åbmn̊[…] • arbʿ . ʿl[.]b̊(?)[…]-ly • kd . [ʿl . …]ẓ
00-4.317:1	• p̊rǵṯ . b[…] • -dgr̊ … […]
00-4.317:6	----- • ʿmn b̊[…] • ary -[…]
00-4.329:1	… • b[…] • kb[…]
00-4.355:41	ṯn . bnšm . [b] . rqd • ṯn . bn̊š̊m̊[.]b̊[…]n̊y • år̊b̊[ʿ . bnšm . b . …]ll
00-4.357:12	š[d . b]d . u[…]b • šd[.]bd . b̊/d̊[…]y • šd . bd[…]k̊im
00-4.388:2	-[…] • b[…] • b[…]
00-4.388:3	b[…] • b[…] • lq̊[ḥ …]
00-4.389:5	[…]š̊d . ubdy • […]b̊n̊ . k-n ṯl̊ṯm ksp b[…] • […]šd bʿly
00-4.393:13	----- • bnšm . d ..b[…] • spḫy . -[…]
00-4.393:16	… • b̊[…] • bn̊[. …]
00-4.400:10	[d]d . ḥ̊ṭ̊m . w . ḫ[mšm] • [ṯ]lṯ kbd . yn . b[…] • -----
00-4.405:7	l . ʿnnn̊[…] • l . b[…] • l . y[…]
00-4.423:15	----- • šd . b[…] • bd . m[…]
00-4.434:9	[…] … bn . a-[…] • […] … bn . ṣ̊/b̊[…] • …
00-4.439:1	… • […]k . b̊[…] • […]i̊/h̊l . šl̊[m …]
00-4.446:2	[…]-[…] • […]m̊ . b̊/d̊[…] • […]ṯ̊lṯ . a[lp …]
00-4.503:II:1	… • b[…] • hyb̊/d̊[…]
00-4.574:8	… • b[…] • b . […]
00-4.574:10	b . […] • b[…] • b . -[…]

00-4.585:2	d̊ . ---[…] • ṣmdm . b̊[…] • t̠̊l̊t̠ . ṣmd̊[m …]
00-4.596:2	[… b]n̊ . […] • […]b̊n . b[…] • [… b]n . a[…]
00-4.619:1	• […]m . d . b̊[…]-rt-[…] • […]---t̠l̊[…]k̊ . bn . w-[…]
00-4.619:8	rgln̊[…]-[…] • […]ir . b̊[…] • -----
00-4.620:3	[…]t̠lt̠m[…] • [… a]ḥ̊d . b̊[…] • -----
00-4.654:2	----- • […]ḫ/ẙn . b̊/d̊/ů[…] • […]ḫ/ẙn . -[…]
00-4.686:21	ʿr̊[…] • b̊/ṣ̊[…] • …
00-4.696:3	p̊dyn . […] • ůnpt̠ . b̊[…] • at̠tyn . b̊[. g]t[…]
00-4.702:4	[…]b̊/d̊ . br̊(?)[…] • […]k̊y . b[…] • […]bn … […]
00-4.746:11	dd l il̊[…] • dd l b̊/d̊[…] • dd l k̊[…]
00-4.748:4	p̊dm . b -[…] • ʿdyn . b̊[…] • ẙdʿn b̊ t̠̊--[…]
00-4.762:8	t̠mr[…] • t̠lrby […] b[…] • dmt […] bn š[…]
00-4.764:1	… • b̊[…] • -----
00-4.769:20	[…]p̊y . ʿšr[b̊n̊ rny ʿšr̊[t/m] • […]ḫ b/d[…]ḥ/t̠n̊ . [-]š̊y[.]ʿš̊r̊t̊ • […]n̊[-]rq̊[. ʿ]šrm
00-4.773:1	… • b[…] • b . n̊[…]

Correspondencia

00-2.2:6	b̊t . l bnš . trgm̊[…] • l šlmt . l šlm . b[…] • by . šnt . mlit . t̊[…]
00-2.8:2	[…]nsk̊[…] • […]l tṣi . b b[…] . um . k[…] • […]t̠b . ʿrym[.]w . k qlt[…]
00-2.21:23	h[…]b . ḫt • b[…]tlk • […]tit̠m
00-2.22:6	[…] • […]-[…] pṣn dt b̊[…] • […]m-
00-2.23:25	----- • b[…] • ʿb̊/d̊[…]
00-2.25:8	ḫ̊tm . rb[… a]ḥ̊d • […]---[…]t . b[…] • […]g̊yt̊
00-2.31:19	[…]t̠br . ḫss . š̊(?)[…] • […]å/tšt . b[…] • -----
00-2.36:25	[-----] . b . ḥwt[…] • [---]lkn . ht . b[…] • tʿtq . by . ḥwt . […]
00-2.57:5	[…]-lk . mlk̊[…] • […]- . dq-d . b̊/d̊[…] • […]-l--[…]

Épica

00-1.16:II:2	ʿ̊[…] • b[…] • tb̊/d̊/ů[…]
00-1.16:IV:5	w at̠th . ngr̊t̊[. i]l̊ḥ̊t • k ḥṣ . k mʿr̊ . (?)b̊(?)/d̊(?)[…]-- • yṣḥ . ngr il̊ . i̊l̊š̊
00-1.16:V:3	ʿ̊r̊[…] • ʿr . d̊/b̊[…] • w yb̊[…]
00-1.16:V:7	yat̠r̊[…] • bdk . b̊[…] • t̠nnth[…]
00-1.16:V:52	t[…] • b̊[…] • …
00-1.18:I:18	qlṣk̊ . tbʿ . bt . ḫnp . lb[. ti] • ḫd . d it̠ . b kbdk . tšt . b̊/d̊[…] • irtk . dt̠ . ydt̠ . mʿqbk[…]

Fragmentos Varios

00-7.7:2	[…]ak . […] • […]ẘ b̊[…] • …
00-7.32:11	[…]l̊ . t̊/p̊n̊m̊[…] • […]š̊u . b̊[…] • […]lbš̊[…]
00-7.38:2	-[…] • b[…] • ʿ[…]
00-7.41:1	… • […]-t . w b̊/d̊[…] • […]pr . t̠-[…]
00-7.98:4	k[…] • b̊/ṣ̊[…] • …

00-7.107:5 […]-g̊-b̊t … . • […]- . b[…]-t̊[…] • […] … […]

00-7.182:1 … • […]- . b[…] • […]-yl̊[…]

00-7.184:10 ʿg[l]m . d̊[t …] • b̊(?)[…]r̊/k̊b[…] • p̊[…]

00-7.202:2 ----- • b[…] • -----

00-7.210:1 … • […]- . b̊/d̊[…] • -----

Inscripciones

00-6.42:1 … • w b b[…] • w yr[…]

00-6.55:2 k bn -[…] • lḥm b̊/d̊[…] •

Jurisprudencia

00-3.2:22 […] • b̊[…] • -----

Mítica

00-1.1:III:7 hwt . lṭpn[. ḥtk …] • yh . kṯr . b[…] • št . l skt . n̊[…]

00-1.2:IV:30 bṯ . l rkb . ʿrpt . k šbyn . zb̊[l . ym . …] • šbyn . ṯpṭ . nhr . w yṣa . b[…] • ybṯ . nn . aliyn . bʿl . w[…]

00-1.5:III:11 ydd . b qr[b …] • al . ašt . b[…] • ahpkk . l . ʿ-[…]

00-1.6:VI:37 […]d̊ʿ̊ . -[…] • b̊[…]t̊/n̊ . hn[…] • […]š̊n̊-[…]

00-1.10:III:17 l åp̊ (ål̊p̊) . ql . nd . […] • t̊lk . w tr . b̊[…] • b nʿmm . b ys̊[mm …]

00-1.12:II:19 ḫ̊[…] • b[…] • w b̊[…]

00-1.12:II:20 b[…] • w b̊[…] • bʿl . […]

00-1.12:II:22 bʿl . […] • il hd b̊/d̊[…] • at . bl . at . […]

00-1.22:IV:1 … • ů/b̊/d̊[…] • s̊[…]

00-1.24:26 nʿmn . i̊lm l ḫtn̊ • m . bʿ̊l t̊rḫ pdry b̊[…] • åqrbk abh . bʿ[l]

00-1.82:26 […]r̊(?)bt . tḫbṭ . km . ṣq . ṣb-[…] • […]h̊/i̊kl . b kl . l pgm . pgm . l . b̊(?)[…] • […]--- . mdbm . l ḥrn . ḥr[…]

00-1.114:25 … • […]-n̊ . d̊/b̊[…] • [ʿṯ]t̊rt . w ʿnt̊[…]-[…]

00-1.166:16 nʿm wʿṯb . […] • ʿẓrn . b[…] • ? ? m̊lk̊[…]

Ritual

00-1.27:7 ṣlyh . šr̊[p …] • ṯ̊lṯm . w b[…] • l il limm̊[…]

00-1.53:8 […]w . kšu . bʿlt . bh̊[tm …] • […]il . bt . gdlt . b̊/d̊[…] • […] . š[…] . hkl[…]-[…]

00-1.56:2 […]-[…] • w b[…] • ilib[…]

00-1.58:4 ----- • […]b . š . b̊/d̊[…] • [… y]r̊ḫ . š . š̊[…]

00-1.104:3 ----- • d ykl b̊[…] • ṯlṯm[…]

10-1.104:13 ytn š qdš̊[h̊ …] • bt dp̊n wbt b[…] • wbt šr

00-1.107:30 ----- • […]ẘ . b[…] . hl̊[…] • […]ʿ̊rt . [i]l̊m . rb̊m̊ . nʿ̊l[…]m̊r

11-1.107:1 ----- • […]n̊ . b[…] . hl̊[…] • […]-r̊- i̊l̊m . rbm . nʿl[…]mr

00-1.126:12 ----- • b[…] • …

10-1.126:11 ----- • b̊/d̊[…] • […]

10-1.126:14 […]--[…] • […]- . b̊/d̊[…] • […]m[…]

b-

nº CGRU-285 Ocurrencias: 2

Mítica

00-1.13:11 ----- • k̊(?)t . atn . at . mṯbk . ů(?)/b̊(?)-g̊/ . • -----

00-1.86:32 ----- • w b- . ---------šm̊-[…] • bm[…]

b-—

nº CGRU-286 Ocurrencias: 13

Administración

00-4.77:22 bn . […] • bn . b-[…] • bn . š[…]

00-4.117:6 […]d̊ • b-[… b]n̊ . ʿmy • …

00-4.273:9 ----- • b̊n . b-[…]--[…] • -----

00-4.312:8 ----- • […]t̊šʿ . ʿšr . b-[…] • […]ʿ̊šrh . ud̊[br …]

00-4.393:22 tg[…] • b-[…] • ʿ[…]

Correspondencia

00-2.5:4 p(R:-) šlm . -[…] • btk . b-[… m] • ǵyk[…]

Fragmentos Varios

00-7.135:6 […]ẙ . nih̊/ẙ[…] • […]-ṯ . b-[…] • …

00-7.171:3 tʿ[…] • b̊-[…] • …

Mítica

00-1.2:II:1 … • b-[…] • k-[…]

00-1.86:14 ----- • w ṣin . ʿz ⁚ b-[…] • llu . bn . ḥ̊d̊/l̊[…]

00-1.94:21 -[…]r • b-[…]n • w n̊̊tm̊n̊-[…]-t

Ritual

00-1.107:27 [… i]l̊m . rbm̊[…]š-[…] • […]t . nš . b-[…]m̊t[…] • […]l̊ . tmt[…]å/n̊tṯ[…]

00-1.146:3 […]- . ḥdṯt • […]k̊/r̊m kmm . w b-[…] • […]kl . kmm . (R:--)

b--—

nº CGRU-287 Ocurrencias: 2

Administración

00-4.77:19 [bn .]nr-[…] • [bn .]b̊--[…] • [bn .]--[…]

Correspondencia

00-2.46:20 […]- ym[…] • […]-n . b--[…]- • […]-n . k̊---

b---

nº CGRU-288 Ocurrencias: 2

Ritual

10-1.103:29 ----- • b[---]ḥrh . bpith . mlkn . yšlm . libh • -----

12-1.119:2 ----- • š .l bʿl . r̊ʿk̊t .̊ b̊-̊[--]̊ […] • -----

g—

nº CGRU-289 Ocurrencias: 11

Administración

00-4.205:11 t[…] • g[…] • b[…]y

00-4.214:III:13 bn . -[…] • g[…] • p[…]

00-4.422:50 … bn̊[. …] • … bn . g̊/z̊/ḫ̊[…] • … bn . ʿẙn̊ … […]

00-4.424:18 […]yn . l . m[…]m • […]-d . bn . g[…] l . dqn • […]- . šdyn . l̊ ytršn

00-4.563:5 […]ẙrb[…] • [… b]n . g[…] • …

Correspondencia

00-2.27:3 ks̊t[…] • w . g̊[…] • r̊-[…]

Fragmentos Varios

00-7.109:1 … • […] … g̊[…] • -----

00-7.135:3 […] . tgr l ǵ-[…] • […]-m . ʿnnm . (?)/g̊(?)[…] • [… ks]p . w ḫr̊ṣ̊ . -[…]

Mítica

00-1.1:V:28 […]-l tzd . l tptq • […] . g̊[…]l å̊rṣ • …

00-1.7:34 ẘ an̊k . i̊b̊[ǵyh …] • […] . l̊ yʿmdn . /g(?)[…] • k̊p̊r̊ . šbʿ bn[t …]

00-1.171:13 t̊ʿ[…] • g/ḫ/z[…] • …

g-

nº CGRU-290 Ocurrencias: 1

Mítica

00-1.3:V:12 b šbʿt . ḥ[d]rm̊ . [b t̠]m̊n[t . ap] • sgrt . g- . […]-[…] . ḥ̊[…]-[…] • ʿn . t̠k̊-[…]

g-—

nº CGRU-291 Ocurrencias: 4

Administración

00-4.357:8 […] • [šd . b]d . g-[…]n • [… šd]m . bd . iyt[lm]

00-4.399:16 š̊d . […] • g-[…]š̊d • […]t̠--

Mítica

00-1.2:I:43 […] . mlak . bn . ktpm . rgm . bʿlh . w . ẙ[…] • […]- . ap . anš . zbl . bʿl . šdmt . b g̊-[…] • […]dm . mlak . ym . t̊ʿdt . t̠pṭ . nh̊[r …]

00-1.82:17 […]- . ylm . bn̊[ʿ]nk . ṣmdm . špk[…] • […]- . nt[…]å(?)t . b kkpt . w k̊(?) . b g-[…] • […]ḥ[…] bnt . ṣʿṣ . bnt . ḫrp . ak̊/r̊[…]

d—

nº CGRU-292 Ocurrencias: 56

Administración

00-4.44:16 [t]šʿ šurt̊[…] • t̠lt̠ šurt l l̊/ů/d̊[…] • t̠n šurtm l[…]

00-4.60:3 ----- • […]d . nʿr . t̠̊l̊t̠ d̊[…] • […]t̠lt̠ . kt̠--d . h[…]

00-4.157:8	s[…] • d[…] • -----
00-4.214:III:4	bn . ubrš • bn . d[…]b • abrpu
00-4.254:1	… • b̊t̊ . b̊/d̊[…] • ab̊ʿ̊l[y …]
00-4.256:2	l[…] • l . b̊/d̊[…] • …
00-4.312:3	----- • […]g̊by . ṯlṯm . b̊/d̊[…] • […]- . bhtm . bdlm̊[…]
00-4.357:12	š[d . b]d . u[…]b • šd[.]bd . b̊/d̊[…]y • šd . bd[…]k̊im
00-4.389:13	----- • […] . d̊/ů/l̊[…] • …
00-4.396:3	ar[b]ʿm ----[…]-- • d[…]--[…]- • -----
00-4.404:3	l . t-[…] • d[…] • ʿ[…]
00-4.421:3	anẙt . m̊l̊k̊ . […] • w . ṯl̊ṯ . brm . d̊[…] • arbʿ . ʿ̊tkm . […]
00-4.424:22	kr̊[m …]- l . iẘrtd̲l • ḥl . d[… . bn . ʿ]b̊d̊yrḫ . bd . apn • krm . ib̊(?)[r]d̊ . l . b̊n̊[.]n̊d̊bn
00-4.425:8	[…]šd . ḫzn̊ […] • [… b]d̊ . d[…] • …
00-4.429:5	----- • [… kd .]z̊tm . d̊[…] • -----
00-4.446:2	[…]-[…] • […]m̊ . b̊/d̊[…] • […]ṯ̊lṯ . a[lp …]
00-4.463:1	… • [… b]n̊ . d[…] • -----
00-4.654:2	----- • […]ḫ/ẙn . b̊/d̊/ů[…] • […]ḫ/ẙn . -[…]
00-4.673:2	[…]-p . a[…] • […]lg . d[…] • […]nl . d[…]
00-4.673:3	[…]lg . ď[…] • […]nl . d[…] • […]nd . ḫ-[…]
00-4.686:12	ap̊[…] • d[…] • q[…]
00-4.746:11	dd l il̊[…] • dd l b̊/d̊[…] • dd l k̊[…]
00-4.769:20	[…]p̊y . ʿšr[b̊n̊ rny ʿšr̊[t/m] • […]ḫ b/d[…]ḥ/ṭn̊ . [-]šy[.]ʿš̊r̊t • […]n̊[-]rq̊[. ʿ]šrm

Correspondencia

10-2.7:4	bk̊[…]t̊ . yqḥ̊[…] • wd̲/ʿ/š[…]rk d[…] • […]-̊ . d[…]
00-2.7:5	w š̊[…]rkb̊/d̊[…] • […]- . d[…] • bʿl[…]k […]
00-2.31:58	[…]-n . btk . […]-bʿl̊(?)[…] • […]my . b d[…]y . • […]-ʿm . w h-[…]yt . w . -[…]
00-2.57:5	[…]-lk . mlk̊[…] • […]- . dq-d . b̊/d̊[…] • […]-l--[…]
00-2.81:1	… • […]å̊t . d[…] • […]m . hln̊y . ̊[…]
00-5.9:II:3	d d n. d ḥ l m[…] • d d w a ṯ d[…] • prṯ

Épica

00-1.14:II:7	ẘ[yṯ]b̊ . ṯr . abh . il • d[…]k̊ . b bk . krt • b dm̊ʿ . nʿmn . ġlm
00-1.16:IV:5	w aṯth . ngr̊t̊[. i]l̊ḥ̊t • k ḥṣ . k mʿr̊ . (?)b̊(?)/d̊(?)[…]-- • yṣḥ . ngr il̊ . i̊l̊š̊
00-1.16:V:3	ʿ̊r̊[…] • ʿr . d̊/b̊[…] • w yb̊[…]
00-1.18:I:18	qlṣk̊ . tbʿ . bt . ḫnp . lb[. ti] • ḫd . d iṯ . b kbdk . tšt . b̊/d̊[…] • irtk . dṯ . ydṯ . mʿqbk[…]

Fragmentos Varios

00-7.37:3	[…]ilm . m̊[…] • […]l̊ pn . d[…] • […]ṯm . lḥ[…]
00-7.41:1	… • […]-t . w b̊/d̊[…] • […]pr . ṯ-[…]
00-7.109:4	----- • […]- . d̊[…] • …

00-7.133:2 […]n̊[…] • […]-- . d[…] • […]r̊(?) . w s̊[…]

00-7.207:2 ----- • d[…] • -----

00-7.210:1 … • […]- . b̊/d̊[…] • -----

Inscripciones

00-6.41:1 … • d[…] •

00-6.55:2 k bn -[…] • lḥm b̊/d̊[…] •

Mítica

00-1.2:III:13 […]b̊ ym . ym . y[…]t . yš̊[…]n åp̊k . ʿṯtr . dm̊[…] • […]ḥrḥrtm . w ů/d̊[…]n[…]iš[…]h[…]išt • […]y . yblmm . u[…]-ḫ̊[…]k̊ . ẙr̊d̊[…]i̊[…]n̊ . bn̊

00-1.4:II:35 b mdd . il . ẙ[m …] • b ym il . d̊[… n] • hr . il . ẙ[…]

00-1.5:IV:7 i . ap . bʿ[l …] • i . hd . d[…] • ynpʿ . bʿ[l …]

00-1.9:10 yrmm . h̊[…] • mlk . gbʿh d̊[…] • ibr klhm . dlh -[…]

00-1.12:II:22 bʿl . […] • il hd b̊/d̊[…] • at . bl . at . […]

00-1.22:IV:1 … • ů/b̊/d̊[…] • s̊[…]

00-1.45:11 bk . mla . ḏ[…] • udmʿt . d[…] • […] . bn . […]

00-1.92:6 w tglṯ thmt . ʿ-[…] • yṣi . ġlh tḥm d[…] • mrḥh l adrt l̊[…]

00-1.98:4 mṯlṯ . -[…] • w td . ʿ . d[…] • klm . lt[…]

10-1.98:4 *mṯlṯt . […] • wtdʿ . d[…] • klm . lt[…]*

00-1.114:25 … • […]-n̊ . d̊/b̊[…] • [ʿṯ]t̊r̊t . w ʿn̊t[…]-[…]

00-1.166:34 mm . bbṯn . [….] • -]t[--] . l/d[…] • …

Ritual

00-1.53:8 […]w . kšu . bʿlt . bh̊[tm …] • […]il . bt . gdlt . b̊/d̊[…] • […] . š[…] . hkl[…]-[…]

00-1.58:4 ----- • […]b . š . b̊/d̊[…] • [… y]r̊ḫ . š . š̊[…]

10-1.126:11 ----- • b̊/d̊[…] • […]

10-1.126:14 […]--[…] • […]- . b̊/d̊[…] • […]m[…]

d-—

nº CGRU-293 Ocurrencias: 4

Administración

00-4.182:54 ----- • […]b̊n . d-[…]-i • […]-t . mdth[…]ʿṯtrt . šd

00-4.317:13 ṯlṯm . k̊[bd …] • bd . d-[…] • w . tšʿ̊[…]

00-4.396:7 ml-[…] • d̊/ů-[…] • -----

Ritual

10-1.144:1 • d-[…]l • lḫṣa (ly!ṣa)

ḏ—

nº CGRU-294 Ocurrencias: 4

Administración

00-4.69:VI:35 bn . […]b̊/d̊ … 8 • bn . š̊/ḏ[…]r … 3 • bn . š[…]n̊ … 2

Correspondencia

10-2.7:4 bk̊[…]t̊ . yqḫ̊[…] • wḏ/ʿ/š[…]rk d[…] • […]-̊ . d[…]

Fragmentos Varios

00-7.198:3 […] • […] ḏ[…] • […] … […]

Mítica

00-1.45:10 išdym . […] • bk . mla . ḏ[…] • udmʿt . d[…]

ḏ-—

nº CGRU-295 Ocurrencias: 1

Administración

00-4.623:10 bn . s̊n̊[…] • dnn . b̊n̊ . ḏ-[…] • bn . i̊l̊ʿnt -[…]

h—

nº CGRU-296 Ocurrencias: 17

Administración

00-4.60:4 […]d . nʿr . ṯ̊l̊ṯ d̊[…] • […]ṯlṯ . kṯ--d . h[…] • [… a]rbʿ . dblt . m[…]
00-4.178:10 ys̊[…] • h̊/i̊[…] • …
00-4.374:10 t̊[…]n[…] . w . šġrh • h̊/i̊[…]n̊ . w . šġrh • [š]ġ̊r̊krwn
00-4.743:6 ḥ-[…] • h[…] • k̊/ẘ[…]

Correspondencia

00-2.6:9 […] • h[…] • -[…]
00-2.9:3 [… n]p̊š . ttn[…] • […]- ydʿt . k i̊/h̊[…] • […]- . w hm -[…]
00-2.21:20 l[…]mlk • h[…]-m • t[…] . titṯm
00-2.21:22 t[…] . titṯm • h[…]b . ḫt • b[…]tlk
00-2.31:40 [… a]nk . i[…] s̊lm . w . yṯb • […]- . hw . […]y . h[…]r . w . rgm . ank • […]h̊dd . ----- l aṯrty
00-2.81:11 […]su . adr[…] • […]n . pr . h[…] • […]mš . r̊[…]

Fragmentos Varios

00-7.45:2 -[…] • h[…] • ab . r̊/k̊[…]
00-7.99:4 […]dġ[…] • […] h[…] • […]-[…]

Mítica

00-1.3:V:12 b šbʿt . ḥ[d]rm̊ . [b ṯ]m̊n[t . ap] • sgrt . g- . […]-[…] . h̊[…]-[…] • ʿn . ṯ̊k-[…]
00-1.3:V:22 al . tšmḫ . b r̊m̊[. h]k̊l[k] • al . aḫdhm . b y[…]ẙ h̊[…]--- • b gdlt . arkty . å̊m-[…]
00-1.9:8 … • h̊ yrm . h̊[…] • yrmm . h̊[…]
00-1.9:9 h̊ yrm . h̊[…] • yrmm . h̊[…] • mlk . gbʿh d̊[…]
00-1.12:II:29 mṣt . ksh . t-[…] • i̊dm . adr . h̊[…] • i̊d̊m . ʿrẓ . tʿr̊[…]

h-

nº CGRU-297 Ocurrencias: 1

Correspondencia

11-2.36:10 [-̊]q̊rt[-] ẘnṯb . ʿmnkm . l . qrb[…] • [-]r . h̊/i̊/p̊[-]̊ . w . at . ʿmy . l . mġt̊ . […] • [w .]mla[k]t̊k . ʿmy . l . likt

h-—

nº CGRU-298 Ocurrencias: 3

Administración

00-4.391:8 [ʿ]t̠tr̊[…] . w . [rʿh] • h̊-[…] . ẘ . r̊[ʿh] • […]

Correspondencia

00-2.31:59 […]my . b d[…]y . • […]-ʿm . w h-[…]yt . w . -[…] • -----

Ritual

11-1.107:23 […]š/d̠ . hn . al[…] • […]-t . bn . h̊/i̊-[…] • […] . ḥm̊[t …]

z—

nº CGRU-299 Ocurrencias: 4

Administración

00-4.422:50 … bn̊[. …] • … bn . g̊/z̊/ḫ̊[…] • … bn . ʿẙn̊ … […]

Fragmentos Varios

00-7.184:1 … • […]- . z[…] • -----

Mítica

00-1.171:13 t̊ʿ[…] • g/ḫ/z[…] • …

Ritual

00-1.164:7 wšl[m ---] • kst[---]l . y/ḫ/z[…] • -----

ḥ—

nº CGRU-300 Ocurrencias: 41

Administración

00-4.4:10 t̠lt̠m -- ḫswn • t̠lt̠ t̠[…] . t̠t̠ ḥ[…] •
00-4.41:7 y[… bn .]kran . ḫmš . • ḥ̊[…] . kd • am̊ry . kdm
00-4.61:5 kt̠ . åqh[r …] • l bn t̠̊/ḥ̊[…] • [t]lt̠ . […]
00-4.65:5 bn . lbnn . -[…] • ady . ḥ[…] • -bsn . m̊[…]
00-4.157:3 ----- • t̠n . ḥ[…] • -----
00-4.161:7 b̊nš[…] • kt̠t ḥ̊[…] • l ḫb[…]
00-4.195:4 ḫmš[…]-t . ḥdrm • w . ḥ[… a]ḥd . d . sgrm • -----
00-4.195:6 ----- • ḥ̊[…]bt . ḥdr . mškb • -----
00-4.243:30 ----- • iwrd̠n . ḥ[…] • w . t̠lt̠m . dd . -[… b]n[…]
00-4.313:11 [kd]m . [ʿl] . kt̠rn • [kd]m[…] . ḥ[…] • […]
00-4.340:14 ṣṣ … b̊n̊ … --m [… ʿš]r̊m • ṣṣ … bn̊ … ḥ[… a]r̊b̊ʿm • ṣṣ̊ … [b]n̊ … […]ḫmšm
00-4.372:8 š[…] • ḥ[…] • š[…]
00-4.377:24 ʿšrm . ṣ[md] • t̠t̠ kbd . b ḥ[…] • w . arbʿ . ḥ[mrm]
00-4.400:5 tšʿ . dd . ḥ̊t[m .]w . ḫm̊šm̊ • kdm . kbd . yn . b . gt . ḥ[…] • -----
00-4.515:2 sp̊[r …] • ḥ̊/t̠[…] • …
00-4.569:3 […]b̊n . p̊[…] • […]b̊n . ḥ̊[…] • […]p̊r̊t̠̊[…]

00-4.617:14 bn . i[…]y-[…] … 1 … bn . brzt . 1 • bn . ḥ[…] . … 1 … bn . ayl . 1 • bn . plš̊ . … 1 … (R:bn . -y[?]- . 1)

00-4.644:1 … • b̊n . ḥ̊[…] • m̊ṣry … […]

00-4.711:1 • [bn .]ḥ[…] … 2[…] • [bn] . ṯl̊n̊ … 1[+ -]

00-4.743:3 -[…] • ḥ[…] • ḫ-[…]

Correspondencia

00-2.31:60 ----- • […]-y . al . an̊(?)[…]ẘ il . ḥ̊[…]k̊ẙ • […]ṣlm . pnẙ/ḫ[…]tlkn[…]

00-2.47:9 […]ḥ[…]d[…]t • ḥ̊[…]b̊ . ḥw[t .]--[…] • [… š]pš[…]

00-2.53:3 […]nh . š[…] • […]l . ḥ[…] • […]-[…]

00-2.63:12 å̊nk . ˁ-[…]n̊[…] • šil . ḥ̊[…] • i̊m . li[kt]

Épica

00-1.16:II:51 bkm . tˁrb̊[. ˁl . abh] • tˁrb . ḥ[…] • bṯtm . t-[…]

00-1.18:IV:41 abn . ank . w ˁl . q̊[štk … ˁl] • qṣˁtk . at . l ḥ̊[…] • w ḫlq . ˁpmm̊[…]

Fragmentos Varios

00-7.47:3 […]mt . […] • […]m̊gdl . ḥ̊[…] • […]lmṯym[…]

00-7.82:2 […]ˁb[…] • […]b̊/d̊ . ḥ[…] • -----

00-7.207:3 ----- • ḥ[…] • -----

Mítica

00-1.8:II:12 ˁrpt . tḥt . -[…] • m ˁṣrm . ḥ[…] • glṯ . isr̊[…]

00-1.12:II:18 t[…] • ḥ̊[…] • b[…]

00-1.82:13 […]m-[…]- . ˁpr . btk . ygr̊š̊k̊ • […]-a . --š(?)[…]y . ḥr . ḥr . bnt . ḥ[…] • […]b̊/d̊ḫ̊/z̊b . b̊ˁlm . ˁ[…]- . ydk . amṣ . yd̊[…]

00-1.169:1 ----- • il . yṣǵd . ḥ[…] • larṣ . pˁn[…]

00-1.169:4 kdt . bh . -[…] • blt . ḥ/ṭ[…] • [--] . r/k[…]

00-1.171:15 i̊l . w[…] • ḥsm . ḥ[…] • pat . ilm[…]

Ritual

12-1.103:12 ----- • ṯḥl . in . bh[--]-̊dn . ḥ/ṭ[…]m̊ṯn̊[rgm] • mlkn . l ypq š̊[p]ḥ

10-1.111:15 ----- • bṯlṯ . dqrḥ[…] • -----

00-1.126:11 w[…] • ḥ̊[…] • -----

10-1.126:10 w[…] • ṭ̊/ḥ̊[…] • -----

00-1.136:9 l kṯr w [ḫss …] • b̊(?) kdm ḥ[…] • b̊(?) ipdm p[…]

00-1.140:5 yˁzz ˁl̊[…] • k tld ḥ̊(?)[…] • ḥwt ib t̊[…]

00-1.155:1 • kbd ḥ[…] • k ymm -[…]

ḥ-—

nº CGRU-301 Ocurrencias: 5

Administración

00-4.452:3 [bn] . idr[…] • [bn] . ḥ̊/ṭ̊-[…] • …

00-4.586:3 [… ˁš]r̊ . ṣmd … […] • [… ṣm]d̊ bn . ḥ̊-[…] • …

00-4.743:5 ḫ-[…] • ḥ-[…] • h[…]

00-4.748:14 šlmym . d̠k̊r[…] • ḫd̠myn . ḥ-[…] • ḫd̠m̊d̠̊r[…]

Ritual

00-1.107:5 […]ǵrm . y[…]ḥ̊rn • […]r̊k . ḥ-[…]-lk • […]s̊r . n[…]ḥrn

ḥ--

nº CGRU-302 Ocurrencias: 1

Ritual

10-1.103:36 ----- • ʿṣ . hn . (ṭ̊/ḥ̊)[--](ḫ̊/ẙ)aṯr yld bhmth tʿ[…] • -----

ḥ--—

nº CGRU-303 Ocurrencias: 1

Correspondencia

00-2.62:13 w . b . ṯbh . ʿ̊m̊- • spr ḥ̊--[…]-[…] • w . ʿm-[…]

ḫ—

nº CGRU-304 Ocurrencias: 21

Administración

00-4.237:2 ----- • […]ů̊m . w ḫ[…] • -----

00-4.335:35 bn . a[…] • bn . ḫ[…] • bn . -[…]

00-4.408:3 [… ḫ]gbt • […]-y bn šk̊bd̠ . ḫ[…] • k̊rmpy . b . bṣmẙ

00-4.422:50 … bn̊[. …] • … bn . g̊/z̊/ḫ̊[…] • … bn . ʿẙn̊ … […]

00-4.458:3 bn . -[…] • bn . ẙ/ḫ̊[…] • bn . -[…]

00-4.524:2 ----- • b̊n . ḫ̊/ẙ[…] • -----

00-4.608:24 […]ʿdḫin • […]t bd ḫ[…]m •

10-4.729:7 s̀ǵr . ṯ[…] • s̀ǵr . ḫ[…] • ʿdn . w[s̀ǵrḥ̊]

00-4.742:12 […] . w ṯn . […] • [… ḥr]s̊ qṭn . ẙ/ḫ̊[…] • […]

Correspondencia

00-2.34:27 m[…] . mat • ḫ[… .]mat • š[…] . išal

00-2.78:5 ḫmš . mat̊[…] • ṯlṯm . ḫ[…] • w-[…]

Épica

00-1.16:II:8 k i[…] • w ẙ/ḫ[…] • my[…]

00-1.19:IV:44 d al̊p . šd . ẓuh . b ym . t[…] • tlbš . n̊pṣ . ǵzr . tšt . ḫ[…]b̊ • nšgh . ḥrb . tšt . b tʿr̊[th]

Fragmentos Varios

00-7.26:4 […]m̊ . in[…] • […]sʿ . ḫ̊/ẙ[…] • […]n̊[…]

00-7.176:3 […]l . p[…] • […]--š . ḫ[…]r[…]b-[…] • […]m . […] . ar[b]ʿt[…]

00-7.217:4 […]šm . d . -[…] • […]ribḫ/ẙ[…] • […]rt-[…]

Mítica

00-1.5:IV:23	ˁl . ḥbš . r̊[…] • mn . lik . ḫ[…] • lik . tl̊ˁ(?) . -[…]
00-1.171:13	t̊ˁ[…] • g/ḫ/z[…] • …

Ritual

00-1.53:5	[…]n̊/å . mr[…]ẙdm[…] • […]m̊ṯbt . ilm . w . b . ḫ̊/ẙ[…] • […]tṯṯbn . ilm . w . -[…]
00-1.107:7	[…]s̊r . n[…]ḥrn • […]sp . ḫph . ḫ[… isp . šp]š . l hrm • [ǵrpl .]ˁl . ar[ṣ . lan .]i̊s̊p̊[. ḥ]mt
00-1.164:7	wšl[m ---] • kst[---]l . y/ḫ/z[…] • -----

ḫ-—

nº CGRU-305 Ocurrencias: 8

Administración

00-4.673:4	[…]nl . d[…] • […]nd . ḫ-[…] • […]rd . i[…]
00-4.743:4	ḥ[…] • ḫ-[…] • ḥ-[…]

Mítica

00-1.2:II:15	t̊[…] • ḫ-[…] • m-[…]
00-1.7:38	ap̊ ˁnt . tm[tḫṣ …] • lim ḫ-[…] • i̊l̊m(?) . t-t̊[…]
00-1.24:5	ẙr̊ḫ yṯkḥ yḥ̊-- l̊/d̊ • tld b k̊(?)ṯrt . ḫ̊-[… k] • ṯrt . l bn̊t . h̊l̊l[snnt]

Ritual

00-1.104:28	----- • ḫ-[…] • ṯl̊l[…]
00-1.126:24	----- • b̊ tšˁn . ḫ-[…] • […]--[…]
00-1.175:4	[…]wš . lršp . bbt . ˁṣr[m …] • […]rm . wmlk . ykbd . ḫ-/y[…] • […] . šrp . ˁṣrm .̊ linš[ilm …]

ṭ—

nº CGRU-306 Ocurrencias: 9

Administración

00-4.61:5	kṯ . åqh[r …] • l bn ṭ̊/ḥ̊[…] • [ṯ]lṯ . […]
00-4.69:II:1	(LINEA EN ACADIO) • bn . ṭ[…]- … 5 • bn . idrm … 10
00-4.515:2	sp̊[r …] • ḥ̊/ṭ̊[….] • …
00-4.610:37	[…] … q[…] • […] … ṭ[…] • […] … ṯl[…]

Mítica

00-1.4:II:46	bṭ[…] • b ṭ[…] • gm̊[…]
00-1.169:4	kdt . bh . -[…] • blt . ḥ/ṭ[…] • [--] . r/k[…]

Ritual

12-1.103:12	----- • ṭḥl . in . bh[--]-̊dn . ḥ/t[…]m̊ṯn̊[rgm] • mlkn . l ypq š̊[p]ḥ
10-1.126:10	w[…] • ṭ̊/ḥ̊[…] • -----
00-1.127:24	w l dbḥ̊[…] • ṭ̊(?)[…] • -----

ṭ-—

nº CGRU-307 Ocurrencias: 1

Administración

00-4.452:3 [bn] . idr[…] • [bn] . ḥ̊/ṭ̊-[…] • …

ẓ—

nº CGRU-308 Ocurrencias: 1

Administración

00-4.201:4 ṯn kkr ˁl . --ṯ . m̊[at k]b̊d . p[…] • alp̊[… w] mat . kbd š̊b-[…]-- kbd . ẓ[…] • -----

ẓ-—

nº CGRU-309 Ocurrencias: 1

Mítica

00-1.10:III:15 b̊n̊ . dgn . l kḥ[ṯ . drkth] • l alp . ql . ẓ-[…] • l å̊p̊ (ålp̊) . ql . nd . […]

y—

nº CGRU-310 Ocurrencias: 53

Administración

00-4.24:6 […]-št . b[n …] • […] . y[…] • …

00-4.41:6 n[… . bn . …]ḥr . ṯlṯ • y[… bn .]kran . ḫmš . • ḥ̊[…] . kd

00-4.68:40 mṣb[t …] • ḥl . ẙ[…] • ˁrg[z …]

00-4.141:I:21 ˁbdmlk • y[…]r̊ • […]

00-4.182:53 […]mt • […] . y[…]m • -----

00-4.254:3 ab̊ˁ̊l[y …] • bt . y[…] • -----

00-4.327:5 […]ṯ̊rw … bn̊[…] • […]-dˁn … y[…] • […]n̊y … -[…]

00-4.335:19 b̊n . ktǧ̊[…] • b̊n . y[…] • [b]n . ˁ[…]

00-4.405:8 l . b[…] • l . y[…] • l . il̊[…]

00-4.417:1 • y[…]d . […] • ad̲m̊l̊n . ẘ[…]

00-4.426:2 [… ˁ]ṯtrum̊[…] • […]ḥmr . ẙ[…] • [… d]d̊ . nˁr[…]

00-4.455:5 b̊n . a[…] • b̊n . y[…] • …

00-4.458:3 bn . -[…] • bn . ẙ/ḫ̊[…] • bn . -[…]

00-4.502:4 […] … bn[. …] • [… b]n̊ . y[…] • …

00-4.524:2 ----- • b̊n . ḫ̊/ẙ[…] • -----

00-4.608:14 … • ẙ[…] • y-[…]

00-4.608:17 yḥ̊[…] • ẙ[…] • […]-[…]

00-4.655:2 bnšm . dt . […] • krws . … 3 … y[…] • ypˁ … . … 2[…]

00-4.694:5 bn kṯn … […] • bn ẙ[…] … […] • …

00-4.742:12 […] . w ṯn . […] • [… ḥr]š̊ qṯn . ẙ/ḫ̊[…] • […]

Correspondencia

00-2.31:43 […]ptm . lḥt . […] • […]rgm . hy . l ẙ[…]y . ilakk • […]l̊k . yritn . m̊ǵy . hy . w kn

00-2.44:6 ----- • k̊l̊l ẙ[…]t̊(?) . šp̊š̊ • kl[l] ẙ--------

00-2.45:26 mn . bnš . d . l . ikt . ʿm̊[k] • l . alpm . w . l . y[…]a • w . bl . bnš . hw[…]y[…]

00-2.49:14 […]w . ap . b ṯn[…] • […]bʿly . y[…] • […]l[…]

00-5.10:7 ----- • ʿšr lg šmn ẙ[…] ly • h (p) ṯlṯ lg rqḥ

Épica

00-1.16:II:8 k i[…] • w ẙ/ḫ[…] • my[…]

Fragmentos Varios

00-7.9:2 […]t̊ ẘ[…] • […]ʿl . y[…] • […]ṯ̊dn[…]

00-7.26:4 […]m̊ . in[…] • […]sʿ . ḫ̊/ẙ[…] • […]n̊[…]

00-7.27:2 […]åẘ[…] • […]ʿl . y[…] • […]-dn[…]

00-7.162:2 […]-[…] • […]n . y[…] • […]ůgrt

00-7.174:3 -[…] • y[…] • …

Mítica

00-1.2:I:42 [… tʿ]dt . ṯpṯ . nhr . mlak . mṯ ḫr . yḥb̊[…] • […] . mlak . bn . ktpm . rgm . bʿlh . w . ẙ[…] • […]- . ap . anš . zbl . bʿl . šdmt . b g̊-[…]

00-1.2:III:12 [rbt .]k̊mn[.]h̊k̊[l …]š̊ . b̊š̊[…]t̊[…]g̊lm̊ . (?)l̊ šd̊t̊[…]ymm • […]b̊ ym . ym . y[…]t . yš̊[…]n åp̊k . ʿṯtr . dm̊[…] • […]ḥrḥrtm . w ů/d̊[…]n[…]iš[…]h[…]išt

00-1.2:IV:33 ym . l mt . bʿlm . yml[k …] • ḥm . l šrr . w ẙ[…] • yʿn . ym . l mt . […]

00-1.3:V:22 al . tšmḫ . b r̊m̊[. h]k̊l[k] • al . aḫdhm . b y[…]ẙ h̊[…]--- • b gdlt . arkty . åm̊-[…]

00-1.4:II:36 b ym il . d̊[… n] • hr . il . ẙ[…] • aliyn . [bʿl …]

00-1.4:VII:6 il[…]r̊(?)ḥq . b ǵr • km . y[…] ilm . b ṣpn • ʿd̊r . l[…] . ʿrm

00-1.5:IV:19 krpn̊ . […] • w ṯṯn̊ . ẙ[…] • tʿl . trš̊(?)/t̊(?)[…]

00-1.6:V:23 aḫ̊d̊ . b aḫ̊k̊ . š̊q̊(?)n̊ • h̊n̊ . -n̊/åḫ̊ẓ . ẙ[…]l̊ • ʿ̊n̊t . aklẙ[nšm]

00-1.86:29 b ḥlm . ṯṯy-----np̊(?)-[…] • pn . n̊(?)ʿm̊(?)-y[…]---[…] • -----

00-1.92:8 mrḥh l adrt l̊[…] • ṯṯb ʿṯtrt b ǵl ẙ[…] • qrẓ tšt . l šmal[…]

00-1.92:32 […]- bʿl . šm[…] rgbt . yu • […]w srm y[…]mrnh • […]-nyh pdr . ttǵr

00-1.101:4 ----- • ṯmnt . iṣr rʿt . ʿṣ brq . y[…] • -----

Ritual

00-1.31:1 … • b̊ ẙ[…] • il[…]

00-1.49:14 ml̊[k …] • y[…] • …

00-1.50:9 kmm . w . in . ʿṣr[…] • w . mit . šʿrt . y[…] • w . kdr . w . npt . t[…]

00-1.53:5 […]n̊/å . mr[…]ẙdm[…] • […]m̊ṯbt . ilm . w . b . ḫ̊/ẙ[…] • […]tṯṯbn . ilm . w . -[…]

00-1.103:9 ----- • ẘ in šq ẙ[mn b]h . mlkn ẙ[…]ʿ̊(?)/š̊(?) • -----

13-1.103:9 ----- • ẘ in šq . š̊[ma]l̊ b̊h . mlkn ẙ[…] • -----

00-1.104:6 ----- • w ap̊ ẙ[…] • b ym --[…]

00-1.106:11 mlk . bt m̊l̊[k …] • š . l p̊dr . ẙ[…] • bt . ml̊k̊ . y-[…]b̊ʿ̊

00-1.107:4 […]l šd . ql . ṯ̊(?)[…]ǵ̊(?)t . aṯr • […]ǵrm . y[…]ḥ̊rn • […]r̊k . ḥ-[…]-lk

00-1.140:12 l yp[q …] • bh ẙ[…] • tḥ̊[…]

00-1.164:7 wšl[m ---] • kst[---]l . y/ḫ/z[…] • -----

y-

nº CGRU-311 Ocurrencias: 1

Hipiatría

00-1.85:23 ----- • w . k . y[…] • pr . ʿṯ[… a]ḥ̊d̊[h …]

y-—

nº CGRU-312 Ocurrencias: 22

Administración

00-4.17:22 š[…] • y-[…] •

00-4.66:13 bn . k[…] • bn . y-[…] • b̊n̊ . i[…]

00-4.326:9 -pr . […] • ṯ̊lṯ . y-[…] • […]-u . ṯ-[…]

00-4.398:10 […]d̊/b̊ . ṯlṯm . […] • ẘ[. …]-rp̊ů . y-[…] • ʿl̊ . -[…]-l-[…]h

00-4.496:5 ks̊å[…] • y-[…] • tn̊[…]

00-4.607:31 k̊t̊n . qk̊/ẘqp̊[…] • -[…]- . ymn . y-[…] • ilṯr . ṣdqn[…]

00-4.608:15 ẙ[…] • y-[…] • yḥ̊[…]

Épica

00-1.16:II:55 bkym . […] • ǵr . y-[…] • ydm . […]

00-1.19:IV:61 ḫ̊ršm . l ahlm . p[…]km • ẙbl . lbh . km . bṯn . y-[…]ṣ̊/l̊ah . ṯnm . tšqy msk . hwt .
tšqy • w hndt . yṯb . l mspr

Fragmentos Varios

00-7.64:4 […]-nt . […] • […]- . b . y-[…] • […]ḫ̊/ẙd̊r̊[…]

00-7.158:4 --[…] • y-[…] • …

00-7.165:1 … • […]-i . ẙ-[…] • […]m . p[…]

Mítica

00-1.4:II:48 gm̊[…] • y-[…] • …

00-1.5:V:25 ip̊/r̊/k̊[. …]-lh . mǵẓ • y-[…]- . l irth • n̊-[…]-

00-1.9:13 l ytn lhm . tḥt . bʿl[…] • h . uqšt pn hdd . b y-[…] • ʿm . b ym bʿl ysy y-[…]

00-1.9:14 h . uqšt pn hdd . b y-[…] • ʿm . b ym bʿl ysy y-[…] • r̊mm . ḫnpm mḫl[…]

10-1.22:I:16 šmn . prs-[…] • ydr . hm . y-[…] • ʿṣ . amr . yuḫ[d . ksa . mlkh]

00-1.129:4 […]- . nn . zbl[…] • […]ḥ̊kmt . y-[…] • […]t . y bʿl[…]

10-1.172:11 h̊m . b̊ ḥd̊ṯ̊ . ẙr̊ḫ̊ . ẘ [q]d̊r̊ . i̊r̊šn . ykn • ẘ --- . l̊ . ẙ-[…] • -----

Ritual

00-1.106:12 š . l p̊dr . ẙ[…] • bt . ml̊k̊ . y-[…]b̊ʿ̊ • ṣin . ḫm̊nh . š̊ . qdšh

00-1.137:6 […]bt mṯ[bth …] • […]ydh y-[…] • […]b mzn -[…]

00-1.139:18 […]-m ksp[…] • […]d w y-[…] • …

y--

nº CGRU-313 Ocurrencias: 1

Correspondencia

00-2.45:13 ----- • […]ʿt . mlk . d . y-- • […]ʿbdyrḫ . l . mlk̊

y--—

nº CGRU-314 Ocurrencias: 1

Mítica

00-1.86:22 idk . nit[…] • trgm[.]b ydk[.]ẙ(?)--[…] • -----

y----

nº CGRU-315 Ocurrencias: 1

Ritual

12-1.103:9 ----- • ẘ in šq . ˙[šmal] b̊h . mlkn ẙ[----]i̊bh • -----

y----—

nº CGRU-316 Ocurrencias: 1

Administración

00-4.748:6 ----- • -m̊(?)ḫn y----[…] • --m̊(?)y i-----[…]

y-------

nº CGRU-317 Ocurrencias: 1

Correspondencia

00-2.44:7 k̊l̊ ẙ[…]ṯ̊(?) . špš̊ • kl[l] ẙ-------- • ẘ . bt . gb̊[l]

k—

nº CGRU-318 Ocurrencias: 65

Administración

00-4.23:8 ksp̊[…] • k[…] • ar̊[bʿ …]

00-4.31:4 ----- • b ḫmṯ ʿṯr k[…] • -----

00-4.35:I:3 [ag]dṯb . bn[…] • ʿbdil . bn . k[…] • ʿpṯn . bn . ṯṣq[…]

00-4.60:8 […] . arb̊[ʿ . d]d̊ . š[ʿrm …] • […]kṯm š[šm]n . k[…] • [… a]rbʿ . dbl̊t . mrl̊/d̊[…]

00-4.66:12 w . nḥ[lhm …] • bn . k[…] • bn . y-[…]

00-4.69:III:21 bn . l̊ḥ̊r … 10 • bn . k̊/ẘ[…] … […] • …

00-4.73:6 -[…] . aḥd • k̊/r̊/ẘ[…] . ṯn • hz[p] . ṯṯ

00-4.121:2 ṯlṯ . mat[…] • ṯmnt . k[…] •

00-4.160:7 ----- • g̊(?)z̊/ḫ̊(?)[…]š . k̊/r̊[…] • […]-y[…]
00-4.242:2 […]ḫln[…] • […]ṯmnym k̊[…] • […] . l . l̊/d̊r-[…]
00-4.247:2 sp̊r[…] • ḫmš . k̊[…] • ḫmš[…]m
00-4.269:1 • spr . ḥpr . bt . k[…] • tšʿ . ʿšrh . dd . l . bt̊[…]
00-4.300:5 ar[…] • k[…] • -[…]
00-4.325:3 […]b̊n . šh(ši)[…] • […]- . šd . k[…] • -----
00-4.328:10 š̊[… pr]š . d . nšlm • k̊[…]d̊ . nšlm •
00-4.333:6 ṯlṯ . dd . p̊[…] • šbʿt . r/k[…] • -----
00-4.333:9 ----- • tgmr . k[…] • ḫmšm . a[…]
00-4.335:37 bn . -[…] • bn . k[…] •
00-4.393:24 ʿ[…] • ẘ/k̊/p̊/r̊[…] • […]
00-4.397:11 ṯlṯ . mat̊[…]k̊bd • ṯṯ . ddm . k[… b .]rqd • -----
00-4.401:2 ----m-[…]-[…] • ṯ̊n̊/t̊ . h̊/i̊-m̊ . k[…]-[…] • -----
00-4.405:2 -[…] • l . k̊[…] • l . kl-[…]
00-4.422:32 bn[. …] • bn . k̊/r̊[…] • bn . n[…]
00-4.521:4 ----- • […]- . k̊/ẘ[…] • …
00-4.529:1 … • […]b̊t . r̊/k̊[…] • […]b̊t . yr̊/k̊[…]
00-4.737:2 [… b]n̊[…] • [… b]n k̊/ẘ(?)[…] • […] . bn p̊/k̊/r̊[…]
00-4.737:3 [… b]n k̊/ẘ(?)[…] • […] . bn p̊/k̊/r̊[…] • …
00-4.743:7 h[…] • k̊/ẘ[…] • ʿ[…]
00-4.746:12 dd l b̊/d̊[…] • dd l k̊[…] • d̊d l̊ -[…]

Correspondencia

00-2.8:2 […]nsk̊[…] • […]l tṣi . b b[…] . um . k[…] • […]ṯb . ʿrym[.]w . k qlt[…]
00-2.31:4 […]g̊(?)ḥ . an[k …] • […]ʿly k[…] • -----
10-2.36:21 [---]t . rgm . hn[-------]š . r[…] • [----] . mlk . gr[--------]k[…] • …
00-2.39:29 šp[š …] • ʿm . k[… lḥ]t̊ • akl . yṯ[…](R:k)
11-2.39:29 *šp[š …] • ʿm . k̊[…] • akl̊ . yṯ[…]*
00-2.44:9 ẘ . bt . gb̊[l] • - . k[…]k̊(?) . w . špš • […]mt[.]b̊ʿ̊l . ṣpn̊
00-2.78:9 wḫmš̊[…] • at . k[…] • mǵy . […]

Épica

00-1.14:I:3 […]- . mlk̊[…] • […]m̊ . k̊[…] • […]--[…]
00-1.16:I:44 l̊k . š̊r̊ . ʿl ṣr̊t • ȁd̊n̊k̊ . šq̊r̊b̊ . k̊(?)[…] • b̊ mgnk . w ḫ̊r̊ṣ . l̊ k̊l̊

Fragmentos Varios

00-7.1:1 … • […]ẘ(?) k̊[…] • -----
00-7.45:3 h[…] • ab . r̊/k̊[…] • ab r̊/k̊[…]
00-7.45:4 ab . r̊/k̊[…] • ab r̊/k̊[…] • w[…]
00-7.98:3 p[…] • k[…] • b̊/ṣ̊[…]
00-7.116:1 … • […]- . k[…] • […]- . gm[…]
00-7.129:1 … • […]-šrm . k[…] • […]---[…]

Hipiatría

10-1.85:20 ----- • w . k̊[…]̊bd . ššw . g̊d . ḫlb • w . š[…]̊ . ʿl̊ ̊. ̊[…]

Inscripciones

00-6.33:1 … • k[…] • tp[…]

Mítica

00-1.1:IV:27 w hm . ap . l[…] • ymḫṣk . k[…] • il . dbḥ . […]

00-1.7:44 t̊[…] • k̊[…] • …

00-1.9:1 … • k[…] • yg-[…]

00-1.12:II:35 w ṣmt . ǵllm[…] • aḫḏ . aklm . k̊/ẘ[…] • npl . b mšmš̊[…]

00-1.92:17 tšlḥm yrḫ . ggn . […] • k[…]ḥrš . ḫssm[…] • -[…]b̊m ʿṯt̊r[t …]

00-1.93:3 b py . tʿlgt . b lšn̊[y] • ǵr̊ . ṯyb . b pšy . k̊/r̊[…] • hwt . bʿl . išq-[…]

00-1.166:5 r̊[…] • k̊[…] • ak/r/p[…]

00-1.169:5 blt . ḥ/ṭ[…] • [--] . r/k[…] • …

00-1.171:17 pat . ilm[…] • tm̊ . ḥwy . w/k/r[…] • bǵlmk . […]

Ritual

00-1.49:11 mit šʿ[rt …] • ptr . k[…] • […]yu[…]

00-1.87:43 bt . il . ṯq[l . ksp . kbd] • w dbḥ . k̊/p̊[… l aṯrt] • ʿṣrm . l i̊[nš . ilm . ṯb . md]

00-1.89:5 […]-̊[.]gd . l r̊[…] • […]šdkm . k[…] • […]ẘ . š … […]

00-1.90:10 w[…] • k[…] • ṯql[…]

00-1.91:1 • yn . d . ykl . bd . k̊[…] • b . dbḥ . mlk

10-1.91:1 *• yn . d . ykl . bd . k̊/r̊[…] • b . dbḥ . mlk*

00-1.103:25 ----- • […]i̊r . l k̊[…] • -----

10-1.103:4 ----- • w in . ḫr ṣp . b k[…] • -----

00-1.103:32 ----- • špth . tḥyt (tḥtyt) . k[…] • -----

00-1.104:9 ----- • w ṯt k[…] • w akl̊[…]

00-1.136:13 ʿṣrm š̊(?)[…] • ʿ̊l̊m̊ k̊(?)[…] • …

11-1.136:13 *ʿṣrm š̊(?)[…] • ʿ̊l[m] k̊/ẘ[…] • …*

10-1.137:4 […]-mt w[…] • b ṯ̊/ʿ̊ l p̊/k̊/ẘ/r̊[…] • […]btm-[…]

k-

nº CGRU-319 Ocurrencias: 1

Ritual

11-1.148:6 arṣ . w šmm . š . kṯr[t .] š . yrḫ̊[. … .]-̊ .̊ š̊ • ṣpn . š . ̊kṯr . š . pdry . š . ǵrm . ẘ r̊/k̊/ẘr̊/- q̊ . š • aṯrt . š . ʿnt . š . špš . š̊ . arṣy . š . ʿṯtr̊ š

k-—

nº CGRU-320 Ocurrencias: 14

Administración

00-4.114:1 … • k-[…] • ʿbd-[…]

00-4.198:5 ------ṯ(?)--l̊ḫ̊(?)ẙ(?) • k̊-[…]ålp̊ l š̊m̊n̊ • --[…]ṯ̊bq . l ---

00-4.335:31 [bn .]š[…]n … […] • [bn .]k-[…] • bn . ab̊[…]

00-4.399:18 […]ṯ-- • k-[…] • šd . […]

00-4.469:1 … • k-[…] • p-[…]

00-4.739:2 -[…] • k-[…] • ẙyn̊[…]

Correspondencia

00-2.45:8 ----- • -- . k̊-[…] • ẘ(?)[…]

Mítica

00-1.2:II:2 b-[…] • k-[…] • tk[…]

00-1.2:III:18 [ik . a]l . yšmʿk . ṯr . [i]l . abk . l ysʿ . [a]l̊t[.]ṯbtk̊[.]l̊ẙ[hpk] • [ksa .]m̊lkk . l yṯbr . ḫ̊ṭ[.]m̊ṯpṭk̊ . w yʿn̊ . ʿ̊ṯ̊[t]r̊ . d̊[m] . k̊-[…] • […]q̊(?)ḥ . by . ṯr . il . ab[y] . ank . in . bt[. l]ẙ[. km .]i̊l̊m̊ . ẘ ḥ̊ẓ̊r̊[.k bn]

00-1.4:II:39 btlt . [ʿnt …] • mh . k-[…] • w at[…]

00-1.94:34 […]ẘ t-bk . w --[…] • […]-ṯ . k-[…] • […]ṯ̊tm . n[…]

Ritual

00-1.27:14 w -[…] • k-[…] • ṯl̊[ṯ …]

12-1.103:32 ----- • špth . tḥyt . k̊-[…] • -----

10-1.130:26 ----- • bt[-̊-̊-̊]m k̊̊-[…] • […]-̊[-̊-̊]-̊-̊-̊[…]

k---

nº CGRU-321 Ocurrencias: 1

Correspondencia

00-2.46:21 […]-n . b--[…]- • […]-n . k̊--- • […]-n . r---d

l—

nº CGRU-322 Ocurrencias: 64

Administración

00-4.34:3 ----- • l̊[…]i̊/h̊ny ṯlṯ spm w ʿšr l-m • l̊[…]ẘ nṣp w ṯlṯ spm w ʿšrm l-m

00-4.34:4 l̊[…]i̊/h̊ny ṯlṯ spm w ʿšr l-m • l̊[…]ẘ nṣp w ṯlṯ spm w ʿšrm l-m • l k̊/ẘlt ḫ̊ndrṯ arʿ (arbʿ) s̊pm w ʿšr[…]

00-4.44:16 [t]šʿ šurt̊[…] • ṯlṯ šurt l l̊/ů/d̊[…] • ṯn šurtm l[…]

00-4.44:17 ṯlṯ šurt l l̊/ů/d̊[…] • ṯn šurtm l[…] • …

00-4.139:7 ----- • šb̊ʿ . l[…]b̊ gt . yšd • -----

00-4.201:8 […]- . dš[…] kb̊[d …] • […]--- l[…] • […]bn[…]

00-4.235:7 […] • l̊[…] • bq̊[…]

00-4.256:1 … • l[…] • l . b̊/d̊[…]

00-4.289:8 iwr[…] • dt . l[…] • …

00-4.389:13 ----- • […] . d̊/ů/l̊[…] • …

00-4.396:12 […]m . ṯlṯ . m̊[…]- • kbd . l[…] • -----

00-4.400:7 m̊i̊tm . ḫmšm . ḫmš . k[bd] • [dd] . kšmm . tšʿ . l[…] • š̊ʿrm . ṯṯ . ʿš̊[r]

00-4.412:II:3 w . [nḥlh] • bn . l̊[…] • bn . yr̊[…]

00-4.464:1 ----- • [b]n̊ . l[…] • -----

00-4.534:1 … • […]r . l[…] • […]r̊ . l . […]

00-4.555:1 … • […]-m . l̊[…] • -----

00-4.589:3 […]-y . […] • […]- . b l[…] • […]-lmy[…]

00-4.746:14 d̊d l̊ -[…] • [dd]l̊[…] • …

00-4.755:8 ----- • ṯ̊l̊ṯ̊m . l . bn . l̊(?)[…] • -----

10-4.762:17 ṯlrbẙ[…]b[…] • dmt[-]l[…]bnš[…] •

Correspondencia

00-2.3:2 […]-[…] • […]-ty . l[…] • […]b̊/d̊/ůtm . w š̊[…]

00-2.3:12 ank . nˁ̊k̊n[…] • kst . l[…]-[…] • w . hw . uẙ . ˁn[…]

00-2.21:19 w . l . mlkm • l[…]mlk • h[…]-m

00-2.34:13 k . igr . w . u . i̊g̊[r] • ˁm . špš . l̊[…] • nšlḥ -[…]

00-2.36:29 ----- • w . lḥt . qnim . k . li[kt . bt . ml]k . l[…] • hlny . lm . mt . bˁl[k . -----p]ḥm[…]

00-2.75:12 [--]kn . w[…] • [-]ytn . l[…] • -----

00-5.10:4 ----- • št tn mlk l[…]lk • w ḫlpn pṯ[t]m -[…]

10-5.11:14 d b l t t n t y t • p̊ […] t̊ ṯ l[…] d y l̊ t • a/n[…] tn ly

00-5.11:22 d l b amn[…] • […]- p t m y d l l l̊[…] • […]ry

11-5.11:22 d lb amn • […]̊-ptmy d ll̊t̊ l̊[…] • […]ry

Épica

00-1.15:VI:1 … • šm̊ˁ . l̊[…]mt[…]m . l̊[…]ṯnm • ˁdm . l̊ḥ̊m (ṯ̊l̊ḥ̊m) . tšty (2 ocurrencias)

00-1.16:VI:29 [l a]b̊k . w r̊g̊m .·ṯny • l̊[…]-r̊[…]ištm̊[ˁ] • w tqg̊[. udm . k ǵz . ǵzm]

00-1.18:I:25 [qht . ǵ]z̊r . at . aḫ . w an . å[ḫtk] • […] . šbˁ . ṯirk . ṣ̊/l̊[…] • […]n̊/åby . å/n̊dt . ank̊[…]

00-1.18:I:29 […]m̊t . išryt[…] • […]r̊ . almdk . ṣ̊/l̊[…] • […]qrt . ablm . a[blm]

Fragmentos Varios

00-7.21:3 […]ṯ̊nẙ[…] • […] . l[…] • […]å[…]

00-7.26:2 ----- • […]- . lm . l̊[…] • […]m̊ . in[…]

00-7.47:5 […]lmṯym[…] • […]-h . w rbt . ṣ̊/l̊[…] • […]š . prkb̊/d̊[…]

00-7.117:3 […]l[…] • […]ṣ . l[…] • […] . w[…]

00-7.120:4 […]-y[…] • […]n̊ . l[…] • […]tk[…]

00-7.204:2 ----- • […]š̊ . l̊[…] • -----

00-7.208:1 … • […]-l . l[…] • […]-b̊[…]

Mítica

00-1.1:IV:26 drkth . š-[…] • w hm . ap . l[…] • ymḫṣk . k[…]

00-1.3:III:3 ẓuh . b ym[…] • […]rn . l̊[…] • …

00-1.4:VII:7 km . y[…] ilm . b ṣpn • ˁd̊r . l[…] . ˁrm • ṯb . l pd̊[r . p]d̊rm

00-1.6:II:1 … • l̊[…] • w l̊[…]

00-1.6:II:2 l̊[…] • w l̊[…] • kd . ˁ[…]

00-1.10:III:21 ibr . tld̊[…] • w rum . l[…] • ṯḥbq . å[rḫ …]

00-1.12:II:27 ʿd̲bm . -[…] • uḫry . l[…] • mṣt . ksh . t-[…]

00-1.22:II:1 … • -b̊(?)t̊(?)ẙ(?) . l̊[… qr] • b . hkly . […]

00-1.73:9 ----- • tskn ydm l[…] • šbʿ w mʿnt . š[…]

00-1.82:37 […]-t̲bh . aḫt . ppšr . w ppšr̊t[…] • […]m̊k . drḫm . w at̲b . l ntbtk . ʿṣm l[…] • -----

00-1.92:7 yṣi . ǵlh tḥm d[…] • mrḥh l adrt l̊[…] • t̲t̲b ʿt̲trt b ǵl ẙ[…]

00-1.152:5 ----- • […]- pnh . l̊[…] • -----

00-1.152:6 ----- • […]--n . l[…] • -----

00-1.166:34 mm . bbt̲n . […] • -]t[--] . l/d[…] • …

Ritual

00-1.27:12 l ṣp[n …] • š . l[…] • w -[…]

00-1.46:2 [… b ym ḥd]t̲ . slḫ̊ . npš . t̲ʿ ẘ[t̲n]k̊bdm • [… šl]mm . t̲n šm . w alp . l̊[…]n̊ • […]š . il š . bʿl š . dgn š̊

00-1.49:3 […]t . š l i[l …] • [… at̲]rt . š l̊[…] • [… a]l̊p dr[…]

00-1.77:4 […]ybrk bʿl p[…] • […]b̊mt̲ kḫtm . l[…] • […]b̊/d̊ymkt mẓk[…]

00-1.103:24 … • […]- . l̊(?)[…] • -----

12-1.103:24 *[…][t]p[š] • […] . l̊̊[…] • -----*

00-1.104:27 t̲m̊[n …] • l[…] • -----

11-1.107:15 ----- • [šp]š . b šmm . tq̊r̊u . l̊[…]-rt • […]h̊tm̊ . amn[…]--[…]n . amr

10-1.109:37 ugrt š w • š l[…] •

00-1.119:2 b yrḫ . ibʿlt . b̊ ym̊[.]š̊(?)b̊ʿ̊ • š . l bʿl . rʿkt (ʿrkt) . š̊ l̊[…] • w bt . bʿl . ugr̊t[…]-š̊(?)[…]ẙ(?)[…]

l-

nº CGRU-323 Ocurrencias: 1

Mítica

00-1.172:14 ----- • […]k̊bkb . yql . b̊t̲lt̲m . ym . mlkn . l̊- . -- • […]

l—

nº CGRU-324 Ocurrencias: 9

Administración

00-4.487:4 […]n . ṣm[d …] • […]- . l-[…] • …

Correspondencia

00-2.35:15 […]n̊ . -nš̊[…]- • […]l̊k . w . l-[…]- • [… bʿ]l̊y . argm

Fragmentos Varios

00-7.2:3 […] . ap . -[…] • […]- . ly . l-[…] • [… h]l̊ny . t̲p[…]

00-7.29:3 […] . ap[…] • […]- . ly . l-[…] • […]-ny . t̲p[…]

00-7.185:4 […]-r . ṣl[…] • […]-mʿ . l-[…] • […]d̊/b̊t . ṣ[…]

Mítica

00-1.4:II:43 bim[…] • bl . l-[…] • mlk̊[…]

00-1.7:19 k̊lyn̊[…] • š̊p̊k . l-[…] • t̊r̊ḥ̊ṣ . ẙd̊[…]

00-1.101:11 ----- • […]t̊(?)h . l-[…] • -----

00-1.151:10 ym . ḫr[…]z̊(?) . kš • šr . l-[…]w [.]l . l bˁl • dt[…] . l i̊l̊[.]w l bˁl ql

l--

nº CGRU-325 Ocurrencias: 1

Épica

00-1.19:IV:27 ˁ̊l̊h . yd̊ . ˁd . -t . k̊(?)l̊(?)--- m̊ṣ̊ • ltm . mrq̊dm . d š̊n̊/t̊ l̊-- • ẘ tˁn . pǵt . ṯkm̊t . m̊ẙm

l---

nº CGRU-326 Ocurrencias: 1

Ritual

10-1.136:1 … • l[---]w[…] • l̊kṯr w[…]

m—

nº CGRU-327 Ocurrencias: 58

Administración

00-4.60:5 […]ṯlṯ . kṯ--d . h[…] • [… a]rbˁ . dblt . m[…] • [… mi]tm nṣ . kṯm r[…]

00-4.65:6 ady . ḥ[…] • -bsn . m̊[…] • bn . atnb . mr̊[…]

00-4.102:21 ----- • aṯt . w . bnh . w . pǵt . aḥt . b . bt . m[…] • -----

00-4.120:2 ----- • ˁšrm . l . m̊[…] • šd . dr[…]b̊/d̊d

00-4.127:2 […]ṯlṯ . mat • […]mitm . mqp . m[…] • [… ṯmn]ym . mgnm . ar[bˁ]

00-4.160:3 ----- • spr . m[…] • spr dt̊[…]b . w š

00-4.178:15 ks[…] • l t/m̊[…] • -----

00-4.182:26 [… p]ṯ̊tm . l . ipṯ̊[l …] • […]k̊sl . ṯlṯ . m[…] • […]- . abn . ṣr[p …]

00-4.193:5 mš[…] • [b]d̊ . m[…] • b̊ ẙr̊[ḫ]

00-4.193:10 lbš̊[…] • bd . m̊[…] •

00-4.227:II:5 l[…] • l m̊[…] • -----

00-4.316:2 [… y]rḫ . m[gmr …] • […]- . m[…] • -----

00-4.322:13 b̊[n . …] • m[…] •

00-4.332:25 t[…] • m̊[…] • …

00-4.337:21 ----- • ˁšrt . ksp . b . alp . [bd] . bn . m[…] • -----

00-4.386:4 [š]p̊ḥ . an̊nṯb • ẘ . m[… . u]škny • -----

00-4.396:11 […]- k̊krm […]bnym • […]m . ṯlṯ . m̊[…]- • kbd . l[…]

00-4.423:16 šd . b[…] • bd . m[…] • -----

00-4.424:16 […] . yt[…]kzn • […]ẙn . l . m[…] • […]yn . l . m[…]m

00-4.424:17 […]ẙn . l . m[…] • […]yn . l . m[…]m • […]-d . bn . g[…] l . dqn

00-4.449:1 … • [b]n̊ . m[…] • [b]n . i[…]

00-4.455:3 b̊n[. …] • b̊n . m̊[…] • b̊n . a[…]
00-4.462:3 ----- • […]b̊n̊ . m̊[…] • …
00-4.477:3 ----- • […] . m̊[…] • …
00-4.524:1 … • b̊n̊ . m̊[…] • -----
00-4.575:5 mrd . r̊[…] • m̊[…] • …
00-4.580:1 ----- • […]- . l . m̊[…] • -----
00-4.633:2 b̊[n …] • bn . m̊[…] • bn . il̊[…]
00-4.635:11 bn . n[…]hbṭn • bn . m[… b]d̊ . skn • bn . sn̊[…]bd . skn
00-4.637:4 […]-šr̊(?)qt[…] • […]š̊d . ˁl m[…] • -----
00-4.640:2 […]ˁšrt[…] • […]ṯ . ˁl m[…] • […]ḫmšt . ˁ[l …]
00-4.693:51 m[l]k̊ẙ … 1 • m[…]t̊ … 1 • sn̊r̊ … 3

Correspondencia

00-2.9:6 […]- . ṯby . w[…] • […] . bnš . m̊[…] • …
00-2.23:7 […]dk . k . tmǵy • m[… ml]k . rb • bˁl[y …]-
00-2.23:28 ˁ[…] • m[…]- • -[…]-
00-2.31:49 ----- • […]-[…]škb . w m[…] mlakt • […]-l . w tš--n . npṣh
00-2.34:26 […] • m[…] . mat • ḫ[… .]mat
11-2.36:53 [… a]r̊gmn[--]ẘi[…] • […]̊q . w . [----]m̊[…] • […]
00-2.45:30 w . l . ptn . w . s[…] • […]mm . m[…] • [… m]ndˁ[…]
00-2.49:12 […] . nzdt . qr[…] • […]dt . nzdt . m[…] • […]w . ap . b ṯn[…]
00-2.57:3 […]t[…]-d̊t[…]-- . ˁbd • m̊[…]-[…]- . yṯ-[…] • […]-lk . mlk̊[…]
00-2.83:1 • l m[…] • rg[m]
00-5.9:II:2 q n ṣ ṣ.b ṣ ṣ ṣ p n […] • d d n. d ḥ l m[…] • d d w a ṯ d[…]

Ejercicios Escolares

00-5.2:2 […]mmˁ -[…] • […]m . m[…] • tlˁinṣ/l̊---p[…]

Épica

00-1.19:II:32 -[…]sr . pdm . rišh[…] • ˁl . pd . asr̊ . m̊[…]lẙ(?)[…] • mḫlpt . w l . ytk . d̊m̊ˁt̊[.]k̊ m

Fragmentos Varios

00-7.37:2 […]p̊h̊n̊[…] • […]ilm . m̊[…] • […]l̊ pn . d[…]
00-7.68:7 i-[…] • m̊[…] • …
00-7.171:1 … • m[…] • tˁ[…]

Mítica

00-1.2:IV:3 […]ḥ̊ẙ[…]-[…]l̊ aš̊ṣ̊i . hm . ap . amr[…] • […] . w b ym . mnḫ l abd . b ym . irtm . m̊[…] • […] . nhr . tlˁm . ṯm . ḥrbm . its . ån̊šq
00-1.4:VII:11 šbˁm . šb̊ˁ̊ . pdr • ṯmnym . bˁl . m̊[…]-(?) • tšˁm̊ . bˁl . mr̊[…]
00-1.5:IV:11 yqrb . -[…] • l̊ḥm . m̊[…] • ˁ̊d . lḥm[. šty . ilm]
00-1.13:35 ----- • gl̊/ṣ̊[…]ẙhpk . m̊[…]m̊/g̊ . • -----
00-1.166:12 hm . tddn[…] • ˁẓrnm . m[…] • lšd . qdš . […]

Ritual

00-1.58:1 … • […] . m̊(?)[…] • [… gd]l̊t . […]

11-1.112:2 ----- • ḥdṯ . ḫḏrǵl(.)m̊[…] • -----

00-1.124:6 tʿny . nn̊ . […]r̊(?)/k̊(?) . qḥ̊ • w š̊t m̊[…]--[…]-tn̊(?) • ḥdṯ --- . qḥ kš̊/ḏ̊

10-1.163:18 riš . n̊(?)[…]m . ḫmš • ʿšrh . m̊[…]k̊/r̊ . • w al . tṣu[…]yṣu .

Vocabularios

00-9.3:II:50 […] • m[a(?)- …] • n[a-gi-ru(m)…] (nagiru)

m-

nº CGRU-328 Ocurrencias: 1

Administración

00-4.273:11 b̊[…]-[…]-rtḫ . i̊--ʿm̊[…] • m- • -----

m-—

nº CGRU-329 Ocurrencias: 13

Administración

00-4.75:IV:2 a[…]ʿn • m-[…]- • ar[…]-l

00-4.157:6 ḫ̊m[š …] • m-[…] • s[…]

00-4.244:24 krm . ǵlkz . b . p[…] • krm . ilyy . b . m-[…] • kd . šbʿ . krmm . […]

00-4.388:5 lq̊[ḥ …] • m-[…] • bn[…]

00-4.601:2 […]b̊n̊ . -[…] • […]bn . m-[…] • …

00-4.683:21 ʿnqpat[…] • m-[…] • p[…]

Correspondencia

00-2.17:13 ----- • ky . m-[…] • w pr[…]

Fragmentos Varios

00-7.132:6 […]m̊ḏ […] • […]--dq … m-[…] • […]qm … mr[…]

00-7.132:9 […]-ḏr … lḥ[…] • […]n̊(?)š m-[…] • […]rm -[…]

00-7.145:3 […] • […]n . m-[…] • […]r̊/km . […]

Mítica

00-1.2:II:16 ḫ-[…] • m-[…] • …

Ritual

00-1.148:40 […]m̊š̊r . š̊[…] • […]-t š . il . m-[…] • […]- . w t̊hmt[…]

Vocabularios

10-9.3:II:51 ⸢ku⸣-sú-m[u] • m[u? …] • i-r[a?-tum? …]

m--—

nº CGRU-330 Ocurrencias: 2

Administración

00-4.245:II:1 … • m̊d . m--[…] • [b]n . annḏy

00-4.702:7 […] . ubd[y …] • […] . m̊--[…] • …

m----

nº CGRU-331 Ocurrencias: 2

Correspondencia

00-2.46:23 […]-n . r---d • ẘ[. …]tn . m---- • ---rt . […]

Épica

00-1.19:I:7 t̠b . -[…]š̊a • tlm . k m̊---- . ẙdh . k šr̊ • k̊nr . uṣbʿh (uṣbʿth) . k̊ ḥrṣ . ab̊n

m-----

nº CGRU-332 Ocurrencias: 1

Ritual

10-1.103:42 ----- • [--]h . m[-----] . ẖt . bhmtn[…] • -----

12-1.103:8 ----- • *[-]̊-h . m̊-[----]̊ m̊ẖt . bhmtn[----]q̊/ʿ* • -----

m-------

nº CGRU-333 Ocurrencias: 1

Ritual

13-1.103:8 ----- • [ʿ]n̊h . m-[----(-)]-m̊ẖt . bhmt ḥ̊[wt tẖl]q • -----

n—

nº CGRU-334 Ocurrencias: 58

Administración

00-4.2:5 bn . ʿ-[…] • bn . å/n̊[…] • …

00-4.17:7 … • å/n̊[…] • bn[…]

00-4.24:2 […]-[…] • […]ʿ . å/n̊[…] • […]- . d-ṣ̊(?)[…]

00-4.41:5 r̊[… . bn . …]ʿm . kd • n[… . bn . …]ḥr . t̠lt̠ • y[… bn .]kran . ẖmš .

00-4.69:V:2 bn . s̊[…] • bn . n̊/å[…] • w . nḥ̊[lh …]

00-4.69:V:19 bn . i[…] • bn . n[…] • bn . b[…]

00-4.191:10 -[…]--lǵ[…] • w n̊[…]ṭ̊/ḥ̊ kl̊[…]n • w -----d̊mm̊

00-4.207:2 s̊pr . ḥr̊[š …] • -mn . n[…] • -----

00-4.232:5 bn . tan … 3 … b̊[n . …] • bn . arm … 3 … n[…] • bn . bʿl . ṣdq … 3 …
bn . […]

00-4.243:44 [… .]dd . bn . ʿ[…]ẙd . sǵrh • [… s]ǵ̊rh . ʿšrm[.]n[…]---- ʿšrm . dd • -----

00-4.258:3 […] . ʿl . t̠ny-[…] • […]ḥ̊/i̊ . ẖyr . bth . n̊/å[…] • -----

00-4.294:1 … • […]-t̠̊n̊ . n̊[…] • -----

00-4.332:7 t̠ngrn . -[…] • w . bnh . n[…] • ḥnil . n̊--[…]

00-4.340:16 ṣṣ̊ … [b]n̊ … […]ẖmšm • ṣṣ … bn … n[…] • [ṣ]ṣ … bn … ṣdq̊[… t̠l]t̠m

00-4.397:9 t̠lt̠̊[…]m . k̊b̊d • t̠mn[…] n[…] b[.]š̊r̊š̊ • -----

00-4.422:33 bn . k̊/r̊[…] • bn . n[…] • bn . ǵ̊[…]

00-4.435:7 […]1 … bn . ṯ-[…] • […]1 … bn . n[…] • […]1 … 10 … bn[. …]

00-4.520:5 asrn[…] • bn . n[…] • bn . […]

00-4.536:1 … • [š]d̊ . n̊[…] • [š]d . ʿb[d …]

00-4.575:2 […]sr-[…] • å̊rbʿ . n̊[…] • w . arb[ʿ …]

00-4.581:5 […]ẘ . nḫlhm … […] • [… w] . nḫlhm … n[…] • […] . ẙdln … bn[. …]

00-4.609:22 ----- • tdn . ṣrṯ[…]-t . ʿzn . mtn . n[…]l̊g • -----

00-4.628:7 […] … ʿpṯrm . bn . ʿbdy • […] … n[…] . bn . šnd • […]r/k . bn . t[…]

00-4.629:17 ṯlḥn[y …] • n̊/å/t[…] • ṯn̊[…]

00-4.635:10 bn . […]n . uḫd • bn . n[…]hbṯn • bn . m[… b]d̊ . skn

00-4.650:4 […]ṯ̊dy[…] • […]ṯ̊dyn . n̊/å[…] • […]s̊ḫrn . -[…]

00-4.679:3 irš̊[…] • bn . n[…] • bn . ml̊[…]

00-4.743:14 w[…] • å/n̊[…] • kdy ṯlṯm

00-4.769:1 • […] . n[…] • […]bn[…]

00-4.773:2 b[…] • b . n̊[…] • ʿzn[…]

Correspondencia

00-2.36:18 ḥ̊[wt]q̊- . w . b . ḥwt . [.]n̊g̊ṯ . tʿtqn -[…] • [… .]ḥwtm . n[…]h̊z̊/ḫb . ʿmq • [… . ḥ]wtm . ugr[t …]-n . hl̊

00-2.45:2 -[…] • n[…] • rgm̊ […]

00-2.45:32 [… m]ndʿ[…] • […]- . n[…] • …

00-2.47:20 ----- • ymm . w å/n̊[…]p • -----

00-2.62:16 yqḥ[…] • w . n[…] • […]--[…]

00-5.11:15 pt̊[…]lṯ l pkdy • n̊[…]- tn ly • -----

10-5.11:15 p̊ […] t̊ ṯ l[…] d y l̊ t • a/n[…] tn ly • -----

Fragmentos Varios

00-7.108:6 ----- • […] . n̊/r̊[…] • …

00-7.114:2 […]k[…] • […]-m . å/n̊[…] • […]-d .

Inscripciones

00-6.49:2 qrt nm[…] • tʿrb l n[…] • …

Jurisprudencia

00-3.8:6 apšny • ʿrb b n̊[…] • w . b . p--

Mítica

00-1.1:III:8 yh . kṯr . b[…] • št . l skt . n̊[…] • ʿdb . b ǵrt . ṯ[…]

00-1.3:II:1 … • n̊[…]š̊[…] • kpr . šbʿ . bnt . rḥ . gdm

00-1.4:II:27 aryy[. ẓl] . k̊s̊p . [a]ṯ̊rt • k tʿn . ẓl . k̊sp . w n̊[…]--(?) • ḫrṣ̊ . š̊mḫ . rbt . aṯ̊[rt]

00-1.10:II:33 […]h̊/i . bʿlm . d i̊ph̊[…] • [il .]h̊d . d ʿnn . n[…] • […]åliyn . bʿ̊[l]

00-1.12:II:5 p̊nm[…] • bʿl . n[…] • il . hd[. …]

00-1.24:9 ʿnha (ʿnhn) l ydh tz̊d̊[…] • pt l bš̊r̊h̊ . d̊m̊ å/n̊[…]ḥ̊ • wyn . k̊ mtrḫt[…]h

00-1.82:29 […] . hm . ql . hm[…] • […]- . aṯtn . n[…] • […]ḫ̊r̊ ǵ̊(?)[…]

00-1.82:34 […]llm . abl . mṣrpk . […] • […]y . mṯnt . w tḥ . ṭbt . n̊[…] • -----

00-1.94:35 […]-ṯ . k-[…] • […]ṯ̊tm . n[…] • […]km . tʿrb[…]

00-1.166:19 ? p̊r[…] • ? n[…] • ? nʿ/m[…]

Ritual

00-1.48:6 n̊/ḥ̊m̊[…]ṣn . l . dgn • n[…]k̊m • […] … . pi-[…]ḫ/ẙqš

10-1.48:6 n̊m̊[…]ṣn . l . dgn • n[…]m • […] . pi[…]ẙqš

00-1.81:11 l . ršp . -[…] • [l] . ršp . n̊[…]ng . kbd • -----

00-1.103:8 ----- • […]k̊/r̊h . ml̊[k …]-ḫt . b hmt n[…]t̊ dlln • -----

00-1.107:6 […]r̊k . ḥ-[…]-lk • […]s̊r . n[…]ḫrn • […]sp . ḫph . ḫ[… isp . šp]š . l hrm

00-1.107:50 […]h̊ . mḫlpt[…]---r̊ • […] . n̊ʿlm . n̊/å[…] • […]š . hn . al̊[…]

00-1.136:3 [i]pd gk[…] • ẘ l ṯǵr n[…] • w dbḥ -[…]

10-1.163:17 ----- • riš . n̊(?)[…]m . ḫmš • ʿšrh . m̊[…]k̊/r̊ .

Vocabularios

10-9.3:II:7 pí-⌜i?⌝-[tum? …] • ⌜na/ta/ša⌝-[…] • P[I?-al/la?-d]u?

n-

nº CGRU-335 Ocurrencias: 2

Administración

00-4.748:12 pdd̠n b ab̊(?)r̊(?)t[…] • n- . ǵ-b----[…] • -----

Vocabularios

00-9.3:II:9 […] • [... n]a(?)-[-]?-ma • [ḫ]u?-wa-tum (ḫuwātum)

n-—

nº CGRU-336 Ocurrencias: 7

Administración

00-4.357:5 […]-d̠-[…] • [šd . b]d̊ . n-[…] • […]--[…]

00-4.372:3 yr[…] • n-[…] • bn̊[…]

00-4.398:14 ----- • […]- . n-[…] • …

00-4.434:7 […] … bn . br̊[…] • […] … bn . n-[…] • […] … bn . a-[…]

00-4.445:1 … • [b]n̊ . n-[…] • [b]n̊ . ʿmn̊[…]

Mítica

00-1.5:V:26 y-[…]- . l irth • n̊-[…]- • …

00-1.5:VI:4 [tša . ghm . w tṣ]ḥ̊ . sbn • […]l̊ . n̊-[…]ʿd(R:k) • k̊sm . mhyt . m̊gny

n--

nº CGRU-337 Ocurrencias: 1

Correspondencia

11-2.36:18 ḥ̊/ṭ[-]q̊/ẓ̊̊t . w . b . ḥwt̊[.]n̊gṯ . tʿ̊tqn[…] • [----]ḥwtm . n[--]̊̊b . ʿmq […] • [--
ḥ]wtm . ugr[t ----]̊-n . i̊̊-[…]

n--—

nº CGRU-338 Ocurrencias: 3

Administración

00-4.332:8 w . bnh . n[…] • ḥnil . n̊--[…] • aršmg . mru

00-4.610:43 […] … šlt[…] • […] … n--[…]- • …

Mítica

00-1.86:20 -mn-- . rḥ--[…] • n--[…]d . --[…] • idk . nit[…]

n---

nº CGRU-339 Ocurrencias: 1

Administración

00-4.191:12 w -----d̊mm̊ • kl . n--- • hd-mt . bd

n----

nº CGRU-340 Ocurrencias: 1

Correspondencia

10-2.36:18 [----]. w . b . ḥwt[. -]ǵṯ . tˁtqn • [----]ḥwtm . n[----] . b . ˁmq[…] • [ḥ]wtm . ugr[t . ----]n . […]

s—

nº CGRU-341 Ocurrencias: 12

Administración

00-4.69:V:1 … • bn . s̊[…] • bn . n̊/å[…]

00-4.93:I:26 bn . […] • bn . s̊[…] • -----

00-4.124:5 ẙrm̊ . bn . ˁšq • s̊(?)[…] . b̊n . ˁqy • -[…] . b̊n . šlmy

00-4.138:3 ----- • šbˁ . lmdm . bd . s[…]rn • -----

00-4.157:7 m-[…] • s[…] • d[…]

00-4.255:4 brd[…] • bn . s[…] • bn -[…]

00-4.357:10 [… šd]m . bd . iyt[lm] • š[d . b]d . s[…] • š[d . b]d . u[…]b

00-4.359:6 bn[…]rh • s̊[…]ašrh • […]ḥ̊h

00-4.672:4 bn . […] • bn . s[…] • qlṯ[…]

Correspondencia

00-2.45:29 w . k . at . trg[m …] • w . l . ptn . w . s[…] • […]mm . m[…]

Fragmentos Varios

00-7.133:3 […]-- . d[…] • […]r̊(?) . w s̊[…] • -----

Mítica

00-1.22:IV:2 ů/b̊/d̊[…] • s̊[…] • p̊[…]

s-—

nº CGRU-342 Ocurrencias: 3

Administración

00-4.406:8 […]n . a[…] • […] . s-[…] •

00-4.434:2 […]y-[…] • [… b]n . s-[…] • […] … b̊n . t̠-[…]

Ritual

00-1.127:19 ypḫ[…] • w s-[…] • -[…]

s̀—

nº CGRU-343 Ocurrencias: 3

Administración

00-4.372:9 ḥ[…] • s̀[…] • …

00-4.415:2 d̊ . b̊n̊ . -[…] • d . bn̊ . s̀̊[…] • d . bn . s̀n̊[d …]

00-4.645:6 šd . bn . li[y] • šd . bn . s̀[…]y • šd . bn . t̠[…]ǵ

ʿ

nº CGRU-344 Ocurrencias: 16

Administración

00-4.734:7 […]rt̠dt w ʿdd • […]š ʿ l k i • […]l̊/s̥̊wd

Ejercicios Escolares

00-5.4:4 [l] m d̠ n ẓ • [s] ʿ p ṣ q r • [t̠] ǵ t i u

00-5.6:2 a b g ḫ d h w z ḥ ṭ y k š l • m d̠ n ẓ s ʿ p ṣ q r t̠ • ǵ t i u s̀

00-5.12:3 ḥ ṭ y k š l m • d̠ n ẓ s ʿ p ṣ q (R:r) • r t̠ ǵ t i u s̀

00-5.13:8 å b g ḫ̊ d̊ h̊ ẘ z̊ ḥ ṭ y k š l • m d̠ n ẓ s ʿ p ṣ q r t̠ ǵ • t i u s̀

00-5.16:3 […]b̊ g ḫ d h w z̊ ḥ ṭ y k • […]m̊ d̠̊ n̊ ẓ̊ s ʿ p ṣ q • […]t̊ i u s̀

00-5.17:6 y k š l m d̠ n ẓ • s ʿ p ṣ q r t̠ ǵ t i u s̀ •

00-5.19:3 z ḥ ṭ y k š l • m d̠ n ẓ s ʿ p ṣ • q r t̠ ǵ t i u s̀

00-5.20:1 • a b g ḫ d̊ h w z ḥ ṭ y k š l m d̠ n ẓ s ʿ p ṣ • q r t̠ ǵ t i u s̀

10-5.20:1 • ʾa b g ḫ [d̊] h w z ḥ ṭ y k š l m d̠ n ṭ s ʿ p ṣ • q r t̠ ǵ tʾ tʾ u s̀

00-5.20:4 q r t̠ ǵ t i u s̀ • a b g ḫ d h w [z ḥ ṭ y k š] l̊ m d̠ n ẓ s ʿ p ṣ • ʾa b g ḫ [d] h w z ḥ ṭ y k š l m d̠ n ṭ s ʿ p ṣ

10-5.20:4 q r [t̠] ǵ tʾ iʾ u s̀ • ʾa b g ḫ d h w [z ḥ ṭ y k š] l m d̠ n ṭ(?) s ʿ p ṣ •

00-5.21:2 ----- • s ʿ p ṣ q r t̠ ǵ t i u s̀ • s

Mítica

00-1.5:IV:1 … • ʿ̊ . šn̊-[…] • w l ṭlb . […]

00-1.98:4 mt̠lt̠ . -[…] • w td . ʿ . d[…] • klm . lt[…]

00-1.133:18 il[.]ǵ̊zr . • b åbn . ʿ . z . w • rgbt . zbl

Ritual

11-1.111:18 šbʿ . alpm ʿl . […] • il mlk . š (R:b)b (R:š)ʿ . t̠̊[at(?)] • kmlt . d ʿt̠tr š

10-1.137:4 […]-mt w[…] • b t̠̊/ʿ̊ l p̊/k̊/ẘ/r̊[…] • […]btm-[…]

ʿ___

nº CGRU-345 Ocurrencias: 40

Administración

00-4.66:9	bn . yd[…] • bn . ʿ[…] • w . nḥ[lh …]
00-4.93:I:22	bn . -[…] • bn . ʿ̊[…] • bn . […]
00-4.139:3	----- • b̊n̊ . ʿ[…] • --- ṯlṯ […] . b . gt . mn̊ḥm
00-4.208:6	----- • aḫdm . l ʿ̊[…] • -----
00-4.227:III:1	… • l ʿ[…] • l p[…]
00-4.243:43	[…]ẙn . yd . sǵ[rh …]k . […]- • [… .]dd . bn . ʿ[…]ẙd . sǵrh • [… s]ǵ̊rh . ʿšrm[.]n[…]---- ʿšrm . dd
00-4.260:3	[…]åsrm … 4 … iw-[…] • […]ḥrẓn … 4 … ṣdqn ʿ̊[…] • [… ʿ]ṯtrab … 4 … […]
00-4.313:17	[k]d . ʿl . […] • kd . ʿl . ʿ[…] • ṯlṯ . ʿl . gmrš … […]
00-4.335:20	b̊n . y[…] • [b]n . ʿ[…] • …
00-4.371:3	bn̊[.]i̊lrš • ʿ[…]ṯn • bn[. …]my
00-4.393:23	b-[…] • ʿ[…] • ẘ/k̊/p̊/r̊[…]
00-4.404:4	d[…] • ʿ[…] • -----
00-4.436:6	[…]- … bn . ʿr[…] • […]-tmn … bn . ʿ[…] • [… w . n]ḥlh … w[. nḥlh …]
00-4.471:1	----- • […]ṯ̊n . ʿ[…] • …
00-4.491:2	[…]-n̊[…] • […]ṯ̊n . ʿ̊[…] • […]riš[…]
00-4.545:II:1	… • b̊n . ʿ̊[…] • bn . ån̊[…]
00-4.599:5	[…]-ḥ[…] • [… b]n̊ . ʿ[…] • …
00-4.736:3	[…]ṭbt . […] • […]-lb . ʿ[…] • […]- . yšt . -[…]
00-4.743:8	k̊/ẘ[…] • ʿ[…] • kb̊/d̊[…]
00-4.755:13	----- • ʿ[…]-d̊(?)t̊/å(?)šm • -----
00-4.755:14	----- • ʿ[…]ṯrdn • -----

Correspondencia

10-2.7:4	bk̊[…]t̊ . yqḫ̊[…] • wd̲/ʿ/š[…]rk d[…] • […]-̊ . d[…]
00-2.23:13	r[…] • b . ʿ/š̊[…] • rb[…]
00-2.23:27	ʿb̊/d̊[…] • ʿ[…] • m[…]-
00-2.48:9	[…]mlk[…] • […]m . ʿ[…] • …

. Épica

00-1.16:I:57	[…]m̊rṣ . mlk • ʿ̊/š[…] krt . adnk̊ • [w yʿny .]ǵ̊z̊r̊ . i̊l̊ḥu
00-1.16:II:1	[…] ʿ̊š̊r . ʿšr̊t • ʿ̊[…] • b[…]
00-1.16:V:16	mrṣ . grš[m . zbln] • in . b ilm . ʿ[…] • ẙḫmš . rgm . m̊[y . b ilm]
00-1.19:I:3	tk̊rb . -[…]- . l qrb̊[?]m̊(?)ym • tql . ʿ[…]lb . t̊ṯ̊br • qšt[…]n̊r . yṯ̊b̊r̊

Fragmentos Varios

00-7.38:3	b[…] • ʿ[…] • […]
00-7.45:6	… • ʿ[…] • […]
00-7.55:3	[…]t̊ . t-[…] • […]d̊my . ʿ[…] • […]rq ẓiẓ[…]

00-7.136:2 […]n̊[…] • […]lǵ . ʿ[…] • […]-ʿtq[…]
00-7.163:6 […]l̊n bšr i̊[…] • […]ʿlk . igʿ . ʿ[…] •
00-7.167:2 […]- . […] • […]-n . ʿ[…] • -----
00-7.218:2 n[ʿ]mn[…] • adn . ʿ[…] • ḫnzr[…]

Mítica

00-1.6:I:30 [kgm]n̊ . ali̊yn[..]bʿ̊l̊ • […]-ḥh . tšt bm . ʿ̊[…] • […]zrh . ẙbm . l ilm
00-1.6:II:3 w l̊[…] • kd . ʿ[…] • kd . tq̊l̊(?)/ṣ̊(?)[… ym . ymm]
00-1.82:14 […]-a . --š(?)[…]y . ḥr . ḥr . bnt . ḥ[…] • […]b̊/d̊ḫ̊/z̊b . b̊ʿ̊lm . ʿ[…]- . ydk . amṣ . yd̊[…] • -----
00-1.93:7 ḥkr[…]šrẙ[…] • ʿṣp ʿ[…]ǵb[…] • ṯat[…] . --p[…]

ʿ-

nº CGRU-346 Ocurrencias: 1

Hipiatría

00-1.97:5 argn . ḥmr td̊[k …] • w . yṣq . b aph ʿ-[…] • -----

ʿ-—

nº CGRU-347 Ocurrencias: 11

Administración

00-4.2:4 p̊d-[…] • bn . ʿ-[…] • bn . å/n̊[…]
00-4.196:6 ----- • ʿ-[…]t • -----
00-4.248:1 • npṣ . ʿ̊-[…] • d . bd . ag̊[…]
00-4.424:2 spr[.]šd . ri[šym …] • krm̊[. w] . š̊d̊m[.]ʿ-[…] • b gt ṯm-[.]l -tyn[…]
00-4.637:6 […]šd . t̊dmn[…] • […]š̊d̊ . ytn . ʿ-[…] • …
00-4.755:15 ----- • ʿ-[…]iby • -----

Correspondencia

00-2.63:11 -ly . l . likt • ånk . ʿ-[…]n̊[…] • šil . ḥ̊[…]

Fragmentos Varios

00-7.186:1 … • […]- . ʿ-[…] • […]-r̊[…]

Mítica

00-1.5:III:12 al . ašt . b[…] • ahpkk . l . ʿ-[…] • ṯmm . w lk̊[…]
00-1.82:1 • […]mḫṣ . bʿ̊l̊ […]y . tnn . w ygl . w ynsk . ʿ-[…] • […]-y . l arṣ[. i]d̊y . alt . l aḫš . idy . alt . in ly
00-1.92:5 tḥdṯn w hl[…] • w tglṯ thmt . ʿ-[…] • yṣi . ǵlh tḥm d[…]

ʿ--

nº CGRU-348 Ocurrencias: 1

Ritual

10-1.103:31 ----- • wʿ[--] . ilm . tbʿrn ḥwt . hyt • -----
12-1.103:56 ----- • *wʿ̊-[-] . ilm . tbʿrn ḥwt . hyt* • -----

ǵ—

nº CGRU-349 Ocurrencias: 7

Administración

00-4.422:34 bn . n[…] • bn . g̊[…] • bn . å[…]

00-4.486:1 ----- • […] . b . ǵ[…] • […] … […]

Correspondencia

00-2.5:7 bˤl̊[…] • g̊[…] • …

Épica

00-1.16:III:16 yn . b ḥmthm . k̊{l]ẙ • šm̊n . b g̊(?)/q̊(?)[…] • bt̊ krt̊ . t[…]

Fragmentos Varios

00-7.136:4 […]-ˤtq[…] • […]ša . ǵ[…] • […]ů(?) . bt . i̊[l …]

Mítica

00-1.82:30 […]- . aṯtn . n[…] • […]ḫ̊r̊ g̊(?)[…] • …

Ritual

00-1.41:35 d̊[q]t̊ . l . ṣpn . gdlt . l[bˤl] • ů[g]r̊t̊ . š . l . i̊[l]ib . ǵ[… rt] • ẘ [ˤṣrm .]l . ri--[ṯlṯm . pamt]

ǵ-—

nº CGRU-350 Ocurrencias: 3

Administración

00-4.126:33 kp[…] • ǵ-[…] • gm̊[…]

Fragmentos Varios

00-7.135:2 […]n̊ . l bn[…] • […] . tgr l ǵ-[…] • […]-m . ˤnnm . (?)/g̊(?)[…]

Mítica

00-1.2:II:6 w bˤl̊[…] • ik q̊/g̊-[…] • w . t̊[…]

p—

nº CGRU-351 Ocurrencias: 43

Administración

00-4.75:V:23 ymy . bn[. …] • ˤbdˤn . p[…] • …

00-4.106:15 bn . bw[…] • [b]n . p̊[…] • bn . a[…]

00-4.201:3 --ṯ[…] • ṯn kkr ˤl . --ṯ . m̊[at k]b̊d . p[…] • alp̊[… w] mat . kbd š̊b-[…]-- kbd . ẓ[…]

00-4.205:9 ṯ̊l̊ṯ[. …]- . kbm • p[…]r . aḥd • t[…]

00-4.214:III:14 g[…] • p[…] • b̊[n . …]

00-4.214:IV:16 […]l[…] • [bn] . p[…] • -----

00-4.227:III:2 1 ˤ[…] • 1 p[…] • 1 t̊r/k̊/p̊[…]

00-4.244:23 ḫmrm . ṯṯ . krm[m …] • krm . ǵlkz . b . p[…] • krm . ilyy . b . m-[…]

00-4.333:5 ṯmn . dd . […] • ṯlṯ . dd . p̊[…] • šbˤt . r/k[…]

00-4.393:24 ˤ[…] • ẘ/k̊/p̊/r̊[…] • […]
00-4.412:III:24 b̊[n . …] • bn . p[…] • bn . ˤbdmlk
00-4.427:18 ˤṯt̊r[…] • bn . p[…] • yly[…]
00-4.464:2 ----- • [b]n . p[…] • …
00-4.473:3 ----- • [… b]n̊ . p[…] • -----
00-4.482:3 […]- . alpm[…] • […]- . bd p[…] • […]-[…]
00-4.569:2 […]l̊t̊ḥ̊[…] • […]b̊n . p̊[…] • […]b̊n . ḥ̊[…]
00-4.683:22 m-[…] • p[…] • r̊[…]
00-4.737:3 [… b]n k̊/ẘ(?)[…] • […] . bn p̊/k̊/r̊[…] • …

Correspondencia

00-2.36:49 […]mn . tbt . w . […] • […]l̊/m̊k . p[…]-tr . […] • [… a]r̊gmnm[.]d . ar̊[…]
00-2.60:6 id[k …] • p[…] • …
00-2.75:5 mitm . ṯq̊[l …] • tḥmk . p[…] • w . mlk . bˤ[ly …]

Épica

00-1.19:IV:60 zr . tmḫṣ . alpm . ib̊ . št[…]š̊t • ḥ̊ršm . l ahlm . p[…]km • ẙbl . lbh . km . bṯn . y-[…]ṣ̊/l̊ah . ṯnm . tšqy msk . hwt . tšqy

Fragmentos Varios

00-7.30:3 […]t̊rgm̊[…] • […]alp . p̊(?)[…] • […]ht . ap̊[…]
00-7.38:7 t[…] • p[…] • -[…]
00-7.40:1 • p[…] • hm-[…]
00-7.98:2 ----- • p[…] • k[…]
00-7.165:2 […]-i . ẙ-[…] • […]m . p[…] • …
00-7.175:3 […]- . -[…] • […]- . p[…] • […]k . i̊[…]
00-7.176:2 […]ˤ-[…] • […]l . p[…] • […]--š . ḫ[…]r[…]b-[…]
00-7.184:4 ----- • šbˤ . p[…] • -----
00-7.184:11 b̊(?)[…]r̊/k̊b[…] • p̊[…] • …
00-7.187:3 […]k̊/r̊-[…] • […]- . p[…] • […]-p[…]

Mítica

00-1.4:III:15 p̊[ḫ]r . bn . ilm . štt • p[…]- . b ṯlḥny . qlt • b̊ ks . ištynh
00-1.6:VI:10 […]- . bn . ilm . mt • p̊[…]n . aḫym . ytn . bˤl • lpuy (spuy) . bnm . umy . klyy
00-1.22:IV:3 s̊[…] • p̊[…] • bt̊[…]
00-1.73:3 l lmt . ṯt[…] • imt . nqt p[…] • l plḫtṯ . pl̊/ṣ[…]

Ritual

00-1.77:3 […]ybrkn b[ˤl …] • […]ybrk bˤl p[…] • […]b̊mṯ kḫtm . l[…]
00-1.81:1 … • l . p̊[…] • l . p[…]
00-1.81:2 l . p̊[…] • l . p[…] • l . ˤṯ[…]
00-1.87:43 bt . il . ṯq[l . ksp . kbd] • w dbḥ . k̊/p̊[… l aṯrt] • ˤṣrm . l i̊[nš . ilm . ṯb . md]
00-1.104:24 ṯmn ur-[…] • w l p[…] • -----
00-1.136:10 b̊(?) kdm ḥ[…] • b̊(?) ipdm p[…] • l il ḫṣt[…]
10-1.137:4 […]-mt w[…] • b ṯ̊/ˤ̊ l p̊/k̊/ẘ/r̊[…] • […]btm-[…]

p-

nº CGRU-352 Ocurrencias: 3

Administración

00-4.111:9 […]åṣ … 2 • […]- b . gt . p- • […]n … 2

Correspondencia

11-2.36:10 [-̊]q̊rt[-] ẘnṯb . ʿmnkm . l . qrb[…] • [-]r . h̊/i̊/p̊[-]̊ . w . at . ʿmy . l . mǵt̊ . […] • [w .]mla[k]t̊k . ʿmy . l . likt

10-2.36:49 [arg]mn . q̊bt . w . […] • […]k . p[-] . år[…] • [a]rgmnm[.]d . ar[…]

11-2.36:49 [arg]mn . ṭbt . w . […] • […]̊k . p[-]̊ tr . […] • [… a]rgmn[.]d . å-[…]

p-—

nº CGRU-353 Ocurrencias: 2

Administración

00-4.421:1 … • p̊-[…] • -----

00-4.469:2 k-[…] • p-[…] • il̊[…]

p--

nº CGRU-354 Ocurrencias: 1

Jurisprudencia

00-3.8:7 ʿrb b n̊[…] • w . b . p-- • apš[ny]

p--—

nº CGRU-355 Ocurrencias: 2

Administración

00-4.401:14 -[…]l̊n̊[…] • p̊--[…]-ʿtn- . b̊h • […]--[…]-

Correspondencia

00-2.21:29 […]t̊(?) • w . p--[…] •

ṣ—

nº CGRU-356 Ocurrencias: 15

Administración

00-4.93:IV:26 bn . šḫ̊[…] • bn . ṣ[…] • bn . š̊[…]

00-4.188:5 l . kr̊w . ḫp̊[n] • l . ṣ[…] . šʿ[rt] • l . ʿdy . š[ʿ]r[t]

00-4.267:5 glbty . arbʿt • b̊/ṣ̊[…]ṯb . ʿšrt . • …

00-4.434:9 […] … bn . a-[…] • […] … bn . ṣ̊/b̊[…] • …

00-4.686:21 ʿr̊[…] • b̊/ṣ̊[…] • …

Épica

00-1.16:II:30 ʿrym . l̊ b̊l̊[…] • ṣ̊(?)[…]ʿ̊ny . -[…] • l bl . sk . ẘ […]-h

00-1.18:I:25 [qht . ǵ]z̊r . at . aẖ . w an . å[ẖtk] • […] . šbʿ . ṯirk . s̩̊/l̊[…] • […]n̊/åby . å/n̊dt . ank̊[…]

00-1.18:I:29 […]m̊t . išryt[…] • […]r̊ . almdk . s̩̊/l̊[…] • […]qrt . ablm . a[blm]

Fragmentos Varios

00-7.47:5 […]lmṯym[…] • […]-h . w rbt . s̩̊/l̊[…] • […]š . prkb̊/d̊[…]

00-7.98:4 k[…] • b̊/s̩̊[…] • …

00-7.142:4 bs[…] • w ṣ[…] • mḥ̊(?)[…]

00-7.156:2 […]-kn̊[…] • […]- . s̩̊[…] • …

00-7.185:5 […]-mʿ . l-[…] • […]d̊/b̊t . ṣ[…] • […]t . ṣ[…]

00-7.185:6 […]d̊/b̊t . ṣ[…] • […]t . ṣ[…] • …

Mítica

00-1.4:VII:30 ql̊h . qdš̊[.]bʿ̊l̊[.]ẙtn • yṯny . bʿl̊ . ṣ[…]p̊th • qlh . q̊[…]r̊ . å̊r̊s̩̊

ṣ-—

nº CGRU-357 Ocurrencias: 2

Fragmentos Varios

00-7.67:4 yr-[…] • ṣ-[…] • -----

00-7.159:3 […]ẙdn[…] • […]- . ṣ-[…] • …

ṣ--—

nº CGRU-358 Ocurrencias: 1

Épica

00-1.17:VI:55 […] . aqht . ẙš̊-- • […]n . s̩̊--[…] • …

q—

nº CGRU-359 Ocurrencias: 13

Administración

00-4.44:5 arbʿ šurt l bn[š …] • arbʿ šurt l q[…] • ṯlṯ šurt l bnš[…]

00-4.335:11 [bn .]i[…] • [bn .]q[…] • [bn .]kblbn[…]

00-4.393:12 b̊bru … . i[…] • p̊dyn … . q̊[…] • -----

00-4.513:4 w . n̊[ḥlh …] • t/q̊[…] • …

00-4.593:6 bn . tr̊[…] • bn . q[…] • bn . šm̊[…]

00-4.610:36 […] … […] • […] … q[…] • […] … ṯ[…]

00-4.686:13 d[…] • q[…] • ṯm̊[r …]

Épica

00-1.16:III:16 yn . b ḥmthm . k̊[l]ẙ • šm̊n . b ǵ̊(?)/q̊(?)[…] • bt̊ krt̊ . t[…]

Mítica

00-1.1:IV:2 […]m . s̩̊/ẙt̊/p̊r̊[…] • gm . ṣḥ . l q[…] • l rḥqm . lp[…]

00-1.4:VII:31	ytny . bʿl̊ . ṣ[…]p̊th • qlh . q̊[…]r̊ . år̊ṣ̊ • […] ğ̊r̊m̊[.]t̊(?)ḫ̊[šn]
00-1.20:II:10	b grnt . ilm . b qrb . m[ṯʿt . ilnym] • d tit . yspi . spu . q[…] • tpḥ . ṯṣr . shr̊--[…]
00-1.166:2	… • q[…] • å[…]

Ritual

10-1.156:2	[…]nk̊[…]--[…] • w šlm t̊?/q̊?[…]l[…]bʿl • -----

q-

nº CGRU-360 Ocurrencias: 2

Correspondencia

10-2.7:6	[…]-̊ . d[…] • bq̊̊- l[--]-̊-̊k̊ • wtšt qdnt . št̊[…]
00-2.36:17	n̊t̊b̊t . mṣrm . d . ḥwt . ugrt • ḫ̊[wt]q̊- . w . b . ḥwt . [.]n̊g̱t . tʿtqn -[…] • [… .]ḥwtm . n[…]h̊z̊/ḫ̊b . ʿmq

q-—

nº CGRU-361 Ocurrencias: 2

Administración

00-4.693:44	yny … 1 • q-[…] … 1 • ʿrgz̊[…] … 2

Mítica

00-1.2:II:6	w bʿl̊[…] • ik q̊/ğ̊-[…] • w . t̊[…]

r—

nº CGRU-362 Ocurrencias: 61

Administración

00-4.10:2	-[…] • r̊[…] • ḫd̊[…]
00-4.41:4	a[…] kdm • r̊[… . bn . …]ʿm . kd • n[… . bn . …]ḥr . ṯlṯ
00-4.60:6	[… a]rbʿ . dblt . m[…] • [… mi]tm nṣ . kṯm r[…] • […] . arb̊[ʿ . d]d̊ . š[ʿrm …]
00-4.73:6	-[…] . aḥd • k̊/r̊/ẘ[…] . ṯn • hz[p] . ṯṯ
00-4.120:1	• spr . gt . r̊[…] • -----
00-4.160:7	----- • g̊(?)z̊/ḫ̊(?)[…]š . k̊/r̊[…] • […]-y[…]
00-4.288:7	----- • ẘ . ʿbd . r̊[…] • arbʿ . kt[t]
00-4.329:3	kb[…] • b . r[…] • tl[…]
00-4.333:6	ṯlṯ . dd . p̊[…] • šbʿt . r/k[…] • -----
00-4.393:24	ʿ[…] • ẘ/k̊/p̊/r̊[…] • […]
00-4.401:9	----- • --[…]b . r̊[…]b • r--[…]n̊ . […]
00-4.412:I:24	bn̊[. …] • bn . r̊[…] • bn . år-[…]
00-4.422:32	bn[. …] • bn . k̊/r̊[…] • bn . n[…]
00-4.483:1	… • […]ẘ . r̊[…] • […]-ṣ . aḫ̊[d …]

00-4.529:1	... • [...]b̊t . r̊/k̊[...] • [...]b̊t . yr̊/k̊[...]
00-4.575:4	----- • mrd . r̊[...] • m̊[...]
00-4.593:4	w . -[...] • bn . r[...] • bn . tr̊[...]
00-4.618:9	----- • [...]lm . bd . r[...]m . d̊lm • ṯṯ . ʿšr ṣ[m]d . a[l]p̊m̊
00-4.647:1	• ḏmr̊ . r̊[...]w . br • bn . i[...]-
00-4.647:3	bn . i[...]- • w . r[...]bd . yḥmn • yry[...] br
00-4.679:8	bn mt-[...] • [b]n r̊[...] • ...
00-4.683:23	p[...] • r̊[...] • š̊[...]
00-4.737:3	[... b]n k̊/ẘ(?)[...] • [...] . bn p̊/k̊/r̊[...] • ...
00-4.763:5	il̊[...] ... 2 • bn . r[...]y ... 2 • bn . ḫ̊z̊(?)r̊ẙ ... 2

Correspondencia

00-2.3:23	h̊/i̊štš . rgmy • [m]åd . r[...]pġt • [...]-[...]t . ydʿt
00-2.23:12	[...] • r[...] • b . ʿ/š̊[...]
10-2.36:20	[ḥ]wtm . ugr[t . ----]n . [...] • [---]t . rgm . hn[-------]š . r[...] • [----] . mlk . gr[---- ----]k[...]
11-2.36:20	*[--ḥ]wtm . ugr[t ----]-̊n . i̊̊-[...] • [---]t . rgm . hn̊[-----]š . r̊[...] • [--]̊ . mlk . gṛ[...]̊ [...]*
00-2.36:34	mly . innm . [...] • w . at . lḥt . r[...] • w . rgmt . l . aġzr[...]
11-2.36:34	*mly . innm .̊ [...,] • w . at . lḥt . r[...] • w . rgmt . l . aġzr[...]*
00-2.81:4	[...]t . bd . ymz . tg/m-[...] • [...]- . tḥmk . hdy . r[...] • [...]y . adnty . a[...]
00-2.81:12	[...]n . pr . h[...] • [...]mš . r̊[...] • [...]-[...]
10-5.11:9	ṯt ʿmlt l åd̊n • [...]n p t r̊[...] • ...

Fragmentos Varios

00-7.45:3	h[...] • ab . r̊/k̊[...] • ab r̊/k̊[...]
00-7.45:4	ab . r̊/k̊[...] • ab r̊/k̊[...] • w[...]
00-7.54:3	ykš[...] • ṯpṣt . r[...] •
00-7.58:1	... • [...]n̊ . r̊[...] • [...]-ʿt . yd̊[...]
00-7.95:2	[...]--[...] • [...]lb . r̊[...] • [...]-ḥq[...]
00-7.103:2	[...]r[...] • [...]- . r̊[...] • [...]-[...]
00-7.108:6	----- • [...] . n̊/r̊[...] • ...
00-7.127:3	[...]-t[...] • [...] . r[...] • ...
00-7.149:2	il̊[...] • r[...] • r[...]
00-7.149:3	r[...] • r[...] • ...

Inscripciones

00-6.57:1	... • [...]- r[...] • [...]-[...]

Mítica

00-1.5:IV:22	bt . il . li[mm ...] • ʿl . ḥbš . r̊[...] • mn . lik . ḫ[...]
00-1.6:IV:27	d̊r̊[...] • r̊[...] • -[...]
00-1.9:18	zbl bʿl . ġlm . [...] • ṣġr hd w r[...] • w l nhr nd-[...]
00-1.73:7	t ṯm qby . a-[...] • ṯpt lṯlm r[...] • pḫ/gr qr̊/ẘd[...]

00-1.79:5 gdy lqḥ ṣtqn gt bn ndk̊ • um r[…] gt nṯṯ ḫsn l ytn • l rḥ . tlqḥ ṣtqn

00-1.86:13 d bnš . ḥm̊[r m]dl[.]nʿ[…] • w d . l mdl . r[…]---[…] • -----

00-1.93:3 b py . tʿlgt . b lšn̊[y] • ǵ̊r . ṯyb . b pšy . k̊/r̊[…] • hwt . bʿl . išq-[…]

00-1.95:2 m̊d-[…] • km . r[…] • amr . -[…]

00-1.101:1 • bʿl . yṯb . k ṯbt . ǵr . hd . r̊[…] • -----

00-1.129:6 […]t . y bʿl[…] • […]-k . r̊[…] • …

00-1.166:4 å[…] • r̊[…] • k̊[…]

00-1.169:5 blt . ḫ/ṭ[…] • [--] . r/k[…] • …

00-1.171:17 pat . ilm[…] • tm̊ . ḥwy . w/k/r[…] • bǵlmk . […]

Ritual

00-1.57:1 … • […]l̊/ṣ̊tm . r̊[…] • […]- arbʿt[…]

10-1.57:1 … • [… gd(?)]l̊tm . r̊[…] • […]- arbʿt[…]

00-1.89:4 [… g]d . w . […] • […]-̊[.]gd . l r̊[…] • […]šdkm . k[…]

10-1.91:1 • yn . d . ykl . bd . k̊/r̊[…] • b . dbḥ . mlk

00-1.91:18 […]p iln • […] . ṣmdm̊[.]r̊[…]pdǵ̊ẙ[…] • […]-

00-1.103:31 ----- • w in . lšn bh . r[…] • -----

12-1.103:31 ----- • w in . lšn bh . r[…] • -----

10-1.137:4 […]-mt w[…] • b ṯ̊/ʿ̊ l p̊/k̊/ẘ/r̊[…] • […]btm-[…]

r-

nº CGRU-363 Ocurrencias: 2

Mítica

00-1.170:1 • ydy . dbbm . dǵzr . (R: tg) tgḫṭk . r[-] • bʿl . tgḫṭk . wtṣu . lpn . ql . ṯʿẙ

·Ritual

11-1.148:6 arṣ . w šmm . š . kṯr[t .] š . yrḫ̊[. …]-̊ .̊ š̊ • ṣpn . š .̊ kṯr . š . pdry . š . ǵrm . ẘ r̊/k̊/ẘr̊/- q̊ . š • aṯrt . š . ʿnt . š . špš . š .̊ årṣy . š . ʿṯrt̊ š

r-—

nº CGRU-364 Ocurrencias: 5

Administración

00-4.252:2 -[…] • r-[…] • ʿṯt[…]

Correspondencia

00-2.27:4 w . g̊[…] • r̊-[…] • …

00-2.36:20 [… . ḥ]wtm . ugr[t …]-n . hl̊ • […]t . rgm . hn̊[…]š . r-[…] • […]- . mlk . gr[…]-[…]

Épica

00-1.16:V:28 aškn . ydt . [m]r̊ṣ gršt • zbln . r-[…] . ymlu • nʿm . r̊ṯ[…] . ẙq̊rṣ

Mítica

00-1.86:3 ----- • alp . pr . bʿl . […]- . r-[…] • w prt . tkt . […]-l̊(?)--[…]

r--

nº CGRU-365 Ocurrencias: 2

Administración

00-4.123:4 ẘ ṯlṯ šmn • ẘ ˁl r-- ksp ˁl bn ymn • šbˁ ˁšr šmn ˁl ṯryn

00-4.401:8 [r]b̊il . -[…]-- š̊ --- • r-- . bh . […]------ • -----

r--—

nº CGRU-366 Ocurrencias: 1

Administración

00-4.401:10 --[…]b . r̊[…]b • r--[…]n̊ . […] • […]

š—

nº CGRU-367 Ocurrencias: 71

Administración

00-4.17:21 bḥ̊[…] • š[…] • y-[…]

00-4.69:VI:35 bn . […]b̊/d̊ … 8 • bn . š̊/ḏ[…]r … 3 • bn . š[…]n̊ … 2

00-4.69:VI:36 bn . š̊/ḏ[…]r … 3 • bn . š[…]n̊ … 2 • (LINEA EN ACADIO)

00-4.77:23 bn . b-[…] • bn . š[…] • bn . a[…]

00-4.93:IV:27 bn . ṣ[…] • bn . š̊[…] • bn . […]

00-4.182:33 [… yr]ḫ . riš . yn . […] • […]l̊ . bhtm . š[…] • […]r̊/k̊t . l . dml[…]

00-4.194:22 ˁb[d]kṯr • š[…] •

00-4.213:20 ----- • ṯmnym . ẙn̊ . ṭb[.]b . gt . š[…] • -----

00-4.244:34 ḫr̊[…] • š̊[…] • …

00-4.247:11 ˁš[r …]-b-[…] • š[…]g ḥt[…] • ˁšr̊[…]k̊/r̊ḥ-b[…]-

00-4.276:7 ḫm̊[š …] • š[…] • ṯq̊[lm …]

00-4.287:3 ṯ-[…] • š[…] • b̊[…]

00-4.315:4 b̊[n] . ḥrk̊[…] • [w . n]ḥlh . š̊[…] • [… nḥ]l̊h[. …]

00-4.328:9 […] • š̊[… pr]š . d . nšlm • k̊[…]d̊ . nšlm

00-4.332:23 ˁd̊(?)[…] • š[…] • t[…]

00-4.335:6 bn . agmz … […] • bn . š̊[…]n … […] • bn . a[…]- … […]

00-4.335:30 b̊[n . …]-n … […] • [bn .]š[…]n … […] • [bn .]k-[…]

00-4.372:7 ˁd̊/b̊ […] • š[…] • ḥ[…]

00-4.469:4 il̊[…] • š[…] • a[…]

00-4.533:1 … • […]- … š̊[…] • [… k]bd . -[…]

00-4.562:2 [… d/k]d̊ . b̊n̊[. …] • [… d/k]d̊ . bn . š̊[…] • [… d/k]d . ˁzn[…]

00-4.618:6 w . arbˁ . ˁšr . bnš • yd . ngr . mdrˁ . yd . š[…]-m • -----

00-4.629:19 ṯn̊[…] • š̊[…] • ṯl̊[…]

00-4.683:12 -[… k]b̊d • š[… kb]d̊ • ḫl̊[…]

00-4.683:24 r̊[…] • š̊[…] • […]

00-4.685:2	-[…] • š[…] • ṣʿ[…]
00-4.715:27	bn . ugrtn kd[…] • š̊[…] •
00-4.755:12	----- • š[…]t̊ • -----
00-4.762:9	ṯlrby […] b[…] • dmt […] bn š[…] • -----

Correspondencia

00-2.3:3	[…]-ty . l[…] • […]b̊/d̊/ůtm . w š̊[…] • -[…]w . kl . hw[…]
00-2.7:4	bk[…]t . yqḥ̊[…] • w š̊[…]rkb̊/d̊[…] • […]- . d[…]
10-2.7:4	*bk̊[…]t̊ . yqḥ̊[…] • wḏ/ʿ/š[…]rk d[…] • […]-̊ . d[…]*
00-2.23:13	r[…] • b . ʿ/š̊[…] • rb[…]
00-2.31:18	[…]ank . nši . […] • […]ṯbr . ḫss . š̊(?)[…] • […]å/t̊št . b[…]
00-2.34:28	ḫ[… .]mat • š[…] . išal • ʿmk . yb̊l . šdk̊/t
00-2.36:42	at . mk . tšk[ḥ …] • [-----]l . š[…] • […]k/r̊[…]
11-2.36:42	*at . °°[.]tšk[ḥ …] • […]° . š[…] • …*
00-2.53:2	[…]lik . -[…] • […]nh . š[…] • […]l . ḥ[…]

Épica

00-1.15:IV:10	ḫbr̊ . ṯ̊r[r]t̊ • […]ʿb̊/ṣ- . š̊[…]m • ẘ(?)/k̊(?)m̊(?)ḥ̊(?)ʿrt----qm
00-1.16:I:57	[…]m̊rṣ . mlk • ʿ̊/š̊[…] krt . adnk̊ • [w yʿny .]ǵ̊z̊r̊ . i̊l̊ḥu
00-1.16:V:41	kr[pn …] • at . š̊[…] • šʿd[…]
00-1.16:V:43	šʿd[…] • rt . š̊[…] • ʿṭr[…]
00-1.16:V:45	ʿṭr[…] • b p . š[…] • il . pd[…]
00-1.16:V:48	ʿrm . […] • di . š̊[…] • mr[ṣ …]
00-1.17:VI:3	[…]ḥ̊m[…] • […] . ay . š̊[…] • [… b ḥ]r̊b . mlḥ̊[t . q]ṣ̊
00-1.18:I:31	[…]qrt . ablm . a[blm] • [qrt . zbl .]ẙrḫ . d mgdl . š̊[…] • […]m̊n . ʿrḥ̊m̊[…]
00-1.19:II:27	b ph . rgm . l yṣa . b šp̊̊t̊h̊[. hwth] • b̊ nši ʿnh̊ . w tphn . in . š̊[…] • b̊(?) hlk̊ . ǵlm̊m̊ . b ddy . yṣ[…]
00-1.19:II:50	mḫ̊ṣ[…] • š̊[…] • […]
00-1.19:IV:57	qbʿt . b ymnh . w yʿn . yṯ[p]n[. mh]r • št . b yn . yšt . ila (iln) . il š[…]i̊l̊ • d yqn̊y . ḏdm . yd̊ . mḫṣt . aq̊[h]t̊ . ǵ

Fragmentos Varios

00-7.70:2	[…]ḥw[…] • […]-t̊ . š̊[…] • …
00-7.134:2	----- • […]-p š̊[…] • -----
00-7.154:1	----- • […] . l š̊[…] • -----
00-7.184:8	… • š[…]r̊/ẘ[…] • ʿg[l]m . d̊[t …]

Hipiatría

00-1.85:21	w . k̊[. …]bd . ššw . -d̊/ů . ḫlb • w . š[…]- . ʿl . --[…] • ydk […]--[…]

Jurisprudencia

00-3.1:39	----- • […]m̊it pḥm . l š̊[…] • -----
00-3.5:6	šd kḏgdl[bn …] • ůš-l̊(?) d . b š[…] • -m- . [y]d̊ gth

Mítica

00-1.6:V:29	bl̊[…] • š̊[…] • …

00-1.10:III:12 yʿl . bʿl . b ǵ[r] • w bn . dgn . b š[…] • bʿl . yṯb . l ks[i . mlkh]

00-1.73:10 tskn ydm l[…] • šbʿ w mʿnt . š[…] • anẓ w ǵzr t[…]

00-1.101:10 ----- • […]l̊yt . š̊[…] • -----

00-1.151:5 […]--[…]nm . yḥr̊ . -- • štm̊[…]- . dt . š̊[…]-- • dt-[…]n --- ks̊(?)t̊(?)

Ritual

00-1.48:17 aḫt . l . mkt . gr[· …] • aḫt . l . ʿṯtrt š̊[…] • arbʿ . ʿṣrm

00-1.53:9 […]il . bt . gdlt . b̊/d̊[…] • […] . š[…] . hkl[…]-[…] • […]--[…]

00-1.58:5 […]b . š . b̊/d̊[…] • [… y]r̊ḫ . š . š̊[…] • -----

10-1.103:57 [-----------------](b̊/d̊)h • [-----------------]tp š̊[…] • -----

00-1.126:19 ẘ mlk̊[…] • b ṯdṯ . š̊[…] • ʿlyh . g̊(?)[dlt …]

10-1.127:24 w l dbḥ̊ […] • š̊?[…] • -----

00-1.130:8 ----- • w š̊[…] • l gh (ngh) l s̊(?)[rr …]

00-1.136:12 l il ḫṣt[…] • ʿṣrm š̊(?)[…] • ʿ̊l̊m̊ k̊(?)[…]

11-1.148:9 ušḫry . š . il . tʿd̊r . bʿl . š ršp . š . ddmš š̊ • pḫr . ilm . š . ym . š . [k]n̊r . š . å̊lpm . ʿṣrm[.]gdlt š̊[…] • -----

00-1.148:20 ṯn . skm . šbʿ . mšlt . arbʿ . ḫpnt . […] • ḫmšm . ṯlṯ . rkb . rtn . ṯlṯ . mat . š̊[…] • lg . šmn . rqḥ . šrʿm (ʿšrm) . ušpǵtm . pl̊[d …]

10-1.148:20 *ṯn . skm . šbʿ . mšlt . arbʿ . ḫpnt . […] • ḫmšm . ṯlṯ . rkb . a!tn . ṯlṯ . mat . š̊[…] • lg . šmn . rqḥ . šrʿm (ʿšrm) . ušpǵtm . pl̊[d …]*

00-1.148:39 […]k̊n̊r̊[š …] • […]m̊š̊r . š̊[…] • […]-t š . il . m-[…]

11-1.148:39 *[…]-̊r̊[…] • […] . mḏr . š[…] • […]-t š . il . m̊-[…]*

Vocabularios

10-9.3:II:7 pí-⸢i?⸣-[tum? …] • ⸢na/ta/ša⸣-[…] • P[I?-al/la?-d]u?

š——

nº CGRU-368 Ocurrencias: 8

Administración

00-4.33:3 ----- • bn . bʿyn . š-[…] • -----

00-4.326:2 [ṯ]ṯ . ʿš̊[r …] • […]y . š-[…] • […]ny-[…]

Fragmentos Varios

00-7.198:5 […] … […] • … š-[…] • … - r

Mítica

00-1.1:IV:25 gršnn . l k̊[si . mlkh . l nḫt . l kḥt] • drkth . š-[…] • w hm . ap . l[…]

00-1.2:I:12 m̊lakm . ylak . ym . […] • [b] ʿlṣ ʿlṣm . npr . š-[…] • [u]ṯ . ṯbr . aphm . tbʿ . glm̊[m . al . ṯṯb . idk . pnm]

00-1.6:IV:24 an . lan . il . yǵ-[…] • tǵrk . š-[…] • ẙštd̊ . […]

10-1.114:23 il . k yrdm . arṣ . ʿnt • w ʿṯtrt . tṣdn .š̊̊-[…] • qd̊š . bʿ̊-[…]

Ritual

00-1.126:9 -[…] • š-[…] • w[…]

š--

nº CGRU-369 Ocurrencias: 1

Correspondencia

00-2.82:5 […]mlk . rb . bˁlẙ . ˁm[y …] • […] . ht . ank . ˁbdk . mid̊[.]š[--] • […]r/k/t . bˁly[.]n̊ˁm[.]h̊t

š--—

nº CGRU-370 Ocurrencias: 2

Administración

00-4.317:11 t̲lt̲ . a-[…] • š̊--[…] • …

00-4.618:8 [b] . gt . ipt̲l . t̲t̲ . ṣmdm • [w .]ˁšr . bnš̊m . y[d] . š--[…] • -----

š----

nº CGRU-371 Ocurrencias: 1

Mítica

00-1.157:4 ----- • […]- . š---- . mddt . […] • -----

t—

nº CGRU-372 Ocurrencias: 62

Administración

00-4.1:2 år̊[…] • bd t[…] • š̊d -[…]

00-4.80:13 plzn . artẙ[…] • w . klth . b . t[…] • bˁly . ml-[…]

00-4.80:22 ----- • ågyn . t[…] • [w] . t̲n . […]

00-4.102:29 ----- • [… ˁ]š̊rm . npš . b . bt . t[…] • -----

00-4.157:9 ----- • t[…] • …

00-4.178:15 ks[…] • l t/m̊[…] • -----

00-4.196:5 ----- • t[…]b-- • -----

00-4.205:10 p[…]r . aḥd • t[…] • g[…]

00-4.287:6 b̊[…] • t̊[…] • b̊[…]

00-4.287:8 b̊[…] • t̊[…] • -----

00-4.290:9 ----- • b . šd . bn . t[…]n • t̲l̊t̲̊ . ˁš̊r[t]

00-4.332:24 š[…] • t[…] • m̊[…]

00-4.374:9 sdrn̊ . ẘ . t̲n . šǵrh • t̊[…]n[…] . w . šǵrh • h̊/i̊[…]n̊ . w . šǵrh

00-4.382:22 iln . bn[…]q̊å/n̊ • bn . t[…]ar • bn . ngr[šp d . yt̲]b . b . ar

00-4.398:12 ----- • ˁdn . t[…]-[…] • d . ut̲̊-[…]

00-4.425:9 … • [… šd .]t̊[…] • […]š̊d . p̊r̊šn . l . -[…]

00-4.458:7 bn̊[. …] • t̊[…] • b̊[n . …]

00-4.482:1 … • […]l . t[…] • […]- . alpm[…]

00-4.496:7 ----- • t[…] • …

00-4.513:4 w . n̊[ḥlh …] • t/q̊[…] • …

00-4.578:3 bn . […] • bn . t̊[…] • w . n[ḥlh …]

00-4.580:3 ----- • […]l̊ . t[…] • …

00-4.605:2 w . n̊[ḥlh …] • b̊n . t[…] • […]- […]

00-4.611:22 [bn …]ṯ̊ … 10 … bn . aḫ[…] • […]-[…] … bn t[…] • […] … 1 … b̊n̊[…]

00-4.623:4 yšril … […] • anntn bn . t[…] • bn . brzn […]

00-4.628:8 […] … n[…] . bn . šnd • […]r/k . bn . t[…] • …

00-4.629:17 ṯlḥn[y …] • n̊/å/ṫ[…] • ṯn̊[…]

00-4.673:7 […]d . ṯn . […] • […]-ṯk . t̊[…] • […]ṯǵr̊[…]

00-4.728:6 ubyn • bdn bn t[…] • ʿmyn

Correspondencia

00-2.2:7 l šlmt . l šlm . b[…] • by . šnt . mlit . t̊[…] • ymǵyk . bnm . ta[…]

00-2.21:21 h[…]-m • t[…] . titṯm • h[…]b . ḫt

00-2.34:16 -[…] • t[…] • -[…]

00-2.36:38 dt . mlkt . tlk[…] • w . ap . sḫlm . t[…] • w . qnuym . tbʿ[…]

00-2.47:6 ----- • w šmnẙk̊ . w t[…] • -----

00-2.49:6 ds[…] • t[…] • å(?)[…]

Épica

00-1.14:V:29 [… d]b̊ḥ • t[… id]w (id]k) • pn̊[m . al . ttn]

00-1.15:III:7 [b]n̊t lk • tld . pǵt . t[…]t • tld . pǵ̊t̊ . t[…]r̊(?)

00-1.15:III:8 tld . pǵt . t[…]t • tld . pǵ̊t̊ . t[…]r̊(?) • tld . p̊ǵ̊[t …]

00-1.16:III:17 šm̊n . b ǵ̊(?)/q̊(?)[…] • bt̊ krt̊ . t[…] • …

00-1.16:V:51 zb[…] • t[…] • b̊[…]

00-1.19:IV:43 ẘ . ṯ̊k̊m . tium (tidm) . b ǵlp̊ ym̊[…] • d al̊p . šd . ẓuh . b ym . t[…] • tlbš . n̊pṣ . ǵzr . tšt . ḫ[…]b̊

Fragmentos Varios

00-7.38:6 […] • t[…] • p[…]

00-7.44:1 … • […]-m̊ . t̊[…] • […]ani[…]

Inscripciones

00-6.60:1 … • […]-my t[…] • …

Mítica

00-1.2:II:7 ik q̊/ǵ̊-[…] • w . t̊[…] • imḫṣ . […]

00-1.2:II:14 ẘ[…] • t̊[…] • ḫ-[…]

00-1.3:I:1 … • al . tǵl̊ t[…] • prdmn . ʿbd . ali[yn]

00-1.4:II:30 ẙm . gm . l ǵlmh . k̊[tṣḥ] • ʿn . mkṯr . ap t̊[…] • dgy . rbt . aṯr̊[t . ym]

00-1.4:II:32 dgy . rbt . aṯr̊[t . ym] • qḥ . rṯt . bdk t̊[…] • rbt . ʿl . ydm̊[…]

00-1.7:42 […] • t̊[…] • t̊[…]

00-1.7:43 t̊[…] • t̊[…] • k̊[…]

00-1.8:II:17 ši̊[…] • t[…] • …

00-1.12:II:17 t-[…] • t[…] • ḥ̊[…]

00-1.45:6 hlkt . tdrq . […] • špš . bʿdh . t[…] • aṯr . aṯrm […]

00-1.73:11 šbʿ w mʿnt . š[…] • anẓ w ǵzr t[…] • […] w kbdt . t[…]

00-1.73:12 anẓ w ǵzr t[…] • […] w kbdt . t[…] • […] ẘ ta . nʿ[…]

Ritual

00-1.50:10 w . mit . šʿrt . y[…] • w . kdr . w . npt . t[…] • w . ksp . yʿdb . -[…]

10-1.136:11 [ẘ]lṯǵrn • wdbḥ t̊[…] • wdbḥ t̊[…]

10-1.136:12 wdbḥ t̊[…] • wdbḥ t̊[…] • w dq̊[t̊]

00-1.140:6 k tld ḥ̊(?)[…] • ḥwt ib t̊[…] • k tld a[…]

10-1.156:2 […]nk̊[…]--[…] • w šlm t̊?/q̊?[…]l[…]bʿl • -----

Vocabularios

10-9.3:II:7 pí-⌜i?⌝-[tum? …] • ⌜na/ta/ša⌝-[…] • P[I?-al/la?-d]u?

t-

nº CGRU-373 Ocurrencias: 1

Mítica

00-1.6:IV:18 w tʿn . nrt . ilm . šp̊š̊ • šdyn . ʿn . b . qbt[.]t̊-(?) • bl̊ lyt . ʿl . umtk

t-—

nº CGRU-374 Ocurrencias: 13

Administración

00-4.325:7 […]ḥ̊/ṯ̊šr[…] • […]n̊ . t-[…] • …

00-4.404:2 ṯṯm[…] • l . t-[…] • d[…]

00-4.658:39 b̊[. …] • b . t-[… ʿš]rm • b . ann[…]ny[…]

Épica

00-1.16:II:52 tʿrb . ḥ[…] • bṯtm . t-[…] • šknt . -[…]

Fragmentos Varios

00-7.55:2 […]š[…] • […]t̊ . t-[…] • […]ḏ̊my . ʿ[…]

00-7.75:2 […] . phẙ[…] • […]i̊ṯ . t-[…] • …

Mítica

00-1.2:I:10 l̊(?) t̊t . mṭ . tpln . b g̊(?)[bl …] • å(?)b̊ . šnm . aṯtm . t-[…] • m̊lakm . ylak . ym . […]

00-1.2:II:9 imḫṣ . […] • mlk t-[…] • lak̊t̊ -[…]

00-1.12:II:16 tš̊[…] • t-[…] • t[…]

00-1.12:II:28 uḫry . l[…] • mṣt . ksh . t-[…] • i̊dm . adr . h̊[…]

00-1.73:5 l plḫṯṯ . pl̊/ṣ[…] • mr lbṯ . t-[…] • t ṯm qby . a-[…]

00-1.92:13 bqr . mrḥh . ti[…] • šb̊rh bm ymn . t-[…] • t̊špl bʿl . ʿbd[…]

Ritual

00-1.49:1 … • […] . t-[…] • […]t . š l i[l …]

t--

nº CGRU-375 Ocurrencias: 3

Administración

00-4.7:14 šd . nḥl . bn . ʿṯtry . l . --n • šd . bn . t-- . l . armwl • šd . bn . synn . l . gmrd

Fragmentos Varios

00-7.16:9 […]m-- • […]l . t-- • […]š̊u---[…]

Mítica

00-1.170:21 [--------]rʿtm . kn̊ • [--------]m̊ . kn . t̊[--] • […]r[…]

t----

nº CGRU-376 Ocurrencias: 1

Épica

00-1.15:V:11 [l lḥ]m̊ . l šty . ṣ̊ḥ̊t̊k̊[m] • […]b̊rk . t---- • [ʿl .]k̊r̊t . tb̊k̊n

ṯ—

nº CGRU-377 Ocurrencias: 30

Administración

00-4.4:10 ṯlṯm -- ḫswn • ṯlṯ ṯ[…] . ṯṯ ḥ[…] •

00-4.40:6 tšʿ . ʿ̊[šr . bnš] • ǵr . ṯ[…] • -----

00-4.93:I:24 bn . […] • bn . ṯ[…] • bn . […]

00-4.240:4 […]kbd . ksp̊ .·ʿl . šd . bn[…] • […]- . šd . qhm . bn . bhl . ṯ̊[…] • […]k̊bd . ksp . š̊d̊[…]

00-4.247:6 ṯ̊l̊[ṯ …]ṯ[…] • ṯ[…] • ṯ[…]

00-4.247:7 ṯ[…] • ṯ[…] • ṯ[…]

00-4.247:8 ṯ[…] • ṯ[…] • ʿš[r …]b-[…]

00-4.355:31 [… b]nšm . b . ugrt • ṯ̊[… bn]šm . b . ǵbl • ṯ̊[…]b̊nšm . b . mʿr . arr

00-4.355:32 ṯ̊[… bn]šm . b . ǵbl • ṯ̊[…]b̊nšm . b . mʿr . arr • år̊bʿ . bnšm . b . mnt

00-4.396:17 ----- • [k]k̊r . ṯ[…]m̊ . ḥt . l . mlk̊[…] • -----

00-4.399:2 […]ǵ̊b . -- b . šrm • […]šd . irpn . ṯ[…] • […]š[…]ṯtn . šd .

00-4.404:5 ----- • ṯ[…] • […]

00-4.449:3 [b]n . i[…] • b[n] . ṯ[…] • b̊[n . …]

00-4.459:5 […]-t . spsgm … […] • […]t . nhr … ṯ̊[…] • […]q̊y … -[…]

00-4.537:2 [b]n . -[…] • b̊n . ṯ̊[…] • bn . -[…]

00-4.574:2 sp[r …] • b gt . ṯ[…] • mṣrn̊[…]

00-4.609:8 ----- • bnil . rb ʿšrt . lkn . ypʿn . ṯ[…]-åb̊ • -----

00-4.609:17 ----- • šrm . ṯ[…]- . ḫpn • -----

00-4.609:33 nsk . ksp̊[.]åmrtn . kṯrmlk • yḥmn . aḫml̊k . ʿbdrpu . adn . ṯ[…]-[…] • bdn . q̇ln . mtn . ydln

00-4.645:7 šd . bn . s̀[…]y • šd . bn . ṯ[…]ǵ̊ • šd . ʿdmn[. bn .]ynḥm

10-4.729:6 ḫyrn . w[šgrḫ̊] • šǵr . ṯ[…] • šǵr . ḫ[…]

Épica

00-1.15:VI:7 ʿl̊ . kr̊t[.]t̊b̊un . k̊m • rgm . ṯ[…]rgm . hm • b ḏrt[…] krt

Fragmentos Varios

00-7.37:5 […]ṯm . lḥ[…] • […]šr . ṯ[…] • […]n̊[…]

Mítica

00-1.1:III:9 št . l skt . n̊[…] • ʿdb . b ǵrt . ṯ[…] • ḥšk . ʿṣk . ʿb̊[ṣk . ʿmy . pʿnk . tlsmn]

00-1.3:V:14 ʿn . ṯk̊-[…] • ʿln . ṯ[…] • l pʿn . ǵl̊[m]m̊[…]

00-1.23:19 ----- • m̊ṯ̊bt . ilm . ṯmn . ṯ[…] • pamt . šbʿ … […]

10-1.99:1 • ṯ[…] •

Ritual

00-1.27:10 w ṯt . npš̊ å[lp …] • kbd . ṯ̊[…] • l ṣp[n …]

00-1.48:8 […] … . pi-[…]ḫ/ẙqš • ṯ[…]pš . šnʿ̊[…] • ṯr . b iš[…]n̊

00-1.107:3 ----- • […]l šd . ql . ṯ̊(?)[…]ǵ̊(?)t . aṯr • […]ǵrm . y[…]ḥ̊rn

ṯ-

nº CGRU-378 Ocurrencias: 1

Administración

00-4.139:5 ----- • ṯ- ḥr ----- . b̊ . ar • -----

ṯ-—

nº CGRU-379 Ocurrencias: 7

Administración

00-4.74:5 gmr[…] • ṯ-[…] • …

00-4.86:1 … • ṯ̊-[…] • w . -r̊[…]

00-4.287:2 ṯql̊[…] • ṯ-[…] • š[…]

00-4.326:10 ṯ̊lṯ . y-[…] • […]-u . ṯ-[…] • …

00-4.434:3 [… b]n . s-[…] • […] … b̊n . ṯ-[…] • […] … bn . kk̊/r̊[…]

00-4.435:6 […]l … bn . ʿr̊[…] • […]l … bn . ṯ-[…] • […]l … bn . n[…]

Fragmentos Varios

00-7.41:2 […]-t . w b̊/d̊[…] • […]pr . ṯ-[…] • […]- … […]

ṯ--—

nº CGRU-380 Ocurrencias: 2

Administración

00-4.322:5 mr[…] • hm . ṯ--[…] • kmrṯn[…]

00-4.748:5 ʿdyn . b̊[…] • ẙdʿn b̊ ṯ̊--[…] • -----

Apéndice III:

Cadenas Grafemáticas Sin Restitución

—-znl—

nº CGSR-1 Ocurrencias: 1

Mítica

00-1.73:17 […]špḥ-[…] • […]-zn̊l̊/s̥̊[…] • […]h̊/i̊[…]

—-znṣ—

nº CGSR-2 Ocurrencias: 1

Mítica

00-1.73:17 […]špḥ-[…] • […]-zn̊l̊/s̥̊[…] • […]h̊/i̊[…]

—-ṭhw

nº CGSR-3 Ocurrencias: 1

Mítica

00-1.79:2 […]gt nṯṯ • […]-ṭhw l ytn ḫs[n] • ʿbd ulm ṯnun ḫsn

—-l-ǵb—

nº CGSR-4 Ocurrencias: 1

Ritual

00-1.146:1 • […]-l-ǵ̊b[…] • […]- . ḥdṯt

—-s-š—

nº CGSR-5 Ocurrencias: 1

Administración

00-4.198:7 --[…]ṯ̊bq . ı --- • […]-s̊(?)-š̊[…]--[…] • […]-ǵ̊b

—-ǵ-bt

nº CGSR-6 Ocurrencias: 1

Fragmentos Varios

00-7.107:4 […]bt • […]-ǵ̊-b̊t … . • […]- . b[…]-t̊[…]

—-ǵš

nº CGSR-7 Ocurrencias: 1

Mítica

00-1.10:I:8 […] . rkb . ʿrpt • […]-ǵš . l limm • […]l̊ yṯb . l arṣ

—-pzq—

nº CGSR-8 Ocurrencias: 1

Fragmentos Varios

00-7.132:2 […]k̊(?)-[…] • […]-pzq[…] • […]-ǵ … […]

—-rbš—

nº CGSR-9 Ocurrencias: 1

Inscripciones

00-6.38:2 [… b]n ytr[…] • […]-rbš[…] • […]ǵy-[…]

—-rrsn—

nº CGSR-10 Ocurrencias: 1

Fragmentos Varios

00-7.52:5 […]dir . sn̊[…] • […]-rrsn[…] • […]l̊ir . b ʿṣ/l̊[…]

—-rtḫ

nº CGSR-11 Ocurrencias: 1

Administración

00-4.273:10 ----- • b̊[…]-[…]-rtḫ . i̊--ʿm̊[…] • m-

—aba

nº CGSR-12 Ocurrencias: 1

Administración

00-4.682:6 […]ḫrg . ʿšrm • […]å/n̊bå/n̊ . ksp . ṯlṯm̊ • […]ẙ . b[n . b]ty . k̊sp . ʿšr[t]

—ani—

nº CGSR-13 Ocurrencias: 1

Fragmentos Varios

00-7.44:2 […]-m̊ . t̊[…] • […]ani[…] • -----

—aṣ

nº CGSR-14 Ocurrencias: 1

Administración

00-4.111:8 […] … 2 • […]å̊ṣ … 2 • […]- b . gt . p-

—iu

nº CGSR-15 Ocurrencias: 1

Mítica

00-1.4:VIII:45 […] . ilm • […]h̊(?)/i̊(?)u . yd • […]k

—utm

nº CGSR-16 Ocurrencias: 1

Correspondencia

00-2.3:3 […]-ty . l[…] • […]b̊/d̊/ůtm . w š̊[…] • -[…]w . kl . hw[…]

—uṯt-—

nº CGSR-17 Ocurrencias: 1

Administración

00-4.657:2 ----- • […]uṯt-[…] • […]- . ḏrd[n …]

—b----a—

nº CGSR-18 Ocurrencias: 1

Correspondencia

00-2.57:10 […]-mš̊-dt̊[…] • […]b----å[…]-[…] • […]k̊/r̊ . yši[…]--[…]

—bgzn—

nº CGSR-19 Ocurrencias: 1

Fragmentos Varios

00-7.176:10 […]štn[…] • […]b̊gz̊(?)n[…] • […]-[…]

—bmy—

nº CGSR-20 Ocurrencias: 1

Administración

00-4.560:6 … • […]bmy[…] • […]yn

—gbd

nº CGSR-21 Ocurrencias: 1

Administración

00-4.224:5 […]- • […]g̊(?)bd • b̊n̊(?)[.]ybʿ . bʿl . ḫr[…]

—d-ʿr-—

nº CGSR-22 Ocurrencias: 1

Fragmentos Varios

00-7.131:2 […]---[…] • […]d-ʿr̊-[…] • …

—dir

nº CGSR-23 Ocurrencias: 1

Fragmentos Varios

00-7.52:4 […]yrk[…] • […]dir . sn̊[…] • […]-rrsn[…]

—dp

nº CGSR-24 Ocurrencias: 1

Administración

00-4.718:6 […]n • […]d̊p •

—dṣ—

nº CGSR-25 Ocurrencias: 1

Fragmentos Varios

00-7.79:4 […]-lt[…] • […]b̊/d̊/ůṣ̊/l[…] • […]n̊-[…]

—d̠i

nº CGSR-26 Ocurrencias: 1

Fragmentos Varios

00-7.130:2 […]r̊ . pn[…] • […]d̠i . u[…] • […]- . l . år̊[…]

—d̠ṣb

nº CGSR-27 Ocurrencias: 1

Ritual

00-1.81:25 […]b̊(?)t̠wlḫ̊/ẙ[…] • […]d̠̊(?)b̊/ṣ̊b̊(?) • l . ilt[…]

—hu

nº CGSR-28 Ocurrencias: 1

Mítica

00-1.4:VIII:45 […] . ilm • […]h̊(?)/i̊(?)u . yd • […]k

—hbk

nº CGSR-29 Ocurrencias: 1

Correspondencia

10-2.72:44 […]-̊t . kly . b . kpr • […]hbk . w . ank • […]nitk

—hny

nº CGSR-30 Ocurrencias: 1

Administración

00-4.34:3 ----- • i̊[…]i̊/h̊ny ṯlṯ spm w ʿšr l-m • i̊[…]ẘ nṣp w ṯlṯ spm w ʿšrm l-m

—hǵ

nº CGSR-31 Ocurrencias: 1

Administración

00-4.!07:10 […]nm • […]p̊/h̊ǵ • …

—hph

nº CGSR-32 Ocurrencias: 1

Correspondencia

00-2.31:8 […]hn . --[…] • […]h̊ph . w[…] • […]lk[…]

—hṯh

nº CGSR-33 Ocurrencias: 1

Mítica

00-1.62:23 […]h • […]h̊ṯh • […]h̊

—w--nth

nº CGSR-34 Ocurrencias: 1

Mítica

00-1.157:10 ----- • […]k̊/ẘ--nth . k̊p . mlk . mr̊[…] • -----

—wz—

nº CGSR-35 Ocurrencias: 1

Fragmentos Varios

00-7.39:6 […]rn … […] • […]wz/ḫ[…] • …

—wnn

nº CGSR-36 Ocurrencias: 1

Ritual

11-1.107:13 [ṣ]g̊r . bkm . yʿny[…]-̊ […]-̊ wth • […]t/a/n/wnn . bnt yš[…] . […]h̊lk • […]b̊ . kmm . l kl̊ [.] m̊sp[r …]

—wp

nº CGSR-37 Ocurrencias: 1

Mítica

00-1.5:II:23 [bʿl . ʿm . aḫy] ..yqr . un[.]hd • […]ẘ/åp . mlḥmy • […]lt . qẓb

—ḥi

nº CGSR-38 Ocurrencias: 1

Ritual

11-1.113:12 … • […]q̊/ẓ̊/ṭ̊/ḥ̊̊i • [… il ʿm]ṯ̊tmr̊

—ḥg

nº CGSR-39 Ocurrencias: 1

· Mítica

00-1.151:7 dt-[…]n --- ks̊(?)t̊(?) • rq[…]w[…]ḥ̊g . […]m̊ • štmn̊[…]sp . […]ʿd̊(?)-m

—ḥḥḥ—

nº CGSR-40 Ocurrencias: 1

Fragmentos Varios

00-7.197:2 ----- • […]ḥ̊ḥḥ[…] • -----

—ṭi

nº CGSR-41 Ocurrencias: 1

Ritual

11-1.113:12 … • […]q̊/ẓ̊/ṭ̊/ḥ̊̊i • [… il ʿm]ṯ̊tmr̊

—ẓṣ-—

nº CGSR-42 Ocurrencias: 1

Administración

00-4.461:4 ----- • […]ẓ̊b̊/ṣ̊-[…] • …

—yk-i

nº CGSR-43 Ocurrencias: 1

Fragmentos Varios

00-7.51:25 […]yšt • […]ẙk̊-h̊/i̊ • …

—k---d

nº CGSR-44 Ocurrencias: 1

Administración

00-4.744:8 […]-y […] • […]k̊---b̊/d̊ • […]-ḥm .

—kim

nº CGSR-45 Ocurrencias: 1

Administración

00-4.357:13 šd[.]bd . b̊/d̊[…]y • šd . bd[…]k̊im • šd . bd . b̊n̊ . åk̊tn

—lah

nº CGSR-46 Ocurrencias: 1

Épica

00-1.19:IV:61 ḥ̊ršm . l ahlm . p[…]km • ẙbl . lbh . km . bṯn . y-[…]ṣ̊/l̊ah . ṯnm . tšqy msk . hwt . tšqy • w hndt . yṯb . l mspr

—lir

nº CGSR-47 Ocurrencias: 1

Fragmentos Varios

00-7.52:6 […]-rrsn[…] • […]l̊ir . b ˤṣ/l̊[…] • […]-k̊/r̊l̊ . gd̊[…]

—lba

nº CGSR-48 Ocurrencias: 1

Inscripciones

00-6.31:1 … • […]l̊ba d ṁr -[…] • …

—lyd

nº CGSR-49 Ocurrencias: 1

Administración

00-4.766:7 […]l̊by … 1 • […]l̊/ṣyd … 1 • […]-bn … 1

—lpl

nº CGSR-50 Ocurrencias: 1

Administración

00-4.233:2 […]n̊[…]-t . rb • […]lpl̊ • bn . asrn

—ltgm

nº CGSR-51 Ocurrencias: 1

Fragmentos Varios

00-7.137:6 […]- . gbl • […]l̊tgm • […]ˁlẓr

—m---d

nº CGSR-52 Ocurrencias: 1

Administración

00-4.275:4 […] . mdṯbn . ipd • […]m---d . mškbt • […]tm

—mlar—

nº CGSR-53 Ocurrencias: 1

Fragmentos Varios

00-7.57:1 … • […]m̊lar̊[…] • […]- . rḫnn[…]

—mmr

nº CGSR-54 Ocurrencias: 1

.Ritual

11-1.148:42 […]-̊ . w t̊hmt[…] • […]m̊mr///-̊gmr .̊š . sn̊[…] • […]-̊m š . il lb[-]-̊ š .̊̊-[…]

—mnkl—

nº CGSR-55 Ocurrencias: 1

Administración

00-4.706:10 […] • […]m̊nkl̊[…] • […] . l . mlky

—n-rq

nº CGSR-56 Ocurrencias: 1

Administración

00-4.769:21 […]ḫ b/d[…]ḥ/ṭn̊ . [-]š̊y[.]ˁš̊r̊t • […]n̊[-]rq̊[. ˁ]šrm • […]n . [-]k/rn . bn ˁšrm

—nwy

nº CGSR-57 Ocurrencias: 1

Mítica

00-1.168:7 […]wšb • […]nwy • […]wangḥ

—nzm

nº CGSR-58 Ocurrencias: 1

Fragmentos Varios

00-7.44:4 ----- • […]nzm̊ . […] • -----

—nyš-—

nº CGSR-59 Ocurrencias: 1

Mítica

00-1.157:2 ----- • […]n̊yš-[…] • -----

—nṯ—

nº CGSR-60 Ocurrencias: 1

Ritual

00-1.107:28 […]t . nš . b-[…]m̊t[…] • […]l̊ . tmt[…]å/n̊ṯ[…] • […]š̊ akl̊[…]

—srh

nº CGSR-61 Ocurrencias: 1

Mítica

00-1.62:9 […]n̊ . ˁdh • […]s̊rh • […]y . špš

—ǵḥ

nº CGSR-62 Ocurrencias: 1

Correspondencia

00-2.31:3 […]- . nk-[…] • […]g̊(?)ḥ . an[k …] • […]ˁly k[…]

—pǵ

nº CGSR-63 Ocurrencias: 1

Administración

00-4.107:10 […]nm • […]p̊/h̊ǵ • …

—prr

nº CGSR-64 Ocurrencias: 1

Administración

00-4.608:20 […]ḥ[…] • […]n[…]prr • […]tmtṯb

—ptg

nº CGSR-65 Ocurrencias: 1

Administración

00-4.215:7 špšm . nḥlh • […]ptg •

—ṣah

nº CGSR-66 Ocurrencias: 1

Épica

00-1.19:IV:61 ḥ̊ršm . l ahlm . p[…]km • ẙbl . lbh . km . bṯn . y-[…]ṣ̊/l̊ah . ṯnm . tšqy msk . hwt . tšqy • w hndt . yṯb . l mspr

—ṣym

nº CGSR-67 Ocurrencias: 1

Ritual

00-1.84:24 […]- • […]ṣ̊/l̊ym • […]k̊l kbkb

—ṣǵ

nº CGSR-68 Ocurrencias: 1

Fragmentos Varios

00-7.151:1 ----- • […]l̊/ṣǵ . […] • […] … […]

—qa

nº CGSR-69 Ocurrencias: 1

Administración

00-4.382:21 špšn . [… u]brʿy • iln . bn[…]q̊å/n̊ • bn . t[…]ar

—qi

nº CGSR-70 Ocurrencias: 1

Ritual

11-1.113:12 … • […]q̊/ẓ̊/ṭ̊/ḥ̊i • [… il ʿm]ṯtmr̊

—qk

nº CGSR-71 Ocurrencias: 1

Mítica

00-1.11:13 […]š̊k • […]qk • […]-ik̊

—qns

nº CGSR-72 Ocurrencias: 1

Administración

00-4.706:14 ----- • […]q̊n̊s̊ ∴.. 1 • […]l . b̊n̊ . -[…]

—r-wm

nº CGSR-73 Ocurrencias: 1

Mítica

00-1.147:6 […]ʿb • […]r-ẘm • […]- . bšl . ybšl

—rkṯ

nº CGSR-74 Ocurrencias: 1

Administración

00-4.63:III:16 bn . ʿ̊bl . ṯt . qštm . w . ṯn . qlʿm • bn . […]rkṯ . ṯt . qštm . w . qlʿ • bn . ṯʿl . qšt

—rsd

nº CGSR-75 Ocurrencias: 1

Administración

00-4.54:6 ḫ̊mn • […]rsd . • b̊n . p̊pṯ

—rsy—

nº CGSR-76 Ocurrencias: 1

Ritual

00-6.48:1 • […]rsy[…] • […]yḫms[…]

—rtl

nº CGSR-77 Ocurrencias: 1

Fragmentos Varios

00-7.51:21 […]r̊š npš • […]-ʿ[…]r̊tl • […]--tlb

—rtt-—

nº CGSR-78 Ocurrencias: 1

Administración

00-4.497:1 … • […]rtt-[…] • -----

—š----am—

nº CGSR-79 Ocurrencias: 1

Fragmentos Varios

00-7.32:4 […]---[…] • […]š----am[…] • […]- … […]

—tin

nº CGSR-80 Ocurrencias: 1

Administración

00-4.82:10 […]ld • […]th̊/i̊n • …

—tha-—

nº CGSR-81 Ocurrencias: 1

Mítica

00-1.55:8 […]m̊nn . br[…] • […]tha-[…] • …

—tʿm

nº CGSR-82 Ocurrencias: 2

Administración

00-4.509:2 […]-[…] • […]tʿm . b̊[n . …] • -----

00-4.660:27 […]r • […]tʿm … 1 • […]ilyn … 10

--id--š

nº CGSR-83 Ocurrencias: 1

Ritual

00-1.164:24 [--]m[---]l • [--]i̊d̊[--]š •

--ga

nº CGSR-84 Ocurrencias: 1

Administración

00-4.399:4 […]š[…]ṯtn . šd . • --š . --ga . ḫmš . • š̊d . ʿmn . irm .

--d----m

nº CGSR-85 Ocurrencias: 1

Administración

00-4.723:16 bn . sn . • bn . inr . --d----m • -----

--dṣt

nº CGSR-86 Ocurrencias: 1

Administración

00-4.318:3 - ʿbd . ---- • --db̊/ṣ̊t̊ . -- • --šm . d̊ --ša

--n--ṣ

nº CGSR-87 Ocurrencias: 1

Correspondencia

10-2.33:39 [a]l̊pm [.] s̀s̀wm • [-]̊-n̊-[-]ṣ̊ . w . ṯb • -----

--qi-b

nº CGSR-88 Ocurrencias: 1

Administración

00-4.4:8 b-m̊ l̊ ṯ̊m̊n̊ tly[…] • ḫmšm --qi-b̊/d̊ • ṯlṯm -- ḫswn

--qi-d

nº CGSR-89 Ocurrencias: 1

Administración

00-4.4:8 b-m̊ l̊ ṯ̊m̊n̊ tly[…] • ḫmšm --qi-b̊/d̊ • ṯlṯm -- ḫswn

-aṣ

nº CGSR-90 Ocurrencias: 1

Hipiatría

00-1.97:8 ----- • […]å/k̊ṣ s̀s̀[w …] • […]--[…]

-dni

nº CGSR-91 Ocurrencias: 1

Administración

00-4.785:10 (LINEA EN ACADIO) • -l-ni///-dni •

-hḫ—

nº CGSR-92 Ocurrencias: 1

Mítica

00-1.4:VI:11 al td̊[… pdr]ẙ . bt ar • -h̊/i̊t̊/ḫ[… ṭl]ẙ . bt . rb • [… m]d̊d . il ym

-hṭ—

nº CGSR-93 Ocurrencias: 1

Mítica

00-1.4:VI:11 al td̊[… pdr]ẙ . bt ar • -h̊/i̊t̊/ḫ[… ṭl]ẙ . bt . rb • [… m]d̊d . il ym

-zn--n

nº CGSR-94 Ocurrencias: 1

Administración

00-4.42:5 ----- • btm -zn--n • m̊q[…]

-l-ni

nº CGSR-95 Ocurrencias: 1

Administración

00-4.785:10 (LINEA EN ACADIO) • -l-ni///-dni •

-lbm-tm

nº CGSR-96 Ocurrencias: 1

Administración

00-4.721:6 […]̊ˁ/t̊(?)n̊(?)l̊(?)b̊(?)m . mit . ḫ̊(?)sr . kkrm . alpm • […]-- . -lb̊(?)m-t̊(?)m . w . tznt • […]---n̊/t̊-- k̊[b]d̊ . bt . mlk

-nḏ---

nº CGSR-97 Ocurrencias: 1

Administración

00-4.34:8 l ṯ/ˁmy ar[b]̊ˁ spm w ṯlṯ ̊ˁšr[…] • l -nḏ--[…]m̊ ṯlṯ spm • -[…] sp[m w … l]-m

-qtn

nº CGSR-98 Ocurrencias: 1

Administración

00-4.350:6 -lim bn . brq … 15 • -qtn bn . drṣy … 4 • […]r̊/kn bn . pry … 4

ʾd—

nº CGSR-99 Ocurrencias: 1

Fragmentos Varios

10-7.60:2 dmʿt . ʾnk . k ntt dmk/w? • d ph ʾb/d[…] • dmm . ntt bbt ntt dmk/w ///dm ŝ

a-myy

nº CGSR-100 Ocurrencias: 1

Administración

00-4.660:23 […]mn . bn . brzn … 1 • [… b]n . a/n-myy • […]mbn . ṯnw[…]

at-yn

nº CGSR-101 Ocurrencias: 1

Administración

00-4.769:62 […] … bn . st/mḫ . ʿšrm • […] … bn . t/aǵ/t[-]yn . ʿšrm • […] … d̊rn . ʿṣ̌rt

i--ʿm—

nº CGSR-102 Ocurrencias: 1

Administración

00-4.273:10 ----- • b̊[…]-[…]-rtḫ . i̊--ʿm̊[…] • m-

in-b

nº CGSR-103 Ocurrencias: 1

Mítica

00-1.13:32 ----- • tnqt̊ . (?)b̊/ṣ̊-š(?) . i̊(?)n̊-d̊/b̊ . pʿr • -----

in-d

nº CGSR-104 Ocurrencias: 1

Mítica

00-1.13:32 ----- • tnqt̊ . (?)b̊/ṣ̊-š(?) . i̊(?)n̊-d̊/b̊ . pʿr • -----

u-g

nº CGSR-105 Ocurrencias: 1

Mítica

00-1.13:11 ----- • k̊(?)t . atn . at . mṯbk . ů(?)/b̊(?)-g̊/ . • -----

uaḏlrḫm—

nº CGSR-106 Ocurrencias: 1

Ejercicios Escolares

00-5.15:3 imrtn[…]t̊ (ACADIO) • uaḏlrḫm[…]---- • tigšpti[…]

uš-l

nº CGSR-107 Ocurrencias: 1

Jurisprudencia

00-3.5:6 šd kḏǵdl[bn …] • ůš-l̊(?) d . b š[…] • -m- . [y]d̊ gth

ut-l-bt

nº CGSR-108 Ocurrencias: 1

Épica

00-1.15:IV:12 ẘ(?)/k̊(?)m̊(?)ḥ̊(?)ʿrt----qm • i̊d̊ . ůt̊(?)-(?)l̊(?)-b̊(?)t • lḥ̊n . š̊t̊ʿ̊[…]aḫ̊(?)d̊(?)-

b---b

nº CGSR-109 Ocurrencias: 1

Mítica

00-1.4:VII:13 tšʿm̊ . bʿl . mr̊[…] • b---b̊ . bʿl . b qrb̊ • bt . ẘ yʿn . aliyn

b-g

nº CGSR-110 Ocurrencias: 1

Mítica

00-1.13:11 ----- • k̊(?)t . atn . at . mṯbk . ů(?)/b̊(?)-g̊/ . • -----

biy-—

nº CGSR-111 Ocurrencias: 1

Administración

00-4.649:9 pdn[…] • biy-[…] • a-[…]

bim—

nº CGSR-112 Ocurrencias: 1

Mítica

00-1.4:II:42 aṯr[t …] • bim[…] • bl . l-[…]

bin—

nº CGSR-113 Ocurrencias: 1

Correspondencia

00-2.75:9 ḥd . hlny . pk/r/p[…] • bnš . bin[…] • […]k . d . […]

bn--lt

nº CGSR-114 Ocurrencias: 1

Mítica

00-1.3:V:9 [qr]š . m[l]k . ab̊[. šnm .]m̊ṣr • [t]b̊u . ḏd̊m̊ . q̊(?)nẙ[…]w b̊n--l̊t • q̊lh . yšm̊ʿ̊ . ṯr . [i]l̊ . abh . ẙ[ʿ]n . i̊[l]

bt---m

nº CGSR-115 Ocurrencias: 1

Ritual

10-1.130:26 ----- • bt[-̊-̊-̊]m k̊-̊[…] • […]-̊[-̊-̊]-̊-̊-̊[…]

gk—

nº CGSR-116 Ocurrencias: 1

Ritual

00-1.136:2 […]-n ip[d …] • [i]pd gk[…] • ẘ l ṯǵr n[…]

gṣ—

nº CGSR-117 Ocurrencias: 1

Mítica

00-1.13:35 ----- • gl̊/ṣ̊[…]ẙhpk . m̊[…]m̊/g̊ . • -----

ds—

nº CGSR-118 Ocurrencias: 1

Correspondencia

00-2.49:5 hn . i[ltḥm …] • ds[…] • t[…]

ḏ--š--

nº CGSR-119 Ocurrencias: 1

Ritual

10-1.130:21 wkbdm . lk[ṯ]- • r̊[t̊] š ḏ[--]š-- • -----

h-mt

nº CGSR-120 Ocurrencias: 1

Administración

00-4.659:6 ʿbdil . bn . ṣdqn • bnšm . h-mt . ypḥm • kbby . yd . bt . amt

hṣ—

nº CGSR-121 Ocurrencias: 1

Fragmentos Varios

00-7.40:5 ṯp . […] • hṣ̊/l̊[…] • […]-[…]

w-r

nº CGSR-122 Ocurrencias: 1

Ritual

12-1.103:58 ----- • w ḥr . w/r[-]r . bh . mlkn ybʿr ibh • -----

wy—

nº CGSR-123 Ocurrencias: 1

Ritual

00-1.173:9 […]nt . ap . […] • […]l̊ . wẙ[…] • …

wṯ—

nº CGSR-124 Ocurrencias: 1

Fragmentos Varios

00-7.15:1 … • ẘṯ[…] • bq[…]

z----n

nº CGSR-125 Ocurrencias: 1

Correspondencia

00-2.45:19 ytn . l . ʿbdyrḫ • w . mlk . z----n . ššwm • nʿmm . lk . ṯṯm . w . at

zm-

nº CGSR-126 Ocurrencias: 1

Fragmentos Varios

00-7.222:13 […]? la a-bi-ḫa li[?] da m[i …] • [.]-ni-ka zu-m[u …] •

zs—

nº CGSR-127 Ocurrencias: 1

Ritual

10-1.127:22 ṯr dgn̊ […] • b bt k z?s̊?[…] • w l dbḥ̊ […]

ḥ---ḫ

nº CGSR-128 Ocurrencias: 1

Ritual

12-1.103:2 ----- • ʿṣ . hnḥ/ṭ[---]ḫ/y aṯr yld . bhmth tʿ[tbr] • -----

ḥ--ḫaṯr

nº CGSR-129 Ocurrencias: 1

Ritual

10-1.103:36 ----- • ʿṣ . hn . (ṭ̊/ḥ̊)[--](ḫ̊/ẙ)aṯr yld bhmth tʿ[…] • -----

ḥ-ẓt

nº CGSR-130 Ocurrencias: 1

Correspondencia

11-2.36:17 n̊[t]b̊t . mṣrm . b . ḥẘt . ugrt • ḥ̊/ṭ̊[-]q̊/ẓ̊̊t . w . b . ḥẘt[.]n̊g̱t . tʿt̊qn[…] • [----]ḥwtm . n[--]̊̊ b . ʿmq […]

ḥ-mi

nº CGSR-131 Ocurrencias: 1

Administración

00-4.345:7 ḫmš . ʿš̊̊r . šʿrm • b̊ . gt . ḥ̊/ṭ̊-mi • -----

ḥa—

nº CGSR-132 Ocurrencias: 1

Ritual

11-1.107:30 […]ǵrm . y[…]̊-rn • […]rk . ḥt/a/n[…]m̊lk • […]sr . n[…]̊- . ḥrn

ḫp---n

nº CGSR-133 Ocurrencias: 1

Administración

00-4.278:3 agpṯr̊[…] • bn . ḫ̊p---n • bn . ḫrṣn

ṭ---ḫ

nº CGSR-134 Ocurrencias: 1

Ritual

12-1.103:2 ----- • ʿṣ . hnḥ/ṭ[---]ḫ/y aṯr yld . bhmth tʿ[tbr] • -----

ṭ---y

nº CGSR-135 Ocurrencias: 1

Ritual

12-1.103:2 ----- • ʿṣ . hnḥ/ṭ[---]ḫ/y aṯr yld . bhmth tʿ[tbr] • -----

ṭ--ḫ

nº CGSR-136 Ocurrencias: 1

Ritual

10-1.103:36 ----- • ʿṣ . hn . (ṭ̊/ḥ̊)[--](ḫ̊/ẙ)aṯr yld bhmth tʿ[…] • -----

ṭ--y

nº CGSR-137 Ocurrencias: 1

Ritual

10-1.103:36 ----- • ʿṣ . hn . (ṭ̊/ḥ̊)[--](ḫ̊/ẙ)aṯr yld bhmth tʿ[…] • -----

ṭ-ẓt

nº CGSR-138 Ocurrencias: 1

Correspondencia

11-2.36:17 n̊[t]b̊t . mṣrm . b . ḥẘt . ugrt • ḥ̊/ṭ̊[-]q̊/ẓ̊t̊ . w . b . ḥwt̊[.]n̊ǵ . tʿt̊qn[…] • [----]ḥwtm . n[--]°° b . ʿmq […]

ṭ-mi

nº CGSR-139 Ocurrencias: 1

Administración

00-4.345:7 ḫmš . ʿš̊r̊ . šʿrm • b̊ . gt . ḥ̊/ṭ̊-mi • -----

ṭ-qt

nº CGSR-140 Ocurrencias: 1

Correspondencia

11-2.36:17 n̊[t]b̊t . mṣrm . b . ḥẘt . ugrt • ḥ̊/ṭ̊[-]q̊/ẓ̊t̊ . w . b . ḥẘt[.]n̊g̱t . tʿt̊qn[…] • [----]ḥwtm . n[--]̊̊ b . ʿmq […]

yb--k-

nº CGSR-141 Ocurrencias: 1

Fragmentos Varios

00-7.197:7 ---šn • w . yṣ̊/b̊(?)--k- • …

ymp—

nº CGSR-142 Ocurrencias: 1

Mítica

00-1.45:4 g̊hl . ph . ṯmnt • nbluh . špš . ymp̊[…] • hlkt . tdrq . […]

yn--m-—

nº CGSR-143 Ocurrencias: 1

Mítica

00-1.93:9 ṯat[…] . --p[…] • yn--m-[…] • i[…]

yṣ--k-

nº CGSR-144 Ocurrencias: 1

Fragmentos Varios

00-7.197:7 ---šn • w . yṣ̊/b̊(?)--k- • …

k---ḏ

nº CGSR-145 Ocurrencias: 1

Ritual

10-1.130:24 š r̊[ṯ̊] . ʿsr lṣp[n] • k[-̊-̊-̊]ḏ̊ . lbʿl • å̊l[p̊ ẘ]š . lṣp[n]

kl-pt

nº CGSR-146 Ocurrencias: 1

Administración

00-4.197:7 […]k̊sp ʿl • […]n . bn . kl-pt • […]ḫ/ẙ

kṯ--d

nº CGSR-147 Ocurrencias: 1

Administración

00-4.60:4 […]d . nʿr . ṯl̊ṯ̊ d̊[…] • […]ṯlṯ . kṯ--d . h[…] • [… a]rbʿ . dblt . m[…]

l----k

nº CGSR-148 Ocurrencias: 1

Correspondencia

10-2.7:6 […]-̊ . d[…] • bq̊-̊ l[--]-̊-̊k̊ • wtšt qdnt . š̊t[…]

lbw—

nº CGSR-149 Ocurrencias: 1

Administración

00-4.643:13 ṯd̊yn . b . glltky • lbw[…] . uḫ . pdm . b . yʿrt • pǵyn . b . tpḥ

lm-kt-d

nº CGSR-150 Ocurrencias: 1

Administración

00-4.196:2 ----- • […]-[…]-------l̊m-kt-d̊ • -----

lš-r

nº CGSR-151 Ocurrencias: 1

Fragmentos Varios

00-7.198:8 lk[…]- • lš-r • … -r

muid—

nº CGSR-152 Ocurrencias: 1

Mítica

00-1.5:III:24 m̊ud . ṣink̊[…] • iṯm . muid̊[…] • dm . mt . aṣ̊[ḥ …]

mbh--

nº CGSR-153 Ocurrencias: 1*

Épica

00-1.19:II:37 nṣḥy . šrr̊ . m̊ʿ̊(?)[…]--åy • åbšrkm . dni̊l̊ . m̊d̊/b̊h-- • riš . r̊q̊-t̊/ʿ̊ḥ̊t̊- ʿ̊nt̊ ẙq̊l̊(?) . l : tš̊(?)ʿ̊(?)-- . hwt . [š]ṣ̊at k rḥ . npšhm

md--ṯ

nº CGSR-154   Ocurrencias: 1

Administración

00-4.713:6   bn imr̊(?)t … 3 • bn md̊(?)--ṯ̊(?) … 1(?) • -- ---- … -

mw-

nº CGSR-155   Ocurrencias: 1

Administración

00-4.17:1   • […]ql-[.]mw- • […] mpḫrt

mš-dt—

nº CGSR-156   Ocurrencias: 1

Correspondencia

00-2.57:9   […]y--[…] • […]-mš̊-dt̊[…] • […]b----å[…]-[…]

n-myy

nº CGSR-157   Ocurrencias: 1

Administración

00-4.660:23   […]mn . bn . brzn … 1 • [… b]n . a/n-myy • […]mbn . ṯnw[…]

n-nḏ

nº CGSR-158   Ocurrencias: 1

Fragmentos Varios

00-7.197:5   […]ṯ̊(?) bnš-[…] • n-nḏ . b̊(?) • ---šn

s--ry

nº CGSR-159   Ocurrencias: 1

Administración

00-4.245:I:5   bn . ml̊/d̊n̊(?) • bn . s̊/ḫ̊--r̊y • bn . g--y

ʿḥt-

nº CGSR-160   Ocurrencias: 1

Épica

00-1.19:II:38   åbšrkm . dni̊l̊ . m̊d̊/b̊h-- • riš . r̊q̊-t̊/ʿ̊ḥ̊t̊- ʿ̊n̊t ẙq̊l̊(?) . l . tš̊(?)ʿ̊(?)-- . hwt . [š]ṣ̊at k rḥ . npšhm • k iṯl . brlt k̊(?)m̊(?)[. qṭr . b aph]

ʿnh-b

nº CGSR-161 Ocurrencias: 1

Ritual

10-1.103:32 ----- • wʿnh[-bl]ṣbh . mlkn yʿzz ʿl ḫpṯh • -----

ǵk—

nº CGSR-162 Ocurrencias: 1

Administración

00-4.244:7 ʿbdmlk . krm . aḥ[d …] • krm . ubdy . bd . ǵp̊/k̊[…] • krm . pyn . arty[…]

pu—

nº CGSR-163 Ocurrencias: 1

Ritual

00-1.28:3 [… g]dlt[…] • […] . p̊l̊/ů/d̊[…] • …

ṣ--š

nº CGSR-164 Ocurrencias: 1

Correspondencia

00-2.40:17 ydbḥ • mlǵt . ṣ̊(?)--(?)š̊(?) • w . mlǵ̊[…]y

ṣ-š

nº CGSR-165 Ocurrencias: 1

Mítica

00-1.13:32 ----- • tnqt̊ . (?)b̊/ṣ̊-š(?) . i̊(?)n̊-d̊/b̊ . pʿr • -----

r-r

nº CGSR-166 Ocurrencias: 1

Ritual

12-1.103:58 ----- • w ḥr . w/r[-]r . bh . mlkn ybʿr ibh • -----

šl-ḫ—

nº CGSR-167 Ocurrencias: 1

Administración

00-4.308:10 qmnz … […] • šl-ḫ̊/ẙ[…] • ar[…] 3

šṯ—

nº CGSR-168 Ocurrencias: 1

Ritual

10-1.126:4 […]r̊šp . gd̊[l̊t̊ …] • […]b̊y . bšṯ̊[…] • […]t̊ . ršp . a[lp wš …]

t-bk

nº CGSR-169 Ocurrencias: 1

Mítica

00-1.94:33 […]l šḏ̊(?)r . ṣ(?)g-[…] • […]ẘ t-bk . w --[…] • […]-ṯ . k-[…]

tiy-m

nº CGSR-170 Ocurrencias: 1

Ritual

10-1.112:11 [bš]b[ʿ] ym . ḥdṯ . yrtḥṣ • [ml]k . brr . bṯmn tiẙ[-]m̊ • akl̊ . ṯql ksp . wkd

tpṭ—

nº CGSR-171 Ocurrencias: 1

Fragmentos Varios

00-7.18:2 […] . yʿ-[…] • […]tpḥ̊/ṭ[…] • […]--[…]

tt-yn

nº CGSR-172 Ocurrencias: 1

Administración

00-4.769:62 […] … bn . st/mḫ . ʿšrm • […] … bn . t/aǵ/t[-]yn . ʿšrm • […] … ḏ̊rn . ʿšrt

ṯl-ʿ-

nº CGSR-173 Ocurrencias: 1

Administración

00-4.308:5 yt[…] • ṯl-ʿ- … 2[+ - …] • ṯl--- … 3[…]

Concordancia de palabras ugaríticas

Índice

de Palabras en morfología desplegada

𐎀

118	adt	p. 29
119	adty	p. 29
120	adtny	p. 30
121	aḏdd	p. 30
122	aḏddy	p. 30
123	aḏddym	p. 31
124	aḏddn	p. 31
125	aḏdt	p. 31
126	aḏml	p. 31
127	aḏmln	p. 31
128	aḏmny	p. 31
129	aḏmṯn	p. 32
130	ahbt	p. 32
131	ahlh	p. 32
132	ahlhm	p. 32
133	ahlm	p. 32
134	ahn	p. 32
135	ahpkk	p. 33
136	ahq	p. 33
137	awl	p. 33
138	awldn	p. 33
139	awpn	p. 33
140	awṣ	p. 33
141	awr	p. 33
142	az	p. 34
143	azd	p. 34
144	azzlt	p. 34
145	azml	p. 34
146	azmr	p. 34
147	azrt	p. 34
148	azt	p. 34
149	aḥ	p. 35
150	aḥd	p. 35
151	aḥdh	p. 49
152	aḥdy	p. 50
153	aḥdm	p. 50
154	aḥw	p. 51
155	aḥwy	p. 51
156	aḥẓ	p. 51
157	aḥl	p. 51
158	aḥrṯp	p. 51
159	aḥš	p. 51
160	aḥt	p. 52
161	aḫ	p. 53
162	aḫd	p. 53
163	aḫdbn	p. 54
164	aḫdhm	p. 54
165	aḫdy	p. 54
166	aḫdt	p. 55
167	aḫḏ	p. 55
168	aḫh	p. 55
169	aḫy	p. 55
170	aḫyh	p. 56
171	aḫym	p. 56
172	aḫyn	p. 56
173	aḫk	p. 57
174	aḫm	p. 57
175	aḫmlk	p. 57
176	aḫmn	p. 58
177	aḫn	p. 58
178	aḫny	p. 58
179	aḫnnr	p. 58
180	aḫġl	p. 58
181	aḫqm	p. 58
182	aḫr	p. 58
183	aḫrm	p. 59
184	aḫrš	p. 59
185	aḫršp	p. 59
186	aḫt	p. 59
187	aḫth	p. 60
188	aḫty	p. 60
189	aḫtk	p. 60
190	aḫtmlk	p. 61
191	aḫtth	p. 61
192	aṭṭ	p. 61
193	aṭm	p. 61
194	aẓḥn	p. 61
195	ay	p. 61
196	ayab	p. 62
197	ayaḫ	p. 62
198	ayiḫ	p. 62
199	ayḫ	p. 62
200	ayy	p. 62
201	ayl	p. 62
202	ayly	p. 63
203	aylm	p. 63
204	ayln	p. 63
205	aylt	p. 63
206	aym	p. 64
207	aymr	p. 64
208	ayr	p. 64
209	akdṯb	p. 64
210	aky	p. 64
211	akyn	p. 64
212	akl	p. 65
213	akly	p. 66
214	aklm	p. 66
215	akln	p. 66
216	aklt	p. 67
217	aklth	p. 67
218	akrḏn	p. 67
219	akt	p. 67
220	aktmy	p. 67
221	aktn	p. 67
222	akṯn	p. 68
223	al	p. 68
224	aliy	p. 70
225	aliyn	p. 70
226	alit	p. 72
227	alb	p. 72
228	algbṯ	p. 72
229	alḏy	p. 72
230	alz	p. 72
231	alzy	p. 73
232	alḫb	p. 73
233	alḫn	p. 73
234	alḫnm	p. 73
235	aly	p. 73
236	alyy	p. 74
237	alk	p. 74

358 aǵṣyn p. 109
359 aǵr p. 109
360 aǵt p. 109
361 aǵty p. 110
362 ap p. 110
363 aph p. 112
364 aphm p. 114
365 aphn p. 114
366 apy p. 115
367 apym p. 115
368 apk p. 115
369 apkm p. 115
370 apkn p. 115
371 apl p. 116
372 apm p. 116
373 apn p. 116
374 apnk p. 117
375 apnm p. 117
376 apnnk p. 117
377 apnt p. 118
378 apnthn p. 118
379 apsh p. 118
380 apsny p. 118
381 apśny p. 118
382 apʿ p. 118
383 apq p. 118
384 apr p. 119
385 apṯ p. 119
386 aṣd p. 119
387 aṣwl p. 119
388 aṣḥ p. 119
389 aṣḥkm p. 120
390 aṣʿth p. 120
391 aṣpy p. 120
392 aṣṣ p. 120
393 aqbrn p. 120
394 aqbrnh p. 121
395 aqhr p. 121
396 aqht p. 121
397 aqny p. 122
398 aqr p. 122
399 aqrbk p. 122
400 aqry p. 123
401 aqryk p. 123
402 aqšr p. 123
403 ar p. 123
404 arb p. 124
405 arbdd p. 124
406 arbḫ p. 125
407 arbn p. 125
408 arbʿ p. 125
409 arbʿm p. 132
410 arbʿt p. 134
411 argb p. 135
412 argd p. 135
413 argḏḏ p. 135
414 argm p. 136
415 argmk p. 136
416 argmn p. 136
417 argmny p. 137
418 argmnk p. 137
419 argmnm p. 137
420 argn p. 137
421 argnd p. 138
422 ard p. 138
423 ardn p. 138
424 arw p. 138
425 arwd p. 138
426 arwdn p. 138
427 arwn p. 139
428 arws p. 139
429 arwṯ p. 139
430 arz p. 139
431 arzh p. 139
432 arzm p. 139
433 arḫ p. 140
434 arḫh p. 140
435 arḫlb p. 140
436 arḫp p. 140
437 arḫt p. 140
438 ary p. 141
439 aryh p. 141
440 aryy p. 142
441 aryk p. 142
442 arym p. 142
443 aryn p. 142
444 ark p. 142
445 arkbt p. 143
446 arkd p. 143
447 arkḏ p. 143
448 arkšt p. 143
449 arkty p. 143
450 arl p. 143
451 arm p. 143
452 armgr p. 144
453 armwl p. 144
454 army p. 144
455 armsǵ p. 144
456 arn p. 144
457 arnbt p. 145
458 arny p. 145
459 arnn p. 145
460 arsw p. 145
461 arswn p. 146
462 arspy p. 146
463 arśw p. 146
464 arśwn p. 146
465 arʿ p. 146
466 arʿt p. 146
467 arǵn p. 147
468 arpḫn p. 147
469 arpṯr p. 147
470 arṣ p. 147
471 arṣh p. 151
472 arṣy p. 151
473 arr p. 152
474 arš p. 152
475 aršḫ p. 152
476 aršm p. 152
477 aršmg p. 153

594	idn	p. 188
595	idʿ	p. 189
596	idrm	p. 189
597	idrn	p. 189
598	idrp	p. 189
599	idṯn	p. 189
600	iḏrn	p. 190
601	ihbt	p. 190
602	iht	p. 190
603	iwl	p. 190
604	iwr	p. 190
605	iwrd	p. 190
606	iwrḏn	p. 190
607	iwrḏr	p. 191
608	iwrḫz	p. 191
609	iwrḫṭ	p. 191
610	iwryn	p. 191
611	iwrkl	p. 191
612	iwrmḏ	p. 192
613	iwrmḫ	p. 192
614	iwrnr	p. 192
615	iwrǵl	p. 192
616	iwrpzn	p. 192
617	iwrpḫn	p. 193
618	iwrtḏl	p. 193
619	iwrtn	p. 193
620	iwrṯǵrn	p. 193
621	izl	p. 193
622	izldn	p. 194
623	izly	p. 194
624	izml	p. 194
625	izmly	p. 194
626	izr	p. 194
627	iḥtrš	p. 194
628	iḫd	p. 195
629	iḫdl	p. 195
630	iḫdn	p. 195
631	iḫh	p. 195
632	iḫy	p. 195
633	iḫyn	p. 196
634	iḫmlk	p. 196
635	iḫmn	p. 196
636	iḫnh	p. 196
637	iḫny	p. 196
638	iḫǵl	p. 197
639	iḫqm	p. 197
640	iḫršp	p. 197
641	iṭʿnk	p. 197
642	iy	p. 197
643	iybʿl	p. 197
644	iydm	p. 198
645	iynm	p. 198
646	iyrḏ	p. 198
647	iyrh	p. 198
648	iyry	p. 198
649	iytlm	p. 198
650	iyṯr	p. 199
651	ik	p. 199
652	iky	p. 200
653	ikl	p. 200
654	ikm	p. 200
655	ikmy	p. 201
656	ikrn	p. 201
657	ikt	p. 201
658	il	p. 201
659	ila	p. 213
660	ilabn	p. 213
661	ilak	p. 214
662	ilakk	p. 214
663	ilib	p. 214
664	ilibh	p. 215
665	iliby	p. 215
666	ilbd	p. 215
667	ilbldn	p. 215
668	ilbʿl	p. 216
669	ilg	p. 216
670	ilgdn	p. 216
671	ilgn	p. 216
672	ilgt	p. 216
673	ildgn	p. 217
674	ildy	p. 217
675	ildn	p. 217
676	ilḏ	p. 217
677	ilh	p. 217
678	ilhd	p. 218
679	ilhm	p. 218
680	ilhnm	p. 219
681	ilht	p. 219
682	ilwn	p. 220
683	ilḥu	p. 220
684	ilḥbn	p. 220
685	ilḥm	p. 220
686	ilḥmn	p. 220
687	ilḫu	p. 220
688	ily	p. 220
689	ilyy	p. 221
690	ilym	p. 221
691	ilyn	p. 221
692	ilys	p. 222
693	ilyqn	p. 222
694	ilk	p. 222
695	ilkkm	p. 222
696	ilkkṣ	p. 222
697	ilkpm	p. 222
698	ilkpṣ	p. 222
699	ilkšy	p. 223
700	ill	p. 223
701	illḏr	p. 223
702	illḏrm	p. 223
703	illm	p. 223
704	illnpn	p. 223
705	ilm	p. 224
706	ilmd	p. 231
707	ilmhr	p. 231
708	ilmy	p. 231
709	ilmlk	p. 232
710	ilmn	p. 232
711	iln	p. 232
712	ilnḥm	p. 233
713	ilnym	p. 233

834	irth	p. 263
835	irtḫṣ	p. 263
836	irty	p. 263
837	irtk	p. 263
838	irtm	p. 263
839	iš	p. 264
840	išal	p. 264
841	išalhm	p. 264
842	išbʿl	p. 264
843	išd	p. 264
844	išdh	p. 264
845	išdym	p. 264
846	išdk	p. 265
847	išdn	p. 265
848	išḫn	p. 265
849	išḫry	p. 265
850	išyy	p. 265
851	iškir	p. 266
852	iškpr	p. 266
853	išlḥ	p. 266
854	išqb	p. 266
855	išryt	p. 266
856	išt	p. 266
857	ištir	p. 267
858	ištbm	p. 268
859	ištynh	p. 268
860	ištm	p. 268
861	ištmdh	p. 268
862	ištmʿ	p. 268
863	ištn	p. 268
864	ištnm	p. 269
865	ištql	p. 269
866	ištrmy	p. 269
867	ištš	p. 269
868	išttk	p. 269
869	itbd	p. 270
870	itbnnk	p. 270
871	itdb	p. 270
872	itḫṣ	p. 270
873	itlk	p. 270
874	itm	p. 270
875	itml	p. 270
876	itn	p. 271
877	itnny	p. 271
878	itnnk	p. 271
879	its	p. 271
880	itrḫ	p. 271
881	itrṯ	p. 271
882	ittk	p. 272
883	iṯ	p. 272
884	iṯb	p. 273
885	iṯg	p. 273
886	iṯk	p. 273
887	iṯl	p. 273
888	iṯm	p. 274
889	iṯmh	p. 274
890	iṯrhw	p. 274
891	iṯrm	p. 274
892	iṯt	p. 274
893	iṯtbnm	p. 275
894	iṯtl	p. 275
895	iṯtqb	p. 275
896	iṯtr	p. 275

897	u	p. 277
898	uurm	p. 279
899	uba	p. 279
900	ubu	p. 279
901	ubdit	p. 280
902	ubdy	p. 280
903	ubdym	p. 280
904	uby	p. 281
905	ubyn	p. 281
906	ubkš	p. 281
907	ubln	p. 281
908	ubn	p. 282
909	ubnyn	p. 282
910	ubs	p. 282
911	ubs̀	p. 282
912	ubr	p. 283
913	ubrʿ	p. 283
914	ubrʿy	p. 283
915	ubrʿym	p. 284
916	ubrʿn	p. 284
917	ubrš	p. 284
918	ugʿḏr	p. 284
919	ugʿr	p. 284
920	ugr	p. 284
921	ugry	p. 285
922	ugrm	p. 285
923	ugrt	p. 285
924	ugrty	p. 288
925	ugrtym	p. 288
926	ugrtn	p. 288
927	udbr	p. 288
928	udh	p. 289
929	udm	p. 289
930	udmym	p. 289
931	udmm	p. 290
932	udmʿt	p. 290
933	udmʿth	p. 290
934	udn	p. 290
935	udnh	p. 291
936	udnk	p. 291
937	udr	p. 291
938	udrh	p. 291
939	udrk	p. 291
940	udt	p. 291
941	uḏn	p. 291
942	uḏr	p. 292
943	uḏrh	p. 292
944	uḏrn	p. 292
945	uḏrnn	p. 292
946	uh	p. 292
947	uwaḫ	p. 292
948	uwil	p. 292

1069 b p. 321
1070 ba p. 363
1071 bah p. 364
1072 baš p. 364
1073 bat p. 364
1074 batk p. 364
1075 bir p. 364
1076 biry p. 365
1077 birty p. 365
1078 birtym p. 365
1079 birtn p. 365
1080 bu p. 366
1081 bubs p. 366
1082 bul p. 366
1083 buly p. 366
1084 buš p. 366
1085 bb p. 366
1086 bby p. 367
1087 bbru p. 367
1088 bbt p. 367
1089 bbty p. 367
1090 bbtm p. 367
1091 bgrt p. 368
1092 bd p. 368
1093 bdil p. 375
1094 bddn p. 375
1095 bdh p. 376
1096 bdhm p. 376
1097 bdy p. 376
1098 bdyn p. 376
1099 bdk p. 377
1100 bdl p. 377
1101 bdlm p. 377
1102 bdm p. 377
1103 bdn p. 378
1104 bdqt p. 378
1105 bh p. 378
1106 bhdrʿy p. 380
1107 bhl p. 380
1108 bhm p. 380
1109 bhmk p. 381
1110 bhmt p. 381
1111 bhmth p. 381
1112 bhmtn p. 382
1113 bht p. 382
1114 bhth p. 382
1115 bhtht p. 383
1116 bhty p. 383
1117 bhtk p. 383
1118 bhtm p. 383
1119 bht̠ p. 385
1120 bwtm p. 385
1121 bz p. 385
1122 bḥm p. 385
1123 bḥnth p. 385
1124 bḥr p. 385
1125 bḫr p. 386
1126 bṭl p. 386
1127 bṭr p. 386
1128 by p. 386
1129 byy p. 387
1130 bym p. 387
1131 byn p. 387
1132 bk p. 388
1133 bkw p. 388
1134 bky p. 388
1135 bkyh p. 388
1136 bkym p. 388
1137 bkyt p. 389
1138 bkk p. 389
1139 bkm p. 389
1140 bkr p. 389
1141 bkrk p. 389
1142 bkrm p. 390
1143 bkt p. 390
1144 bl p. 390
1145 blblm p. 391
1146 bld p. 391
1147 bldn p. 392
1148 blh p. 392
1149 blḫ p. 392
1150 blẓn p. 392
1151 bly p. 392
1152 blym p. 393
1153 blk p. 393
1154 blkn p. 393
1155 bln p. 393
1156 blʿdn p. 393
1157 blp p. 394
1158 blšpš p. 394
1159 blšš p. 394
1160 blt p. 394
1161 bm p. 394
1162 bmdḫ p. 395
1163 bmmt p. 395
1164 bmt p. 395
1165 bmth p. 396
1166 bn p. 396
1167 bnil p. 459
1168 bnh p. 459
1169 bnwn p. 461
1170 bnwt p. 461
1171 bnwth p. 461
1172 bny p. 462
1173 bnym p. 462
1174 bnk p. 462
1175 bnkm p. 463
1176 bnm p. 463
1177 bnn p. 463
1178 bnny p. 463
1179 bnʿnk p. 464
1180 bnʿnt p. 464
1181 bnptn p. 464
1182 bnr p. 464
1183 bnš p. 464
1184 bnšhm p. 467

1305 btn p. 527
1306 btq p. 528
1307 btr p. 528
1308 btry p. 528
1309 btšy p. 528
1310 bṯ p. 528
1311 bṯwlḫ p. 529
1312 bṯwly p. 529
1313 bṯy p. 529
1314 bṯn p. 529
1315 bṯnm p. 530
1316 bṯnt p. 530
1317 bṯt p. 530
1318 bṯtm p. 530
1319 bṯṯ p. 530

𐎂

1320 g p. 531
1321 gan p. 532
1322 gb p. 532
1323 gbh p. 532
1324 gby p. 532
1325 gbk p. 533
1326 gbl p. 533
1327 gbly p. 533
1328 gblm p. 533
1329 gbln p. 533
1330 gbʿ p. 534
1331 gbʿh p. 534
1332 gbʿl p. 534
1333 gbʿly p. 534
1334 gbʿlym p. 534
1335 gbʿm p. 535
1336 gbʿn p. 535
1337 gbry p. 535
1338 gbrn p. 535
1339 gbṯt p. 535
1340 gg p. 535
1341 ggh p. 536
1342 ggy p. 536
1343 ggk p. 536
1344 ggn p. 536
1345 ggnh p. 536
1346 ggʿt p. 536
1347 ggt p. 537
1348 gd p. 537
1349 gdaḫ p. 537
1350 gdy p. 537
1351 gdl p. 538
1352 gdlm p. 538
1353 gdlt p. 538
1354 gdltm p. 541
1355 gdm p. 541
1356 gdn p. 542
1357 gdrn p. 542
1358 gdrt p. 542
1359 gdš p. 542
1360 gh p. 543
1361 ghl p. 544
1362 ghm p. 544
1363 gwl p. 545
1364 gzzm p. 545
1365 gzl p. 545
1366 gzr p. 545
1367 gzry p. 546
1368 gḫ p. 546
1369 gḫt p. 546
1370 gy p. 546
1371 gyn p. 546
1372 gl p. 546
1373 glb p. 547
1374 glbm p. 547
1375 glbt p. 547
1376 glbty p. 547
1377 glgl p. 547
1378 gld p. 548
1379 gldy p. 548
1380 glyn p. 548
1381 glyt p. 548
1382 gll p. 548
1383 glln p. 548
1384 gln p. 549
1385 glʿd p. 549
1386 glrš p. 549
1387 glt p. 549
1388 glṯ p. 549
1389 gm p. 550
1390 gmz p. 550
1391 gmḥ p. 550
1392 gmḥn p. 551
1393 gml p. 551
1394 gmm p. 551
1395 gmn p. 551
1396 gmnpk p. 551
1397 gmr p. 551
1398 gmrd p. 552
1399 gmrhd p. 552
1400 gmrm p. 552
1401 gmrn p. 552
1402 gmrš p. 553
1403 gmrt p. 553
1404 gmš p. 553
1405 gn p. 553
1406 gnb p. 554
1407 gngnh p. 554
1408 gngnt p. 554
1409 gnh p. 554
1410 gny p. 554
1411 gnym p. 554
1412 gnʿ p. 555
1413 gnʿy p. 555
1414 gnʿym p. 555
1415 gnryn p. 555
1416 gntn p. 555
1417 gsn p. 555
1418 gssn p. 556
1419 gʿyn p. 556

1535	dlq	p. 603
1536	dlt	p. 603
1537	dlthm	p. 604
1538	dm	p. 604
1539	dmgy	p. 605
1540	dmd	p. 605
1541	dmh	p. 606
1542	dmw	p. 606
1543	dmyn	p. 606
1544	dmk	p. 606
1545	dml	p. 606
1546	dmm	p. 607
1547	dmʿ	p. 607
1548	dmʿh	p. 607
1549	dmʿt	p. 607
1550	dmq	p. 607
1551	dmqt	p. 608
1552	dmrn	p. 608
1553	dmt	p. 608
1554	dmty	p. 609
1555	dmtn	p. 609
1556	dn	p. 609
1557	dnil	p. 609
1558	dnh	p. 611
1559	dnm	p. 611
1560	dnn	p. 611
1561	dnt	p. 611
1562	dnty	p. 612
1563	dntm	p. 612
1564	dʿ	p. 612
1565	dʿm	p. 612
1566	dʿt	p. 612
1567	dʿthm	p. 613
1568	dʿtk	p. 613
1569	dʿtkm	p. 613
1570	dʿtm	p. 613
1571	dǵm	p. 613
1572	dǵṯ	p. 613
1573	dǵṯt	p. 613
1574	dpr	p. 614
1575	dprk	p. 614
1576	dprn	p. 614
1577	dprnm	p. 614
1578	dq	p. 615
1579	dqn	p. 615
1580	dqnh	p. 616
1581	dqnk	p. 616
1582	dqr	p. 616
1583	dqry	p. 616
1584	dqt	p. 616
1585	dqtm	p. 618
1586	dr	p. 619
1587	drb	p. 620
1588	drd	p. 620
1589	drdr	p. 620
1590	drdrk	p. 620
1591	drh	p. 620
1592	drḥn	p. 620
1593	drḫm	p. 621
1594	dry	p. 621
1595	drk	p. 621
1596	drkm	p. 621
1597	drkt	p. 621
1598	drkth	p. 622
1599	drktk	p. 622
1600	drm	p. 622
1601	drn	p. 622
1602	drʿ	p. 623
1603	drṣy	p. 624
1604	drš	p. 624
1605	drt	p. 624
1606	dš	p. 625
1607	dšn	p. 625
1608	dt	p. 625
1609	dtm	p. 628
1610	dtn	p. 628
1611	dtšm	p. 628
1612	dṯ	p. 629
1613	dṯn	p. 629
1614	dṯt	p. 629

1615	ḏ	p. 631
1616	ḏbb	p. 631
1617	ḏbn	p. 632
1618	ḏd	p. 632
1619	ḏdyy	p. 632
1620	ḏdk	p. 632
1621	ḏdm	p. 632
1622	ḏḏyy	p. 633
1623	ḏḏyn	p. 633
1624	ḏhrth	p. 633
1625	ḏyn	p. 633
1626	ḏkr	p. 633
1627	ḏkry	p. 634
1628	ḏl	p. 634
1629	ḏmu	p. 634
1630	ḏmy	p. 634
1631	ḏmn	p. 634
1632	ḏmr	p. 634
1633	ḏmrbʿl	p. 635
1634	ḏmrd	p. 635
1635	ḏmrh	p. 635
1636	ḏmry	p. 635
1637	ḏmrk	p. 636
1638	ḏmrn	p. 636
1639	ḏnb	p. 636
1640	ḏnbtm	p. 636
1641	ḏny	p. 636
1642	ḏnt	p. 636
1643	ḏprḏ	p. 637
1644	ḏqnt	p. 637
1645	ḏrdn	p. 637
1646	ḏrm	p. 637
1647	ḏrn	p. 637
1648	ḏrʿ	p. 637
1649	ḏrʿh	p. 638
1650	ḏrʿhm	p. 638
1651	ḏrqm	p. 638
1652	ḏrr	p. 638

𐎇

1764	z	p. 755
1765	zb	p. 756
1766	zbl	p. 756
1767	zblhm	p. 758
1768	zblkm	p. 758
1769	zbln	p. 758
1770	zblnm	p. 758
1771	zbrm	p. 759
1772	zd	p. 759
1773	zzb	p. 759
1774	zl	p. 759
1775	zlbn	p. 759
1776	zlyy	p. 759
1777	zlrš	p. 760
1778	zmyy	p. 760
1779	znan	p. 760
1780	znh	p. 760
1781	znm	p. 760
1782	zntn	p. 760
1783	zǵt	p. 761
1784	zql	p. 761
1785	zr	p. 761
1786	zrh	p. 761
1787	zry	p. 761
1788	zrm	p. 761
1789	zt	p. 762
1790	ztm	p. 762
1791	ztmm	p. 762
1792	ztr	p. 763

𐎈

1793	ḥ	p. 765
1794	ḥbḫ	p. 766
1795	ḥby	p. 766
1796	ḥbl	p. 766
1797	ḥblh	p. 766
1798	ḥblm	p. 767
1799	ḥbšk	p. 767
1800	ḥbq	p. 767
1801	ḥbqh	p. 767
1802	ḥbr	p. 767
1803	ḥbrh	p. 767
1804	ḥbrk	p. 768
1805	ḥbrm	p. 768
1806	ḥbš	p. 768
1807	ḥbšh	p. 768
1808	ḥbšy	p. 768
1809	ḥbt	p. 769
1810	ḥgb	p. 769
1811	ḥgbd̲r	p. 769
1812	ḥgby	p. 769
1813	ḥgbn	p. 769
1814	ḥgbt	p. 770
1815	ḥgln	p. 770
1816	ḥd	p. 770
1817	ḥdgk	p. 770
1818	ḥdn	p. 770
1819	ḥdr	p. 771
1820	ḥdrh	p. 771
1821	ḥdrm	p. 771
1822	ḥdš	p. 771
1823	ḥdt̲	p. 771
1824	ḥdt̲h	p. 772
1825	ḥdt̲m	p. 772
1826	ḥdt̲n	p. 773
1827	ḥdt̲t	p. 773
1828	ḥd̲m	p. 773
1829	ḥd̲rt	p. 773
1830	ḥw	p. 774
1831	ḥwgn	p. 774
1832	ḥwy	p. 774
1833	ḥwyh	p. 774
1834	ḥwyn	p. 774
1835	ḥwt	p. 775
1836	ḥwth	p. 777
1837	ḥwtk	p. 777
1838	ḥwtm	p. 778
1839	ḥwtn	p. 778
1840	ḥwt̲n	p. 778
1841	ḥzrm	p. 779
1842	ḥḫbm	p. 779
1843	ḥḫ	p. 779
1844	ḥṭb	p. 779
1845	ḥṭbm	p. 779
1846	ḥṭbt	p. 779
1847	ḥṭm	p. 780
1848	ḥṭr	p. 780
1849	ḥṭt	p. 780
1850	ḥẓ	p. 780
1851	ḥẓhn	p. 780
1852	ḥẓk	p. 781
1853	ḥẓm	p. 781
1854	ḥẓr	p. 781
1855	ḥẓrh	p. 781
1856	ḥẓry	p. 782
1857	ḥẓrk	p. 782
1858	ḥẓt	p. 782
1859	ḥy	p. 782
1860	ḥyil	p. 783
1861	ḥyy	p. 783
1862	ḥyk	p. 783
1863	ḥyl	p. 783
1864	ḥym	p. 784
1865	ḥyn	p. 784
1866	ḥyp	p. 784
1867	ḥyt	p. 784
1868	ḥytn	p. 785
1869	ḥkm	p. 785
1870	ḥkmk	p. 785
1871	ḥkmt	p. 785
1872	ḥkpt	p. 785
1873	ḥkr	p. 786
1874	ḥl	p. 786
1875	ḥlb	p. 787
1876	ḥlbt	p. 787
1877	ḥly	p. 788

𐎃

1994	ḫbtkn	p. 818
1995	ḫbṯ	p. 819
1996	ḫbṯh	p. 819
1997	ḫbṯm	p. 819
1998	ḫgbt	p. 819
1999	ḫdi	p. 819
2000	ḫdbṯ	p. 819
2001	ḫdd	p. 820
2002	ḫdy	p. 820
2003	ḫdyn	p. 820
2004	ḫdmn	p. 820
2005	ḫds̀	p. 820
2006	ḫdpṯr	p. 820
2007	ḫdr	p. 821
2008	ḫdš	p. 821
2009	ḫḏ	p. 821
2010	ḫḏḏ	p. 821
2011	ḫḏl	p. 821
2012	ḫḏm	p. 821
2013	ḫḏmḏr	p. 822
2014	ḫḏmyn	p. 822
2015	ḫḏmrd	p. 822
2016	ḫḏmtn	p. 822
2017	ḫḏnr	p. 822
2018	ḫḏǵb	p. 822
2019	ḫḏǵlm	p. 823
2020	ḫḏpršp	p. 823
2021	ḫḏrǵl	p. 823
2022	ḫwtn	p. 823
2023	ḫzli	p. 823
2024	ḫzmyn	p. 823
2025	ḫzn	p. 824
2026	ḫzr	p. 824
2027	ḫzry	p. 824
2028	ḫzrm	p. 824
2029	ḫzrn	p. 824
2030	ḫḥyi	p. 824
2031	ḫḫ	p. 825
2032	ḫḫh	p. 825
2033	ḫḫm	p. 825
2034	ḫḫt	p. 825
2035	ḫṭ	p. 825
2036	ḫṭat	p. 826
2037	ḫṭh	p. 826
2038	ḫṭk	p. 826
2039	ḫṭm	p. 826
2040	ḫẓ	p. 827
2041	ḫẓksp	p. 827
2042	ḫẓm	p. 827
2043	ḫym	p. 827
2044	ḫyml	p. 827
2045	ḫyr	p. 827
2046	ḫyrn	p. 828
2047	ḫl	p. 828
2048	ḫlan	p. 828
2049	ḫli	p. 829
2050	ḫlu	p. 829
2051	ḫluy	p. 829
2052	ḫlb	p. 829
2053	ḫlby	p. 831
2054	ḫlbym	p. 831
2055	ḫlbn	p. 831
2056	ḫldy	p. 831
2057	ḫlḏ	p. 832
2058	ḫlh	p. 832
2059	ḫly	p. 832
2060	ḫlyn	p. 832
2061	ḫllḫ	p. 832
2062	ḫlly	p. 832
2063	ḫlln	p. 833
2064	ḫlm	p. 833
2065	ḫlmẓ	p. 833
2066	ḫln	p. 833
2067	ḫlǵl	p. 833
2068	ḫlp	p. 833
2069	ḫlpm	p. 834
2070	ḫlpn	p. 834
2071	ḫlpnm	p. 834
2072	ḫlpnt	p. 834
2073	ḫlṣ	p. 834
2074	ḫlq	p. 834
2075	ḫlqt	p. 835
2076	ḫlrš	p. 835
2077	ḫlš	p. 836
2078	ḫlt	p. 836
2079	ḫlṯ	p. 836
2080	ḫmat	p. 836
2081	ḫmn	p. 836
2082	ḫmnh	p. 836
2083	ḫmny	p. 837
2084	ḫmr	p. 837
2085	ḫmrm	p. 837
2086	ḫmrn	p. 837
2087	ḫmš	p. 838
2088	ḫmšm	p. 845
2089	ḫmšt	p. 847
2090	ḫmt	p. 848
2091	ḫmṯ	p. 849
2092	ḫmṯt	p. 849
2093	ḫn	p. 849
2094	ḫnan	p. 849
2095	ḫndlt	p. 849
2096	ḫndrṯ	p. 850
2097	ḫndrṯm	p. 850
2098	ḫnh	p. 850
2099	ḫnzr	p. 850
2100	ḫnzrk	p. 850
2101	ḫny	p. 851
2102	ḫnyn	p. 851
2103	ḫnn	p. 851
2104	ḫnp	p. 851
2105	ḫnpm	p. 851
2106	ḫnpt	p. 851
2107	ḫnṣ	p. 852
2108	ḫnq	p. 852
2109	ḫnqn	p. 852
2110	ḫnqtm	p. 852
2111	ḫnt	p. 852
2112	ḫsw	p. 852
2113	ḫswn	p. 852

2229 ṭlmyn p. 883
2230 ṭmṯ p. 883
2231 ṭnn p. 883
2232 ṭʿn p. 883
2233 ṭṣ p. 884
2234 ṭrd p. 884
2235 ṭry p. 884
2236 ṭšr p. 884
2237 ṭtm p. 884

𐎑

2238 ẓ p. 885
2239 ẓi p. 885
2240 ẓiẓ p. 886
2241 ẓuh p. 886
2242 ẓbyh p. 886
2243 ẓbyy p. 886
2244 ẓbm p. 886
2245 ẓbr p. 886
2246 ẓhrm p. 886
2247 ẓẓ p. 887
2248 ẓẓn p. 887
2249 ẓl p. 887
2250 ẓlk p. 887
2251 ẓll p. 887
2252 ẓlm p. 888
2253 ẓlmt p. 888
2254 ẓm p. 888
2255 ẓmn p. 888
2256 ẓq p. 888
2257 ẓr p. 888
2258 ẓrh p. 889
2259 ẓrw p. 889
2260 ẓrl p. 890
2261 ẓrm p. 890
2262 ẓrn p. 890
2263 ẓtm p. 890

𐎊

2264 y p. 891
2265 yabd p. 893
2266 yadm p. 893
2267 yaḫd p. 893
2268 yak p. 893
2269 yamr p. 893
2270 yasp p. 894
2271 yark p. 894
2272 yarš p. 894
2273 yaršil p. 894
2274 yaṯr p. 894
2275 yiḫibh p. 894
2276 yiḫd p. 895
2277 yiḫdbh p. 895
2278 yikl p. 895
2279 yisp p. 896
2280 yisphm p. 896
2281 yip p. 896
2282 yiṣ p. 896
2283 yirš p. 897
2284 yišr p. 897
2285 yitbd p. 897
2286 yitmr p. 897
2287 yitsp p. 897
2288 yiṯṯm p. 897
2289 yu p. 897
2290 yuhb p. 898
2291 yuḫd p. 898
2292 yuḫdm p. 898
2293 yukl p. 898
2294 yb p. 898
2295 ybu p. 898
2296 ybd p. 899
2297 ybdn p. 899
2298 ybk p. 899
2299 ybky p. 899
2300 ybl p. 900
2301 yblhm p. 900
2302 yblk p. 901
2303 yblmm p. 901
2304 ybln p. 901
2305 yblnh p. 901
2306 yblnn p. 901
2307 yblʿ p. 901
2308 yblt p. 902
2309 ybltm p. 902
2310 ybm p. 902
2311 ybmh p. 902
2312 ybmt p. 902
2313 ybn p. 903
2314 ybnil p. 903
2315 ybnn p. 903
2316 ybs̀r p. 904
2317 ybʿ p. 904
2318 ybʿl p. 904
2319 ybʿlhm p. 904
2320 ybʿlm p. 904
2321 ybʿlnn p. 905
2322 ybʿr p. 905
2323 ybʿrn p. 905
2324 ybǵdd p. 905
2325 ybṣr p. 905
2326 ybqʿ p. 906
2327 ybqṯ p. 906
2328 ybrd p. 906
2329 ybrdmy p. 906
2330 ybrk p. 906
2331 ybrkn p. 907
2332 ybš p. 907
2333 ybšl p. 907
2334 ybšr p. 907
2335 ybt p. 907
2336 ybṯ p. 908
2337 ygb p. 908
2338 ygbhd p. 908
2339 ygz p. 908
2340 ygl p. 908

2461	ykl	p. 940
2462	ykly	p. 940
2463	ykllnh	p. 941
2464	ykn	p. 941
2465	yknil	p. 942
2466	ykny	p. 942
2467	yknn	p. 942
2468	yknnh	p. 942
2469	yknʿ	p. 942
2470	yknʿm	p. 943
2471	yknʿmy	p. 943
2472	yks	p. 943
2473	ykph	p. 943
2474	ykr	p. 944
2475	ykrkr	p. 944
2476	ykrʿ	p. 944
2477	ykš	p. 944
2478	ylak	p. 944
2479	ylbš	p. 945
2480	yld	p. 945
2481	yldhn	p. 945
2482	yldy	p. 945
2483	ylh	p. 946
2484	ylḥm	p. 946
2485	ylḥn	p. 946
2486	yly	p. 946
2487	ylyh	p. 947
2488	ylk	p. 947
2489	ylkn	p. 947
2490	ylm	p. 947
2491	ylmn	p. 948
2492	yln	p. 948
2493	ylqḥ	p. 948
2494	ylšn	p. 948
2495	ylt	p. 948
2496	ym	p. 948
2497	yman	p. 955
2498	ymid	p. 955
2499	ymil	p. 955
2500	ymgn	p. 955
2501	ymd	p. 956
2502	ymz	p. 956
2503	ymzl	p. 956
2504	ymḥ	p. 956
2505	ymḫṣ	p. 956
2506	ymḫṣk	p. 956
2507	ymẓa	p. 956
2508	ymy	p. 957
2509	ymk	p. 957
2510	ymkt	p. 957
2511	ymlu	p. 957
2512	ymlk	p. 957
2513	ymm	p. 958
2514	ymmt	p. 959
2515	ymn	p. 959
2516	ymnh	p. 960
2517	ymny	p. 960
2518	ymnn	p. 961
2519	ymsk	p. 961
2520	ymss	p. 961
2521	ymsś	p. 961
2522	ymśś	p. 961
2523	ymǵ	p. 961
2524	ymǵy	p. 962
2525	ymǵyk	p. 962
2526	ymǵyn	p. 962
2527	ymṣḫ	p. 962
2528	ymṣḫn	p. 963
2529	ymr	p. 963
2530	ymru	p. 963
2531	ymrm	p. 963
2532	ymrn	p. 963
2533	ymš	p. 963
2534	ymšḥ	p. 964
2535	ymt	p. 964
2536	ymtḏr	p. 964
2537	ymtm	p. 964
2538	ymtn	p. 964
2539	ymtšr	p. 964
2540	yn	p. 965
2541	ynaṣn	p. 969
2542	yngḥn	p. 969
2543	ynh	p. 969
2544	ynḥm	p. 970
2545	ynḥn	p. 970
2546	ynḥt	p. 970
2547	ynṭm	p. 971
2548	yny	p. 971
2549	ynl	p. 971
2550	yns	p. 972
2551	ynsk	p. 972
2552	ynʿrah	p. 972
2553	ynʿrnh	p. 972
2554	ynphy	p. 972
2555	ynpʿ	p. 972
2556	ynṣl	p. 973
2557	ynq	p. 973
2558	ynqm	p. 973
2559	ynšq	p. 973
2560	ynt	p. 973
2561	ynṯkn	p. 974
2562	ysb	p. 974
2563	ysgr	p. 974
2564	ysd	p. 974
2565	ysdk	p. 975
2566	ysy	p. 975
2567	ysynh	p. 975
2568	ysk	p. 975
2569	ysmm	p. 975
2570	ysmsm	p. 975
2571	ysmsmt	p. 976
2572	ysmt	p. 976
2573	ysʿ	p. 976
2574	yspi	p. 976
2575	yspu	p. 976
2576	yspr	p. 977
2577	ysprn	p. 977
2578	ysr	p. 977
2579	ystrn	p. 977
2580	yśd	p. 977

2701	yqšm	p. 1010
2702	yqṯ	p. 1010
2703	yqṯqṯ	p. 1010
2704	yr	p. 1010
2705	yraun	p. 1011
2706	yraš	p. 1011
2707	yritn	p. 1011
2708	yru	p. 1011
2709	yrbʿm	p. 1012
2710	yrgb	p. 1012
2711	yrgbbʿl	p. 1012
2712	yrgblim	p. 1012
2713	yrgm	p. 1012
2714	yrd	p. 1013
2715	yrdm	p. 1013
2716	yrdn	p. 1013
2717	yrdnn	p. 1014
2718	yrdt	p. 1014
2719	yrz	p. 1014
2720	yrḥṣ	p. 1014
2721	yrḫ	p. 1014
2722	yrḫh	p. 1017
2723	yrḫm	p. 1018
2724	yry	p. 1018
2725	yryt	p. 1018
2726	yrk	p. 1018
2727	yrkt	p. 1019
2728	yrm	p. 1019
2729	yrmhd	p. 1019
2730	yrml	p. 1019
2731	yrmly	p. 1020
2732	yrmm	p. 1020
2733	yrmn	p. 1020
2734	yrmʿl	p. 1020
2735	yrǵm	p. 1021
2736	yrǵmil	p. 1021
2737	yrǵmbʿl	p. 1021
2738	yrp	p. 1021
2739	yrpi	p. 1021
2740	yrpu	p. 1021
2741	yrps	p. 1022
2742	yrq	p. 1022
2743	yrš	p. 1022
2744	yrt	p. 1022
2745	yrtḥṣ	p. 1023
2746	yrtqṣ	p. 1023
2747	yrṯ	p. 1023
2748	yrṯy	p. 1023
2749	yš	p. 1024
2750	yšal	p. 1024
2751	yšizr	p. 1024
2752	yšiḫr	p. 1024
2753	yšu	p. 1024
2754	yšul	p. 1026
2755	yšb	p. 1026
2756	yšbl	p. 1026
2757	yšbʿ	p. 1026
2758	yšbʿl	p. 1026
2759	yšdd	p. 1026
2760	yšw	p. 1027
2761	yšḥ	p. 1027
2762	yšḫn	p. 1027
2763	yškb	p. 1027
2764	yškn	p. 1027
2765	yšl	p. 1028
2766	yšlḥ	p. 1028
2767	yšlḥm	p. 1028
2768	yšlḥmnh	p. 1029
2769	yšlḥn	p. 1029
2770	yšlm	p. 1029
2771	yšmḫ	p. 1030
2772	yšmʿ	p. 1030
2773	yšmʿk	p. 1030
2774	yšn	p. 1031
2775	yšnn	p. 1031
2776	yšʿly	p. 1031
2777	yšṣa	p. 1031
2778	yšṣi	p. 1031
2779	yšq	p. 1032
2780	yšqy	p. 1032
2781	yšqynh	p. 1032
2782	yšql	p. 1032
2783	yšqp	p. 1033
2784	yšr	p. 1033
2785	yšril	p. 1033
2786	yšrh	p. 1033
2787	yšrn	p. 1033
2788	yššil	p. 1034
2789	yššq	p. 1034
2790	yšt	p. 1034
2791	yštal	p. 1035
2792	yštd	p. 1035
2793	yštḥwy	p. 1035
2794	yštḥwyn	p. 1035
2795	yštk	p. 1036
2796	yštkn	p. 1036
2797	yštn	p. 1036
2798	yštql	p. 1036
2799	yt	p. 1037
2800	ytbʿ	p. 1037
2801	ytd	p. 1037
2802	ytḥm	p. 1037
2803	ytḫ	p. 1037
2804	yty	p. 1038
2805	ytk	p. 1038
2806	ytlk	p. 1038
2807	ytm	p. 1038
2808	ytmr	p. 1039
2809	ytmt	p. 1039
2810	ytn	p. 1039
2811	ytna	p. 1041
2812	ytnk	p. 1041
2813	ytnm	p. 1041
2814	ytnn	p. 1041
2815	ytnnh	p. 1041
2816	ytnnn	p. 1041
2817	ytnt	p. 1042
2818	ytʿdd	p. 1042
2819	ytʿn	p. 1042
2820	ytr	p. 1042

2937	kzn	p. 1091
2938	kzǵb	p. 1091
2939	kḥb	p. 1091
2940	kḥd	p. 1091
2941	kḥdnn	p. 1091
2942	kḥṯ	p. 1091
2943	kḥṯm	p. 1092
2944	kḫtm	p. 1092
2945	kẓm	p. 1092
2946	ky	p. 1093
2947	kyy	p. 1093
2948	kyn	p. 1093
2949	kkb	p. 1093
2950	kkbm	p. 1094
2951	kkbn	p. 1094
2952	kkbt	p. 1094
2953	kkdm	p. 1094
2954	kky	p. 1094
2955	kkln	p. 1094
2956	kkn	p. 1094
2957	kknt	p. 1095
2958	kkpn	p. 1095
2959	kkpt	p. 1095
2960	kkr	p. 1095
2961	kkrdnm	p. 1097
2962	kkrm	p. 1097
2963	kl	p. 1098
2964	klat	p. 1099
2965	klatnm	p. 1099
2966	kli	p. 1099
2967	klb	p. 1099
2968	klby	p. 1100
2969	klbyn	p. 1100
2970	klbm	p. 1101
2971	klbr	p. 1101
2972	klbt	p. 1101
2973	kld	p. 1101
2974	klh	p. 1101
2975	klhm	p. 1101
2976	klhn	p. 1102
2977	kly	p. 1102
2978	klyy	p. 1102
2979	klyn	p. 1102
2980	klyth	p. 1103
2981	klkl	p. 1103
2982	klklh	p. 1103
2983	klklhm	p. 1103
2984	kll	p. 1103
2985	kllh	p. 1104
2986	klm	p. 1104
2987	kln	p. 1104
2988	klnyy	p. 1105
2989	klnyn	p. 1105
2990	klnmw	p. 1105
2991	klt	p. 1105
2992	klth	p. 1106
2993	kltn	p. 1106
2994	klttn	p. 1106
2995	kltṯb	p. 1106
2996	km	p. 1106
2997	kmḏ	p. 1110
2998	kmhm	p. 1110
2999	kmy	p. 1110
3000	kmkty	p. 1111
3001	kmlt	p. 1111
3002	kmm	p. 1111
3003	kmn	p. 1112
3004	kmnt	p. 1113
3005	kmsk	p. 1113
3006	kmr	p. 1113
3007	kmrm	p. 1113
3008	kmrṯn	p. 1113
3009	kmt	p. 1114
3010	kmṯ	p. 1114
3011	kn	p. 1114
3012	knd	p. 1114
3013	kndwm	p. 1115
3014	knḫ	p. 1115
3015	kny	p. 1115
3016	knys	p. 1115
3017	knyt	p. 1115
3018	knkny	p. 1115
3019	knkt	p. 1116
3020	knn	p. 1116
3021	knʿm	p. 1116
3022	knʿny	p. 1117
3023	knp	p. 1117
3024	knpy	p. 1117
3025	knṣ	p. 1118
3026	knr	p. 1118
3027	knrh	p. 1118
3028	knrt	p. 1118
3029	knt	p. 1119
3030	ks	p. 1119
3031	ksa	p. 1120
3032	ksank	p. 1120
3033	ksat	p. 1121
3034	ksi	p. 1121
3035	ksih	p. 1121
3036	ksiy	p. 1122
3037	ksu	p. 1122
3038	ksb	p. 1122
3039	ksd	p. 1122
3040	ksdm	p. 1123
3041	ksh	p. 1123
3042	ksḥṯ	p. 1123
3043	ksyn	p. 1123
3044	ksl	p. 1123
3045	kslh	p. 1124
3046	kslk	p. 1124
3047	kslm	p. 1124
3048	ksln	p. 1124
3049	ksm	p. 1124
3050	ksmh	p. 1125
3051	ksmy	p. 1125
3052	ksmk	p. 1125
3053	ksmm	p. 1125
3054	ksn	p. 1126
3055	ksp	p. 1126
3056	ksph	p. 1131

𐎍

3173	lanh	p. 1215
3174	lank	p. 1215
3175	li	p. 1215
3176	liy	p. 1215
3177	lik	p. 1215
3178	likt	p. 1216
3179	lim	p. 1217
3180	limm	p. 1217
3181	lit	p. 1218
3182	luk	p. 1218
3183	lumm	p. 1218
3184	lb	p. 1218
3185	lbiy	p. 1219
3186	lbim	p. 1219
3187	lbu	p. 1219
3188	lbdm	p. 1219
3189	lbh	p. 1220
3190	lby	p. 1220
3191	lbk	p. 1220
3192	lbn	p. 1220
3193	lbny	p. 1221
3194	lbnym	p. 1221
3195	lbnm	p. 1221
3196	lbnn	p. 1222
3197	lbnt	p. 1222
3198	lbš	p. 1222
3199	lbšk	p. 1223
3200	lbšm	p. 1223
3201	lbšn	p. 1224
3202	lbšt	p. 1224
3203	lbt	p. 1224
3204	lbṯ	p. 1224
3205	lg	p. 1224
3206	lgynm	p. 1225
3207	lgk	p. 1225
3208	lgn	p. 1225
3209	lgʿd̲r	p. 1225
3210	lgrt	p. 1225
3211	lgt	p. 1225
3212	ld	p. 1225
3213	ldm	p. 1226
3214	ldn	p. 1226
3215	ldʿ	p. 1226
3216	ldtk	p. 1226
3217	lh	p. 1226
3218	lhm	p. 1227
3219	lhn	p. 1228
3220	lht	p. 1228
3221	lwd	p. 1228
3222	lwn	p. 1228
3223	lwny	p. 1228
3224	lwsnd	p. 1229
3225	lzy	p. 1229
3226	lzn	p. 1229
3227	lḥy	p. 1229
3228	lḥk	p. 1229
3229	lḥm	p. 1229
3230	lḥmd	p. 1230
3231	lḥmh	p. 1231
3232	lḥmm	p. 1231
3233	lḥn	p. 1231
3234	lḥr	p. 1231
3235	lḥt	p. 1231
3236	lḫy	p. 1232
3237	lḫm	p. 1232
3238	lḫn	p. 1232
3239	lḫsn	p. 1232
3240	lḫšt	p. 1233
3241	lṭpn	p. 1233
3242	lṭšt	p. 1234
3243	lẓpn	p. 1234
3244	ly	p. 1234
3245	lyt	p. 1236
3246	lk	p. 1236
3247	lkd	p. 1238
3248	lky	p. 1238
3249	lkynt	p. 1238
3250	lkm	p. 1238
3251	lkn	p. 1239
3252	lkt	p. 1239
3253	ll	p. 1239
3254	lla	p. 1240
3255	llay	p. 1240
3256	lli	p. 1240
3257	llim	p. 1240
3258	llit	p. 1240
3259	llu	p. 1240
3260	llwn	p. 1240
3261	llḫhm	p. 1241
3262	llm	p. 1241
3263	llt	p. 1241
3264	lm	p. 1241
3265	lmd	p. 1242
3266	lmdh	p. 1243
3267	lmdhm	p. 1243
3268	lmdm	p. 1243
3269	lmdth	p. 1244
3270	lmn	p. 1244
3271	lmʿt	p. 1244
3272	lmt	p. 1244
3273	ln	p. 1244
3274	lnh	p. 1245
3275	lnk	p. 1246
3276	lnṯ	p. 1246
3277	lsm	p. 1246
3278	lsmm	p. 1246
3279	lsmt	p. 1246
3280	lsn	p. 1246
3281	lǵ	p. 1247
3282	lp	p. 1247
3283	lpuy	p. 1247
3284	lpwt	p. 1247
3285	lpš	p. 1247
3286	lṣb	p. 1248
3287	lṣbh	p. 1248
3288	lṣn	p. 1248
3289	lqḥ	p. 1248
3290	lqḥt	p. 1249
3291	lqt	p. 1250
3292	lr	p. 1250

3409	mhrh	p. 1284
3410	mhry	p. 1284
3411	mhrk	p. 1284
3412	mhrm	p. 1284
3413	mhrn	p. 1285
3414	mzy	p. 1285
3415	mzyn	p. 1285
3416	mzl	p. 1285
3417	mzln	p. 1285
3418	mzn	p. 1285
3419	mznh	p. 1286
3420	mznm	p. 1286
3421	mznt	p. 1286
3422	mznth	p. 1286
3423	mzt	p. 1286
3424	mztn	p. 1287
3425	mḥy	p. 1287
3426	mḥllm	p. 1287
3427	mḥmd	p. 1287
3428	mḥʿrt	p. 1288
3429	mḥpnh	p. 1288
3430	mḥṣ	p. 1288
3431	mḥrh	p. 1288
3432	mḥrt	p. 1288
3433	mḥrṯh	p. 1288
3434	mḥrṯt	p. 1288
3435	mḥtrt	p. 1289
3436	mḫ	p. 1289
3437	mḫdy	p. 1289
3438	mḫz	p. 1289
3439	mḫlpt	p. 1289
3440	mḫm	p. 1290
3441	mḫmšt	p. 1290
3442	mḫnm	p. 1290
3443	mḫsrn	p. 1290
3444	mḫṣ	p. 1290
3445	mḫṣy	p. 1291
3446	mḫṣm	p. 1291
3447	mḫṣt	p. 1291
3448	mḫr	p. 1292
3449	mḫrhn	p. 1292
3450	mḫrk	p. 1292
3451	mḫšt	p. 1292
3452	mḫt	p. 1293
3453	mḫtn	p. 1293
3454	mṭ	p. 1293
3455	mṭḫ	p. 1293
3456	mṭll	p. 1294
3457	mṭm	p. 1294
3458	mṭnt	p. 1294
3459	mṭʿt	p. 1294
3460	mṭr	p. 1294
3461	mṭrh	p. 1294
3462	mṭrtk	p. 1295
3463	mṭt	p. 1295
3464	mṭth	p. 1295
3465	mẓah	p. 1295
3466	mẓk	p. 1295
3467	mẓll	p. 1295
3468	mẓma	p. 1296
3469	mẓrn	p. 1296
3470	my	p. 1296
3471	myy	p. 1296
3472	mym	p. 1297
3473	myn	p. 1297
3474	myṣm	p. 1297
3475	myt	p. 1297
3476	mk	p. 1297
3477	mkl	p. 1298
3478	mkly	p. 1298
3479	mknpt	p. 1299
3480	mknt	p. 1299
3481	mks	p. 1299
3482	mkr	p. 1299
3483	mkrm	p. 1299
3484	mkrn	p. 1300
3485	mkšr	p. 1300
3486	mkt	p. 1301
3487	mkṯr	p. 1301
3488	ml	p. 1301
3489	mla	p. 1301
3490	mlak	p. 1301
3491	mlakk	p. 1302
3492	mlakm	p. 1302
3493	mlakt	p. 1302
3494	mlakth	p. 1303
3495	mlakty	p. 1303
3496	mlaktk	p. 1303
3497	mlat	p. 1303
3498	mli	p. 1303
3499	mlit	p. 1304
3500	mlu	p. 1304
3501	mlun	p. 1304
3502	mlbr	p. 1304
3503	mlbš	p. 1304
3504	mlbšh	p. 1305
3505	mlghy	p. 1305
3506	mld	p. 1305
3507	mldy	p. 1305
3508	mlḥ	p. 1306
3509	mlḥmy	p. 1306
3510	mlḥmt	p. 1306
3511	mlḥt	p. 1306
3512	mlḫš	p. 1307
3513	mly	p. 1307
3514	mlk	p. 1308
3515	mlki	p. 1319
3516	mlkbn	p. 1319
3517	mlkh	p. 1319
3518	mlky	p. 1319
3519	mlkyy	p. 1320
3520	mlkym	p. 1320
3521	mlkytn	p. 1320
3522	mlkk	p. 1320
3523	mlkm	p. 1320
3524	mlkn	p. 1321
3525	mlknʿm	p. 1322
3526	mlkrpi	p. 1323
3527	mlkršp	p. 1323
3528	mlkt	p. 1323

3649	mṣb	p. 1352
3650	mṣbṭm	p. 1352
3651	mṣbm	p. 1352
3652	mṣbt	p. 1352
3653	mṣbty	p. 1353
3654	mṣd	p. 1353
3655	mṣdh	p. 1353
3656	mṣdk	p. 1353
3657	mṣḥ	p. 1353
3658	mṣkm	p. 1354
3659	mṣl	p. 1354
3660	mṣlm	p. 1354
3661	mṣlt	p. 1354
3662	mṣltm	p. 1354
3663	mṣmt	p. 1354
3664	mṣprt	p. 1355
3665	mṣpt	p. 1355
3666	mṣṣ	p. 1355
3667	mṣqt	p. 1355
3668	mṣr	p. 1355
3669	mṣry	p. 1355
3670	mṣrym	p. 1356
3671	mṣrm	p. 1356
3672	mṣrn	p. 1357
3673	mṣrpk	p. 1357
3674	mṣrrt	p. 1357
3675	mṣrt	p. 1357
3676	mṣt	p. 1358
3677	mqb	p. 1358
3678	mqbm	p. 1358
3679	mqdm	p. 1358
3680	mqdšt	p. 1358
3681	mqwṭ	p. 1358
3682	mqḥ	p. 1359
3683	mqḥm	p. 1359
3684	mql	p. 1359
3685	mqmh	p. 1359
3686	mqp	p. 1359
3687	mqpm	p. 1359
3688	mqr	p. 1360
3689	mqrtm	p. 1360
3690	mr	p. 1360
3691	mra	p. 1361
3692	mradn	p. 1361
3693	mrat	p. 1362
3694	mri	p. 1362
3695	mria	p. 1362
3696	mrih	p. 1363
3697	mrik	p. 1363
3698	mril	p. 1363
3699	mrily	p. 1363
3700	mrim	p. 1363
3701	mru	p. 1363
3702	mrum	p. 1364
3703	mrbi	p. 1365
3704	mrbd	p. 1365
3705	mrbdt	p. 1365
3706	mrbʿ	p. 1365
3707	mrbʿt	p. 1365
3708	mrd	p. 1366
3709	mrdt	p. 1366
3710	mrdtt	p. 1366
3711	mrh	p. 1366
3712	mrzḥ	p. 1366
3713	mrzḥh	p. 1367
3714	mrzʿy	p. 1367
3715	mrḥ	p. 1367
3716	mrḥh	p. 1367
3717	mrḥy	p. 1368
3718	mrḥm	p. 1368
3719	mrḥqm	p. 1368
3720	mrḥqt	p. 1369
3721	mrḥqtm	p. 1369
3722	mrḫt	p. 1369
3723	mrṭn	p. 1369
3724	mry	p. 1370
3725	mrym	p. 1370
3726	mryn	p. 1370
3727	mrynm	p. 1371
3728	mrkbt	p. 1372
3729	mrkbthm	p. 1373
3730	mrkbtk	p. 1373
3731	mrkbtm	p. 1373
3732	mrkm	p. 1374
3733	mrl	p. 1374
3734	mrm	p. 1374
3735	mrmt	p. 1374
3736	mrn	p. 1374
3737	mrnh	p. 1375
3738	mrnn	p. 1375
3739	mrʿm	p. 1375
3740	mrǵt	p. 1375
3741	mrǵṭm	p. 1375
3742	mrpi	p. 1375
3743	mrṣ	p. 1376
3744	mrqdm	p. 1376
3745	mrrt	p. 1376
3746	mršp	p. 1376
3747	mrt	p. 1377
3748	mrti	p. 1377
3749	mrṯ	p. 1377
3750	mrṯd	p. 1377
3751	mšu	p. 1377
3752	mšbʿthn	p. 1378
3753	mšdpt	p. 1378
3754	mšḥm	p. 1378
3755	mšḥt	p. 1378
3756	mšḫṭ	p. 1378
3757	mšk	p. 1378
3758	mškb	p. 1379
3759	mškbt	p. 1379
3760	mškn	p. 1379
3761	mšknthm	p. 1379
3762	mškrt	p. 1379
3763	mšlḥ	p. 1379
3764	mšlm	p. 1380
3765	mšlt	p. 1380
3766	mšmṭr	p. 1380
3767	mšmn	p. 1380
3768	mšmʿt	p. 1380

3886 ndbd p. 1409
3887 ndbḥ p. 1409
3888 ndby p. 1410
3889 ndbym p. 1410
3890 ndbn p. 1410
3891 ndd p. 1410
3892 ndwd p. 1410
3893 ndy p. 1410
3894 ndk p. 1411
3895 ndlḥp p. 1411
3896 ndr p. 1411
3897 ndrg p. 1411
3898 ndrh p. 1411
3899 ndt p. 1411
3900 nd̲bn p. 1412
3901 nh p. 1412
3902 nhmmt p. 1412
3903 nhqt p. 1412
3904 nhr p. 1412
3905 nhrm p. 1414
3906 nwgn p. 1415
3907 nwḫn p. 1415
3908 nwrd̲ p. 1415
3909 nwrd̲r p. 1415
3910 nzdt p. 1415
3911 nzl p. 1415
3912 nzʿn p. 1416
3913 nzt p. 1416
3914 nḥ p. 1416
3915 nḥbl p. 1416
3916 nḥẓ p. 1416
3917 nḥl p. 1416
3918 nḥlh p. 1416
3919 nḥlhm p. 1419
3920 nḥlth p. 1420
3921 nḥlty p. 1420
3922 nḥr p. 1420
3923 nḥš p. 1420
3924 nḥšm p. 1422
3925 nḥt p. 1422
3926 nḥtm p. 1422
3927 nḫh p. 1423
3928 nḫḫy p. 1423
3929 nḫl p. 1423
3930 nḫlm p. 1423
3931 nḫry p. 1423
3932 nḫš p. 1424
3933 nḫt p. 1424
3934 nḫtu p. 1424
3935 nṭṭt p. 1424
3936 nṭʿn p. 1424
3937 nẓril p. 1425
3938 ny p. 1425
3939 nyh p. 1425
3940 nym p. 1425
3941 nyn p. 1425
3942 nyr p. 1425
3943 nk p. 1426
3944 nkyt p. 1426
3945 nkl p. 1426
3946 nklb p. 1426
3947 nkly p. 1427
3948 nkm p. 1427
3949 nkn p. 1427
3950 nkr p. 1427
3951 nkš p. 1428
3952 nkšy p. 1428
3953 nkt p. 1428
3954 nktt p. 1428
3955 nlbn p. 1428
3956 nlḥm p. 1429
3957 nllḥp p. 1429
3958 nlqḥt p. 1429
3959 nmgn p. 1429
3960 nmy p. 1429
3961 nmlu p. 1429
3962 nmlk p. 1430
3963 nmq p. 1430
3964 nmry p. 1430
3965 nmrrt p. 1430
3966 nmrth p. 1430
3967 nmrtk p. 1430
3968 nmš p. 1431
3969 nn p. 1431
3970 nni p. 1432
3971 nnu p. 1432
3972 nnd p. 1432
3973 nnd̲ p. 1433
3974 nnw p. 1433
3975 nny p. 1433
3976 nnn p. 1433
3977 nnr p. 1433
3978 nnry p. 1433
3979 ns p. 1434
3980 nsb p. 1434
3981 nsk p. 1434
3982 nskh p. 1435
3983 nskm p. 1435
3984 nskn p. 1435
3985 nskt p. 1435
3986 nsʿk p. 1435
3987 nʿkn p. 1436
3988 nʿl p. 1436
3989 nʿlm p. 1436
3990 nʿm p. 1436
3991 nʿmh p. 1438
3992 nʿmy p. 1438
3993 nʿmyn p. 1438
3994 nʿmm p. 1438
3995 nʿmn p. 1439
3996 nʿmt p. 1440
3997 nʿn p. 1440
3998 nʿr p. 1440
3999 nʿrb p. 1441
4000 nʿrh p. 1441
4001 nʿry p. 1441
4002 nʿrm p. 1441
4003 nʿrs p. 1442
4004 nʿrt p. 1442
4005 nʿšr p. 1442

4126	nṯq	p. 1472
4127	nṯt	p. 1472
4128	nṯṯ	p. 1473

𐎒

4129	s	p. 1475
4130	sad	p. 1475
4131	sid	p. 1476
4132	sin	p. 1476
4133	sip	p. 1476
4134	sb	p. 1476
4135	sbbyn	p. 1476
4136	sbd	p. 1476
4137	sbn	p. 1477
4138	sbsg	p. 1477
4139	sbrdnm	p. 1477
4140	sgld	p. 1477
4141	sglth	p. 1477
4142	sgsg	p. 1477
4143	sgr	p. 1478
4144	sgryn	p. 1478
4145	sgrm	p. 1478
4146	sgrt	p. 1478
4147	sgṯtn	p. 1478
4148	sd	p. 1479
4149	sdwn	p. 1479
4150	sdy	p. 1479
4151	sdn	p. 1479
4152	sdnt	p. 1479
4153	sdrn	p. 1479
4154	shr	p. 1480
4155	sw	p. 1480
4156	swy	p. 1480
4157	swn	p. 1480
4158	swr	p. 1480
4159	szn	p. 1480
4160	sḫlk	p. 1480
4161	sḫlm	p. 1481
4162	sḫr	p. 1481
4163	sḫrn	p. 1481
4164	sy	p. 1481
4165	sym	p. 1481
4166	syn	p. 1481
4167	syny	p. 1482
4168	synym	p. 1482
4169	synn	p. 1482
4170	syr	p. 1482
4171	sk	p. 1482
4172	skh	p. 1483
4173	skm	p. 1483
4174	skn	p. 1483
4175	sknm	p. 1484
4176	sknt	p. 1485
4177	skr	p. 1485
4178	skt	p. 1485
4179	slg	p. 1485
4180	slgyn	p. 1485
4181	slh	p. 1485
4182	slḫ	p. 1486
4183	slḫu	p. 1486
4184	slḫy	p. 1486
4185	sly	p. 1486
4186	slyn	p. 1486
4187	sll	p. 1486
4188	slm	p. 1487
4189	slmu	p. 1487
4190	slmz	p. 1487
4191	sln	p. 1487
4192	slʿy	p. 1487
4193	slʿn	p. 1488
4194	slpd	p. 1488
4195	slrš	p. 1488
4196	slṯmg	p. 1488
4197	sm	p. 1488
4198	smd	p. 1488
4199	smwn	p. 1489
4200	smḫ	p. 1489
4201	smyy	p. 1489
4202	smkt	p. 1489
4203	smm	p. 1489
4204	sn	p. 1489
4205	snb	p. 1490
4206	sndrn	p. 1490
4207	snh	p. 1490
4208	sny	p. 1490
4209	snnwt	p. 1490
4210	snnt	p. 1490
4211	snp	p. 1491
4212	snr	p. 1491
4213	snry	p. 1491
4214	snrym	p. 1491
4215	snrn	p. 1492
4216	snt	p. 1492
4217	ss	p. 1492
4218	ssg	p. 1492
4219	sswm	p. 1492
4220	sswt	p. 1493
4221	ssl	p. 1493
4222	ssm	p. 1493
4223	ssn	p. 1493
4224	ssnm	p. 1493
4225	sst	p. 1493
4226	sʿ	p. 1494
4227	sʿt	p. 1494
4228	sǵy	p. 1494
4229	sǵr	p. 1494
4230	sǵrh	p. 1495
4231	sp	p. 1495
4232	spu	p. 1495
4233	spuy	p. 1496
4234	spḫy	p. 1496
4235	spyy	p. 1496
4236	spl	p. 1496
4237	splm	p. 1496
4238	spm	p. 1496
4239	spsg	p. 1497
4240	spsgm	p. 1497
4241	spr	p. 1497

4353	ʿdbmlk	p. 1531
4354	ʿdbnn	p. 1532
4355	ʿdbʿl	p. 1532
4356	ʿdbt	p. 1532
4357	ʿdd	p. 1532
4358	ʿdh	p. 1532
4359	ʿdḫin	p. 1532
4360	ʿdy	p. 1533
4361	ʿdyn	p. 1533
4362	ʿdk	p. 1533
4363	ʿdm	p. 1534
4364	ʿdmlk	p. 1534
4365	ʿdmn	p. 1534
4366	ʿdmt	p. 1534
4367	ʿdn	p. 1534
4368	ʿdnhm	p. 1535
4369	ʿdnm	p. 1536
4370	ʿdr	p. 1536
4371	ʿdrḏ	p. 1536
4372	ʿdrš	p. 1536
4373	ʿdršp	p. 1536
4374	ʿdš	p. 1537
4375	ʿdt	p. 1537
4376	ʿdty	p. 1537
4377	ʿdtm	p. 1537
4378	ʿdṯ	p. 1537
4379	ʿḏbm	p. 1537
4380	ʿḏbt	p. 1538
4381	ʿḏlam	p. 1538
4382	ʿḏṣam	p. 1538
4383	ʿḏrt	p. 1538
4384	ʿwr	p. 1538
4385	ʿwrt	p. 1538
4386	ʿz	p. 1539
4387	ʿzbʿl	p. 1539
4388	ʿzzn	p. 1539
4389	ʿzk	p. 1540
4390	ʿzl	p. 1540
4391	ʿzm	p. 1540
4392	ʿzn	p. 1540
4393	ʿṭ	p. 1541
4394	ʿṭl	p. 1541
4395	ʿṭrṭrt	p. 1541
4396	ʿẓ	p. 1541
4397	ʿẓm	p. 1541
4398	ʿẓmny	p. 1542
4399	ʿẓmt	p. 1542
4400	ʿẓrn	p. 1542
4401	ʿẓrnm	p. 1542
4402	ʿyy	p. 1542
4403	ʿyn	p. 1543
4404	ʿyr	p. 1543
4405	ʿky	p. 1543
4406	ʿl	p. 1543
4407	ʿlb	p. 1549
4408	ʿlby	p. 1549
4409	ʿld	p. 1550
4410	ʿlh	p. 1550
4411	ʿlw	p. 1550
4412	ʿlẓr	p. 1550
4413	ʿly	p. 1550
4414	ʿlyh	p. 1551
4415	ʿlyt	p. 1551
4416	ʿlk	p. 1551
4417	ʿllmy	p. 1552
4418	ʿllmn	p. 1552
4419	ʿlln	p. 1552
4420	ʿlm	p. 1553
4421	ʿlmh	p. 1554
4422	ʿlmk	p. 1554
4423	ʿlmt	p. 1554
4424	ʿln	p. 1555
4425	ʿlnh	p. 1555
4426	ʿlp	p. 1555
4427	ʿlpy	p. 1555
4428	ʿlṣ	p. 1556
4429	ʿlṣm	p. 1556
4430	ʿlr	p. 1556
4431	ʿlt	p. 1556
4432	ʿltn	p. 1556
4433	ʿm	p. 1557
4434	ʿmdm	p. 1561
4435	ʿmḏl	p. 1561
4436	ʿmh	p. 1561
4437	ʿmy	p. 1561
4438	ʿmyd	p. 1563
4439	ʿmyḏtmr	p. 1563
4440	ʿmyn	p. 1563
4441	ʿmk	p. 1564
4442	ʿml	p. 1565
4443	ʿmlbi	p. 1565
4444	ʿmlbu	p. 1565
4445	ʿmlt	p. 1565
4446	ʿmm	p. 1565
4447	ʿmn	p. 1566
4448	ʿmnh	p. 1567
4449	ʿmny	p. 1567
4450	ʿmnk	p. 1567
4451	ʿmnkm	p. 1567
4452	ʿmnr	p. 1567
4453	ʿms	p. 1568
4454	ʿmsn	p. 1568
4455	ʿmph	p. 1568
4456	ʿmq	p. 1568
4457	ʿmqt	p. 1569
4458	ʿmr	p. 1569
4459	ʿmrbi	p. 1569
4460	ʿmrpi	p. 1569
4461	ʿmrpu	p. 1570
4462	ʿmt	p. 1570
4463	ʿmtḏl	p. 1570
4464	ʿmtr	p. 1570
4465	ʿmṯdy	p. 1570
4466	ʿmṯtmr	p. 1570
4467	ʿn	p. 1571
4468	ʿnil	p. 1572
4469	ʿnbr	p. 1572
4470	ʿnh	p. 1572
4471	ʿnha	p. 1573
4472	ʿnhb	p. 1573

4593 ʿṯrb p. 1629
4594 ʿṯrm p. 1629
4595 ʿṯrt p. 1629
4596 ʿṯty p. 1629
4597 ʿṯtpl p. 1629
4598 ʿṯtpr p. 1629
4599 ʿṯtr p. 1630
4600 ʿṯtrab p. 1631
4601 ʿṯtrum p. 1631
4602 ʿṯtry p. 1631
4603 ʿṯtrn p. 1631
4604 ʿṯtrt p. 1631
4605 ʿṯtrth p. 1633

4606 ǵ p. 1635
4607 ǵb p. 1635
4608 ǵby p. 1636
4609 ǵbl p. 1636
4610 ǵbny p. 1636
4611 ǵbr p. 1636
4612 ǵbt p. 1637
4613 ǵddn p. 1637
4614 ǵdyn p. 1637
4615 ǵdm p. 1637
4616 ǵdmh p. 1637
4617 ǵdʿ p. 1637
4618 ǵdǵd p. 1637
4619 ǵdrg p. 1638
4620 ǵw p. 1638
4621 ǵz p. 1638
4622 ǵzl p. 1638
4623 ǵzly p. 1638
4624 ǵzlm p. 1638
4625 ǵzm p. 1638
4626 ǵzr p. 1639
4627 ǵzrm p. 1641
4628 ǵḥpn p. 1641
4629 ǵẓtm p. 1641
4630 ǵyn p. 1641
4631 ǵyrm p. 1641
4632 ǵyrn p. 1642
4633 ǵyt p. 1642
4634 ǵl p. 1642
4635 ǵlb p. 1642
4636 ǵldn p. 1643
4637 ǵlh p. 1643
4638 ǵlhm p. 1643
4639 ǵlwš p. 1643
4640 ǵly p. 1643
4641 ǵlyn p. 1643
4642 ǵlyth p. 1644
4643 ǵlkz p. 1644
4644 ǵll p. 1644
4645 ǵllm p. 1644
4646 ǵlm p. 1644
4647 ǵlmh p. 1645
4648 ǵlmy p. 1645
4649 ǵlmk p. 1645
4650 ǵlmm p. 1645
4651 ǵlmn p. 1646
4652 ǵlmt p. 1646
4653 ǵlmtm p. 1647
4654 ǵlp p. 1647
4655 ǵlph p. 1647
4656 ǵlpṯr p. 1647
4657 ǵlṣ p. 1647
4658 ǵlt p. 1648
4659 ǵltm p. 1648
4660 ǵltn p. 1648
4661 ǵmit p. 1648
4662 ǵmu p. 1648
4663 ǵmnz p. 1648
4664 ǵmr p. 1648
4665 ǵmrm p. 1649
4666 ǵmšd p. 1649
4667 ǵmt p. 1649
4668 ǵn p. 1649
4669 ǵnbm p. 1649
4670 ǵnbn p. 1649
4671 ǵnṯ p. 1650
4672 ǵs p. 1650
4673 ǵʿt p. 1650
4674 ǵprt p. 1650
4675 ǵṣb p. 1650
4676 ǵṣmn p. 1650
4677 ǵṣr p. 1650
4678 ǵr p. 1651
4679 ǵrbtym p. 1652
4680 ǵrgn p. 1652
4681 ǵrh p. 1653
4682 ǵry p. 1653
4683 ǵrk p. 1653
4684 ǵrm p. 1653
4685 ǵrmn p. 1654
4686 ǵrn p. 1654
4687 ǵrpd p. 1654
4688 ǵrpl p. 1654
4689 ǵrplt p. 1654
4690 ǵrt p. 1655
4691 ǵtr p. 1655

4692 p p. 1657
4693 palt p. 1659
4694 palth p. 1659
4695 pamt p. 1659
4696 pat p. 1660
4697 pid p. 1660
4698 pil p. 1661
4699 piln p. 1661
4700 pipdm p. 1661
4701 pit p. 1661
4702 pith p. 1662
4703 pity p. 1662
4704 pb p. 1662

4825	psltm	p. 1691
4826	psm	p. 1691
4827	ps̀	p. 1691
4828	pʿ	p. 1691
4829	pʿl	p. 1691
4830	pʿlm	p. 1692
4831	pʿlmh	p. 1692
4832	pʿm	p. 1692
4833	pʿn	p. 1692
4834	pʿnh	p. 1694
4835	pʿny	p. 1694
4836	pʿnk	p. 1694
4837	pʿnm	p. 1695
4838	pʿnt	p. 1695
4839	pʿṣ	p. 1695
4840	pʿr	p. 1696
4841	pʿrt	p. 1696
4842	pǵdrm	p. 1696
4843	pǵḏn	p. 1696
4844	pǵy	p. 1696
4845	pǵyn	p. 1697
4846	pǵm	p. 1697
4847	pǵn	p. 1697
4848	pǵsdb	p. 1697
4849	pǵt	p. 1697
4850	pǵtm	p. 1698
4851	ppn	p. 1698
4852	pprn	p. 1698
4853	ppšr	p. 1698
4854	ppšrt	p. 1699
4855	ppṯ	p. 1699
4856	pṣn	p. 1699
4857	pq	p. 1699
4858	pqq	p. 1699
4859	pqr	p. 1699
4860	pr	p. 1700
4861	pri	p. 1701
4862	prbḫṯ	p. 1701
4863	prgl	p. 1701
4864	prgn	p. 1701
4865	prd	p. 1701
4866	prdm	p. 1702
4867	prdmn	p. 1702
4868	prdny	p. 1702
4869	prwsdy	p. 1702
4870	prz	p. 1702
4871	prḥḏrt	p. 1702
4872	prḫ	p. 1702
4873	prḫn	p. 1703
4874	prṭl	p. 1703
4875	prẓ	p. 1703
4876	prẓm	p. 1703
4877	pry	p. 1703
4878	prkl	p. 1703
4879	prln	p. 1704
4880	prm	p. 1704
4881	prmn	p. 1704
4882	prn	p. 1704
4883	prs	p. 1705
4884	prsg	p. 1705
4885	prsm	p. 1705
4886	prsn	p. 1706
4887	prst	p. 1706
4888	prs̀	p. 1706
4889	prʿ	p. 1706
4890	prʿm	p. 1707
4891	prʿt	p. 1707
4892	prǵṯ	p. 1707
4893	prpr	p. 1707
4894	prṣ	p. 1708
4895	prṣm	p. 1708
4896	prqdš	p. 1708
4897	prqt	p. 1708
4898	prša	p. 1708
4899	prt	p. 1708
4900	prtn	p. 1709
4901	prtṯr	p. 1709
4902	prṯ	p. 1709
4903	pšy	p. 1709
4904	pškir	p. 1710
4905	pškpr	p. 1710
4906	pšʿ	p. 1710
4907	pt	p. 1710
4908	pth	p. 1710
4909	ptḥ	p. 1710
4910	ptḥy	p. 1711
4911	ptḥm	p. 1711
4912	ptm	p. 1712
4913	ptmy	p. 1712
4914	ptn	p. 1712
4915	ptr	p. 1712
4916	pṯ	p. 1712
4917	pṯm	p. 1712
4918	pṯmn	p. 1712
4919	pṯpṯ	p. 1713
4920	pṯrty	p. 1713
4921	pṯt	p. 1713
4922	pṯtm	p. 1713

4923	ṣ	p. 1715
4924	ṣat	p. 1716
4925	ṣin	p. 1716
4926	ṣinh	p. 1717
4927	ṣink	p. 1717
4928	ṣušrh	p. 1717
4929	ṣbʾ	p. 1717
4930	ṣba	p. 1717
4931	ṣbi	p. 1718
4932	ṣbia	p. 1718
4933	ṣbim	p. 1718
4934	ṣbu	p. 1718
4935	ṣbuh	p. 1719
4936	ṣbuk	p. 1719
4937	ṣbṭ	p. 1719
4938	ṣbk	p. 1719
4939	ṣbr	p. 1719
4940	ṣbrm	p. 1719

5058	qdmym	p. 1750
5059	qdmn	p. 1751
5060	qdmt	p. 1751
5061	qdnt	p. 1751
5062	qdpt	p. 1751
5063	qdqd	p. 1751
5064	qdqdh	p. 1752
5065	qdqdy	p. 1752
5066	qdqdk	p. 1752
5067	qdqdr	p. 1752
5068	qdr	p. 1753
5069	qdš	p. 1753
5070	qdšh	p. 1755
5071	qdšm	p. 1755
5072	qdšt	p. 1755
5073	qdt	p. 1755
5074	qhm	p. 1755
5075	qwd	p. 1756
5076	qwḥn	p. 1756
5077	qwq	p. 1756
5078	qḥ	p. 1756
5079	qḥn	p. 1757
5080	qḥny	p. 1757
5081	qṭ	p. 1757
5082	qṭḫ	p. 1757
5083	qṭy	p. 1758
5084	qṭn	p. 1758
5085	qṭnn	p. 1759
5086	qṭr	p. 1759
5087	qṭrh	p. 1759
5088	qṭrk	p. 1759
5089	qṭt	p. 1760
5090	qẓ	p. 1760
5091	qẓb	p. 1760
5092	qẓrt	p. 1760
5093	qy	p. 1761
5094	qym	p. 1761
5095	qkq	p. 1761
5096	ql	p. 1761
5097	qldn	p. 1763
5098	qlh	p. 1763
5099	qlḥ	p. 1763
5100	qlḫt	p. 1763
5101	qly	p. 1763
5102	qlm	p. 1764
5103	qln	p. 1764
5104	qlny	p. 1764
5105	qlʿ	p. 1764
5106	qlʿm	p. 1766
5107	qlṣk	p. 1767
5108	qlṣn	p. 1767
5109	qlql	p. 1767
5110	qlt	p. 1768
5111	qlṯ	p. 1768
5112	qm	p. 1768
5113	qmḥ	p. 1769
5114	qmḫ	p. 1769
5115	qmy	p. 1769
5116	qmm	p. 1770
5117	qmnz	p. 1770
5118	qmnzy	p. 1770
5119	qmṣ	p. 1771
5120	qn	p. 1771
5121	qnim	p. 1771
5122	qnuym	p. 1771
5123	qnum	p. 1772
5124	qnḏ	p. 1772
5125	qnh	p. 1772
5126	qny	p. 1772
5127	qnyn	p. 1772
5128	qnyt	p. 1772
5129	qnm	p. 1773
5130	qnmlk	p. 1773
5131	qnn	p. 1773
5132	qnrt	p. 1773
5133	qʿl	p. 1773
5134	qʿmr	p. 1774
5135	qʿt	p. 1774
5136	qpḥn	p. 1774
5137	qpt	p. 1774
5138	qptm	p. 1774
5139	qṣ	p. 1774
5140	qṣḥm	p. 1775
5141	qṣy	p. 1775
5142	qṣm	p. 1775
5143	qṣn	p. 1775
5144	qṣʿt	p. 1775
5145	qṣʿth	p. 1776
5146	qṣʿtk	p. 1776
5147	qṣṣ	p. 1776
5148	qṣr	p. 1776
5149	qṣrt	p. 1776
5150	qqln	p. 1777
5151	qr	p. 1777
5152	qra	p. 1778
5153	qran	p. 1778
5154	qrat	p. 1778
5155	qrit	p. 1778
5156	qritm	p. 1779
5157	qru	p. 1779
5158	qrb	p. 1779
5159	qrbh	p. 1780
5160	qrbm	p. 1781
5161	qrd	p. 1781
5162	qrdy	p. 1781
5163	qrdm	p. 1781
5164	qrdmn	p. 1781
5165	qrht	p. 1782
5166	qrwn	p. 1782
5167	qrzbl	p. 1782
5168	qrḥ	p. 1782
5169	qrṭy	p. 1782
5170	qrṭym	p. 1783
5171	qrẓ	p. 1783
5172	qryy	p. 1783
5173	qrym	p. 1783
5174	qryt	p. 1783
5175	qryth	p. 1783
5176	qrytm	p. 1784
5177	qrn	p. 1784

5294 rmp p. 1825
5295 rmṣm p. 1825
5296 rmṣt p. 1825
5297 rmš p. 1826
5298 rmt p. 1826
5299 rmtru p. 1826
5300 rmtrd p. 1826
5301 rmtrl p. 1826
5302 rmṯt p. 1826
5303 rn p. 1827
5304 rny p. 1827
5305 rʿ p. 1827
5306 rʿh p. 1827
5307 rʿy p. 1828
5308 rʿym p. 1828
5309 rʿkt p. 1829
5310 rʿm p. 1829
5311 rʿt p. 1829
5312 rʿtm p. 1829
5313 rǵb p. 1829
5314 rǵbn p. 1829
5315 rǵbt p. 1830
5316 rǵrm p. 1830
5317 rp p. 1830
5318 rpʾ p. 1830
5319 rpʾm p. 1830
5320 rpa p. 1830
5321 rpaan p. 1831
5322 rpan p. 1831
5323 rpi p. 1831
5324 rpiy p. 1832
5325 rpiyn p. 1832
5326 rpil p. 1833
5327 rpim p. 1833
5328 rpu p. 1833
5329 rpum p. 1833
5330 rpk p. 1834
5331 rps p. 1834
5332 rpš p. 1834
5333 rpty p. 1835
5334 rṣmm p. 1835
5335 rṣn p. 1835
5336 rq p. 1835
5337 rqd p. 1835
5338 rqdy p. 1836
5339 rqdym p. 1836
5340 rqḥ p. 1836
5341 rqḫ p. 1837
5342 rqm p. 1837
5343 rqn p. 1837
5344 rqšl p. 1837
5345 rr p. 1837
5346 rš p. 1837
5347 ršn p. 1838
5348 ršp p. 1838
5349 ršpab p. 1840
5350 ršpy p. 1840
5351 ršpm p. 1840
5352 ršpn p. 1841
5353 ršt p. 1841
5354 rt p. 1841
5355 rtn p. 1841
5356 rtqt p. 1841
5357 rṯ p. 1842
5358 rṯa p. 1842
5359 rṯdt p. 1842
5360 rṯn p. 1842
5361 rṯt p. 1842

5362 š p. 1843
5363 ša p. 1850
5364 šab p. 1850
5365 šal p. 1851
5366 šalm p. 1851
5367 šan p. 1851
5368 šant p. 1851
5369 ši p. 1851
5370 šib p. 1851
5371 šibt p. 1852
5372 šiy p. 1852
5373 šil p. 1852
5374 šilt p. 1852
5375 šim p. 1852
5376 šink p. 1853
5377 šinm p. 1853
5378 šir p. 1853
5379 širh p. 1854
5380 širm p. 1854
5381 šu p. 1854
5382 šurt p. 1854
5383 šurtm p. 1855
5384 šb p. 1855
5385 šbḥ p. 1855
5386 šbyn p. 1855
5387 šbl p. 1855
5388 šblt p. 1855
5389 šbm p. 1856
5390 šbn p. 1856
5391 šbny p. 1856
5392 šbnt p. 1857
5393 šbʿ p. 1857
5394 šbʿid p. 1860
5395 šbʿd p. 1861
5396 šbʿdm p. 1861
5397 šbʿl p. 1861
5398 šbʿm p. 1862
5399 šbʿr p. 1863
5400 šbʿt p. 1863
5401 šbrh p. 1864
5402 šbrm p. 1864
5403 šbšlt p. 1864
5404 šbšt p. 1864
5405 šbt p. 1865
5406 šbth p. 1865
5407 šbtk p. 1865
5408 šg p. 1865
5409 šgr p. 1865

5530	šnst	p. 1913
5531	šnʿt	p. 1913
5532	šnpt	p. 1913
5533	šnq	p. 1913
5534	šnt	p. 1914
5535	šnth	p. 1915
5536	šntk	p. 1915
5537	šntkt	p. 1915
5538	šntm	p. 1915
5539	šsk	p. 1915
5540	šskn	p. 1916
5541	šsʿn	p. 1916
5542	ššb	p. 1916
5543	šʿg	p. 1916
5544	šʿd	p. 1916
5545	šʿly	p. 1916
5546	šʿlyt	p. 1916
5547	šʿr	p. 1917
5548	šʿrm	p. 1917
5549	šʿrt	p. 1918
5550	šʿrty	p. 1919
5551	šʿt	p. 1920
5552	šʿtq	p. 1920
5553	šʿtqt	p. 1920
5554	špḥ	p. 1920
5555	špk	p. 1921
5556	špl	p. 1921
5557	špm	p. 1921
5558	špq	p. 1922
5559	špqǵhm	p. 1922
5560	špr	p. 1922
5561	špš	p. 1922
5562	špšy	p. 1928
5563	špšyn	p. 1928
5564	špšm	p. 1928
5565	špšmlk	p. 1929
5566	špšn	p. 1929
5567	špt	p. 1929
5568	špti	p. 1929
5569	špth	p. 1930
5570	špthm	p. 1930
5571	špty	p. 1930
5572	šptk	p. 1930
5573	šṣa	p. 1931
5574	šṣat	p. 1931
5575	šṣu	p. 1931
5576	šṣny	p. 1931
5577	šṣq	p. 1931
5578	šṣty	p. 1931
5579	šq	p. 1932
5580	šqal	p. 1932
5581	šqy	p. 1932
5582	šqym	p. 1932
5583	šqyt	p. 1932
5584	šql	p. 1932
5585	šqln	p. 1933
5586	šqlt	p. 1933
5587	šqn	p. 1933
5588	šqr	p. 1933
5589	šqrb	p. 1933
5590	šr	p. 1934
5591	šrb	p. 1935
5592	šrgk	p. 1935
5593	šrd	p. 1935
5594	šrh	p. 1935
5595	šrḥq	p. 1936
5596	šry	p. 1936
5597	šryn	p. 1936
5598	šrk	p. 1936
5599	šrm	p. 1936
5600	šrn	p. 1937
5601	šrna	p. 1937
5602	šrny	p. 1937
5603	šrnn	p. 1937
5604	šrʿ	p. 1937
5605	šrʿm	p. 1937
5606	šrǵzz	p. 1937
5607	šrp	p. 1938
5608	šrpm	p. 1939
5609	šrqt	p. 1939
5610	šrr	p. 1939
5611	šrš	p. 1940
5612	šršy	p. 1940
5613	šršk	p. 1940
5614	šršn	p. 1940
5615	šršʿm	p. 1941
5616	šrt	p. 1941
5617	šrtm	p. 1942
5618	šš	p. 1942
5619	ššw	p. 1942
5620	ššy	p. 1943
5621	šškrgy	p. 1943
5622	ššl	p. 1943
5623	ššlmt	p. 1943
5624	ššmḫt	p. 1943
5625	ššmlt	p. 1944
5626	ššmn	p. 1944
5627	ššqy	p. 1944
5628	ššr	p. 1944
5629	ššrt	p. 1944
5630	št	p. 1945
5631	štgy	p. 1948
5632	šty	p. 1948
5633	štym	p. 1949
5634	štk	p. 1949
5635	štm	p. 1949
5636	štmn	p. 1949
5637	štn	p. 1949
5638	štnt	p. 1950
5639	štnth	p. 1950
5640	štntn	p. 1950
5641	štʿ	p. 1951
5642	štr	p. 1951
5643	štt	p. 1951
5644	t	p. 1953
5645	tʾb	p. 1954
5646	ta	p. 1954

5647 tadm p. 1954
5648 tan p. 1954
5649 tant p. 1955
5650 tasp p. 1955
5651 tasrn p. 1955
5652 tapq p. 1955
5653 tar p. 1955
5654 taršn p. 1955
5655 tium p. 1956
5656 tig p. 1956
5657 tiggn p. 1956
5658 tidm p. 1956
5659 tiḫd p. 1956
5660 tiyn p. 1957
5661 tikl p. 1957
5662 tikln p. 1957
5663 tinṯt p. 1957
5664 tisp p. 1957
5665 tispk p. 1957
5666 tirkm p. 1958
5667 tišr p. 1958
5668 tišrm p. 1958
5669 tit p. 1958
5670 tity p. 1958
5671 titṯm p. 1959
5672 titṯmn p. 1959
5673 tu p. 1959
5674 tubd p. 1959
5675 tud p. 1959
5676 tuzn p. 1959
5677 tuḫd p. 1960
5678 tunt p. 1960
5679 tusp p. 1960
5680 tuṣl p. 1960
5681 tba p. 1960
5682 tbi p. 1960
5683 tbu p. 1961
5684 tbun p. 1961
5685 tbbr p. 1961
5686 tbd p. 1961
5687 tbdn p. 1961
5688 tbḏr p. 1962
5689 tbḥ p. 1962
5690 tbṭ p. 1962
5691 tby p. 1962
5692 tbk p. 1962
5693 tbky p. 1962
5694 tbkyk p. 1963
5695 tbkynh p. 1963
5696 tbkn p. 1963
5697 tblk p. 1963
5698 tbn p. 1963
5699 tbnn p. 1964
5700 tbʿ p. 1964
5701 tbʿln p. 1965
5702 tbʿn p. 1965
5703 tbʿrn p. 1966
5704 tbʿt p. 1966
5705 tbṣʿ p. 1966
5706 tbṣr p. 1966
5707 tbṣrn p. 1966
5708 tbq p. 1966
5709 tbqʿnn p. 1967
5710 tbqrn p. 1967
5711 tbrk p. 1967
5712 tbrkk p. 1967
5713 tbrkn p. 1967
5714 tbrknn p. 1968
5715 tbšn p. 1968
5716 tbšr p. 1968
5717 tbt p. 1968
5718 tbtḫ p. 1968
5719 tbtṯb p. 1968
5720 tbṯḫ p. 1969
5721 tbṯr p. 1969
5722 tg p. 1969
5723 tgbry p. 1969
5724 tgḏn p. 1969
5725 tgh p. 1969
5726 tghb p. 1970
5727 tgwln p. 1970
5728 tgḫṭk p. 1970
5729 tgym p. 1970
5730 tgyn p. 1970
5731 tgl p. 1971
5732 tglṭ p. 1971
5733 tgly p. 1971
5734 tglq p. 1971
5735 tglṯ p. 1971
5736 tgmr p. 1972
5737 tgn p. 1973
5738 tgʿrm p. 1973
5739 tgǵln p. 1973
5740 tgpḫ p. 1973
5741 tgr p. 1973
5742 tgrgr p. 1973
5743 tgrm p. 1974
5744 tgrš p. 1974
5745 tgršp p. 1974
5746 tgtn p. 1974
5747 td p. 1974
5748 tdu p. 1974
5749 tdbḥ p. 1975
5750 tdbḥn p. 1975
5751 tdbr p. 1975
5752 tdglym p. 1975
5753 tdgr p. 1975
5754 tdd p. 1975
5755 tddn p. 1976
5756 tdḥl p. 1976
5757 tdḥṣ p. 1976
5758 tdy p. 1976
5759 tdyn p. 1977
5760 tdk p. 1977
5761 tdkn p. 1977
5762 tdlln p. 1977
5763 tdln p. 1977
5764 tdlnn p. 1978
5765 tdm p. 1978
5766 tdmm p. 1978

5767	tdmmt	p. 1978
5768	tdmn	p. 1978
5769	tdmʿ	p. 1978
5770	tdn	p. 1979
5771	tdʿ	p. 1979
5772	tdʿṣ	p. 1980
5773	tdǵl	p. 1980
5774	tdǵlm	p. 1980
5775	tdr	p. 1980
5776	tdry	p. 1980
5777	tdrk	p. 1980
5778	tdrʿ	p. 1981
5779	tdrq	p. 1981
5780	tdtt	p. 1981
5781	tḏ	p. 1981
5782	thbṭ	p. 1981
5783	thbẓn	p. 1981
5784	thbr	p. 1982
5785	thdy	p. 1982
5786	thw	p. 1982
5787	thwt	p. 1982
5788	thm	p. 1982
5789	thmt	p. 1983
5790	thmtm	p. 1983
5791	thpk	p. 1983
5792	twḥln	p. 1984
5793	twyn	p. 1984
5794	twtḥ	p. 1984
5795	tzd	p. 1984
5796	tzdn	p. 1984
5797	tzn	p. 1985
5798	tznt	p. 1985
5799	tzǵ	p. 1985
5800	tzǵm	p. 1985
5801	tḥ	p. 1985
5802	tḥbṭ	p. 1986
5803	tḥbq	p. 1986
5804	tḥgrn	p. 1986
5805	tḥdy	p. 1986
5806	tḥdṯn	p. 1986
5807	tḥwy	p. 1986
5808	tḥyt	p. 1987
5809	tḥm	p. 1987
5810	tḥmhy	p. 1989
5811	tḥmk	p. 1989
5812	tḥspn	p. 1989
5813	tḥrr	p. 1989
5814	tḥrṯ	p. 1990
5815	tḥt	p. 1990
5816	tḥth	p. 1991
5817	tḥtyt	p. 1991
5818	tḥtk	p. 1991
5819	tḥtn	p. 1992
5820	tḫṭa	p. 1992
5821	tḫṭin	p. 1992
5822	tḫṭu	p. 1992
5823	tḫlq	p. 1992
5824	tḫss	p. 1993
5825	tḫš	p. 1993
5826	tḫšn	p. 1993
5827	tḫt	p. 1993
5828	tḫtan	p. 1993
5829	tḫtṣb	p. 1994
5830	tṭ	p. 1994
5831	tṭbḫ	p. 1994
5832	tṭḥnn	p. 1994
5833	tṭṭ	p. 1994
5834	tṭṭn	p. 1995
5835	tṭlb	p. 1995
5836	tṭly	p. 1995
5837	tẓpn	p. 1995
5838	tybt	p. 1995
5839	tym	p. 1995
5840	tyn	p. 1996
5841	tyt	p. 1996
5842	tk	p. 1996
5843	tkb	p. 1997
5844	tkbd	p. 1997
5845	tkbdh	p. 1998
5846	tkbdnh	p. 1998
5847	tkwn	p. 1998
5848	tky	p. 1998
5849	tkyn	p. 1998
5850	tkyǵ	p. 1998
5851	tkl	p. 1999
5852	tkly	p. 1999
5853	tkm	p. 1999
5854	tkmn	p. 1999
5855	tkms	p. 1999
5856	tkn	p. 2000
5857	tknm	p. 2000
5858	tknn	p. 2000
5859	tks	p. 2000
5860	tksynn	p. 2000
5861	tkpgʿ	p. 2001
5862	tkrb	p. 2001
5863	tkšd	p. 2001
5864	tkt	p. 2001
5865	tl	p. 2001
5866	tlak	p. 2001
5867	tlakn	p. 2002
5868	tliym	p. 2002
5869	tliyt	p. 2002
5870	tlik	p. 2002
5871	tlikn	p. 2002
5872	tlu	p. 2002
5873	tluan	p. 2003
5874	tlunn	p. 2003
5875	tlb	p. 2003
5876	tlby	p. 2003
5877	tlbn	p. 2003
5878	tlbr	p. 2003
5879	tlbš	p. 2004
5880	tlgn	p. 2004
5881	tld	p. 2004
5882	tldm	p. 2005
5883	tldn	p. 2005
5884	tlḥk	p. 2005
5885	tlḥm	p. 2005
5886	tlḥmn	p. 2006

6007	tʿpp	p. 2031
6008	tʿpr	p. 2031
6009	tʿr	p. 2031
6010	tʿrb	p. 2031
6011	tʿrbm	p. 2032
6012	tʿrbn	p. 2032
6013	tʿrk	p. 2032
6014	tʿrp	p. 2032
6015	tʿrrk	p. 2033
6016	tʿrt	p. 2033
6017	tʿrth	p. 2033
6018	tʿrty	p. 2033
6019	tʿšr	p. 2033
6020	tʿtbr	p. 2033
6021	tʿtd	p. 2034
6022	tʿtq	p. 2034
6023	tʿtqn	p. 2034
6024	tǵd	p. 2034
6025	tǵdd	p. 2034
6026	tǵḏ	p. 2034
6027	tǵh	p. 2035
6028	tǵẓy	p. 2035
6029	tǵẓyn	p. 2035
6030	tǵẓyt	p. 2035
6031	tǵyn	p. 2035
6032	tǵl	p. 2035
6033	tǵly	p. 2035
6034	tǵll	p. 2036
6035	tǵln	p. 2036
6036	tǵpy	p. 2036
6037	tǵpṯ	p. 2036
6038	tǵpṯm	p. 2036
6039	tǵpṯn	p. 2036
6040	tǵṣ	p. 2037
6041	tǵr	p. 2037
6042	tǵrk	p. 2037
6043	tǵrkm	p. 2038
6044	tǵrm	p. 2038
6045	tǵrn	p. 2038
6046	tǵt	p. 2038
6047	tǵṯyn	p. 2038
6048	tp	p. 2038
6049	tph	p. 2038
6050	tphhm	p. 2039
6051	tphn	p. 2039
6052	tphnh	p. 2039
6053	tpḥ	p. 2039
6054	tpk	p. 2040
6055	tpky	p. 2040
6056	tpl	p. 2040
6057	tplg	p. 2040
6058	tply	p. 2040
6059	tpln	p. 2040
6060	tplnt	p. 2041
6061	tpn	p. 2041
6062	tpnn	p. 2041
6063	tpnr	p. 2041
6064	tpʿ	p. 2041
6065	tpʿr	p. 2041
6066	tpq	p. 2042
6067	tpr	p. 2042
6068	tprš	p. 2042
6069	tpš	p. 2042
6070	tpšlt	p. 2042
6071	tptḥ	p. 2042
6072	tptq	p. 2043
6073	tptr	p. 2043
6074	tptrʿ	p. 2043
6075	tṣi	p. 2043
6076	tṣu	p. 2043
6077	tṣun	p. 2044
6078	tṣb	p. 2044
6079	tṣd	p. 2044
6080	tṣdn	p. 2044
6081	tṣḥ	p. 2044
6082	tṣḥn	p. 2045
6083	tṣḥq	p. 2046
6084	tṣmd	p. 2046
6085	tṣmt	p. 2046
6086	tṣpy	p. 2046
6087	tṣr	p. 2046
6088	tqb	p. 2047
6089	tqbrnh	p. 2047
6090	tqd	p. 2047
6091	tqdd	p. 2047
6092	tqdm	p. 2047
6093	tqdš	p. 2048
6094	tqh	p. 2048
6095	tqḥ	p. 2048
6096	tqḥn	p. 2049
6097	tqṭṭ	p. 2049
6098	tqṭṭn	p. 2049
6099	tqyn	p. 2049
6100	tqynh	p. 2049
6101	tql	p. 2050
6102	tqln	p. 2050
6103	tqm	p. 2050
6104	tqn	p. 2051
6105	tqny	p. 2051
6106	tqnt	p. 2051
6107	tqʿt	p. 2051
6108	tqǵ	p. 2051
6109	tqṣ	p. 2051
6110	tqṣrn	p. 2051
6111	tqr	p. 2052
6112	tqru	p. 2052
6113	tqrb	p. 2052
6114	tqry	p. 2053
6115	tqrṣn	p. 2053
6116	tqšr	p. 2053
6117	tqtnṣn	p. 2053
6118	tr	p. 2053
6119	tral	p. 2054
6120	tran	p. 2054
6121	trb	p. 2054
6122	trbd	p. 2054
6123	trbyt	p. 2055
6124	trbnn	p. 2055
6125	trbṣt	p. 2055
6126	trgm	p. 2055

6247 ttǵr p. 2082
6248 ttpl p. 2082
6249 ttpp p. 2082
6250 ttql p. 2083
6251 ttrp p. 2083
6252 tṯ p. 2083
6253 tṯar p. 2083
6254 tṯibṯn p. 2083
6255 tṯb p. 2083
6256 tṯbn p. 2084
6257 tṯbr p. 2084
6258 tṯbrn p. 2084
6259 tṯwy p. 2084
6260 tṯy p. 2085
6261 tṯyn p. 2085
6262 tṯkḥ p. 2085
6263 tṯkl p. 2085
6264 tṯlṯ p. 2085
6265 tṯmd p. 2085
6266 tṯmnm p. 2086
6267 tṯn p. 2086
6268 tṯnḥ p. 2086
6269 tṯnṭ p. 2086
6270 tṯʿy p. 2086
6271 tṯʿr p. 2086
6272 tṯpṭ p. 2087
6273 tṯrm p. 2087
6274 tṯṯmnm p. 2087
6275 tṯṯn p. 2087
6276 tṯṯb p. 2087
6277 tṯṯbn p. 2087
6278 tṯṯkrn p. 2088

6279 ṯ p. 2089
6280 ṯa p. 2089
6281 ṯar p. 2090
6282 ṯat p. 2090
6283 ṯatt p. 2090
6284 ṯigt p. 2090
6285 ṯiṭ p. 2090
6286 ṯiy p. 2090
6287 ṯiqt p. 2091
6288 ṯirk p. 2091
6289 ṯut p. 2091
6290 ṯb p. 2091
6291 ṯbil p. 2092
6292 ṯbg p. 2092
6293 ṯbh p. 2092
6294 ṯbṭ p. 2093
6295 ṯby p. 2093
6296 ṯbyy p. 2093
6297 ṯbym p. 2093
6298 ṯbln p. 2093
6299 ṯbʿl p. 2093
6300 ṯbʿm p. 2094
6301 ṯbʿnq p. 2094
6302 ṯbǵl p. 2094
6303 ṯbq p. 2094
6304 ṯbr p. 2094
6305 ṯbry p. 2095
6306 ṯbrn p. 2095
6307 ṯbt p. 2095
6308 ṯbth p. 2095
6309 ṯbtk p. 2096
6310 ṯbtnq p. 2096
6311 ṯgbr p. 2096
6312 ṯgd p. 2096
6313 ṯgmi p. 2097
6314 ṯgrb p. 2097
6315 ṯgt p. 2097
6316 ṯd p. 2097
6317 ṯdh p. 2097
6318 ṯdy p. 2097
6319 ṯdyn p. 2098
6320 ṯdmt p. 2098
6321 ṯdn p. 2098
6322 ṯdmyn p. 2098
6323 ṯdpṯn p. 2098
6324 ṯdr p. 2098
6325 ṯdṯ p. 2099
6326 ṯdṯb p. 2099
6327 ṯdyy p. 2099
6328 ṯh p. 2099
6329 ṯwyn p. 2100
6330 ṯḫr p. 2100
6331 ṯṭ p. 2100
6332 ṯẓ p. 2100
6333 ṯy p. 2100
6334 ṯyb p. 2100
6335 ṯydr p. 2101
6336 ṯyl p. 2101
6337 ṯym p. 2101
6338 ṯyn p. 2101
6339 ṯynḏr p. 2101
6340 ṯyny p. 2101
6341 ṯk p. 2102
6342 ṯkl p. 2102
6343 ṯkm p. 2102
6344 ṯkmm p. 2102
6345 ṯkmn p. 2102
6346 ṯkmt p. 2103
6347 ṯkn p. 2103
6348 ṯkṣṯ p. 2104
6349 ṯkt p. 2104
6350 ṯl p. 2104
6351 ṯlb p. 2105
6352 ṯlbm p. 2105
6353 ṯlwn p. 2105
6354 ṯlḥḫ p. 2105
6355 ṯlḥmy p. 2105
6356 ṯlḥn p. 2105
6357 ṯlḥny p. 2107
6358 ṯlḥnym p. 2107
6359 ṯlḥnm p. 2107
6360 ṯlḥnt p. 2107
6361 ṯlḫh p. 2108
6362 ṯlḫt p. 2108

Concordancia de palabras ugaríticas

Índice de Cadenas Grafemáticas Restituibles

—— -

CGR-78	—-ltm	p. 2210
CGR-79	—-ltn	p. 2210
CGR-80	—-md-	p. 2211
CGR-81	—-mh	p. 2211
CGR-82	—-mḫ	p. 2211
CGR-83	—-my	p. 2211
CGR-84	—-ml	p. 2211
CGR-85	—-mṣ	p. 2212
CGR-86	—-mr	p. 2212
CGR-87	—-mr- —	p. 2212
CGR-88	—-n-d	p. 2212
CGR-89	—-nd—	p. 2213
CGR-90	—-nh	p. 2213
CGR-91	—-nw—	p. 2213
CGR-92	—-ny	p. 2213
CGR-93	—-nk—	p. 2213
CGR-94	—-nl—	p. 2214
CGR-95	—-nm	p. 2214
CGR-96	—-nn	p. 2214
CGR-97	—-nn—	p. 2214
CGR-98	—-nʿt—	p. 2215
CGR-99	—-np—	p. 2215
CGR-100	—-nt	p. 2215
CGR-101	—-nt—	p. 2215
CGR-102	—-sy—	p. 2216
CGR-103	—-sʿ	p. 2216
CGR-104	—-ʿn—	p. 2216
CGR-105	—-ʿt	p. 2216
CGR-106	—-ǵy—	p. 2217
CGR-107	—-ǵl	p. 2217
CGR-108	—-pb—	p. 2217
CGR-109	—-pd—	p. 2217
CGR-110	—-py	p. 2217
CGR-111	—-pl	p. 2217
CGR-112	—-ps	p. 2218
CGR-113	—-pr	p. 2218
CGR-114	—-pš—	p. 2218
CGR-115	—-pt	p. 2218
CGR-116	—-ṣm	p. 2218
CGR-117	—-ṣṣ	p. 2218
CGR-118	—-ṣr	p. 2219
CGR-119	—-ṣt	p. 2219
CGR-120	—-qp	p. 2219
CGR-121	—-rab	p. 2219
CGR-122	—-rg	p. 2219
CGR-123	—-rg- —	p. 2219
CGR-124	—-rd	p. 2220
CGR-125	—-rḏ- —	p. 2220
CGR-126	—-rl	p. 2220
CGR-127	—-rm	p. 2220
CGR-128	—-rn	p. 2221
CGR-129	—-rn—	p. 2221
CGR-130	—-rʿ	p. 2221
CGR-131	—-rʿn	p. 2221
CGR-132	—-rṣ	p. 2222
CGR-133	—-rt	p. 2222
CGR-134	—-rt—	p. 2222
CGR-135	—-rt- —	p. 2222
CGR-136	—-rtm—	p. 2223
CGR-137	—-rtn	p. 2223
CGR-138	—-šb	p. 2223
CGR-139	—-šy	p. 2223
CGR-140	—-šm—	p. 2223
CGR-141	—-šn—	p. 2224
CGR-142	—-šrm	p. 2224
CGR-143	—-št	p. 2224
CGR-144	—-tir	p. 2224
CGR-145	—-th—	p. 2224
CGR-146	—-ty	p. 2225
CGR-147	—-tym	p. 2225
CGR-148	—-tm	p. 2225
CGR-149	—-tmn	p. 2226
CGR-150	—-tn	p. 2226
CGR-151	—-tn—	p. 2226
CGR-152	—-tna—	p. 2226
CGR-153	—-tr	p. 2227
CGR-154	—-tt	p. 2227
CGR-155	—-tṯ—	p. 2227
CGR-156	—-ṯk	p. 2227
CGR-157	—-ṯt	p. 2227

—

CGR-158	—aw—	p. 2228
CGR-159	—ak	p. 2228
CGR-160	—alt—	p. 2228
CGR-161	—am	p. 2228
CGR-162	—amr—	p. 2229
CGR-163	—an	p. 2229
CGR-164	—ant	p. 2229
CGR-165	—ar-d	p. 2229
CGR-166	—at	p. 2229
CGR-167	—iy	p. 2230
CGR-168	—il	p. 2230
CGR-169	—iln—	p. 2230
CGR-170	—iln- —	p. 2230
CGR-171	—ilr—	p. 2231
CGR-172	—isp—	p. 2231
CGR-173	—ir	p. 2231
CGR-174	—irt-	p. 2231
CGR-175	—iš—	p. 2231
CGR-176	—it	p. 2232
CGR-177	—it—	p. 2232
CGR-178	—iṯ	p. 2232
CGR-179	—iṯ—	p. 2232
CGR-180	—ub—	p. 2232
CGR-181	—ul—	p. 2232
CGR-182	—um	p. 2233
CGR-183	—uṣ—	p. 2233
CGR-184	—uq—	p. 2233
CGR-185	—bb	p. 2233
CGR-186	—bb—	p. 2233
CGR-187	—bd—	p. 2234
CGR-188	—bh	p. 2234
CGR-189	—bh—	p. 2234
CGR-190	—bk	p. 2234
CGR-191	—bkm	p. 2235
CGR-192	—bl	p. 2235
CGR-193	—bl—	p. 2235
CGR-194	—bln	p. 2235
CGR-195	—bm	p. 2236
CGR-196	—bm- —	p. 2236
CGR-197	—bʿ	p. 2236
CGR-198	—bʿ—	p. 2236
CGR-199	—bʿm	p. 2237
CGR-200	—bp—	p. 2237
CGR-201	—bṣ—	p. 2237
CGR-202	—br—	p. 2237
CGR-203	—br- —	p. 2238
CGR-204	—bry—	p. 2238
CGR-205	—brt	p. 2238
CGR-206	—bš	p. 2238
CGR-207	—bt—	p. 2238
CGR-208	—bṯ	p. 2239
CGR-209	—gbn	p. 2239
CGR-210	—gg	p. 2239
CGR-211	—gd—	p. 2239
CGR-212	—gh—	p. 2240
CGR-213	—gk	p. 2240
CGR-214	—gl- —	p. 2240
CGR-215	—glm	p. 2240
CGR-216	—gt	p. 2240
CGR-217	—d-ǵ—	p. 2241
CGR-218	—d-t—	p. 2241
CGR-219	—da—	p. 2241
CGR-220	—db—	p. 2241
CGR-221	—dḏn	p. 2241
CGR-222	—dh	p. 2242
CGR-223	—dh—	p. 2242
CGR-224	—dy	p. 2242
CGR-225	—dy—	p. 2242
CGR-226	—dy- —	p. 2243
CGR-227	—dk	p. 2243
CGR-228	—dk—	p. 2243
CGR-229	—dl	p. 2243
CGR-230	—dl—	p. 2244
CGR-231	—dly	p. 2244
CGR-232	—dm	p. 2244
CGR-233	—dm—	p. 2245
CGR-234	—dm- —	p. 2245

CGR-475	—ʿd	p. 2299
CGR-476	—ʿd-m	p. 2299
CGR-477	—ʿdm	p. 2300
CGR-478	—ʿh	p. 2300
CGR-479	—ʿy	p. 2300
CGR-480	—ʿl	p. 2300
CGR-481	—ʿl—	p. 2301
CGR-482	—ʿl--	p. 2301
CGR-483	—ʿl---	p. 2301
CGR-484	—ʿlh	p. 2302
CGR-485	—ʿlk	p. 2302
CGR-486	—ʿln	p. 2302
CGR-487	—ʿlt	p. 2302
CGR-488	—ʿm—	p. 2302
CGR-489	—ʿn—	p. 2303
CGR-490	—ʿny	p. 2303
CGR-491	—ʿp—	p. 2303
CGR-492	—ʿṣ-	p. 2303
CGR-493	—ʿr	p. 2303
CGR-494	—ʿr—	p. 2304
CGR-495	—ʿrt	p. 2304
CGR-496	—ʿt	p. 2304
CGR-497	—ʿt- —	p. 2304
CGR-498	—ǵb	p. 2304
CGR-499	—ǵb—	p. 2305
CGR-500	—ǵy- —	p. 2305
CGR-501	—ǵn	p. 2305
CGR-502	—ǵr—	p. 2305
CGR-503	—ǵt	p. 2305
CGR-504	—pa—	p. 2306
CGR-505	—pb—	p. 2306
CGR-506	—pd—	p. 2306
CGR-507	—ph	p. 2306
CGR-508	—phn—	p. 2306
CGR-509	—pṭ	p. 2306
CGR-510	—py	p. 2307
CGR-511	—py—	p. 2307
CGR-512	—pk	p. 2307
CGR-513	—pl	p. 2307
CGR-514	—pm	p. 2307
CGR-515	—pn	p. 2308
CGR-516	—ps—	p. 2308
CGR-517	—psn	p. 2308
CGR-518	—pr	p. 2308
CGR-519	—pr—	p. 2309
CGR-520	—prḏ	p. 2309
CGR-521	—prn	p. 2309
CGR-522	—prt	p. 2309
CGR-523	—pš	p. 2309
CGR-524	—pš—	p. 2310
CGR-525	—pšm	p. 2310
CGR-526	—ptm	p. 2310
CGR-527	—ptr	p. 2310
CGR-528	—pṯ	p. 2310
CGR-529	—pṯn	p. 2311
CGR-530	—pṯn—	p. 2311
CGR-531	—pṯt—	p. 2311
CGR-532	—ṣb	p. 2311
CGR-533	—ṣbm	p. 2311
CGR-534	—ṣbn	p. 2312
CGR-535	—ṣḥ	p. 2312
CGR-536	—ṣḥ—	p. 2312
CGR-537	—ṣn	p. 2312
CGR-538	—ṣʿ—	p. 2312
CGR-539	—ṣp	p. 2312
CGR-540	—ṣp—	p. 2313
CGR-541	—ṣt	p. 2313
CGR-542	—ṣt—	p. 2313
CGR-543	—qd	p. 2313
CGR-544	—qḥ	p. 2313
CGR-545	—qḥ—	p. 2314
CGR-546	—qy	p. 2314
CGR-547	—ql	p. 2314
CGR-548	—ql—	p. 2314
CGR-549	—ql-	p. 2314
CGR-550	—qm	p. 2315
CGR-551	—qm—	p. 2315
CGR-552	—qn	p. 2315
CGR-553	—qr—	p. 2315
CGR-554	—qt	p. 2315

CGR-555	—qt—	p. 2316
CGR-556	—ri	p. 2316
CGR-557	—riš—	p. 2316
CGR-558	—ru	p. 2316
CGR-559	—rum	p. 2316
CGR-560	—rb	p. 2317
CGR-561	—rb—	p. 2317
CGR-562	—rby	p. 2317
CGR-563	—rbm	p. 2317
CGR-564	—rg	p. 2317
CGR-565	—rg—	p. 2318
CGR-566	—rgm	p. 2318
CGR-567	—rgn	p. 2318
CGR-568	—rd	p. 2318
CGR-569	—rh	p. 2319
CGR-570	—rhd	p. 2319
CGR-571	—rw—	p. 2319
CGR-572	—rz	p. 2319
CGR-573	—rḥ—	p. 2320
CGR-574	—rḥ-	p. 2320
CGR-575	—rḫ	p. 2320
CGR-576	—ry	p. 2320
CGR-577	—ry—	p. 2320
CGR-578	—ry- —	p. 2321
CGR-579	—rym	p. 2321
CGR-580	—ryn—	p. 2321
CGR-581	—ryt	p. 2321
CGR-582	—rk	p. 2322
CGR-583	—rk—	p. 2322
CGR-584	—rkb—	p. 2322
CGR-585	—rkd—	p. 2322
CGR-586	—rkl	p. 2323
CGR-587	—rks	p. 2323
CGR-588	—rl—	p. 2323
CGR-589	—rln	p. 2323
CGR-590	—rm	p. 2323
CGR-591	—rm—	p. 2324
CGR-592	—rmn	p. 2324
CGR-593	—rn	p. 2325
CGR-594	—rn—	p. 2326
CGR-595	—rnh	p. 2326
CGR-596	—rny	p. 2326
CGR-597	—rsg	p. 2326
CGR-598	—rʿ-	p. 2326
CGR-599	—rʿh	p. 2327
CGR-600	—rp—	p. 2327
CGR-601	—rpl	p. 2327
CGR-602	—rṣ	p. 2327
CGR-603	—rq	p. 2327
CGR-604	—rqd—	p. 2328
CGR-605	—rš	p. 2328
CGR-606	—rš—	p. 2328
CGR-607	—ršn	p. 2328
CGR-608	—rt	p. 2329
CGR-609	—rt—	p. 2329
CGR-610	—rt- —	p. 2330
CGR-611	—rtm	p. 2330
CGR-612	—ša	p. 2330
CGR-613	—ši—	p. 2331
CGR-614	—šu	p. 2331
CGR-615	—šb	p. 2331
CGR-616	—šbn	p. 2331
CGR-617	—šbn—	p. 2331
CGR-618	—šh—	p. 2331
CGR-619	—šy—	p. 2332
CGR-620	—šk	p. 2332
CGR-621	—šl—	p. 2332
CGR-622	—šm	p. 2332
CGR-623	—šmr—	p. 2333
CGR-624	—šn	p. 2333
CGR-625	—šn- —	p. 2333
CGR-626	—šp—	p. 2333
CGR-627	—špk—	p. 2333
CGR-628	—špm	p. 2334
CGR-629	—šql—	p. 2334
CGR-630	—šr	p. 2334
CGR-631	—šr—	p. 2334
CGR-632	—šry—	p. 2334
CGR-633	—šrk	p. 2335
CGR-634	—šrm	p. 2335

CGR-635	—šrm—	p. 2335
CGR-636	—šrš—	p. 2335
CGR-637	—št	p. 2335
CGR-638	—štn	p. 2336
CGR-639	—štn—	p. 2336
CGR-640	—štt—	p. 2336
CGR-641	—t-pn	p. 2336
CGR-642	—tb	p. 2336
CGR-643	—tb—	p. 2336
CGR-644	—tb- —	p. 2337
CGR-645	—td	p. 2337
CGR-646	—td—	p. 2337
CGR-647	—td-	p. 2337
CGR-648	—th	p. 2337
CGR-649	—th- —	p. 2338
CGR-650	—thn	p. 2338
CGR-651	—tw—	p. 2338
CGR-652	—tḫ	p. 2338
CGR-653	—ty	p. 2339
CGR-654	—tk	p. 2339
CGR-655	—tk—	p. 2339
CGR-656	—tl	p. 2339
CGR-657	—tl—	p. 2340
CGR-658	—tm	p. 2340
CGR-659	—tn	p. 2340
CGR-660	—tn—	p. 2341
CGR-661	—tr	p. 2341
CGR-662	—tš	p. 2342
CGR-663	—tt	p. 2342
CGR-664	—tt—	p. 2342
CGR-665	—tṯ	p. 2342
CGR-666	—ṯb—	p. 2342
CGR-667	—ṯh	p. 2343
CGR-668	—ṯy—	p. 2343
CGR-669	—ṯk	p. 2343
CGR-670	—ṯmn—	p. 2343
CGR-671	—ṯny—	p. 2343
CGR-672	—ṯp—	p. 2343
CGR-673	—ṯṣ—	p. 2344
CGR-674	—ṯt—	p. 2344
CGR-675	------------------tp	p. 2345
CGR-676	----l-ḫ	p. 2345
CGR-677	----lt	p. 2345
CGR-678	----np- —	p. 2345
CGR-679	----ṣt	p. 2346
CGR-680	---bun	p. 2346
CGR-681	---bh	p. 2346
CGR-682	---bmn—	p. 2346
CGR-683	---dh	p. 2346
CGR-684	---dmn—	p. 2346
CGR-685	---lkn	p. 2347
CGR-686	---rt	p. 2347
CGR-687	---šn	p. 2347
CGR-688	--an	p. 2347
CGR-689	--bb- —	p. 2347
CGR-690	--dbt	p. 2348
CGR-691	--dn	p. 2348
CGR-692	--dn-	p. 2348
CGR-693	--dt-	p. 2348
CGR-694	--ḫy	p. 2348
CGR-695	--yn	p. 2348
CGR-696	--kn	p. 2349
CGR-697	--ly	p. 2349
CGR-698	--lm	p. 2349
CGR-699	--m---l	p. 2349
CGR-700	--my	p. 2349
CGR-701	--ṣ-m—	p. 2350
CGR-702	--rk	p. 2350
CGR-703	--ša	p. 2350
CGR-704	--šm	p. 2350
CGR-705	--t--p	p. 2350
CGR-706	--th	p. 2350
CGR-707	-iḥ—	p. 2351
CGR-708	-iṭ—	p. 2351
CGR-709	-bd	p. 2351
CGR-710	-bt—	p. 2351

CGR-711	-bty	p. 2351
CGR-712	-gmr	p. 2352
CGR-713	-dgr	p. 2352
CGR-714	-dy	p. 2352
CGR-715	-dn	p. 2352
CGR-716	-h-ry	p. 2352
CGR-717	-zb	p. 2352
CGR-718	-zn	p. 2353
CGR-719	-ḥl	p. 2353
CGR-720	-ydr	p. 2353
CGR-721	-ytn	p. 2353
CGR-722	-kn	p. 2353
CGR-723	-lim	p. 2353
CGR-724	-lb—	p. 2354
CGR-725	-ly	p. 2354
CGR-726	-lk	p. 2354
CGR-727	-ll	p. 2354
CGR-728	-lm	p. 2354
CGR-729	-lr-- —	p. 2355
CGR-730	-mgn—	p. 2355
CGR-731	-mdh—	p. 2355
CGR-732	-mdn	p. 2355
CGR-733	-mḥn	p. 2355
CGR-734	-mn	p. 2355
CGR-735	-mn--	p. 2356
CGR-736	-mt	p. 2356
CGR-737	-n-t	p. 2356
CGR-738	-nk	p. 2356
CGR-739	-nkt	p. 2356
CGR-740	-nn—	p. 2356
CGR-741	-nš—	p. 2357
CGR-742	-nt	p. 2357
CGR-743	-nth	p. 2357
CGR-744	-sb	p. 2357
CGR-745	-ʿ-n	p. 2357
CGR-746	-ʿl	p. 2357
CGR-747	-ʿrt—	p. 2358
CGR-748	-ǵṯ	p. 2358
CGR-749	-pn	p. 2358
CGR-750	-pr	p. 2358
CGR-751	-pr—	p. 2358
CGR-752	-ṣl	p. 2359
CGR-753	-qrt-	p. 2359
CGR-754	-qt	p. 2359
CGR-755	-r-tk	p. 2359
CGR-756	-rb	p. 2359
CGR-757	-rn	p. 2359
CGR-758	-rs—	p. 2360
CGR-759	-rry	p. 2360
CGR-760	-rt	p. 2360
CGR-761	-šy	p. 2360
CGR-762	-št	p. 2360
CGR-763	-tb—	p. 2361
CGR-764	-tyn—	p. 2361
CGR-765	-tt	p. 2361
CGR-766	-ṯtr	p. 2361
CGR-767	ˀb—	p. 2362
CGR-768	a--k- —	p. 2362
CGR-769	ab—	p. 2362
CGR-770	ab- —	p. 2363
CGR-771	abd—	p. 2363
CGR-772	aby—	p. 2363
CGR-773	abn—	p. 2363
CGR-774	abq—	p. 2363
CGR-775	abr—	p. 2364
CGR-776	ag—	p. 2364
CGR-777	agy-	p. 2364
CGR-778	agm—	p. 2364
CGR-779	agr-	p. 2364
CGR-780	ad—	p. 2364
CGR-781	ad- —	p. 2365
CGR-782	adl—	p. 2365
CGR-783	adr—	p. 2365
CGR-784	adt—	p. 2365
CGR-785	aw—	p. 2365
CGR-786	aw---	p. 2365

CGR-787	aḥ—	p. 2366
CGR-788	aḫ—	p. 2366
CGR-789	ay—	p. 2366
CGR-790	ak—	p. 2366
CGR-791	al—	p. 2366
CGR-792	alk—	p. 2367
CGR-793	alt—	p. 2367
CGR-794	am—	p. 2367
CGR-795	am- —	p. 2367
CGR-796	amr—	p. 2367
CGR-797	an—	p. 2368
CGR-798	and—	p. 2368
CGR-799	ann—	p. 2368
CGR-800	aǵ-yn	p. 2368
CGR-801	aǵl—	p. 2369
CGR-802	ap—	p. 2369
CGR-803	apn—	p. 2369
CGR-804	aṣ—	p. 2369
CGR-805	aq—	p. 2369
CGR-806	ar—	p. 2370
CGR-807	ar- —	p. 2371
CGR-808	ar--	p. 2371
CGR-809	arḫ—	p. 2371
CGR-810	arp—	p. 2371
CGR-811	arš—	p. 2371
CGR-812	at—	p. 2372
CGR-813	at-- —	p. 2372
CGR-814	atl—	p. 2372
CGR-815	atn—	p. 2372
CGR-816	aṯ—	p. 2372
CGR-817	aṯ- —	p. 2373

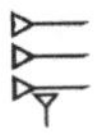

CGR-818	i-m	p. 2374
CGR-819	i-š	p. 2374
CGR-820	i-t	p. 2374
CGR-821	ib—	p. 2374
CGR-822	ib- —	p. 2375
CGR-823	ibr—	p. 2375
CGR-824	id—	p. 2375
CGR-825	idr—	p. 2375
CGR-826	idṯ—	p. 2375
CGR-827	iḏ—	p. 2375
CGR-828	ih—	p. 2376
CGR-829	iw- —	p. 2376
CGR-830	iwr—	p. 2376
CGR-831	iwrḏ—	p. 2376
CGR-832	iwrm—	p. 2376
CGR-833	iwrn—	p. 2377
CGR-834	iy—	p. 2377
CGR-835	ik—	p. 2377
CGR-836	il—	p. 2377
CGR-837	il- —	p. 2378
CGR-838	il-km	p. 2378
CGR-839	il-kṣ	p. 2379
CGR-840	il-pm	p. 2379
CGR-841	il-pṣ	p. 2379
CGR-842	ilb—	p. 2379
CGR-843	ild—	p. 2379
CGR-844	ily—	p. 2379
CGR-845	ilmh—	p. 2380
CGR-846	iln—	p. 2380
CGR-847	ilr—	p. 2380
CGR-848	ilš—	p. 2380
CGR-849	ilt—	p. 2380
CGR-850	ilt- —	p. 2381
CGR-851	in—	p. 2381
CGR-852	in------	p. 2381
CGR-853	in-------	p. 2381
CGR-854	isr—	p. 2382
CGR-855	ir—	p. 2382
CGR-856	ir- —	p. 2382
CGR-857	irb—	p. 2382
CGR-858	iš—	p. 2382
CGR-859	išq- —	p. 2383
CGR-860	iṯ—	p. 2383
CGR-861	iṯt—	p. 2383

𐎜

CGR-862	u-m--	p. 2384
CGR-863	ub—	p. 2384
CGR-864	ubn—	p. 2384
CGR-865	ud—	p. 2384
CGR-866	uḏ-	p. 2385
CGR-867	uḫn—	p. 2385
CGR-868	ul—	p. 2385
CGR-869	ulbt—	p. 2385
CGR-870	um—	p. 2385
CGR-871	um- —	p. 2385
CGR-872	un—	p. 2386
CGR-873	uṣ—	p. 2386
CGR-874	ur—	p. 2386
CGR-875	ur- —	p. 2386
CGR-876	uš—	p. 2386
CGR-877	ušk—	p. 2387
CGR-878	ut—	p. 2387
CGR-879	uṯ- —	p. 2387

𐎁

CGR-880	b-ḥ----	p. 2388
CGR-881	b-ḫ-	p. 2388
CGR-882	b-l	p. 2388
CGR-883	b-m	p. 2388
CGR-884	b-ʿ	p. 2389
CGR-885	b-š	p. 2389
CGR-886	ba—	p. 2389
CGR-887	bi—	p. 2389
CGR-888	bir—	p. 2389
CGR-889	bu—	p. 2389
CGR-890	bb—	p. 2390
CGR-891	bb- —	p. 2390
CGR-892	bd—	p. 2390
CGR-893	bh—	p. 2390
CGR-894	bh--	p. 2390
CGR-895	bw—	p. 2391
CGR-896	bḥ—	p. 2391
CGR-897	bṭ—	p. 2391
CGR-898	by—	p. 2391
CGR-899	bk—	p. 2391
CGR-900	bl—	p. 2391
CGR-901	bm—	p. 2392
CGR-902	bm- —	p. 2392
CGR-903	bn—	p. 2392
CGR-904	bnh—	p. 2393
CGR-905	bs—	p. 2393
CGR-906	bʿ—	p. 2394
CGR-907	bʿ- —	p. 2394
CGR-908	bʿd- —	p. 2394
CGR-909	bʿld—	p. 2394
CGR-910	bʿlm—	p. 2395
CGR-911	bp- —	p. 2395
CGR-912	bq—	p. 2395
CGR-913	br—	p. 2395
CGR-914	brd—	p. 2395
CGR-915	brq—	p. 2396
CGR-916	bš—	p. 2396
CGR-917	bt—	p. 2396
CGR-918	bt- —	p. 2396
CGR-919	bṯ—	p. 2397

𐎂

CGR-920	g--y	p. 2398
CGR-921	gb—	p. 2398
CGR-922	gg—	p. 2398
CGR-923	gd—	p. 2399
CGR-924	gdr—	p. 2399
CGR-925	gz—	p. 2399
CGR-926	gl—	p. 2399
CGR-927	gm—	p. 2399
CGR-928	gmr—	p. 2400

CGR-1050	yrb—	p. 2432
CGR-1051	yry—	p. 2432
CGR-1052	yrk—	p. 2432
CGR-1053	yrt- —	p. 2432
CGR-1054	yš—	p. 2432
CGR-1055	yš--	p. 2433
CGR-1056	yši—	p. 2433
CGR-1057	yšk—	p. 2433
CGR-1058	yšr—	p. 2433
CGR-1059	yt—	p. 2433
CGR-1060	ytr—	p. 2434
CGR-1061	yṯ—	p. 2434
CGR-1062	yṯ- —	p. 2434
CGR-1063	yṯb—	p. 2434

𐎋

CGR-1064	k-n	p. 2435
CGR-1065	ki—	p. 2435
CGR-1066	kb—	p. 2435
CGR-1067	kb- —	p. 2436
CGR-1068	kd—	p. 2436
CGR-1069	kdl—	p. 2436
CGR-1070	kḏ- —	p. 2436
CGR-1071	kḏǵ—	p. 2437
CGR-1072	ky—	p. 2437
CGR-1073	kk—	p. 2437
CGR-1074	kkn—	p. 2437
CGR-1075	kl—	p. 2437
CGR-1076	kl- —	p. 2438
CGR-1077	kl--	p. 2438
CGR-1078	kl---	p. 2438
CGR-1079	kly—	p. 2438
CGR-1080	klt—	p. 2438
CGR-1081	km—	p. 2438
CGR-1082	kmr—	p. 2439
CGR-1083	kn—	p. 2439
CGR-1084	kn- —	p. 2439
CGR-1085	ks—	p. 2439
CGR-1086	kp—	p. 2440
CGR-1087	kr—	p. 2440
CGR-1088	kr- —	p. 2440
CGR-1089	krm—	p. 2440
CGR-1090	krm- —	p. 2440
CGR-1091	krt—	p. 2441
CGR-1092	kš—	p. 2441
CGR-1093	kt—	p. 2441
CGR-1094	kṯ—	p. 2441
CGR-1095	kṯ-	p. 2441

𐎍

CGR-1096	l--d- —	p. 2442
CGR-1097	l-m	p. 2442
CGR-1098	li—	p. 2442
CGR-1099	lb—	p. 2442
CGR-1100	lbn—	p. 2443
CGR-1101	ld—	p. 2443
CGR-1102	lh—	p. 2443
CGR-1103	lḥ—	p. 2443
CGR-1104	lḥ- —	p. 2443
CGR-1105	ly—	p. 2444
CGR-1106	lk—	p. 2444
CGR-1107	ll—	p. 2444
CGR-1108	lli—	p. 2444
CGR-1109	lm—	p. 2445
CGR-1110	lm-	p. 2445
CGR-1111	ls—	p. 2445
CGR-1112	lp—	p. 2445
CGR-1113	lqḥ—	p. 2445
CGR-1114	lt—	p. 2445
CGR-1115	lṯ—	p. 2446

𐎎

CGR-1116	m--by—	p. 2447
CGR-1117	m--k	p. 2447

CGR-1118	m-u- —	p. 2447
CGR-1119	m-d- —	p. 2447
CGR-1120	m-k	p. 2448
CGR-1121	m-l- —	p. 2448
CGR-1122	m-r	p. 2448
CGR-1123	mašm- —	p. 2448
CGR-1124	mat—	p. 2448
CGR-1125	mil- —	p. 2449
CGR-1126	mit—	p. 2449
CGR-1127	mg—	p. 2449
CGR-1128	mg- —	p. 2449
CGR-1129	mg--	p. 2449
CGR-1130	md—	p. 2449
CGR-1131	md- —	p. 2450
CGR-1132	mz- —	p. 2450
CGR-1133	mḥ—	p. 2450
CGR-1134	mḫ—	p. 2450
CGR-1135	mḫl—	p. 2450
CGR-1136	my—	p. 2451
CGR-1137	mk—	p. 2451
CGR-1138	ml—	p. 2451
CGR-1139	ml- —	p. 2451
CGR-1140	mli—	p. 2452
CGR-1141	mlǵ—	p. 2452
CGR-1142	mm—	p. 2452
CGR-1143	mm--	p. 2452
CGR-1144	mn—	p. 2452
CGR-1145	mᶜ—	p. 2452
CGR-1146	mᶜ- —	p. 2453
CGR-1147	mp—	p. 2453
CGR-1148	mṣ—	p. 2453
CGR-1149	mṣb- —	p. 2453
CGR-1150	mq—	p. 2454
CGR-1151	mr—	p. 2454
CGR-1152	mr- —	p. 2454
CGR-1153	mr-- —	p. 2455
CGR-1154	mri—	p. 2455
CGR-1155	mril—	p. 2455
CGR-1156	mrb—	p. 2455
CGR-1157	mrd—	p. 2455
CGR-1158	mš—	p. 2456
CGR-1159	mš- —	p. 2456
CGR-1160	mš-- —	p. 2456
CGR-1161	mšl—	p. 2456
CGR-1162	mtn—	p. 2457
CGR-1163	mtrḫt—	p. 2457
CGR-1164	mṯ- —	p. 2457
CGR-1165	n-b---- —	p. 2458
CGR-1166	n-t	p. 2458
CGR-1167	nit—	p. 2458
CGR-1168	nb—	p. 2458
CGR-1169	nbl—	p. 2459
CGR-1170	ng—	p. 2459
CGR-1171	ng-n	p. 2459
CGR-1172	nd—	p. 2459
CGR-1173	nd- —	p. 2459
CGR-1174	ndb—	p. 2460
CGR-1175	ndr—	p. 2460
CGR-1176	nwr—	p. 2460
CGR-1177	nz—	p. 2460
CGR-1178	nḥ-	p. 2460
CGR-1179	nk—	p. 2460
CGR-1180	nk- —	p. 2461
CGR-1181	nl—	p. 2461
CGR-1182	nl- —	p. 2461
CGR-1183	nm—	p. 2461
CGR-1184	nn—	p. 2461
CGR-1185	nn-	p. 2462
CGR-1186	nn- —	p. 2462
CGR-1187	nn-- —	p. 2462
CGR-1188	ns—	p. 2462
CGR-1189	nᶜ—	p. 2462
CGR-1190	nᶜl—	p. 2463
CGR-1191	nᶜm-	p. 2463
CGR-1192	np—	p. 2463
CGR-1193	npṣ—	p. 2463

CGR-1194 nq— p. 2463
CGR-1195 nr— p. 2463
CGR-1196 nr- — p. 2464
CGR-1197 nš— p. 2464
CGR-1198 nt— p. 2464

𐎒

CGR-1199 s-p- — p. 2465
CGR-1200 si— p. 2465
CGR-1201 sb— p. 2465
CGR-1202 skn— p. 2465
CGR-1203 sl— p. 2466
CGR-1204 sn— p. 2466
CGR-1205 sʿ— p. 2466
CGR-1206 sp— p. 2466
CGR-1207 st— p. 2466

𐎓

CGR-1208 ʿb— p. 2467
CGR-1209 ʿbdml— p. 2467
CGR-1210 ʿbdr— p. 2467
CGR-1211 ʿg— p. 2467
CGR-1212 ʿg- — p. 2468
CGR-1213 ʿd— p. 2468
CGR-1214 ʿdn— p. 2468
CGR-1215 ʿdr— p. 2468
CGR-1216 ʿw— p. 2468
CGR-1217 ʿṭr— p. 2469
CGR-1218 ʿẓ— p. 2469
CGR-1219 ʿl— p. 2469
CGR-1220 ʿly— p. 2469
CGR-1221 ʿm— p. 2470
CGR-1222 ʿm- p. 2470
CGR-1223 ʿmy— p. 2470
CGR-1224 ʿmt— p. 2470
CGR-1225 ʿn— p. 2471
CGR-1226 ʿn- — p. 2471
CGR-1227 ʿn-- — p. 2471
CGR-1228 ʿs— p. 2471
CGR-1229 ʿp— p. 2471
CGR-1230 ʿṣ— p. 2472
CGR-1231 ʿr— p. 2472
CGR-1232 ʿr-- p. 2472
CGR-1233 ʿš— p. 2472
CGR-1234 ʿšr— p. 2473
CGR-1235 ʿt-- — p. 2473
CGR-1236 ʿṯ— p. 2474
CGR-1237 ʿṯ- p. 2474
CGR-1238 ʿṯr— p. 2474
CGR-1239 ʿṯt— p. 2474
CGR-1240 ʿṯtr— p. 2474

𐎙

CGR-1241 ġ-b---- — p. 2475
CGR-1242 ġb— p. 2475
CGR-1243 ġl— p. 2475
CGR-1244 ġm— p. 2475
CGR-1245 ġp— p. 2476
CGR-1246 ġr— p. 2476

𐎔

CGR-1247 p--h p. 2477
CGR-1248 pa-t p. 2477
CGR-1249 pi— p. 2477
CGR-1250 pi- — p. 2477
CGR-1251 pb— p. 2478
CGR-1252 pg- — p. 2478
CGR-1253 pd— p. 2478
CGR-1254 pd- — p. 2478

CGR-1255	pdr—	p. 2479
CGR-1256	pḏ—	p. 2479
CGR-1257	pw—	p. 2479
CGR-1258	pḫ- —	p. 2479
CGR-1259	py-	p. 2479
CGR-1260	pk—	p. 2479
CGR-1261	pl—	p. 2480
CGR-1262	pm—	p. 2480
CGR-1263	pn—	p. 2480
CGR-1264	pn-- —	p. 2480
CGR-1265	pp—	p. 2481
CGR-1266	pṣ—	p. 2481
CGR-1267	pr—	p. 2481
CGR-1268	pr- —	p. 2481
CGR-1269	prs- —	p. 2482
CGR-1270	prᶜ-	p. 2482
CGR-1271	prš—	p. 2482
CGR-1272	pš—	p. 2482
CGR-1273	pt—	p. 2482
CGR-1274	pṯ—	p. 2483

𐎕

CGR-1275	ṣb—	p. 2484
CGR-1276	ṣb- —	p. 2484
CGR-1277	ṣg- —	p. 2484
CGR-1278	ṣd—	p. 2484
CGR-1279	ṣd- —	p. 2485
CGR-1280	ṣdq—	p. 2485
CGR-1281	ṣḥ—	p. 2485
CGR-1282	ṣl—	p. 2485
CGR-1283	ṣm—	p. 2485
CGR-1284	ṣᶜ—	p. 2486
CGR-1285	ṣp—	p. 2486
CGR-1286	ṣp- —	p. 2486
CGR-1287	ṣq-	p. 2486
CGR-1288	ṣr—	p. 2486
CGR-1289	ṣtr—	p. 2486

𐎖

CGR-1290	qb—	p. 2487
CGR-1291	qd—	p. 2487
CGR-1292	qd- —	p. 2487
CGR-1293	qdn- —	p. 2487
CGR-1294	qr—	p. 2488

𐎗

CGR-1295	r---d	p. 2489
CGR-1296	ri--	p. 2489
CGR-1297	rb—	p. 2489
CGR-1298	rbt—	p. 2490
CGR-1299	rḥ—	p. 2490
CGR-1300	rḥ- —	p. 2490
CGR-1301	rḥ-- —	p. 2490
CGR-1302	rḫ- —	p. 2490
CGR-1303	rp—	p. 2490
CGR-1304	rp- —	p. 2491
CGR-1305	rṣ—	p. 2491
CGR-1306	rq—	p. 2491
CGR-1307	rq-	p. 2491
CGR-1308	rt—	p. 2491
CGR-1309	rt---	p. 2491
CGR-1310	rtq—	p. 2492
CGR-1311	rṯ—	p. 2492

𐎌

CGR-1312	š--y	p. 2493
CGR-1313	š--r	p. 2493
CGR-1314	š-yn	p. 2493
CGR-1315	ši—	p. 2493

CGR-1391	tt—	p. 2510
CGR-1392	tṯ- —	p. 2510
CGR-1393	tṯp—	p. 2510

𐎘

CGR-1394	ṯb—	p. 2511
CGR-1395	ṯb- —	p. 2511
CGR-1396	ṯbl—	p. 2511
CGR-1397	ṯbʿ—	p. 2511
CGR-1398	ṯbr—	p. 2512
CGR-1399	ṯd- —	p. 2512
CGR-1400	ṯdy—	p. 2512
CGR-1401	ṯdn—	p. 2512
CGR-1402	ṯy—	p. 2512
CGR-1403	ṯk—	p. 2512
CGR-1404	ṯk- —	p. 2513
CGR-1405	ṯl—	p. 2513
CGR-1406	ṯl---	p. 2513
CGR-1407	ṯll—	p. 2513
CGR-1408	ṯm—	p. 2513
CGR-1409	ṯm-	p. 2514
CGR-1410	ṯmg—	p. 2514
CGR-1411	ṯmd—	p. 2514
CGR-1412	ṯmn—	p. 2514
CGR-1413	ṯmr—	p. 2514
CGR-1414	ṯn—	p. 2515
CGR-1415	ṯn---	p. 2515
CGR-1416	ṯny- —	p. 2515
CGR-1417	ṯnn—	p. 2516
CGR-1418	ṯǵ- —	p. 2516
CGR-1419	ṯǵr—	p. 2516
CGR-1420	ṯp—	p. 2516
CGR-1421	ṯq—	p. 2516
CGR-1422	ṯr—	p. 2516
CGR-1423	ṯrd—	p. 2517
CGR-1424	ṯrdn—	p. 2517
CGR-1425	ṯrm—	p. 2517
CGR-1426	ṯrn—	p. 2517
CGR-1427	ṯt—	p. 2517
CGR-1428	ṯṯ—	p. 2518

Concordancia de palabras ugaríticas

Índice de

Cadenas Grafemáticas Restituibles

unilíteras

CGRU-81	—a—	p. 2541	CGRU-121	—k-	p. 2561
CGRU-82	—a- —	p. 2542	CGRU-122	—k- —	p. 2561
CGRU-83	—i	p. 2542	CGRU-123	—k-- —	p. 2561
CGRU-84	—i—	p. 2542	CGRU-124	—k--- —	p. 2561
CGRU-85	—u	p. 2543	CGRU-125	—l	p. 2562
CGRU-86	—u—	p. 2543	CGRU-126	—l—	p. 2563
CGRU-87	—b	p. 2543	CGRU-127	—l-	p. 2564
CGRU-88	—b—	p. 2545	CGRU-128	—l- —	p. 2564
CGRU-89	—b- —	p. 2545	CGRU-129	—l-- —	p. 2564
CGRU-90	—b--	p. 2545	CGRU-130	—l---	p. 2564
CGRU-91	—g	p. 2546	CGRU-131	—m	p. 2565
CGRU-92	—g—	p. 2546	CGRU-132	—m—	p. 2568
CGRU-93	—d	p. 2546	CGRU-133	—m-	p. 2569
CGRU-94	—d—	p. 2548	CGRU-134	—m- —	p. 2569
CGRU-95	—d-	p. 2548	CGRU-135	—m--	p. 2569
CGRU-96	—d- —	p. 2548	CGRU-136	—m---	p. 2569
CGRU-97	—ḏ	p. 2548	CGRU-137	—n	p. 2570
CGRU-98	—ḏ—	p. 2549	CGRU-138	—n—	p. 2574
CGRU-99	—h	p. 2549	CGRU-139	—n- —	p. 2575
CGRU-100	—h—	p. 2550	CGRU-140	—n--	p. 2575
CGRU-101	—w—	p. 2550	CGRU-141	—s	p. 2575
CGRU-102	—z	p. 2551	CGRU-142	—s—	p. 2576
CGRU-103	—ḥ	p. 2551	CGRU-143	—ś—	p. 2576
CGRU-104	—ḥ—	p. 2552	CGRU-144	—ʿ	p. 2576
CGRU-105	—ḥ-	p. 2552	CGRU-145	—ʿ—	p. 2576
CGRU-106	—ḫ	p. 2552	CGRU-146	—ʿ- —	p. 2576
CGRU-107	—ḫ—	p. 2553	CGRU-147	—ǵ	p. 2576
CGRU-108	—ḫ- —	p. 2553	CGRU-148	—ǵ—	p. 2577
CGRU-109	—ṭ	p. 2553	CGRU-149	—ǵ- —	p. 2577
CGRU-110	—ṭ—	p. 2554	CGRU-150	—p	p. 2577
CGRU-111	—ṭ-	p. 2554	CGRU-151	—p—	p. 2578
CGRU-112	—ẓ	p. 2554	CGRU-152	—p- —	p. 2578
CGRU-113	—ẓ—	p. 2554	CGRU-153	—p-- —	p. 2578
CGRU-114	—y	p. 2554	CGRU-154	—ṣ	p. 2578
CGRU-115	—y—	p. 2557	CGRU-155	—ṣ—	p. 2579
CGRU-116	—y- —	p. 2558	CGRU-156	—ṣ-- —	p. 2579
CGRU-117	—y--	p. 2558	CGRU-157	—q	p. 2579
CGRU-118	—y-- —	p. 2558	CGRU-158	—q- —	p. 2579
CGRU-119	—k	p. 2558	CGRU-159	—r	p. 2580
CGRU-120	—k—	p. 2560	CGRU-160	—r—	p. 2582

CGRU-161	—r-	p. 2583
CGRU-162	—r- —	p. 2583
CGRU-163	—š	p. 2583
CGRU-164	—š—	p. 2585
CGRU-165	—š- —	p. 2585
CGRU-166	—š-- —	p. 2585
CGRU-167	—t	p. 2585
CGRU-168	—t—	p. 2588
CGRU-169	—t- —	p. 2589
CGRU-170	—t---	p. 2589
CGRU-171	—ṯ	p. 2589
CGRU-172	—ṯ—	p. 2590
CGRU-173	—ṯ- —	p. 2590
CGRU-174	—ṯ--	p. 2590
CGRU-175	--------------m	p. 2590
CGRU-176	----------t—	p. 2590
CGRU-177	--------m	p. 2590
CGRU-178	--------n	p. 2590
CGRU-179	-------ṯ	p. 2591
CGRU-180	------ḥ	p. 2591
CGRU-181	------ṯ--	p. 2591
CGRU-182	-----l	p. 2591
CGRU-183	-----n	p. 2591
CGRU-184	-----r	p. 2591
CGRU-185	----k-	p. 2591
CGRU-186	----l	p. 2592
CGRU-187	----m- —	p. 2592
CGRU-188	----n	p. 2592
CGRU-189	----ʿ	p. 2592
CGRU-190	----p	p. 2592
CGRU-191	----q	p. 2592
CGRU-192	----r	p. 2592
CGRU-193	---d	p. 2593
CGRU-194	---h	p. 2593
CGRU-195	---ḫ	p. 2593
CGRU-196	---k	p. 2593
CGRU-197	---l	p. 2593
CGRU-198	---l—	p. 2593
CGRU-199	---m	p. 2593
CGRU-200	---p—	p. 2594
CGRU-201	---q	p. 2594
CGRU-202	---r-	p. 2594
CGRU-203	---t	p. 2594
CGRU-204	--b	p. 2594
CGRU-205	--h	p. 2594
CGRU-206	--z	p. 2594
CGRU-207	--ḥ	p. 2595
CGRU-208	--ḥ—	p. 2595
CGRU-209	--ḥ--	p. 2595
CGRU-210	--k—	p. 2595
CGRU-211	--l	p. 2595
CGRU-212	--l—	p. 2595
CGRU-213	--m	p. 2595
CGRU-214	--n	p. 2596
CGRU-215	--n—	p. 2596
CGRU-216	--s—	p. 2596
CGRU-217	--š-	p. 2596
CGRU-218	--ʿ	p. 2596
CGRU-219	--p	p. 2596
CGRU-220	--p—	p. 2596
CGRU-221	--ṣ	p. 2597
CGRU-222	--r	p. 2597
CGRU-223	--r-	p. 2597
CGRU-224	--š	p. 2597
CGRU-225	--š—	p. 2597
CGRU-226	--t	p. 2597
CGRU-227	--ṯ	p. 2598
CGRU-228	--ṯ—	p. 2598
CGRU-229	--ṯ-------	p. 2598
CGRU-230	-a	p. 2598
CGRU-231	-a—	p. 2598
CGRU-232	-a-	p. 2598
CGRU-233	-u	p. 2598
CGRU-234	-b	p. 2599
CGRU-235	-b—	p. 2599
CGRU-236	-d	p. 2599
CGRU-237	-d—	p. 2599
CGRU-238	-ḏ- —	p. 2599
CGRU-239	-h—	p. 2599
CGRU-240	-w	p. 2599

Concordancia de palabras ugaríticas

Índice de

Cadenas Grafemáticas

Sin Restitución

CGSR-1	— -znl—	p. 2659
CGSR-2	— -znṣ—	p. 2659
CGSR-3	— -ṭhw	p. 2659
CGSR-4	— -l-ǵb—	p. 2659
CGSR-5	— -s-š—	p. 2659
CGSR-6	— -ǵ-bt	p. 2659
CGSR-7	— -ǵš	p. 2660
CGSR-8	— -pzq—	p. 2660
CGSR-9	— -rbš—	p. 2660
CGSR-10	— -rrsn—	p. 2660
CGSR-11	— -rtḫ	p. 2660
CGSR-12	—aba	p. 2660
CGSR-13	—ani—	p. 2660
CGSR-14	—aṣ	p. 2661
CGSR-15	—iu	p. 2661
CGSR-16	—utm	p. 2661
CGSR-17	—uṯt- —	p. 2661
CGSR-18	—b----a—	p. 2661
CGSR-19	—bgzn—	p. 2661
CGSR-20	—bmy—	p. 2661
CGSR-21	—gbd	p. 2662
CGSR-22	—d-ʿr- —	p. 2662
CGSR-23	—dir	p. 2662
CGSR-24	—dp	p. 2662
CGSR-25	—dṣ—	p. 2662
CGSR-26	—ḏi	p. 2662
CGSR-27	—ḏṣb	p. 2662
CGSR-28	—hu	p. 2663
CGSR-29	—hbk	p. 2663
CGSR-30	—hny	p. 2663
CGSR-31	—hǵ	p. 2663
CGSR-32	—hph	p. 2663
CGSR-33	—hṯh	p. 2663
CGSR-34	—w--nth	p. 2663
CGSR-35	—wz—	p. 2664
CGSR-36	—wnn	p. 2664
CGSR-37	—wp	p. 2664
CGSR-38	—ḥi	p. 2664
CGSR-39	—ḥg	p. 2664
CGSR-40	—ḥḥḥ—	p. 2664
CGSR-41	—ṭi	p. 2664
CGSR-42	—ẓṣ- —	p. 2665
CGSR-43	—yk-i	p. 2665
CGSR-44	—k---d	p. 2665
CGSR-45	—kim	p. 2665
CGSR-46	—lah	p. 2665
CGSR-47	—lir	p. 2665
CGSR-48	—lba	p. 2665
CGSR-49	—lyd	p. 2666
CGSR-50	—lpl	p. 2666
CGSR-51	—ltgm	p. 2666
CGSR-52	—m---d	p. 2666
CGSR-53	—mlar—	p. 2666
CGSR-54	—mmr	p. 2666
CGSR-55	—mnkl—	p. 2666
CGSR-56	—n-rq	p. 2667
CGSR-57	—nwy	p. 2667
CGSR-58	—nzm	p. 2667
CGSR-59	—nyš- —	p. 2667
CGSR-60	—ntṯ—	p. 2667
CGSR-61	—srh	p. 2667
CGSR-62	—ǵḥ	p. 2667
CGSR-63	—pǵ	p. 2668
CGSR-64	—prr	p. 2668
CGSR-65	—ptg	p. 2668
CGSR-66	—ṣah	p. 2668
CGSR-67	—ṣym	p. 2668
CGSR-68	—ṣǵ	p. 2668
CGSR-69	—qa	p. 2668
CGSR-70	—qi	p. 2669
CGSR-71	—qk	p. 2669
CGSR-72	—qns	p. 2669
CGSR-73	—r-wm	p. 2669
CGSR-74	—rkṯ	p. 2669
CGSR-75	—rsd	p. 2669
CGSR-76	—rsy—	p. 2669
CGSR-77	—rtl	p. 2670
CGSR-78	—rtt- —	p. 2670
CGSR-79	—š----am—	p. 2670
CGSR-80	—tin	p. 2670

CGSR-81	—tha- —	p. 2670	CGSR-121	hṣ—	p. 2676
CGSR-82	—tʿm	p. 2670	CGSR-122	w-r	p. 2676
CGSR-83	--id--š	p. 2670	CGSR-123	wy—	p. 2676
CGSR-84	--ga	p. 2671	CGSR-124	wṯ—	p. 2676
CGSR-85	--d----m	p. 2671	CGSR-125	z----n	p. 2676
CGSR-86	--dṣt	p. 2671	CGSR-126	zm-	p. 2677
CGSR-87	--n--ṣ	p. 2671	CGSR-127	zs—	p. 2677
CGSR-88	--qi-b	p. 2671	CGSR-128	ḥ---ḫ	p. 2677
CGSR-89	--qi-d	p. 2671	CGSR-129	ḥ--ḫaṯr	p. 2677
CGSR-90	-aṣ	p. 2671	CGSR-130	ḥ-ẓt	p. 2677
CGSR-91	-dni	p. 2672	CGSR-131	ḥ-mi	p. 2677
CGSR-92	-hḥ—	p. 2672	CGSR-132	ḥa—	p. 2677
CGSR-93	-hṭ—	p. 2672	CGSR-133	ḫp---n	p. 2678
CGSR-94	-zn--n	p. 2672	CGSR-134	ṭ---ḫ	p. 2678
CGSR-95	-l-ni	p. 2672	CGSR-135	ṭ---y	p. 2678
CGSR-96	-lbm-tm	p. 2672	CGSR-136	ṭ--ḫ	p. 2678
CGSR-97	-nḏ-- —	p. 2672	CGSR-137	ṭ--y	p. 2678
CGSR-98	-qtn	p. 2673	CGSR-138	ṭ-ẓt	p. 2678
CGSR-99	ʾd—	p. 2673	CGSR-139	ṭ-mi	p. 2678
CGSR-100	a-myy	p. 2673	CGSR-140	ṭ-qt	p. 2679
CGSR-101	at-yn	p. 2673	CGSR-141	yb--k-	p. 2679
CGSR-102	i--ʿm—	p. 2673	CGSR-142	ymp—	p. 2679
CGSR-103	in-b	p. 2673	CGSR-143	yn--m- —	p. 2679
CGSR-104	in-d	p. 2673	CGSR-144	yṣ--k-	p. 2679
CGSR-105	u-g	p. 2674	CGSR-145	k---ḏ	p. 2679
CGSR-106	uaḏlrḫm—	p. 2674	CGSR-146	kl-pt	p. 2679
CGSR-107	uš-l	p. 2674	CGSR-147	kṯ--d	p. 2680
CGSR-108	ut-l-bt	p. 2674	CGSR-148	l----k	p. 2680
CGSR-109	b---b	p. 2674	CGSR-149	lbw—	p. 2680
CGSR-110	b-g	p. 2674	CGSR-150	lm-kt-d	p. 2680
CGSR-111	biy- —	p. 2674	CGSR-151	lš-r	p. 2680
CGSR-112	bim—	p. 2675	CGSR-152	muid—	p. 2680
CGSR-113	bin—	p. 2675	CGSR-153	mbh--	p. 2680
CGSR-114	bn--lt	p. 2675	CGSR-154	md--ṯ	p. 2681
CGSR-115	bt---m	p. 2675	CGSR-155	mw-	p. 2681
CGSR-116	gk—	p. 2675	CGSR-156	mš-dt—	p. 2681
CGSR-117	gṣ—	p. 2675	CGSR-157	n-myy	p. 2681
CGSR-118	ds—	p. 2675	CGSR-158	n-nḏ	p. 2681
CGSR-119	ḏ--š--	p. 2676	CGSR-159	s--ry	p. 2681
CGSR-120	h-mt	p. 2676	CGSR-160	ʿḥt-	p. 2681

Índice de

Colaciones

Para comodidad del usuario de la *CPU*, reproducimos a continuación la lista *de Colaciones posteriores a 1976 incluidas en TU*[1], completa y puesta al día.

-Mítica

10-1.3:III:37-50, D. Pardee, Will the Dragon never be muzzled? *UF* 16 (1984) pp. 251-255.

10-1.20, publicado por W. T. Pitard, A New Edition of the "Rāpiʾūma" Texts: KTU 1.20-22, *BASOR* 285 (1992) p. 65.

10-1.21:II, publicado por W. T. Pitard, *art. c.*, pp. 69-70.

10-1.22, publicado por W. T. Pitard, *art. c.*, pp. 71-72.

10-1.98, A. Herdner, *Ugaritica VII* (1978) pp. 68-69

10-1.101, D. Pardee, *Les textes para-mythologiques (Ras Shamra-Ougarit IV)*, Paris 1988, pp. 119-152.

10-1.108, D. Pardee, *Les textes para-mythologiques*, Paris 1988, pp. 73-118.

10-1.114, D. Pardee, *Les textes para-mythologiques*, Paris 1988, pp. 13-74.

10-1.117, A. Herdner, *Ugaritica VII* (1978) pp. 64-67.

11-1.117, D. Pardee, *Les textes para-mythologiques*, Paris 1988, pp. 257-260.

10-1.129, A. Herdner, *Ugaritica VII* (1978) pp. 67-68.

10-1.133, D. Pardee, *Les textes para-mythologiques*, Paris 1988, pp. 153-164.

10-1.172, M. Dietrich - O. Loretz, *Mantik in Ugarit. Keilalphabetische Texte der Opferschau -Omensammlungen, Nekromantie (ALASP 3)*, Münster 1990, pp. 168-170.

-Epica

10-1.16:I:8, P. Bordreuil, La citadelle sainte du Mont Nanou, *Syria* 66 (1989) pp. 275-279, especialmente pp. 275-277.

10-1.16:II:46, P. Bordreuil, *art. c., ibidem.*

10-1.17, H. H. P. Dressler, Problems in the Collation of the Aqht-Text, Column One, *UF* 15 (1983) pp. 43-46.

---

[1] Jesús-Luis Cunchillos y Juan-Pablo Vita, *Banco de Datos Filológicos Semíticos Noroccidentales (BDFSN). Primera parte, Datos ugaríticos, I: Textos ugaríticos*, Madrid, CSIC, 1993, pp. 859-866.

-Ritual

10-1.40, D. Pardee, The Structure of RS 1.002, *Semitic Studies in honor of Wolf Leslau*, vol. II, Wiesbaden 1991, pp. 1182-1186.

10-1.41, P. Xella, *I testi rituali di Ugarit I*, Roma 1981, pp. 59-61

10-1.43, P. Xella, *I testi rituali di Ugarit I*, Roma 1981, pp. 86-87.

11-1.43, M. Dietrich - O. Loretz, *Jahwe und seine Aschera. Anthropomorphes Kultbild in Mesopotamien, Ugarit und Israel. Das biblische Bilderverbot (UBL 9)*, Münster 1992, pp. 40-41.

10-1.48, P. Xella, *I testi rituali di Ugarit I*, Roma 1981, pp. 113-114.

11-1.48, D. Pardee, Troisième réassemblage de RS 1.019*, *Syria* 65 (1988) pp. 173-191.

10-1.53, P. Xella, *I testi rituali di Ugarit I*, Roma 1981, p. 146.

10-1.56, P. Xella, *I testi rituali di Ugarit I*, Roma 1981, p. 151.

10-1.57, P. Xella, *I testi rituali di Ugarit I*, Roma 1981, p. 141.

10-1.77, M. Dietrich - O. Loretz, *Die Keilalphabete. Die phönizisch-kanaanäischen und altarabischen Alphabete in Ugarit* (*ALASP 1*), Münster 1988, p. 157.

10-1.81, P. Xella, *I testi rituali di Ugarit I*, Roma 1981, pp. 120-121.

10-1.84, P. Xella, *I testi rituali di Ugarit I*, Roma 1981, pp. 268-269.

10-1.91, P. Xella, *I testi rituali di Ugarit I*, Roma 1981, pp. 338-339.

10-1.100, P. Xella, *I testi rituali di Ugarit I*, Roma 1981, pp. 224-226.

11-1.100, D. Pardee, *Les textes para-mythologiques*, Paris 1988, pp. 193-226.

10-1.102, A. Herdner, *Ugaritica VII* (1978) pp. 3-7.

10-1.103, A. Herdner, *Ugaritica VII* (1978) pp. 44-60.

11-1.103, P. Xella, *I testi rituali di Ugarit I*, Roma 1981, pp. 191-193 y 200-206.

12-1.103, D. Pardee, The Ugaritic šumma izbu Text, *AfO* 33 (1986) pp.117-146.

13-1.103, M. Dietrich - O. Loretz, *Mantik in Ugarit* (*ALASP 3*), Münster 1990, pp. 92-102.

10-1.104, A. Herdner, *Ugaritica VII* (1978) pp. 39-41.

11-1.104, P. Xella, *I testi rituali di Ugarit I*, Roma 1981, pp. 127-128.

10-1.105, A. Herdner, *Ugaritica VII* (1978) pp. 11-15.

10-1.106, A. Herdner, *Ugaritica VII* (1978) pp. 26-30.

11-1.106, P. Xella, *I testi rituali di Ugarit I*, Roma 1981, pp. 81-85.

10-1.107, P. Xella, *I testi rituali di Ugarit I*, Roma 1981, pp. 241-243.

11-1.107, D. Pardee, *Les textes para-mythologiques*, Paris 1988, pp. 227-256.

10-1.109, A. Herdner, *Ugaritica VII* (1978) pp. 16-21.

10-1.111, J.T. Milik, *Ugaritica VII* (1978) pp. 140-143.

11-1.111, P. Xella, *I testi rituali di Ugarit I*, Roma 1981, pp. 310-314.

10-1.112, A. Herdner, *Ugaritica VII* (1978) pp. 21-26.

11-1.112, P. Xella, *I testi rituali di Ugarit I*, Roma 1981, pp. 43-48.

10-1.113, P. Xella, *I testi rituali di Ugarit I*, Roma 1981, pp. 288-291.

11-1.113, D. Pardee, *Les textes para-mythologiques*, Paris 1988, pp. 165-178.

10-1.119, A. Herdner, *Ugaritica VII* (1978) pp. 31-39.
11-1.119, P. Xella, *I testi rituali di Ugarit I*, Roma 1981, pp. 25-34.
12-1.119, D. Pardee, Poetry in Ugaritic Ritual Texts, en J. C. de Moor-W. G. E. Watson (eds.), *Verse in Ancient Near Eastern Prose*, Neukirchen-Vluyn 1993, pp. 207-218.
10-1.121, A. Herdner, *Ugaritica VII* (1978) p. 73.
11-1.121, P. Xella, *I testi rituali di Ugarit I*, Roma, 1981, pp. 273-274.
10-1.122, A. Herdner, *Ugaritica VII* (1978) p. 73 bajo el nº RS 24.270 (Fragment B).
10-1.123, P. Xella, *I testi rituali di Ugarit I*, Roma 1981, pp. 216-223.
10-1.124, P. Xella, *I testi rituali di Ugarit I*, Roma 1981, p. 174.
11-1.124, D. Pardee, Visiting Ditanu. The Text of RS 24.272, *UF* 15 (1983) pp. 127-140.
12-1.124, D. Pardee, *Les textes para-mythologiques*, Paris 1988, pp. 179-192.
13-1.124, M. Dietrich - O. Loretz, *Mantik in Ugarit (ALASP 3)*, Münster 1990, pp. 211-212.
10-1.126, J. T. Milik, *Ugaritica VII* (1978) pp. 138-140.
11-1.126, P. Xella, *I testi rituali di Ugarit I*, Roma 1981, pp. 154-155.
10-1.127, M. Dietrich - O. Loretz, *Mantik in Ugarit* (*ALASP 3*), Münster 1990, pp. 21-22.
10-1.130, J.T. Milik, *Ugaritica VII* (1978) pp. 135-138, *sub* RS 24.255.
10-1.132, A. Herdner, *Ugaritica VII* (1978) pp. 41-44.
10-1.136, A. Herdner, *Ugaritica VII* (1978) pp. 69-71.
11-1.136, P. Xella, *I testi rituali di Ugarit I*, Roma 1981, p. 143.
10-1.137, A. Herdner, *Ugaritica VII* (1978) pp. 69-71.
10-1.139, J. T. Milik, *Ugaritica VII* (1978) pp. 144-145.
11-1.139, P. Xella, *I testi rituali di Ugarit* I, Roma 1981, p. 132.
10-1.140, A. Herdner, *Ugaritica VII* (1978) pp. 60-62.
11-1.140, D. Pardee, The Ugaritic *šumma izbu* Text, *AfO* 33 (1986) p. 147.
12-1.140, M. Dietrich - O. Loretz, *Mantik in Ugarit* (*ALASP 3*), Münster 1990, p. 160.
10-1.144, J. T. Milik, *Ugaritica VII* (1978) p. 146.
10-1.146, P. Xella, *I testi rituali di Ugarit I*, Roma 1981, p. 148.
10-1.148, P. Xella, *I testi rituali di Ugarit I*, Roma 1981, pp. 91-92.
11-1.148, D. Pardee, RS 24.643: texte et structure, *Syria* 69 (1992) pp. 153-170.
10-1.153, P. Xella, *I testi rituali di Ugarit I*, Roma 1981, p. 163.
10-1.156, P. Xella, *I testi rituali di Ugarit I*, Roma 1981, p. 164.
10-1.161, P. Xella, *I testi rituali di Ugarit I*, Roma 1981, pp. 281-282.
11-1.161, P. Bordreuil - D. Pardee, Le rituel funéraire ougaritique RS. 34.126, *Syria* 59 (1982) pp. 121-128.
12-1.161, W. T. Pitard, RS 34.126: Notes on the Text, *Maarav* 4 (1987) pp. 75-86.
13-1.161, P. Bordreuil et D. Pardee, Les textes en cunéiformes alphabétiques, en P. Bordreuil (Ed.), *Une bibliothèque au sud de la ville (Ras Shamra- Ougarit VII)*, Paris 1991, pp. 151-163.
10-1.163, P. Xella, *I testi rituali di Ugarit I*, Roma 1981, pp. 347-348.
10-6.14, P. Bordreuil - D. Pardee, Textes ougaritiques oubliés et "transfuges", *Semitica* 41-42 (1993) p. 24-32.

-Hipiatría

10-1.71, D. Pardee, *Les textes hippiatriques (Ras Shamra-Ougarit II)* Paris 1985, pp. 26-31.

10-1.72, D. Pardee, *Les textes hippiatriques*, pp. 31-35.

10-1.85, D. Pardee, *Les textes hippiatriques*, pp. 21-26.

10-1.97, D. Pardee, *Les textes hippiatriques*, pp. 35-37.

-Correspondencia

10-2.7, D. Pardee, Three Ugaritic Tablet Joins, *JNES* 43 (1984) pp. 242-245.

10-2.14, P. Bordreuil, Quatre documents en cunéiformes alphabétiques mal connus ou inédits (U.H. 138, RS 23.492, RS 34.356, Musée d'Alep M. 3601), *Semitica* 32 (1982) pp. 5-9.

10-2.24, D. Pardee, Epigraphic and Philological Notes, *UF* 19 (1987) pp. 202-204.

10-2.36:1-21, A. Caquot, *Ugaritica VII* (1978) p.123.

10-2.36:43-55, A. Caquot, *Ugaritica VII* (1978), fragmento C, p.133.

11-2.36, D. Pardee, The Letter of Puduḫepa: The Text, *AfO* 29-30 (1983-84) pp. 321-329.

10-2.39, J.C. de Moor, Contributions to the Ugaritic Lexicon, *UF* 11 (1979) pp. 650-651.

11-2.39, D. Pardee, A Further Note on *PRU V*, nº 60. Epigrafic in Nature, *UF* 13 (1981) pp. 151-156.

10-2.42, D. Pardee, Epigraphic and Philological Notes, *UF* 19 (1987) pp. 204-209.

10-2.50, D. Pardee, Three Ugaritic Tablet Joins, *JNES* 43 (1984) pp. 239-245.

10-2.68, D. Pardee, Further Studies in Ugaritic Epistolography, *AfO* 31 (1984) pp. 213-215.

10-2.70, A. Herdner, *Ugaritica VII* (1978) pp.75-78 bajo el nº RS 29.93.

10-2.72 = RS 34.124, P. Bordreuil - D. Pardee, Les textes en cunéiformes alphabétiques, en P. Bordreuil (Ed.), *Une bibliothèque au sud de la ville* (*Ras Shamra - Ougarit VII*) Paris 1991, pp. 142-150.

10-5.10 = RS 17.63. A. Caquot, *Ugaritica VII* (1978) pp. 389-392.

11-5.10, D. Pardee, New Readings in the Letters of ʿzn bn byy, *AfO*, Beiheft 19 (1982) pp. 40-43.

10-5.11 = RS 17.117. A. Caquot, *Ugaritica VII* (1978) pp. 392-398.

11-5.11, D. Pardee, New Readings in the Letters of ʿzn bn byy, *AfO*, Beiheft 19 (1982) pp. 45-50.

-Administración

10-4.31, M. Dietrich - O. Loretz, *Die Keilalphabete* (*ALASP 1*), Münster 1988, pp. 155-156.

10-4.195, P. Bordreuil - D. Pardee, Textes ougaritiques oubliés et "transfuges", *Semitica* 41-42 (1993) pp. 32-34.

10-4.610:28, P. Bordreuil, A propos de la topographie économique de l'Ougarit: jardins du Midi et pâturages du Nord, *Syria* 66 (1989) p. 263, nota 3.

10-4.710, Publicado por P. Bordreuil, Cunéiformes alphabétiques non canoniques, *Syria* 58 (1981) pp. 301-310 bajo el nº RS 22.03.

11-4.710, Publicado por M. Dietrich, O. Loretz, *Die Keilalphabete* (*ALASP 1*), Münster 1988, pp. 161-162.

10-4.727, A. Herdner, *Ugaritica VII* (1978) pp. 62-63.

10-4.728, A. Herdner, *Ugaritica VII* (1978) pp. 143-144.

10-4.729, A. Herdner, *Ugaritica VII* (1978) pp. 71-72.

10-4.730, A. Herdner, *Ugaritica VII* (1978) p. 146.

10-4.760, P. Bordreuil et D. Pardee, Les textes en cunéiformes alphabétiques, en P. Bordreuil (Ed.), *Une bibliothèque au sud de la ville (Ras Shamra-Ougarit VII)*, Paris 1991, pp. 140-141.

10-4.761, P. Bordreuil et D. Pardee, en P. Bordreuil (Ed.), *Une bibliothèque au sud de la ville*, pp. 141-142.

10-4.762, P. Bordreuil et D. Pardee, en P. Bordreuil (Ed.), *Une bibliothèque au sud de la ville*, pp. 150-151.

10-4.763, P. Bordreuil et D. Pardee, en P. Bordreuil (Ed.), *Une bibliothèque au sud de la ville*, pp. 164-165.

10-4.765, P. Bordreuil et D. Pardee, en P. Bordreuil (Ed.), *Une bibliothèque au sud de la ville*, pp. 166-167.

-Ejercicios escolares

10-5.7, M. Dietrich - O. Loretz, *Die Keilalphabete* (*ALASP 1*), Münster 1988, pp. 183-184.

10-5.19, P. Bordreuil, Quatre documents en cunéiformes alphabétiques mal connus ou inédits (U.H. 138, RS 23.492, RS 34.356, Musée d'Alep M. 3601) *Semitica* 32 (1982) pp. 9-10.

10-5.20, A. Herdner, *Ugaritica VII* (1978) pp. 63-64.

10-5.22, M. Dietrich - O. Loretz, *Die Keilalphabete (ALASP 1)*, Münster 1988, pp. 188-194.

-Vocabularios

10-9.1, J. Huehnergard, *Ugaritic Vocabulary in Syllabic Transcription (HSS 32)*, Atlanta 1987, p. 27.

10-9.2, J. Huehnergard, *Ugaritic Vocabulary*, p. 31.

10-9.3, J. Huehnergard, *Ugaritic Vocabulary*, pp. 37-45.

10-9.4, J. Huehnergard, *Ugaritic Vocabulary*, p. 33.

10-9.5, J. Huehnergard, *Ugaritic Vocabulary*, pp. 25-29.

-Inscripciones

10-6.23, P. Bordreuil - D. Pardee, Le sceau nominal de ʿAmmīyiḏtamrou, roi d'Ougarit, *Syria* 61 (1984) pp. 11-14.

10-6.64, E. L. Greenstein, A Phoenician Inscription in Ugaritic Script, *JANES* 8 (1976) pp. 49-57.

11-6.64, P. Bordreuil, L'inscription phénicienne de Sarafand en cunéiformes alphabétiques, *UF* 11 (1979) pp. 63-68.

10-6.67, P. Bordreuil, Cunéiformes alphabétiques non canoniques. II. A propos de l'épigraphe de Hala Sultan Tekké, *Semitica* 33 (1983) pp. 7-15.

-Fragmentos varios

10-7.60, E. Puech, Origine de l'alphabet. Documents en alphabet linéaire et cunéiforme du IIe millénaire, *RB* 93 (1986) pp. 199 y 201.

11-7.60, lectura alternativa de E. Puech, *art. c.*, *ibidem*.

12-7.60, lectura alternativa de E. Puech, *art. c.*, *ibidem*.

13-7.60, lectura alternativa de E. Puech, *art. c.*, *ibidem*.